Alan Greenspan

EEN TURBULENTE TIJD

Een leven in dienst
van de economie

BALANS

Voor mijn dierbare Andrea

Oorspronkelijke titel: *The Age of Turbulence. Adventures in a new world*
uitgegeven door The Penguin Press, New York

Vertaald uit het Engels door Meile Snijders en Miebeth van Horn
Omslagontwerp: Nico Richter
Redactionele ondersteuning: Mathijs Bouman
Eindredactie en zetwerk: Frans Stoks en Jos Bruystens, Maastricht
Druk: Wilco, Amersfoort

ISBN 978 90 501 8867 8
NUR 680

INHOUD

WOORD VOORAF

President van de Europese Centrale Bank Jean-Claude Trichet en ik hebben elkaar talloze malen ontmoet in onze hoedanigheid van leiders van de twee grootste centrale banken ter wereld. Maar hoe vaak ik ook tegenover hem heb gezeten tijdens onze rituele ontbijtbijeenkomsten van de G7, de G10 of welke andere ontmoeting waar ook ter wereld, telkens weer was ik verbijsterd over de uitzonderlijke prestatie die deze bank en haar munt de euro blijken te zijn.

Toen begin jaren negentig de voorbereidingen op gang kwamen voor de invoering van een gemeenschappelijke Europese munt, betwijfelde ik ten zeerste of het mogelijk zou zijn de macht van de eerbiedwaardige Deutsche Bundesbank op continentale schaal te kopiëren. Bovendien vroeg ik me af of zo'n nieuwe centrale bank eigenlijk wel nodig was: Europa had in feite met de Bundesbank al een centrale bank. En evenmin was ik ervan overtuigd dat een Europese centrale bank wel zou functioneren. Ik herinner me een gesprek met Alexandre Lamfalussy, de voormalige directeur-generaal van de Bank voor Internationale Betalingen. Hij was kort daarvoor aangesteld als hoofd van het nieuwe Europees Monetair

Instituut, de voorloper van de instelling die in het verdrag van Maastricht uit 1992 tot de Europese Centrale Bank verheven zou worden. Aangezien het fiscale en verdere economische beleid binnen Europa nogal varieerde en daarmee van invloed was op het evenwicht van de wisselkoers, legde ik Lamfalussy de vraag voor of het wel wenselijk was de wisselkoersen van elf (op dit moment dertien) economieën blijvend te bevriezen. Zou die bevroren wisselkoers ervoor zorgen dat landen hun economische beleid meer op elkaar gingen afstemmen, zoals officieel werd gehoopt? Of zouden sommige economieën met een onbedoeld overschatte munt veroordeeld worden tot een voortdurende worsteling om concurrerend te worden en economieën met een onderschatte munt tot een aanhoudend gevecht tegen de inflatie? Groot-Brittannië keerde in 1925 terug naar de goudstandaard tegen wisselkoersen van voor de Eerste Wereldoorlog, die achteraf gezien aanzienlijk overtrokken lijken te zijn geweest. Dat besluit zette de prijzen onder druk en als gevolg daarvan stagneerde de productie en nam de werkloosheid toe. Toch deelde Lamfalussy mijn zorgen omtrent de euro niet, en hij bleek gelijk te hebben.

Tot mijn verbazing verliep de overgang van elf verschillende munten naar de euro opmerkelijk soepel. Dankzij de aanzienlijke, autonome macht die de Europese Centrale Bank bij het Verdrag van Maastricht kreeg toegekend, is hij inmiddels uitgegroeid tot een belangrijke machtsfactor in de wereldeconomie. Kritiek op de bank vanwege haar anti-inflatiebeleid en pogingen haar macht te ondermijnen hebben gefaald. Ik betwijfel of er, behalve ten tijde van een crisis, een consensus kan worden bereikt om aan de autonomie van de bank te tornen. En dus is hier sprake van een in historisch opzicht unieke instelling, een onafhankelijke centrale bank met als enig mandaat het streven naar prijsstabiliteit voor een economisch gebied dat ruim eenvijfde van het mondiale BBP produceert. Dat is een uitzonderlijke prestatie. Ik ben nog steeds gefascineerd door wat mijn Europese collega's tot stand hebben gebracht.

Als ik zie hoeveel moeite het kost om de Lissabon-agenda (een in 2000 ontwikkeld plan om de Europese Unie een positie in de technologische voorhoede te bezorgen) geïmplementeerd te krijgen, heb ik het sterke vermoeden dat het grote problemen zou opleveren om nu voor het Verdrag van Maastricht de consensus te halen die in 1992 wel werd bereikt. In de onverzoenlijke wereld van de economische realiteit is het enthousiasme voor een EU die de soevereine staten van Europa aan elkaar bindt, aanzienlijk bekoeld. Ironisch genoeg dwarsbomen diezelfde grote problemen om een Europese consensus te bereiken ook elke poging om de onafhankelijkheid van de Europese Centrale Bank terug te schroeven.

Uiteraard kan elke lidstaat van het eurogebied eenzijdig de gemeenschappelijke munt afschaffen en terugkeren naar zijn eigen munteenheid van voor de euro. Italië, dat de laatste tien jaar met een karige productiegroei (van minder dan de helft van het gemiddelde in het eurogebied) te kampen heeft, heeft in toenemende mate met een niet-concurrerende kostenstructuur te maken. Als het land niet aan de euro vastzat, had het zijn munt ongetwijfeld allang gedevalueerd, zoals Italianen dat in het verleden voortdurend deden. Maar als Italië de lire opnieuw zou invoeren (naar ik aanneem tegen een gedevalueerde koers), moeten de Italianen besluiten wat ze doen met hun huidige in euro's uitgedrukte verplichtingen. Het zou uitzonderlijk kostbaar en ongewis zijn om aanspraken in euro's te voldoen aangezien de wisselkoers vrijwel zeker op z'n minst tijdelijk erg instabiel zou worden. En mocht men besluiten dat zowel schulden van de overheid als privéschulden tegen een of andere willekeurig vastgestelde wisselkoers statutair in lires moeten worden omgerekend, dan komt dat er in feite op neer dat het land zich failliet verklaart, wat zijn kredietwaardigheid ernstig zou schaden. Na een blik in die afgrond is de regering van Italië zo verstandig geweest zo'n plan van de hand te wijzen.

Het Verdrag van Maastricht en het ermee samenhangende Pact voor Stabiliteit en Groei onttrokken het monetaire beleid aan de controle van de individuele lidstaten en legden beperkingen op aan de hoogte van het begrotingstekort, zodat economieën gedwongen zijn terug te vallen op de automatische stabilisatoren van de markt. Vandaar dat de Europese Monetaire Unie wel iets van de oude goudstandaard weghad. Ik was diep onder de indruk maar tevens sceptisch, en in dit opzicht werden mijn bedenkingen bevestigd. Zoals ik in dit boek nader zal uitleggen, is Europa zo ver gegaan in zijn omhelzing van de verzorgingsstaat dat het onmogelijk was om alle beperkingen op het gebied van de discretionaire economische beleidsbeslissingen te aanvaarden. Zo werd in het Pact voor Stabiliteit en Groei een limiet van 3 procent aan begrotingstekorten opgelegd, met stevige boetes voor wie zich daar niet aan hield. De limiet werd al snel door diverse landen overschreden, maar het opleggen en innen van boetes was politiek niet haalbaar. Het voorschrift is inmiddels tot een vage richtlijn verworden. Maastricht kon niets veranderen aan de geboden die in de verzorgingsstaat gelden.

Maar in hun belangrijkste rol om voor dertien landen een gemeenschappelijke munt te scheppen, met alle voordelen van dien, zijn de euro en de Europese Centrale Bank uitzonderlijk goed geslaagd. Wisselkoersrisico's zijn uitgebannen en transactiekosten zijn gedaald.

De economische 'wet van één prijs' (die stelt dat in een efficiënte markt identieke goederen dezelfde prijs hebben) is weliswaar nooit helemaal waargemaakt (veel merkartikelen verschillen van land tot land meer in prijs dan de transportkosten), maar de prijsverschillen zijn wel aanzienlijk kleiner geworden.

De Duitse mark, de Franse frank en de negen andere oorspronkelijke munteenheden die in de euro zijn opgegaan, waren elk voor zich te klein om de positie van de Amerikaanse dollar als reservemunt in gevaar te brengen. De euro kan dat wel en doet dat ook. Dankzij de gecombineerde liquiditeit van de inmiddels dertien munteenheden uit het eurogebied kreeg de euro de status van reservemunt, met een niet al te grote achterstand op de Amerikaanse dollar, een achterstand die overigens steeds kleiner wordt. Eind september 2006 bestond 25 procent van de reserve van de Centrale Bank uit euro's, en hetzelfde gold voor 39 procent van de internationale liquide vorderingen in de particuliere sector. Voor de Amerikaanse dollar was dat respectievelijk 66 en 43 procent, een bescheiden voorsprong als men in aanmerking neemt dat de particuliere vorderingen achtmaal zo hoog zijn als die van centrale banken. Net als bij de Amerikaanse dollar heeft de aanwas aan reserve ervoor gezorgd dat de rentetarieven zijn gedaald, zoals deze ook ongetwijfeld de economische groei in Europa ten goede is gekomen. Het is niet onmogelijk dat de euro de dollar als belangrijkste reservemunt zal verdringen, zeker als men erin slaagt de Lissabon-agenda met succes uit te voeren. Maar de verwachte afname van de Europese beroepsbevolking pleit daar weer tegen. Dat neemt niet weg dat de onopvallende manier waarop de Europese Centrale Bank (ECB) en de euro kans hebben gezien zich te manifesteren als belangrijke spelers in de wereldeconomie te opmerkelijk is om over het hoofd te zien. Mijn vriend Jean-Claude is vast heel tevreden.

INLEIDING

Op 11 september 2001 vloog ik met Swissair vlucht 128 terug naar Washington na een internationale bijeenkomst van bankiers in Zwitserland. Ik was door de cabine op en neer aan het lopen toen Bob Agnew, de chef van het beveiligingsteam dat me op buitenlandse reizen altijd vergezelde, me in het gangpad staande hield. Bob is een voormalig agent van de geheime dienst, vriendelijk maar niet bepaald spraakzaam. Hij keek nogal grimmig. 'Meneer de voorzitter,' zei hij zacht, 'de captain wil u voorin spreken. Er zijn twee vliegtuigen het World Trade Center in gevlogen.' Ik zal wel verbijsterd hebben gekeken, want hij voegde eraan toe: 'Ik maak geen grapje.'

In de cockpit maakte de captain een nerveuze indruk. Hij vertelde ons dat er een verschrikkelijke aanslag op ons land was gepleegd, dat er diverse vliegtuigen waren gekaapt en dat er twee het World Trade Center in waren gevlogen en eentje het Pentagon in. Een ander vliegtuig was verdwenen. Meer informatie had hij niet, zei hij in Engels met een licht accent. We gingen terug naar Zürich en hij zou de andere passagiers niet vertellen waarom.

'Moeten we heus terug?' vroeg ik. 'Kunnen we niet in Canada landen?'

Hij zei van niet, hij had opdracht gekregen naar Zürich terug te keren.

Ik ging weer naar mijn plaats en de captain kondigde aan dat de luchtverkeersleiding hem opdracht had gegeven naar Zürich terug te keren. De telefoons bij de zitplaatsen waren geblokkeerd dus er kon niet met de grond worden gecommuniceerd. De collega's van de Federal Reserve (Fed; het stelsel van Feden) die dat weekend met mij in Zwitserland waren geweest, zaten allemaal al op andere vluchten. Ik kon er op geen enkele manier achterkomen hoe de zaken ervoor stonden en dus zat er niets anders op dan de drieënhalf uur daarop piekerend door te brengen. Ik keek uit het raam, en het werk dat ik had meegenomen, de stapels memo's en economische rapporten, bleef onaangeroerd in mijn tas. Waren deze aanvallen wellicht het begin van een omvangrijkere samenzwering?

Ik maakte me in de allereerste plaats zorgen over mijn vrouw (Andrea is chef buitenland bij NBC in Washington). Ze was niet in New York, wat een hele geruststelling was, en een bezoek aan het Pentagon had voor die dag niet op haar programma gestaan. Ik nam aan dat ze bij het kantoor van NBC midden in de stad druk bezig was met het verslaan van de gebeurtenissen. Dus ik maakte me niet al te veel zorgen, hield ik mezelf voor, maar stel dat ze op het laatste moment nog even in het Pentagon bij een generaal op bezoek was gegaan?

Ik maakte me zorgen over mijn collega's bij de Fed. Waren die ongedeerd? En hun gezinnen? De staf zou alles op alles zetten om op de crisis te reageren. Deze eerste aanval op Amerikaans grondgebied sinds Pearl Harbor zou grote beroering in het hele land teweegbrengen. Ik moest me concentreren op de vraag of het de economie zou schaden.

De mogelijke economische crises lagen allemaal erg voor de hand. De ernstigste, die mij hoogst onwaarschijnlijk voorkwam, zou het instorten van het hele financiële stelsel zijn. De Fed beheert de elektronische betalingssystemen waarin per dag ruim vier biljoen dollar aan geld en effecten worden overgeboekt tussen banken in het hele land en een groot deel van de rest van de wereld.[1]

We hadden altijd gedacht dat als je de Amerikaanse economie onderuit wilde halen, je de betalingssystemen moest platleggen. Dan moesten banken terugvallen op het inefficiënte fysieke overboeken van geld. Ondernemingen zouden hun toevlucht nemen tot ruilhandel en schuldbekentenissen; de economische bedrijvigheid zou in het hele land ineenploffen.

Tijdens de Koude Oorlog had de Fed bij wijze van voorzorgsmaatregel in het geval van een atoomaanval een groot aantal overbodigheden ingebouwd in de communicatie- en computervoorzieningen waar het geldsysteem van afhankelijk is. We hebben allerlei waarborgen, zodat er bijvoorbeeld een kopie van de gegevens van de ene Fed bij een andere honderden kilometers verderop of op een afgelegen plek ligt. Bij een atoomaanval zouden we in alle niet door straling aangetaste gebieden zo weer draaien. Dat was het systeem waar Roger Ferguson, de vicevoorzitter van de Fed, in dit geval aanspraak op zou maken. Ik had er alle vertrouwen in dat hij en onze collega's de noodzakelijke stappen zouden ondernemen om het mondiale dollarsysteem verder te laten draaien.

Maar terwijl ik zat na te denken, begon ik toch te betwijfelen of de kapers van plan waren geweest het financiële systeem fysiek onderuit te halen. Het was veel waarschijnlijker dat het een symbolische aanslag op het kapitalistische Amerika was, net als de bom in de parkeergarage van het World Trade Center acht jaar eerder. Ik maakte me vooral zorgen om de angst die zo'n aanval zou oproepen; zeker als er meer aanslagen volgden. In een hoogontwikkelde economie als de onze moeten mensen voortdurend met elkaar samenwerken en goederen en diensten uitwisselen, en de arbeid is zo verregaand opgesplitst dat elk huishouden voor zijn overleving volledig afhankelijk is van de commercie. Als mensen zich uit het economische leven terugtrekken (als beleggers hun aandelen dumpen, zakenmensen overeenkomsten afzeggen of burgers de deur niet meer uitgaan omdat ze bang zijn in een winkelcentrum het slachtoffer van een zelfmoordaanslag te worden), heeft dat een sneeuwbaleffect. Dit soort psychologische toestanden leidt tot paniekaanvallen en recessies. De schok die we zojuist hadden geïncasseerd, kon leiden tot massaal terugtrekken uit en een enorme inkrimping van de economische bedrijvigheid. De ellende zou alleen maar groter worden.

Ruimschoots voor onze landing was ik al tot de conclusie gekomen dat de wereld op het punt stond te veranderen op een manier die ik nog niet kon definiëren. De zelfgenoegzaamheid die nu al een tiental jaren, sinds het einde van de Koude Oorlog, over ons Amerikanen was gekomen, was zojuist aan scherven gegaan.

Uiteindelijk kwamen we om half negen 's avonds in Zürich aan, terwijl het in de Verenigde Staten nog vroeg in de middag was. Zwitserse bankemployés wachtten me op bij het verlaten van het vliegtuig en voerden me haastig af naar een privéruimte in de vertrekhal. Ze boden aan beelden te laten zien van de instortende Twin Towers en de branden bij het Pentagon, maar ik wees het aanbod van de hand. Ik had een groot deel van mijn leven in de buurt van het World Trade Center gewerkt. Ik had er vrienden en kennissen. Ik nam aan dat het dodental afgrijselijk hoog zou zijn en dat er bekenden van me bij zouden zitten. Die verwoesting wilde ik niet zien. Het enige wat ik wilde, was een telefoon die het deed.

De lijnen waren overbelast, maar toch kreeg ik Andrea uiteindelijk een paar minuten voor negenen op haar mobieltje te pakken, en het was een reusachtige opluchting om haar stem te horen. Zodra we elkaar op het hart hadden gedrukt dat alles in orde was, zei ze dat ze voort moest maken: ze was op de set en stond op het punt met de laatste berichten over de gebeurtenissen van die dag de lucht in te gaan. Ik zei: 'Vertel me alleen even wat daar gaande is.'

Ze hield de gsm met mij aan haar ene oor, en de producer speciale gebeurtenissen in New York schreeuwde haar via de koptelefoon aan haar andere oor zo'n beetje toe: 'Tom Brokaw komt door, Andrea, ben je zover?' Ze had alleen nog tijd om te zeggen: 'Luister maar mee.' Daarna legde ze de gsm op haar schoot en richtte ze zich tot de camera's. Ik hoorde precies hetzelfde als wat heel Amerika op dat moment hoorde: dat de vermiste United vlucht 93 in Pennsylvania was neergestort.

Daarna lukte het me om Roger Ferguson bij de Fed aan de lijn te krijgen. We namen onze controlelijst crisisbeheer door en zoals ik al had verwacht, had hij alles onder controle. Aangezien de hele burgerluchtvaart naar de Verenigde Staten was stilgelegd, belde ik vervolgens de stafchef van het Witte Huis Andy Card met een verzoek om vervoer terug naar Washington. Ten slotte keerde ik onder begeleiding van mijn beveiligers terug naar het hotel om wat te slapen en verdere instructies af te wachten.

Tegen zonsopgang was ik alweer in de lucht, in de cockpit van een KC-10 tanker van de Amerikaanse luchtmacht; wellicht was dat het enige beschikbare vliegtuig. De bemanning maakte meestal vluchten boven het noorden van de Atlantische Oceaan. De stemming in de cockpit was bedrukt: 'U zult het niet geloven,' zei de captain. 'Moet u horen.' Ik legde mijn oor tegen de koptelefoon maar het enige wat ik hoorde was ruis. 'Normaal gonst de Noord-Atlantische Oceaan van het radioverkeer,' legde hij uit. 'Die stilte is doodeng.' Blijkbaar was er verder niemand in het luchtruim.

Toen we langs de oostelijke kustlijn het verboden Amerikaanse luchtruim betraden, werden we opgevangen door een stel F16's, die ons verder escorteerden. De captain kreeg toestemming om over de plek op het zuidelijke puntje van Manhattan te vliegen waar de Twin Towers hadden gestaan die inmiddels in een rokende puinhoop waren veranderd. Tientallen jaren was mijn kantoor maar een paar straten daarvandaan geweest; eind jaren zestig, begin jaren zeventig had ik de Twin Towers dagelijks zien groeien. Nu vormden vanaf tienduizend meter hoogte de smeulende puinhopen het opvallendste herkenningspunt van New York.

Ik reed die middag onder politie-escorte door gebarricadeerde straten rechtstreeks naar de Fed. Vervolgens gingen we aan de slag.

Het elektronische betalingsverkeer verliep grotendeels probleemloos. Maar nu de burgerluchtvaart was stilgelegd, raakten de overdracht en de verwerking van die goede oude cheques wel achterop. Dat was een technisch probleem, en zeker aanzienlijk, maar wel een dat de staf en de afzonderlijke banken van de Fed uitstekend konden opvangen door commerciële banken tijdelijk extra krediet te verschaffen.

De dagen daarop bracht ik de meeste tijd door met kijken en luisteren op zoek naar tekenen dat er sprake was van een rampzalig inzakken van de economie. In de zeven maanden voorafgaand aan 11 september had de economie een minieme recessie doorgemaakt en ze was nog steeds niet de effecten van de ineenstorting van de IT-industrie in 2000 te boven. Wel was er al sprake van een omslag. We hadden de rentetarieven snel verlaagd en de markten begonnen zich te stabiliseren. Eind augustus had de aandacht van het publiek zich verlegd van de economie naar Gary Condit, het Californische Congreslid wiens nogal ontwijkende uitspraken over een verdwenen jongedame avond aan avond het nieuws domineerden. Het lukte Andrea maar niet met iets van wereldbelang in het nieuws te komen en ik kan me nog herinneren hoe ongelooflijk ik dat vond. Het ging blijkbaar goed met de wereld als ze zich bij het nieuws hoofdzakelijk op huiselijke schandalen concentreerden. Bij de Fed was het grootste probleem waar we voor stonden dat we moesten bepalen hoe ver we de rentetarieven moesten verlagen.

Na 11 september vertelden de rapporten en cijfers die uit de tot het systeem behorende banken binnenstroomden, een heel ander verhaal. Het Federal Reserve System (het Centrale Banksysteem) bestaat uit twaalf banken die op strategische plekken in het land gevestigd zijn. Elk daarvan leent geld aan de banken in haar regio en houdt daar toezicht op. De Fed fungeert daarnaast als de ogen en oren die de Amerikaanse economie in de gaten houden: directie en staf houden voortdurend contact met de bankiers en zakenlieden in hun district, en de informatie die zij over orders en verkopen vergaren, ligt altijd maar liefst een maand voor op de gegevens die officieel worden gepubliceerd.

Wat ze ons vertelden, was dat overal in het land mensen alleen nog maar geld uitgaven aan dingen die ze kochten als voorbereiding op mogelijke nieuwe aanslagen: de verkoop van levensmiddelen, beveiligingsapparatuur, flessen water en verzekeringen steeg. De reissector, de vermaaksindustrie, het hotelwezen, het toerisme en het congreswezen zakten in. We wisten dat het versturen van verse groenten van de Westkust naar de Oostkust zou worden verstoord door het stilleggen van het luchtvrachtverkeer, maar tot onze verrassing bleken ook veel andere sectoren te zijn getroffen. Zo kwam de doorvoer van auto-onderdelen van Windsor in Ontario naar de fabrieken in Detroit via de oeververbindingen tussen de beide steden vrijwel tot stilstand, wat een van de factoren was die een rol speelden bij het besluit van Ford Motor om tijdelijk vijf van zijn fabrieken te sluiten. Jaren daarvoor waren veel fabrikanten overgestapt op 'just in time'-productie: in plaats van in de fabriek een voorraad aan onderdelen op te bouwen, verlieten ze zich op luchtvrachtverkeer voor de aanvoer van onmisbare componenten op het moment dat die nodig waren. Het afsluiten van het luchtruim en het verhogen van de paraatheid aan de grenzen leidden tot tekorten, bottlenecks en afgelaste ploegendiensten.

Intussen was de regering van de Verenigde Staten op de hoogste versnelling overgeschakeld. Op vrijdag 14 december keurde het Congres een noodfonds van veertig miljard dollar goed en gaf het de president toestemming om geweld te gebruiken tegen de 'naties, organisaties en personen' die ons aanvielen. President Bush richtte zich tot de hele natie in een toespraak die waarschijnlijk de geschiedenis zal ingaan als de meest effectieve redevoering van zijn hele presidentschap. 'Amerika is als doelwit voor een aanval uitgekozen omdat we het helderste baken ter wereld zijn voor vrijheid en kansen,' zei hij. 'En niemand zal dat licht ervan weerhouden te schijnen.'[2] Zijn populariteit schoot omhoog tot 86 procent en heel even werd de politiek een simpele kwestie van voor of tegen. Op Capitol Hill werden allerlei ideeën opgeworpen om de natie weer op de been te helpen. Zo waren er plannen om geld in luchtvaartmaatschappijen, toerisme en recreatie te pompen. Er kwam een hele partij voorstellen los voor belastingvoordelen ten gunste van ondernemingen, om investeringen aan te moedigen. Verzekeringen tegen terrorisme werden alom besproken: hoe verzeker je je tegen zulke rampzalige gebeurtenissen, en wat is de rol van de overheid daarbij als die er al is?

Volgens mij was het van het allergrootste belang om de burgerluchtvaart weer de lucht in te krijgen om zo alle negatieve neveneffecten in de kiem te smoren. (Het Congres nam snel een wet aan om vijftien miljard dollar vrij te maken om daarmee de luchtvaart te redden.) Maar verder besteedde ik geen aandacht aan al deze discussies omdat ik koste wat kost een beeld van het geheel wilde krijgen, iets wat me tot dan toe nog steeds niet gelukt was. Ik was er stellig van overtuigd dat grote, gehaaste, dure ingrepen niet de oplossing waren. In tijden van grote landelijke commotie heeft ieder Congreslid het gevoel dat hij een wetsvoorstel moet indienen; en ook presidenten ervaren de druk dat ze iets moeten ondernemen. Onder die omstandigheden krijg je soms uitgesproken kortzichtige, ondoelmatige en vaak zelfs contraproductieve beleidsbeslissingen, zoals de benzinerantsoenering die tijdens de eerste oliecrisis in 1973 door president Nixon werd ingevoerd. (Dat beleid was er de oorzaak van dat er in sommige delen van het land rijen wachtenden voor de benzinepompen stonden.) Maar in mijn veertien jaar als voorzitter van de Fed had ik de economie heel wat crises zien overleven, waaronder de ernstigste ineenstorting van één dag in de geschiedenis van de beurs, die vijf weken na mijn aantreden plaatsvond. We hadden de vastgoedhausse en -krach van de jaren tachtig overleefd, de crisis met de spaar- en leenbanken, de financiële beroering in Azië, om nog maar te zwijgen van de recessie van

1990. We hadden de langdurigste hausse uit de geschiedenis meegemaakt en de daaropvolgende IT-crisis doorstaan. Langzamerhand kwam ik tot de conclusie dat de grootste kracht van de Amerikaanse economie haar geweldige veerkracht is: het vermogen verstoringen op te vangen en zich te herstellen op een manier en met een tempo die niet te voorspellen, laat staan op te leggen zijn.

Zolang we nog niet echt begrepen wat precies de gevolgen van 11 september zouden zijn, leek mij observeren en afwachten de beste strategie. En dat zei ik dan ook tegen de leiders van het Congres tijdens een bijeenkomst in het kantoor van de voorzitter van het Huis van Afgevaardigden op 19 september 's middags. Voorzitter Dennis Hastert, oppositieleider in het Huis van Afgevaardigden Dick Gephardt, fractievoorzitter van de meerderheid in de Senaat Trent Lott en oppositieleider in de Senaat Tom Daschle, voormalig minister van Financiën onder Clinton Bob Rubin en economisch adviseur van het Witte Huis Larry Lindsey waren bijeengekomen in een eenvoudig ingerichte vergaderzaal naast het kantoor van Hastert in het gedeelte van het Capitool waar het Huis van Afgevaardigden is gevestigd. De parlementsleden wilden van Lindsey, Rubin en mij inschattingen horen over het economische effect van de aanslagen. De discussie die volgde, was uitermate ernstig, zonder enige dikdoenerij. (Ik weet nog dat ik dacht: Zo zou regeren altijd moeten gaan.)

Lindsey legde ons het idee voor dat een belastingverlaging de beste manier was om de klap op te vangen die de terroristen het zelfvertrouwen van Amerika hadden toegebracht. Hij en anderen met hem stelden voor om zo snel mogelijk honderd miljard dollar in de economie te pompen. Ik vond de hoogte van het bedrag niet schrikbarend; het was ongeveer 1 procent van de jaarlijkse productie van ons land. Maar ik hield hun voor dat we nog absoluut niet konden weten of die honderd miljard dollar te veel of te weinig waren. Natuurlijk waren de luchtvaartmaatschappijen en het toerisme zwaar getroffen, en de kranten stonden inderdaad vol verhalen over allerlei ontslagen. Maar toch was de beurs van New York erin geslaagd om alweer op maandag 17 september drie straten van Ground Zero open te gaan.[3] Dat was een belangrijke stap omdat we daarmee tot op zekere hoogte naar de gewone gang van zaken terugkeerden: een lichtpuntje in het plaatje dat we bij de Fed nog steeds stukje bij beetje in elkaar aan het zetten waren. Tegelijkertijd kwamen de betalingen per cheque weer op gang, en de beurs was niet ingestort: de koersen waren eenvoudig gezakt en daarna gestabiliseerd, een teken dat de meeste ondernemingen niet echt in problemen zaten. Ik zei dat het naar mijn idee verstandig was onze opties nader uit te werken en over twee weken, wanneer we meer wisten, weer bijeen te komen.

Diezelfde boodschap om ons geduld te bewaren, gaf ik de volgende ochtend ten beste bij een openbare hoorzitting van de Senaatscommissie voor Bankzaken: 'Niemand is in staat de gevolgen van 11 september in alle omvang te voorspellen. Maar naarmate in de komende weken de schok zal wegebben, moeten we beter in staat zijn te peilen hoe de voortgaande dynamiek van deze gebeurtenissen op korte termijn het aanzicht van onze economie vorm zal geven.' Verder benadrukte ik de veerkracht van ons land: 'In de loop van de laatste jaren is de Amerikaanse economie steeds beter bestand geraakt tegen schokken. Gedereguleerde financiële markten, een aanzienlijk flexibelere arbeidsmarkt en van recenter datum de grote vooruitgang in de informatietechnologie, hebben ervoor gezorgd dat we veel beter in staat zijn klappen op te vangen en ons te herstellen.'

Eerlijk gezegd stelde ik de situatie mooier voor dan naar ik vreesde het geval was. Net als de meeste mensen in de regering verwachtte ik eigenlijk niet anders dan dat er meer aanslagen zouden volgen. In het openbaar werd dat gevoel niet uitgesproken, maar het viel af te leiden uit de eensgezindheid waarmee in de Senaat werd gestemd: 98 stemmen vóór de volmacht om geweld tegen terroristen te gebruiken (zonder tegenstemmen), en honderd unanieme stemmen vóór het wetsvoorstel ter beveiliging van de luchtvaart. Ik maakte me met name zorgen over een massavernietigingswapen, en wellicht een atoomwapen, dat tijdens de chaos na de instorting van de USSR uit een Sovjetwapendepot was gestolen. Ik dacht ook aan de mogelijkheid onze waterreservoirs te besmetten. En toch stelde ik me officieel minder pessimistisch op omdat ik de markten de stuipen op het lijf zou jagen als ik precies zou zeggen wat ik allemaal waarschijnlijk achtte. Ik besefte wel dat ik vast niemand echt voor de gek hield: mensen die me hoorden praten, zouden zeggen: Ik hoop waarachtig dat hij gelijk heeft.

Eind september kwamen de eerste harde gegevens binnen. De eerste duidelijke aanwijzing voor de ontwikkelingen in de economie is altijd het aantal nieuwe aanvragen voor een werkloosheidsuitkering, een cijfer dat wekelijks door het ministerie van Werkgelegenheid wordt samengesteld. In de derde week van de maand liepen de aanvragen op tot 450.000, zo'n 13 procent boven het niveau van eind augustus. Dit cijfer bevestigde de omvang en de ernst van alle treurige verhalen die we in nieuwsberichten hadden vernomen over mensen die hun baan waren kwijtgeraakt. Ik zag al die duizenden personeelsleden van hotels en vakantieoorden en anderen die nu in grote onzekerheid verkeerden en niet wisten hoe ze zichzelf en hun gezin moesten onderhouden. Ik begon te vermoeden dat de economie zich niet snel zou herstellen. De schok was zo ernstig geweest dat zelfs een uiterst flexibele economie de klap met moeite te boven zou komen.

Net als veel andere analisten bekeken de economen bij de Fed alle voorgestelde pakketten met bestedingen en belastingverlagingen en de cijfers die daarmee samenhingen. In elk geval probeerden we door de details heen te kijken om een beeld van de omvang te krijgen; opmerkelijk genoeg kwamen ze allemaal zo'n beetje rond de honderd miljard uit, ruwweg het eerste voorstel dat Larry Lindsey had gedaan.

Op woensdag 3 oktober kwamen we bijeen in Hasterts vergaderzaal, wederom om de economie te bespreken. Er was opnieuw een week verstreken en het aantal eerste aanvragen voor een werkloosheidsuitkering was nog verder toegenomen: nog eens 517.000 mensen hadden zo'n uitkering aangevraagd. Inmiddels was ik tot een besluit gekomen. Ik verwachtte nog steeds nieuwe aanslagen, maar we konden op geen enkele manier voorspellen hoe rampzalig die zouden zijn en hoe we de economie van tevoren zouden moeten beschermen. Ik zei tegen de groep dat we stappen moesten ondernemen om de meetbare schade te compenseren en dat het tijd was voor een beheerste stimulans. Wat naar mijn idee zo'n beetje klopte, was een pakket maatregelen in de orde van honderd miljard dollar: genoeg, maar ook weer niet zo veel dat het de economie al te zeer zou stimuleren waardoor de rentetarieven zouden stijgen. De wetgevers leken het daarmee eens te zijn.

Die avond ging ik naar huis met het gevoel dat ik niet meer had gedaan dan de consensus die toch al bestond onder woorden te brengen en nog eens te versterken; dat bedrag van honderd miljard dollar was in eerste instantie van Larry afkomstig. Daarom was ik ook verbaasd toen ik las wat voor draai de media aan de bijeenkomst gaven.[1] Het was heel prettig te vernemen dat het Congres en de regering naar me luisterden, maar dit soort persberichten vond ik tamelijk schokkend. Ik heb me er nooit echt prettig bij gevoeld als ik word voorgesteld als degene die het voor het zeggen heeft. Van het begin af aan heb ik mezelf altijd als de expert achter de schermen beschouwd, een uitvoerder van bevelen en niet zozeer als de leider. Pas met de beurscrisis van 1987 leerde ik me op mijn gemak te voelen bij het nemen van cruciale beleidsbeslissingen. Maar tot op heden voel ik me nog steeds ongemakkelijk als ik op de voorgrond treed. Extravert kun je me niet noemen.

Maar alle overredingskracht die me werd toegeschreven ten spijt, liep ironisch genoeg in de weken na 11 september niets zoals ik had verwacht. Dat we ons moesten schrap zetten voor een tweede terroristische aanslag, was waarschijnlijk een van de slechtste prognoses die ik ooit had gedaan. En de 'beheerste stimulans' waarvoor ik zogenaamd het groene licht had gegeven, kwam evenmin tot stand. Hij raakte verzand in de politiek en bleef daar steken. Het pakket maatregelen dat uiteindelijk in maart 2002 uit de bus kwam, was niet alleen maanden te laat maar het had ook nog maar weinig te maken met het algemeen welzijn: het was een gênant partijtje stemmentrekkerij.

En toch krabbelde de economie weer op. In november bereikte de industriële productie na nog een maand licht dalen haar laagste punt. Tegen december begon de economie weer te groeien en daalden de uitkeringsaanvragen naar het niveau van voor 11 september. Daar had de Fed wel degelijk zijn steentje aan bijgedragen, maar alleen door in een iets hoger tempo door te gaan met wat we voor 11 september al deden: het verlagen van de rentetarieven om het mensen makkelijker te maken geld te lenen en uit te geven.

Niet dat ik het vervelend vond dat mijn prognoses niet uitkwamen: de opmerkelijke reactie van de economie op de gevolgen van 11 september bewees immers een geweldig belangrijk feit: we waren inderdaad veerkrachtig. Wat ik zo optimistisch tegen de Senaatscommissie voor Bankzaken had gezegd, bleek waar te zijn. Na die eerste afgrijselijke weken hadden de Amerikaanse huishoudens en bedrijven zich hersteld van de schok. Waar kwam die ongekende economische flexibiliteit vandaan, vroeg ik me af.

Al sinds de dagen van Adam Smith proberen economen als ik dat soort vragen te beantwoorden. Wij mogen dan denken dat we onze handen vol hebben aan pogingen om de globalisering te begrijpen, maar Smith moest de economie zo ongeveer uit het niets scheppen als een manier om de ontwikkeling van complexe vrijemarkteconomieën in de achttiende eeuw in cijfers te vangen. Ik ben bij lange na geen Adam Smith maar ik heb wel dezelfde aanvechting om de grote krachten die ons tijdperk definiëren te willen begrijpen.

Dit boek is deels een detectiveverhaal. Na 11 september wist ik zeker (voor zover ik nog bevestiging nodig had) dat we in een nieuwe wereld leven; een wereld met een wereldomvattende kapitalistische economie die oneindig veel flexibeler, veerkrachtiger, opener, zelfregulerender en veranderlijker is dan twintig jaar geleden. Het is een wereld die ons reusachtige kansen biedt maar ook voor reusachtige uitdagingen stelt. In *Een turbulente tijd* probeer ik de aard van deze nieuwe wereld te ontdekken: hoe we daar terecht zijn gekomen, wat we nu meemaken en wat er aan goeds en slechts voorbij de horizon ligt. Waar dat mogelijk is, maak ik mijn inzichten duidelijk in de context van mijn eigen ervaringen. Dat doe ik uit verantwoordelijkheidsgevoel tegenover de geschiedschrijving, en om ervoor te zorgen dat de lezers weten wat mijn achtergrond is. Daarom bestaat het boek ook uit twee delen: de eerste helft is een poging mijn leercurve te reconstrueren, de twee helft is een objectievere poging die leercurve te gebruiken als fundament voor een conceptueel raamwerk waarbinnen de nieuwe wereldeconomie begrepen kan worden. Onderweg zal ik cruciale aspecten onderzoeken van dit wereldwijde milieu in opkomst: de principes om dat milieu richting te geven die tijdens de Verlichting in de achttiende eeuw zijn opgekomen; de reusachtige infrastructuur aan energie die dat milieu draaiende houdt; de ingrijpende verschuiving in de wereldbevolkingsopbouw en het gebrek aan een mondiaal financieel evenwicht dat een ernstige bedreiging vormt, en de voortdurende zorgen over de rechtvaardigheid van de manier waarop de winsten verdeeld worden, al valt er niets af te dingen op het succes ervan. Ten slotte zal ik alles bijeenbrengen wat we redelijkerwijze kunnen bedenken over de aard van de wereldeconomie in 2030.

Niet dat ik de indruk wil wekken dat ik overal een antwoord op heb. Maar dankzij mijn positie bij de Fed was ik zo bevoorrecht om toegang te hebben tot het beste wat er over een breed scala aan onderwerpen is gedacht en gezegd. Ik had toegang tot een verscheidenheid aan academische geschriften over veel van de problemen waar mijn collega's bij de Fed en ik dagelijks mee worstelden. Zonder die staf had ik die reusachtige hoeveelheid academische verhandelingen, die soms buitengewoon scherpzinnig en soms ook dodelijk saai zijn, nooit aangekund. Ik was in de benijdenswaardige positie dat ik de telefoon kon pakken en een of meer mensen van de economische staf kon bellen om naar academisch werk te informeren over een actueel of historisch onderwerp. En binnen afzienbare tijd ontving ik dan gedetailleerde evaluaties van de voors en tegens over vrijwel elk denkbaar onderwerp, van de nieuwste wiskundige modellen voor het berekenen van risiconeutraliteit tot de opkomst en het effect van universiteiten op staatsgrond (de zogenaamde 'land grant colleges') in het Midden-Westen van de Verenigde Staten. Dus niets weerhoudt me ervan me aan een stel behoorlijk verstrekkende hypotheses te wagen.

Er zijn krachten die mondiaal gaandeweg, en soms bijna stiekem, de wereld ingrijpend hebben veranderd. Voor de meeste mensen is de kracht die dagelijks het zichtbaarst is, de toenemende verschuiving van het dagelijkse leven naar mobiele telefoons, computers, e-mail, blackberry's en internet. Na de Tweede Wereldoorlog leidde het onderzoek naar de elektronische eigenschappen van silicium tot de ontwikkeling van de microprocessor, en toen vezeloptica met lasers en satellieten werd gecombineerd, leidde dat tot een revolutie in de communicatiecapaciteiten en zagen mensen van Pekin in Illinois tot Peking in China hun leven ingrijpend veranderen. Een flink percentage van de wereldbevolking kreeg toegang tot technologieën waarvan ik me bij het begin van mijn lange loopbaan in 1948, absoluut geen voorstelling kon maken behalve dan misschien in de context van sciencefiction. Die nieuwe technologieën openden niet alleen compleet nieuwe mogelijkheden voor goedkope communicatie, maar leidden ook tot een reusachtige vooruitgang in de financiële wereld, waardoor de globalisering zich razendsnel verbreidde.

In de eerste jaren na de Tweede Wereldoorlog was men al begonnen de invoerbelemmeringen terug te draaien als gevolg van de wijdverbreide erkenning dat het vooroorlogse protectionisme tot het instorten van de handel had geleid: deze internationale scheiding van arbeid had bijgedragen aan de instorting van de wereldeconomische bedrijvigheid. De liberalisatie van de handel legde de weg open naar nieuwe goedkope leveranciers; en in combinatie met de ontwikkeling van nieuwe financiële instellingen en producten (deels mogelijk gemaakt door technologieën op basis van silicium) zorgde dat zelfs al tijdens de Koude Oorlog voor een ferme stap in de richting van een mondiaal vrijemarktkapitalisme. In de kwarteeuw daarna zou deze globalisering er wereldwijd aan bijdragen dat de inflatie tot rust kwam en de rentestanden tot 'enkelvoudige cijfers' werden teruggedrongen.

Maar het werkelijk doorslaggevende moment voor het vrijemarktkapitalisme was de val van de Berlijnse Muur in 1989, waarbij er achter het IJzeren Gordijn een dramatische economische toestand aan het licht kwam die zelfs de verwachtingen van de best ingevoerde westerse economen verre overtrof. De planeconomie bleek een onherstelbaar debacle, en in combinatie met en versterkt door de toenemende desillusie omtrent het interventionistische economische beleid van de westerse democratieen, begon het vrijemarktkapitalisme in grote delen van de wereld aan een stille opmars ten koste van dat soort beleid. De planeconomie was geen onderwerp van discussie meer. Er werden geen grafredes afgestoken. Behalve in Cuba, Noord-Korea en een handjevol andere stijfkoppige landen verdween ze eenvoudig wereldwijd van de economische agenda.

Niet alleen de economieën van het voormalige Sovjetblok omarmden na een periode van wanorde de vrijemarkteconomie, maar ook een groot deel van wat we vroeger de derdewereldlanden noemden, die zich in de Koude Oorlog neutraal hadden opgesteld, maar wel aan centrale planning hadden gedaan dan wel zo hevig gereguleerd waren geweest dat het min of meer op hetzelfde neerkwam. Communistisch China, dat zich al vanaf 1978 in de richting van een vrijemarktkapitalisme ontwikkelt, versnelde de verplaatsing van zijn enorme, strak gereguleerde, ruim 750 miljoen mensen tellende beroepsbevolking in de richting van de vrijhandelszones rond de rivierdelta van de Parelrivier. China schakelde subtiel maar ingrijpend genoeg over op de bescherming van de eigendomsrechten van buitenlanders, met na 1991 een ware explosie van directe investeringen tot gevolg. Vanaf een niveau van 57 miljoen dollar in 1980 namen die investeringen gaandeweg toe tot vier miljard dollar in 1991 om daarna in een versneld tempo van 21 procent per jaar in 2006 zeventig miljard dollar te bereiken. In combinatie met een ruime beschikbaarheid van goedkope arbeid leidde dit tot een krachtig mengsel dat de lonen en dus de prijzen in de hele wereld omlaagdrukte. Daarvoor al hadden de veel kleinere, zogenaamde Aziatische Tijgers, en met name Zuid-Korea, Hongkong, Singapore en Taiwan, het voorbeeld gegeven door technologieën uit ontwikkelde landen aan te trekken en zo dankzij de export naar het Westen hun levensstandaard in sneltreinvaart op te trekken.

De economische groei van deze en andere ontwikkelingslanden verliep aanzienlijk sneller dan elders. Een fors deel van het bnp in de wereld is inmiddels naar ontwikkelingslanden verplaatst, met zeer ingrijpende neveneffecten. Van oudsher wordt er in ontwikkelingslanden veel meer gespaard dan in geïndustrialiseerde landen, wat deels te maken heeft met de gebrekkige sociale voorzieningen aldaar, waardoor huishoudens vanzelfsprekend meer geld opzijleggen voor moeilijke tijden. (Er spelen ook andere factoren. Meestal ontbreekt een duidelijke consumptiecultuur, zodat huishoudens minder tot geld uitgeven worden aangezet.) Ten gevolge van de verschuiving die zich sinds 2001 in het aandeel van het mondiale bnp heeft voltrokken van de geïndustrialiseerde landen waar weinig wordt gespaard naar de ontwikkelingslanden waar juist veel wordt gespaard, wordt er wereldwijd zo veel meer gespaard dat de toename van het gespaarde geld aanzienlijk groter is dan de geplande investeringen. Het marktmechanisme dat het mondiaal gespaarde geld gelijk trekt met de investeringen, heeft de werkelijke rentetarieven aanzienlijk omlaaggedrukt: het aanbod aan geld op zoek naar rendement is sneller toegenomen dan de vraag naar investeerders. Deze ontwikkeling heeft er samen met de globalisering, de toegenomen productiviteit als gevolg van technologische ontwikkelingen en de overstap van planeconomieën naar een vrijemarkteconomie voor gezorgd dat in alle ontwikkelde landen en bijna alle ontwikkelingslanden zowel de reële als de nominale rentevoeten en de inflatie zijn teruggedrongen. Dat is de reden waarom op dit moment de jaarlijkse inflatie bijna overal (met uitzondering van Venezuela en Zimbabwe) onder de 10 procent zit; een van de weinige keren, zo niet de enige keer dat dit zich heeft voorgedaan sinds in de jaren dertig van de vorige eeuw de gouden standaard werd losgelaten en ongedekt papiergeld werd omarmd. Wat vooral opmerkelijk is aan dit samenstel aan krachten, is dat ze grotendeels bij toeval allemaal aan het begin van de eenentwintigste eeuw samenvielen. Het monetaire beleid van de Fed was niet de voornaamste oorzaak van de aanhoudende daling van de inflatie en de langetermijnrentetarieven, maar als bankiers van de Fed moesten we wel ons beleid veranderen om de gunstige effecten op de lange termijn van deze ingrijpende verschuivingen in de wereld van het geld zo groot mogelijk te maken. Hierna volgt een hoop gekrabbel. Maar om redenen die ik later zal schetsen, is het niet erg waarschijnlijk dat een van deze krachten blijvend zal zijn. In een wereld met ongedekt geld is inflatie lastig tegen te houden.

Naarmate de inflatie en de rentetarieven daalden, werden kopers steeds stoutmoediger. Door hun enthousiasme steeg de waarde van goederen over de hele wereld tussen 1985 en 2006 met een grotere snelheid dan de waarde van het mondiale bruto nationaal product (met als opvallende uitzondering de periode 2001–2002). Dat zorgde voor een aanzienlijke toename van de mondiale liquiditeit. Aandelen, obligaties, huizen, commercieel vastgoed, schilderijen en verder vrijwel alles deed mee aan die bloei. In veel industrielanden konden huiseigenaren dankzij de toenemende waarde van hun huis aankopen financieren die ze met hun inkomen nooit hadden kunnen waarmaken. De enorm toenemende export uit de explosief groeiende ontwikkelingslanden werd grotendeels geabsorbeerd door de toegenomen bestedingen, en dan met name in de Verenigde Staten. De *Economist* formuleerde het eind 2006 als volgt: 'Dankzij een jaarlijkse groei van 3,2 procent per hoofd sinds 2000 is de wereldeconomie goed op weg naar de beste tien jaar uit haar geschiedenis. Als die groei in dit tempo doorzet, zullen de idyllische jaren vijftig en zestig uit de vorige eeuw zeker nog worden overtroffen. Blijkbaar doet het vrijemarktkapitalisme, dat de motor is achter het grootste deel van de wereldeconomie, zijn werk uitstekend.' Zulke ontwikkelingen zijn over het geheel genomen zowel ingrijpend als positief geweest. Dankzij de terugkeer van open markten en vrijhandel in de afgelopen kwarteeuw hebben honderden miljoenen mensen aan de armoede kunnen ontsnappen. Natuurlijk zijn er wereldwijd nog steeds velen die in behoeftige omstandigheden verkeren, maar grote delen van de bevolking van ontwikkelinglanden hebben inmiddels een mate van welstand bereikt die lange tijd was voorbehouden aan de zogenaamde ontwikkelde landen.

Als ik de geschiedenis van de afgelopen kwarteeuw in één zin zou moeten samenvatten, zou dat de herontdekking van de kracht van het vrijemarktkapitalisme zijn. Toen dit kapitalisme in de jaren dertig van de vorige eeuw faalde, nam de invloed van de overheid toe, maar in de loop van de jaren zestig kwam het vrijemarktkapitalisme weer langzaam op als een grote kracht die in de jaren zeventig goed op stoom begon te komen en inmiddels vrijwel de gehele wereld in meerdere of mindere mate beheerst. De verbreiding van een commerciële rechtsstaat en vooral de bescherming van het recht op eigendom hebben gezorgd voor een mondiale ondernemingslust. Iets wat op zijn beurt leidde tot het scheppen van instituties die inmiddels anoniem een steeds groter deel van de menselijke bedrijvigheid aansturen: een internationale versie van Adam Smith' 'onzichtbare hand'.

Het gevolg hiervan is dat overheden steeds minder zeggenschap hebben gekregen over het dagelijks leven van hun burgers; de krachten van de vrije markt hebben langzaamaan en bijna ongemerkt het domein ingenomen waar voorheen de staat het voor het zeggen had. Veel regelgeving die het commerciële leven beperkingen oplegde, is zonder ophef ontmanteld. In de jaren kort na de Tweede Wereldoorlog werden internationale kapitaalstromen gecontroleerd, bepaalden ministers van Financiën wisselkoersen, en was zowel in ontwikkelingslanden als in industrielanden sprake van centrale planning, waaronder overblijfselen van de vroegere dirigistische vorm van planning die in Europa nog steeds duidelijk aanwezig was. Na de Tweede Wereldoorlog werd het nog als een wet van Meden en Perzen beschouwd dat markten duidelijke leiding behoeven om goed te kunnen functioneren.

Bij vergaderingen halverwege de jaren zeventig van de economischebeleidscommissie van de Organisatie voor Economische Samenwerking en Ontwikkeling (OESO), die was samengesteld uit beleidsmakers van vierentwintig landen, drongen alleen Hans Tietmeyer van West-Duitsland en ik aan op een beleid op basis van de markt. We vormden een zeer kleine minderheid in een zeer grote commissie. De inzichten van Adam Smith en zijn klassieke economie hadden plaatsgemaakt voor de opvattingen van de grote Britse econoom John Maynard Keynes, toen de Grote Depressie van de jaren dertig zich niet bleek te voltrekken volgens Smith' model van de manier waarop de economie zich zou horen te gedragen. Keynes kwam met een wiskundig uitermate elegante verklaring voor de reden waarom de wereldeconomie was gestagneerd en op wat voor manier de overheid met bestedingen voor een onmiddellijk herstel kon zorgen. Halverwege de jaren zeventig was het keynesiaanse interventionisme nog steeds wijd en zijd het invloedrijkste model, ook al begon het vanaf toen aan invloed in te boeten. Binnen de economische-beleidscommissie heerste de opvatting dat het een inadequate en onbetrouwbare aanpak was om de markt lonen en prijzen te laten bepalen, en dat marktwerking moest worden aangevuld met inkomenspolitiek. Die politiek verschilde van land tot land, maar over het algemeen werden daarin richtlijnen gegeven voor de loononderhandelingen tussen vakbonden (die indertijd aanzienlijk wijdverbreider en machtiger waren dan vandaag de dag) en werkgevers. Deze richtlijnen waren nog net geen regelrechte loon-en-prijsmaatregelen doordat ze althans in naam vrijwillig waren. Dit neemt niet weg dat deze inkomenspolitiek vaak gesteund werd door regelgevende pressiemiddelen van de overheid die werden ingezet om overtreders te 'overtuigen'. Als die aanpak mislukte, wat regelmatig voorkwam, werden formele loon-en-prijsmaatregelen ingezet. Het besluit van president Nixon in 1971 om lonen en prijzen te bevriezen, werd weliswaar aanvankelijk met gejuich ontvangen, maar uiteindelijk bleek het een van de laatste resten naoorlogs interventionisme te zijn in de geïndustrialiseerde wereld.

Aan het begin van mijn studie had ik de theoretische elegantie van concurrerende markten leren waarderen. In de zestig jaar daarna heb ik geleerd hoe theorieën in werkelijkheid functioneren (en soms niet). Ik heb het geluk gehad dat ik contact heb gehad met alle cruciale beleidsmakers van de vorige generatie en als geen ander toegang had tot zowel cijfermatige als anekdotische informatie betreffende mondiale tendensen. Natuurlijk was het onvermijdelijk dat ik mijn ervaringen zou generaliseren. En dat heeft ertoe geleid dat ik concurrerende vrije markten alleen maar nog sterker als een positieve kracht ben gaan waarderen. Afgezien van een paar tweeslachtige voorvallen kan ik geen omstandigheden bedenken waar het verbreiden van de rechtsstaat en verbeterde eigendomsrechten niet tot meer materiële welvaart heeft geleid.

Toch worden er alom vraagtekens gezet achter de rechtvaardigheid van de manier waarop bij ongebreidelde concurrentie de beloning wordt verdeeld. Ik zal er in dit hele boek op wijzen dat mensen een tweeslachtige houding tegen vrijemarktkrachten blijven houden. Competitie brengt spanning met zich mee omdat er in concurrerende markten nu eenmaal winnaars en verliezers zijn. In dit boek zal ik proberen alle gevolgen te onderzoeken van de confrontatie tussen een razendsnel veranderende mondiale economie en de onwrikbare menselijke natuur. Het economische succes van de afgelopen kwarteeuw is het gevolg van deze worsteling, en hetzelfde geldt voor de angst die het gevolg was van de snelheid waarmee deze verandering zich heeft voltrokken.

We kijken maar zelden echt goed naar de voornaamste eenheid binnen de economische bedrijvigheid: de mens. Wat zijn we? Wat ligt er in onze natuur vast en is ongevoelig voor verandering? En in welke mate kunnen we naar eigen inzicht handelen en leren? Vanaf het moment dat ik deze vraag leerde stellen, heb ik ermee geworsteld.

Bijna zestig jaar heb ik over de aardbol rondgereisd en ik heb gemerkt dat mensen opmerkelijke gelijkenissen vertonen die op geen enkele manier kunnen worden opgevat als het resultaat van cultuur, geschiedenis, taal of verandering. Iedere mens lijkt te worden gemotiveerd door een ingeschapen streven naar zelfrespect dat voor een groot deel wordt gevoed door de goedkeuring van anderen. Dat streven bepaalt tot op grote hoogte waaraan huishoudens hun geld uitgeven. Het zal er ook voor blijven zorgen dat mensen in fabrieken en op kantoren blijven werken, ook al zullen ze binnen afzienbare tijd technisch in staat zijn in afzondering via cyberspace hun steentje bij te dragen. Mensen hebben nu eenmaal een ingeschapen behoefte om met anderen om te gaan. Het is de enige manier om hun goedkeuring te krijgen, iets waar we allemaal naar haken. De echte kluizenaar is een zeldzaam verschijnsel. Wat aan dat zelfrespect bijdraagt, hangt helemaal af van het brede scala aan aangeleerde of bewust gekozen waarden waarvan mensen terecht of onterecht geloven dat ze hun leven op een hoger plan brengen. We redden het niet zonder een stel waarden als leidraad voor de talloze keuzes die we dagelijks maken. Die behoefte aan waarden is ingeschapen. De inhoud ervan niet. Die behoefte komt voort uit een aangeboren moreel gevoel dat we allemaal hebben en op grond waarvan het overgrote deel van de mensheid zijn toevlucht heeft gezocht bij de ontelbare religies die mensen in de loop van duizenden jaren hebben omarmd. Een deel van de morele code wordt gevormd door opvattingen over goed en kwaad. We hebben allemaal verschillende ideeën over wat goed is, maar niemand ontsnapt aan de noodzaak om zulke oordelen te vellen. Die noodzaak vormt de basis voor de wetten die in elke gemeenschap gelden. Het is de basis op grond waarvan we mensen aansprakelijk stellen voor hun daden.

Economen ontkomen er niet aan dat ze de menselijke natuur moeten bestuderen, en dan met name angst en de neiging tot uitbundigheid. Die uitbundigheid is een manier om van het leven te genieten. We moeten het leven als iets aangenaams ervaren om ons best te doen dat leven in stand te houden. Helaas leidt de neiging tot uitbundigheid er bij tijd en wijle ook toe dat mensen te ver gaan; wanneer dan de werkelijkheid toeslaat, slaat de uitbundigheid om in angst. Angst is een automatische reactie die we allemaal vertonen als de diepste van al onze neigingen, namelijk onze wil om te leven, wordt bedreigd. Angst vormt ook de basis van veel van onze economische reacties, waaronder bijvoorbeeld risicomijdend gedrag en de neiging het eigen land te bevoordelen, die een cruciale rol spelen bij de manier waarop markten prijzen bepalen en hoe ver mensen bereid zijn bij hun thuisbasis vandaan handel te drijven en de arbeid te verdelen. Angst kan ertoe leiden dat we ons van bepaalde markten terugtrekken, wat weer kan leiden tot het ineenstorten van die markten.

Een belangrijk aspect van de menselijke natuur heeft heel veel invloed op ons vermogen in de behoeften te voorzien die voor onze overleving nodig zijn: en wel de mate van intelligentie. Zoals ik in hoofdstuk 25 zal aanvoeren, schijnen mensen in economieën met de allernieuwste technologie over een langere periode hun productie per uur met niet meer dan 3 procent per jaar te kunnen opvoeren. Dat is blijkbaar de maximale snelheid waarmee vernieuwingen onze levensstandaard kunnen verhogen. We zijn kennelijk niet slim genoeg om het er beter van af te brengen.

De nieuwe wereld waarin we tegenwoordig leven, bezorgt veel mensen veel angsten, waaronder de angst voor het verdwijnen van allerlei bronnen waaraan mensen vroeger altijd hun identiteit en gevoel van veiligheid ontleenden. Waar de verandering zich het snelst voltrekt, is de grootste zorg de toenemende ongelijkheid waarmee inkomens zijn verdeeld. Dit is werkelijk een turbulente tijd en het zou onverstandig en immoreel zijn het menselijk leed dat het gevolg kan zijn van deze ontregelingen, te bagatelliseren. Nu de wereldeconomie allengs verder integreert, staan de bewoners van die wereld voor een ingrijpende keuze: willen ze de mondiale voordelen omarmen van open markten en open samenlevingen om mensen aan de armoede te ontrukken en ze dankzij betere opleidingen een zinvoller leven te bezorgen zonder de rechtvaardigheid uit het oog te verliezen; of willen ze die kans van de hand wijzen en kiezen voor nativisme, tribalisme, populisme en noem maar alle -ismes op waarin gemeenschappen zich terugtrekken als hun identiteit in het gedrang komt en ze geen betere opties kunnen bedenken. In de komende tientallen jaren liggen er reusachtige obstakels voor ons in het verschiet, en het is aan ons om die obstakels te overwinnen. Onderwijs is de kern van de oplossing voor bijna elke opgave waar we voor komen te staan, en aan het eind van dit boek zal ik me over dit onderwerp buigen. In het laatste hoofdstuk trek ik de conclusie dat mensen weliswaar talloze tekortkomingen hebben, maar dat het geen toeval is dat we ondanks alle tegenslagen blijven volhouden en vooruitgang boeken. Dat zit in onze aard, en dat feit heeft me in de loop der jaren altijd uiterst optimistisch gestemd over onze toekomst.

I

STADSKIND

Als je aan de westkant van Manhattan de ondergrondse naar het noorden neemt, voorbij Times Square, Central Park en Harlem, kom je in de buurt waar ik ben opgegroeid. Washington Heights is zo'n beetje aan de tegenovergestelde kant van het eiland als Wall Street, niet ver van de weide waar Peter Minuit voor 24 dollar Manhattan van de indianen zou hebben gekocht (er staat tegenwoordig een gedenkteken in de vorm van een rotsblok).

Voor het grootste deel bestond de buurt uit bakstenen flatgebouwen van vijf verdiepingen, bewoond door joodse immigrantengezinnen die voor de Eerste Wereldoorlog hierheen waren gekomen, en verder door een kleine minderheid van Ierse en Duitse herkomst. Beide kanten van mijn familie, de Greenspans en de Goldsmith', waren hier omstreeks de eeuwwisseling gearriveerd; de Greenspans uit Roemenië en de Goldsmith' uit Hongarije. De meeste gezinnen uit de buurt, waaronder het onze, hoorden tot de lagere middenklasse, in tegenstelling tot de straatarme joden uit de Lower East Side. Ook tijdens de zwaarste crisisjaren, toen ik op de lagere school zat, hadden we altijd genoeg te eten; als een van onze familieleden het al moeilijk had, dan heb ik dat nooit geweten. Ik kreeg zelfs zakgeld: 25 cent per week.

Ik was enig kind en werd in 1926 geboren. Kort daarna scheidden mijn ouders. Ik kan me de scheiding niet herinneren. Mijn vader, Herbert, verhuisde weer naar Brooklyn, waar hij was opgegroeid. Hij trok bij zijn ouders in en bleef daar wonen tot hij uiteindelijk hertrouwde. Ik bleef bij mijn moeder Rose, zij heeft me grootgebracht. Ze was nog maar dertig en buitengewoon aantrekkelijk, maar ze nam haar meisjesnaam weer aan en is nooit hertrouwd. Ze vond werk als verkoopster bij de meubelzaak van Ludwig-Baumann in de Bronx en wist die baan door de hele Depressie heen te behouden. Zij was degene die zorgde dat we konden rondkomen.

Ze was de jongste van vijf broers en zussen, dus we maakten deel uit van een grote familie. Mijn neven en nichten, ooms en tantes liepen in en uit, en dat maakte een beetje goed dat mijn vader niet bij ons woonde en ik geen broers of zussen had. Mijn moeder en ik woonden enige tijd bij mijn grootouders, Nathan en Anna. De Goldsmith' waren een stel levendige, muzikale types. Mijn oom Murray was pianist en hij kon de ingewikkeldste meesterwerken à vue spelen. Hij veranderde zijn naam in Mario Silva en ging in de showbusiness. Samen met iemand anders schreef hij de Broadwaymusical *Song of Love* over de componist Robert Schumann. Uiteindelijk trok hij naar Hollywood, waar *Song of Love* verfilmd werd met Katharine Hepburn en Paul Henreid in de hoofdrollen. Bij familiebijeenkomsten die eens in de paar weken plaatsvonden, ging hij achter de piano zitten en zong mijn moeder; ze had een gevoelvolle alt en vond het leuk om Helen Morgan te imiteren, een zangeres van het levenslied en Broadwayactrice die liedjes als 'Can't Help Lovin' that Man' bij het grote publiek bekend had gemaakt. Verder leidde mijn moeder een rustig bestaan dat volledig door haar familie in beslag werd genomen. Ze was optimistisch en gelijkmoedig en absoluut geen intellectueel. Haar leesstof bestond uit de roddelkrant *Daily News*; en in plaats van planken met boeken stond er een kleine vleugel in onze huiskamer.

Mijn neef Wesley, die vier jaar ouder is dan ik, nam voor mij min of meer de plaats van een broer in. 's Zomers huurden zijn ouders een huis in de buurt van de zee in de wijk Edgemere, helemaal in het uiterste zuiden van Queens. Wesley en ik speurden de stranden af op munten. Daar waren we erg goed in. Het was dan wel begin jaren dertig, op het toppunt van de Depressie, maar toch kon je erop rekenen dat mensen munten mee naar het strand namen en ze daar in het zand kwijtraakten. Het enige wat ik duidelijk aan onze hobby heb overgehouden, is mijn gewoonte met mijn hoofd naar beneden te lopen; en als iemand ernaar vraagt, zeg ik: 'Ik ben op zoek naar geld.'

De afwezigheid van een vader zorgde echter voor een groot gat in mijn leven. Zo'n beetje maandelijks nam ik de ondergrondse om hem in Brooklyn op te zoeken. Hij werkte op Wall Street als effectenmakelaar, of wat ze indertijd een *customer's man* noemden, voor volslagen onbekende bedrijfjes. Het was een slanke, knappe vent die een beetje op Gene Kelly leek, en hij wist zich uitstekend te presenteren. En toch heeft hij nooit veel geld verdiend. Ik kreeg altijd de indruk dat hij het ongemakkelijk vond om met me te praten en van de weeromstuit voelde ik me ook niet op mijn gemak. Maar hij was wel slim en in 1935, toen ik negen was, schreef hij een boek met de titel *Recovery Ahead!* (Herstel in het verschiet!) dat hij aan mij opdroeg. Hij voorspelde daarin dat de Amerikaanse economie dankzij de New Deal van Roosevelt weer tot bloei zou komen. Met veel bombarie overhandigde hij mij een exemplaar met de volgende opdracht:

> Moge deze eerste prestatie van me, met jou voortdurend in mijn gedachten, uitmonden in een eindeloze reeks vergelijkbare prestaties, zodat jij, als je volwassen bent, kunt omzien en een poging wagen om de redenaties achter deze logische prognoses te interpreteren en aan een eigen levenswerk kunt beginnen. Je vader

In mijn jaren als voorzitter van de Fed liet ik deze opdracht af en toe aan mensen zien. Stuk voor stuk kwamen ze tot de conclusie dat ik mijn vermogen om voor het Congres raadselachtige getuigenissen af te leggen, kennelijk niet van een vreemde had. Als negenjarige begreep ik er absoluut niets van. Ik bekeek het boek, las een paar bladzijden en legde het weg.

Mijn affiniteit met getallen heb ik waarschijnlijk inderdaad van hem. Toen ik nog heel jong was, zette mijn moeder me nog wel eens voor een publiek van familieleden en dan vroeg ze: 'Wat is 35 plus 92, Alan?' Ik telde op en gaf het antwoord. Dan kwam ze met grotere getallen, en vervolgens schakelde ze over naar vermenigvuldigingen enzovoort. Maar ondanks deze vroege roem had ik als jongen weinig zelfvertrouwen. Mijn moeder had er geen moeite mee zich tot de ster van een familiefeestje te maken, maar ik zat liever in een hoekje.

Omstreeks mijn negende werd ik een enthousiaste honkbalfan. De Polo Grounds lagen op loopafstand bij ons vandaan, en jongens uit de buurt mochten vaak gratis naar binnen om de Giants te zien spelen. Mijn lievelingsteam was echter dat van de Yankees, en je moest met de ondergrondse om Yankee Stadium te bereiken, dus meestal las ik de wedstrijdverslagen in de krant. Ofschoon live radioverslagen van wedstrijden in New York pas vanaf 1939 regelmatig te horen waren, werden de World Series van 1936 al wel uitgezonden, en ik ontwikkelde al snel een eigen methode om de resultaten bij te houden. Ik gebruikte altijd groen papier en legde met behulp van een ingewikkelde code die ik had bedacht elke wedstrijd worp voor worp vast. Tot op dat moment was mijn geest in essentie vrijwel leeg geweest, maar nu liep hij langzaam vol honkbalstatistieken. Tot op de dag van vandaag kan ik nog steeds de slagvolgorde van de startende werpers van de Yankees opnoemen voor de World Series van 1936, inclusief hun posities en slaggemiddelden. (Het was het eerste seizoen van Joe DiMaggio; hij sloeg 0,323, en de Yanks versloegen de Giants met vier tegen twee wedstrijden.) Ik leerde delen door slaggemiddelden uit te rekenen: 3 gedeeld door 11 is 0,273; 5 gedeeld door 13 is 0,385; 7 gedeeld door 22 is 0,318. Ik was nooit goed in delingen boven de 4 gedeeld door 10, aangezien maar heel weinig slagmannen boven de 0,400 sloegen.

Ik wilde zelf ook honkballer worden. Ik speelde in buurtteams en deed het helemaal niet slecht: ik ben linkshandig en ik beschikte over de behendigheid en de reflexen om een prima eerste-honkman te worden. Toen ik veertien was, zei een van de grotere jongens, die misschien een jaar of achttien was, tegen me: ‘Als jij zo doorgaat, kom je nog eens in de hoofdklasse.’ Het spreekt voor zich dat ik door het dolle heen was, maar helaas bleek het ook precies het moment te zijn waarop mijn vooruitgang tot stilstand kwam. Na dat seizoen heb ik nooit meer zo goed gefield of geslagen. Ik heb op mijn veertiende gewoon mijn hoogtepunt gehad.

Naast honkbal raakte ik ook in morsetekens geïnteresseerd. Eind jaren dertig waren westerns erg in zwang: we betaalden 25 cent om in de buurtbioscoop de nieuwste avonturen van Hopalong Cassidy te zien. Maar eigenlijk vond ik de kerels die de telegraaf bedienden, pas echt interessant. Die hadden niet alleen het vermogen om rechtstreeks te communiceren in hun vingers (ze konden immers op cruciale momenten in het verhaal hulp inroepen of voor een ophanden zijnde aanval van de indianen waarschuwen, op voorwaarde dat de telefoondraden niet waren doorgesneden), maar er kwam ook iets kunstzinnigs bij kijken. Een bedreven telegrafist kon veertig à vijftig woorden per minuut overseinen, en een al even bedreven persoon aan de andere kant van de lijn was niet alleen in staat de boodschap te begrijpen maar kon ook nog eens uit het ritme en het geluid van de morsetekens afleiden wie er zat te seinen. 'Dat is Joe's hand,' zei zo iemand dan. Mijn vriendje Herbie Homes en ik knutselden een batterij en twee seinsleutels in elkaar en oefenden met het overseinen van boodschappen. We bereikten nooit meer dan een slakkengangetje, maar ik vond het al heel spannend om de code te kennen. Veel later kwam datzelfde gevoel van verwondering over me toen ik in staat was via een satellietverbinding met andere medewerkers van de Fed continenten verderop te communiceren.

Heimelijk snakte ik ernaar uit New York weg te komen. 's Avonds zat ik soms weggekropen bij de radio aan de knop te draaien om radiostations van ver weg op te zoeken. Vanaf een jaar of elf legde ik een verzameling aan van treindienstregelingen uit het hele land. Urenlang leerde ik routes en plaatsnamen in alle 48 staten uit mijn hoofd. Systematisch stelde ik me voor dat ik bijvoorbeeld per Great Northern de grote vlakten overstak van Minnesota, North Dakota en Montana en halt hield bij plaatsen als Fargo, Minot en Havre, en dan verder over de continentale waterscheiding.

Toen ik dertien was, nodigde mijn vader me onverwacht uit om mee te gaan op een zakenreisje naar Chicago. We stapten op Penn Station aan boord van de Broadway Limited, het paradepaardje van de Pennsylvania Railroad, die eerst zuidwaarts naar Philadelphia reed en dan naar het westen afboog. Daarna reden we door Harrisburg en Altoona, en tegen de tijd dat we Pittsburgh bereikten, was de avond al gevallen. In het duister passeerden we reusachtige hoogovens waar vlammen en vonken uit opstegen: mijn eerste kennismaking met de industrie waarop ik me in later jaren zou toeleggen. In Chicago nam ik foto's van bezienswaardigheden als de Watertoren en Lake Shore Drive en na thuiskomst ontwikkelde ik die in mijn donkere kamer (fotografie was nog zo'n hobby van me). Na dat uitstapje nam mijn droom om op zoek te gaan naar een boeiender bestaan dan dat van de gemiddelde jongen in Washington Heights, nog vastere vormen aan. Maar ik praatte er met niemand over. Mijn moeder wist wel dat ik dienstregelingen verzamelde, maar ik ben ervan overtuigd dat ze niet besefte wat die voor me betekenden. Het was tenslotte haar wereld waaraan ik wilde ontsnappen.

En verder was ik aan muziek verslingerd. Op mijn twaalfde wierp ik me op de klarinet, toen ik mijn nichtje Claire eens had horen spelen, en ik oefende met volle overgave drie tot zes uur per dag. Aanvankelijk legde ik me toe op klassieke muziek maar al gauw breidde ik mijn repertoire uit naar de jazz. Een vriend van me die een grammofoon had, nodigde me thuis uit en zette een plaat van Benny Goodman en zijn orkest op met 'Sing, Sing, Sing'. Ik was onmiddellijk verkocht.

Het was een spannende periode in de muziek. Goodman, Artie Shaw en Fletcher Henderson hadden de aanzet gegeven tot een nieuw tijdperk door dansmuziek uit de jaren twintig te combineren met elementen uit de ragtime, de negro spirituals, de blues en Europese muziek, en dat had deze zogenaamde big bandsound opgeleverd. Die muziek was zo populair en had zo'n invloed dat Goodman en zijn orkest in 1938 werden uitgenodigd om het allereerste niet-klassieke concert in Carnegie Hall te geven. Naast de klarinet begon ik met de tenorsax: naar mijn smaak was de sax het aangenaamste en meest jazzy element in de sound van de big band.

Een van mijn helden was Glenn Miller, die de muziek een nieuwe, fluweelzachte dimensie bezorgde door in zijn band een klarinet met twee altsaxen en twee tenorsaxen te combineren. In 1941, toen ik vijftien was, nam ik de ondergrondse naar Hotel Pennsylvania om zijn band te horen spelen. Ik zag kans om een plaatsje vlak bij het podium te veroveren, op zo'n drie meter van Glenn Miller zelf. De band begon met een dansarrangement van Tsjaikovski's Zesde Symfonie. 'Dat is Tsjaikovski!' riep ik, en Miller keek mijn kant op en zei: 'Goed zo, jongen.'

George Washington High School, op zo'n twee kilometer van ons huis, was een van de grootste en beste openbare middelbare scholen van de stad. Toen ik er in de herfst van 1940 arriveerde, was er plaats voor drieduizend leerlingen, inclusief de avondschool, maar er waren veel meer leerlingen. Als je van buiten de wijk kwam, moest je toelatingsexamen doen. Rivaliteit speelde ook een grote rol op het sportveld: GW speelde onder de stedelijke scholen een aardig partijtje mee op het gebied van honkbal en football, en ook in de klassen was de competitie groot. Dat was deels een gevolg van de Depressie: veel leerlingen hadden het gevoel dat we beslist geen voorsprong in het leven hadden meegekregen en dat we dus maar beter hard konden werken.[1] Bovendien speelde de onzekerheid omtrent de oorlog mee. Pearl Harbor zou nog wel ruim een jaar op zich laten wachten, maar de nazi's hadden net West-Europa onder de voet gelopen. Op de radio hoorde je voortdurend nieuws over vrachtschepen die op de Atlantische Oceaan tot zinken waren gebracht door U-boten, en krakerige verslagen van Edward R. Murrow vanuit een door de Luftwaffe bestookt Londen.

Wij waren ons met name van die oorlog bewust omdat onze klassen behoorlijk waren aangegroeid door alle vluchtelingen, en dan vooral joodse jongens en meisjes wier familie een paar jaar tevoren voor de nazi's gevlucht was. Henry Kissinger zat een paar klassen boven me toen ik op school kwam, maar we zouden elkaar pas dertig jaar later leren kennen. Ik weet nog dat ik wiskundelessen volgde met John Kemeny, een Hongaarse vluchteling die later wiskundig assistent van Albert Einstein werd en samen met Thomas Kurtz de computertaal BASIC ontwikkelde. (En nog weer later werd hij hoofd van Dartmouth College.) John was nog niet zo lang in Amerika en sprak met een zwaar accent, maar hij was briljant in wiskunde. Ik vroeg me af of dat althans voor een deel te danken was aan het betere onderwijs dat hij in Hongarije had genoten. Dus vroeg ik hem: 'Komt dat doordat je uit Europa komt?' Ik hoopte dat hij dat zou bevestigen, want dat betekende dat zijn voorsprong geen kwestie van aanleg was en ik hem misschien kon inhalen als ik maar hard mijn best deed. Hij scheen het echter maar een vreemde vraag te vinden. Hij haalde zijn schouders op en zei: 'Iedereen komt daarvandaan.'

Ik deed erg mijn best op George Washington maar ik haalde niet over de hele linie geweldige cijfers. Als ik me maar concentreerde, was ik een goede leerling, en ik was heel goed in wiskunde. Maar in vakken die me niet interesseerden, deed ik het matig, omdat mijn tijd grotendeels door honkbal en muziek in beslag werd genomen. Muziek begon een steeds belangrijkere rol in mijn leven te spelen. Het was ook een bron van inkomsten: ik werd lid van dansorkesten en kon met een paar schnabbels in een weekend twintig dollar verdienen.

Ik weet nog precies waar ik was toen de Japanners Pearl Harbor aanvielen: ik zat op mijn kamer klarinet te spelen. Ik zette de radio aan voor een korte pauze, en daar was ineens die mededeling. Ik wist niet waar Pearl Harbor lag; dat wist niemand. Ik dacht niet onmiddellijk: 'Dus nu breekt de oorlog uit.' Ik hoopte gewoon dat deze ramp zou overwaaien. Als jongen van vijftien wil je nog wel eens je kop in het zand steken. Je concentreert je gewoon op de dingen waar je mee bezig bent.

Natuurlijk viel de oorlog niet te negeren. Dat voorjaar gingen bepaalde dingen op de bon, en de meeste jongens gingen na het eindexamen, zodra ze achttien waren, rechtstreeks in dienst. In de zomer werd ik lid van een zesmansband die tijdens het seizoen in een vakantiehotel in de Catskill Mountains speelde. Er logeerden niet veel jonge mensen; over het algemeen speelden we voor mensen van de leeftijd van onze ouders, en de stemming was bedrukt. De hele lente door waren we in hoog tempo de oorlog in de Stille Zuidzee aan het verliezen geweest en zelfs nog na de doorslaggevende overwinning van de Verenigde Staten in de Slag van Midway was de censuur zo streng dat je nooit precies wist wat er gaande was. Maar het leek zelden goed te gaan.

Ik deed in juni 1943 eindexamen aan George Washington en had er geen behoefte aan te gaan studeren. Ik zou in maart 1944 achttien worden en wilde de tijd voordat ik in dienst moest, gebruiken om me muzikaal verder te ontwikkelen. Dus ik bleef in kleine bandjes spelen en gaf me op voor lessen aan de Juilliard School of Music, het fantastische privéconservatorium waar ik klarinet, piano en compositie studeerde. Voor zover ik plannen voor de toekomst had, was het dat ik misschien bij een militaire kapel kon komen.

De volgende lente werd ik opgeroepen om me bij de rekruteringscommissie te melden. Ik maakte de lange rit per ondergrondse naar het centrum voor de fysieke keuring die werd gehouden in een groot rekruteringscentrum dat ze in het douanekantoor in Battery Park hadden ingericht: een reusachtig gebouw met beeldhouwwerken en muurschilderingen en hoge, weergalmende ruimten waar honderden mannen van mijn leeftijd in de rij stonden te wachten. Alles verliep gesmeerd tot aan mijn radioscopisch onderzoek, waarbij de longen op tuberculose worden gecontroleerd. Een sergeant riep dat ik uit de rij naar zijn bureau moest komen. 'We hebben een vlekje op je long gevonden,' zei hij. 'We kunnen niet zien of het actief is.' Daarna overhandigde hij me wat papieren en het adres van een tb-specialist; als ik daar geweest was, moest ik me weer melden. De specialist bleek de dag erna geen definitieve diagnose te kunnen stellen. Hij zei: 'We zullen het een jaartje moeten aanzien.' Ik werd afgekeurd.

Ik geloof niet dat ik me ooit dieper ongelukkig heb gevoeld dan toen. Iedereen zat in het leger; ik was degene die buiten de boot viel. En verder zat er ook de diepe angst dat ik iets ernstigs mankeerde. Ik had geen symptomen, geen moeite met ademhalen of zoiets, en je zou toch denken dat ik dat als klarinettist en saxofoonspeler had moeten merken. Maar de donkere plek op de röntgenfoto viel niet te ontkennen. Ik kan me herinneren dat ik later die week met een vriendin op een met gras begroeide helling op de George Washington Bridge uitkeek en tegen haar zei: 'Als ik tb heb, is mijn leven voorbij.'

Mijn tenorsaxdocent Bill Sheiner was de man die me een uitweg uit deze schemertoestand bood. Bill was een van die legendarische mentoren van jazzmusici. Hij organiseerde ensembles van vier of vijf saxofonisten en een klarinet en liet de leerlingen dan voor een deel zelf de muziek componeren. In ons ensemble zette Sheiner me naast de vijftienjarige Stanley Getz. Volgens hedendaagse jazzhistorici staat Getz op dezelfde hoogte als Miles Davis en John Coltrane; dat Sheiner van mij verlangde dat ik hem bijbeende, is net zoiets als van een barpianist verwachten dat hij gezellig met Mozart arpeggio's uitwisselt. Getz en ik konden prima met elkaar overweg maar als hij speelde, zat ik slechts in diepe bewondering te luisteren. Als je iemand ontmoet die over een uitzonderlijk talent beschikt, kan het voorkomen dat je je kunt voorstellen welke weg je moet bewandelen om die vaardigheid te bereiken en dat je hoopt dat jij die weg zelf ook zult bewandelen; bij andere mensen is hun talent eerder een kwestie van aanleg en weet je meteen dat je, hoe je ook oefent, dat niveau nooit kunt evenaren. Stan Getz hoorde tot die tweede categorie; intuïtief wist ik dat ik nooit zou leren wat hij kon.

Dat nam niet weg dat ik dankzij die sessies een veel betere saxofonist werd, waaruit maar weer blijkt wat een gehaaide docent Sheiner was. Toen ik vertelde dat ik was afgekeurd, moest hij lachen. Hij zei: 'Nu let niets je meer om een baan te zoeken.' En hij vertelde me dat er bij Henry Jerome een plek vrij was.

Het orkest van Henry Jerome was een ensemble van veertien man dat aan de Oostkust al een zekere faam had verworven. Ik deed auditie en werd aangenomen, wat een ingrijpende verandering in mijn leven betekende. Niet dat ik hiermee nu direct in de hoofdklasse zat, meer iets van de AAA-klasse, maar het was nog altijd een serieuze baan waarvoor ik lid moest worden van een vakbond en een voor die tijd heel behoorlijk salaris verdiende. En aangezien de band de helft van de tijd in de stad speelde en de rest van de tijd in het oosten van de Verenigde Staten toerde, bood het mij ook voor het eerst de kans op eigen gelegenheid de wereld buiten New York te leren kennen.

Het was veruit de beste band waarbij ik ooit had gespeeld. Henry Jerome behoorde bij de avant-garde; later zetten ze de bop van Charlie Parker en Dizzy Gillespie tot conventionele bigbandmuziek om door er een hoop percussie en snelheid aan toe te voegen. De band zelf zou weliswaar nooit blijvende faam verwerven, maar het is wel opmerkelijk dat heel wat van mijn medemusici en onze opvolgers vervolgens in andere carrières naam zouden maken. Een van onze trombonespelers, Johnny Mandel, ging later naar Hollywood, hij schreef 'The Shadow of Your Smile' en de titelmuziek voor *M*A*S*H* en won een Oscar en vier Grammy's. Een van de drummers, Stan Levey, speelde later met Charlie Parker. Larry Rivers werd een beroemde popkunstenaar. En mijn medesaxofonist Lenny Garment werd later de advocaat van president Nixon.

We brachten een muziekstijl die het publiek beviel, toen het tij in de oorlog in 1944 keerde. De zestien maanden daarop speelden we in beroemde zalen als de Blue Room in het Lincoln Hotel in New York en in Child's Paramount Restaurant aan Times Square. We speelden op dansavonden in Virginia Beach in de buurt van Newport News, waar het publiek grotendeels uit de gezinnen van scheepsbouwers en marinemensen bestond. We speelden in theaters waar we soms samen met variétéartiesten op het programma stonden: jeugddansgroepjes die warmdraaiden voor een poging in Hollywood aan de bak te komen, en zangeressen die in de hoogtijdagen van Al Jolson bekend waren geweest en nog steeds meededen. De hele maand december 1944 stonden we boven aan het programma in het Roosevelt Hotel in New Orleans; zo ver was ik nog nooit van huis geweest. Op een avond liep ik over een straat in de buurt van de rivier. Toen ik opkeek, zag ik een olietanker voorbij varen. Het is me altijd bijgebleven hoe diep onder zeeniveau New Orleans ligt. Toen de dijken in 2005 na de orkaan Katrina doorbraken, wist ik dankzij die ervaring uit het verre verleden meteen wat een omvang die ramp zou hebben.

In mijn tijd bij de band hielden we ons aan een door vakbondsregels voorgeschreven routine: veertig minuten op het podium en twintig minuten eraf. Ik genoot van die veertig minuten op het podium: het is nog heel wat anders om in een goede band te spelen dan om ernaar te staan luisteren. Stemmen en boventonen komen van alle kanten op je af; je voelt de ritmesectie in je botten; en tussen alle mensen in de band speelt zich een dynamische interactie af. Solisten kunnen op die basis hun kijk op de wereld uitdrukken. Ik aanbad grote improvisators als Benny Goodman en Artie Shaw, en toch was ik er maar zelden op uit om zelf als solist op te treden. Ik stelde me tevreden met de rol van eenvoudig lid van de ploeg en speelde de noten die iemand anders had geschreven.

Ik stond bekend als de intellectueel van de band. Ik kon prima met de andere bandleden overweg (ik regelde hun belastingen) maar ik had een andere stijl dan zij. Tussen de sets verdwenen de meesten van hen in de zogenaamde *green room*, die zich binnen de kortste keren met de geur van tabak en hasj vulde. Ik zat in de pauze boeken te lezen. Al met al kon ik op zo'n avond ongeveer een uur lezen. De boeken die ik in de openbare bibliotheek in New York insloeg, waren niet per se van het soort dat je je bij een jonge saxofonist voorstelt. Misschien kwam het doordat mijn vader op Wall Street werkte of lag het aan mijn voorliefde voor getallen, maar ik was vooral erg nieuwsgierig naar de zakenwereld en financiën. Een van de eerste boeken die ik las, ging over de Britse effectenhandel; ik vond het ontzettend boeiend om te ontdekken dat ze zulke exotische termen als 'gewone aandelen' hanteerden. Ik las *Reminiscences of a Stock Operator* van Edwin Lefèvre over Jesse Livermore, een beroemde speculant uit de jaren twintig, bijgenaamd 'De Jonge Gokker van Wall Street'. Het verhaal gaat dat hij honderd miljoen dollar verdiende door aan de vooravond van de beurskrach van 1929 op de koersdaling te speculeren. Drie keer achtereen werd hij rijk en ging hij weer failliet, voordat hij in 1940 zelfmoord pleegde. Hij was een groot kenner van de menselijke natuur; het boek staat vol beleggerswijsheden als: 'Stieren en beren verdienen geld; maar varkens worden geslacht.'

Ik las ook elk boek dat ik maar over John Pierpont Morgan kon vinden. Hij financierde de oprichting van US Steel, smeedde de spoorwegen tot één bedrijf en was een van de krachten achter de fusie waaruit General Electric ontstond. Maar daarnaast vormde hij, voordat de Fed werd opgezet, de belangrijkste stabiliserende factor in het Amerikaanse financiële systeem. Ik was diep onder de indruk van zijn rijkdom: toen vlak voor de Eerste Wereldoorlog de trusts van Morgan werden opgesplitst, kwam het Congres erachter dat Morgan een vermogen van ruim twintig miljard had. Maar ik was nog dieper onder de indruk van Morgans karakter: J.P. Morgan stond erom bekend dat hij zich altijd aan zijn woord hield, en in 1907 wist hij met zijn persoonlijke invloed op andere bankiers te voorkomen dat er een financiële paniek uitbrak die het land anders in een diepe depressie had gestort.[2]

Die verhalen spraken me om dezelfde reden aan als de dienstregelingen van de spoorwegen. Wall Street was een spannende plek. Het duurde dan ook niet lang voordat ik tot de slotsom kwam dat ik die kant op wilde.

De oorlog liep ten einde en de toekomst lag open. In 1944 was de GI-wet aangenomen en er kwamen al veteranen terug naar huis die weer gingen studeren. Ik begon te geloven dat ik nog een leven voor me had: de tb-arts had mijn longen van tijd tot tijd gecontroleerd en langzamerhand raakte hij ervan overtuigd dat wat het ook voor vlek mocht zijn, het in elk geval niet actief was.

Niet dat ik zo zeker wist dat ik een goede financiële man zou zijn. Toen ik me, na een paar jaar afwezigheid van school, in de herfst van 1945 aan de faculteit voor handel, accountancy en financiën van de universiteit van New York inschreef, maakte ik me ongerust hoe ik het ervan af zou brengen. Dus kocht ik die zomer alle studieboeken voor mijn eerste jaar en las ze door voordat de colleges begonnen. Tot mijn verbazing haalde ik in mijn eerste semester twee achten en verder allemaal tienen, en daarna voortaan alleen maar tienen. Op de universiteit was ik een veel betere student dan ik ooit op George Washington was geweest.

De handelsfaculteit was de grootste en wellicht de minst in aanzien staande faculteit van de hele universiteit: er waren tienduizend studenten en het werd eerder als een handelsschool dan als een echte faculteit beschouwd. (Een deken heeft het eens trots als 'een reusachtige studiefabriek' beschreven.) Maar ik vond dat nogal onrechtvaardig. Ik heb er een uitstekende opleiding genoten. Ik had een boeiend studieprogramma alfawetenschappen en uiteraard colleges over accountancy, de grondslagen van de economie, management, bankieren en financiën. Ik voelde me erg aangetrokken tot vakken waarbij logica en gegevensverwerking kwamen kijken en volgde zo veel mogelijk colleges hogere wiskunde. Economie sprak me meteen al aan: aanbod- en vraagcurves, het hele idee van evenwicht in de markt, en de evolutie van de internationale handel vond ik allemaal uitermate boeiend.

In die eerste jaren na de Tweede Wereldoorlog was economie geweldig in trek (waarschijnlijk was atoomfysica het enige vak dat nog net even populairder was). Daar waren een paar redenen voor: iedereen was ervan doordrongen dat de Amerikaanse economie zoals de plannenmakers van onze regering er vorm aan hadden gegeven, de industriële motor was geweest achter de overwinning van de geallieerden. Bovendien werden er nieuwe economische instituten opgezet en ontstond er voor onze ogen een nieuwe economische orde. De leiders van de westerse wereld waren in juli 1944 in Bretton Woods in New Hampshire bijeengekomen om het Internationaal Monetair Fonds (IMF) en de Wereldbank op te richten. Daarmee werd het 'einde van het economische nationalisme' ingeluid, zoals Henry Morgenthau het noemde: de leiders waren het erover eens dat de welvaart in de wereld alleen in stand kon worden gehouden als ze werd gedeeld en dat het aan de geïndustrialiseerde wereld was om ervoor te zorgen dat de financiële en handelsbarrières werden verlaagd.

Zoals ik al eerder heb gezegd, was de theoretische basis hiervoor grotendeels afkomstig van de geweldige econoom John Maynard Keynes. Zijn meesterwerk *The General Theory of Employment, Interest and Money* had de intellectuele onderbouwing gevormd van de New Deal van Roosevelt. Het was een boek dat we als studenten allemaal lazen. Keynes schiep hierin de economische discipline die we nu als macro-economie kennen. Hij stelde dat als vrije markten aan zichzelf worden overgelaten, ze niet per definitie iets opleveren wat gunstig is voor de samenleving, en dat de overheid moet ingrijpen als de werkgelegenheid stagneert, zoals dat in de crisisjaren het geval was geweest, met alle rampzalige gevolgen van dien.

Er is nauwelijks een figuur denkbaar die beter geschikt was geweest om tot de verbeelding van jongeren te spreken. Een medestudent van me aan de handelsfaculteit was Robert Kavesh, inmiddels emeritus professor economie aan de universiteit van New York. Hij zei enige tijd geleden tegen de BBC dat economiestudenten eind jaren veertig een duidelijke missie hadden: 'We waren er allemaal van doordrongen dat de economie zich in een overgangsfase bevond en dat wij in de voorhoede zaten. Iedereen die indertijd economie studeerde, was vastbesloten dat er nooit meer een grote depressie zou komen. De depressie in de jaren dertig had tot de Tweede Wereldoorlog geleid, daarom waren we er ook zo van doordrongen dat we die ramp niet nog eens mochten laten gebeuren. De mensen die niet sterk beïnvloed waren door de Democraten en John Maynard Keynes' opvatting dat de overheid een krachtige rol kan en moet spelen bij het sturen van de economie, waren op de vingers van één hand te tellen.'[10]

Bob en de meesten van mijn klasgenoten waren dus fervente keynesianen, maar ik niet. Ik had de *General Theory* twee keer gelezen, en het is een opmerkelijk boek. Maar het waren niet zozeer Keynes' ideeën over economisch beleid die me boeiden als wel zijn wiskundige vernieuwingen en structurele analyses. Ik stelde me nog steeds op als een echte muzikale begeleider: ik hield me het liefst met technische opgaven bezig en het ontbrak me aan een macrovisie. Ik accepteerde min of meer dat Keynes' ideeën zinvol waren, maar ik was gewoon niet in economisch beleid geïnteresseerd.

Bob en ik waren allebei gek op klassieke muziek. Tussen de colleges gingen we vaak in Washington Square Park naar de meisjes zitten kijken en als er eens niet zoveel te beleven viel, neurieden we om de beurt een pianoconcert van Mozart waarvan de ander dan moest raden welk nummer het was. Ik speelde weliswaar niet meer professioneel maar dat nam niet weg dat mijn sociale leven nog steeds om muziek draaide: ik zong in de zangvereniging, speelde klarinet in het orkest en richtte samen met anderen een club op die de Symphonic Society heette. Eens in de week kwamen we samen om naar platen te luisteren of naar een gast die een lezing kwam afsteken.

Maar mijn grootste obsessie gold de wiskunde. Hoogleraren houden van ijverige studenten en mijn gretigheid om echt mijn best te doen, moet nogal opvallend zijn geweest. Mijn eerste betaalde baan als econoom kreeg ik in de zomer na mijn derde studiejaar. Mijn docent statistiek, Geoffrey Moore, die later onder president Nixon hoofdambtenaar arbeidsstatistieken werd, riep me bij zich en liet weten dat ik me bij Brown Brothers Harriman bij een van de compagnons moest vervoegen, ene J. Eugene Banks. Brown Brothers Harriman was een van de oudste, grootste en gerenommeerdste investeringsbanken van New York. De legendarische staatsman W. Averell Harriman was algemeen partner geweest voordat hij voor Roosevelt ging werken. En Prescott Bush, vader van George H.W. Bush en grootvader van George W. Bush, was zowel voor als na zijn termijn in de Amerikaanse Senaat partner bij de firma. De bank stond letterlijk aan Wall Street vlak bij de beurs, en de ochtend dat ik bij de heer Banks langsging, was de allereerste keer dat ik ooit op zo'n plek kwam. Toen ik die kantoren betrad, met hun vergulde plafonds, cilinderbureaus en dikke tapijten, had ik het gevoel of ik het heiligste der heiligen van de eerbiedwaardige rijkdom betrad; en dat is een indrukwekkend gevoel voor een jongen uit Washington Heights.

Gene Banks was een slanke, vriendelijke, zacht pratende man van eind dertig, wiens taak het was voor de firma de economie in de gaten te houden. Hij legde heel zakelijk uit dat hij een wekelijkse bijstelling wilde hebben van de statistische gegevens die de Fed uitgaf over de verkoopcijfers van warenhuizen: waar het op neerkwam, was dat hij een gedetailleerdere versie wenste van de maandelijks aangepaste cijfers die de overheid publiceerde. Nu zou ik met een paar op de computer ingetikte instructies binnen enkele minuten een dergelijk stel gegevens bij elkaar hebben. Maar in 1947 moesten zulke statistieken nauwgezet worden opgebouwd door met behulp van potlood en papier, schuiflinialen en telmachines andere statistieken over elkaar heen te schuiven. Dat was het gereedschap dat je indertijd ter beschikking stond.

Banks gaf me geen gedetailleerde aanwijzingen en dat kwam me goed uit.

Ik ging naar de bibliotheek van de handelsfaculteit en keek in handboeken en artikelen uit vaktijdschriften na hoe je zo'n wekelijkse seizoensaanpassing kon aanpakken. Vervolgens verzamelde ik de benodigde gegevens en ging aan de slag, en ik hield maar af en toe ruggespraak met Banks. Ik moest een enorme hoeveelheid handmatige berekeningen uitvoeren en met de hand grafieken tekenen, maar ik ging twee maanden onverdroten voort. Banks was heel tevreden met het resultaat en ik had een hoop opgestoken; niet alleen over de manier waarop seizoensaanpassingen geacht worden te functioneren maar ook over hoe je gegevens moet organiseren om een conclusie te kunnen trekken.

Het afstuderen in de lente daarna was eigenlijk niet meer dan een formaliteit. Ik had al besloten om 's avonds door te studeren voor mijn doctoraal en kreeg een beurs. Toch moest ik ook nog een baantje zoeken om de eindjes aan elkaar te kunnen knopen. Ik had twee aanbiedingen: een van een reclamebureau en een van National Industrial Conference Board, een onderzoeksinstituut waaraan een van mijn docenten als hoofdeconoom verbonden was. De baan bij het reclamebureau betaalde veel beter (zestig dollar per week tegenover vijfenveertig dollar per week), en toch koos ik voor de Conference Board omdat ik daar naar mijn idee meer zou opsteken. De Conference Board was een privé-instelling die financieel werd ondersteund door een stel grote organisaties. Ze was in 1916 opgezet als een lobbygroep, maar in 1920 had men de aandacht verlegd naar gedegen, methodisch onderzoek vanuit de gedachte dat de beschikbaarheid van objectieve kennis ondernemers en vakbondsleiders wellicht zou helpen hun gemeenschappelijke belangen te vinden. De cliëntèle bestond uit ruim tweehonderd bedrijven, waaronder General Electric, International Harvester, Brown Brothers Harriman, en Youngstown Sheet & Tube. De Board was van oudsher de beste privéleverancier van zakelijk onderzoek; zo hadden de eraan verbonden economen in 1913 de consumentenprijsindex ontwikkeld en waren ze de eersten die zich over de veiligheid op het werk bogen en zich met de vrouwelijke beroepsbevolking bezighielden. Soms was de informatie die zij leverden beter dan die van de overheid. Tijdens de Depressie was de Board de eerste bron geweest voor gegevens over de omvang van de werkloosheid.

Toen ik er in 1948 kwam werken, was het een levendige bedoening, met een flinke verdieping met kantoren aan Park Avenue in de buurt van Grand Central Station. Aan lange rijen bureaus werkten tientallen onderzoekers, en in een drukke kaartenkamer zaten ontwerpers op hoge krukken aan tekentafels ingewikkelde presentaties en grafieken te maken. Wat mij betreft was de bibliotheek helemaal een belevenis. Ik kwam erachter dat het onderzoeksinstituut een ware schat aan informatie had verzameld over elke grote bedrijfstak in Amerika vanaf op z'n minst een halve eeuw terug. Er waren ook planken vol boeken waarin werd uitgelegd hoe die bepaalde bedrijfstakken werkten. De verzameling besloeg het hele economische gamma van mijnindustrie tot detailhandel, van textiel tot staal, en van reclame tot buitenlandse handel. Er was bijvoorbeeld een uit de kluiten gewassen boekdeel met de titel *Cotton Counts Its Customers* ('Katoen calculeert zijn klanten'): een jaarlijks rapport van de National Cotton Council waarin je het naadje van de kous kon opsteken over wat indertijd de belangrijkste katoenindustrie ter wereld was. Je kon er alles in lezen wat je maar wilde weten over alle soorten en kwaliteiten katoen, hoe die werden toegepast, en wat op dat moment onder de producenten gold als het meest geavanceerde op het gebied van apparatuur, processen en productiesnelheden.

Te midden van de overvolle boekenrekken in de bibliotheek was eenvoudig geen plaats om te werken, dus zeulde ik armen vol materiaal naar mijn bureau. Meestal moest ik het stof van de boeken blazen. De hoofdeconoom wees de verschillende onderzoeksprojecten toe en binnen een paar maanden stond ik bekend als de knaap die alle gegevens kende. In zekere zin was dat ook waar. Ik raakte ervan bezeten om alle kennis op die planken op te slaan. Ik las over de industriebaronnen; ik zat uren over de volkstelling van 1890 gebogen; ik bestudeerde de bevrachting van vrachttreinen uit die tijd, de prijsontwikkelingen in de jaren na de Burgeroorlog van kortvezelig katoen, en een oneindig aantal andere details van de immense Amerikaanse economie. En het was absoluut niet saai; verre van dat. Ik verdiepte me met alle liefde in 'Koperafzettingen in Chili' in plaats van in *Gejaagd door de wind*.

Bijna vanaf het begin schreef ik artikelen voor *Business Record*, het maandblad van de Conference Board. Het eerste ging over tendensen in de winst van kleine fabrikanten en was gebaseerd op een gloednieuwe statistische reeks van de Federal Trade Commission (Federale Handelscommissie) en de Securities and Exchange Commission (Beurscommissie). Ik peurde alle details die ik maar kon uit de gegevens en verklaarde met jeugdig enthousiasme: 'Aangezien kleine ondernemingen een barometer kunnen zijn voor cyclische bewegingen, is een onderzoek naar de korte- en de langetermijntrends in kleine productiebedrijven met name hoogst interessant.'

In de loop der jaren sorteerde mijn werk steeds meer effect. Iemand las een van mijn artikelen en schreef erover in *The New York Times*, en hij noemde zelfs mijn naam. Ik behaalde mijn doctoraal en bleef gestaag doorschrijven: artikelen over de cijfers voor nieuwe koophuizen, de ontwikkelingen op de markt voor nieuwe auto's, consumentenkredieten en andere onderwerpen die op dat moment speelden. Ik kreeg er steeds meer vertrouwen in dat ik in staat was om gegevens een verhaal te laten vertellen. Ik was er bij lange na nog niet aan toe om de economie als geheel te begrijpen (dat moesten de keynesianen maar voor hun rekening nemen), maar ik begon wel steeds meer te begrijpen van de onderdelen en op wat voor manier die met elkaar samenhingen.

De eerste keer dat ik in Levittown kwam, was omstreeks Kerstmis 1950. Natuurlijk had ik wel eens iets gelezen over jonge stellen die de stad uit trokken om een gezin te stichten en de Amerikaanse droom van een eigen huis in de buitenwijken waar te maken. De enige plekken waar ik ooit had gewoond, waren flats in Manhattan en ik keek ontzettend op van de rust die in Levittown heerste. De huizen waren klein maar ze hadden allemaal een voor- en een achtertuin met gazon, de straten waren breed en er waren geen hoge gebouwen. Je kon zo'n huis voor achtduizend dollar[11] kopen. Het leek me een soort paradijs.

Tilford Gaines, een studievriend die inmiddels assistent-vicepresident van de vestiging van de Fed in New York was, had me uitgenodigd om te komen eten. Hij en zijn vrouw Ruth en hun dochtertje Pam waren er net komen wonen. Er was ook een collega van hem, een 23-jarige jongeman die aan Princeton had gestudeerd en net bij de vestiging was komen werken: die twee meter lange boom van een kerel was Paul Volcker.

Een herinnering aan die avond staat in mijn geheugen gegrift: we zitten in de gezellige huiskamer voor het haardvuur (ze hadden daar waarachtig een echte open haard) grappen te maken. Er heerste een uitgesproken gevoel van optimisme, niet alleen op die avond maar in die hele periode. Het ging Amerika voor de wind. De Verenigde Staten hadden het economisch gezien in de hele wereld voor het zeggen; we hadden absoluut geen concurrentie. De Amerikaanse autoassemblagefabrieken brandden andere landen het hart af. (Ik was naar Levittown gereden in mijn nieuwe blauwe Plymouth, die ik betaald had met het geld dat ik met onderzoek had verdiend.) Onze textiel- en staalindustrie maakten zich absoluut geen zorgen over import aangezien daar nauwelijks sprake van was. Zo vlak na de Tweede Wereldoorlog konden we over de beste opzieners en de hoogst geschoolde arbeiders beschikken. En dankzij de GI-wet schoot het opleidingsniveau omhoog.

En toch begonnen we in die december een gruwelijk nieuw gevaar onder ogen te zien. Anderhalf jaar geleden, toen de Sovjet-Unie haar eerste atoombom tot ontploffing had gebracht, had een atoomtreffen nog iets volslagen abstracts geleken. Maar allengs werd de Koude Oorlog voelbaarder en nam het gevaar steeds concretere vormen aan. Alger Hiss was veroordeeld voor het plegen van meineed bij een spionageschandaal en Joseph McCarthy had inmiddels al zijn fameuze 'Ik heb een lijst met 205 personen van wie bekend is dat ze communist zijn'-toespraak afgestoken. Amerikaanse troepen waren in Korea betrokken geraakt bij politionele acties. Dat had bij het Pentagon een beweging in gang gezet om legerdivisies en luchtgevechtseenheden die na de Tweede Wereldoorlog ontmanteld waren, opnieuw te formeren. We vroegen ons allemaal af waartoe dat alles zou leiden.

Ik had me die herfst aan Columbia University ingeschreven voor een postdoctorale cursus, wat een hoop gegoochel tussen studie en onderzoekswerk tot gevolg had. (Ook toen al had je over het algemeen een doctorstitel nodig om als econoom carrière te kunnen maken.) Mijn begeleider was Arthur Burns, die niet alleen hoogleraar was maar ook hoofdonderzoeker bij de National Board of Economic Research (NBER; Nationale Raad voor Economisch Onderzoek), die indertijd in New York was gevestigd. Dit is nog steeds de grootste onafhankelijke organisatie voor economisch onderzoek in heel Amerika. In die tijd was de Raad vooral bekend om het feit dat die in de jaren dertig samen met de overheid de zogenaamde nationale rekeningen had opgezet, oftewel het reusachtig omvangrijke boekhoudsysteem dat Washington zijn eerste duidelijke inzicht in het bruto nationaal product verschafte. Toen Amerika zich opmaakte voor de oorlog, konden planners aan de hand van dit systeem doelen formuleren voor de oorlogsproductie en nagaan tot op welke hoogte er aan het thuisfront moest worden gerantsoeneerd om de oorlogsinspanningen te ondersteunen. Daarnaast is de NBER de autoriteit op het gebied van de conjunctuur; tot op de dag van vandaag bepalen hun analisten de officiële begin- en einddatum van een recessie.

Arthur Burns was een vaderlijke, pijprokende geleerde. Hij had grote invloed op het onderzoek naar de conjunctuur: het boek dat hij in 1946 samen met Wesley Clair Mitchell had geschreven, bevatte een originele analyse van de conjunctuurschommelingen in de Verenigde Staten tussen 1854 en 1938. Hij was een groot aanhanger van empirisch onderzoek en deductieve logica, waarmee hij lijnrecht tegenover de heersende economische trend stond.

Burns vond het heerlijk om zijn postdoctorale studenten ertoe te verleiden het niet met hem eens te zijn. Op een dag gooide hij tijdens een college over het ruïneuze effect van inflatie op de welvaart de vraag in de groep: 'Wat veroorzaakt inflatie?' Geen van ons kon daar antwoord op geven. Professor Burns nam een trekje van zijn pijp, haalde hem toen uit zijn mond en verklaarde: 'Inflatie wordt veroorzaakt door overmatige bestedingen van de overheid!'

Een andere mentor maakte het mij mogelijk dat ik me kon voorstellen dat ik op een dag de economie als geheel zou kunnen begrijpen en voorspellen. In 1951 gaf ik me op voor een college mathematische statistiek, een technisch vak dat uitgaat van de opvatting dat de werking en de verbanden van een grote economie mathematisch kunnen worden onderzocht, gemeten, in modellen gevat en geanalyseerd. Tegenwoordig heet het vak econometrie, toen was het echter nog een samenraapsel van algemene concepten, en te nieuw voor een eigen studieboek of zelfs maar een naam. De hoogleraar was Jacob Wolfowitz, wiens zoon Paul I later bekend zou worden als lid van de regering-Bush en daarna als president van de Wereldbank. Professor Wolfowitz schreef de vergelijkingen vaak op het schoolbord en reikte ze dan ter bestudering op stencils aan ons uit. Ik zag onmiddellijk de kracht van deze nieuwe instrumenten in: als je de economie aan de hand van empirische feiten en wiskundige formules kon modelleren, was het mogelijk om op grond daarvan langetermijnprognoses te doen zonder gebruik te maken van een quasiwetenschappelijke intuïtie. Ik stelde me voor hoe je die kon toepassen. En bovenal had ik op mijn vijfentwintigste een terrein ontdekt waarop ik kon uitblinken.

Later ontwikkelde ik enige bedrevenheid in het opbouwen van uitgebreide econometrische modellen en verwierf ik steeds meer inzicht in hun toepassingen maar vooral ook hun beperkingen. Moderne, dynamische economieën blijven niet lang genoeg ongewijzigd om de structuren die eraan ten grondslag liggen nauwkeurig af te lezen. De eerste portretfotografen moesten van de mensen die ze op de foto wilden zetten, verlangen dat ze lang genoeg roerloos bleven zitten om een bruikbare foto te krijgen; als de gefotografeerde bewoog, werd de foto vaag. Hetzelfde geldt voor econometrische modellen. Econometristen stellen de formele structuur van hun modellen steeds bij om redelijk kloppende prognoses te krijgen. 'Add-factoring' heet dat in vaktermen; de toegevoegde factoren zijn vaak aanzienlijk belangrijker voor de prognose dan de uitkomst van de vergelijkingen zelf.

Maar als de voorspellende waarde van modellen zo gering is, wat heb je er dan aan? Ik ben van mening dat het voordeel van formele modellen waar de minste aandacht naar uitgaat, doodeenvoudig is dat er met hun toepassing in elk geval voor wordt gezorgd dat de basisregels voor een nationale boekhouding en economische consistentie op een reeks aannames worden toegepast. En het is zeker zo dat modellen kunnen helpen de effectiviteit te vergroten van dat beetje informatie dat met zekerheid kan worden aangenomen. Hoe specifieker en rijker aan gegevens een model is, hoe effectiever het zal zijn. Ik heb altijd staande gehouden dat het voor de nauwkeurigheid van een prognose veel nuttiger is een zo actueel mogelijk stel uiterst gedetailleerde schattingen voor het laatst beschikbare kwartaal te hebben dan een verfijnder model.

Tegelijkertijd is de structuur van een model uiteraard van groot belang voor het succes ervan. Ikzelf kan in elk geval geen abstracte modellen uit het niets scheppen. Ze moeten uit feiten worden afgeleid. Er zweven geen abstracte ideeën door mijn hoofd die op geen enkele manier met observaties uit de werkelijkheid verbonden zijn. Ze moeten ergens op stoelen. Daarom probeer ik ook elke denkbare waarneming en elk feit uit een gebeurtenis te peuren. Hoe meer details, hoe beter een abstract model de werkelijke wereld zal weerspiegelen die ik probeer te doorgronden.

Aan het begin van mijn opleiding leerde ik de werking van een klein deel van de wereld tot in de allerkleinste details te bekijken en uit die details af te leiden op wat voor manier dat deel van de wereld zich gedraagt. Dat proces ben ik de rest van mijn loopbaan blijven toepassen. Telkens als ik door artikelen blader die ik tussen mijn twintigste en mijn dertigste heb geschreven, word ik overspoeld door een gevoel van heimwee. De stof dateert uit een heel wat simpeler wereld, maar de methode om die stof te analyseren is nog net zo hedendaags als elke methode die ik nu zou toepassen.

2

DE GEBOORTE VAN EEN ECONOOM

Ik werkte vaak met de radio aan. In 1950 en 1951 ging alle aandacht in de media naar Korea uit; ons leger vocht een bloedige strijd tegen de Chinezen, en president Truman ontsloeg generaal MacArthur omdat deze er publiekelijk op bleef hameren dat de Verenigde Staten China de oorlog moesten verklaren. In eigen land werd het uittesten van atoombommen van New Mexico naar Nevada verplaatst en verder speelde de angst voor het zogenaamde Rode Gevaar; het echtpaar Rosenberg werd voor spionage tot de elektrische stoel veroordeeld. En te midden van deze chaos was ikzelf in de greep van de geboorte van het atoomtijdperk. In die tijd kwam het wetenschappelijk onderzoek dat tijdens de Tweede Wereldoorlog verricht was, voor een deel vrij en als hobby begon ik me in de atoomfysica in te lezen. Mijn eerste uitstapje vormde een dik technisch boek met de titel *Sourcebook on Atom Energy* (Bronnenboek over atoomenergie), een door de overheid bekostigde verzameling van alle beschikbare informatie over het onderwerp voor zover die was vrijgegeven. Daarna stapte ik over op boeken over astronomie, algemene natuurkunde en wetenschapsfilosofie.

Net als veel wetenschappelijk geïnteresseerden was ik ervan overtuigd dat atoomenergie het belangrijkste gebied was dat wij tijdens ons leven zouden ontsluiten. Dat was de keerzijde van de angst die we allemaal voor een kernoorlog koesterden. De wetenschappelijke kant ervan was buitengewoon meeslepend. Met het atoom verwierf de mensheid een kracht waarmee we een geheel nieuwe weg konden inslaan. Een weg die om een nieuwe manier van denken vroeg.

Ik ontdekte dat sommige onderzoekers die bij het Manhattanproject betrokken waren, een filosofie aanhingen die het logisch positivisme werd genoemd, een variant op het empirisme. Deze wijsgerige stroming, waarvan Ludwig Wittgenstein als de pionier wordt beschouwd, gaat uit van de stelling dat kennis slechts aan feiten en getallen valt te ontlenen; de nadruk ligt dan ook sterk op onomstotelijke bewijzen. Er bestaan geen morele absolute waarheden: normen en waarden en de manier waarop mensen zich gedragen, weerspiegelen slechts een cultuur en zijn niet aan enige logica onderhevig. Ze zijn zo willekeurig dat ze buiten het bestek van de serieuze beschouwing vallen.

Als mathematicus voelde ik me zeer tot dit streng analytische credo aangetrokken. Het leek de geknipte filosofie voor die tijd. Volgens mij zou de wereld er beter op worden als mensen zich uitsluitend richtten op datgene wat kenbaar en belangrijk is, iets wat ook precies de doelstelling van het logisch positivisme is.

In 1952 ging ik inmiddels met alle genoegen volledig op in mijn werk ter voorbereiding van mijn promotie en ik verdiende ruim zesduizend dollar per jaar. Geen van mijn vrienden en collega's verdiende erg veel geld en dit was meer dan ik nodig had. Mijn moeder en ik verhuisden naar de buitenwijken, weliswaar niet helemaal naar Levittown maar naar een twee-onder-een-kapwoning in Forest Hills in Queens. Het was een lommerrijke buurt op loopafstand van het station. Eindelijk had ik een manier gevonden om aan de drukke stad te ontkomen. Het was een grote stap voorwaarts.

Als iemand me toen had verteld dat ik aan de vooravond stond van de meest verwarrende en aangrijpende periode uit mijn leven, had ik daar heel vreemd van opgekeken. En toch zou ik in de twee jaar daarop trouwen, scheiden, met mijn postdoctorale opleiding stoppen, mijn baan opzeggen om voor mezelf te beginnen en mijn hele kijk op de wereld omgooien.

De vrouw met wie ik trouwde, was Joan Mitchell, een kunsthistorica uit Winnipeg, Manitoba, die naar New York was vertrokken om aan het Institute of Fine Arts (Instituut voor Schone Kunsten) van de Universiteit van New York te gaan studeren. We leerden elkaar op een blind date kennen: ik kwam haar flat binnen en zij had een van mijn lievelingsplaten op staan. Klassieke muziek was een van de passies die we deelden. Enige maanden gingen we samen uit, we trouwden in oktober 1952 en binnen een jaar waren we weer uit elkaar. Zonder nu echt in details te treden, kan ik wel zeggen dat vooral ikzelf het probleem was. Ik had geen flauw idee van de betrokkenheid die voor een huwelijk vereist is. Ik had gewoon een intellectuele en geen emotionele keuze gemaakt door mezelf voor te houden: 'Deze vrouw is uiterst intelligent, en heel mooi. Beter kan ik het niet krijgen.' Mijn fout was des te pijnlijker omdat Joan een geweldig mens is. Gelukkig zijn we tot op de dag van vandaag bevriend gebleven.

Joan was een boezemvriendin van de vrouw van Nathaniel Branden, indertijd de jonge medewerker van Ayn Rand en jaren later haar minnaar. Zo hebben Ayn Rand en ik elkaar leren kennen. Zij was een Russische emigrant die een roman had geschreven, *De eeuwige bron*, die in de oorlog een bestseller was geweest. Kort daarvoor was ze van Hollywood naar New York verhuisd en had inmiddels een klein, maar gedreven groepje volgelingen om zich heen verzameld. Ik had de roman gelezen en vond het een intrigerend boek. Het gaat over de architect Howard Roark, die zich heldhaftig verzet om water bij de wijn te doen: hij blaast zelfs een woningbouwproject op als hij ontdekt dat de aannemer zijn ontwerp heeft veranderd; en uiteindelijk zegeviert hij. Rand schreef het boek om de filosofie te illustreren die zij had ontwikkeld, waarin de nadruk ligt op de rede, individualisme en een verlicht soort eigenbelang. Later noemde ze dit het objectivisme, en tegenwoordig zou ze een libertijn worden genoemd.

Objectivisten waren pleitbezorgers voor een kapitalisme met zo min mogelijk staatsbemoeienis als de ideale vorm van maatschappelijke organisatie; het is dus ook niet verbazingwekkend dat Ayn Rand het Sovjetcommunisme waarin zij zelf doorkneed was, verafschuwde. Zij beschouwde het als de belichaming van een niets ontziend collectivisme. In de tijd dat de Sovjetmacht op zijn toppunt was, hield zij staande dat het systeem van nature dermate verrot was dat het uiteindelijk van binnenuit zou instorten.

Zij en haar kring noemden zichzelf het Collectief, een grapje voor de insiders, aangezien het collectivisme lijnrecht tegenover hun overtuigingen stond. Ze kwamen minstens eenmaal in de week samen in Rands appartement aan East 34th Street om tot in de kleine uurtjes het wereldgebeuren te bespreken en te discussiëren. Op de avond dat Joan me voor het eerst meenam, was de groep maar klein, misschien zo'n zeven, acht mensen die in de kale woonkamer bijeen zaten: Rand, haar echtgenoot en schilder Frank O'Connor, het echtpaar Branden en nog een paar mensen. Ayn Rand was bepaald niet knap, klein, eind veertig. Ze had een dramatisch, bijna streng gezicht met een brede mond, een breed voorhoofd en grote, donkere, intelligente ogen. Ze droeg haar donkere haar in een pagekopje waardoor haar ogen nog beter uitkwamen. Ze had een uitgesproken Russisch accent, terwijl ze toch al vijfentwintig jaar in de Verenigde Staten woonde. Ze was onverbiddelijk analytisch, altijd bereid een idee tot op het bot te fileren, en gaf absoluut niet om praatjes voor de gezelligheid. En toch, ondanks die eerste indruk van felheid viel het me meteen op hoe open ze een gesprek benaderde. Ze wekte de indruk dat ze bereid was over elk idee van wie dan ook na te denken en het zuiver op zijn merites te beoordelen.

Nadat ik een paar avonden had toegehoord, liet ik me van mijn logisch-positivistische kant zien. Ik kan me niet herinneren waarover we het hadden, maar in elk geval voelde ik me geroepen om te stellen dat er geen absolute morele waarheden bestaan. Ayn Rand sloeg meteen toe. 'Hoezo?' vroeg ze.

'Omdat je als je echt rationeel wilt zijn, niet zonder betekenisvolle empirische bewijzen een overtuiging kunt aanhangen,' legde ik uit.

'Hoezo?' vroeg ze opnieuw. 'Besta jij dan niet?'

'Dat... kan ik niet zeker weten,' gaf ik toe.

'Ben je bereid te zeggen dat je niet bestaat?'

'Misschien...'

'En wie doet dan trouwens die bewering?'

Misschien had je erbij moeten zijn, of liever gezegd, misschien had je een wiskundejunkie van 26 jaar moeten zijn, maar hoe dan ook: ik vond dit een schokkende conversatie. Ik zag in dat ze heel effectief had aangetoond dat mijn opstelling met zichzelf in strijd was.

Maar het ging veel verder dan dat. Ik vleide me met de gedachte dat ik behoorlijk goed kon discussiëren en ik had het idee dat ik iedereen in een intellectueel debat kon verslaan. Praten met Ayn Rand was net zoiets als aan een schaakpartij beginnen met het idee dat je er goed in bent en dan ineens merken dat je schaakmat staat. Het drong tot me door dat veel van wat ik voor waar aannam, dat waarschijnlijk helemaal niet was. Natuurlijk was ik veel te koppig en te verbolgen om me meteen gewonnen te geven; in plaats daarvan klapte ik dicht.

Na die avond had Rand een bijnaam voor mij bedacht. Ze noemde me de Begrafenisondernemer, deels omdat ik altijd heel ernstig was en deels omdat ik altijd een donker pak en een das droeg. Later hoorde ik dat ze in de loop van de weken daarna aan mensen vroeg: 'En, is de Begrafenisondernemer er al uit of hij bestaat?'

Maar mijn werk bij de Conference Board ging in elk geval goed. Ik zat midden in mijn meest ambitieuze project tot dan toe, een analyse van de aanschaf door het Pentagon van gevechtsvliegtuigen, bommenwerpers en ander vliegend materieel met het oog op Korea en de Koude Oorlog. Er zou een hoop detectivewerk bij te pas komen. Aan het begin van de Koreaanse oorlog had het ministerie van Defensie onmiddellijk zijn aankoopplannen tot geheime informatie verklaard. De betreffende fabrikanten kenden hun orderportefeuilles, maar dankzij de militaire geheimhouding werden Wall Street en de rest van de Amerikaanse industrie volstrekt in het ongewisse gelaten. En toch was het effect dat dit op de economie had, te groot om te negeren: na de luwte in de jaren na het einde van de Tweede Wereldoorlog waren de militaire bestedingen tegen het fiscale jaar 1953 alweer omhooggeschoten tot bijna 14 procent van het bruto nationaal product (in 2006 was dat 4 procent). Daardoor werden de markten voor grondstoffen en materieel ernstig verstoord, om nog maar te zwijgen van de markt voor geschoolde monteurs en technici. Bovendien was het een goede reden om een groot vraagteken achter de economische prognoses te plaatsen. Degenen die het meest te maken kregen met de druk om vliegtuigen te bouwen, waren de producenten van aluminium, koper en staal, allemaal materialen die inmiddels waren aangemerkt als gereguleerde materialen die onmisbaar waren voor de oorlogsinspanningen.

Ik wist al aardig wat over de metaalmarkten, dus bood ik me aan om de aankopen te analyseren, en mijn bazen vonden dat goed. Eerst boog ik me over de openbare archieven, waar ik vrijwel niets mee opschoot: hoorzittingen van het Congres over de productie voor militaire doeleinden werden achter gesloten deuren gehouden en de verslagen ervan werden zwaar geredigeerd. Het aantal en het type van nieuwe vliegtuigen werden opengelaten; het aantal vliegtuigen per eskader, het aantal eskaders per luchtgevechtseenheid, het aantal vliegtuigen dat in reserve werd gehouden, en het aantal verliezen buiten het slagveld per type: stuk voor stuk onleesbaar gemaakt. Vervolgens besloot ik de hoorzittingen van het Congres uit eind jaren veertig te bekijken, omdat ik vermoedde dat ik daar heel veel informatie die ik nodig had uit kon halen. Indertijd was geheimhouding niet aan de orde geweest. Het Pentagon was toen nog bezig de zaak af te bouwen en de hoge pieten moesten voor de subcommissie voor militaire bestedingen verschijnen om tot in details uit te leggen hoe alles werd berekend. En dat zouden ze in 1950 vast nog op dezelfde manier doen als in 1949.

Die informatie nam ik als uitgangspunt. Vervolgens moest ik alle feiten verzamelen die voor het publiek toegankelijk waren. Ik bestudeerde technische en constructiehandleidingen, organisatieschema's, de reusachtige statistische tabellen van de federale begroting en de ingewikkelde taal van de bestellingen voor materiaal die het Pentagon deed. Gaandeweg begon het allemaal in elkaar te passen. Zo kende ik het gewicht van elk type vliegtuig en kon ik de hoeveelheid aluminium, koper en andere materialen schatten die in elk type werd gebruikt. Aan de hand van al die gegevens kon ik de vraag schatten.

Mijn onderzoek werd in het voorjaar van 1952 gepubliceerd in twee lange artikelen in *Business Record*, met de titel 'The Economics of Air Power' (De economie van gevechtskracht in de lucht). Achteraf hoorde ik via via dat sommige planners van het Pentagon ervan hadden opgekeken hoe dicht ik met mijn analyse hun geheime aantallen had benaderd. Maar voor mij was het belangrijker dat mijn publiek onmiddellijk op de informatie reageerde. Bij de projecten betrokken ondernemingen vroegen me om nadere details van mijn berekeningen.

Omstreeks die tijd kreeg ik freelance opdrachten om onderzoeken te verrichten van Sanford Parker, een collega-analist bij de Conference Board. Sandy, zoals hij altijd genoemd werd, was een kleine, slordige wervelwind die zo'n tien jaar ouder was dan ik en naam had gemaakt met de wekelijkse commentaren die hij al vanaf 1939 in *Business Week* schreef. Nu hij voor de Conference Board werkte, schnabbelde hij erbij met het schrijven van economische artikelen voor *Fortune*. Toen hij me voorstelde om een deel van het analytische werk aan mij door te schuiven, greep ik die kans met beide handen aan.

Met het aantrekken van Sandy sloeg *Fortune* munt uit iets waarvan de redacteuren meenden dat het een nieuwe trend aan het worden was. De zakenwereld was weliswaar niet buitengewoon intellectueel, maar de indruk bestond dat fabrikanten en financiële mensen belangstelling begonnen te krijgen voor wat de economie hun te vertellen had. (John Kenneth Galbraith zat eind jaren veertig in de redactie, maar ik betwijfel of hij daar een steentje aan heeft bij gedragen.) Sandy was echt een autoriteit en hij beschikte over vaardigheden die ik ontbeerde. Om maar wat te noemen: hij wist hoe je iets in korte, verklarende zinnen moest schrijven. Hij probeerde me bij te brengen dat ook te doen en dat lukte hem zelfs bijna; maar het was een vaardigheid die ik als voorzitter van de Fed weer moest afleren. De redactie van *Fortune* liep met hem weg omdat hij heel overtuigend kon schrijven over de economie als geheel, en omdat hij creatief was: hij bedacht vaak heel verrassende manieren om trends te herkennen en te analyseren.

Naarmate ik langer met Sandy samenwerkte, kwam ik erachter dat hij zijn gezag ontleende aan het simpele feit dat hij gewoon meer van economie afwist dan wie ook. Mijn kennis was niet zo uitgebreid als de zijne, maar de kloof was niet onoverbrugbaar. Ik deed werk dat ik fijn vond en leerde er zo elke dag bij; als ik zo doorging, kon ik op hem inlopen.

Eind 1950 vertrok Sandy bij de Conference Board en werd hij de allereerste hoofdeconoom uit de geschiedenis bij *Fortune*. Ik had gehoopt dat ik een baan kon krijgen bij de afdeling die hij aan het opzetten was, maar *Fortune* bood me alleen een freelance aanstelling om samen met Sandy en andere schrijvers een lange reeks artikelen voor te bereiden die 'The

Changing American Market' (De veranderende Amerikaanse markt) zou gaan heten. (Uiteindelijk zou ze in de loop van twee jaar in twaalf afleveringen verschijnen.) Dankzij deze nieuwe bron van inkomsten had ik het gevoel dat ik me wel wat risico's kon veroorloven.

Ik kreeg nogal eens telefoontjes van William Wallace Townsend, een beleggingsadviseur en de oudste vennoot in een bedrijf op Wall Street dat Townsend Skinner heette, een van de kleinste leden van de Conference Board. Hij las mijn werk en we praatten daar dan telefonisch wat over na. Begin 1953 belde hij me en zei: 'Heb je zin om met me bij de Banker's Club te lunchen?' Ik zei ja.

Ik nam de ondergrondse naar het centrum. De Banker's Club was gevestigd op twee etages boven in een van de bezienswaardigheden van het financiële district, het zogenaamde Equitable Building, met op de eerste etage van de club een receptie en daarboven een bibliotheek en een eetzaal. De ramen boden een schitterend uitzicht en overal waren zware vloerkleden, zware meubels en zware gordijnen. Uit onze telefoongesprekken had ik afgeleid dat Townsend een jaar of veertig was en hij had hetzelfde van mij gedacht. Toen ik de lift uit kwam en iemand vroeg om hem aan te wijzen, bleek Bill eerder iets in de richting van 65 te zijn. Ik liep op hem af, stelde me voor en we barstten samen in lachen uit. We konden het meteen geweldig goed met elkaar vinden.

Bill was in 1888 op het platteland van de staat New York geboren en had een reeks indrukwekkende pieken en dalen meegemaakt. Hij had in de jaren twintig op Wall Street een paar miljoen verdiend als deskundige op het gebied van bedrijfsobligaties; hij had het boek van de Independent Bankers' Association (Onafhankelijk Bankiersgenootschap) over het verkopen van obligaties geschreven. En vervolgens was hij alles kwijtgeraakt tijdens de beurskrach van 1929. In de jaren dertig had hij kans gezien er weer bovenop te komen door een bedrijfje op te zetten dat statistische indices samenstelde om de fluctuaties van de aandelen- en obligatiemarkt te voorspellen.

Toen we elkaar leerden kennen, schreef Townsend ook de zogenaamde *Savings and Loan Letter*, een technisch verslag waar spaarbanken op geabonneerd waren. Zijn zakenpartner was Richard Dana Skinner geweest, een telg uit een familie uit New England en achterachterkleinzoon van

Richard Henry Dana jr., de schrijver van *Two Years Before the Mast* (Twee jaar als matroos). De firma had heel wat beroemde cliënten gehad, onder anderen Donald Douglas, de luchtvaartpionier die Douglas Aircraft had opgericht, en oud-president Herbert Hoover, die nu in het Waldorf Towers Hotel woonde waar Bill hem af en toe opzocht. Maar inmiddels was Skinner een paar jaar terug overleden en nu had de schoonzoon van Townsend, die ook bij de firma werkte, een baan aangeboden gekregen bij het Federal Home Loan Bank System (Federale Hypotheekbankensysteem). En daarom, legde Townsend uit, zaten wij hier nu te lunchen. 'Ik zou graag zien dat je mijn vennoot wordt,' zei hij.

Het was opmerkelijk eenvoudig om te besluiten van baan te veranderen. Naast het werk voor *Fortune* had ik inmiddels een gestage stroom freelance onderzoeksprojecten en er belden voortdurend nieuwe klanten. Echte verplichtingen had ik niet: Joan en ik hadden al besloten uit elkaar te gaan en over een paar maanden zou ik naar Manhattan terug verhuizen en daar een flat aan 35th Street huren.

In september 1953 opende Townsend-Greenspan zijn deuren. (We werden in 1954 officieel een onderneming.) We hadden een kantoor aan Broadway, iets ten zuiden van de beurs. Het was een onopvallende ruimte met alleen een kantoor voor Bill en een voor mij en een gemeenschappelijke ruimte waar twee onderzoeksassistenten en een secretaresse zaten.

Bill en ik waren op twee verschillende terreinen bezig. Bill ging door met het publiceren van zijn brief en zijn beleggingsadviezen. Mijn eerste klanten waren mensen die me nog van de Conference Board kenden. Het Wellington Fonds, de voorloper van de Vanguard Group, was de eerste die zich meldde. De volgende was Amerika's op twee na grootste staalproducent, Republic Steel, en binnen twee jaar volgden nog eens tien staalfabrieken, waaronder US Steel, Armco, Jones & Laughlin, Allegheny-Ludlum, Inland en Kaiser. Een betere reclame had Townsend-Greenspan zich niet kunnen wensen. Staal stond symbool voor de kracht van Amerika, en als je met je vinger omlaagging langs de Fortune 500-lijst (die in 1955 voor het eerst verscheen), stonden die namen allemaal in de buurt van de top. Gaandeweg kregen we een heel scala aan klanten: Alcoa, Reliance Electric, Burlington Industries, Mellon National Bank, Mobil Oil, Tenneco en nog veel meer.

Het betekende wel de stille dood van mijn postdoctorale studie, daar had ik het te druk voor. Diverse keren per maand moest ik het vliegtuig nemen voor een bezoek aan cliënten in Pittsburgh, Chicago of Cleveland; de rest van de tijd was ik aan het jachten om rapporten op te maken. Ik voelde me verscheurd omdat het onderwerp dat ik voor mijn proefschrift had uitgekozen, me nog steeds erg aansprak: het bestedings- en spaarpatroon van Amerikaanse huishoudens. Maar de mondelinge examens en het voltooien van mijn dissertatie zouden nog minstens zes volle maanden kosten en als ik dat deed, zou ik mijn zakelijke bezigheden moeten terugschroeven. Ik wist mezelf ervan te overtuigen dat ik er niets bij zou verliezen als ik met mijn studie stopte omdat ik tijdens mijn werk toch voortdurend over economie zou blijven lezen en bijleren. Maar eens in de paar maanden kwam ik steevast professor Burns tegen. En altijd vroeg hij: 'Zo, wanneer kom je weer terug om door te werken?' En telkens voelde ik een steek van spijt. (Veel later, in de jaren zeventig, keerde ik toch nog terug naar de universiteit van New York en voltooide mijn dissertatie.)

Townsend-Greenspan had zo'n succes omdat we het vermogen hadden economische analyses in een vorm te gieten op grond waarvan bestuursvoorzitters beslissingen konden baseren. Stel dat de economie een periode van groei in ging. De gemiddelde bestuursvoorzitter was meestal een verkoopman, een ingenieur of een bedrijfsleider die zich had opgewerkt. Zo iemand had niets aan de wetenschap wat het bnp ging doen. Maar stel dat je met de bestuursvoorzitter van een bedrijf in auto-onderdelen ging praten en zei: 'Het komende half jaar zal de assemblage van Chevrolets afwijken van wat General Motors heeft aangekondigd.' Dan kon hij dat volgen en er iets mee doen.

De hedendaagse toevoerlijnen zijn zo goed geïntegreerd dat er een vrije uitwisseling van informatie is tussen leveranciers en producenten: zo werkt de moderne 'just in time'-productie. Maar indertijd hadden de betrekkingen tussen producenten en leveranciers meer weg van een spelletje poker. Als een hoofd inkoop van een fabrikant van huishoudelijke apparaten bijvoorbeeld plaatstaal wilde kopen om koelkasten van te maken, moest hij nooit tegen de vertegenwoordiger van de staalproducent zeggen hoeveel staal hij al in voorraad had, omdat dat zijn onderhandelingspositie zou verzwakken.

Door dat gebrek aan informatie moest zo'n staalfabriek tot op zekere hoogte met de natte vinger haar productie plannen. Bovendien kenden de afnemers van de staalcliënten alleen hun eigen deel van de markt. De vooruitzichten voor de staalomzet zouden ingrijpend beïnvloed kunnen worden door een verschuiving in de vraag naar personenauto's, de bouw van wolkenkrabbers, pijpen voor olieboringen en zelfs conservenblikken. En die vraag weerspiegelde op de korte termijn de vraag naar staal.

De kwaliteit van zo'n voorspellingssysteem is afhankelijk van de accuratesse van de historische cijfers aan de hand waarvan toekomstige veranderingen in een cyclus kunnen worden voorspeld. Ik hield rekening met de historische gegevens over auto- en vrachtwagenproductie, vliegtuigassemblage enzovoort. Van het American Iron and Steel Institute kreeg ik maandelijks gegevens over het staaltransport per product en per staalverwerkende bedrijfstak, en de cijfers voor export (de Verenigde Staten exporteerden indertijd heel veel staal) en import (vrijwel niets) kreeg ik van het ministerie van Handel. Door de leveringen van binnenlands geproduceerd staal met im- en exportcijfers te combineren, kreeg ik inzicht in het tonnage per staalproduct dat door de staalverwerkende industrie was ontvangen. De volgende opgave was om uit te puzzelen hoeveel van het per kwartaal ontvangen staal er door de kopers was verbruikt, en hoeveel ervan aan de voorraad van de koper was onttrokken of toegevoegd. Daarvoor ging ik te rade bij de gegevens over de Tweede Wereldoorlog en de Koreaanse oorlog: er was inmiddels een reusachtige hoeveelheid statistieken over de metaalindustrie van de War Production Board (de instantie die verantwoordelijk was geweest voor het industriële rantsoeneringssysteem van Uncle Sam) door de overheid vrijgegeven. Elke staalverwerkende bedrijfstak (auto's, machines, de bouw, olieboringen) had zijn eigen unieke inventariscyclus, die stuk voor stuk daarin waren vastgelegd.

Na nog meer analyseren stelden die cijfers in combinatie met mijn nieuw verworven vaardigheden op het gebied van macro-economische prognoses (dankzij Sandy Parker) ons in staat een voorspelling te doen over de totale productie van de totale staalindustrie. Gaandeweg lukte het marktaandelen van individuele bedrijven vast te stellen, waardoor een producent aan de hand van de te verwachten vraag weloverwogen beslissingen kon nemen over hoe hij de komende kwartalen zijn productiecapaciteit moest inzetten, om de winst te maximeren.

In 1957 had ik inmiddels al jaren met de staalbedrijven samengewerkt. Eind dat jaar vloog ik naar Cleveland om een presentatie te geven voor de raad van bestuur van Republic Steel, waarvan Tom Patten voorzitter was. Uit mijn systeem bleek dat de voorraden snel toenamen en de snelheid waarmee de bedrijfstak staal produceerde, hoger was dan de snelheid waarmee de producten werden afgenomen. De productie zou zo ver moeten worden teruggeschroefd dat de toename tot staan zou komen. En niet alleen de staalindustrie stond voor een groot probleem. '1958 wordt een afgrijselijke jaar,' hield ik hun voor. Daar kwam Patten tegen in opstand. 'De orderportefeuilles zien er anders behoorlijk goed uit,' zei hij. Dus hield Republic Steel zich aan zijn productieschema.

Zo'n drie maanden later zakte de vraag naar staal volledig in. Het was het begin van de recessie van 1958, die uiteindelijk de ernstigste sinds de oorlog bleek te zijn. De eerstvolgende keer dat ik in Cleveland was, erkende Patten ruimhartig in aanwezigheid van de voltallige raad van bestuur: 'Je had volkomen gelijk, vriend.'

Mijn voorspelling van de economische teruggang die uitgroeide tot de recessie van 1958, was mijn eerste prognose voor de economie als geheel. Ik besteedde zo veel tijd aan het bestuderen van de staalindustrie dat ik in een uitstekende positie verkeerde om de recessie te zien aankomen. Indertijd was staal een veel belangrijkere factor in de Amerikaanse economie dan vandaag de dag: onze kracht lag vooral op het gebied van duurzame goederen, die over het algemeen van staal waren gemaakt. Ik kon de verder reikende gevolgen van het inzakken van de staalmarkt berekenen en dus ook andere cliënten, die niet in de staalbranche zaten, waarschuwen.

Dat we de recessie van 1958 hadden voorspeld, deed onze reputatie weliswaar geen kwaad, maar onze cliënten waardeerden ons niet in de eerste plaats om onze juiste macro-economische prognoses. Het ging vooral om een analytische evaluatie van de krachten die de economie op het moment zelf beïnvloedden. Voorspellen is een kwestie van het doortrekken van de manier waarop onevenwichtigheden uiteindelijk zullen doorwerken. Wij zorgden ervoor dat onze cliënten een beter inzicht kregen in de aard van de betrekkingen tussen bepaalde krachten; het was verder helemaal aan hen om te bepalen wat ze met die informatie deden. De bestuursvoorzitters van grote ondernemingen varen echt niet blind op wat een jongen van dertig over de economische ontwikkelingen zegt. Maar ze luisteren misschien wel naar wat hij denkt over verschillende ontwikkelingen, zeker als ze die informatie kunnen controleren aan de hand van wat ze zelf weten. Ik probeerde altijd in hun termen te praten. Dus niet: 'Wat gaat het bnp doen?' maar: 'Wat is over een half jaar de vraag naar gereedschapsmachines?' of: 'Hoe groot is de kans dat de winstmarge verandert tussen aan de ene kant breed geweven stof en aan de andere kant de markt voor mannenpakken?' Ik beschreef vaak in algemene termen wat er gaande was en vertaalde dat vervolgens naar de implicaties die dat voor de betreffende onderneming had. Dat was mijn toegevoegde waarde. En het ging ons voor de wind.

Dankzij mijn samenwerking met de zware industrie kreeg ik aanzienlijk meer inzicht in het functioneren van het kapitalisme. Harvard-econoom Joseph Schumpeter formuleerde in 1942 de idee van de 'creatieve vernietiging'. Net als alle krachtige ideeën zit deze simpel in elkaar: Een markteconomie zal zich van binnenuit onophoudelijk vernieuwen door oude, falende bedrijven te dumpen en de middelen naar nieuwere, productievere bedrijven over te hevelen. Ik las Schumpeter toen ik een jaar of 25 was en heb altijd gedacht dat hij gelijk had. Mijn hele loopbaan door heb ik dat proces ook in werking gezien.

De telegraaf is een mooi voorbeeld. In de tijd dat mijn vriend Herbie en ik eind jaren dertig als jongens besloten hadden om morsetekens onder de knie te krijgen, was de telegraafbranche op het toppunt van haar bloei. Vanaf de hoogtijdagen van die vingervlugge telegrafisten in de jaren vijftig en zestig van de negentiende eeuw had de telegraaf de Amerikaanse economie compleet veranderd. Tegen het eind van de jaren dertig werden er per dag ruim een half miljoen telegrammen verzonden, en de telegrambezorger van Western Union was net zo'n vertrouwde aanblik als de man of vrouw van FedEx nu. Telegrammen verbonden steden en dorpen door heel Amerika en zorgden ervoor dat het bedrijven en mensen veel minder tijd kostte om met elkaar te communiceren, en daarnaast verbonden ze Amerikaanse industriële en financiële markten met de rest van de wereld.

Per telegram kwam al het dringende persoonlijke en zakelijke nieuws tot ons.

En ondanks dat reusachtige succes stond de industrie toch op het punt te verdwijnen. Die bliksemsnelle telegrafisten die ik zo bewonderd had, waren allang verleden tijd. Die oude zendapparaten met één enkele sleutel hadden plaatsgemaakt voor telexen, en de telegrafisten van Western Union waren eigenlijk doodgewoon typisten die je bericht in Engels en niet in morse overbrachten. Morsetekens leren was letterlijk kinderspel geworden.

Inmiddels waren telefoons de nieuwe groeimarkt geworden: die zouden op den duur de telegraaf vervangen als meest geschikte communicatiemiddel op afstand. Eind jaren vijftig stuurde Bill Townsend bij ons misschien nog wel eens af en toe een telegram aan een oude klant, maar de telegraaf speelde al geen rol van betekenis meer in onze firma. Tussen bezoeken door hielden we per telefoon contact met cliënten: dat was efficiënt, rendabel en dus productief. Toen de nieuwe technologie de morsedeskundigen het werk uit handen had genomen, stemde het me een beetje treurig dat daarmee een kunst verloren was gegaan. (Maar goed, zij hadden natuurlijk weer de Pony Express vervangen.)

Ik heb dat patroon van vooruitgang en in onbruik raken keer op keer zien terugkomen. In mijn tijd als adviseur zat ik met mijn neus op de ondergang van het tinnen conservenblik. De jaren vijftig waren het tijdperk van de tonijnstoofschotel en soep uit blik; maaltijden voor je gezin bereiden van ingeblikte en verpakte voedingsmiddelen hoorde bij het leven in de buitenwijken, en een blikopener was een onmisbaar gereedschap in de moderne keuken. Voedingsmiddelenproducenten waren gek op het conservenblik: het was een uitstekende manier om groenten, vlees en dranken te verpakken waardoor ze over lange afstanden konden worden vervoerd en lange tijd konden worden bewaard. De ouderwetse kruidenierszaak waar een winkelbediende de etenswaren afwoog die een klant wilde kopen, had geen schijn van kans meer. Die winkels maakten plaats voor zelfbedieningssupermarkten die veel efficiënter waren en lagere prijzen boden.

Die conservenblikken uit de jaren vijftig waren niet letterlijk van tin maar van vertind staal, en de staalproducenten voor wie ik bij Townsend als adviseur optrad, verkochten er enorme hoeveelheden van. In 1959 werd vijf miljoen ton oftewel 8 procent van de productie van de hele staalindustrie daarvoor gebruikt. Op dat moment had de bedrijfstak het heel zwaar. In het hele land was bijna vier maanden lang de productie lamgelegd door een staking, en voor het eerst kreeg Big Steel te maken met hevige concurrentie van rivalen uit Duitsland en Japan.

Ook de aluminiumindustrie had het moeilijk: door de recessie kwamen de winsten van de drie grote producenten, Alcoa, Reynolds en Kaiser, danig onder druk te staan. Vijf miljoen ton per jaar was meer dan hun gezamenlijke productie, dus de markt voor conservenblikken was een kans die ze eigenlijk niet mochten laten lopen. Aluminium conservenblikken werden op dat moment net ontwikkeld. Ze waren lichter en eenvoudiger te produceren dan blikken van staal: er waren twee, en geen drie stukken metaal nodig. Aluminium was ook makkelijker te bedrukken met kleurige etiketten. Eind jaren vijftig werd het al toegepast in de deksels van pakken bevroren sapconcentraat. Brouwerij Coors verwierf een stel trouwe volgelingen met de verkoop van bier in aluminium blikjes met een inhoud van zeven ounce in plaats van de gewone stalen blikken met een inhoud van twaalf ounce. Die kleinere inhoud leek het bier alleen maar aantrekkelijker te maken, terwijl de waarheid was dat niemand nog had uitgedokterd hoe je aluminium bierblikjes van de normale omvang moest maken. Begin jaren zestig hadden de aluminiumproducenten dat vraagstuk opgelost.

De ingrijpendste vernieuwing was de 'poptop', het blik met een lipje dat in 1963 op de markt kwam. Daarmee werd de blikopener overbodig, en deze blikjes konden alleen van aluminium worden gemaakt. De grootste aluminiumproducent, Alcoa, was een cliënt van me; de bestuursvoorzitter was op zoek naar nieuwe, winstgevende gebieden, zoals Reynolds dat gedaan had door als eerste met huishoudaluminiumfolie op de markt te komen. Zijn vicevoorzitter was een groot aanhanger van blikjes: 'Bierblikjes zijn de toekomst van Alcoa!' riep hij regelmatig uit. En toen de poptops verschenen, zetten de voorzitter en hij hun schouders onder het idee.

De eerste grote brouwerij die bier in poptops op de markt bracht, was Schlitz. Anderen volgden al snel en tegen het eind van 1963 had 60 procent van de Amerikaanse bierblikjes een aluminium poptop. Vervolgens kwamen de frisdrankproducenten ermee: Coca-Cola en Pepsi stapten in

1967 op geheel uit aluminium bestaande blikjes over. Het verging het blikje voor dranken net als de morsesleutel, en het geld ging achter de vernieuwing aan. Dankzij de overstap naar aluminium blikjes steeg de kwartaalwinst van Alcoa in de herfst van 1966 tot de hoogste uit zijn 78-jarige geschiedenis. En op de verhitte beurs van eind jaren zestig stortten de beleggers zich op aandelen aluminium.

Voor staalproducenten betekende het verlies van de markt voor bier- en frisdrankblikjes de zoveelste stap in een kwellende, langdurige neergang. Tot dan toe hadden de Verenigde Staten niet veel staal geïmporteerd omdat men er gewoon van uitging dat buitenlands staal niet voldeed aan de Amerikaanse kwaliteitseisen. Maar toen de staking in 1959 haar tweede en vervolgens derde maand in ging, begonnen autofabrikanten en andere grote klanten elders hun heil te zoeken. Ze ontdekten dat een deel van het staal uit Europa en Japan uitstekend was en vaak een stuk goedkoper. Tegen het eind van de jaren zestig was staal zijn status als boegbeeld van de Amerikaanse zakenwereld kwijtgeraakt en verschenen snelgroeiende ondernemingen als IBM voor het voetlicht. Big Steel voelde de eerste rukwinden van 'de voortdurende storm van creatieve vernietiging', zoals Schumpeter dat noemde.

Mijn werk bij Townsend-Greenspan was erg in trek, maar ik lette toch goed op dat mijn portefeuille niet te vol raakte. In plaats daarvan concentreerde ik me op het hooghouden van onze winstmarge (in de orde van zo'n 40 procent) en dat we nooit te afhankelijk werden van één enkele cliënt of groep cliënten waardoor het bedrijf in gevaar zou komen als we die klanten kwijtraakten. Bill Townsend was het helemaal met die aanpak eens. Hij was nog steeds de beste compagnon die ik me maar had kunnen wensen. Al heb ik maar vijf jaar met hem gewerkt (hij stierf in 1958 aan een hartaanval), we kwamen elkaar in die tijd erg na te staan. Hij was eigenlijk de ultieme welwillende vader. Hij stond erop dat we de winst rechtvaardig verdeelden, maar uiteindelijk ging ik met een aanzienlijk groter aandeel naar huis. Er speelde tussen ons nooit iets van jaloezie of rivaliteit. Na zijn dood kocht ik zijn aandelen van zijn kinderen maar ik vroeg wel toestemming om zijn naam op de deur te laten staan. Dat moest, voor mijn gevoel.

Ayn Rand werd een stabiliserende factor in mijn leven. Het had niet lang geduurd voordat we tot een soort gelijkgestemdheid kwamen (waarbij vooral mijn denken in haar richting opschoof) en in de jaren vijftig en begin jaren zestig was ik een regelmatige bezoeker van de wekelijkse bijeenkomsten in haar appartement. Ze was een uitgesproken oorspronkelijk denker, uiterst analytisch, koppig, uitermate principieel, iemand die altijd hamerde op rationaliteit als hoogste norm. In dat opzicht stemden onze normen overeen: we waren allebei overtuigd van het belang van mathematische en intellectuele rechtlijnigheid.

Maar zij ging veel verder dan dat – ze dacht in veel bredere verbanden dan ik ooit had durven doen. Ze was een toegewijde aanhanger van de leer van Aristoteles die stelt dat er een objectieve realiteit bestaat die losstaat van het bewustzijn en niettemin kenbaar is. Vandaar dat ze haar filosofie objectivisme noemde. En ze paste een aantal stellingen uit de aristotelische ethiek toe, zoals dat mensen in aanleg een zekere edelmoedigheid hebben en dat het ieders hoogste plicht is om tot volle wasdom te komen door dat potentieel aan te spreken. Het was een opmerkelijke oefening in logica en epistemologie om samen met haar ideeën te onderzoeken. Meestal slaagde ik er wel in haar bij te benen.

Rands Collectief werd mijn eerste sociale kring buiten de universiteit en mijn economische vakbroeders. Ik nam deel aan de nachtenlange discussies en schreef gedreven commentaren voor haar nieuwsbrief met de vurigheid van een jonge volgeling die zich aangetrokken voelt tot zo'n heel pakket nieuwe ideeën. Net als iedere bekeerling had ik de neiging die concepten in de strengste en simpelste bewoordingen te gieten. De meeste mensen zien eerst de eenvoudige opzet van een idee voordat de complexiteit en de kwalificaties hun intrede doen. Als we dat niet deden, zou er niets te kwalificeren en niets te leren zijn. Pas toen de tegenstrijdigheden in mijn nieuwe ideeën zich aandienden, begon die vurigheid te betijen.

Een bepaalde tegenstrijdigheid vond ik met name verhelderend. Volgens het objectivisme is het immoreel om belasting op te leggen omdat dat de overheid toestaat zich met geweld privé-eigendom toe te eigenen. Maar als belastingen iets verkeerds waren, hoe moest je dan de noodzakelijke functies van de overheid financieren, waaronder de bescherming van de rechten van de burger middels een politiemacht? Het Randiaanse antwoord op die vraag, namelijk dat die bekostigd moet worden uit vrijwillige bijdragen van diegenen die rationeel inzien dat de overheid die verplichting heeft, voldoet niet. Mensen hebben een vrije wil, dus wat doe je als ze weigeren?

De bredere filosofie van de volkomen vrije marktwerking vond ik nog wel steeds aantrekkelijk, en dat vind ik tot op de dag van vandaag, maar met tegenzin begon ik te beseffen dat mijn intellectuele bouwwerk beperkingen vertoonde en dat ik dus moeilijk kon aanvoeren dat het door anderen moest worden geaccepteerd. Toen ik bij Nixons campagne voor de presidentsverkiezingen in 1968 ging werken, had ik allang besloten me van binnenuit in te zetten voor het vrijemarktkapitalisme in plaats van als kritische pamfletschrijver aan de zijlijn. Toen ik de post van voorzitter van de presidentiële Raad van Economische Adviseurs aanvaardde, besefte ik dat ik moest zweren dat ik de grondwet en de wetten van het land zou respecteren, terwijl ik veel van die wetten verkeerd vond. Het bestaan van een democratische samenleving die op grond van wetten geleid wordt, impliceert het ontbreken van eensgezindheid op vrijwel elk punt van de overheidsagenda. Compromissen sluiten op het gebied van overheidsaangelegenheden is de prijs die je betaalt voor een beschaafde samenleving en geen afwijzing van je principes.

Toen ik in aanwezigheid van president Ford in de Oval Office de ambtseed aflegde, bleef het niet onopgemerkt dat Ayn Rand naast me stond. Ayn Rand en ik zouden tot haar dood in 1982 nauw contact onderhouden, en ik ben heel dankbaar voor de invloed die ze op mijn leven heeft gehad. Tot ik haar leerde kennen, was ik intellectueel uitermate beperkt. Al mijn werk was empirisch en gebaseerd op getallen en nooit op normen gericht. Ik was een bedreven technicus, maar ook niet meer dan dat. In mijn logisch positivisme had ik me nooit met de geschiedenis of de literatuur beziggehouden: als je me had gevraagd of het de moeite waard was om Geoffrey Chaucer te lezen had ik gezegd: ‘Laat maar zitten.’ Rand bracht me bij dat ik naar mensen en hun normen moest kijken, naar de manier waarop ze werken, wat ze doen en waarom, en hoe en waarom ze denken. Op die manier verbreedde ik mijn horizon tot ver voorbij de economische modellen die ik had geleerd. Ik begon het ontstaan van samenlevingen te bestuderen en hoe culturen zich gedragen, en het drong tot me door dat economie en economische prognoses van dat soort kennis afhankelijk zijn: de manieren waarop uiteenlopende culturen groeien en materiële rijkdom scheppen, lopen nu eenmaal sterk uiteen. Dat alles is voor mij bij Ayn Rand begonnen. Zij liet me kennismaken met een uitgestrekt terrein waarvoor ik me had afgesloten.

3

EEN ONTMOETING VAN ECONOMIE EN POLITIEK

In de jaren zestig werd Washington stormenderhand ingenomen door economische prognoses. Het begon allemaal met een grappige, erudiete hoogleraar uit Minnesota, Walter Heller, de voorzitter van de Raad van Economische Adviseurs, die tegen president Kennedy zei dat belastingverlaging de economische groei zou stimuleren. Kennedy moest niets van dat idee hebben; hij was tenslotte president geworden met zijn oproep aan het Amerikaanse volk om offers te brengen. Bovendien zou een belastingverlaging onder de gegeven omstandigheden een ingrijpende verandering in het begrotingsbeleid betekenen, aangezien de overheidstekorten al aan het oplopen waren. Indertijd werd de economie gerund naar het model van een huishoudbudget: je werd geacht uitgaven en inkomsten in balans te houden en de eindjes aan elkaar te knopen. President Eisenhower heeft zelfs ooit zijn excuses aan het Amerikaanse volk aangeboden omdat de overheid een tekort van maar liefst drie miljard dollar had.

Maar na de Cubaanse rakettencrisis groeide de economie veel te traag en uiteindelijk liet Kennedy zich overhalen. De belastingverlaging van tien miljard dollar die hij in januari 1963 aan het Congres voorlegde, was uitermate ingrijpend: tot op de dag van vandaag is het de grootste belastingverlaging sinds de Tweede Wereldoorlog, als je het cijfer aanpast voor de omvang van de economie, en bijna even groot als alle drie de belastingverlagingen van George W. Bush bij elkaar.

Kort na de dood van Kennedy ondertekende Lyndon B. Johnson het wetsvoorstel. Tot ieders grote vreugde had de belastingverlaging inderdaad het effect dat de Raad van Economische Adviseurs had voorspeld: in 1965 bloeide de economie weer. De jaarlijkse groei beliep ruim 6 procent, wat volledig klopte met de econometrische prognose van Walter Heller.

De economen waren dolenthousiast. Ze hadden stellig het idee dat ze eindelijk het raadsel van de economische prognose hadden opgelost en hadden er absoluut geen moeite mee zich op de borst te kloppen: 'Er staat een nieuw tijdperk voor het economische beleid voor de deur,' schreef de raad in januari 1965 in zijn economische rapport. 'Het gereedschap van het economisch beleid wordt steeds verfijnder en effectiever en ondervindt steeds minder belemmeringen als gevolg van vastgeroeste tradities, misverstanden en leerstellige polemieken.' Men stelde dat beleidsmakers niet meer passief op gebeurtenissen moesten reageren maar toekomstige ontwikkelingen moesten voorspellen en richting geven. De beurs floreerde en aan het eind van het jaar zette *Time* John Maynard Keynes op het omslag (al was hij dan al in 1946 overleden) met daaronder de uitspraak: 'Nu zijn we allemaal keynesianen.' (Richard Nixon pakte die zin op en gebruikte hem in 1971 ter verdediging van de begrotingstekorten van zijn regering en economisch interventionisme.)

Dat kon ik nauwelijks geloven. Ik was nooit zo weg geweest van macro-economische prognoses en Townsend-Greenspan bood ze wel aan maar ze waren zeker geen hoofdbestanddeel van onze bezigheden. Ik had wel bewondering voor wat Heller voor elkaar had gebokst; en ik hield mezelf voor dat zij dat beter konden dan ik. Maar ik herinner me ook nog goed dat ik in mijn kantoor op Pine Street 80 met uitzicht op de Brooklyn Bridge zat te denken: Wat ben ik blij dat ik Walter Hellers baan niet heb. Ik wist dat macro-economische prognoses veel meer met kunst dan met wetenschap te maken hebben.

Die geweldige economische resultaten werden al snel slechter toen de regering-Johnson enorme sommen geld in de oorlog in Vietnam en 'Great Society'-programma's begon te pompen. Naast de dagelijkse bezigheden bij Townsend-Greenspan verdiepte ik me veel in het begrotings- en monetaire beleid van de regering en ik schreef regelmatig stukken op de opiniepagina van kranten en artikelen voor economische tijdschriften die kritisch tegenover de regering stonden. Vanwege mijn eerdere werk over de uitgaven voor de Koreaanse oorlog was ik met name erg geïnteresseerd in de economische kant van de Vietnamoorlog. Toen mijn vroegere collega Sandy Parker, die nog steeds hoofdeconoom was bij *Fortune*, begin 1966 de hulp van Townsend-Greenspan inriep bij een onderzoek dat de redactie verrichtte naar de kosten van de oorlog, greep ik die kans met beide handen aan.

Er klopte iets niet aan de manier waarop president Johnson zijn financiële administratie voerde. Op basis van wat er bekend werd over de toename van de Amerikaanse inzet (naar verluidt had generaal Westmoreland achter gesloten deuren om een uitbreiding tot 400.000 manschappen gevraagd), leken de schattingen van de regering omtrent de kosten van de oorlog nogal aan de lage kant. Ik rafelde het hele presidentiële begrotingsvoorstel aan het Congres voor het belastingjaar vanaf 1 juli 1966 uiteen en aan de hand van wat ik wist over de uitgavenpatronen en -praktijken van het Pentagon, haalde ik een reusachtige omissie boven water. Wat in de begroting compleet buiten beschouwing was gelaten, was het feit dat de oorlog steeds sneller escaleerde, met als gevolg dat de waarschijnlijke kosten voor dat jaar minstens 50 procent oftewel minstens elf miljard dollar te laag werden voorgesteld. (Bovendien werd er blijkens een opmerkelijke voetnoot over het fiscale jaar 1967 in de begroting van uitgegaan dat de oorlogshandelingen op 30 juni van dat jaar zouden worden beëindigd, zodat er na die tijd geen vliegtuigen of andere uitrusting meer hoefden te worden vervangen.)

Fortune bracht het verhaal in april 1966 in een stuk met de titel 'The Vietnam War: A Cost Accounting' (De Vietnamoorlog: een kostenberekening.) De ongezouten conclusie luidde: 'De begroting geeft nog maar een begin van een indruk van de oorlogsuitgaven die ons nog te wachten staan.' De beschuldiging kwam van de kant van een gerespecteerd zakenblad, wat olie op het vuur betekende voor de toch al aanzwellende debatten over de vraag of LBJ en zijn regering niet probeerden de kosten van de oorlog te verdoezelen.[1]

Maar afgezien van mijn verdenkingen omtrent de economische kant van de oorlog had ik weinig voeling met die tijd. Als mensen aan de jaren zestig denken, denken ze aan marsen voor burgerrechten, antioorlogsbetogingen, en seks, drugs & rock-'n-roll: kortom, aan een cultuur die hevig in beweging was. Maar ik zat aan de overkant van de generatiekloof. In 1966 werd ik veertig, dus ik was in de jaren vijftig volwassen geworden, in een tijd dat je jasje-dasje droeg en een pijp rookte (met tabak erin). Ik luisterde nog steeds naar Mozart en Brahms, en naar Benny Goodman en Glenn Miller. Met de opkomst van Elvis werd popmuziek iets volslagen vreemds voor me: in mijn oren zat het op het randje van lawaai. Ik vond de Beatles redelijk goede musici; ze konden fatsoenlijk zingen en waren innemend, en in vergelijking met wat daarna kwam, was hun muziek bijna klassiek. De cultuur van de jaren zestig was mij wezensvreemd omdat ze naar mijn idee anti-intellectueel was. Ik was uitgesproken conservatief en geloofde in wellevendheid. Daarom had ik ook niets met flowerpower. Het stond me vrij om me er niet mee in te laten en dat deed ik dan ook niet.

Mijn betrokkenheid bij het openbare leven begon met Nixons verkiezingscampagne voor het presidentschap in 1967. Naast mijn gewone werkzaamheden was ik samen met Martin Anderson, hoogleraar financiën aan Columbia University, met een economiestudieboek bezig geweest. Marty was in conservatieve kringen al bekend vanwege zijn boek *The Federal Bulldozer*, een kritische analyse van de stedelijke vernieuwing, dat Nixons aandacht had getrokken. Het was onze bedoeling om samen een studieboek te schrijven over een kapitalistisch systeem met zo min mogelijk staatsbemoeienis; om het boeiend te houden, hadden we besloten dat Marty als academicus de hoofdstukken over de zakelijke kant zou schrijven en ik als zakelijk adviseur de theoretische hoofdstukken. Maar we waren nog niet erg opgeschoten toen Nixon Marty vroeg om zijn belangrijkste adviseur voor binnenlands beleid te worden.

Zodra Marty lid van het campagneteam was geworden, vroeg hij of ik hun clubje kon helpen met het ontwikkelen van beleid en het schrijven van toespraken. De staf bestond op dat moment afgezien van Marty uit slechts vier personen: voorzitter Pat Buchanan, William Safire, Ray Price en Leonard Garment. Ik kende alleen Len, al had ik hem nog maar zelden gesproken sinds de tijd dat we twintig jaar terug samen in het orkest van Henry Jerome hadden gezeten. Inmiddels was hij vennoot op Nixons advocatenkantoor in New York, Nixon Mudge Rose Guthrie Alexander & Mitchell. We gingen met z'n zessen lunchen en bespraken wat ik zoal voor de campagne kon doen. Ze konden zich wel in een paar van mijn ideeën vinden, en uiteindelijk stelde Buchanan voor dat ik eerst maar eens kennis moest maken met de kandidaat, voordat we verder praatten.

Een paar dagen later zocht ik Nixon op in zijn kantoor. Ik vond het hoogst intrigerend dat hij zich weer in de politieke arena had begeven. Net als iedereen kon ik me nog heel goed zijn stekelige opmerking aan het adres van de verslaggevers herinneren nadat hij in 1962 de race om het Californische gouverneurschap had verloren en kennelijk het gevoel had gehad dat de pers tegen hem was: 'Nu kunnen jullie Nixon niet meer als kop-van-jut gebruiken, heren, want dit is mijn laatste persconferentie.' Nixons kantoor bij Nixon Mudge Rose was afgeladen vol met aandenkens en foto's met handtekeningen: ik kreeg het gevoel dat hier iemand die ooit belangrijk was geweest in een klein kamertje was weggestopt met een hoop herinneringen. Maar Nixon was heel elegant gekleed, en hij zag er niet alleen uit als een geslaagde New Yorkse advocaat, hij gedroeg zich ook duidelijk zo. Zonder tijd te verspillen aan kletspraatjes lokte hij me meteen uit mijn tent met weloverwogen vragen over economie en beleid. Toen hij zijn ideeën uit de doeken deed, gebeurde dat in keurige zinnen en paragrafen. Ik was erg onder de indruk. Verderop in de campagne moest ik Nixon soms over een onderwerp bijpraten voordat hij met de media ging praten, en ook dan schakelde hij altijd op diezelfde intense, op de feiten gerichte advocatentoer over. Hij kon vijf minuten achter elkaar naar een onderwerp luisteren waar hij onmogelijk veel van kon afweten, zoals een belangrijk nieuwsfeit, en als hij dan de pers te woord stond, klonk hij even goed geïnformeerd als een hoogleraar. Naar mijn idee zijn Bill Clinton en hij veruit de slimste presidenten geweest voor wie ik heb gewerkt.

Het verkiezingscomité van Nixon had zijn kantoren op de hoek van Park Avenue en 57th Street, in een gebouw waar vroeger aan bijbelstudie werd gedaan. Aanvankelijk werkte ik er een paar middagen per week, maar toen de campagne op volle toeren ging draaien, werden het er vier of vijf. Ik werd aangesteld als 'adviseur economisch en nationaal beleid', maar ik was en bleef een vrijwilliger. Ik werkte nauw samen met Marty, die tijdelijk verlof had opgenomen bij Columbia en voortdurend in het campagnevliegtuig zat. Mijn werk bestond voor een deel uit het coördineren van reacties over elk onderwerp dat maar ter sprake kwam: we zetten alles op alles om de noodzakelijke research bijeen te krijgen en faxten die dan 's nachts naar Nixon en het campagneteam. Hij wilde zo goed geïnformeerd mogelijk over het voetlicht komen, en ik hielp bij het opzetten van taakgroepen die zich met economische onderwerpen bezighielden. Die groepen waren vooral bedoeld om mensen in zijn kamp te krijgen. Er waren indertijd bijna tweemaal zo veel geregistreerde Democraten als Republikeinen in Amerika (volgens het Center for the Study of the American Electorate waren er zeventien miljoen geregistreerde Democratische kiezers tegen negen miljoen Republikeinse), en Nixon moest zo veel mensen als maar enigszins mogelijk was zien mee te krijgen. Zo'n taakgroep kwam bijeen, de leden vertelden Nixon wat zij ergens van dachten, en vervolgens was het glimlachen, handen schudden en foto's maken. Maar de leukste bezigheid en mijn origineelste bijdrage was het integreren van opiniepeilingen per staat en per stad. Tegenwoordig kunnen politici internet raadplegen en krijgen ze daar elke dag per staat een bijgewerkte electorale telling op basis van de jongste opiniepeilingen. Die technologie bestond nog niet in 1968, maar ik zette iets op wat zo veel mogelijk in de buurt kwam. Ik verzamelde alle opiniepeilingen per staat die we maar konden vinden, relateerde die aan verkiezingspatronen en -trends uit het verleden, en extrapoleerde de gegevens voor staten waar geen opiniepeilingen werden gehouden: en dat allemaal om een voorspelling te doen over het aantal landelijke stemmen en het aantal electorale stemmen.

Eind juli 1968, een week voor de Republikeinse Conventie, kwam Nixons staf bijeen in de Gurney's Inn, een strandhotel in Montauk, op de oostelijke punt van Long Island. Er waren een stuk of vijftien mensen aanwezig: alle belangrijkste leden, onder wie het handjevol mensen met wie ik maanden geleden was begonnen. Nixon wist al dat hij genoeg stemmen had om te worden genomineerd, en dit was bedoeld als een werkbijeenkomst om te bepalen welke onderwerpen hij in zijn aanvaardingsspeech zou aansnijden. Maar toen we aan de vergadertafel gingen zitten, was hij om de een of andere reden kwaad. In plaats van over het beleid te beginnen, zoals ik had verwacht, barstte hij los in een tirade over de Democraten die volgens hem de vijand waren. Niet dat hij zijn stem verhief, maar zijn verhaal was zo heftig en zo doorspekt met gevloek dat Tony Soprano ervan was gaan blozen. Ik was volslagen verbijsterd. Dit was niet de man met wie ik te maken had gehad. Ik had geen flauw vermoeden dat ik hier een belangrijk aspect van Nixons persoonlijkheid te zien kreeg. Ik snapte niet hoe een enkel persoon zulke uiteenlopende kanten kon hebben. Na verloop van tijd werd hij rustiger. De vergadering ging gewoon door, maar nadien zou ik altijd anders tegen hem blijven aankijken. Ik vond het dermate verontrustend dat toen me na de verkiezingen gevraagd werd of ik lid van de staf van het Witte Huis wilde worden, ik liet weten dat ik veel liever naar mijn oude baan terugging.

Nixons grove kant werd vijf jaar later alom bekend toen de Watergatebanden werden vrijgegeven. Daarin komt hij naar voren als een uitzonderlijk slimme kerel die treurig genoeg paranoïde, misantropisch en cynisch is. Iemand van Clintons regering beschuldigde Nixon er ooit van dat hij antisemitisch was, maar ik zei: 'Je snapt het niet. Hij was geen antisemiet. Hij was antisemiet, anti-Italiaan, anti-Griek, anti-Slowaak. Ik ken geen mens waar hij niet anti was. Hij haatte iedereen. Hij kon de vreselijkste dingen over Henry Kissinger zeggen en toch maakte hij hem minister van Buitenlandse Zaken.' Toen Nixon vertrok, slaakte ik een zucht van verlichting. Je wist maar nooit wat hij zou doen en een president van de Verenigde Staten heeft zo veel macht dat het doodeng is: een legerofficier die de eed op de grondwet heeft gezworen, zal echt niet gauw zeggen: 'Daar begin ik niet aan, meneer de president.'

Natuurlijk was Nixon een extreem geval. Maar ik kwam er langzamerhand wel achter dat mensen die op het topje van de politieke berg zitten, echt anders zijn. Jerry Ford was zo normaal als je bij een president maar kunt verwachten, en die was nooit gekozen. Ik probeer er al jaren een wetswijziging op de Grondwet door te krijgen. Die luidt: 'Iedereen die bereid is om te doen wat ervoor nodig is om president te worden, moet van het ambt worden uitgesloten.' En het is maar half een grapje.

Ook al nam ik dan geen vaste baan bij de regering aan, Washington ging wel een belangrijk deel van mijn leven uitmaken. Voorafgaand aan de inhuldiging werkte ik als interim-directeur begroting, om Nixons eerste federale begroting te helpen opstellen. Ik zat in taakgroepen en commissies, waarvan de voornaamste de commissie voor een vrijwilligersleger was, die was opgezet door Martin Anderson en in het Congres het pad effende voor de afschaffing van de dienstplicht. (Martin zette die commissie op maar nam er geen zitting in. Voorzitter ervan werd Thomas S. Gates jr., die onder Eisenhower minister van Defensie was geweest.) En aangezien heel wat van mijn vrienden en beroepsmatige kennissen sleutelposten bekleedden op het gebied van het binnenlandse en economische beleid van de regering, bracht ik steeds meer tijd door binnen de ringweg rond Washington.

De economie gedroeg zich nogal onvoorspelbaar aangezien het bedrijfsleven worstelde met de gevolgen van Vietnam en de binnenlandse onrust. De 10 procent extra op de federale inkomstenbelastingen die nogal aan de late kant door de regering-Johnson was ingesteld en door Nixon in stand werd gehouden om de kosten van de oorlog te helpen dekken, had bepaald geen gezonde uitwerking. In 1970 gleden we een recessie in waardoor de werkloosheid tot 6 procent steeg: ongeveer vijf miljoen mensen zaten zonder werk.

Tegelijkertijd leek de inflatie wel een eigen leven te leiden. In plaats van te dalen, zoals volgens alle modellen het geval moest zijn, bleef de jaarlijkse inflatie zo'n 5,7 procent, wat naar latere maatstaven laag is, maar toentertijd verontrustend hoog was. Naar de keynesiaanse opvatting van de economie die indertijd gold, waren werkloosheid en inflatie net twee kinderen op een wip: als de een omhooggaat, komt de ander omlaag. Om het even simplistisch te formuleren, veronderstelde men dat het aldus werkte: hoe meer mensen zonder werk zitten, hoe minder werkgevers onder druk staan om de lonen te verhogen; en omdat de kosten die ondernemingen moeten maken laag blijven, geldt dat ook voor de prijs die ze hun klanten berekenen. En omgekeerd: als de werkloosheid daalt en de arbeidsmarkt krap wordt, gaan de bedrijfskosten omhoog en stijgen de prijzen naar alle waarschijnlijkheid ook.

Maar die keynesiaanse modellen verklaarden niet hoe het mogelijk was dat de werkloosheid en de inflatie allebei omhoog konden gaan. Deze zogenaamde stagflatie bezorgde beleidsmakers een hoop kopzorgen. De instrumenten waarmee overheidseconomen tien jaar daarvoor nog zulke briljante prognoses hadden gedaan, bleken in feite niet goed genoeg om de overheid in staat te stellen de economie nauwkeurig bij te sturen. (Uit een enquête die een paar jaar later werd gehouden, bleek dat het grote publiek het vermogen van economen om juiste prognoses te doen, ongeveer even hoog inschatte als dat van astrologen. Ik vroeg me meteen af wat die astrologen dan eigenlijk verkeerd hadden gedaan.)

De politieke druk op de regering om iets aan deze problemen te doen nam toe. Arthur Okun, voormalig voorzitter van de Raad van Economische Adviseurs onder Johnson en iemand die bekendstond om zijn droge humor, had de 'onbehaaglijkheidsindex' bedacht om dit dilemma te beschrijven. De index werd gevormd door de optelsom van het werkloosheidspercentage en de inflatie. Op dat moment stond de onbehaaglijkheidsindex op 10,65 procent en hij was sinds 1965 alleen maar gestegen.[2]

Ik keek toe terwijl mijn vrienden in Washington de ene na de andere remedie uitprobeerden. Om de recessie en het verlammende effect van de verhoogde inkomstenbelastingen te bestrijden, verlaagde de Fed de rentetarieven en werd er geld in de economie gepompt. Dankzij die maatregelen groeide het bnp, maar de inflatie werd ook verder aangewakkerd. Intussen ontstond er onder een aantal mannen achter president Nixon een beweging die maatregelen voorstond die ons vrijemarkteconomen die Nixon aan de macht hadden geholpen, een gruwel waren, namelijk het bevriezen van lonen en prijzen. Zelfs mijn oude vriend en mentor Arthur Burns, die in 1970 door Nixon was aangesteld als voorzitter van de Fed, had het af en toe over iets wat 'inkomensbeleid' zou kunnen worden genoemd. Ik vond Arthurs ommekeer verbijsterend en schreef die toe aan een combinatie van politieke druk en alarmerende economische ontwikkelingen die hij wellicht vanuit zijn nieuwe positie kon ontwaren. De Fed maakte zich kennelijk zorgen. (Achteraf gezien denk ik dat Burns eerder probeerde een formele bevriezing van lonen en prijzen voor te zijn.) Ten slotte ging op zondag 15 augustus 1971 bij mij thuis de telefoon. Het was Herb Stein die indertijd lid was van Nixons Raad van Economische Adviseurs. 'Ik bel vanuit Camp David,' zei hij. 'De president wilde dat ik jou belde om te zeggen dat hij het land zal toespreken en loon- en prijsmatiging gaat aankondigen.' Die avond was om twee redenen onvergetelijk voor mij: ten eerste had Nixon de zendtijd van de populaire westernserie

Bonanza waar ik zo graag naar keek opgeëist om zijn koerswijziging aan te kondigen; en ten tweede ging ik door mijn rug toen ik iets van de grond wilde oprapen. Ik moest zes weken het bed houden. En ik geloof nog steeds dat dit allemaal door die loon- en prijsmatigingen kwam.

Ik was blij dat ik geen overheidsfunctie had. Burns en zijn vrouw woonden in het appartementencomplex van Watergate en ik ging wel eens bij ze dineren. Arthur mijmerde dan wat over de jongste escapade van het Witte Huis en zei dan vaak: 'Goeie hemel, wat zullen ze nu weer bedenken?' Nadat Nixon de loon- en prijsmatigingen had ingesteld, vloog ik regelmatig over voor een afspraak met Don Rumsfeld, die leiding gaf aan het programma voor economische stabilisatie, dat was opgezet om de maatregelen toe te passen. Daarnaast was hij hoofd van de Raad voor de Kosten van Levensonderhoud, met Dick Cheney als zijn adjunct. Ze vroegen mijn raad omdat ik behoorlijk op de hoogte was van de manier waarop bepaalde bedrijfstakken functioneerden. Maar ik kon niet meer doen dan aangeven wat voor soort probleem er bij elke bevriezing van een prijs zou ontstaan. Het probleem was dat ze in een markteconomie aan centrale planning wilden doen, terwijl de markt elke poging tot regulering zal ondermijnen. De ene week was het probleem de textielindustrie. De boeren hadden zo veel politieke invloed dat de regering geen maximumprijs kon opleggen voor ruwe katoen. En dus ging de prijs voor ruwe katoen omhoog. Maar de prijs voor ongebleekte, ongeverfde stoffen die de eerste fase van het textielproductieproces vormen, werd wel bevroren. Dus kwamen de fabrikanten van dat soort stoffen in het nauw: hun kosten gingen omhoog maar ze konden hun prijzen niet verhogen, en dus trokken bedrijven zich uit dat deel van de branche terug. Ineens begonnen bedrijven waar stoffen verder werden bewerkt en waar kleding werd gemaakt, te klagen dat er niet genoeg ongebleekte stoffen voorradig waren. Rumsfeld vroeg: 'Wat moet ik nu doen?' En ik antwoordde: 'Doodgewoon de prijs verhogen.' Dat soort situaties deed zich week na week voor en na verloop van een paar jaar stortte het hele systeem in. Jaren later zei Nixon dat die loon- en prijsmatigingen zijn slechtste beleidsbeslissing waren geweest. Maar treurig genoeg wist hij van meet af aan dat het een slecht idee was. Het was doodeenvoudig een kwestie van politieke druk: heel veel zakenlui hadden gezegd dat ze de lonen wilden bevriezen, en heel wat consumenten vonden dat bevriezen van de prijzen wel een aantrekkelijk idee, en daarom besloot hij dat hij het wel moest doen.

Het Arabische olie-embargo in oktober 1973 verergerde de inflatie en de werkloosheid, om nog maar te zwijgen van de schade die het zelfvertrouwen van de Amerikanen ervan opliep. De consumentenprijsindex rees de pan uit: in het jaar 1974 ontstond de uitdrukking '*double-digit inflation*' omdat deze tot een angstaanjagende 11 procent steeg. De werkloosheid stond nog steeds op 5,6 procent, de beurs zakte in, de economie dreigde in de ernstigste recessie sinds de jaren dertig te raken, en de Watergate-affaire deed de stemming nog verder versomberen.

Te midden van al dat treurig stemmende nieuws belde minister van Financiën Bill Simon om te vragen of ik voorzitter wilde worden van de Raad van Economische Adviseurs. Herb Stein was op dat moment voorzitter en stond op het punt te vertrekken. Het voorzitterschap van deze raad is een van de drie hoogste posten die een econoom in Washington kan bekleden; de andere twee zijn minister van Financiën en voorzitter van de Fed. Onder vrijwel alle andere omstandigheden had ik ja gezegd. Maar ik was het in veel opzichten niet eens met het beleid van de president en had daarom het gevoel dat ik niet effectief zou kunnen functioneren. Ik zei tegen Simon dat ik zeer vereerd was en dat ik met alle liefde andere kandidaten wilde voorstellen maar dat mijn antwoord negatief was. Zo'n week later belde hij opnieuw en zei ik: 'Ik stel het heus zeer op prijs, Bill, maar ik meen het echt.' 'Ga dan in elk geval een keertje met Al Haig praten.' Haig was de stafchef van president Nixon. Ik stemde toe en een dag later vroeg Haig me of ik hem wilde komen opzoeken in Key Biscayne, Florida, waar de president graag verbleef. Haig gooide er de hele Witte Huisshow tegenaan, want hij stuurde een vliegtuig naar La Guardia dat een jet voor hoge militairen bleek te zijn, inclusief steward, om me naar Key Biscayne over te vliegen. Daar hadden Haig en ik een lang gesprek. Ik zei: 'Je begaat een vergissing. Als ik voorzitter word en de regering voert beleid door waar ik het niet mee eens ben, dan moet ik ontslag nemen. En daar zitten jullie niet op te wachten.' De maatregelen om de lonen en prijzen te matigen, waren inmiddels vrijwel allemaal ingetrokken, maar vanwege de inflatie drong het Congres er erg op aan ze weer in te voeren. Ik zei dat ik ontslag zou nemen als dat gebeurde. Haig zei: 'Die kant willen we helemaal niet op. Je zult heus geen aanvechting krijgen om ontslag te nemen.' Toen ik op punt van vertrek stond, vroeg hij: 'Wil je hem nog zien?' Nixon, dus. Ik zei: 'Ik zou niet weten waarom.' Eerlijk gezegd voelde ik me nog steeds heel slecht op mijn gemak met de man. Bovendien had ik ook nog mijn twijfels over de aangeboden baan en ik had het gevoel dat nee zeggen tegen de president van de Verenigde Staten zo ongeveer het moeilijkste is dat je kunt doen.

Ik was nog maar net weer in mijn kantoor in New York toen de telefoon alweer ging. Ditmaal was het Arthur Burns. Hij zei: 'Kom bij me langs.' Dat had ik nooit moeten doen. Mijn vroegere mentor rookte zijn pijpje en werkte stevig op mijn schuldgevoel. 'Deze regering is verlamd,' zei hij, op het Watergate-schandaal doelend. 'Maar we zitten nu eenmaal met een economie en we moeten nog steeds economisch beleid ontwikkelen. Je bent het aan je land verplicht om je diensten te verlenen.' Bovendien, merkte hij op, was ik nu al twintig jaar bezig om Townsend-Greenspan op te bouwen; werd het niet eens tijd om te kijken of het bedrijf het op eigen kracht kon redden? Aan het eind van het gesprek had hij me ervan overtuigd dat ik misschien wel iets voor Washington kon betekenen. Maar ik sprak met mezelf af dat ik een flat zou huren met een maandcontract en dat ik op z'n minst in overdrachtelijke zin een koffertje bij de deur klaar zou hebben staan.

Als Nixon niet zo in de problemen had gezeten, betwijfel ik ten zeerste of ik de baan had aangenomen. Ik beschouwde het min of meer als een waarnemerschap om de boel zo lang op de rails te houden. Ik verwachtte niet anders dan dat ik er maar kort zou zitten. Als Nixon kans had gezien langer aan te blijven, was ik waarschijnlijk na een jaar vertrokken. Maar de gebeurtenissen namen een compleet andere wending. De hoorzitting in de Senaat over mijn aanstelling vond plaats op donderdag 8 augustus 1974 's middags; diezelfde avond kondigde Nixon op de televisie aan dat hij aftrad.

Ik had vicepresident Ford slechts één keer ontmoet voor een gesprek van een uur over de economie, een paar weken daarvoor. Maar we konden goed met elkaar overweg en op aandringen van Don Rumsfeld, die leiding gaf aan het team dat de wisseling van de wacht regelde, bevestigde hij mijn aanstelling door Nixon.

De Raad van Economische Adviseurs is in feite een klein adviesbureau speciaal voor de president van de Verenigde Staten. Het houdt kantoor in het zogenaamde Old Executive Office Building tegenover het Witte Huis en bestaat uit drie leden en een kleine staf van economen, grotendeels hoogleraren die een of twee jaar vrij hebben genomen bij hun universiteit. Onder Nixon was de raad een uitgesproken politieke aangelegenheid geworden, aangezien Herb Stein vaak namens de president sprak. Herb was weliswaar een geslaagde voorzitter, maar het is nu eenmaal bijzonder moeilijk om tegelijkertijd adviseur en woordvoerder te zijn (normaal gesproken is de minister van Financiën de regeringswoordvoerder op economisch gebied), en ik wilde weer een adviserende instantie van de raad maken. Na overleg met de andere leden van de raad, William Fellner en Gary Seevers, schafte ik de maandelijkse persconferenties af. Ik nam me voor om zo min mogelijk toespraken te houden en mijn contacten met het Congres tot een minimum te beperken, al zou ik natuurlijk wel moeten getuigen als ik daartoe werd opgeroepen.

Ik was nogal een ongebruikelijke keuze voor het voorzitterschap, aangezien ik niet was gepromoveerd en op een fundamenteel andere manier tegen de economie aankeek dan de meeste mensen die aan een universiteit verbonden waren. We hadden bij Townsend-Greenspan computers en werkten met de allernieuwste econometrische modellen die elke hoogleraar zou herkennen, maar we beperkten ons altijd tot analyses op het niveau van bedrijfstakken en werkten nooit met macrovariabelen als werkloosheid en federale tekorten.

Ford en Nixon verschilden van elkaar als dag en nacht. Ford was een zelfverzekerde man, met heel wat minder psychische complexen dan vrijwel iedereen die ik ooit had ontmoet. Hij straalde altijd iets positiefs uit en je kreeg nooit het gevoel dat hij er een geheime agenda op na hield. Als hij kwaad was, was hij dat om een aanwijsbare reden. Maar dat kwam zelden voor, hij was een uitgesproken evenwichtig persoon. In 1975, vlak na de val van Saigon, kaapte de Cambodjaanse Rode Khmer het onder Amerikaanse vlag varende containerschip *Mayaguez*, dat over een scheepvaartroute langs hun kust voer. Ik zat tijdens een vergadering over de economie naast hem toen adjunct-directeur van de Nationale Veiligheidsraad Brent

Scowcroft binnenkwam en een briefje voor hem neerlegde. De president vouwde het open en las het. Ford hoorde op dat moment voor het eerst over het incident. Hij wendde zich tot Scowcroft en zei: 'Oké, op voorwaarde dat we niet als eersten schieten.' Daarna richtte hij zijn aandacht weer op de vergadering en ging door met het gesprek. Ik heb het briefje niet gelezen, maar blijkbaar had de president net het leger gemachtigd zonodig terug te schieten naar de strijdkrachten van de Rode Khmer.

Hij besefte altijd precies wat hij al of niet wist. Nixon was veel intelligenter, maar die was weer zo competitief dat hij zich vernederd voelde als hij iemand tegenkwam die ook intelligent was of beter thuis was in een bepaald onderwerp. Bij Ford speelde dat nooit. Hij dacht echt niet dat hij in intellectueel opzicht superieur was aan Kissinger of dat hij meer verstand had van buitenlandse politiek, maar hij voelde zich niet geïntimideerd. In die regering heeft Kissinger heel wat interne gevechten verloren. Ford kon natuurlijk wel bogen op levenslange ervaring binnen de overheid. Maar dat was het niet alleen. Hij voelde zich zeker van zichzelf en was waarschijnlijk een van de zeer weinigen die een normale score zouden behalen in een psychologische test.

President Ford drukte zich weliswaar niet altijd even helder uit op het gebied van de economie maar hij bleek een uitgesproken ontwikkelde en consistente kijk op economisch beleid te hebben. Dankzij al de jaren dat hij zitting had gehad in de commissie voor Bestedingen van het Huis van Afgevaardigden, wist hij alles van de federale begroting, en de begrotingen die hij als president opstelde, waren echt van zijn hand. Nog belangrijker was dat hij stellig geloofde in terughoudendheid op het gebied van overheidsuitgaven, een weloverwogen begroting en een stabiele groei op de lange termijn.

Fords grootste prioriteit was het ontwikkelen van een langdurige oplossing voor de inflatie die hij in zijn eerste toespraak tot het Congres volksvijand nummer één noemde. De dollar verloor dat jaar ruim 10 procent van zijn koopkracht, dus de schrik zat er bij iedereen flink in. Mensen schroefden hun uitgaven terug omdat ze zich zorgen maakten of ze de eindjes wel aan elkaar konden knopen. In de zakenwereld zorgt inflatie voor onzekerheid en toenemende risico's, waardoor het lastig wordt om plannen te maken; inflatie ontmoedigt mensen om personeel aan te trekken, fabrieken te bouwen of investeringen te doen ten behoeve van de groei. Dat is precies wat er in 1974 gebeurde: er werd vrijwel geen kapitaal meer uitgegeven, waardoor de recessie nog ernstiger werd.

Ik was het helemaal eens met de opvattingen van de president, maar ik was ontzet toen ik hoorde wat zijn staf van het Witte Huis van plan was om het probleem aan te pakken. Na mijn eerste kennismaking met de manier waarop beleid werd gemaakt in de Roosevelt Room in het Witte Huis wilde ik gillend terug naar New York vluchten. Tijdens een vergadering van de belangrijkste leden van de staf kwam de afdeling die verantwoordelijk was voor de toespraken, met een campagne op de proppen die ze bedacht hadden en die de naam *Whip Inflation Now* (Verjaag nu de inflatie) had meegekregen. WIN, zoals ze hoopten dat het programma bekend zou worden ('Vat je 'm?' vroeg een van hen) was een uitgebreid programma dat onder andere een landelijke vrijwillige bevriezing van prijzen omvatte, een topconferentie in Washington in oktober met taakgroepen die zich over het probleem van de inflatie zouden buigen en vervolgens in het hele land allemaal minitopontmoetingen, en noem maar op. De opstellers hadden miljoenen buttons met Whip Inflation Now besteld, waarvan iedereen in de kamer er eentje kreeg uitgedeeld. Het was een onwerkelijke toestand. Ik was de enige econoom van het gezelschap en ik zei bij mezelf: 'Dit is wel zo ongelooflijk stompzinnig. Wat doe ik hier?'

Ik was nieuw en kende het protocol nog niet zo goed. Ik had het idee dat ik niet zomaar moest zeggen wat ik vond. Dus focuste ik op dingen die economisch gezien nergens op sloegen. Ik zei: 'Je kan eigenaars van kleine bedrijfjes niet vragen vrijwillig prijsverhogingen na te laten. Die mensen werken met een heel smalle marge en ze kunnen niet voorkomen dat hun leveranciers hun prijzen verhogen.' In de loop van de dagen daarna zag ik kans om ze over te halen een aantal van hun ideeën af te zwakken, maar die herfst ging Whip Inflation Now met veel bombarie van start. Het was een uitgesproken dieptepunt in de geschiedenis van het economisch beleid. Ik was heel blij dat ik de persconferenties van de Raad van Economische Adviseurs had afgeschaft, want niemand heeft me ooit gevraagd de campagne publiekelijk te verdedigen. Tegen het eind van het jaar was de hele campagne van de kaart geveegd door de verergerende recessie.

De voornaamste groep binnen het Witte Huis die zich met economisch beleid bezighield, kwam elke werkdag om half negen bijeen, en aangezien de economie op dat moment in het centrum van de politieke aandacht stond, wilde iedereen eraan deelnemen. De vergadering bestond uit vijf of zes leden van het kabinet, de directeur begroting, de zogenaamde energietsaar, en nog zo wat mensen. Bij cruciale onderwerpen zat Arthur Burns erbij om advies te geven. Meer dan eens waren er zo'n 25 mensen aanwezig. Het was een goede plek om problemen aan de orde te stellen maar niet om knopen door te hakken. De kerngroep van economische adviseurs was veel kleiner: minister van Financiën Simon, directeur Begroting Roy Ash (en later zijn opvolger Jim Lynn), Arthur Burns en ik.

Aanvankelijk had het er veel van dat we de president alleen maar slecht nieuws te melden hadden. Eind september nam de werkloosheid plotseling toe. Algauw begonnen de orders, de productie en de werkgelegenheid af te nemen. Tegen Thanksgiving moest ik de president melden dat we tegen de komende lente wel eens diep in de problemen konden zitten. De dag voor Kerstmis schreef de beleidsgroep hem een brief om hem te waarschuwen dat ons nog meer werkloosheid te wachten stond en de ernstigste recessie sinds de Tweede Wereldoorlog. Niet wat je noemt een leuk kerstcadeautje.

Nog erger was dat we hem niet konden vertellen hoe ernstig die recessie zou worden. Recessies kun je met een orkaan vergelijken: ze variëren van gewoon tot catastrofaal. Het gewone soort maakt eenvoudig deel uit van de conjunctuur: ze doen zich voor als voorraden de vraag overtreffen; bij die gelegenheid schroeven ondernemingen hun productie flink terug totdat de overschietende voorraad is verkocht. Een 'Categorie 5-recessie' doet zich voor als de vraag zelf totaal inklapt, dus wanneer consumenten geen geld meer uitgeven en bedrijven niet meer investeren. Bij het doornemen van de mogelijkheden sprak president Ford zijn bezorgdheid uit dat Amerika in een vicieuze cirkel terecht zou komen van afnemende vraag, ontslagen en somberheid. Aangezien we geen enkel economisch model konden loslaten op de omstandigheden waarvoor we nu stonden, moesten we in het wilde weg handelen. We konden hem alleen maar vertellen dat dit wellicht een voorraadrecessie was, die verergerd werd door de oliecrisis en de inflatie, en daarmee een Categorie 2- of Categorie 3-recessie zou worden, of misschien zelfs wel een van Categorie 5.

De president moest een keuze maken. De onbehaaglijkheidsindex naderde inmiddels de 20 procent, en dus werd er vanuit het Congres stevige druk uitgeoefend om de belastingen te verlagen dan wel de overheidsuitgaven flink op te voeren. Zo pakte je een Categorie 5-recessie aan. Op de korte termijn kon het de groei stimuleren, maar er bestond het gevaar dat de inflatie er nog hoger door werd, wat op de lange duur desastreuze gevolgen kon hebben. Maar als het slechts om een voorraadrecessie ging, was het economisch en niet zozeer politiek gezien de optimale reactie om zo min mogelijk te doen; als we met onze vingers van de paniekknop konden afblijven, zou de economie zichzelf herstellen.

Ford was geen man die makkelijk in paniek raakte. Begin januari 1975 gaf hij ons opdracht een plan te ontwikkelen met zo weinig mogelijk interventie. Het plan dat uiteindelijk uit de bus kwam, omvatte maatregelen om de energiecrisis te bestrijden, de overheidsuitgaven te matigen plus een eenmalige aftrek op de inkomstenbelasting om gezinnen een steuntje in de rug te geven. Die aftrek was bedacht door Andrew Brimmer, een econoom uit de zakenwereld die onder Johnson als eerste zwarte Amerikaan lid was van de raad van gouverneurs van de Fed. Een paar dagen voordat president Ford het plan aan de bevolking voorlegde, ondervroeg hij me uitgebreid over de mogelijkheid dat die belastingaftrek van zestien miljard dollar onze kansen op groei ernstig zou schaden. Economisch gezien was die aftrek een wijs besluit, hield ik hem voor en ik voegde eraan toe: 'Zolang het maar een eenmalige aangelegenheid is en geen terugkerend verschijnsel wordt, zal het niet al te veel schade veroorzaken.'

Tot mijn verbijstering antwoordde hij daarop met: 'Als jij vindt dat we dat moeten doen, zal ik het zo voorstellen.' Uiteraard ging hij ook te rade bij adviseurs met een langere staat van dienst dan ik. Maar ik dacht intussen wel: Dat is nog eens interessant. Een president van de Verenigde Staten die mijn adviezen ter harte neemt. Het bezorgde me een overweldigend gevoel van verantwoordelijkheid en van voldoening. Ford was me noch in politiek opzicht noch in enig ander opzicht ook maar iets verschuldigd. Hier had je het bewijs dat ideeën en feiten er wel degelijk toe deden.

Zijn terughoudende pakket maatregelen was economisch gezien heel verstandig. Het klopte met mijn eigen opvattingen over besluitvorming. Bij het beoordelen van een beleid stelde ik mezelf altijd de vraag: 'Wat zijn de gevolgen voor de economie als we ons vergissen? Als er geen echte risico's zijn, kun je elk beleid uitproberen. Als de gevolgen van een mislukking heel ernstig zijn, kun je zo'n beleid beter vermijden, ook al is de kans op succes groter dan 50 procent, want de gevolgen van een mislukking zijn onacceptabel. Dit nam niet weg dat de keus die de president maakte, heel veel politieke moed vereiste. Hij besefte maar al te goed dat zijn programma waarschijnlijk ontoereikend zou worden genoemd, en dat de economische neergang langer zou kunnen duren als het te voorzichtig bleek te zijn.

Ik kwam tot de slotsom dat de Raad van Economische Adviseurs dit als een noodgeval moest behandelen. De president moest weten of we hier te maken hadden met een tijdelijke voorraadcrisis of met een ernstige instorting van de vraag. De enige betrouwbare economische maat die daar antwoord op kon geven, was het bruto nationaal product, een alomvattende beschrijving van de economie die het Bureau of Economic Analysis (BEA, Bureau voor de Statistiek) afleidde uit een reusachtige hoeveelheid statistische gegevens. Helaas kwam de BEA maar eens in het kwartaal met dit cijfer, en dan ook nog ruimschoots na dato. En je kunt geen auto besturen via de achteruitkijkspiegel.

Ik had bedacht dat we een stel noodkoplampen op ons karretje zouden monteren: een wekelijkse update van het bnp aan de hand waarvan we in staat zouden zijn de recessie in realtime te volgen. Naar mijn overtuiging was dat mogelijk, want bij Townsend-Greenspan hadden we een maandelijkse bnp ontwikkeld. Dat sprak klanten erg aan; die moesten immers beslissingen nemen en wilden niet wachten tot de officiële kwartaalcijfers werden gepubliceerd. Daarmee was dus het analytische fundament al gelegd; het ontwikkelen van een wekelijks cijfer was alleen een kwestie van wat meer werk. Sommige cijfers die hiervoor onmisbaar waren, zoals de detailhandelomzet en de nieuwe aanvragen voor een werkloosheidsuitkering, waren al per week beschikbaar, dus dat was makkelijk genoeg. Andere cruciale gegevens als aantallen verkochte auto's of gegevens over orders en transporten van duurzame goederen (dingen als fabrieksapparatuur, computers en wat dies meer zij) kwamen doorgaans eens in de tien dagen of per maand binnen. Gegevens over voorraden kwamen eveneens per maand binnen, wat nog eens extra gecompliceerd werd doordat die rapporten vaak bijzonder onnauwkeurig waren en ingrijpend moesten worden bijgesteld.

Die reusachtige leemtes in de informatie kon je aanvullen door de telefoon te pakken. Ik had in de loop der jaren een uitgebreid netwerk opgebouwd van klanten en contacten binnen ondernemingen, beroepsorganisaties, universiteiten en regulerende instanties, en veel van die mensen reageerden uitermate ruimhartig als we hun hulp inriepen. Ondernemingen gaven ons vertrouwelijke informatie over hun orderboeken en hun plannen om personeel aan te trekken; bestuurders en experts droegen hun eigen observaties en inzichten aan. Zo kregen we bijvoorbeeld een beter zicht op de voorraden door deze losse informatie te combineren met weloverwogen hoeveelheden grondstoffenprijzen, im- en export, treintransporten, afleveringsschema's en noem maar op.

Het aldus verzamelde bewijsmateriaal was nog steeds behoorlijk verbrokkeld en voldeed bij lange na niet aan de maatstaven die het Bureau of Economic Analysis aanhield bij het berekenen van het bnp zoals dat werd gepubliceerd. Maar het voldeed aan de behoefte van dat moment. Toen de economen en statistici van het BEA vernamen waar we mee bezig waren, schoten ze ons te hulp bij het structureren van onze analyse. Twee, drie weken lang werkten we tot diep in de nacht (ons kleine ploegje was tegelijkertijd bezig om de jaarlijkse peiling van de economie op te stellen die altijd begin februari uitkomt) om het wekelijkse bnp-systeem op poten te zetten. Maar ten slotte kon ik eindelijk eens met recente cijfers in plaats van nattevingerwerk bij president Ford aankomen.

Daarna kregen we veel duidelijker zicht op de beleidsvraagstukken. Wekelijks gaf ik tijdens de vaste bijeenkomst van het kabinet een bijgewerkte versie van de recessie. Bij het bekijken van de tiendaagse cijfers van de autoverkopen, de wekelijkse detailhandelomzetten, de gegevens over bouwvergunningen en nieuwbouw, gedetailleerde rapporten omtrent werkloosheidsuitkeringen enzovoort raakten we ervan overtuigd dat het weliswaar een storm maar geen orkaan was. Ondanks alles wat de consumenten hadden doorgemaakt, gaven ze nog steeds met een gezond tempo hun geld uit. Bovendien slonken de voorraden in hoog tempo, wat betekende dat de productie ook binnen afzienbare tijd zou aantrekken.

En dus kon ik de president en het kabinet vertellen dat de recessie aan het afvlakken was. Met een voor mijn doen grote stelligheid zei ik: 'Ik kan u niet de precieze datum geven, maar de consumentenmarkt of de huizenmarkt moet instorten wil het niet zo gaan.' Week na week bleven de cijfers even ondubbelzinnig: het bleek een van die zeldzame, prettige gelegenheden binnen de economie te zijn waarbij de feiten duidelijk zijn en je precies weet wat er gaat gebeuren. Dus toen ik in maart 1975 voor het Congres moest verschijnen, kon ik met stellige overtuiging verklaren dat Amerika 'volgens schema' op weg naar een herstel was. Ik verklaarde dat we nog een zwaar kwartaal voor de boeg hadden en dat de werkloosheid misschien nog tot 9 procent zou stijgen, maar dat het toch mogelijk was om 'enigszins optimistisch' te zijn. En ik waarschuwde voor het in paniek opschroeven van de bestedingen of het verlagen van de belastingen waardoor de economie oververhit zou kunnen raken en een nieuwe inflatiespiraal kon ontstaan.

De politieke storm die tijdens die lente rond het economische plan van de president opstak, was zeer boeiend. In het Congres heerste grote angst. Ik zei indertijd bij wijze van grapje wel eens dat ik mijn kogelvrije vest moest aantrekken als ik weer eens Capitol Hill op moest om te getuigen. In februari 1975 stond ik op het omslag van de *Newsweek*, met daaronder de kop 'How Far is Down?' (Hoe ver omlaag is beneden?). Congreslid Henry Reuss dacht dat Ford ons net als Herbert Hoover in 1930 rustig in een depressie zou laten afglijden en werd aldus geciteerd: 'De president krijgt hetzelfde soort economische advies als Herbert Hoover.' Toen ik voor de Begrotingscommissie van de Senaat verscheen, beweerde voorzitter Ed Muskie dat de regering 'te weinig en te laat' deed. Congresleden kwamen met voorstellen om de economie te stimuleren waarmee het begrotingstekort tot boven de tachtig miljard dollar zou zijn opgelopen, wat indertijd een verbijsterend bedrag was. Voorzitter van vakbondsfederatie AFL-CIO George Meany ging zo mogelijk nog erger tekeer. 'Amerika zit in de ernstigste economische noodtoestand sinds de Depressie,' verklaarde hij. 'Het is nu al een angstaanjagende situatie, en het wordt met de dag somberder. Dit is niet gewoon weer een recessie, want er zijn geen parallellen met de voorgaande vijf recessies van na de Tweede Wereldoorlog. We zijn een heel eind voorbij het punt dat de situatie zich op eigen kracht kan herstellen. De overheid kan niet met de handen in de zakken langs de kant blijven staan.' Meany wilde dat de regering een begrotingstekort van honderd miljard zou accepteren door de belastingen voor gezinnen met een laag of gemiddeld inkomen fors te verlagen, om daarmee de groei te stimuleren.

Wat iedereen zeer opmerkelijk vond, was het uitblijven van protesten vanuit de bevolking. Na tien jaar demonstraties voor burgerrechten en tegen de Vietnamoorlog zou iemand die 9 procent werklozen kon voorzien, ook massale demonstraties en gebarricadeerde straten hebben verwacht. Niet alleen in de Verenigde Staten maar ook in Europa en Japan, waar de economische problemen al net zo ernstig waren. Maar niets van dat alles. Misschien was de wereld uitgeput van de oliecrisis en de tien jaar die daaraan vooraf waren gegaan. Maar in elk geval was het protesttijdperk voorbij. Het had er veel van dat Amerika deze periode met een nieuw saamhorigheidsgevoel doormaakte.

President Ford zag kans de druk te weerstaan en uiteindelijk werd zijn economische programma als wet aangenomen (het Congres verhoogde inderdaad de belastingaftrek met bijna 50 procent, tot zo'n 125 dollar per gemiddeld huishouden). En wat nog belangrijker was: het herstel begon inderdaad op het moment dat wij hadden beloofd, halverwege 1975. De groei van het bnp nam met sprongen toe: tegen oktober lag de economische groei op het hoogste peil in 25 jaar. De inflatie en de werkloosheid begonnen langzaam af te nemen. Zoals gewoonlijk kwam aan de opwinding vrijwel van de ene dag op de andere een einde, en de angstaanjagende voorspellingen werden weldra ook vergeten. Toen de crisis in juli voorbij was, schaften we onze wekelijkse bnp-peiling af, tot grote opluchting van de staf van de Raad van Economische Adviseurs.

De grootste onderbelicht gebleven prestatie van de regering-Ford was de deregulering. Je kunt je nauwelijks meer voorstellen in wat voor keurslijf de Amerikaanse zakenwereld indertijd zat. Luchtvaartmaatschappijen, vrachtvervoerders, spoorwegen, bussen, oliepijpleidingen, telefoonbedrijven, televisie, effectenhandel, financiële markten, spaarbanken en nutsbedrijven: alles en iedereen opereerde in een omgeving waarin alles aan strenge regels onderhevig was. Alle handelingen werden tot in de kleinste details gevolgd. De leukste beschrijving die ik van dat verschijnsel ken, komt van Alfred Kahn, een humoristische econoom van Cornell University die door Jimmy Carter aan het hoofd was gesteld van de Civil Aeronautics Board (Raad voor de Burgerluchtvaart) en bekend werd als de vader van de deregulering in de luchtvaart. Toen hij er in 1975 op wees dat er iets moest veranderen, kon hij het niet laten om de duizenden pietluttige beslissingen belachelijk te maken die ze bij de raad kregen voorgelegd: 'Mag een luchttaxibedrijf een vliegtuig met vijftig plaatsen kopen? Mag een luchtvrachtvervoerder die geen vaste vluchten uitvoert maar ingehuurd kan worden, paarden overbrengen van Florida naar ergens in het noordoosten? Mag een lijnvliegtuig de gestrande passagiers van een chartervlucht meenemen op plaatsen die anders onverkocht waren gebleven, en mag dat dan voor een charterprijs? [...] Mag een maatschappij een speciale prijs voor skiërs berekenen maar hun het ticket terugbetalen als er geen sneeuw is? Mogen de werknemers van twee in financieel opzicht aan elkaar gelieerde luchtvaartmaatschappijen op elkaar lijkende uniformen dragen?' Vervolgens keek hij de leden van het Congres aan en zei: 'Geen wonder dat ik mezelf dagelijks de vraag stel: Is dat nou echt allemaal nodig? Heeft mijn moeder me daar nu voor grootgebracht?'

President Ford lanceerde zijn campagne om een eind aan die onzin te maken in een toespraak in Chicago in augustus 1975. Hij beloofde een zaal vol zakenlieden dat hij de Amerikaanse zakenlui van hun ketenen zou bevrijden en de federale overheid zo ver als maar binnen zijn vermogen lag uit hun leven, hun portemonnee en uit hun boekhouding zou verbannen. Men had niet toevallig voor Chicago gekozen: de economische principes achter deregulering waren in de eerste plaats afkomstig van Milton Friedman en de andere onafhankelijke denkers uit de zogenaamde Chicago-school. Deze economen hadden een omvangrijk oeuvre opgebouwd rond de theorie dat je het verdelen van de beschikbare bronnen van de samenleving veel beter kunt overlaten aan markten en prijzen dan aan de regelgevers van de centrale overheid. De keynesiaanse opvatting die sinds de regering-Kennedy in Washington opgeld deed, was dat de economie te sturen was; de economen van de Chicago-school hielden staande dat de overheid juist minder in plaats van vaker moest interveniëren, omdat wetenschappelijke regulering een mythe was. Na jaren van stagflatie en met het falen van de loon- en prijsmatigingen nog vers in ieders geheugen, waren politici van beide partijen het er wel over eens dat de overheidsbemoeienis te ver was doorgeschoten. Het was tijd om minder te doen.

Het kwam erop neer dat men het in Washington van progressief links tot conservatief rechts opmerkelijk met elkaar eens was over het economisch beleid. Plotseling was iedereen voorstander van het afremmen van de inflatie, het terugdringen van het begrotingstekort, de vermindering van de regelgeving en het stimuleren van investeringen. In eerste instantie richtte Fords dereguleringscampagne zich op spoorwegen, vrachtvervoer en luchtvaartmaatschappijen. En ondanks hevig verzet van ondernemingen en vakbonden dereguleerde het Congres alle drie binnen een paar jaar.

Ik kan niet genoeg benadrukken hoe belangrijk Fords deregulering was. Ik moet toegeven dat de meeste voordelen van de deregulering pas na jaren voelbaar werden: de prijzen van spoorwegvrachtvervoer kwamen aanvankelijk nauwelijks in beweging. En toch gaf de deregulering de aanzet tot een reusachtige golf creatieve vernietiging in de jaren tachtig: het opsplitsen van AT&T en andere kolossen, het ontstaan van nieuwe bedrijfstakken als personal computers en snel vrachtvervoer, de hausse van fusies en overnames op Wall Street die kenmerkend waren voor het Reagantijdperk. En uiteindelijk zouden we ook constateren dat de deregulering buitengewoon bevorderlijk was voor de flexibiliteit en de spankracht van de economie.

Jerry Ford en ik raakten goed bevriend. Hij bleef bij zijn standpunt dat de grootste behoefte van de economie een terugkeer naar zelfvertrouwen en kalmte was. Dit betekende dat we ons verre moesten houden van het agressieve interventionisme waarmee men onder Kennedy was begonnen en van het abrupte, reactieve beleid waarvan het land onder Nixon zo paniekerig en onzeker was geworden. Ford wilde het tempo waarmee nieuw beleid werd ingevoerd, afremmen, het begrotingstekort, de inflatie en de werkloosheid terugdringen en uiteindelijk tot een stabiele, evenwichtige en gestaag groeiende economie komen. Aangezien dat tot op zeer grote hoogte ook mijn ideeën waren, kon de Raad van Economische Adviseurs uitstekend functioneren. We hoefden niet voortdurend na te gaan wat hij dacht. We konden een probleem tot een stel opties terugbrengen en vervolgens pakte ik de telefoon om te zeggen: 'Dit en dit is het probleem. Dit zijn de keuzemogelijkheden. Wat wilt u? Een, twee, drie, of vier?' We hadden een gesprekje van drie minuten en als ik ophing, had ik een stel duidelijke instructies over wat hij wilde doen.

Ik moet toegeven dat het heel leuk was om op de plek te zitten waar alles gebeurde. In januari 1976, toen de druk nog behoorlijk groot was, hielp ik Jim Lynn met het opstellen van de State of the Union-rede van de president. Alles veranderde heel snel en we moesten de toespraak tot op het laatste moment herschrijven. Op een avond zaten we nog tot laat in het Witte Huis dingen te herzien, wat een knap vervelend karweitje was aangezien er nog geen tekstverwerkers waren. Jim zei op een gegeven moment: 'Ik vraag me af hoe ik me zal voelen als ik hier weg ben. Misschien sta ik dan wel buiten met mijn neus tegen het raam gedrukt me af te vragen wat al die machtige types aan het doen zijn.' We barstten in lachen uit. Oké, we zaten dan wel met schaar en plakband en Tipp-Ex te werken, maar we waren toch mooi wel aan de State of the Union-rede bezig.

Het Witte Huis heeft mijn tennisspel ook bepaald geen kwaad gedaan. Sinds mijn tienerjaren had ik niet meer gespeeld, maar toen het warmer werd en de crisis afkoelde, begon ik weer van voren af aan op de tennisbaan van het Witte Huis. De baan is in de buitenlucht, in de buurt van de noordwestelijke poort, en het grote voordeel is dat hij volledig afgeschermd is met een omheining. Mijn tegenspeler was onze energietsaar Frank Zarb, die ook al een tijd niet meer had getennist. We waren allebei heel blij dat niemand ons kon zien.

Elke zaterdag of zondag vloog ik op en neer naar New York om de planten in mijn appartement water te geven en mijn moeder te bezoeken. Ik deed op deze trips geen zaken: in overeenstemming met de regels omtrent belangenverstrengeling had ik me volledig teruggetrokken uit de bezigheden van Townsend-Greenspan en ik had mijn bezit ervan laten opnemen in een *blind trust* (een samenwerkingsverband waarin deelnemers hun aandeel niet kennen). Het bedrijf was in handen van mijn vicevoorzitters Kathy Eichoff, Bess Kaplan en Lucille Wu en voormalig vicevoorzitter Judith Mackey, die tijdelijk was teruggekeerd om bij te springen. Opmerkelijk genoeg voor een bedrijf in de economische sector werkten de mannen bij Townsend-Greenspan voor de vrouwen (we hadden in totaal ongeveer 25 werknemers). Bij mijn keuze voor vrouwelijke economen werd ik niet gedreven door emancipatoire overwegingen. Het was zakelijk gezien gewoon heel slim. Ik had even veel achting voor vrouwen als voor mannen en omdat dat voor andere werkgevers niet gold, waren vrouwelijke economen minder duur dan mannen. Het aantrekken van vrouwen had twee voordelen: Townsend-Greenspan kon zo voor hetzelfde geld beter werk leveren en het verhoogde de marktwaarde van vrouwen een heel klein beetje.

Ik nam in het weekend altijd wat werk voor de Raad van Economische Adviseurs mee. Doordeweeks werkte ik doorgaans tien à twaalf uur per dag. Ik hield er een buitengewoon bevredigende vaste routine op na die bij zonsopgang begon met een uitgebreid, warm bad. Die gewoonte nam ik aan nadat ik in 1971 door mijn rug was gegaan. Mijn orthopedist raadde me als onderdeel van mijn revalidatie aan elke ochtend een uur in een warm bad te liggen. Ik merkte dat dit me uitstekend beviel. Het was een ideale omgeving om in te werken. Ik kon lezen en schrijven en het was volmaakt privé. Ik kon ruis creëren door de ventilator aan te zetten. Uiteindelijk genas mijn rug, maar toen was dat bad inmiddels vrije keus geworden.

Tegen half acht ging ik de deur uit, en mijn flat in het Watergate-gebouw was dicht genoeg in de buurt van het Old Executive Office Building om af en toe te voet naar mijn werk te gaan. Inmiddels waren de straten rond het Witte Huis een stuk vrediger dan ten tijde van de regering-Nixon. Wanneer ik in die tijd de stad bezocht, moest ik me vaak een weg banen tussen de demonstranten door. Mijn vaste patroon leek sterk op dat van anderen die bij het openbare leven betrokken waren. De staf van het Witte Huis kwam om acht uur bijeen en de Raad voor het Economische Beleid om half negen, en daarna was de dag in volle gang. Ik werkte meestal tot een uur of zeven, onderbroken door een partijtje tennis of af en toe wat golfen. Bij gelegenheid nodigde de president me uit met hem bij Burning Tree te golfen, een club in een buitenwijk van Washington die berucht werd om het feit dat vrouwen er niet werden toegelaten. Vandaag de dag zou geen president dat kunnen maken, maar begin jaren zeventig klaagde daar nog vrijwel niemand over. Ik ging regelmatig uit eten of naar een concert, vaak in de loge van de president, of ik maakte mijn opwachting op een receptie. Ik nam nooit echt een vrije dag, maar dat kon me niet schelen, want ik deed wat ik het liefst deed.

Het herstel van de economie vergrootte de kans dat Ford in 1976 herkozen zou worden aanzienlijk. Het grote publiek had alleen maar wrange herinneringen aan Nixon, Watergate, de gratie van Nixon, de inflatie en de OPEC, en dus beweerde menig expert dat het voor Ford of welke Republikein dan ook vrijwel onmogelijk was om te winnen. Voorafgaand aan de partijconventies van die zomer lag hij volgens de peilingen ruim dertig procentpunten achter. Maar Fords tact en evenwichtigheid (en de resultaten die hij behaalde) dwongen respect af en de kloof werd al snel kleiner.

Ik had wel interesse gehad in een baan in zijn nieuwe regering. Ondanks mijn aanvankelijke bedenkingen over werken voor de regering was ik ervan overtuigd geraakt dat het soms mogelijk is in Washington iets goeds te verrichten. Ik had het geweldig gevonden om minister van Financiën te worden. Maar toen me gevraagd werd of ik aan zijn campagne wilde meedoen, zei ik nee. Dat lag niet op de weg van de voorzitter van de Raad van Economische Adviseurs, vond ik. Bepaalde functionarissen binnen een regering, zoals de minister van Buitenlandse Zaken, de minister van Justitie en de voorzitter van de Raad van Economische Adviseurs, horen zich naar mijn idee niet in verkiezingspolitieke aangelegenheden te mengen, omdat ze leiding geven aan instanties die geacht worden boven partijpolitiek gekrakeel te staan. De president vond dat ik de juiste keuze had gemaakt.

Maar toen Ford zich opmaakte om tegen Jimmy Carter in het strijdperk te treden, was ik degene die per ongeluk de kreet fourneerde die de hele campagne door tegen de president gebruikt zou worden. Het centrale economische thema van de campagne in 1976 was of het herstel al of niet was ingestort. De economie was in het eerste kwartaal razendsnel gegroeid (met een tijgerachtig tempo van maar liefst 9,3 procent op jaarbasis), maar daarna was die groei in de zomer plotseling afgezwakt tot nog geen 2 procent. Vanuit het standpunt van een econoom bezien was dat geen reden tot bezorgdheid. Een moderne economie bestaat uit zo veel bewegende delen, dat het maar zelden voorkomt dat ze op een vloeiende manier versnelt of vertraagt, en in dit geval zagen alle belangrijke groei-indicatoren (inflatie, werkloosheid enzovoort) er uitstekend uit.

Tijdens een kabinetsvergadering in augustus deed ik dit uit de doeken aan de hand van tabellen, om aan te tonen dat dit herstel zich net zo gedroeg als eerdere. 'Het is een patroon van afwisselend vooruitgaan en adempauze, vooruitgaan en adempauze,' legde ik uit. 'En op dit moment zitten we in zo'n adempauze. Maar in de grond zit dit herstel solide in elkaar en er zijn geen aanwijzingen dat er sprake is van een onderliggende verslechtering.' Die opmerkingen werden door persvoorlichter Ron Nessen aan de media overgebracht en bleken gefundenes Fressen voor de tegenstanders van de president. In hun ogen was 'adempauze' een eufemisme van de regering voor: 'We hebben gefaald.'

Plotseling laaide het hele debat van begin 1975 weer op en stond Ford weer enorm onder druk van het Congres en zelfs van zijn eigen campagneteam om zijn streven naar een langdurig en duurzaam herstel op te geven en alle economische prikkels in stelling te brengen. In het debat met de president in oktober vroeg columnist Joseph Kraft onomwonden: 'Het land verkeert op het ogenblik in iets wat uw adviseurs een economische adempauze noemen, meneer de president. Volgens mij klinkt dat de meeste Amerikanen in de oren als een opgepoetste term voor trage groei, werkloosheid, impasse, daling van het netto-inkomen, lagere fabrieksopbrengsten, meer ontslagen. Is dat niet een uitgesproken slechte toestand en is uw regering daar niet grotendeels verantwoordelijk voor?' Onverstoorbaar verdedigde Ford wat hij allemaal bereikt had, en de geschiedenis heeft aangetoond dat hij gelijk had: de economische groei bleef nog een heel jaar aanhouden. Maar tegen de tijd dat dit duidelijk werd, waren de verkiezingen al ruimschoots voorbij en had Ford met nauwelijks meer dan anderhalf miljoen stemmen van Jimmy Carter verloren. Nog jarenlang zou Henry Kissinger me blijven pesten met de opmerking: 'Je had helemaal gelijk met die adempauze. Alleen vreselijk jammer dat die net tijdens de presidentsverkiezingen viel.'

Op 20 januari 1977 werd Jimmy Carter als negenendertigste president van de Verenigde Staten beëdigd. Terwijl hij voor het Capitool de ambtseed aflegde, zat ik op de middagvlucht terug naar New York.

4

AMBTELOOS BURGER

Het is nooit makkelijk om aan de verliezende kant te staan. Dat neemt niet weg dat ik toch allerlei redenen kon bedenken om blij te zijn dat ik weer naar New York terugging. De diensten van Townsend-Greenspan waren meer in trek dan ooit. Allerwegen gingen deuren voor me open en ik nam zo veel boeiende opdrachten aan als mijn agenda maar toeliet. Ik meldde me weer bij de Raad van Economen van *Time* en het Brookingspanel voor economische bedrijvigheid, waarin mensen als Walter Heller, Martin Feldstein, George Perry en Arthur Okun zitting hadden. Ik gaf vaker lezingen en kwam twee, drie keer per maand bij ondernemingen, managementgroepen en genootschappen, meestal om over hun bedrijf en de economische vooruitzichten te praten.

Ineens bleek ik ook erg in trek als commissaris. Ik werd lid van de raad van commissarissen bij Alcoa, Mobil, JP Morgan, General Foods, Capital Cities/ABC en ga zo maar door. Er zijn allerlei redenen om lid te worden van de raad van een Fortune 500-onderneming, maar voor mij was de voornaamste reden dat ik zo de kans kreeg meer te weten te komen over de zaken die me vertrouwd zijn maar die ik nooit echt heb begrepen, zoals de namaakslagroom Cool Whip en het cornflakesmerk Post Toasties. Ik kwam er pas achter hoe de voedingsmiddelenbranche werkte toen ik lid van de raad van bestuur van General Foods werd. Townsend-Greenspan had veel analyses uitgevoerd van graan, maïs en sojabonen, maar nooit van de voedingsmiddelen die je in de reclame en op de schappen in de supermarkt tegenkomt. General Foods was bijvoorbeeld eigenaar van Maxwell House, dat in de dagen voordat iedereen in de ban van Starbucks raakte, een van de grootste koffiemerken was. Tot mijn verbazing kwam ik erachter (maar toen ik erover nadacht, lag het eigenlijk wel voor de hand) dat de voornaamste concurrenten van Maxwell niet alleen andere koffiemerken waren, maar ook sodawater en bier; ze streden tenslotte om een aandeel in de maagcapaciteit van de natie. General Foods bezorgde me ook het gevoel dat ik voeling had met de geschiedenis van de onderneming. Het bedrijf droeg nog steeds de stempel van zijn oprichtster, de erfgename Marjorie Merriweather Post. Ze was nog maar 27 toen haar vader overleed, waardoor zij aan het hoofd kwam te staan van de familieonderneming, de Postum Cereal Company; met de tweede van haar vier echtgenoten, de financier E.F. Hutton, bouwde ze Postum uit tot General Foods. Een paar jaar voordat ik lid van de raad van commissarissen werd, was ze overleden, maar hun enige kind, de actrice Dina Merrill, manifesteerde zich duidelijk in de onderneming.

Ondanks al die jaren dat ik bedrijfseconomie had gestudeerd, viel het me toch nog niet mee om te bevroeden hoe omvangrijk sommige van die ondernemingen waren. Mobil bijvoorbeeld, dat in 1977 een omzet van 26 miljard dollar had en nummer vijf was op de Fortune 500, was werkelijk overal actief: in de Noordzee, het Midden-Oosten, in Australië en Nigeria. Tijdens mijn eerste diner met de andere commissarissen bracht ik een toast uit waarin een grapje voorkwam dat alleen een econoom weet te waarderen: ‘Ik voel me hier helemaal thuis. Mobil is van dezelfde orde van grootte als de Amerikaanse overheid: het getal 0,1 op de verlies-en-winstrekening betekent hier 100 miljoen dollar.’

Van alle raden van commissarissen waar ik lid van werd, beviel JP Morgan me nog het meest. Het was de houdstermaatschappij van Morgan Guarantee, op dat moment de onbetwiste topbank van de wereld. De raad vormde een staalkaart van de Amerikaanse zakenelite: Frank Cary van

IBM, Walter Fallon van Eastman Kodak, John Dorrance van Campbell's Soup, Lewis Foy van Bethlehem Steel, en dan ik. We kwamen bijeen op Wall Street nummer 23, een pand dat J.P. Morgan zelf nog had laten bouwen in een tijd dat hij heer en meester was over de Amerikaanse financiële wereld. Op de fortachtige gevel waren nog steeds de putjes te zien van de terroristische aanslag in 1920, toen midden op een drukke dag een door paarden getrokken wagen vol dynamiet en granaten vlak voor de bank tot ontploffing werd gebracht, waarbij tientallen mensen omkwamen en gewond raakten. De aanslag werd toegeschreven aan anarchisten maar de zaak is nooit opgelost. Binnen was het decor onveranderd gebleven, met hoge plafonds en cilinderbureaus. De eerste keer dat ik in die raadskamer zat, voelde ik me een beetje geïntimideerd. Boven de vergadertafel hing een portret van J.P. Morgan, en op de plek waar ik zat, keek hij me recht in de ogen als ik omhoogkeek.

Je had kunnen denken dat de mensen die het bij Morgan voor het zeggen hadden stuk voor stuk dik in de stambomen en de welopgevoedheid zouden zitten. Maar de onderneming was juist eerder een meritocratie. Neem Dennis Weatherstone die het in de jaren tachtig tot bestuursvoorzitter bracht. Dennis had niet gestudeerd; hij was rechtstreeks van een polytechnische school als handelaar bij het Londense filiaal van Morgan komen werken. Hij had zijn succes echt niet aan zijn connecties te danken, want die had hij niet.

Als commissaris bij Morgan had je een prachtkans om van alles op te steken over het functioneren van de internationale financiële wereld. Wat me bijvoorbeeld voor een raadsel stelde, was dat de bank maand na maand strijk en zet winst maakte in de valutahandel. Vanwege de efficiëntie van de markten voor buitenlandse valuta was het voorspellen van de wisselkoersen voor de belangrijkste munten even nauwkeurig als het voorspellen van kruis of munt. Uiteindelijk sprak ik er de leiding op aan: 'Hoor eens, heren, in alle onderzoeken die ik ken, staat dat het onmogelijk is om voortdurend winst te maken in de valutahandel.'

'Dat is waar,' legden ze uit. 'Maar we hebben het ook niet aan onze prognoses te danken. We zijn marktmakers; we maken onze winst op het prijsverschil tussen aanbod en vraag, ongeacht welke kant de koersen op gaan.' Net als tegenwoordig eBay inden ze bij elke transactie waarbij zij als tussenpersoon optraden, een klein percentage, maar dan wel op zeer grote schaal.

Een van de mensen die zitting hadden in de internationale adviesraad van de bank, was de Saoedische miljardair Suleiman Olayan. Deze ondernemer was een paar jaar ouder dan ik en was in de jaren veertig begonnen als vrachtwagenbestuurder bij de Arabisch-Amerikaanse olieproducent Aramco. Algauw had hij zijn eigen bedrijfje opgezet dat onder andere water aan de boormensen verkocht en andere diensten verleende. Daarna breidde hij uit naar bouw en productie; hij was ook degene die verzekeringen in het koninkrijk had geïntroduceerd.

Toen Saoedi-Arabië Aramco nationaliseerde en de zeggenschap over zijn eigen olie in handen nam, was hij al enorm rijk. En toen de OPEC aan invloed won, had hij inmiddels de smaak te pakken van Amerikaanse banken. Hij had 1 procent van de aandelen verworven in JP Morgan, maar ook in Chase Manhattan, Mellon, Bankers Trust en vier of vijf andere grote namen. Ik kon erg goed overweg met hem en zijn vrouw Mary, een Amerikaanse die voor Aramco werkte toen ze elkaar leerden kennen. Olayan was een nog grotere liefhebber van informatie dan ik en vroeg me het hemd van het lijf over de verschillende aspecten van de Amerikaanse economie.

Ik heb hem er nooit naar gevraagd, maar achteraf bedacht ik dat hij dankzij zijn commissariaat bij Morgan een beter inzicht kreeg in de geldstroom van de oliedollars. Een belangrijke bron van inkomsten voor Amerikaanse banken was indertijd het opnemen van de enorme winsten die uit Saoedi-Arabië en andere OPEC-landen toestroomden en het vinden van plekken, met name in Latijns-Amerika, om dat geld uit te lenen. De OPEC wilde niet de risico's voor het investeren van hun winsten op zich nemen. De banken wel, wat ze later nog duur te staan kwam.

Toen ik na mijn werkzaamheden bij de regering-Ford naar New York was teruggekeerd, bleef ik met Barbara Walters uitgaan. Ik had haar in 1975, toen ik nog in Washington zat, ontmoet op een thé dansant die georganiseerd was door vicepresident Nelson Rockefeller. De lente daarop hielp ik haar meedenken bij een lastige beslissing over haar carrière die erg veel media-aandacht kreeg: of ze al of niet zou vertrekken bij het programma *Today* van NBC, waarvoor ze twaalf jaar had gewerkt en waardoor ze inmiddels een reusachtig populaire medepresentator was geworden, om de overstap te maken naar *ABC News*, waar ze de allereerste presentatrice van het avondnieuws op tv zou worden. Om haar te paaien bood ABC een recordsalaris van één miljoen dollar per jaar; en zoals iedereen weet, besloot ze uiteindelijk de overstap te maken.

Ik voel me niet bedreigd door een vrouw met macht, ik ben er tenslotte inmiddels met een getrouwd. Het saaiste dat ik me kan voorstellen, is met een leeghoofdje uitgaan, iets wat ik in mijn vrijgezellenjaren door schade en schande heb geleerd.

Voordat ik Barbara leerde kennen, bracht ik mijn avonden meestal door aan een zakendiner met andere economen. Barbara ging daarentegen om met mensen uit de wereld van het nieuws, sport, de media en de vermaaksindustrie, dankzij haar interviews met zulke uiteenlopende mensen als Judy Garland en Mamie Eisenhower, Richard Nixon en Anwar Sadat. Haar wortels lagen in de showbusiness. Haar vader Lou was een geslaagde nachtclubeigenaar en Broadwayproducent: zijn Latin Quarter-clubs in Manhattan en Miami Beach waren in de jaren vijftig wat de Stork Club in de jaren dertig was geweest, of wat Studio 54 in het discotijdperk was.

In de jaren dat we iets met elkaar hadden en ook daarna (we zijn altijd goede vrienden gebleven), begeleidde ik Barbara naar allerlei feestjes waar ik mensen ontmoette die ik anders nooit had leren kennen. Meestal vond ik het eten uitstekend en de conversatie saai. En ze zullen vast van mij hetzelfde hebben gedacht. Bedrijfseconomen zijn nou niet wat je noemt feestbeesten.

Dat neemt niet weg dat ik een geweldige vriendenkring opbouwde. Barbara organiseerde bij haar thuis een feestje voor mijn vijftigste verjaardag. Gasten waren de mensen die ik inmiddels als mijn New Yorkse vrienden beschouwde: Henry en Nancy Kissinger, Oscar en Annette de la Renta, Felix en Liz Rohatyn, Brooke Astor (een jonge meid van vijfenzeventig), Joe en Estée Lauder, Henry en Louise Grunwald, 'Punch' en Carol Sulzberger en David Rockefeller. Nu, ruim dertig jaar na dato, ben ik nog steeds met veel van hen bevriend.

Uiteraard strekte Barbara's sociale netwerk zich tot in Hollywood uit. Ik moest voor mijn werk vijf, zes keer per jaar in Los Angeles zijn, waar ik golfde bij de Hillcrest Country Club, de plek waar Jack Benny, Groucho

Marx, Henny Youngman en andere komieken in het verleden dagelijks tijdens de lunch een rondetafelbijeenkomst hielden. Ronald Reagan was overigens ook lid van Hillcrest. Dankzij mijn werk voor het agentschap van William Morris, dat klant was bij Townsend-Greenspan, en de tijd die ik met de legendarische producent Lew Wasserman doorbracht, stak ik het een en ander op over de mediabranche. En verder liet ik me door Barbara op sleeptouw nemen naar allerlei feesten in Beverley Hills, waar ik me volslagen ontheemd voelde. Ik zal nooit vergeten dat Sue Mengers eens tijdens een feest dat ze voor Jack Nicholson gaf, op me afkwam en me omhelsde. Ze was veruit de machtigste impresario in heel Hollywood en vertegenwoordigde sterren als Barbra Streisand, Steve McQueen, Gene Hackman en Michael Caine. 'Ik weet dat je je me niet herinnert,' begon ze. En toen vertelde ze dat we, toen ik vijftien en zij dertien was, samen met andere kinderen uit Washington Heights op de muur rond Riverside Park hadden gehangen. 'Je keurde me nooit een blik waardig maar ik keek altijd naar je op,' zei ze. Ik was even sprakeloos als ik waarschijnlijk op mijn vijftiende geweest zou zijn.

Hoe vermakelijk dit allemaal ook was, ik hield toch het oog op Washington gericht. Jimmy Carter kon me niet gebruiken: we hadden elkaar een paar keer ontmoet en tussen ons had het nooit echt geklikt. (Ik had natuurlijk deel uitgemaakt van de regering-Ford, en hij had Ford verslagen.) Maar vanaf de zijlijn in New York zag ik heel veel bij de regering gebeuren dat ik toejuichte. Veel dingen die de regering en het Congres ondernamen, waren precies waar ik op had aangedrongen als ik daar nog had gezeten.

Het voornaamste was dat de regering-Carter de deregulering die onder Jerry Ford in gang was gezet, verder doorvoerde. In 1978 werd de dereguleringswet voor de luchtvaart aangenomen, die door Teddy Kennedy was uitgedacht. (Kennedy's rechterhand bij dit project was Stephen Breyer, die tijdelijk met verlof was van de Harvard Law School en later rechter bij het Hooggerechtshof en een goede vriend van me zou worden.) Vervolgens dereguleerde het Congres successievelijk de telecommunicatiebranche en zo'n half dozijn andere industrieën. De deregulering had niet alleen een blijvend effect op de economie, maar ook op de Democratische Partij, omdat daarmee een einde kwam aan de dominantie van de arbeidersklasse en de partij ook voor de zakenwereld een optie werd. Maar hoe belangrijk al die veranderingen ook waren, president Carter kreeg er weinig erkenning voor, wat hoofdzakelijk aan zijn stijl te wijten was. In tegenstelling tot Reagan, die wist hoe je economische vernieuwingen enthousiast over het voetlicht moest krijgen, maakte Carter vaak een aarzelende en mistroostige indruk: hij wekte de indruk dat verandering iets was wat je alleen over je afriep als je geen andere keus had.

De economie werkte ook niet in Carters voordeel. Zo'n jaar lang had zijn regering plezier van het herstel dat onder Ford was ingezet. Maar toen begon de groei te vertragen en hernam de inflatie haar gestage, onheilspellende opmars. Er hing voortdurend een sfeer van onzekerheid rond loononderhandelingen en investeringsbeslissingen. En ook de rest van de wereld werd beïnvloed, want andere landen waren afhankelijk van de stabiliteit van de dollar, en die werd nu juist steeds zwakker. In de loop van 1978 steeg de inflatie geleidelijk aan: van 6,8 procent aan het begin van het jaar tot 7,4 procent in juni, tot 9 procent tegen Kerstmis. En in januari 1979 brachten islamitische fundamentalisten de sjah van Perzië (Iran) ten val en begon de tweede oliecrisis. Toen zich die zomer rijen vormden voor de benzinepomp als gevolg van de benzineprijsbeheersing, schoot de economie pijlsnel in een nieuwe recessie en schoot de inflatie opnieuw door de grens van de dubbele cijfers en bereikte ze tegen de herfst de 12 procent.

Niet dat Carter zijn best niet deed. Zijn regering stelde maar liefst zeven economische programma's voor. Maar geen daarvan was krachtig genoeg om de crisis die pijlsnel aan het ontstaan was, een halt toe te roepen. Uit mijn gesprekken met vrienden en beroepsmatige contacten bij de regering kreeg ik de indruk dat ik begreep wat hun probleem was. Carter werd gedreven door de behoefte het iedereen naar de zin te maken. Dus kwam hij met voorstellen voor nieuwe sociale programma's terwijl hij tegelijkertijd probeerde het begrotingstekort te verkleinen, de werkloosheid terug te dringen en de inflatie terug te dringen. Van al die tot op grote hoogte onverenigbare doelstellingen was het onder de duim krijgen van de inflatie de belangrijkste voor het bereiken van een blijvende welvaart. En onder Carter kreeg dat streven nooit de aandacht die het verdiende. Die analyse gaf ik begin 1980 aan de *New York Times*. Ik vergeleek Carters opstelling met die van president Ford. 'Ons beleid was dat we niets anders zouden doen tot we de inflatie onder controle hadden.'

De Fed (die wettelijk gezien onafhankelijk was van het Witte Huis) leek de besluiteloosheid van Carter wel te weerspiegelen. Mijn vroegere mentor Arthur Burns en zijn opvolger Bill Miller zochten voortdurend naar een soort tussenoplossing die aan alle strijdige economische behoeften tegemoet zou komen. Ze wilden lenen niet zo makkelijk maken dat de inflatie nog verder werd aangewakkerd, maar nu ook weer niet zo moeilijk dat de economie er opnieuw van in een recessie zou raken. In mijn ogen bestond die tussenoplossing waar zij naar op zoek waren eenvoudig niet.

Ik was echter in de minderheid. Voor de meeste mensen was het gevaar dat de economie bedreigde helemaal niet zo duidelijk. In Washington was men wijd en zijd de mening toegedaan dat je je de moeite wel kon besparen, aangezien je de inflatie toch niet omlaag kon krijgen zonder de werkloosheid op te jagen.

Sommigen ter linker- en ter rechterzijde begonnen aan te voeren dat er misschien best te leven viel met een inflatie van zo'n 6 procent per jaar: we zouden de lonen kunnen indexeren, zoals ze dat in Brazilië deden. (En zoals iedere fatsoenlijke econoom had kunnen voorspellen, zat Brazilië later met een inflatie van 5000 procent en een volledige economische instorting opgescheept.) Zelfs Wall Street leed aan die zelfgenoegzaamheid. Het duidelijkst zag je het op de obligatiemarkt, die weliswaar heel wat minder vaak de krantenkoppen haalt van zijn luidruchtige neefje de aandelenmarkt maar waar wel nog meer geld in omgaat.[1] De rentetarieven op staatsobligaties met een looptijd van tien jaar, een van de beste indicatoren voor de verwachtingen van beleggers voor inflatie op de lange termijn, stegen tot in de zomer van 1979 tamelijk gestaag, zij het maar tot heel weinig boven het niveau van 1975. Dit impliceerde dat de beleggers er nog steeds vertrouwen in hadden dat de Amerikaanse economie bestand was tegen inflatie, en dat het probleem vanzelf zou verdwijnen.

Maar de wachtrijen bij de pompstations schudden iedereen wakker. Als gevolg van de machtsovername van de ayatollahs in Iran en de oorlog tussen Iran en Irak die erop volgde, liep de olieproductie met miljoenen vaten per dag terug, en de tekorten bij de pomp die daar het gevolg van waren, hadden een griezelig domino-effect. De olieprijzen stegen, waardoor de inflatie nog hoger werd, en de hoge prijzen verergerden de instabiliteit doordat de banken gedwongen waren nog meer oliedollars opnieuw in omloop te brengen. Uiteindelijk dwong de snel stijgende inflatie president Carter tot handelen. In juli 1979 schudde hij zijn kabinet wakker en wees hij Paul Volcker aan als opvolger van Bill Miller bij de Fed. In de jaren na mijn eerste ontmoeting met Paul als net afgestudeerde aan Princeton was hij opgeklommen tot president-directeur van de New York Fed, de belangrijkste bank binnen het systeem van centrale banken. Later kwam aan het licht dat de president tot het moment dat hij Volcker benoemde, nog nooit van hem had gehoord; David Rockefeller en de Wall Street-bankier Robert Roosa hadden er bij de president op gehamerd dat hij de aangewezen man was om de financiële wereld gerust te stellen. Volcker bracht bij zijn beëdiging de sombere sfeer aardig onder woorden toen hij zei: 'We staan oog in oog met economische problemen waar we nog nooit voor hebben gestaan. We zijn het euforische gevoel van vijftien jaar terug kwijt dat we alles wisten wat er maar over het sturen van de economie te weten valt.'

Volcker en ik waren niet persoonlijk bevriend. Met zijn lengte van twee meter en zijn eeuwige sigaar was hij een opvallende verschijning, maar tijdens gesprekken vond ik hem vaak nogal introvert en teruggetrokken. Hij tenniste of golfde niet maar ging graag in zijn eentje vliegvissen. Ik vond hem nogal een mysterie. Natuurlijk is een centraal bankier er alleen maar bij gebaat als hij niet het achterste van zijn tong laat zien, en achter dat excentrieke uiterlijk ging ontegenzeglijk een geweldig krachtig karakter schuil. Hij was vrijwel zijn gehele werkende leven ambtenaar geweest en had niet veel geld. Gedurende de tijd dat hij voorzitter van de Fed was, bleef zijn gezin in de buitenwijken van New York wonen. Hij had in Washington alleen een piepkleine flat; hij nodigde me er begin jaren tachtig eens uit om de Mexicaanse schuldencrisis te bespreken, en het lag er vol stapels oude kranten en al die andere troep die in een vrijgezellenflat thuishoort.

Vanaf het moment dat hij beëdigd was, wist Volcker dat het zijn taak was om, zoals hij het later zou formuleren, 'de draak van de inflatie te verslaan'. Veel tijd om zich voor te bereiden kreeg hij niet. Hij was nauwelijks twee maanden voorzitter, toen er een crisis losbarstte: over de hele wereld begonnen beleggers obligaties met lange looptijd te dumpen. De rente op overheidsobligaties schoot omhoog naar bijna 11 procent op 23 oktober. Ineens begonnen beleggers visioenen te krijgen van een door de oliecrisis in gang gezette inflatiespiraal met het instorten van de handel en een mondiale recessie tot gevolg, zo niet nog erger. Dit ontspon zich allemaal terwijl Volcker een IMF-vergadering in Belgrado bijwoonde, waar hij een toespraak zou houden. Hij brak zijn reis af (net zoals ik jaren later deed op Zwarte Maandag 1987, toen de beurs instortte) en keerde haastig terug om op zaterdagochtend een spoedvergadering van de Federal Open Market Committee te beleggen.

Wat hij bij die gelegenheid uitdokterde, was ontegenzeglijk de belangrijkste verandering in het economische beleid sinds vijftig jaar. Op zijn aandringen besloot de commissie dat ze niet langer zou proberen de economie bij te regelen door zich op de kortetermijnrentetarieven te concentreren, maar dat ze de hoeveelheid geld die ter beschikking van de economie kwam, aan banden zou leggen.

Die geldgroei, die indertijd werd gemeten met het statistische cijfer M1, bestaat voor het grootste deel uit bankbiljetten in omloop en zichtdeposito's zoals rekeningen-courant. Wanneer de geldomvang sneller toeneemt dan het geheel aan geproduceerde goederen en diensten (met andere woorden, wanneer er met te veel geld op te weinig goederen wordt gejaagd), heeft ons geld de neiging minder waard te worden, dat wil zeggen: de prijzen stijgen. De Fed kon het aanbod van geld indirect regelen door de basisgeldhoeveelheid, voornamelijk papiergeld en bankreserves, onder controle te houden. Monetaristen als de legendarische Milton Friedman voerden al lang aan dat je de inflatie pas onder de duim hebt als je de geldgroei beheerst. Maar men vond het medicijn dat daarvoor nodig is uitzonderlijk onaangenaam. Niemand wist hoezeer de teugels van de basisgeldhoeveelheid zouden moeten worden aangehaald, of hoe ver de daarmee samenhangende rentetarieven moesten worden opgetrokken voordat de inflatie het loodje zou leggen. Het stond vrijwel vast dat het tot meer werkloosheid, een diepe recessie en mogelijk zelfs grote sociale onrust zou leiden. President Carter koos in het voorjaar van 1980 de zijde van Volcker toen hij verklaarde dat de inflatie het grootste probleem van het land was. Dat was voor senator Ted Kennedy, die op dat moment Carters concurrent was voor het presidentschap, aanleiding zich te beklagen over het feit dat de regering niet genoeg aandacht besteedde aan de armen of aan belastingverlagingen. Tegen oktober, met de verkiezingen voor de deur, begon Carter zich in te dekken. Hij kwam met kritiek op de Fed omdat die zich volgens hem te veel toelegde op een streng monetair beleid en inmiddels had hij het zelf ook over belastingverlagingen.

Er was enorm veel moed voor nodig om te doen wat Volcker deed; dat dacht ik toen al, en toen ik zelf voorzitter was geworden, was ik er nog stelliger van overtuigd. Hij en ik hebben het vrijwel nooit over zijn ervaringen indertijd gehad, maar ik kan me voorstellen hoe moeilijk het voor hem moet zijn geweest om Amerika de genadeloze recessie van begin jaren tachtig in te duwen.

De consequenties van zijn beleid waren nog ernstiger dan Volcker voor mogelijk had gehouden. In april 1980 stegen de rentetarieven voor de modale Amerikaan tot boven de 20 procent. Auto's bleven onverkocht, huizen werden niet gebouwd en miljoenen mensen raakten hun baan kwijt: de werkloosheid steeg tot 8 procent halverwege 1980 en kwam eind 1982 al in de buurt van de 11 procent. Begin 1980 werd het kantoor van Volcker overspoeld met brieven van mensen die werkloos waren geworden. Aannemers stuurden hem en anderen in stukken gezaagde plankjes als symbool voor de huizen die ze niet konden bouwen. Autohandelaren stuurden autosleuteltjes voor de auto's die ze niet hadden verkocht. Maar halverwege 1980 bereikte de inflatie haar toppunt van bijna 15 procent om daarna langzaam te dalen. Ook de langetermijnrentetarieven begonnen gaandeweg af te nemen. Desalniettemin zou het nog drie jaar duren voordat de inflatie volledig onder controle was. De economische misère en de crisis met de Iraanse gijzelaars kostten Jimmy Carter uiteindelijk in 1980 de verkiezingen.

Vanwege mijn jaren onder Ford was ik ambtshalve de Republikeinse econoom met de meeste dienstjaren, en de laatste die een hoge regeringsfunctie had bekleed. Het lag dus voor de hand dat ik bij de campagne van Ronald Reagan betrokken raakte. Het maakte niet uit dat Ford en Reagan vier jaar daarvoor om de Republikeinse nominatie in 1976 hadden gestreden. Mijn oude vriend en medestander Martin Anderson voegde zich bij het team van Reagan (hij was in de jaren na Nixon staflid van het Hoover Instituut geweest) en ik pakte ook mijn oude rol bij de campagne weer op. Marty trad op als adviseur binnenlands beleid, een volle baan bij de campagne, en ik was onbezoldigd adviseur in deeltijd voor de staf, wat tot op grote hoogte dezelfde positie was die ik tijdens de campagne van Nixon in 1968 had gehad.

Ik werkte hoofdzakelijk vanuit New York, maar af en toe bracht ik een paar dagen bij het campagneteam door. Bij een van die gelegenheden, eind augustus, leverde ik onhandig genoeg iets wat naar alle waarschijnlijkheid mijn belangrijkste bijdrage aan de verkiezing van Ronald Reagan was. Hij had toen inmiddels al de Republikeinse nominatie en uitte steeds meer kritiek op de regering-Carter. Tijdens een toespraak in Ohio bij een lunch van de Teamsters, de bond van vrachtwagenchauffeurs, verklaarde hij dat het leven van arbeiders verwoest was door 'een nieuwe Depressie, de Carter-depressie'. Natuurlijk klopte dit feitelijk niet. Ik had een groot deel van deze toespraak geschreven en de precieze formulering was geweest: 'een van de grootste economische inkrimpingen van de afgelopen vijftig jaar'. Reagan had het onderweg veranderd. Marty Anderson en ik deden erg ons best om die middag aan verslaggevers uit te leggen dat de gouverneur zich had versproken. Wat hij eigenlijk had bedoeld was 'een ernstige recessie'.

Reagan bedankte ons dat we de zaken hadden rechtgezet. Maar hij hield voet bij stuk. Toen de Democraten hem op zijn vergissing begonnen aan te spreken, zei hij tegen verslaggevers: 'Wat mij betreft, moet je de grens tussen recessie en depressie niet meten in strikt economische termen maar in menselijke termen. Onze arbeiders, of ze nu al of niet werk hebben, maken de ernstigste misère sinds de jaren dertig door, dus dan moeten we naar mijn idee erkennen dat zij dit als een depressie ervaren.' Ik was onder de indruk van zijn vermogen om een vergissing in een politiek voordeel om te zetten.

Ik ging ervan uit dat de zaak daarmee was afgehandeld, maar blijkbaar had het voorval een of andere associatie in Reagans geheugen opgeroepen. De week daarop voegde hij nog een pakkende formulering aan zijn verkiezingsrede toe. Hij begon de menigten voor te houden dat de president zich achter een woordenboek verschool. 'Als hij dan zo nodig een definitie wil horen, kan hij er een van mij krijgen,' zei Reagan. 'Er is sprake van een recessie als je buurman zijn baan kwijtraakt. Een depressie is wanneer jij je baan kwijtraakt. En herstel is wanneer Jimmy Carter zijn baan kwijtraakt.'

De toehoorders lustten daar wel pap van, en het werd een van zijn meest aangehaalde uitspraken. En het was ook niet niks. Carter mocht dan niet degene zijn geweest die hem op zijn verkeerde gebruik van economische termen had aangesproken, en de eerste twee zinnen van zijn uitspraak waren dan wel een oudbakken grapje van Harry Truman, maar Reagan had wel kans gezien het voorval om te zetten in een grappig en handig campagneverhaal.

Wat me vooral erg aantrok in Reagan, was zijn duidelijke conservatisme. Hij had nog een zin die hij vaak in zijn verkiezingsrede gebruikte: 'De overheid bestaat om ons tegen elkaar in bescherming te nemen. En de overheid gaat over haar grenzen zodra ze besluit om ons tegen onszelf in bescherming te nemen.' Iemand die zo praat, laat duidelijk zien waarin hij gelooft. Indertijd kwam je maar heel weinig conservatieven tegen die geen wartaal over sociale onderwerpen uitsloegen. Maar Reagans conservatieve credo kwam erop neer dat een strenge liefde goed is voor het individu en voor de maatschappij. Die opvatting gaat uit van een oordeel over de menselijke natuur. En als het klopt, behelst die aanzienlijk minder overheidssteun voor de armen. Maar de hoofdmoot van de Republikeinse Partij had moeite om in zulke temen te denken en te spreken, omdat men het gevoel had dat ze strijdig waren met de joods-christelijke normen. Zo niet Reagan. Net als Milton Friedman en andere vroege libertijnen maakte hij nooit de indruk dat hij een slag om de arm probeerde te houden. Niet dat er geen medeleven was voor mensen die buiten hun schuld aan de grond zitten, en evenmin was er minder persoonlijke bereidheid om de nooddruftigen te hulp te schieten dan bij de progressieven. Maar in Reagans ogen was dat geen taak van de overheid. Strenge liefde is op de lange duur nu eenmaal echte liefde.

Wat verderop in de campagne lieten ze me met Reagan mee vliegen. Ik kreeg een duidelijke taak. De presidentiële debatten stonden voor de deur, en de naaste medewerkers van de gouverneur maakten zich zorgen over de kritiek dat Reagan soms de indruk wekte niet op de hoogte te zijn van de feiten. Martin Anderson vroeg me of ik de presidentskandidaat tijdens een vlucht grondig wilde inseinen, en dan niet alleen over de economie maar over alle belangrijke binnenlandse onderwerpen. 'Hij weet dat je Ford goed van advies hebt gediend,' zei Marty. 'Naar jou luistert hij wel.' Toen ik ja zei, trok Marty een instructieboek tevoorschijn en gaf het me aan. Het was een ringband met op het etiket 'binnenlands beleid', en hij was wel vijf centimeter dik. 'Zorg dat je elk onderwerp behandelt,' zei hij.

Ik nam het materiaal door en toen we later die dag aan boord kwamen, werd ik tegenover de gouverneur met Marty naast zich aan een tafel gezet. Ik zag dat ze zo vriendelijk waren geweest ons allemaal van een exemplaar van het instructieboek te voorzien. Maar Reagan was in een uitgelaten stemming en tegen de tijd dat het vliegtuig opsteeg, zat hij me allemaal vriendelijke vragen te stellen over Milton Friedman en andere mensen die we allebei kenden. En vandaar kwamen we op andere onderwerpen. Ik denk dat ik tijdens die vlucht meer grappige verhalen gehoord heb dan in enige andere periode van vijf uur in mijn leven. Marty wierp me voortdurend blikken toe, maar ik kreeg Reagan gewoon niet zo ver dat hij het instructieboek opendeed. Ik probeerde het gesprek een paar keer die kant op te loodsen maar gaf het vervolgens op. Toen we geland waren, zei ik: 'Dank u wel. Het was een heel gezellige vlucht.' Waarop Reagan reageerde met: 'Ach ja, ik weet wel dat Marty het niet prettig vindt dat ik geen boek heb opengeslagen.'

Ik vond dat hij een fascinerend temperament had. Hij was een onwankelbaar zonnige en welwillende president, ook toen hij te maken kreeg met een slecht functionerende economie en de mondiale dreiging van een kernoorlog. Hij had wel vierhonderd verhalen en grappen in zijn hoofd opgeslagen liggen; de meeste waren humoristisch, maar hij was in staat ze onmiddellijk van stal te halen om iets over politiek of beleid over te brengen. Het was een merkwaardige vorm van intelligentie en hij gebruikte die om het zelfbeeld van het land bij te stellen. Onder Reagan lieten de Amerikanen het idee dat ze geen belangrijke mogendheid meer waren, varen en herwonnen ze hun zelfvertrouwen.

Soms zat er een scherp kantje aan zijn verhalen. Aan boord van het vliegtuig vertelde hij me iets wat speciaal voor mij bedoeld leek. Het begon met Leonid Brezjnev die bij het graf van Lenin omgeven door ondergeschikten op het podium naar de 1 meiparade staat te kijken. De hele militaire slagkracht van de Sovjet-Unie wordt daar tentoongespreid. Voorop bataljons van de elitetroepen, allemaal indrukwekkende soldaten van twee meter lang, die strak in het gareel voorbij marcheren. Vlak daarachter in slagorde de modernste artillerie en tanks. Daarna de kernraketten. Kortom, een reusachtig vertoon van spierballen. Maar de raketten worden gevolgd door een stelletje ongeregeld van een stuk of zes, zeven slonzige, armoedig geklede burgers die volkomen uit de toon vallen. Een adjudant komt op Brezjnev afgestormd om zijn excuses aan te bieden. 'Het spijt me, kameraad partijsecretaris, ik heb geen idee wie die mensen zijn en hoe ze in de parade terecht zijn gekomen.'

'Maak je geen zorgen, kameraad,' antwoordt Brezjnev. 'Dat heb ik op mijn geweten. Dit zijn onze economen, en je hebt geen flauw idee wat voor schade die kunnen aanrichten.'

Achter de humor ging het wantrouwen schuil dat Reagan van oudsher jegens economen koesterde, die in zijn ogen allemaal voorstander waren van een destructieve overheidsbemoeienis met de markt. Uiteraard was hij in de grond de vrije markt toegedaan. Hij wilde de economie haar gang laten gaan. Hij had weliswaar geen bijzonder diep inzicht in economische kwesties, maar hij kende wel de neiging van vrije markten om zichzelf te corrigeren en het vermogen van het kapitalisme om welvaart te scheppen. Hij had alle vertrouwen in de onzichtbare hand van Adam Smith om vernieuwing aan te moedigen en uitkomsten te creëren die hij over het algemeen eerlijk vond. Daarom was het soms ook helemaal niet zo'n slecht idee om het instructieboek dicht te laten. Reagan legde de nadruk op het grote plaatje en daarmee versloeg hij een president die een sterke neiging had tot detaillisme. (Jaren later kwam ik erachter dat Reagan zich altijd zorgen maakte dat hij '*overbriefed*' werd door zijn adviseurs; tijdens de verkiezingscampagne van 1984 weet hij zijn magere optreden in het eerste televisiedebat tegen Walter Mondale aan het feit dat zijn adviseurs hem te veel hadden gebriefd.)

Door mijn betrokkenheid bij de verkiezingscampagne had ik een bijrolletje bij Reagans keuze van zijn running mate, een drama dat zich tijdens de Republikeinse conventie eind juli voltrok. Inmiddels had Reagan de nominatie in zijn zak, maar het zag ernaar uit dat de strijd om het presidentschap een nek-aan-nekrace met president Carter zou worden. Uit de peilingen bleek dat de keuze van een running mate weleens doorslaggevend kon zijn. Met name de combinatie Ronald Reagan en Jerry Ford kon voor een extra 2, 3 procentpunten zorgen, wat genoeg was om te winnen.

Dat vernam ik tijdens de conventie die dat jaar in Detroit werd gehouden. Reagan had een suite op de 68ste etage van het Renaissance Center Plaza Hotel, en op dinsdag riep hij Henry Kissinger en mij bij zich om te vragen of wij de voormalige president eens wilden polsen. Ford en hij waren jarenlang politieke rivalen geweest, maar een paar weken daarvoor hadden ze de strijdbijl begraven tijdens een bezoek van Reagan aan Ford in Palm Springs. Blijkbaar had de gouverneur bij die gelegenheid het idee van een gezamenlijke campagne aangeroerd; Ford had weliswaar nee gezegd, maar hij had ook laten blijken dat hij Reagan wilde helpen om Jimmy Carter te verslaan. Reagan vertelde dat hij eerder die dag nog weer eens bij Ford de mogelijkheid van een vicepresidentschap had aangekaart, en nu wilde hij ons erbij halen omdat we allebei naaste adviseurs van Ford waren geweest (Kissinger als zijn minister van Buitenlandse Zaken).

Ford zat in een suite op de etage boven Reagan. Henry en ik belden hem op en vroegen of we langs konden komen. Die avond praatten we even kort met hem. De middag daarop gingen we nog eens langs, zodat Henry hem een lijstje met gesprekspunten over het vicepresidentschap kon overhandigen dat door Reagans adviseur Ed Meese en anderen uit het kamp van Reagan was opgesteld. Het was nog nooit voorgekomen dat een voormalig president het vicepresidentschap op zich nam, en daarom hadden ze hem een uitgebreidere rol toebedacht om de baan aantrekkelijk voor Ford te maken. In hun voorstel werd Ford het hoofd van het uitvoerende bureau van de president en kreeg hij zeggenschap over de nationale veiligheid, de federale begroting en nog zo wat dingen. Het kwam erop neer dat Reagan weliswaar president-directeur van de firma Amerika werd, maar Ford zou uitvoerend directeur worden.

Persoonlijk hoopte ik dat Ford ja zou zeggen; naar mijn idee had het land behoefte aan zijn vaardigheden. En hijzelf voelde wel de druk van zijn plichtsgevoel en de aantrekkingskracht van de schijnwerpers, maar hij betwijfelde dat zo'n supervicepresidentschap wel zou werken. Ten eerste riep het grondwettelijke vragen op, aangezien de rol duidelijk een stuk verder ging dan de grondleggers van de Verenigde Staten hadden beoogd. Bovendien betwijfelde hij of een president zich wel kon en moest neerleggen bij het afzwakken van zijn macht. En verder had hij zo zijn bedenkingen tegen een terugkeer naar Washington. 'Ik ben al vier jaar president af, en ik heb een heerlijk leven in Palm Springs,' zei hij. Dat nam niet weg dat hij wel wilde helpen om Carter te wippen, die hij maar een zwakke president vond. Er werd een hoop heen en weer gepraat tussen de beide kampen, en aan het eind van de dag zei Ford: 'Het antwoord luidt nog steeds nee, maar ik houd het in overweging.'

Intussen deden de geruchten over het 'droomteam' Reagan-Ford al ruimschoots de ronde bij de conventie. Toen Ford bij *CBS Evening News* verscheen, vroeg Walter Cronkite hem op de man af naar de mogelijkheid van een 'co-presidentschap'. Ford antwoordde met zijn gebruikelijke openhartigheid. Hij zou nooit terugkomen als een 'show-vicepresident', zei hij. 'Als ik het doe, moet ik ervan overtuigd zijn dat ik over de hele linie een zinvolle rol speel op het gebied van de fundamentele, de cruciale en de belangrijke beslissingen.'

Naar verluidt was Reagan, die had zitten kijken, des duivels. Hij kon gewoon niet geloven dat Ford zomaar op de televisie hun privéonderhandelingen zou bespreken. Maar eigenlijk denk ik dat ze inmiddels allebei tot de conclusie waren gekomen dat het herdefiniëren van de rol van de vicepresident te belangrijk en te ingewikkeld was om even tussen neus en lippen te regelen. Henry had helemaal de smaak te pakken van zijn rol als diplomaat en hoopte dat de besprekingen op donderdag konden worden hervat, maar Reagan en Ford wisten allebei dat het Reagans imago zou schaden als de onzekerheid voortduurde. En dus hakte Ford de knoop door. Hij ging omstreeks tien uur naar de suite van Reagan en liet de gouverneur weten dat hij zijn kandidaatschap waarschijnlijk beter zou steunen door als ex-president campagne voor Reagan te voeren dan als zijn running mate. 'Hij was een echte heer,' zei Reagan achteraf. 'Volgens mij zijn we nu vrienden.' Vervolgens koos hij George H.W. Bush als zijn kandidaat voor het vicepresidentschap en dat liet hij nog diezelfde avond weten.

Ik had geen rol in de nieuwe regering verwacht en ik wist ook niet zeker of ik dat wel wilde. Toen Reagan in het Witte Huis kwam, had hij meer veelbelovende en ervaren mensen tot zijn beschikking dan plekken waar hij ze kon neerzetten. Dat was ofwel een probleem of een mooie kans, dat hing er maar van af wat je ermee deed. Anderson, degene die tot assistent van de president benoemd was voor het ontwikkelen van binnenlands beleid, maakte wel eens het grapje dat hij op Reagan en Ed Meese, die de overgang regelde, afstapte en zei: 'We hebben een heel stel geweldige mensen, maar als we die niet gauw aan het werk zetten, vallen ze ons nog aan.' Reagan koos ervoor om het team dat hem aan de overwinning had geholpen, niet op te heffen en zette een adviesgroep op die de Economic Policy Board (Raad voor het Economisch Beleid) zou gaan heten, onder voorzitterschap van George Shultz. Milton Friedman, Arthur Burns, Bill Simon, ik en diverse andere prominente economen kregen er zitting in.

Een van de eerste mensen die op kabinetsniveau werden aangesteld, was David Stockman, de directeur begroting. Reagan had campagne gevoerd met belastingverlagingen, de opbouw van de strijdkrachten en het terugbrengen van de omvang van de overheid. De bedoeling was om Stockman al voor de inhuldiging een voorsprong te geven op het gebied van de begroting, zodat grote ingrepen als een voldongen feit aan leden van het kabinet konden worden voorgelegd. Stockman was een briljant, gedreven Congreslid van 34; hij kwam van het platteland van Michigan en vond het geweldig om de voorman te zijn van wat later de Reagan-revolutie zou gaan heten. Reagan had het terugdringen van de overheid in toespraken vergeleken met vaderlijke strengheid: 'We kunnen onze kinderen blijven onderhouden over spilzucht tot we een ons wegen. Maar we kunnen die spilzucht ook genezen door hun toelage te verminderen.' In Stockmans vocabulaire kreeg deze filosofie een veel woestere naam: 'het uithongeren van het beest'.

Gedurende de overgang werkte ik nauw met Stockman samen, terwijl hij een begroting op poten zette die spijkerhard was. En ik was erbij toen hij die kort voor de inauguratie aan Reagan overhandigde. De president zei: 'Vertel me alleen maar of we iedereen gelijk behandelen. Je moet iedereen even fors korten.' Stockman verzekerde dat hij dat inderdaad had gedaan, waarop Reagan zijn toestemming gaf.

De Raad voor het Economische Beleid moest sneller komen opdraven dan iedereen had voorzien. De hoeksteen van Reagans belastingverlagingen was een wetsontwerp dat was voorgesteld door Congreslid Jack Kemp en senator William Roth. Het behelsde een ingrijpende belastingverlaging van 30 procent voor zowel ondernemingen als privépersonen, en was bedoeld om de economie uit het dal te trekken waarin ze al een jaar verkeerde. Ik was van mening dat het plan, op voorwaarde dat de bestedingen inderdaad zo ingehouden zouden zijn als Reagan voorstelde en de Fed voortging met het streng onder controle houden van de geldgroei, geloofwaardig was, al zou het wel moeilijk te verkopen zijn. Die mening was de rest van de raad eveneens toegedaan.

Maar Stockman en de aanstaande minister van Financiën Don Regan hadden hun twijfels. Ze stonden nogal wantrouwig tegenover het toenemende federale begrotingstekort, dat inmiddels al meer dan vijftig miljard dollar per jaar beliep, en ze begonnen de president voorzichtig duidelijk te maken dat hij zich een beetje moest inhouden wat die belastingverlagingen betreft. Ze zagen liever dat hij probeerde het Congres zo ver te krijgen dat de bestedingen eerst werden teruggeschroefd, dan konden we nog altijd zien of de besparingen die dat zou opleveren een belastingverlaging toelieten.

Zodra die gesprekken over uitstel hoog begonnen op te lopen, liet George Shultz de Raad voor het Economische Beleid in Washington opdraven. Dat gebeurde vijf of zes keer in Reagans eerste regeringsjaar. Dan kwamen we van negen tot elf in de Roosevelt Room samen om onze respectievelijke inschattingen van de economische vooruitzichten te vergelijken. Klokslag elf uur ging altijd de deur open en kwam Reagan binnen. De groep bracht rechtstreeks aan hem verslag uit. We zeiden tegen hem: ‘U mag die belastingverlagingen onder geen beding uitstellen.’ Dan glimlachte hij en maakte een grapje. Shultz en Friedman en anderen waren oude bekenden van hem. Regan en Stockman mochten bij de vergadering aanwezig zijn maar niet meestemmen of aan de conferentietafel aanzitten, dus die zaten zich langs de wand te verbijten. Kort daarna werd de zitting altijd beëindigd en vertrok Reagan eens te meer vastbesloten om zijn belastingverlagingen door te zetten. Zoals bekend zou het Congres uiteindelijk een versie van zijn economische plan goedkeuren. Maar het

Congres schrok terug voor strenge maatregelen om de bestedingen te matigen en dus bleef het begrotingstekort een enorm en steeds groter wordend probleem.

Ik speelde een kleine rol in een andere beslissing die de president dat eerste jaar nam: om zich niet met de Fed te bemoeien. Menigeen in beide partijen, waaronder een paar van zijn naaste medewerkers, drongen er juist bij hem op aan om dat wel te doen. We zaten inmiddels al in het derde jaar dat de rentetarieven in de dubbele cijfers zaten, en men wilde dat de Fed de geldvoorraad zou opvoeren. Niet dat Reagan de voorzitter van de Fed opdracht kon geven dat te doen. Maar de theorie luidde dat als hij in het openbaar kritiek op de Fed zou leveren, Volcker zich wellicht verplicht voelde de teugels een beetje te laten vieren.

Zodra de vraag zich weer eens aandiende, zei ik tegen de president: 'U moet de Fed niet onder druk zetten.' Om te beginnen leek de aanpak van Volcker te werken; het had er veel van dat de inflatie langzamerhand onder controle kwam. En bovendien zou openlijke onenigheid tussen het Witte Huis en de Fed de beleggers wel eens ongerust kunnen maken, waardoor de economie zich trager zou herstellen.

Volcker maakte het de nieuwe president niet bepaald makkelijk. Ze hadden elkaar nog nooit ontmoet, en een paar weken na zijn aantreden wilde Reagan kennis maken. Om te voorkomen dat hij de indruk wekte de voorzitter van de Fed op het matje te roepen, vroeg hij of het goed was dat hij Volcker bij de Fed zou opzoeken. Waarop Volcker liet weten dat zo'n bezoek 'ongepast' was. Ik was verbijsterd: hoe kon een bezoek van de president de onafhankelijkheid van de Fed nu schaden?

En toch hield Reagan aan, en uiteindelijk was Volcker bereid hem op het ministerie van Financiën te ontmoeten. De openingszin van de president tijdens hun lunch in het kantoor van Don Regan zou tot de Reaganlegende gaan horen. Heel vriendelijk zei hij tegen Volcker: 'Ik ben heel benieuwd. Er zijn mensen die zich afvragen waarom we eigenlijk een Fed nodig hebben.' Naar verluidt viel Volckers mond open; hij moest flink slikken voordat hij terug kon komen met een overtuigende verdediging van het instituut. Blijkbaar was Reagan daar tevreden mee, want daarna werd hij weer zijn aimabele zelf. Wat hij had overgebracht, was dat de wet op de federale reserve aan veranderingen onderhevig was. Van toen af werkten de twee mannen rustig samen. Reagan bood Volcker de politieke dekking die hij nodig had; er mochten nog zo veel mensen klagen, de president leverde nooit ofte nimmer kritiek op de Fed. En al was Volcker dan een Democraat, toen zijn ambtstermijn in 1983 eindigde, stelde Reagan hem opnieuw aan.

Eind 1981 vroeg Reagan me om de leiding ter hand te nemen bij de oplossing van een reusachtig probleem dat al jaren steeds erger werd: het geld voor het socialezekerheidsstelsel raakte op. Tijdens de regering-Nixon, toen de reserves onuitputtelijk leken, had het Congres de rampzalige stap genomen om de uitkeringen te indexeren. De inflatie vloog in de jaren zeventig omhoog, en hetzelfde gold voor de uitkeringen. Het stelsel zat zo krap bij kas dat er al in 1983 maar liefst tweehonderd miljard dollar extra nodig was om het stelsel op peil te houden. En de vooruitzichten op de lange termijn waren nog somberder.

Reagan was er tijdens zijn campagne voor teruggeschrokken om in detail over sociale zekerheid te praten; als hem daarover een vraag werd voorgelegd, beloofde hij alleen dat hij het stelsel zou handhaven. Nogal logisch. Het socialezekerheidsstelsel is het derde spoor waarop de Amerikaanse politiek loopt. Niets is zo controversieel als hervormingen op het gebied van de sociale zekerheid: iedereen wist dat hoe je het ook inkleedde, elke oplossing uiteindelijk zou betekenen dat voor een grote en machtige groep kiezers de belastingen verhoogd of de uitkeringen verlaagd moesten worden, zo niet allebei.

Maar dat nam niet weg dat het een ernstig probleem was en vooraanstaande personen in beide partijen begrepen dat er iets moest gebeuren, omdat we anders rekening moesten houden met de mogelijkheid dat 36 miljoen bejaarden en gehandicapte Amerikanen straks geen cheque meer in de bus kregen. De tijd begon te dringen. Reagans openingszet was een voorstel in zijn eerste begroting om de uitgaven aan uitkeringen met 2,3 miljard dollar te verlagen. Dat maakte zo'n storm van protest los dat hij gedwongen was het voorstel in te trekken. Drie maanden later kwam hij terug met een harder voorstel voor hervormingen waarbij de uitkeringen in de loop van vijf jaar met 46 miljard dollar zouden worden gekort. Het was echter overduidelijk dat alleen een compromisvoorstel van beide partijen kans van slagen had. En dus werd de commissie-Greenspan opgezet.

De meeste commissies doen natuurlijk niet zo veel. Maar Jim Baker, de architect van deze commissie, was er hartstochtelijk van overtuigd dat je een goed functionerende overheid kunt krijgen. De commissie die hij op poten had gezet, was een schitterende demonstratie van de manier waarop je in Washington dingen kon bereiken. Er zaten vertegenwoordigers van beide partijen in, vijf leden waren door het Witte Huis gekozen, vijf door de leider van de meerderheid in de Senaat, en vijf door de voorzitter van het Huis van Afgevaardigden. Vrijwel ieder commissielid was een grootheid op zijn of haar gebied. Er zaten zwaargewichten bij uit het Congres als Bob Dole, op dat moment de voorzitter van de Senaatscommissie voor Financiën, de briljante onafhankelijke senator voor New York Pat Moynihan en Claude Pepper, de openhartige, 81-jarige senator voor Florida en lichtend voorbeeld voor onze bejaarde burgers. Lane Kirkland, hoofd van de AFL-CIO, was lid en zou een goede vriend van me worden; en hetzelfde gold voor Alexander Trowbridge, hoofd van de National Association of Manufacturers (NAM; Fabrikantenvereniging). Tip O'Neill, voorzitter van het Huis van Afgevaardigden, benoemde de hoogste Democraat, Bob Ball, die onder LBJ vorm had gegeven aan diens socialezekerheidsstelsel. En de president benoemde mij tot voorzitter.

Ik zal niet nader ingaan op de demografische en financiële details waar we ons mee bezighielden, of de debatten en hoorzittingen over het te volgen beleid die meer dan een jaar in beslag namen. Ik leidde de commissie in de geest van Jim Baker en streefde naar beslissingen waar beide partijen zich in konden vinden. We namen vier cruciale stappen om het geheel werkbaar te krijgen, waar ik nu nader op inga omdat ik sindsdien diverse varianten daarop heb toegepast.

De eerste was het beperken van het probleem. In dit geval betekende dit dat we ons niet gingen buigen over de vraag hoe Medicare, de ziektekostenverzekering voor ouderen, in de toekomst moest worden bekostigd. Medicare was technisch gesproken weliswaar een onderdeel van het sociale-zekerheidsstelsel, maar het was een dermate ingewikkeld probleem dat als we beide problemen probeerden op te lossen, het er waarschijnlijk op zou uitdraaien dat we geen van beide oplosten.

De tweede stap was overeenstemming te krijgen over de cijfermatige kant van het probleem. Pat Moynihan formuleerde het later zo: 'Je hebt recht op je eigen mening, maar je hebt geen recht op je eigen feiten.' Toen duidelijk werd dat er een reële mogelijkheid van een langdurig tekort was, raakten de commissieleden het vermogen tot het doen van demagogische uitspraken kwijt. Ze moesten een korting op de uitkeringen ondersteunen dan wel een verhoging van de belastinginkomsten. Pepper verklaarde zich al vroeg in de besprekingen een ferm tegenstander van het bekostigen van het stelsel uit de 'algemene inkomsten' van de federale overheid, omdat hij bang was dat het dan een bijstandprogramma zou worden.

De derde slimme tactiek kwam van Baker. Als we wilden dat een compromis werkte, voerde hij aan, moesten we iedereen meekrijgen. Dus zorgden we ervoor dat we zowel Reagan als O'Neill voortdurend op de hoogte hielden. Bob Ball zou het op zich nemen O'Neill in te lichten, en Baker en ik hadden de taak om de president te informeren.

Onze vierde zet was dat we onderling afspraken om, zodra we tot een compromis waren gekomen, elke poging tot een amendement van een van beide partijen van de hand te wijzen. Later zei ik tegen verslaggevers: 'Als je stukken uit een pakket afspraken weghaalt, raak je de consensus kwijt en komt de hele overeenkomst op losse schroeven te staan.' Ons rapport kwam in januari 1983 uit; toen het ten slotte tijd was om de hervormingsvoorstellen aan het Congres voor te leggen, besloten Ball en ik samen te getuigen. Als een Republikein een vraag stelde, zou ik antwoord geven. En als een Democraat een vraag stelde, zou hij dat doen. En zo probeerden we het ook vol te houden, al werkten de senatoren niet steeds mee.

Onze commissie mocht dan erg gevarieerd zijn samengesteld, we zagen toch kans tot overeenstemming te komen. Mannen als Claude Pepper en de NAM-leider vonden elkaar toch omdat we ervoor zorgden dat we de lasten eerlijk verdeelden. De wijzigingen in het socialezekerheidsstelsel die Reagan uiteindelijk in 1983 tot wet verhief, deden iedereen pijn in de portemonnee. Werkgevers moesten meer loonbelasting in rekening brengen; werknemers moesten ook meer belasting gaan betalen en in sommige gevallen moesten ze zich erbij neerleggen dat het moment waarop ze voor een uitkering in aanmerking kwamen, werd uitgesteld; gepensioneerden moesten accepteren dat ze langer op prijscompensatie moesten wachten, en beter gesitueerde gepensioneerden gingen belasting betalen over hun uitkering. Maar dankzij al die maatregelen zagen we kans de fondsen te vinden om het socialezekerheidsstelsel te bekostigen voor een planningperiode van nog eens 75 jaar, de gebruikelijke periode bij programma's voor sociale zekerheid. De welbespraakte Moynihan wist het weer mooi onder woorden te brengen: 'Ik heb het sterke gevoel dat we er allemaal bij gewonnen hebben. We hebben kans gezien de afschuwelijke angst in dit land weg te nemen dat het stelsel net zoiets frauduleus was als een kettingbrief.'

In 1983, toen dit allemaal nog gaande was, zat ik op een dag in mijn kantoor in New York demografische ramingen te bestuderen, toen de telefoon ging. Het was Andrea Mitchell, een verslaggever bij NBC. 'Ik heb een paar vragen over de begrotingsvoorstellen van de president,' zei ze. Ze legde uit dat ze had proberen uit te puzzelen of de jongste aannames van de regering-Reagan op het gebied van het belastingbeleid wel betrouwbaar waren, en David Gergen, de assistent van het hoofd communicatie van het Witte Huis, had mijn naam genoemd. Ze vertelde dat Gergen had gezegd: 'Als je echt iets over de economie wilt weten, moet je Alan Greenspan bellen. Die weet meer dan wie ook.'

'Ik durf te wedden dat je dat tegen elke econoom zegt,' antwoordde ik, 'maar mij best.' Ik had Andrea bij nieuwsuitzendingen van NBC gezien. Ze was correspondent bij het Witte Huis. Ik vond haar uitermate welbespraakt en haar stem net leuk gedecideerd. Bovendien was het me niet ontgaan dat ze een buitengewoon knappe vrouw was.

We praatten die dag met elkaar, en daarna nog een paar keer, en algauw werd ik een vaste bron van informatie. In de loop van de twee jaar daarna belde Andrea me altijd als ze weer eens een groot economieverhaal in de maak had. Ik vond dat ze het materiaal heel goed aanpakte op tv; zelfs als een onderwerp te complex was om het in al zijn technische details te presenteren, zag ze kans de kern van het verhaal te treffen. En haar feiten klopten.

In 1984 vroeg Andrea of ik met haar meeging naar het correspondentendiner van het Witte Huis, waar verslaggevers hun bronnen voor uitnodigen. Ik moest haar vertellen dat ik al met Barbara Walters zou gaan. Maar ik voegde eraan toe: 'Kom je weleens in New York? Dan moeten we toch eens uit eten gaan.'

Het duurde nog acht maanden voordat we wat konden afspreken; het was tenslotte een verkiezingsjaar en Andrea had het uitzonderlijk druk tot en met eind november, toen Reagan Mondale verpletterend versloeg. Maar toen de feestdagen naderden, konden we eindelijk een afspraak maken, en ik reserveerde voor 28 december in Le Périgord, mijn lievelingsrestaurant in New York. Het sneeuwde die avond, en Andrea kwam laat binnen gestoven, vreselijk mooi, zij het een beetje verwaaid van een hele dag verslaggeven en in de sneeuw een taxi proberen aan te houden.

Die avond kwam ik erachter dat ze net als ik vroeger musicus was geweest; ze had viool gespeeld in het symfonieorkest van Westchester. We hielden van dezelfde muziek; haar platencollectie leek sprekend op de mijne. Ze hield van honkbal. Maar wat we vooral met elkaar gemeen hadden was een hevige belangstelling voor de actualiteit: strategisch, politiek, militair en diplomatiek. We zaten niet om gespreksonderwerpen verlegen.

Het is misschien niet ieders idee van een geschikt gespreksonderwerp voor een eerste afspraakje, maar uiteindelijk kwam het gesprek in het restaurant op monopolies. Ik zei dat ik daar een essay over geschreven had en ik nodigde haar uit om het bij mij thuis te lezen. Daar plaagt ze me nog steeds mee: 'Je had zeker geen postzegelverzameling?' Maar we gingen inderdaad naar mijn flat en ik liet haar dat stuk zien dat ik voor Ayn Rand over trustbestrijding had geschreven. Ze las het en daarna praatten we erover. Andrea houdt vol dat ik haar op de proef stelde. Maar dat was het niet; ik deed gewoon alles om haar bij me in de buurt te houden.

Tijdens de tweede ambtstermijn van Reagan was Andrea mijn belangrijkste reden om naar Washington te komen. Ik hield wel contact met mensen in de regering, maar ik legde me hoofdzakelijk toe op de zakelijke en economische wereld in New York. Naarmate de bedrijfseconomie een volwassener vak was geworden, was ik meer betrokken geraakt bij de diverse organisaties op dat terrein. Ik was hoofd van de National Society of Business Economists geweest en voorzitter van de Conference of Business Economists, en ik stond op de nominatie om voorzitter van de Economic Club van New York te worden, het equivalent van de Council on Foreign Relations van de financiële en zakelijke wereld.

Townsend-Greenspan was zelf ook veranderd. Grote econometrische bureaus als DRI en Wharton Econometrics leverden inmiddels veel van de basisgegevens die bedrijfsplanners nodig hadden. Computermodellen waren een wijdverbreid verschijnsel geworden en veel organisaties hadden hun eigen economen in dienst. Ik had wat geëxperimenteerd in de richting van adviezen op het gebied van beleggingen en pensioenfondsen, maar al waren dat best winstgevende bezigheden, ze waren niet zo lucratief als bedrijfsadviezen. En hoe meer projecten ik ondernam, hoe meer personeel er moest worden aangetrokken, en hoe meer tijd ik kwijt was aan leidinggeven.

Uiteindelijk kwam ik tot de conclusie dat ik me maar beter kon concentreren op datgene waar ik het beste in was: het oplossen van interessante analytische vraagstukken voor slimme cliënten die met vragen zaten en zich een hoog honorarium konden veroorloven. Dus besloot ik in de tweede helft van Reagans ambtstermijn om Townsend-Greenspan in te krimpen. Maar voordat ik die plannen kon uitvoeren, kreeg ik in maart 1987 een telefoontje van Jim Baker. Inmiddels was Baker minister van Financiën geworden; na een zware vier jaar als stafchef van het Witte Huis had hij een hoogst ongewone overstap gemaakt door in 1985 met Don Regan van baan te wisselen. Jim en ik waren al vrienden sinds Ford, en ik had hem in de lente dat hij Financiën overnam, zijn hoorzitting voor de Senaat voorafgaand aan zijn benoeming helpen voorbereiden. Hij liet zijn assistent bellen of ik in de gelegenheid was naar een vergadering bij hem thuis in Washington te komen. Ik vond het nogal vreemd: waarom spraken we niet op zijn kantoor af? Maar ik stemde toe.

De volgende ochtend zette een chauffeur me voor de deur van Bakers alleraardigste huis in koloniale stijl af, op een chic deel van Foxhall Road. Tot mijn verbazing was niet alleen Jim aanwezig, maar ook Howard Baker, op dat moment Reagans stafchef. Howard kwam meteen ter zake. ‘Paul Volcker vertrekt wellicht van de zomer, als zijn ambtstermijn erop zit,’ begon hij. ‘Het is niet aan ons om jou die baan aan te bieden, maar we willen alleen weten of je hem zou aannemen als hij je wordt aangeboden.’

Even zat ik met de mond vol tanden. Tot een paar jaar daarvoor had ik mezelf nooit als een potentiële voorzitter van de Fed beschouwd. Toen

Volckers eerste termijn in 1983 eindigde, had een van de firma's op Wall Street een kleine enquête gehouden over wie Volcker moest opvolgen als hij zou vertrekken, en tot mijn verbijstering prijkte mijn naam boven aan het lijstje.

Zo dik bevriend als ik ooit met Arthur Burns was geweest, de Fed was altijd een gesloten boek voor me gebleven. Ik had hem zien worstelen en het leek me geen baan waarvoor ik toegerust was; volgens mij kwam er veel meer kijken bij het vaststellen van rentetarieven voor een complete economie dan ik wist. Het leek me het soort baan waarbij je er ontzettend makkelijk naast kunt zitten, zelfs al zou je over vrijwel alle benodigde kennis beschikken. Als je prognoses doet over een complexe economie als de onze, heb je geen kans van negentig tegen tien. Je mag je handen al dichtknijpen als je het in 60 procent van de gevallen bij het rechte eind hebt. Maar dat nam niet weg dat de uitdaging te groot was om te laten lopen. Ik liet de Bakers weten dat ik ja zou zeggen als de baan me werd aangeboden.

Ik kreeg alle tijd om mijn twijfels te krijgen. In de loop van de twee maanden daarop belde Jim Baker nogal eens op met mededelingen als: 'Er is nog geen knoop doorgehakt', of: 'Volcker denkt erover na of hij misschien wil aanblijven.' Ik voelde me afwisselend gefascineerd door de mogelijkheid en toch ook wel een beetje verward. Het duurde nog tot vlak voor Memorial Day (eind mei) voordat Baker belde om te zeggen dat Volcker besloten had te vertrekken. Hij vroeg of ik nog steeds geïnteresseerd was, en ik zei ja. Waarop hij zei: 'Over een paar dagen krijg je een telefoontje van de president.'

Twee dagen later zat ik in de spreekkamer van mijn orthopedist toen de verpleegkundige binnenstapte met de mededeling dat het Witte Huis aan de lijn was. Het had even geduurd voordat het telefoontje doorkwam, omdat de receptioniste eerst dacht dat het een grap was. Ik mocht het gesprek aannemen op het privékantoor van mijn arts. Ik nam de telefoon op en hoorde de bekende, ontspannen stem. Ronald Reagan zei: 'Alan, ik wil dat jij mijn voorzitter van de Fed wordt.'

Ik zei dat ik me vereerd voelde. We kletsten nog wat, ik bedankte hem en hing op.

Toen ik de gang in stapte, keek de verpleegkundige me bezorgd aan. 'Gaat het wel?' vroeg ze. 'U ziet eruit of u slecht nieuws hebt gehad.'

5

ZWARTE MAANDAG

Al tientallen jaren volgde ik de economie elke werkdag op de voet en was talloze malen bij de Fed over de vloer geweest. Dat nam niet weg dat ik, toen ik tot voorzitter werd benoemd, besefte dat ik nog heel veel moest leren. Dat werd nog eens versterkt op het moment dat ik er binnen wandelde. De eerste die me begroette, was Dennis Buckley, een beveiligingsman die mijn hele ambtstermijn bij me zou blijven. Hij sprak me aan met 'meneer de voorzitter'.

Zonder er verder bij na te denken zei ik: 'Doe niet zo raar. Iedereen noemt me Alan.'

Hij legde me vriendelijk uit dat het bij de Fed *not done* was om de voorzitter bij zijn voornaam te noemen.

En dus werd Alan meneer de voorzitter.

Vervolgens vernam ik dat de staf een serie intensieve colleges in elkaar had gezet die heel diplomatiek 'eenpersoonsseminars' werden genoemd, waar ik de enige student was. Het hield in dat de tien dagen daarop de meest ervaren mensen van de staf in de vergaderzaal van het bestuur op de derde verdieping bijeenkwamen om me mijn baan bij te brengen. Ik hoorde over secties van de Federal Reserve Act (Wet op de Centrale Bank) waar ik het bestaan niet van kende, en waar ik voortaan verantwoordelijk voor was. Ze stelden me op de hoogte van de grote geheimen op het gebied van bankregels die ik tot mijn verbazing nog nooit was tegengekomen, al was ik commissaris geweest bij JP Morgan en Bowery Savings. Natuurlijk zaten er bij de Fed experts op elk denkbaar terrein van de binnenlandse en internationale economie en had men de mogelijkheid om van overal gegevens op te vragen, en ik keek er erg naar uit om in die vertrouwelijke informatie rond te neuzen.

Ik was weliswaar commissaris geweest bij grote ondernemingen, maar de raad van gouverneurs van het Federal Reserve System, zoals het officieel genoemd wordt, was van heel wat grotere omvang dan iets anders waar ik ooit leiding aan had gegeven: tegenwoordig zijn er zo'n tweeduizend werknemers en de jaarlijkse begroting loopt tegen de driehonderd miljoen dollar. Gelukkig was het niet aan mij om daar leiding aan te geven: van oudsher is het de gewoonte iemand anders van de raad van gouverneurs aan te stellen om toezicht te houden op de dagelijkse gang van zaken. Tevens is er een stafdirecteur management die als stafchef optreedt. Op die manier worden alleen uitzonderlijke kwesties die de belangstelling van het publiek of het Congres kunnen wekken, aan de voorzitter voorgelegd, zoals de reusachtige opgave om het internationale betalingssysteem voor te bereiden op de millenniumwisseling. Verder heeft hij zijn handen vrij om zich op de economie te concentreren, precies wat ik zo graag deed.

De voorzitter van de Fed heeft minder persoonlijke macht dan de titel wellicht doet vermoeden. Wettelijk had ik alleen iets te zeggen over de agenda voor de vergaderingen van de raad van gouverneurs; de raad besliste bij meerderheid van stemmen over alle andere zaken, waarbij de voorzitter eenvoudig een van de zeven stemmen had. Evenmin was ik automatisch voorzitter van de Federal Open Market Committee (FOMC), de machtige groep die beslist over de hoogte van de *federal funds rate*, de rente die weergeeft hoeveel Amerikaanse banken in rekening brengen om Federal Funds aan elkaar te lenen. Het is het belangrijkste instrument in het monetaire beleid van de Verenigde Staten.[1] De FOMC bestaat uit de zeven leden van de raad van gouverneurs en de presidenten van de twaalf regionale Centrale Banken (er kunnen er maar vijf per keer stemmen), en ook hier vallen de beslissingen bij meerderheid van stemmen. De traditie wil dat de voorzitter van de raad ook voorzitter van de FOMC is, maar hij of zij moet elk jaar door de leden worden gekozen, en het staat hun vrij om iemand anders te kiezen. Ik verwachtte dat de traditie het zou winnen. Maar ik was me er altijd van bewust dat de andere zes gouverneurs in verzet konden komen en me al mijn bevoegdheden konden ontnemen behalve het opstellen van de agenda.

Ik nam snel FOMC-secretaris Don Kohn in de arm om me de gang van zaken bij een vergadering uit te leggen. (Don bleek gedurende mijn achttien jaar als voorzitter van de Fed mijn effectiefste beleidsadviseur. Inmiddels is hij vicevoorzitter van de raad.) De vergaderingen van de FOMC waren geheim, dus ik had geen flauw idee hoe de standaardagenda eruitzag, wie er het eerst het woord nam, wie zich aan wie conformeerde, hoe je een stemming aanpakte en noem maar op. Bovendien had de commissie haar eigen taalgebruik waarmee ik me ook vertrouwd moest maken. Wanneer de FOMC de voorzitter wilde machtigen om de federal funds rate zonodig voor de volgende vaste vergadering te verhogen, zei men niet: 'U mag de rentetarieven verhogen als u dat noodzakelijk acht.' In plaats daarvan werd ervoor gestemd om 'een asymmetrische instructie richting inkrimping' te geven. (Voor de goede orde zei ik, terwijl ik mij 'Fedspraak' eigen maakte, tegen mijn staf: 'Wat is er toch met de Engelse taal gebeurd?') Ik zou over een paar weken, op 18 augustus, de vergadering voorzitten, dus was ik een uiterst gemotiveerde leerling. Andrea memoreert nog wel eens dat ik dat weekend bij haar thuis gezellig met *Robert's Rules of Order* op de bank kroop.

Ik voelde een grote behoefte om een vliegende start te maken omdat ik wist dat de Fed binnen afzienbare tijd voor grote beslissingen kwam te staan. De hoogconjunctuur van het tijdperk-Reagan was aan haar vierde jaar bezig, maar ook al floreerde de economie, ze vertoonde inmiddels ook duidelijke tekenen van instabiliteit. Sinds de Dow-Jonesindex voor het eerst boven de 2000 was gekomen, was de beurs ruim 40 procent gestegen en hij stond nu op ruim 2700 punten, en Wall Street was in een uitgesproken speculatieve stemming. Iets vergelijkbaars voltrok zich in het vastgoed.

Maar intussen waren de economische indicatoren allerminst bemoedigend. De reusachtige begrotingstekorten onder Reagan waren er de oorzaak van dat de staatsschuld bijna verdriedubbeld was, van iets meer dan zevenhonderd miljard dollar aan het begin van zijn regeringsperiode tot meer dan tweeduizend miljard aan het eind van het fiscale jaar 1988. De dollar zakte weg en mensen begonnen zich zorgen te maken over de Amerikaanse concurrentiepositie; in de media wemelde het van de alarmerende berichten over de toenemende 'Japanse dreiging'. De consumentenprijzen waren in 1986 slechts met 1,9 procent gestegen, maar in mijn eerste dagen als voorzitter stegen ze bijna dubbel zo snel. Die inflatie van 3,6 procent was weliswaar een stuk bescheidener dan de nachtmerrie met de dubbele cijfers die men zich nog maar al te goed uit de jaren zeventig herinnerde, maar als inflatie eenmaal de kop opsteekt, is ze meestal niet meer te houden. We liepen gevaar de overwinning te verspelen die we onder Paul Volcker ten koste van zoveel ellende hadden weten te behalen.

Dit waren reusachtige economische vraagstukken die de Fed nooit alleen zou kunnen oplossen. Het domste dat we konden doen, was echter werkeloos toezien. Volgens mij was het verhogen van de rente verstandig, maar dat had de Fed in geen drie jaar gedaan. Als je haar nu verhoogde, zou dat erg hard aankomen. Zodra de Fed van koers verandert, kan dat de markten ernstig van slag brengen. En vooral tijdens een beurshausse is het risico van strenge beperkende maatregelen erg groot: het beleggersvertrouwen kan ineens in rook opgaan en als dat mensen erg veel angst aanjaagt, kan het een ernstige economische terugval tot gevolg hebben.

Ik was weliswaar met veel van de commissieleden bevriend, maar ik maakte me niet wijs dat een voorzitter die nog maar net kwam kijken, zomaar een vergadering kon binnenstappen en even alle neuzen dezelfde kant op zou krijgen over zo'n riskante beslissing. Ik stelde geen renteverhoging voor; ik volstond ermee te luisteren naar wat de anderen te zeggen hadden. De achttien commissieleden (er was één vacature) waren allemaal door de wol geverfde bankiers en economen, en toen we om de beurt met onze inschatting van de economie kwamen, werd al snel duidelijk dat zij zich ook zorgen maakten. Gerry Corrigan, de norse president van de Fed in New York, vond dat we de rente moesten verhogen; Bob Parry, de president uit San Francisco, meldde dat er in zijn district sprake was van een mooie groei, groot optimisme en volledige werkgelegenheid: alle reden om op je hoede te zijn voor inflatie; Si Keehn uit Chicago was het daarmee eens en meldde dat de fabrieken in het Midden-Westen vrijwel op volle toeren draaiden, en zelfs in de landbouw trokken de vooruitzichten aan; Tom Melzer van de Fed in St. Louis vertelde dat zelfs de schoenfabrieken in zijn district bijna op maximale sterkte draaiden; Bob Forrestal uit Atlanta zei dat hij en zijn staf er erg van hadden opgekeken hoe goed de werkgelegenheidscijfers er zelfs in berucht problematische gebieden als het Zuiden uitzagen. Ik denk dat iedereen bij het verlaten van deze vergadering ervan overtuigd was dat de Fed op korte termijn de rentetarieven moest verhogen.

De volgende gelegenheid om dat te doen, was twee weken later, op 4 september, tijdens een vergadering van de raad van gouverneurs. Deze raad gaat over het andere belangrijke instrument voor het monetaire beleid, namelijk de zogenaamde discontovoet waartegen de Fed aan deposito-instellingen leent. Dit tarief houdt meestal gelijke tred met de federal funds rate. Voorafgaand aan de vergadering van de raad deed ik enige dagen lang de diverse kantoren van de gouverneurs aan om een consensus op te bouwen. Tijdens de vergadering zelf gingen we al snel tot stemming over: een renteverhoging van 5,5 naar 6 procent kreeg de steun van alle gouverneurs.

Om de inflatiedruk te verminderen, probeerden we de economie te vertragen door het lenen van geld duurder te maken. Je kunt onmogelijk voorspellen hoe heftig de markten op zo'n ingreep reageren, vooral als beleggers door speculatiekoorts worden gegrepen. Ik kon er niets aan doen dat ik aan verhalen moest denken die ik had gelezen over de natuurkundigen in Alamogordo toen ze de eerste keer een atoombom tot ontploffing brachten: zou de bom wel afgaan? Zou hij doen wat ze van hem verwachtten? Of zou de kettingreactie zo erg uit de hand lopen dat de hele atmosfeer in brand vloog? Na de vergadering moest ik naar New York vliegen. Ik zou dat weekend naar Zwitserland vertrekken waar ik mijn eerste vergadering van centrale bankiers van de tien grootste industrielanden zou meemaken. De Fed hoopte dat de belangrijkste markten (aandelen, opties, valuta, obligaties) de wijziging zonder veel problemen zouden opvangen, dat de aandelen misschien een beetje zouden afkoelen en de dollar zou aantrekken. En toch kon ik het niet laten voortdurend naar kantoor te bellen om te horen hoe de markten reageerden.

De lucht vloog die dag niet in brand. De koersen daalden, de banken trokken in overeenstemming met onze stap hun rentetarieven op en zoals we gehoopt hadden, constateerde de financiële wereld dat de Fed was begonnen met het terugdringen van de inflatie. Wellicht het meest ingrijpende effect kwam naar voren in een kop in de *New York Times* van een paar dagen later: 'Het sterkst gestegen op Wall Street: angst'. Eindelijk mocht ik van mezelf een zucht van verlichting slaken toen ik een bericht van Paul Volcker ontving. Hij wist precies wat ik had doorgemaakt. 'Mijn gelukwensen,' stond er. 'Nu ben je een heuse centrale bankier.'

Niet dat ik ook maar een moment dacht dat we uit de sores waren. De aanwijzingen dat er economisch zwaar weer op komst was, namen nog steeds toe. De afnemende groei en de nog steeds zwakker wordende dollar stemden Wall Street uiterst bezorgd, nu beleggers en financiële instellingen rekening begonnen te houden met de mogelijkheid dat de miljarden dollars waarmee was gespeculeerd, misschien wel nooit iets zouden opleveren. Begin oktober sloeg die vrees bijna om in paniek. De beurs begon weg te glijden, de eerste week met 6 procent, toen nog eens met 12 procent de week daarop. Het grootste verlies was op vrijdag 16 oktober, toen de Dow-Jonesindex maar liefst 108 punten daalde. Sinds eind september was alleen al op de beurs maar liefst vijfhonderd miljard dollar aan papieren vermogen in rook opgegaan, om nog maar te zwijgen van de verliezen op de valutamarkt en andere markten. De neergang was zo verbijsterend dat *Time* die week maar liefst twee hele pagina's aan de beurs wijdde, onder de kop 'Het oktober-bloedbad op Wall Street'.

Vanuit historisch perspectief gezien wist ik dat deze 'correctie' bij lange na niet de ernstigste was. De inzinking in 1970 was naar verhouding twee keer zo ernstig geweest, en de Grote Depressie had maar liefst 80 procent van de waarde van de markt weggevaagd. Maar in aanmerking genomen hoezeer de week in mineur was geëindigd, maakte iedereen zich zorgen over wat er kon gebeuren als de markten op maandag weer opengingen.

Het was de bedoeling dat ik maandagmiddag naar Dallas vloog, waar ik het congres van de American Bankers' Association (Verenging van Amerikaanse Bankiers) zou toespreken: mijn eerste belangrijke toespraak als voorzitter. Maandagochtend overlegde ik met de raad van gouverneurs en we waren het erover eens dat ik echt moest gaan, om te voorkomen dat de indruk ontstond dat de Fed in paniek was. De markt opende die ochtend zwak, en tegen de tijd dat ik weg moest, zag het er vreselijk uit: meer dan tweehonderd punten gedaald. Er was geen telefoon in het vliegtuig. Dus het eerste wat ik deed toen ik aankwam, was een van de mensen van de Fed in Dallas die me kwamen afhalen vragen: 'Hoe staat het ervoor met de beurs?'

Hij zei: 'Vijf nul acht gezakt.'

Normaal gesproken bedoelt iemand dan '5,08'. Dus de markt was maar vijf punten gezakt. 'Pfff,' zei ik, 'wat een fantastisch herstel.' Maar terwijl ik dat zei, zag ik aan de uitdrukking op zijn gezicht dat hij mijn opluchting niet deelde. De markt was in werkelijkheid 508 punten gezakt: een daling van 22,5 procent, het ernstigste verlies binnen één dag uit de hele geschiedenis, zelfs nog erger dan de krach van Zwarte Vrijdag 1929.

Ik ging rechtstreeks naar mijn hotel, waar ik tot diep in de nacht aan de telefoon hing. Manley Johnson, de vicevoorzitter van de raad, had op mijn kantoor in Washington een crisiscentrum ingericht en we werkten een serie telefoontjes en teleconferenties af om plannen te ontwikkelen. Gerry Corrigan seinde me in over gesprekken die hij in New York gevoerd had met topfunctionarissen van Wall Street-firma's en beursmedewerkers; Si Keehn had met directeuren van termijn- en optiemarkten en handelsfirma's in Chicago gepraat; Bob Parry deed vanuit San Francisco verslag van wat de directies van de spaarbanken te melden hadden, die grotendeels aan de Westkust gevestigd waren.

Het is de taak van de Fed om, als er op de beurs paniek uitbreekt, te voorkomen dat de financiële verlamming toeslaat: die chaotische toestand waarin bedrijven en banken niet meer betalen wat ze elkaar verschuldigd zijn en de economie tot stilstand komt. Voor alle ervaren mensen die ik die avond aan de lijn kreeg, waren de urgentie en de ernst van de situatie overduidelijk: zelfs al zouden de markten niet nog verder inzakken, dan nog zou het stelsel wekenlang ontregeld zijn. We begonnen mogelijkheden te bekijken om liquide middelen te verschaffen aan grote instellingen die door hun contanten heen raakten. Maar niet alle jongeren onder ons begrepen hoe ernstig de crisis was. Terwijl we de openbare verklaring zaten te bespreken waarmee de Fed zou komen, merkte een van hen op: 'Misschien reageren we veel te heftig. Waarom wachten we niet een paar dagen af om te zien wat er gebeurt?'

Ik kwam bij de Fed weliswaar nog maar net kijken, maar ik had de financiële geschiedenis te lang bestudeerd om te denken dat die opmerking hout sneed. Het was het enige moment die avond dat ik tegen iemand uitviel. 'We hoeven niet af te wachten om te zien wat er gebeurt,' zei ik tegen hem. 'We wéten wat er gaat gebeuren.' Vervolgens bond ik in en legde het uit. 'Weet je wat ze zeggen over neergeschoten worden? Je krijgt het gevoel alsof je een stomp krijgt, maar het is zo'n ernstig trauma dat je gewoon de pijn niet meteen voelt. Over 24 of 48 uur krijgen we heel veel pijn.'

Toen de discussie ten einde kwam, was duidelijk dat we de volgende dag een hele reeks belangrijke beslissingen moesten nemen. Gerry Corrigan liet me plechtig weten: 'Het is aan jou, Alan. De hele verantwoordelijkheid rust op jouw schouders.' Gerry is een harde, en ik kon niet uitmaken of hij het bemoedigend bedoelde of als een uitdaging aan het adres van de nieuwe voorzitter. Ik volstond met te zeggen: 'Dank u, dr. Corrigan.'

Ik had niet de neiging in paniek te raken, want ik begreep hoe de problemen waar we voor stonden in elkaar zaten. En toch, toen ik die avond rond middernacht de telefoon neerlegde, vroeg ik me af of ik wel zou kunnen slapen. Dat was pas de ware proef op de som. 'Nu zullen we eens zien uit wat voor hout je gesneden bent,' hield ik mezelf voor. Ik ging naar bed, en ik moet zeggen: ik heb maar liefst vijf uur geslapen.

De volgende ochtend vroeg, toen we onze verklaring aan het bijschaven waren, werden we onderbroken door de hoteltelefonist vanwege een telefoontje uit het Witte Huis. Het was Howard Baker, de stafchef van president Reagan. Ik kende Howard al heel lang en deed alsof er niets bijzonders aan de hand was. 'Goedemorgen, senator,' zei ik. 'Wat kan ik voor u doen?' 'Help!' zei hij gespeeld klagend. 'Waar zit je?'

'In Dallas,' antwoordde ik. 'Zit u soms ergens mee?' Normaal gesproken is het de taak van de minister van Financiën om namens de regering op een crisis op Wall Street te reageren. Maar Jim Baker probeerde vanuit Europa terug naar huis te komen en Howard voelde er niets voor om deze problemen in zijn eentje aan te pakken. Ik beloofde hem dat ik mijn toespraak zou afzeggen en naar Washington terugkwam; dat had ik toch al bedacht, omdat dat in het licht van die daling van 508 punten de beste manier leek om de bankiers ervan te overtuigen dat de Fed de zaak hoogst serieus nam. Baker stuurde een vliegtuig voor hoge legerfunctionarissen om me op te halen.

De markten schoten die ochtend alle kanten uit. Manley Johnson zat in ons geïmproviseerde crisiscentrum en hield me tijdens de vlucht van minuut tot minuut op de hoogte. Toen ik op de luchtmachtbasis Andrews in een auto stapte, meldde hij dat de beurs in New York had gebeld om aan te kondigen dat men van plan was over een uur te sluiten; de handel in de belangrijkste aandelen was bij gebrek aan kopers komen stilliggen. 'Dan gaat het voor iedereen verkeerd,' zei ik. 'Als zij sluiten, zitten we pas echt met een catastrofe.' Als je een markt tijdens een krach sluit, wordt de ellende voor beleggers alleen maar erger. Hun verliezen mogen er op papier nog zo angstaanjagend uitzien, zolang de markt open blijft, weten beleggers dat ze er altijd uit kunnen stappen. Ontneem je hun die uitweg, dan wordt de angst des te groter. Bovendien is het bijzonder lastig om de handel daarna weer aan de praat te krijgen: niemand heeft enige notie van prijzen, en dus wil niemand de eerste zijn die een bod uitbrengt. Dat opstartproces kan dagen duren, en intussen loop je het risico dat het hele financiële stelsel tot stilstand komt en de economie een reusachtige klap krijgt. Niet dat we veel hadden kunnen ondernemen om de hoogste bazen bij de beurs tegen te houden, maar de markt redde ons op eigen kracht. Binnen die zestig minuten verschenen er genoeg kopers om de New York Stock Exchange (NYSE) haar plan te laten opschorten.

De daarop volgende 36 uur waren buitengewoon heftig. Ik zei bij wijze van grapje dat ik het gevoel had dat ik een zevenarmige jongleur was, zoals ik daar het ene na het andere telefoontje zat af te werken, met de beurs, de termijnmarkt in Chicago en de verschillende Federal Reserve-presidenten. Mijn aangrijpendste gesprekken waren met financiers en bankiers die ik al jaren kende, grote spelers van belangrijke ondernemingen overal in het land, en allemaal met een van angst afgeknepen stem. Het waren stuk voor stuk mannen die in de loop van een lange carrière rijkdom en sociaal aanzien hadden opgebouwd en nu ineens in een afgrond keken. Wanneer je bang bent, is je beoordelingsvermogen verre van volmaakt. 'Rustig nou,' zei ik steeds, 'het is heus onder controle te houden.' En ik hield hun voor dat ze verder moesten kijken dan deze noodtoestand, naar waar hun zakelijke belangen op de lange termijn lagen.

De Fed pakte de crisis op twee fronten aan. De eerste opgave was Wall Street: grote effectenhuizen en investeringsbanken, waarvan er al vele vanwege hun verliezen op hun grondvesten stonden te schudden, moesten we zien over te halen zich toch niet terug te trekken. Onze publieke verklaring die ochtend was zorgvuldig op zo'n manier geformuleerd dat men eruit kon afleiden dat de Fed een vangnet voor banken zou creëren, in de verwachting dat die op hun beurt andere financiële instellingen zouden helpen steunen. De verklaring was even kort en bondig als de Gettysburg Address, dacht ik, maar misschien niet zo aangrijpend: 'In overeenstemming met haar verantwoordelijkheden als de centrale bank van dit land heeft de Federal Reserve vandaag bevestigd bereid te zijn als bron van liquiditeit te dienen ter ondersteuning van het economische en financiële stelsel.' Maar zolang de markten bleven functioneren, hadden we geen aanvechting om bedrijven financieel op de been te houden.

Gerry Corrigan was de grote held in dit spel. Als hoofd van de Fed in New York moest hij de spelers op Wall Street overhalen te blijven lenen en handelen, dus om mee te blijven spelen. Deze bij de jezuïeten opgeleide protegé van Volcker was zijn hele carrière al centrale bankier; geen mens die meer door de wol geverfd was en beter geschikt om als hoofddoordouwer van de Fed op te treden. Gerry had voldoende overwicht om financiers onder druk te zetten, maar hij begreep wel dat de Fed zich zelfs in een crisis terughoudend diende op te stellen. Een bank opdracht geven om bijvoorbeeld een lening toe te kennen, zou machtsmisbruik van de kant van de overheid zijn en schadelijk zijn voor het functioneren van de markt. De boodschap van Gerry aan zo'n bank moest ongeveer zoiets zijn als: 'We geven u geen opdracht om geld te lenen; het enige wat we vragen, is dat u de belangen van uw onderneming in het oog houdt. Vergeet niet dat mensen een erg goed geheugen hebben en dat als u een bepaalde klant geen krediet meer geeft omdat u zich misschien een beetje onzeker over hem voelt zonder dat u daar concrete redenen voor hebt, hij dat altijd zal onthouden.' Die week voerde Corrigan tientallen van dat soort gesprekken en al heb ik nooit het fijne ervan geweten, ik moet aannemen dat sommige van die telefoongesprekken er behoorlijk hard aan toe gingen. Hij heeft vast en zeker hier of daar een oorlelletje afgebeten.

Terwijl dit allemaal gaande was, bleven we zelf het stelsel liquide middelen verschaffen. De FOMC gaf de handelaren bij de New York Fed opdracht miljarden dollars aan staatsobligaties op de open markt te kopen. Daardoor kwam er meer geld in omloop en daalde de korte renten. We hadden die voor de beurskrach weliswaar verhoogd, maar nu verlaagden we ze om de economie aan de praat te houden.

Ondanks al onze inspanningen waren er toch zo'n vijf momenten waarop het bijna verkeerd ging, hoofdzakelijk wat het betalingssysteem aanging. Tijdens kantooruren vinden veel transacties op Wall Street niet gelijktijdig plaats: ondernemingen doen bijvoorbeeld zaken met elkaars klanten om dat vervolgens aan het eind van de dag met elkaar te vereffenen. Op woensdagochtend zou Goldman Sachs een betaling van zevenhonderd miljoen dollar doen aan de Continental Illinois Bank in Chicago, maar ze schortten aanvankelijk die betaling op in afwachting van fondsen uit andere bronnen. Vervolgens bedacht Goldman zich en deed alsnog de betaling. Als Goldman zo'n omvangrijke betaling had opgeschort, had dat in de hele markt een stortvloed van wanbetalingen veroorzaakt. Achteraf deelde een topfunctionaris bij Goldman me in vertrouwen mee dat de firma die betaling nooit had gedaan als ze de problemen van de weken daarop hadden voorzien. En in de toekomst zou Goldman zich in zulke crises wel tweemaal bedenken voordat ze zulke betalingen deden waar niets tegenover stond.

We gingen ook op het politieke front aan de slag. Zodra Jim Baker op dinsdag terug was (hij had een plaatsje in de Concorde weten te bemachtigen), bracht ik een uur op het ministerie van Financiën door. We trokken ons met Howard Baker en nog wat functionarissen in zijn kantoor terug. De eerste reactie van president Reagan op het drama op Wall Street van maandag waren optimistische uitlatingen over de economie geweest. 'Recht zo die gaat,' had hij gezegd, om er later aan toe te voegen: 'Volgens mij hoeft niemand in paniek te raken, want alle economische indicatoren zien er goed uit.' Het was bedoeld om bemoedigend te klinken, maar in het licht van de gebeurtenissen deed het angstwekkend sterk denken aan Herbert Hoover die na Zwarte Vrijdag verklaarde dat de economie 'gezond en welvarend' was. Dinsdagmiddag gingen we naar Reagan in het Witte Huis om hem voor te stellen het over een andere boeg te gooien. Jim Baker en ik voerden aan dat de meest constructieve reactie een aanbod zou zijn om samen met het Congres te proberen het begrotingstekort omlaag te krijgen – dat immers was een van de economische risico's op de lange termijn waar Wall Street zich zorgen over maakte. En zelfs al had Reagan met de Democratische meerderheid overhoop gelegen, hij moest toegeven dat hier iets voor te zeggen was. Die middag liet hij verslaggevers weten dat hij elk begrotingsvoorstel van het Congres in overweging zou nemen, behalve snijden in de sociale zekerheid. Dit aanbod leidde weliswaar tot niets, maar het hielp wel de markten te kalmeren.

Het crisiscentrum was 24 uur per dag bemand. We volgden de markten in Japan en Europa; elke ochtend verzamelden we de koersen van Amerikaanse bedrijven op de Europese beurzen en stelden onze eigen Dow-Jonesindex samen, om alvast een idee te krijgen van wat de markten in New York bij opening zouden doen. Het duurde ruim een week voordat alle crises waren geluwd, al bleven de meeste onopgemerkt voor het grote publiek. Een paar dagen na de krach stortte bijvoorbeeld de optiebeurs in Chicago bijna in toen de grootste handelaar daar door zijn contanten heen raakte. De Fed in Chicago hielp daar een oplossing voor te bedenken. Maar gaandeweg stabiliseerden de prijzen in de diverse markten en tegen begin november pakten de leden van het crisisteam hun normale werk weer op.

In tegenstelling tot wat iedereen gevreesd had, bleef de economie overeind en groeide ze in het eerste kwartaal zelfs met een jaarlijks tempo van 2 procent en in het tweede kwartaal met 5 procent. Begin 1988 stabiliseerde de Dow zich rond de 2000 punten, waar de index begin 1987 ook op had gestaan, en de aandelen begonnen aan een aanzienlijk bescheidener en beter vol te houden opmars. De economische groei ging zijn vijfde achtereenvolgende jaar in, wat geen troost was voor de speculanten die een smak geld waren kwijtgeraakt, en evenmin voor de talloze kleine beursmakelaars die het niet hadden gered, maar gewone mensen hadden er in elk geval niet onder geleden.

Als ik nu terugkijk, zie ik het als de eerste aanwijzing van de economische veerkracht die zich de jaren daarop zo duidelijk zou manifesteren.

De Federal Reserve en het Witte Huis zijn niet per se bondgenoten. Toen het Congres in 1935 de Fed zijn moderne mandaat gaf, zag het er zorgvuldig op toe dat de bank was afgeschermd van enige politieke invloed. De gouverneurs worden weliswaar allemaal door de president benoemd, maar hun aanstelling is semi-permanent: de leden van de raad blijven veertien jaar aan, langer dan enige andere persoon die wordt aangesteld afgezien van de rechters van het Hooggerechtshof. De voorzitter wordt natuurlijk maar voor vier jaar benoemd, maar die kan weinig doen zonder de stemmen van de andere leden van de raad. En de Fed moet weliswaar tweemaal per jaar verslag uitbrengen aan het Congres, maar de bank gaat wel over haar eigen portemonnee door zichzelf te financieren met inkomsten uit rente van de staatsobligaties en andere activa die ze bezit. Op die manier heeft de Fed zijn handen vrij om zich op zijn voorgeschreven opdracht toe te leggen: het scheppen van de monetaire voorwaarden voor een optimale, duurzame groei en werkgelegenheid. Naar de mening van de Fed en de meeste economen vormen stabiele prijzen een onmisbare voorwaarde voor een optimale, duurzame groei van de economie. In de praktijk betekent dit dat de Fed een beleid moet voeren dat de inflatie in toom moet zien te houden tot ruimschoots na de huidige verkiezingscyclus.

Geen wonder dat politici de Fed vaak als een struikelblok ervaren. Misschien dat hun betere ik zich best wil toeleggen op welvaart voor Amerika op de lange termijn, maar ze zijn veel gevoeliger voor de onmiddellijke eisen die hun kiezers stellen. En dat komt onvermijdelijk tot uiting in hun voorkeuren op het gebied van het economische beleid. Als de economie groeit, willen ze dat die sneller groeit; zien ze een rentetarief, dan willen ze dat het lager is; maar dan komt de monetaire discipline van de Fed tussenbeide. Zoals William McChesney Martin jr., de legendarische voorzitter uit de jaren vijftig en zestig, gezegd zou hebben, is het de rol van de Fed om opdracht te geven 'de schaal met punch weg te halen als het feest net lekker op gang komt'.

Je kon de frustratie in de stem van vicepresident George Herbert Walker Bush gewoon horen, toen hij in het voorjaar van 1988 campagne voerde voor de Republikeinse presidentsnominatie. Hij zei tegen verslaggevers dat hij een 'waarschuwend woord' had voor de Fed: 'Ik zou niet graag zien dat ze over een bepaalde [streep] stappen waardoor de economische groei zou worden afgeremd.'

En in feite was dat precies wat we aan het doen waren. Zodra duidelijk was dat de beurskrach de economie geen echte schade had berokkend, was de FOMC in maart de federal funds rate stukje bij beetje beginnen op te trekken. Dat hadden we gedaan omdat er alweer steeds meer tekenen waren dat de inflatiedruk toenam en de lange bloei onder Reagan zijn hoogtepunt had bereikt: de fabrieken draaiden op volle capaciteit en de werkloosheid lag op het laagste punt sinds acht jaar. We gingen daarmee door tot in de zomer, en in augustus werd het noodzakelijk ook de discontovoet te verhogen.

Aangezien de discontovoet in tegenstelling tot de federal funds rate wel publiekelijk werd aangekondigd, was het politiek gezien veel explosiever: bij de Fed noemden ze zo'n stap 'op de gong slaan'. Voor de campagne van Bush had de timing niet slechter kunnen uitvallen. Bush wilde meeprofiteren van het succes van Reagan, en hij stond in de peilingen maar liefst zeventien punten achter op de Democratische kandidaat Michael Dukakis. Het campagneteam van de vicepresident was overgevoelig voor nieuws dat ook maar in de verste verte kon duiden op een vertragende economie of dat anderszins afbreuk zou doen aan de glorie van de regering. Dus toen we een paar dagen voor de Republikeinse conventie besloten de rente te verhogen, wisten we dat er mensen kwaad zouden zijn.

Ik ben er een voorstander van om slecht nieuws persoonlijk, privé en van tevoren over te brengen, zeker in Washington, waar regeringsfunctionarissen er een hekel aan hebben overvallen te worden en tijd nodig hebben om te beslissen wat ze in het openbaar gaan zeggen. Ik vind het absoluut geen genoegen, maar je hebt gewoon geen alternatief als je achteraf nog goede betrekkingen met iemand wilt hebben. Dus zodra we hadden gestemd, verliet ik mijn kantoor en reed naar het ministerie van Financiën om Jim Baker te spreken. Hij had net aangekondigd dat hij zou aftreden als minister van Financiën en stafchef van Bush' campagne zou worden. Jim was een oude vriend van me, en als minister van Financiën was hij de persoon aan wie ik het moest vertellen.

We gingen zitten, ik keek hem aan en zei: 'Ik twijfel er niet aan dat dit je niet zal bevallen, maar na een lange afweging van alle factoren' – waarvan ik er een paar opnoemde – 'zijn we tot de slotsom gekomen dat we de discontovoet gaan verhogen. Het wordt over een uur aangekondigd.' Ik voegde eraan toe dat de verhoging niet het gebruikelijke kwart procent was, maar het dubbele, van 6 naar 6,5 procent.

Baker zakte achteruit op zijn stoel en bonkte met zijn vuist tegen zijn maag. 'Daar tref je me mee op deze plek,' gromde hij.

'Het spijt me, Jim,' zei ik.

Vervolgens barstte hij los in een tirade dat de Fed en ik niet gevoelig waren voor wat dit land werkelijk nodig had, en hij gooide er verder allerlei andere kwaadaardigheden uit die in zijn hoofd opkwamen. Ik was al heel lang met hem bevriend, dus ik wist dat die tirade maar een vertoning was. En na een minuut of zo, toen hij even pauzeerde om op adem te komen, grijnsde ik hem toe. Waarop hij in lachen uitbarstte. 'Ik weet dat jullie niet anders kunnen,' zei hij. Een paar dagen later steunde hij publiekelijk de tariefsverhoging als onontbeerlijk voor de stabiliteit op de lange duur. 'Op de middellange en lange termijn zal dit buitengewoon goed zijn voor de economie,' voegde hij eraan toe.

Toen George Bush die herfst won, hoopte ik van harte dat de Fed en zijn regering met elkaar overweg zouden kunnen. Iedereen wist dat wie ook de opvolger van Reagan werd, deze voor grote economische opgaven zou komen te staan: en niet alleen een neergang van de conjunctuurcyclus, maar ook reusachtige tekorten en de razendsnel toenemende staatsschuld. Ik vond dat Bush wel erg hoog inzette toen hij in zijn aanvaardingsrede tijdens de Republikeinse conventie zei: 'Let op mijn woorden: geen nieuwe belastingen.' Het was een gedenkwaardige zin, maar er zou een moment komen dat hij het begrotingstekort moest aanpakken, en met deze uitspraak had hij zichzelf één hand op zijn rug gebonden.

Iedereen keek ervan op hoe ingrijpend de nieuwe regering mensen verving die door Reagan waren aangesteld. Mijn vriend Martin Anderson, die zich al lang uit Washington had teruggetrokken en nu aan het Hoover Institution in Californië verbonden was, merkte gekscherend op dat Bush meer Republikeinen had ontslagen dan Dukakis zou hebben gedaan. Maar ik zei dat ik daar niet mee zat. Dat was nu eenmaal het goed recht van een nieuwe president, en het had allemaal geen invloed op de Fed. Bovendien bestond het economische team dat nu aantrad (minister van Financiën Nicholas Brady, directeur Begroting Richard Darman, voorzitter van de

Raad van Economische Adviseurs Michael Boskin en anderen) uit mensen die ik beroepsmatig kende of met wie ik bevriend was. (Jim Baker werd, zoals bekend, minister van Buitenlandse Zaken.)

Wat ik, en veel andere topmensen bij de Fed met mij, vooral hoopte, was dat de nieuwe regering meteen het begrotingstekort zou aanpakken, nu de economie nog sterk genoeg was om de klap van eventuele bezuinigingen op te vangen. Grote tekorten hebben een verraderlijk effect. Wanneer de regering te veel uitgeeft, moet zij geld lenen om de boekhouding sluitend te krijgen. Ze doet dat door staatsobligaties te verkopen, waarmee kapitaal wordt weggezogen dat anders in de private economie geïnvesteerd zou worden. Onze tekorten waren inmiddels zo hoog opgelopen (gemiddeld ruim honderdvijftig miljard dollar per jaar gedurende vijf jaar) dat we de economie aan het ondermijnen waren. Ik bracht dit probleem vlak na de verkiezingen onder de aandacht van de National Economics Commission, een uit leden van beide partijen samengestelde groep die Reagan na de crash in 1987 in het leven had geroepen. Het tekort was nu geen 'na ons de zondvloed'-probleem meer, hield ik hun voor. 'Iets wat in het verleden pas op den duur zou gaan spelen, staat nu voor de deur. Als we niet onmiddellijk handelen, zullen de gevolgen allengs voelbaarder en dringender worden.' Vanwege die belofte van Bush dat er geen nieuwe belastingen zouden komen, draaide de commissie zoals te verwachten op een fiasco uit. De Republikeinen voerden aan dat er in de uitgaven moest worden gesneden, terwijl de Democraten vonden dat de belastingen moesten worden verhoogd, zodat het allemaal niets opleverde.

Algauw was ik publiekelijk weer in hetzelfde conflict met president Bush verwikkeld als tijdens de campagne. In januari verklaarde ik voor de commissie voor Bankzaken van het Huis van Afgevaardigden dat het risico op inflatie nog zo groot was dat de Fed 'liever voor te grote strengheid dan voor al te veel stimulering' koos. De volgende dag stelde de president deze benadering tegenover verslaggevers aan de kaak. 'Ik zie niet graag dat we zo krachtig tegen inflatie optreden dat we de groei gaan belemmeren,' zei hij. Doorgaans werden zulke meningsverschillen achter de schermen uitgesproken en opgelost. Ik had graag eenzelfde coöperatieve relatie met het Witte Huis opgebouwd als ik tijdens de regering-Ford had gehad en als Paul Volcker bij tijd en wijle met Reagan had gehad. Het mocht niet zo zijn. Er gebeurden geweldige dingen tijdens het bewind van George Bush: de val van de Berlijnse Muur, het einde van de Koude Oorlog, een duidelijke overwinning in de Perzische Golf en de onderhandelingen over de NAFTA voor vrijhandel in Noord-Amerika. Maar de economie was zijn achilleshiel en het gevolg was dat we een vreselijk slechte relatie hadden.

Hij kreeg te maken met een verslechterend handelstekort en het politiek nogal schadelijke verschijnsel van fabrieken die naar elders vertrokken. De druk om het overheidstekort terug te dringen, dwong hem er uiteindelijk in juli 1990 toe een compromis te accepteren waarbij hij zijn belofte dat er geen nieuwe belastingen zouden komen, moest schenden. Een paar dagen later viel Irak Koeweit binnen. De daaropvolgende Golfoorlog bleek zijn populariteit bepaald geen kwaad te doen. Maar de crisis zorgde er ook voor dat de economie in de recessie raakte waar we al bang voor waren, omdat de olieprijzen stegen en het consumentenvertrouwen te lijden had onder de onzekerheid. Het ergste was nog dat het herstel, dat zich vanaf begin 1991 manifesteerde, ongewoon traag en bloedeloos verliep. Op de meeste van deze gebeurtenissen had niemand invloed, maar ze zorgden er wel voor dat '*the economy, stupid*' voor Bill Clinton een effectieve manier was om Bush bij de verkiezingen in 1992 te verslaan, ofschoon de economie in dat jaar 4,1 procent was gegroeid.

Twee factoren maakten het economische plaatje met name gecompliceerd. De eerste was het instorten van de Amerikaanse spaarbranche, wat een grote en onverwachte aanslag op de staatsbegroting betekende. De zogenaamde Savings & Loans-banken die in hun moderne vorm waren opgezet om na de Tweede Wereldoorlog de voorsteden op te bouwen, gingen al sinds een jaar of tien in golven ten onder. Honderden van deze banken gingen kapot aan de inflatie in de jaren zeventig (die nog eens verergerd werd door verkeerd aangepakte deregulering en fraude). In de oorspronkelijke opvatting was zo'n bank een simpele hypotheekfabriek zoals de Bailey Building and Loan die in *It's a Wonderful Life* door Jimmy Stewart wordt geleid. Klanten legden geld in op spaarrekeningen met een spaarbankboekje, die slechts 3 procent rente opleverden maar wel door de overheid verzekerd waren; en vervolgens leende zo'n hypotheekbank die gelden uit in de vorm van dertigjarige hypotheken tegen een rente van 6 procent. Het gevolg was dat dit soort banken tientallen jaren steevast winst maakten, en de spaarbranche floreerde enorm, met in 1987 ruim 3600 instellingen en 1500 miljard dollar aan activa.

Maar de inflatie maakte een einde aan deze prettige toestand. Door de inflatie schoot zowel de korte- als de langetermijnrente omhoog waardoor de hypotheekbanken ernstig in het nauw kwamen. Voor de gemiddelde hypotheekbank vlogen de kosten voor deposito's omhoog, en omdat hypotheekportefeuilles een lange omlooptijd hebben, begonnen de opbrengsten terug te lopen. Weldra stonden veel hypotheekbanken rood, en tegen 1989 was de overgrote meerderheid in feite bankroet: zelfs al verkochten ze al hun leningen, dan nog hadden ze niet genoeg geld om hun deposito's af te betalen.

Het Congres probeerde herhaaldelijk de bedrijfstak een steuntje in de rug te geven maar slaagde er vooral in om het probleem alleen nog maar groter te maken. Vlak voor de bouwexplosie van het Reagan-tijdperk verhoogden ze de hoogte van de door de belastingbetaler gefinancierde depositoverzekering (van 40.000 naar 100.000 dollar per rekening), en de restricties op het soort leningen dat hypotheekbanken konden verstrekken werden verruimd. Binnen de kortste keren begonnen overmoedig geworden bankmanagers wolkenkrabbers, vakantieoorden en duizenden andere projecten te financieren waar ze in veel gevallen nauwelijks verstand van hadden en vaak een smak geld bij kwijtraakten.

Anderen maakten misbruik van de verruimde regels en sloegen aan het frauderen; het beruchtste voorbeeld was Charles Keating, een entrepreneur van de Westkust die uiteindelijk achter de tralies belandde wegens omkoperij en fraude omdat hij beleggers met fictieve onroerendgoedtransacties en de verkoop van waardeloze junkbonds zou hebben misleid. Verkopers bij Keatings Lincoln Savings zouden ook niet-onderlegde personen hebben overgehaald hun spaargeld van hun spaarbankboekje over te zetten op riskante, onverzekerde speculaties die hij onder zijn beheer had. Toen de onderneming instortte, kostte het puinruimen de belastingbetaler 3,4 miljard dollar, en maar liefst 25.000 mensen die obligaties hadden gekocht, verloren bij elkaar een geschatte 250 miljoen dollar. Toen in 1990 aan het licht kwam dat Keating en andere hypotheekbankdirecteuren grote bijdragen hadden geleverd aan verkiezingscampagnes voor de Senaat, zorgde dat voor een reusachtig drama in Washington.

Ik was op een ingewikkelde manier bij deze hele toestand betrokken, niet alleen vanwege mijn werk, maar ook vanwege een studie die ik had uitgevoerd in de tijd dat ik nog privéadviseur was. Jaren daarvoor had een groot advocatenkantoor dat Keating vertegenwoordigde, me bij Townsend-Greenspan ingehuurd om na te gaan of Lincoln financieel gezond genoeg was om het recht te mogen krijgen rechtstreeks in onroerend goed te beleggen. Op grond van hun op dat moment uiterst liquide balans kwam ik tot de conclusie dat ze dat zeker konden doen. Dit was voordat Keating de verhouding tussen zijn eigen en vreemd vermogen gevaarlijk scheef trok en ruimschoots voordat hij als een schurk werd ontmaskerd. Tot op de dag van vandaag weet ik niet of hij al een scheve schaats reed toen ik met mijn onderzoek begon. Mijn rapport kwam boven water toen de ethische commissie van de Senaat met haar hoorzittingen begon in verband met Keatings connecties met vijf senatoren, die bekend werden als de 'Keating Five'. Een van degenen naar wie toen een onderzoek werd ingesteld, John McCain, verklaarde dat mijn beoordeling hem gerust had gesteld over Keating. Ik zei tegen de *New York Times* dat ik me geneerde dat ik er niet in was geslaagd te voorzien wat de onderneming zou gaan doen, en voegde eraan toe: 'Ik heb me vergist in Lincoln.'

Het incident was dubbel vervelend omdat Andrea erdoor in de problemen kwam. Inmiddels was ze bij haar omroep hoofdcorrespondent bij het Congres geworden en zij deed het Keating-schandaal. Naarmate onze relatie zich verder ontwikkelde, zag Andrea er altijd zorgvuldig op toe dat ze een brandmuur, zoals ze dat noemde, tussen haar en mijn werk overeind hield. Zo was ze bij geen enkele van mijn getuigenissen in het Congres aanwezig; ze deed er alles aan om zelfs maar de indruk te vermijden dat er sprake was van strijdige belangen. Dat werd bij de hoorzittingen rond Keating op de proef gesteld. Schoorvoetend besloot Andrea dat ze het onderwerp aan iemand anders zou overdragen zolang de media mijn connecties met deze zaak onderzochten.

Niemand wist hoeveel de grote schoonmaak in de spaarbankenbranche de belastingbetaler uiteindelijk zou gaan kosten: de schattingen liepen tot in de honderden miljarden dollars. Naarmate het werk vorderde, werd steeds duidelijker hoe groot de aanslag op de schatkist was, zodat Bush wat de belastingen aanging voor een nog grotere opgave kwam te staan.

Het was aan de Resolution Trust Corporation (RTC) om nog iets van de verliezen te compenseren. Deze instelling was in 1989 door het Congres opgezet om de bezittingen van de failliete ondernemingen te verkopen. Ik zat in de raad van toezicht onder voorzitterschap van minister van Financiën Brady, waarin tevens zitting hadden de toenmalige minister van Huisvesting en Stadsontwikkeling Jack Kemp, vastgoedontwikkelaar Robert Larson en voormalig commissaris van de Fed Philip Jackson. De RTC had een professionale staf, maar begin 1991 kwam mijn werk voor de raad van toezicht zo'n beetje op een tweede baan neer. Ik was heel veel tijd kwijt aan het bestuderen van gedetailleerde documenten en het bijwonen van vergaderingen. Het enorme aantal niet-bewoonde panden dat we beheerden, raakte in hoog tempo in verval door gebrek aan onderhoud, en als we niet heel snel maakten dat we van die percelen afkwamen, zaten we met een reusachtige afschrijfpost. Bovendien zouden we dan waarschijnlijk ook met een fikse rekening zijn komen te zitten voor de sloop van het grootste deel. Ik zat die kosten voortdurend in mijn hoofd op te tellen. En dat was geen prettige bezigheid.

Savings & Loans-hypotheken die nog rente opleverden, waren snel genoeg verkocht. Maar nu was de RTC toegekomen aan de verkoop van bezittingen waar kennelijk niemand behoefte aan had: half afgebouwde winkelcentra in de woestijn, jachthavens, golfbanen, armoedige nieuwe flatcomplexen in toch al te dicht bebouwde woonwijken, teruggevorderde halflege kantoorgebouwen, uraniummijnen. De omvang van het probleem was nauwelijks te bevatten: Bill Seidman, de voorzitter van zowel de RTC als de Federal Deposit Insurance Company (FSIC; Federale Depositoverzekeraar), had berekend dat als de RTC per dag één miljoen dollar aan bezittingen verkocht, het driehonderd jaar zou kosten om ze allemaal kwijt te raken. We moesten het duidelijk anders aanpakken.

Ik weet niet zeker wie er met het creatieve verkoopidee kwam aanzetten. In de vorm waar we uiteindelijk voor kozen, was het de bedoeling om de bezittingen in blokken van één miljard dollar aan te bieden. Voor het eerste pakket dat we in een veiling aanboden, mikten we met name op biedingen van enige tientallen gekwalificeerde kopers, voor het grootste deel bedrijven die hun sporen al verdiend hadden op het gebied van het opkalefateren van minder florissant onroerend goed. 'Gekwalificeerd' betekende overigens niet per se 'smakelijk': onder de groepen die we benaderden, zaten ook zogenaamde 'aasgierfondsen' (*vulture funds*) en speculanten die hun imago wel eens mochten oppoetsen.

Uiteindelijk leidden maar een paar biedingen tot aankoop, en het pakket ging voor een relatief zacht prijsje weg, namelijk voor iets meer dan vijfhonderd miljoen dollar. Bovendien hoefde de winnende bieder slechts een aanbetaling van een fractie van dat bedrag te doen, en vervolgens af te betalen in bedragen die afhingen van de hoeveelheid geld die de bezittingen opleverden. Het leek een weggevertje, en zoals we al verwacht hadden, waren de publieke waakhonden en het Congres diep verontwaardigd. Maar er gaat niets boven een koopje om de vraag te stimuleren. Ineens stroomden grote aantallen investeerders toe om een graantje mee te pikken, de prijzen voor de overige pakketten bezittingen schoten omhoog, en binnen een paar maanden waren de schappen bij de RTC leeg. Toen de commissie in 1995 werd ontbonden, had de RTC 744 spaar- en leenbanken geliquideerd, oftewel meer dan een kwart van de hele bedrijfstak. Maar voor een deel dankzij de verkoop van de bezittingen beliep de totale rekening die de belastingbetaler uiteindelijk moest betalen, 87 miljard dollar, wat aanzienlijk minder was dan aanvankelijk werd gevreesd.

Ook de zakenbanken zaten ernstig in de problemen. En dat was heel wat zorgelijker, omdat die banken een veel grotere en belangrijkere sector van de economie vertegenwoordigen. Het laatste deel van de jaren tachtig was hun moeilijkste periode sinds de Depressie; honderden kleine en middelgrote banken gingen failliet, en reuzen als Citibank en Chase Manhattan hadden het zwaar. Net als bij de spaar- en leenbanken was het probleem hier dat er te veel speculatief werd geleend: begin jaren tachtig hadden de grote banken op de Latijns-Amerikaanse schulden ingezet, en toen die leningen misgingen, stortten ze zich als een stel amateurgokkers die hun verliezen proberen te compenseren, op commercieel onroerend goed, waarop de hele bedrijfstak hun voorbeeld volgde.

De onafwendbare ineenstorting van de oververhitte vastgoedmarkt deed de banken op hun grondvesten schudden. Aangezien ze niet precies wisten wat de waarde van het vastgoed was dat als onderpand voor hun leningen diende, wisten veel bankiers ook niet hoeveel kapitaal ze precies hadden. Daardoor voelden velen van hen zich verlamd, angstig, en weinig bereid om nog langer leningen toe te kennen. Grote bedrijven waren in de gelegenheid om andere fondsen aan te boren, zoals de vernieuwende schuldenmarkten die op Wall Street waren verschenen. Dankzij dat nieuwe fenomeen bleef de recessie in de jaren negentig binnen de perken. Maar kleine en middelgrote fabrikanten en middenstanders in heel Amerika hadden de grootste moeite om zelfs maar de meest routinematige zakelijke leningen goedgekeurd te krijgen. Dat zorgde er weer voor dat het ongewoon lastig was om uit die recessie te komen.

En wat we bij de Fed ook ondernamen, het leek allemaal niet te werken. We waren al ruimschoots voor de recessie begonnen de rentetarieven te versoepelen, maar de economie reageerde er niet meer op. Ondanks dat we ze in de drie jaar tussen juli 1989 en juli 1992 maar liefst 23 keer verlaagden, was het herstel een van de traagste die ooit is geregistreerd. 'Je kunt nog het best zeggen dat de Amerikaanse economie vooruitgaat, maar dan wel met een tegenwind van 75 kilometer per uur,' bracht ik de situatie in oktober 1991 onder woorden tegenover een publiek van bezorgde zakenlieden in New England. Ik kon gewoon niet erg bemoedigend zijn omdat ik geen idee had wanneer de 'credit crunch' voorbij zou zijn.

Ik sprak president Bush eens in de zes, zeven weken, meestal tijdens een bijeenkomst met meer mensen, maar een enkele keer onder vier ogen. We kenden elkaar al sinds de periode-Ford. Hij had me zelfs eens uitgenodigd om op Langley te komen lunchen, toen hij in 1976 directeur was van de CIA. In de eerste maanden van de campagne voor de presidentsverkiezingen belde hij me regelmatig over economische beleidskwesties. In de tijd dat Bush vicepresident was, zocht ik hem bij tijd en wijle in het Witte Huis op. Bush was intelligent, en persoonlijk konden we goed met elkaar overweg. Ik was vooral erg gecharmeerd van zijn vrouw Barbara, een pittige dame om rekening mee te houden. Maar tijdens zijn presidentschap besteedde hij veel meer aandacht aan buitenlandse kwesties dan aan de economie.

Zijn vader had weliswaar op Wall Street gewerkt en hij had zelf aan Yale economie gestudeerd, maar hij had geen rechtstreekse ervaring met de markten. Hij beschouwde rentetarieven niet als iets wat in de eerste plaats door krachten in de markt werd bepaald en leek te geloven dat ze vooral een kwestie van voorkeur waren. Dat was geen goed doordacht standpunt. Hij liet het economische beleid ook liever aan zijn hoogste medewerkers over. Dus kwam het erop neer dat ik vooral te maken had met Nick Brady, Dick Darman en Mike Boskin.

Directeur Begroting Darman had in diverse opzichten veel weg van David Stockman: hij was een van de grote denkers op beleidsterrein en een groot aanhanger van een gezond belastingbeleid. Maar in tegenstelling tot Stockman was Dick vaak niet erg rechtdoorzee en werd hij gedreven door politiek opportunisme. Op den duur leerde ik op een afstand te blijven.

Jaren later schreef Darman dat hij zich achter gesloten deuren in het Witte Huis fel verzet had tegen de verkiezingsbelofte van 'geen nieuwe belastingen'. Hij had de president juist proberen over te halen het begrotingstekort in een vroeg stadium aan te pakken, zolang de kwestie nog snel op te lossen was. Maar de president had zich niet laten overtuigen. In de loop van 1989 lag het Witte Huis steeds vaker overhoop met het Democratische Congres. Het begrotingstekort bleef zo hoog dat toen de recessie toesloeg, de regering niet over de begrotingsruimte beschikte om die aan te pakken.

Het duurde niet lang voordat de regering de Fed aansprakelijk stelde voor de problemen. We zouden de economie verstikken door het geldaanbod te krap te houden. Een eerste voorproefje daarvan kreeg ik in augustus 1989 toen Andrea en ik senator John Heinz en zijn vrouw Teresa in hun zomerhuis in Nantucket opzochten. We zetten de televisie aan voor de zondagochtendpraatshows en daar verscheen Dick Darman bij *Meet the Press*. Ik zat maar half op te letten toen ik hem ineens hoorde zeggen: 'Het is niet alleen belangrijk voor voorzitter Greenspan maar ook voor de andere leden van de raad en de FOMC om zich meer bewust te zijn van de noodzaak om deze economie niet in de recessie te laten afglijden. Ik heb zo mijn twijfels of ze dat wel helemaal in de gaten hebben.' Ik morste bijna mijn koffie. 'Wat?' riep ik uit. Ik beluisterde zijn argumenten en vond dat die economisch gezien geen hout sneden. Maar toen drong tot me door dat dit ook helemaal niet nodig was: het was pure politieke retoriek.

Minister Brady van Financiën was ook al niet dol op de Fed. De president en hij waren bevriend en hadden veel gemeen: ze waren allebei rijke, aan Yale opgeleide patriciërs en leden van het geheime genootschap Skull and Bones. Nick had ruim dertig jaar op Wall Street gewerkt en was uiteindelijk voorzitter geworden van een belangrijke beleggingsinstelling. Wat hij Washington te bieden had, waren zijn uitgebreide ervaring met de echte wereld van de handel en het feit dat hij gewend was de lakens uit te delen.

Tijdens de hele regeringsperiode van Bush werkten Nick en ik op diverse belangrijke gebieden samen; we reisden in 1991 naar Moskou en werkten nauw en effectief samen aan ingewikkelde zaken als regelgeving voor banken en buitenlandse deviezen. En we werkten niet alleen samen, hij nodigde me ook uit naar Augusta National om te golfen. En Andrea en ik gingen vriendschappelijk met hem en zijn vrouw Kitty om.

Maar hij versterkte wel de uiterst instrumentele opvatting van het economische beleid die president Bush erop na hield. In Nicks ogen was het verlagen van de korte rente geenszins een riskante onderneming: als de Fed de economie maar ruim van geld voorzag, ging die economie alleen maar sneller groeien. Natuurlijk moesten we op onze hoede blijven voor als de inflatie weer de kop opstak, maar als dat gebeurde, kon de Fed de teugels wel aanhalen. Als ik had gedaan wat zij wilden, had ik op snellere, stevigere renteverlagingen aangedrongen, en had de markt me ongetwijfeld uiteindelijk de kop afgebeten, en terecht.

De minister van Financiën was echter niet gevoelig voor argumenten. Net als veel handelaren had het hem geen windeieren gelegd om op zijn intuïtie af te gaan. En bij zaken als wisselkoersbeleid bleek hij de markten scherp aan te voelen. Maar hij was geen man voor concepten en had niet de neiging in lange termijnen te denken. Nick en ik kwamen eenmaal per week bijeen voor een werkontbijt, en zodra het onderwerp monetair beleid ter sprake kwam, draaiden we eenvoudig om de hete brij heen.

Die impasse maakte het nog eens zo moeilijk om het begrotingstekort en de recessie het hoofd te bieden, omdat het betekende dat de regering er altijd op uit was ergens iets voor terug te krijgen van de Fed. Toen de begrotingswet voor 1990 ter tafel lag (en president Bush eindelijk inzag dat hij zijn 'geen nieuwe belastingen'-belofte zou moeten breken), vroeg Nick me of ik wilde beloven dat de Fed de rentes zou verlagen als de begroting werd goedgekeurd.

En ik moet zeggen dat ik onder de indruk was van het pakket aan begrotingsmaatregelen. Er stonden een paar vernieuwingen van de hand van Darman in die er in mijn ogen erg veelbelovend uitzagen, zoals een zogenaamde 'pay-go'-regel die bepaalde dat tegenover elk nieuw bestedingsprogramma een besparing op het gebied van belastingen of de begroting moest staan ('pay-go' was Washington-jargon voor 'boter bij de vis'). De voorgestelde begroting drong het tekort niet zo ingrijpend terug als had gekund, maar bij de Fed vond men het een grote stap in de goede richting en daar was ik het mee eens. In een hoorzitting bij het Congres in oktober, toen de begroting uiteindelijk ter goedkeuring werd voorgelegd, verklaarde ik dat het plan 'geloofwaardig' was, wat wellicht nogal dodelijk klonk, maar het volstond om de beurs wakker te schudden, want de handelaren durfden er wat onder te verwedden dat de Fed de rentes zou verlagen. Dat waren we natuurlijk helemaal niet van plan: voordat we de kredietteugels wat zouden laten vieren, moesten we eerst zien of de bezuinigingen werden aangenomen en of ze vervolgens ook werkelijk effect op de economie hadden.

Daarom lette ik ook altijd erg op wat ik onder vier ogen tegen Nick zei. Ik zei: 'Een gezonde begroting zal ervoor zorgen dat de lange rente omlaaggaat omdat de kans op inflatie afneemt. En het monetaire beleid hoort daarop in te spelen door de kortetermijnrentes te verlagen.' Dit was het normale beleid van de Fed, maar Nick vond het uitermate frustrerend aangezien het hem niet de garantie bood waar hij op uit was.

Toen de recessie die herfst toesloeg, nam de wrijving alleen maar toe. 'Er is veel te veel pessimisme geweest,' verklaarde president Bush in zijn State of the Union-rede van 1991. 'Gezonde banken zouden inmiddels gezonde leningen moeten verstrekken, en de rente hoort inmiddels lager te zijn.' Nu had de Fed al ruim een jaar de rente verlaagd, maar het Witte Huis wilde meer en ingrijpendere verlagingen.

Ik heb nog steeds een formele brief die Nick me in die tijd stuurde. Hij had iets heel uitzonderlijks ondernomen door acht vooraanstaande economen uit het bedrijfsleven en de academische wereld naar het Witte Huis uit te nodigen voor een lunch met de president. Tijdens de lunch had iedere econoom de vraag voorgelegd gekregen of de Fed de korte rente verder moest verlagen. Oog in oog met de president, schreef Nick, 'antwoordden ze stuk voor stuk dat dat geen kwaad zou kunnen', en vrijwel unaniem had men het gevoel dat het zou kunnen helpen. 'Voor zover ik kan overzien, sta je alleen in je standpunt,' ging hij verder, en vervolgens klaagde hij nogal bot over een gebrek aan leiderschap bij de Fed.

Uiteindelijk bleek het allemaal veel geschreeuw en weinig wol. Mijn termijn als voorzitter van de Fed liep in de zomer van 1991 ten einde, en achter de schermen vond een bijeenkomst plaats waarin de minister van Financiën mij de toezegging probeerde te ontlokken dat ik het monetaire beleid verder zou versoepelen in ruil voor nog een ambtstermijn. Achteraf beweerde Brady dat ik op het voorstel was ingegaan. Maar in feite had ik onmogelijk zoiets kunnen beloven, als ik het al had gewild (en zelfs al dacht ik persoonlijk dat we wellicht met de renteverlagingen zouden doorgaan). Niettemin stelde president Bush me opnieuw aan. Ik denk dat hij tot de conclusie was gekomen dat ik de minst erge keuze was: de Fed zelf functioneerde volgens alle verslagen uitstekend, er was geen andere kandidaat naar wie de voorkeur van Wall Street leek uit te gaan, en een verandering had voor onrust in de markten gezorgd.

De impasse rond het monetaire beleid maakte het Nick en mij erg moeilijk vrienden te blijven; we bleven wel op professioneel gebied samenwerken, maar hij schafte onze wekelijkse ontbijten af en we kwamen niet meer bij elkaar over de vloer. Nu het verkiezingsjaar naderde, besloot de regering de Fed en zijn eigenwijze voorzitter anders te gaan aanpakken. Het 'Greenspan-account', zoals ze het in het Witte Huis noemden, kwam in handen van de voorzitter van de Raad van Economische Adviseurs Mike Boskin en de president zelf.

Bij de aanvang van het campagneseizoen kwam het economisch herstel eindelijk op streek. In juli had ik er voldoende vertrouwen in om te verklaren dat de storm van windkracht 9 aan het afnemen was. Later bleek uit de analyses dat het bruto binnenlands product (BBP, dat in 1990 in de Verenigde Staten het bruto nationaal product verving als maatstaf voor de totale productie) tegen de lente alweer met een gezonde 4 procent per jaar aan het groeien was. Maar dat was op het moment zelf moeilijk waar te nemen en uiteraard wilde de president dat de groei zo stevig en waarneembaar mogelijk was.

Ik ontmoette de president dat jaar maar een paar keer. Hij was altijd buitengewoon hartelijk. 'Ik wil de Fed helemaal niet afkraken,' zei hij vaak. Bij zulke gelegenheden stelde hij steekhoudende vragen op basis van dingen die hij van zijn zakelijke contacten had vernomen. Hij vroeg dingen als: 'Mensen beweren dat de restricties voor bankreserves een deel van het probleem zijn; hoe moet ik daar tegenaan kijken?' Dat waren niet het soort vragen waarmee Reagan zou zijn aangekomen, die had er het geduld niet voor om economisch beleid te bespreken, en ik vond het geweldig dat Bush zulke dingen wel wilde weten. Ik voelde me een stuk beter op mijn gemak nu ik met hem te maken had dan indertijd met Brady, want de discussies werden nooit vijandig. Maar zodra we het over rente hadden, kon ik hem er nooit van overtuigen dat we met het verder en sneller verlagen van de rente het herstel echt niet hadden verhaast maar juist de kans op inflatie hadden verhoogd.

Het was een feit dat de economie zich aan het herstellen was, maar alleen helaas niet op tijd voor Bush om de verkiezing te redden. Het begrotingstekort bracht hem waarschijnlijk meer dan wat dan ook schade toe. De rijkelijk late bezuinigingen en de belastingverhogingen van 1990 hadden er wel voor gezorgd dat de begroting er structureel steviger voorstond, maar de recessie had zo'n hap uit de overheidsinkomsten genomen dat het tekort enige tijd explosief groeide. In het laatste jaar van Bush' ambtstermijn bereikte het de 290 miljard dollar. Ross Perot zag kans daar tijdens de campagne zo hard op te hameren dat de Republikeinen verdeeld raakten en Bush ten onder ging.

Toen ik er jaren later achter kwam dat president Bush mij de schuld gaf van zijn verlies, stemde dat me bedroefd. 'Ik stelde hem opnieuw aan, en hij stelde mij teleur,' zei hij in 1998 tegen een televisie-interviewer. Ik ben absoluut niet achterdochtig van aard. Pas toen ik op alles terugzag, drong tot me door hoezeer Brady en Darman de president er blijkbaar van overtuigd hadden dat de Fed hem het leven zuur had gemaakt. Zijn verbittering verbaasde me; ik stond absoluut niet zo tegenover hem. Zijn verlies deed me denken aan de manier waarop de kiezers in Groot-Brittannië Winston Churchill onmiddellijk na de Tweede Wereldoorlog aan de kant hadden gezet. Voor zover ik het kon beoordelen, had Bush het voorbeeldig gedaan bij de allerbelangrijkste opgaven waarvoor de Verenigde Staten waren komen te staan, namelijk onze confrontatie met de Sovjet-Unie en de crisis in het Midden-Oosten. Als een president al een herverkiezing kan verdienen, dan hij wel. Maar datzelfde gold voor Winston Churchill.

6

DE VAL VAN DE MUUR

Het was 10 oktober 1989. Jack Matlock, de Amerikaanse ambassadeur in de Sovjet-Unie, introduceerde me bij een publiek van Sovjeteconomen en bankiers in Spaso House, de officiële ambassadeursresidentie in Moskou. Ik zou het kapitalistische geldwezen uitleggen.

Uiteraard had ik er geen flauw idee van dat een maand later de Berlijnse Muur zou vallen, of dat de Sovjet-Unie over iets meer dan twee jaar niet meer zou bestaan. En evenmin wist ik dat ik in de jaren na de ineenstorting van het Oostblok getuige zou zijn van een uitzonderlijke gebeurtenis: de verrijzenis van concurrerende markteconomieën uit de as van centraal gestuurde planeconomieën. Bij de ondergang van die centrale planning kwam aan het licht hoe verrot het hele systeem in de loop van tientallen jaren was geworden.

De grootste verrassing waar ik echter voor kwam te staan, was het uitzonderlijke lesje over de wortels van het marktkapitalisme dat me te wachten stond. Het is natuurlijk het stelsel waar ik het meest vertrouwd mee ben, maar mijn inzicht in de grondslagen ervan was volslagen abstract. Ik was opgegroeid in een ontwikkelde markteconomie met een veelheid aan wetten, stelsels en conventies die sinds lang golden en waren uitgerijpt. De evolutie die ik in Rusland kon zien, had zich in westerse economieën lang voor mijn geboorte voltrokken. Terwijl Rusland worstelde om zich te herstellen van de ineenstorting van alle met de oude Sovjet-Unie samenhangende instellingen, kreeg ik het gevoel of ik een neuroloog was die al observerend leert hoe een patiënt functioneert bij wie een deel van de hersenen is lamgelegd. Het was een volmaakt nieuwe leerervaring voor me om te zien hoe markten proberen te functioneren als elke bescherming van eigendomsrechten of een traditie van wederzijds vertrouwen ontbreekt.

Dat lag echter allemaal nog in het verschiet toen ik mijn blik over de omstreeks honderd mensen liet gaan die in Spaso House tegenover me zaten en ik me afvroeg wat er precies in hen omging en hoe ik hen kon bereiken. Ik nam aan dat ze allemaal producten waren van Sovjetscholen en volledig geïndoctrineerd door het marxisme. Wat wisten zij van kapitalistische instellingen en concurrentie op de markt? Als ik een westers publiek toesprak, kon ik de interesses en het kennisniveau inschatten en mijn toespraak daarop afstemmen. Maar in Spaso House moest ik daarnaar gissen.

De lezing die ik had voorbereid was een droge, wijdlopige verhandeling over banken in markteconomieën. Ik ging in op onderwerpen als de waarde van financiële bemiddeling, de verschillende soorten risico's waaraan zakenbanken blootstaan, de voor- en nadelen van regelgeving, en de plichten van centrale banken. Het praatje schoot maar langzaam op, vooral omdat ik na elke paragraaf even moest wachten om de tolk de gelegenheid te geven mijn woorden te vertalen.

En toch was het publiek behoorlijk aandachtig: de aandacht verslapte geen moment en ik had de indruk dat diverse mensen gedetailleerde aantekeningen bijhielden. Er schoten heel wat handen de lucht in toen ik eindelijk was uitgesproken en ambassadeur Matlock aankondigde dat er vragen konden worden gesteld. Tot mijn grote verrassing en blijdschap bleek het halfuur daarop dat sommige mensen echt hadden begrepen waarover ik had gesproken. Uit de gestelde vragen sprak een inzicht in het kapitalisme dat me in al zijn verfijning hogelijk verbaasde.[1]

Ik was hier op uitnodiging van vicepremier Leonid Abalkin, die leiding gaf aan de hervormingen. Ik had verwacht dat onze ontmoeting die week vooral een ceremonieel karakter zou hebben, maar het tegendeel was waar. Abalkin was een economisch wetenschapper van eind vijftig en was een van Gorbatsjovs inofficiële hervormingsgezinde adviseurs. Hij had inmiddels een reputatie opgebouwd vanwege zijn politieke flexibiliteit en fatsoen. Door zijn langgerekte gezicht wekte hij de indruk dat hij erg gestresst was en er waren genoeg redenen waarom dat ook echt het geval zou zijn. De winter stond voor de deur, uit rapporten bleek dat er een tekort aan elektriciteit en voedsel dreigde, Gorbatsjov had het in het openbaar over het risico van anarchie, en de premier had het parlement net om een noodwet gevraagd om stakingen te kunnen verbieden. Perestrojka, het ambitieuze vier jaar oude plan van Gorbatsjov voor economische hervormingen, dreigde de mist in te gaan. Ik voelde wel dat Abalkin zijn handen vol had omdat zijn baas maar zo weinig van marktwerking begreep.

Abalkin vroeg mijn mening over een voorstel waarvoor de staatsplannenmakers reclame maakten. Het was een programma om de inflatie te bestrijden door middel van indexering (het koppelen van lonen aan prijzen) om de bevolking te garanderen dat de koopkracht van haar loon niet zou dalen. In het kort vertelde ik hem over de problemen die de Amerikaanse regering had om aan haar financiële verplichtingen te voldoen omdat het socialezekerheidsstelsel was geïndexeerd; en ik was zo vrij om mijn stellige overtuiging uit te spreken dat indexering niets meer is dan een lapmiddel dat op den duur waarschijnlijk alleen maar meer ernstige problemen zal veroorzaken. Daar leek Abalkin niet van op te kijken. Hij zei te vermoeden dat de overgang van een bureaucratische centrale planning naar een vrije markt, in zijn ogen 'de meest democratische vorm om economische bedrijvigheid te regelen', jaren zou kosten.

Er hadden zich vaker voorzitters van de Fed achter het IJzeren Gordijn gewaagd; zowel Arthur Burns als William Miller was tijdens de periode van ontspanning in de jaren zeventig in Moskou geweest, maar ik wist zeker dat die nooit zo'n gesprek hadden gevoerd. In die jaren viel er eigenlijk weinig te bespreken: de ideologische en politieke waterscheiding tussen de planeconomieën van het communistische blok en de markteconomieën van het Westen was eenvoudig te breed. En toch hadden zich eind jaren tachtig verbijsterende veranderingen voltrokken, met name in

Oost-Duitsland en andere satellietstaten, maar ook in de Sovjet-Unie zelf. Datzelfde voorjaar waren in Polen de eerste vrije verkiezingen gehouden, en wat daarna gebeurde, deed de hele wereld versteld staan. Eerst won Solidariteit overtuigend van de Communistische Partij en vervolgens stuurde Gorbatsjov niet het Rode Leger om orde op zaken te stellen maar verklaarde hij dat de Sovjet-Unie zich neerlegde bij de uitslag van een vrije verkiezing. Nog wat korter geleden was Oost-Duitsland begonnen uiteen te vallen: de staat verloor zijn macht en tienduizenden mensen grepen die kans aan om illegaal naar het Westen te emigreren. En een paar dagen voordat ik in Moskou arriveerde, had de Hongaarse communistische partij het marxisme afgezworen en voor een democratisch socialisme gekozen.

Ook de Sovjet-Unie zelf verkeerde duidelijk in een crisis. Met de instorting van de olieprijzen van een paar jaar daarvoor was de enig werkelijke bron van groei waarover het land beschikte, verdwenen, en nu ontbrak elk middel tegen de stagnering en tegen de corruptie die onder Brezjnev epidemische vormen had aangenomen. Dit alles werd nog verergerd door de Koude Oorlog, die alleen nog maar gespannener was geworden sinds de Amerikanen onder Reagan hun wapenproductie enorm hadden opgevoerd. De Sovjet-Unie verloor niet alleen de greep op haar satellietstaten, maar had ook de grootste moeite haar eigen bevolking van voedsel te voorzien: alleen met de invoer van miljoenen tonnen graan uit het Westen kon er brood gebakken blijven worden. En Abalkins eerste zorg, de inflatie, was inderdaad uit de hand gelopen: ik had met eigen ogen lange rijen voor juweliers zien staan, waar klanten die hun roebels wilden wisselen voor goederen die wel hun waarde behielden naar verluidt maar één aankoop per keer mochten doen.

Natuurlijk probeerde Gorbatsjov zo snel mogelijk het systeem te liberaliseren en de neergang te stuiten. De secretaris-generaal van de communistische partij maakte een uiterst intelligente en open indruk op me, maar hij hinkte op twee gedachten. In zekere zin waren die intelligentie en openheid precies zijn probleem. Daardoor kon hij zijn ogen niet sluiten voor de tegenstrijdigheden en leugens waarmee het systeem hem dag in, dag uit confronteerde. Hij was weliswaar opgegroeid onder Stalin en Chroesjtsjov, maar dat nam niet weg dat hij zag dat de economie in zijn land stagneerde en dat hij wist hoe dat kwam. Daardoor viel hij van zijn geloof.

Voor mij was nog het grootste raadsel waarom de gestaalde voorganger van Gorbatsjov Joeri Andropov hem naar voren had geschoven. Gorbatsjov heeft de Sovjet-Unie niet opzettelijk ten val gebracht, maar hij heeft geen vinger uitgestoken om de desintegratie van zijn land te voorkomen. In tegenstelling tot zijn voorgangers stuurde hij geen troepen naar Oost-Duitsland of Polen toen die de weg naar de democratie insloegen. En Gorbatsjov vond dat zijn land een vooraanstaande rol in de wereldhandel moest spelen; hij zal ongetwijfeld hebben begrepen dat dit impliciet een pro-kapitalistische opstelling was, al begreep hij de werking van beurzen of andere westerse economische stelsels niet.

Mijn bezoek sloot mooi aan op de toenemende inspanningen van Washington om hervormingsgezinde Sovjets te stimuleren in het kader van Gorbatsjovs beleid voor meer openheid, de zogenaamde glasnost. Zodra de KGB toestond dat mensen 's avonds bijeenkomsten bezochten, werd er bij de Amerikaanse ambassade een serie seminars georganiseerd waar geschiedkundigen, economen en wetenschappers naar lezingen van hun westerse tegenhangers konden komen luisteren over tot voor kort verboden onderwerpen als zwarte markten, milieuproblemen in de zuidelijke republieken en de geschiedenis van het stalinisme.

Mijn programma bestond grotendeels uit ontmoetingen met hoge ambtenaren. Stuk voor stuk deden ze me in enig opzicht verbaasd staan. Ik had me een groot deel van mijn leven met de vrijemarkteconomie beziggehouden, en nu ik het alternatief tegenkwam en zag in wat voor crisis dat verkeerde, werd ik gedwongen dieper dan ooit na te denken over de grondslagen van het kapitalisme en de verschillen met een systeem waarin de planning centraal geregeld wordt. De eerste aanwijzingen voor die verschillen kreeg ik al op weg van het vliegveld naar Moskou. Op een veld naast de weg zag ik een stoomtractor uit de jaren twintig: een rammelend, log apparaat met grote metalen wielen. 'Waarom zouden ze zo'n ding nog gebruiken?' vroeg ik aan de veiligheidsman die bij me in de auto zat. 'Geen idee,' zei hij. 'Misschien omdat hij het nog doet.' Net als de Chevrolets uit 1957 op straat in Havanna was dit apparaat de belichaming van het cruciale verschil tussen een centraal geplande en een kapitalistische maatschappij: hier ontbrak elke creatieve vernietiging, elke stimulans om beter gereedschap te maken.

Geen wonder dat planeconomieën grote moeite hebben de levensstandaard te verhogen en welvaart te scheppen. Productie en distributie worden bepaald aan de hand van specifieke instructies van de planningsinstanties aan fabrieken, waarin wordt aangegeven van wie en in welke hoeveelheden ze grondstoffen en diensten horen te ontvangen, wat zij moeten produceren, en aan wie zij hun producten moeten distribueren. Men gaat ervan uit dat de hele beroepsbevolking werk heeft, en de lonen liggen vast. In dit hele plaatje ontbreekt de uiteindelijke consument, van wie men in een planeconomie aanneemt dat hij geheel passief die goederen accepteert die in opdracht van de planningsinstanties worden geproduceerd. Zelfs in de Sovjet-Unie gedroegen consumenten zich niet zo. Bij het ontbreken van een effectieve markt om het aanbod af te stemmen op de vraag, is het gevolg meestal een reusachtig overschot aan spullen die niemand wil hebben, en een reusachtig tekort aan dingen die mensen juist wel willen maar die in te geringe hoeveelheden worden geproduceerd. De tekorten leiden tot rantsoenering, of tot de beroemde Moskouse variant: het eindeloze wachten in de rij voor winkels. (Sovjethervormer Jegor Gaidar zei later over de macht van de distributeur van schaarse middelen: 'Een verkoper in een warenhuis had dezelfde status als een miljonair in Silicon Valley. Je had aanzien, invloed en mensen keken naar je op.')

De Sovjets hadden hun hele land gestut op de veronderstelling dat het algemene welzijn gebaat is bij centrale planning en niet bij open concurrentie en vrije markten. Daarom popelde ik ook om Stepan Sitarjan te ontmoeten, de rechterhand van de baas van de staatsplanningscommissie Gosplan. Voor elke activiteit was er in de Sovjet-Unie een bureaucratische instantie, waarvan de belangrijkste namen hadden die begonnen met *gos*, oftewel 'staat'. Gosnab wees grondstoffen en voorraden aan de industrie toe, Gostrud stelde lonen en arbeidsregels vast, en Goskomtsen bepaalde de prijzen. En bovenaan zat Gosplan, en die bepaalde, zoals een analist het zo onvergetelijk zei, 'het type, de hoeveelheid en de prijs van elk goed dat in elke werkplaats en fabriek in alle elf de tijdzones gemaakt' werd. Gosplans uitgestrekte imperium omvatte legerfabrieken die toegang hadden tot de beste arbeiders en de beste materialen en wijd en zijd beschouwd werden als het beste dat de Sovjet-Unie te bieden had. (Sterker, de zogenaamde passieve Sovjetconsumenten wisten, wanneer ze de kans maar kregen, de weg naar de veel betere huishoudelijke spullen uit de militaire fabrieken meteen te vinden. Deze consumenten waren net zo wereldwijs als in het Westen.) Westerse analisten schatten dat Gosplan tussen 60 en 80 procent van het BBP van het land onder controle had. En Sitarjan en zijn baas Joeri Maskljoekov waren degenen die aan de knoppen stonden.

Sitarjan bleek een klein mannetje met een witte haardos en een goede beheersing van het Engels. Hij droeg me over aan een van zijn assistenten, die meteen kwam aanzetten met uitgebreide input-outputmatrices, waarvan zelfs Wassily Leontief, de van oorsprong Russische econoom aan Harvard die ze heeft ontwikkeld, zou hebben geduizeld. Leontiefs idee was dat je een economie heel precies kunt karakteriseren aan de hand van de doorstroom van materiaal en arbeid. Als je het grondig aanpakt, levert je model een ideaal instrumentenpaneel op. In theorie zou het je in staat moeten stellen het effect van de verandering van één enkele output op elk segment van de economie te voorspellen, bijvoorbeeld de productie van tractoren of, iets wat in het tijdperk-Reagan toepasselijker was, het aanzienlijk opvoeren van de wapenproductie als reactie op de toegenomen wapenproductie in de Verenigde Staten in het kader van ‘Star Wars’. Over het algemeen beschouwden westerse economen dit soort input-outputmatrices als beperkt bruikbaar omdat je de dynamiek van een economie er niet mee kon vastleggen: in werkelijkheid verschuiven de betrekkingen tussen inputs en outputs vrijwel altijd sneller dan ze kunnen worden geschat.

Het input-outputmodel van Gosplan was tot in de kleinste kleinigheden uitgewerkt. Maar te oordelen naar de opmerkingen die de functionaris maakte, kreeg ik niet de indruk dat er ook maar één beperking van het systeem was opgelost. Dus vroeg ik op wat voor manier in het model rekening werd gehouden met dynamische veranderingen. Hij haalde zijn schouders op en begon over iets anders. Hij was wel verplicht om tegenover mij de schijn op te houden dat planners efficiënter zijn dan een vrije markt in het bepalen van productieprogramma’s en het sturen van een reusachtige economie. Ik had zo’n vermoeden dat hij daar zelf niet in geloofde, maar ik kon niet uitmaken of hij nu cynisch was of gewoon twijfelde.

Je zou kunnen denken dat slimme planners in staat moesten zijn om de tekortkomingen van hun modellen te compenseren. Mensen als Sitarjan zijn slim genoeg en ze deden hun best. Maar ze eisten te veel van zichzelf. Hoe zou je ooit kunnen bepalen hoeveel je van elk goed moet produceren als je het zonder de signalen van veranderende prijzen moet stellen die maken dat kapitalistische markten goed functioneren? Zonder de hulp van een prijsmechanisme ontbeerde de Sovjeteconomie een goede terugkoppeling om zich op af te stemmen. En al even belangrijk was dat de planners het zonder de signalen vanuit de financiële wereld moesten stellen waardoor ze aanpassingen hadden kunnen doorvoeren in de toewijzing van spaartegoeden aan werkelijk productieve investeringen die voorzien in de veranderende behoeften en voorkeuren van de bevolking.

Jaren voordat ik voorzitter van de Fed werd, had ik me wel eens proberen voor te stellen hoe het zou zijn om zo'n planner te zijn. Van 1983 tot 1985 was ik lid van de President's Foreign Intelligence Advisory Board (PFIAB, Presidentiële Adviesraad op het gebied van Buitenlandse Inlichtingen), die door president Reagan was ingesteld. Men vroeg me mijn licht te laten schijnen op de Amerikaanse schattingen omtrent het vermogen van de Sovjet-Unie om de druk van de opgevoerde wapenwedloop op te vangen. De inzet was reusachtig hoog: de Star Wars-strategie van de president stoelde op de veronderstelling dat de Sovjeteconomie geen partij voor ons was. De redenering erachter ging als volgt: voer de bewapeningswedloop op en de Sovjet-Unie stort in omdat ze ons probeert bij te houden, of ze vraagt of er onderhandeld kan worden; in beide gevallen zouden wij hun de hand toesteken en de Koude Oorlog zou ten einde zijn.

Het was duidelijk een te belangrijke opdracht om hem te laten lopen, maar ik voelde me wel enigszins overdonderd. Het zou een gigantische taak zijn om alle details van een productie- en distributiesysteem te achterhalen dat zo anders was dan het onze. Maar toen ik mijn tanden er eenmaal in gezet had, kostte het me maar een week om erachter te komen dat het onmogelijk was: er was eenvoudig geen betrouwbare manier om haar economie in te schatten. De gegevens van Gosplan sloegen nergens op: van hoog tot laag hadden Sovjetmanagers alle reden om de productie van hun fabriek te overdrijven en hun loonkosten aan te dikken. Nog erger was dat er reusachtige interne inconsequenties in hun gegevens zaten die ik niet met elkaar in overeenstemming kon brengen, en Gosplan naar alle waarschijnlijkheid evenmin. Ik meldde de PFIAB en de president dat ik absoluut niet kon voorspellen of Star Wars een te zware belasting van de Sovjeteconomie zou zijn, en dat ik vrijwel zeker wist dat de Sovjets dat zelf evenmin konden. Uiteindelijk bleek natuurlijk ook dat de Sovjet-Unie niet eens haar best deed om Star Wars te evenaren: Gorbatsjov kwam aan de macht en zette juist hervormingen in gang.

Ik had het met de functionarissen van Gosplan niet over dat alles. Maar ik was blij dat ik niet in de schoenen van Sitarjan stond: mijn baan bij de Fed was een uitdaging, die bij Gosplan was surrealistisch.

De ontmoeting met het hoofd van de centrale bank van de Sovjet-Unie, Viktor Gerasjtsjenko, was een stuk minder problematisch. Officieel was hij weliswaar mijn tegenhanger, maar in een planeconomie, waarin de staat bepaalt wie al of niet geld krijgt, spelen banken een veel kleinere rol dan in het Westen: Gosbank was niet veel meer dan een betaalmeester en een archivaris. Wat maakte het helemaal uit of iemand die geld had geleend achterop raakte met zijn betalingen of zelfs helemaal in gebreke bleef? Leningen waren in essentie gewoon overschrijvingen van de ene naar de andere instantie die allemaal in bezit van de staat waren. Bankiers hoefden zich geen zorgen te maken over kredietstandaarden, de aan een bepaalde rentestand verbonden risico's of de verschuivingen in marktwaarden, oftewel de financiële signalen die bepalen wie al of niet krediet krijgt en dus wie wat produceert en aan wie verkoopt, zoals dat in een markteconomie gaat. Alle onderwerpen die ik de avond tevoren had aangesneden, maakten eenvoudig geen deel uit van de wereld van Gosbank.

Gerasjtsjenko was een toeschietelijke, vriendelijke man; hij stond erop dat we elkaar Viktor en Alan noemden. Hij sprak uitstekend Engels aangezien hij een paar jaar directeur van een Sovjetbank in Londen had geweest, en hij begreep heel goed hoe de westerse bankwereld marcheerde. Net als veel mensen deed hij net of de Sovjet-Unie nu ook weer niet zo heel erg op de Verenigde Staten achterliep. Hij zocht contact met mij en andere westerse bankiers omdat hij deel wilde uitmaken van het prestigieuze establishment van de centrale-bankwereld. Hij maakte op mij een volslagen zachtaardige indruk, en we hadden een aangenaam gesprek.

Vier weken later, op 9 november 1989, viel de Berlijnse Muur. Ik was voor de Fed in Texas, maar net als iedereen zat ik die avond aan de televisie gekluisterd. De gebeurtenis op zich was al opmerkelijk, maar waar ik nog veel meer van opkeek, was de economische puinhoop die met de val van de Muur aan het licht kwam. Een van de rampzaligste discussies van de twintigste eeuw heeft zich afgespeeld rond de vraag hoeveel overheidscontrole het gunstigst is voor het algemeen welzijn. Na de Tweede Wereldoorlog ging het in de Europese democratieën steeds meer de kant van het socialisme op, en zelfs in Amerika was de balans doorgeslagen naar een sterker centraal gezag: in feite was de hele oorlogsinspanning van de Amerikaanse industrie hoogst effectief centraal gepland.

Tegen die economische achtergrond speelde de Koude Oorlog zich af. In feite draaide die niet alleen uit op een confrontatie tussen ideologieën, maar ook tussen twee belangrijke theorieën op het gebied van economische organisatie: de vrijemarkteconomieën versus centraal geplande economieën. En in de veertig jaar die inmiddels verstreken waren, leken ze tamelijk gelijk op te gaan. Men was er vrij algemeen van overtuigd dat de Sovjet-Unie en haar bondgenoten weliswaar in economisch opzicht achterop liepen, maar dat ze wel al begonnen in te lopen op de verkwistende markteconomieën in het Westen.

In de economie worden vrijwel nooit gecontroleerde experimenten uitgevoerd. Maar zelfs als je zoiets in een laboratorium had gedaan, had je geen beter experiment kunnen krijgen dan dat waarbij je de situatie van Oost- met die van West-Duitsland kon vergelijken. De beide landen begonnen met dezelfde cultuur, dezelfde taal, dezelfde geschiedenis en dezelfde normen en waarden. Vervolgens stonden ze veertig jaar lang aan weerszijden van een scheidslijn en vond er vrijwel geen handel tussen beide plaats. Het cruciale verschil tussen beide landen dat hier werd uitgetest, was het verschil tussen hun politieke en economische systemen: marktkapitalisme versus centrale planning.

Veel mensen beschouwden het als een nek-aan-nekrace. In West-Duitsland had zich natuurlijk het grote naoorlogse Wirtschaftswunder voltrokken zoals het land uit de as van de oorlog was verrezen en de welvarendste democratie van heel Europa was geworden. Oost-Duitsland werd intussen de krachtcentrale van het Oostblok; het was niet alleen de belangrijkste handelspartner van de Sovjet-Unie, maar ook een land dat in veler ogen slechts bescheiden in levensstandaard op West-Duitsland achterlag.

Ik had de economieën van Oost- en West-Duitsland in het kader van mijn werk bij de PFIAB met elkaar vergeleken. Volgens de deskundigen was het BBP per inwoner van Oost-Duitsland 75 à 85 procent van dat van West-Duitsland. Dat kon volgens mij eenvoudig niet waar zijn: je hoefde maar de vervallen flatgebouwen aan de andere kant van de Muur te zien om tot de conclusie te komen dat het productieniveau en de levensstandaard ver achter lagen op die in het krachtige Westen. Ironisch genoeg leken de schattingen voor het Oost-Duitse BBP niet uit de pas te lopen. Het krappe verschil tussen de levensstandaard in West- en in Oost-Duitsland leek eerder een gevolg van het feit dat West-Duitsland zijn vooruitgang afzwakte. Beide landen noemden bijvoorbeeld het aantal geproduceerde auto's. Maar de West-Duitse statistieken deden geen recht aan het verschil in kwaliteit tussen bijvoorbeeld een Mercedes uit 1950 en een uit 1988. En intussen was er aan het ontwerp van die hoekige, viezigheid uitbrakende Oost-Duitse Trabant in geen dertig jaar wat veranderd. Als de productiekloof tussen de twee economieën voor kwaliteit werd bijgesteld, zou die waarschijnlijk groter zijn dan iedereen aannam.

Bij de val van de Muur bleek de economie dermate in verval te verkeren dat zelfs de sceptici ervan opkeken. De productiviteit van de Oost-Duitse arbeiders was slechts eenderde van die in het Westen, en dus bij lange na geen 75 à 85 procent. Hetzelfde gold voor de levensstandaard van de bevolking. Oost-Duitse fabrieken leverden zulke slechte goederen, en de Oost-Duitse dienstverlenende instanties werden zo slordig geleid dat het miljarden zou gaan kosten om alles te moderniseren. Zeker 40 procent van de Oost-Duitse ondernemingen was dermate verouderd dat ze gesloten moesten worden; en de rest zou jaren nodig hebben om voldoende op de been te komen om de concurrentie aan te gaan. Miljoenen mensen werden ontslagen. Al die mensen moesten herschoold worden en nieuwe banen krijgen, anders zouden ze zich bij de enorme stroom westwaarts voegen. De staat van verval achter het IJzeren Gordijn was een uitzonderlijk goed bewaard geheim geweest, maar nu lag het geheim op straat.

De Oost-Duitsers konden tenminste nog bij West-Duitsland om hulp aankloppen. De andere landen van het Sovjetblok hadden het even zwaar zo niet zwaarder, maar die moesten zichzelf zien te redden. Leszek Balcerowicz, de grote hervormer van Polen, ging te rade bij een andere grote economische hervormer, Ludwig Erhard. Als minister van Economische Zaken van West-Duitsland tijdens de geallieerde bezetting in 1948 blies hij de geruïneerde economie nieuw leven in door in één keer een eind te maken aan de controle op prijzen en productie. Ongetwijfeld ging Erhard hiermee zijn boekje volledig te buiten, maar hij deed deze aankondiging in het weekend en tegen de tijd dat de bezettende macht kon reageren, waren de prijzen al volkomen veranderd. En die slimme zet werkte. Tot verbijstering van alle critici werden de Duitse winkels, die tot dan toe voortdurend een tekort aan etenswaren en andere koopwaar hadden, overstroomd met goederen, en de beruchte zwarte markten droogden op. Aanvankelijk waren de prijzen buitenproportioneel hoog, maar zodra het aanbod de vraag begon te overtreffen, daalden ze.

Balcerowicz, een in het Westen opgeleide hoogleraar economie uit het midden van Polen, volgde het voorbeeld van Erhard met iets wat hij zelf een marktrevolutie noemde maar verder door iedereen een schoktherapie werd genoemd. Toen Solidariteit in augustus 1989 de verkiezingen won, stond de economie op instorten. In de winkels heerste voedseltekort, door de huizenhoge inflatie raakte het geld zijn waarde kwijt en de overheid was failliet en kon haar schulden niet betalen. Op aandringen van Balcerowicz wees de nieuwe regering 1 januari 1990 aan als de dag van de 'big bang', waarop vrijwel alle prijscontroles zouden worden losgelaten. Ik ontmoette hem voor het eerst tijdens een internationale vergadering van bankiers in Bazel, een paar weken voordat de grote gebeurtenis zou plaatsvinden, en tot mijn verbazing zei hij dat hij niet wist of de strategie wel zou werken. 'Maar,' zei hij, 'je kan nu eenmaal niet met kleine stapjes hervormingen doorvoeren.' Hij was ervan overtuigd dat je in een maatschappij waar veertig jaar lang de overheid elk aspect van aan- en verkoop had bepaald, een soepele overgang van een centraal geplande economie naar concurrerende markten eenvoudig onmogelijk was. Er was een drastische ingreep nodig om mensen ertoe aan te zetten hun eigen beslissingen te nemen en ze ervan te overtuigen dat verandering onvermijdelijk was, zoals hij het formuleerde.

Zoals te voorzien, zorgde zijn 'big bang' voor reusachtige beroering. Net als in het Duitsland van Erhard schoten de prijzen aanvankelijk omhoog: de złoty verloor in de eerste twee weken bijna de helft van zijn koopkracht. Maar er verschenen gaandeweg meer goederen in de winkels en langzamerhand vlakten de prijzen af. Balcerowicz liet voortdurend mensen de winkels controleren, en later zei hij: 'Het was een heel belangrijke dag toen ze kwamen zeggen: "De prijs van eieren is aan het dalen."' Je kon je geen welsprekender teken voorstellen om aan te geven dat de overschakeling naar een vrije markt aansloeg.

Het succes in Polen verleidde Tsjechoslowakije ertoe een nog gewaagdere hervorming uit te proberen. Minister van Economische Zaken Václav Klaus wilde de staatsondernemingen aan de private sector overdragen. In plaats van te proberen ze bij opbod aan investeringsgroepen te verkopen (niemand in Tsjecho-Slowakije had erg veel liquide middelen) stelde hij voor de hele bevolking eigenaar te maken door haar waardebonnen te geven. Iedere burger zou een even grote hoeveelheid waardebonnen krijgen die konden worden verhandeld, verkocht of geruild voor aandelen in een staatsonderneming. Op die manier wilde Klaus niet alleen een radicale verandering in de eigendomsrechten bewerkstelligen maar ook de grondslag leggen voor een aandelenmarkt.

In augustus 1990 sprak Klaus hierover en over allerlei andere ambitieuze plannen in een lunchpresentatie tijdens een congres van de Fed in Jackson Hole, Wyoming. Deze vierkante man met zijn woeste snor was er stellig van overtuigd dat er hervormingen moesten komen. 'Als we tijd verliezen, verliezen we alles,' zei hij. 'We moeten snel handelen, want geleidelijke hervormingen zijn alleen maar een handig excuus voor de gevestigde belangen, voor de monopolisten van alle gezindten en iedereen die belang heeft bij een bevoogdend socialisme om helemaal niets te veranderen.' Het klonk allemaal zo fel en compromisloos dat ik, toen er vragen gesteld mochten worden, informeerde wat het effect van de hervormingen op de werkgelegenheid zou zijn. 'Overweegt u een soort sociaal vangnet te bieden voor mensen die werkloos raken?' vroeg ik. Klaus onderbrak me. 'In uw land kunt u zich die weelde veroorloven,' zei hij. 'Willen wij slagen, dan moeten we volledig met het verleden breken. Om welvaart te scheppen moet je een concurrerende markt hebben, en daar gaan we ons op concentreren.' Hij en ik raakten later goed bevriend, maar dit was de allereerste keer van mijn leven dat ik op de vingers werd getikt omdat ik de kracht van de vrije markt niet naar waarde schatte. Absoluut een unieke ervaring voor een bewonderaar van Ayn Rand.

Terwijl de Oost-Europese landen vaart zetten achter de hervormingen, leek de stabiliteit in Moskou alleen maar steeds verder achteruit te gaan. Vanuit het Westen was het zelfs heel lastig te bepalen wat er precies gaande was. Net een week na zijn verkiezing tot president van de Russische republiek in juni 1991, bezocht Boris Jeltsin New York, waar hij de New York Fed toesprak. Jeltsin begon zijn loopbaan als hoofdopzichter in de bouwnijverheid en was in de jaren tachtig burgemeester van Moskou geweest; daarna was hij uit de communistische partij gestapt en had hij zich hard gemaakt voor radicale hervormingen. Hij won de verkiezingen met een meerderheid van 60 procent in het hele land, een verpletterende nederlaag voor de communisten. Hij was weliswaar een ondergeschikte van Gorbatsjov, maar dankzij zijn populariteit en zijn heetgebakerde optreden trok hij erg de aandacht: net als vroeger Chroesjtsjov leek hij de belichaming van de verlammende tegenstellingen in zijn land. Zijn eerste reisje naar de Verenigde Staten, in 1989, was op een ramp uitgedraaid: het enige wat mensen was bijgebleven, waren de nieuwsberichten over zijn wispelturige gedrag en dat hij zich aan de Jack Daniel's had bezat.

De president van de New York Fed, Gerald Corrigan, had Wall Street aangemoedigd om contact te leggen met de hervormers in de Sovjet-Unie, iets wat de regering-Bush graag zag gebeuren. Dus toen Jeltsin de stad aandeed, nodigde de New York Fed hem uit om tijdens een diner zo'n vijftig bankiers, financiers en topmensen uit het bedrijfsleven toe te spreken. Jeltsin arriveerde met een uitgebreide entourage, en Corrigan en ik spraken kort met hem alvorens hij aan de gasten werd voorgesteld. De Jeltsin die wij bij die gelegenheid leerden kennen, was beslist geen dronkelap; hij maakte een intelligente, vastberaden indruk. Op het spreekgestoelte stak hij twintig minuten lang zonder aantekeningen een overtuigende rede af over hervormingen en hij beantwoordde vervolgens gedetailleerde, specifieke vragen uit het publiek zonder de hulp van zijn adviseurs in te roepen.

Het werd allengs onduidelijker of Gorbatsjov of wie dan ook in staat was een eind te maken aan het communistische regime zonder dat dit tot geweld zou leiden. Toen Gorbatsjov in juni het Warschaupact ophief en zijn plan lanceerde om de Sovjet-Unie om te vormen tot een vrijwillige confederatie van democratische staten, werd duidelijk hoe fel het verzet tegen hem was. In augustus kwam hij bijna ten val door een couppoging van stalinistische ijzervreters: in de ogen van veel mensen dankte Gorbatsjov zijn overleven aan het theatrale optreden van Jeltsin, die voor de deur van het Witte Huis, het Russische parlementsgebouw, op een tank klom.

Het Westen probeerde te bedenken hoe men hulp kon bieden. Daarom vertrok een team onder leiding van de minister van Financiën Nick Brady en mij in september naar Moskou om Gorbatsjov te ontmoeten en overleg te plegen met zijn economische adviseurs. Ogenschijnlijk was onze missie om vast te stellen welke hervormingen er in de Sovjet-Unie nodig waren om te maken dat het land zich kon aansluiten bij het Internationaal Monetair Fonds; maar we wilden vooral met eigen ogen zien hoe het er daar voorstond.

Vanuit het standpunt van de Fed en de westerse wereld bezien was de Sovjet-Unie in zuiver economische termen niet echt een punt van zorg. De economie was niet al te omvangrijk; natuurlijk ontbraken betrouwbare cijfers, maar volgens de deskundigen was het BBP ongeveer even hoog als dat van het Verenigd Koninkrijk oftewel een zesde van dat van heel Europa. Het IJzeren Gordijn had het land zo geïsoleerd gehouden dat zijn aandeel in de wereldhandel minimaal was. Hetzelfde gold voor de schuld die de Sovjet-Unie bij westerse landen had en die bij de val van de regering wellicht niet meer zou worden terugbetaald. Maar bij dit alles bleven de kernkoppen buiten beschouwing. We waren ons allemaal hevig bewust van de gevaren voor de stabiliteit en de veiligheid in de wereld als de Sovjet-Unie instortte.

Om die reden schrokken we dan ook vreselijk van wat we er gedurende ons verblijf aantroffen.

De overheid was overduidelijk aan het ineenstorten. De instanties die zich met de centrale planning bezighielden, begonnen te haperen en het welzijn van de bevolking kwam in gevaar. Edoeard Sjevardnadze, op dat moment minister van Buitenlandse Zaken, vertelde over de onrust in de Sovjetrepublieken langs de Russische grens; volgens hem konden de 25 miljoen etnische Russen die in die regio's woonden, wel eens in gevaar zijn. En nog erger was volgens hem dat Rusland en de Oekraïne, beide republieken waar wapens uit het kernarsenaal van de Sovjets opgeslagen lagen, met elkaar in oorlog konden raken.

De economische cijfers, die overigens op z'n best fragmentarisch te noemen waren, maakten een al even alarmerende indruk. De inflatie was volledig uit de hand gelopen, de prijzen stegen met zo'n 3 à 7 procent per week. Dit was een gevolg van het feit dat de centraal georganiseerde productie- en distributiemechanismen begonnen te wankelen en er met steeds meer geld op steeds minder goederen werd gejaagd. In een poging de zaak toch vlottend te houden, overstroomde de regering de economie met geld. Een assistent van Gorbatsjov zei tegen me: 'De drukpersen kunnen het eenvoudig niet bijbenen. We drukken 24 uur per dag roebels.'

En dit alles werd nog overschaduwd door het onvermogen om genoeg voedingsmiddelen in de schappen te krijgen. Tientallen jaren was de opbrengst in de Oekraïne zo hoog geweest dat de republiek ooit bekendstond als de graanschuur van de wereld. En de oogsten waren nog steeds tamelijk overvloedig, maar sommige gewassen waren op het land verrot omdat er geen mogelijkheid was ze te oogsten en te distribueren. De graanaankopen van de Sovjet-Unie in het buitenland beliepen inmiddels veertig miljoen ton per jaar. Het tekort aan brood was een pijnlijk punt in de collectieve herinnering van het land: het broodoproer in 1917, toen de bejaarde vrouwen van Sint-Petersburg in opstand kwamen, had bijgedragen aan de val van de tsaar.

Dankzij een ander gesprek kreeg ik even een indruk van de kwetsbaarheid van deze economie en hoe lastig het zou worden om haar te veranderen. De hervormingsgezinde econoom Boris Nemtsov vertrouwde me toe: 'Ik zal u eens wat over onze legersteden vertellen', en hij raffelde een hele reeks namen af van steden waarvan ik nog nooit had gehoord. Nemtsov legde uit dat er in het hele land minstens twintig steden waren met twee miljoen inwoners of meer, die rond legerfabrieken waren opgetrokken. Ze lagen geïsoleerd, waren uitermate gespecialiseerd en bestonden enkel en alleen om het Sovjetleger van dienst te zijn. Het was duidelijk wat hij daarmee bedoelde: als de Koude Oorlog ten einde kwam en men op een markteconomie overschakelde, zouden hele steden en miljoenen arbeiders vrijwel zonder werk komen zitten, zonder dat er een mogelijkheid voorhanden was op iets anders over te schakelen. De starheid van het economische systeem in de Sovjet-Unie was onvoorstelbaar veel groter dan in enig land in het Westen. Een van de angsten was dat er uiteindelijk voor degenen die in de legerindustrie werkten, waaronder eersteklas wetenschappers, ingenieurs en technici, niets anders opzat dan hun vaardigheden aan schurkenstaten te verkopen.

Meer informatieve bijeenkomsten volgden, maar de boodschap bleef dezelfde. Toen we president Gorbatsjov spraken, herhaalde hij dat hij zich ten doel stelde het land tot een 'vooraanstaande handelsmogendheid in de wereld' te maken. Voor zijn moed had ik grote bewondering, maar in de kantlijn van mijn notitieblok krabbelde ik: 'Sovjet-Unie kan elk ogenblik in een Griekse tragedie veranderen.'

Grigori Javlinski, de chef-econoom van Gorbatsjovs ministerraad, stond aan het hoofd van een delegatie die in oktober 1991 naar Thailand kwam, waar de jaarlijkse bijeenkomst werd gehouden van de Wereldbank en het Internationaal Monetair Fonds. Het was een historisch moment omdat het de eerste keer was dat Sovjetfunctionarissen samen met de belangrijkste beleidsmakers van de kapitalistische wereld om de tafel zaten.

De Sovjet-Unie had inmiddels al een kandidaat-lidmaatschap, waarmee het land toegang had tot adviezen van de IMF en de Wereldbank, maar geen recht op leningen. Javlinski en zijn team kwamen bepleiten dat de confederatie van overgebleven Sovjetrepublieken een volledig lidmaatschap kreeg. De kwestie van grote leningen uit het Westen lag niet onmiddellijk ter tafel: de Sovjets hielden vol dat ze de overgang naar een markteconomie zelf konden regelen, en geen van de G7 deed een aanbod.

De besprekingen duurden twee volle dagen, en als ik in één woord zou moeten beschrijven wat de westerse centrale bankiers en ministers van Financiën voelden, dan was het 'onmacht'. We wisten dat de resten van de Sovjet-Unie aan het verbrokkelen waren; we wisten dat de strijdkrachten geen soldij kregen en dat de ineenstorting van het leger de wereldvrede ernstig in gevaar zou brengen. We maakten ons grote zorgen over wat er dan met de kernwapens zou gebeuren. De neergang was binnenslands en politiek. Het enige wat het IMF kon doen, was over geld praten, en geld was nu net het probleem niet. Uiteindelijk deden we wat organisaties onder zulke omstandigheden meestal doen: we zetten een commissie op die de zaak nader moest onderzoeken en bespreken (in dit geval kregen de onderministers van Financiën van de G7 de opdracht een paar weken later voor overleg naar Moskou te gaan). Dus het was aan de Sovjethervormers om de zaak aan te pakken. En zij stonden voor grotere problemen dan hun collega's in de rest van Oost-Europa hadden gekend. De Poolse en Tsjechische leiders hadden kunnen profiteren van de sympathie die ze onder de bevolking genoten; de economische omstandigheden waren weliswaar uitermate zwaar, maar hun landen werden wel uit de klauwen van Moskou bevrijd. Veel burgers in de Sovjet-Unie waren echter juist erg trots op de status van hun land als supermacht en ze hadden heel veel opgeofferd om die status te helpen bereiken. In de ogen van die mensen was de onrust alleen maar een reden tot bedroefdheid, omdat die het nationale aanzien schaadde. Die vernedering maakte de taak van de hervormers veel lastiger.

Bovendien waren er te veel jaren verstreken sinds 1917: er was vrijwel niemand meer in leven die zich nog privébezit kon herinneren of uit de eerste hand ervaring in zakendoen of een opleiding in die richting had. Zelfs onder gepensioneerden waren geen boekhouders, accountants, financiële analisten, marketingmensen of bedrijfsjuristen. In Oost-Europa, waar het communisme het niet tachtig maar veertig jaar voor het zeggen had gehad, konden de vrije markten nog wel worden hersteld; in de Sovjet-Unie moesten die uit de dood herrijzen.

Gorbatsjov bleef niet lang genoeg aan de macht om leiding te geven aan de hervormingen; hij nam in december 1991 ontslag toen de Sovjet-Unie formeel ophield te bestaan en werd vervangen door een los economisch verband van voormalige Sovjetrepublieken. 'Sovjet-Unie ten einde. Laatste Sovjetleider Gorbatsjov treedt af; Verenigde Staten erkennen onafhankelijkheid republieken' luidde de kop van de *New York Times* op 26 december. Ik las het en betreurde het dat Ayn Rand dit niet had mogen meemaken. Ze was met Ronald Reagan een van de weinigen die al tientallen jaren eerder hadden voorspeld dat de Unie van Socialistische Sovjetrepublieken uiteindelijk van binnenuit zou instorten.

Degene die Boris Jeltsin aanwees om de economische hervormingen te lanceren, was Jegor Gaidar. Toen deze in de jaren tachtig samen met andere jonge economen erover droomde om in de Sovjet-Unie een markteconomie te scheppen, hadden ze zich een georganiseerde, weloverwogen overgang voorgesteld. Maar te midden van de steeds groter wordende chaos was daar eenvoudig geen tijd voor; mensen zouden van de honger omkomen tenzij de overheid snel kans zag de markten op gang te krijgen. Dus greep Gaidar, die inmiddels interim premier van Rusland was, in januari 1992 naar het middel dat in Polen had gewerkt: het abrupt beëindigen van de prijsbeheersing.

Die schoktherapie kwam bij de Russen veel harder aan dan indertijd bij de Polen. De omvang van het land, de starheid van het systeem, het feit dat de staat sinds mensenheugenis de prijzen had gedicteerd: het waren stuk voor stuk factoren die hun nu duur te staan kwamen. De inflatie nam zo snel toe dat mensen als ze al hun loon konden innen, vrijwel met lege handen stonden, en ook hun karige spaargeld verdween als sneeuw voor de zon. De roebel verloor in vier maanden driekwart van zijn waarde. Er was een schaars aanbod aan goederen in de winkels en de zwarte markt floreerde.

In oktober kwamen Jeltsin en zijn economen met de tweede ingrijpende hervorming: ze gaven waardebonnen uit aan 144 miljoen burgers en begonnen op reusachtige schaal staatsondernemingen en -vastgoed te privatiseren. Ook deze hervorming was aanzienlijk minder effectief dan in de rest van Oost-Europa. Miljoenen mensen hielden er aandelen in bedrijven aan over of werden eigenaar van hun flat, wat ook de bedoeling was, maar miljoenen anderen hadden zich hun waardebonnen afhandig laten maken. Hele industrieën kwamen in handen van een klein groepje opportunisten, de zogenaamde oligarchen. Net als Jay Gould en andere spoorwegmagnaten die in de negentiende eeuw in Amerika deels dankzij manipulaties fortuin hadden gemaakt met door de overheid toegewezen land, zo vormden de oligarchen een geheel nieuwe klasse rijken die de politieke chaos eens zo groot maakte.

Ik keek geboeid toe hoe deze gebeurtenissen zich voltrokken. Economen hebben behoorlijk wat ervaring met het observeren van markteconomieën die in een planeconomie worden omgezet; de overstap naar het communisme in het Oosten en de verschuiving naar het socialisme in het Westen waren de belangrijkste economische trends van de twintigste eeuw. Maar tot voor kort hebben we zelden een beweging in tegengestelde richting meegemaakt. Tot aan de val van de Muur, toen duidelijk werd dat er uit de puinhopen van de Oost-Europese planeconomieën markteconomieën moesten worden gevormd, hadden maar weinig economen hun gedachten laten gaan over de institutionele fundamenten die een vrije markt nodig heeft. Nu voerden de Russen onopzettelijk een experiment voor ons uit. En sommige lessen die daaruit vielen te trekken, waren nogal verbijsterend.

In tegenstelling tot de rooskleurig prognoses van veel conservatieve politici leidde de ineenstorting van de centraal geleide economie niet automatisch tot het ontstaan van het kapitalisme. Westerse markten hebben een reusachtig cultureel en infrastructureel fundament dat in de loop van vele generaties is ontstaan: allemaal conventies, gedragingen en zakelijke beroepen en praktijken waaraan in een centraal geleide staat geen behoefte was.

Door die gedwongen overhaaste omslag verwierven de Sovjets geen vrije maar een zwarte markt. Op het eerste gezicht werken zwarte markten, met hun niet-gereguleerde prijzen en concurrentiestrijd, op dezelfde manier als een markteconomie. Maar dat gaat slechts ten dele op. Ze worden namelijk niet geschraagd door wetten. Er is niet zoiets als het recht om dingen in eigendom te hebben of te verkopen dat gesteund wordt door het vermogen van de staat dat recht te handhaven. Wetten omtrent contracten en faillissement ontbreken, evenals de mogelijkheid om geschillen aan de rechter voor te leggen. Eigendomsrechten, die de hoeksteen van een vrijemarkteconomie vormen, ontbreken volledig.

Het gevolg is dat zwarte markten de samenleving maar weinig van de voordelen opleveren die de legale handel biedt. Het besef dat de overheid je eigendomsrechten zal beschermen, moedigt burgers aan om zakelijke risico's te nemen, wat een voorwaarde is voor het scheppen van welvaart en economische groei. Weinig mensen zullen bereid zijn hun kapitaal op het spel te zetten als de opbrengst daarvan zomaar door de overheid of gangsters kan worden opgeëist.

Halverwege de jaren negentig was dat in een groot deel van Rusland de situatie. Voor hele generaties die waren opgevoed met de idee dat privébezit diefstal was, betekende de overgang naar een markteconomie een behoorlijke aanslag op hun rechtvaardigheidsgevoel.[2] Met de opkomst van de oligarchen in Rusland werd de steun van het volk nog verder ondermijnd. Vanaf het begin waren er grote verschillen in de mate waarin privébezit door de wet werd beschermd. Tot op grote hoogte werd dat werk door particuliere ordediensten overgenomen, die vaak ook nog eens met elkaar overhoop lagen, waardoor het gevoel van onveiligheid nog eens werd versterkt.

Het was geenszins duidelijk of de regering-Jeltsin zelf eigenlijk wel begreep hoe het rechtssysteem van een markteconomie hoort te functioneren. In 1998 zei een invloedrijke Russische wetenschapper tegen de *Washington Post*: 'De staat vindt... dat privékapitaal moet worden beschermd door degenen die dat kapitaal bezitten... De instanties die verantwoordelijk zijn voor de wetshandhaving houden zich opzettelijk verre van de verdediging van privékapitaal.' Naar mijn idee sprak daar een fundamenteel gebrek aan inzicht uit over de noodzaak om eigendomsrechten in het rechtssysteem op te nemen. Rivaliserende privépolitiekorpsen handhaven niet zozeer de wet als wel een toestand waarin angst en geweld heersen.

Nog een element dat overduidelijk ontbrak in het nieuwe Rusland, was vertrouwen in de beloften van anderen en dan met name van vreemden. We denken eigenlijk nauwelijks na over dit facet van het marktkapitalisme en toch is het een onmisbaar bestanddeel. Iedereen in het Westen heeft het recht om een rechtszaak aan te spannen als hij of zij zich tekortgedaan voelt, maar onze rechtbanken zouden volledig onder de werklast bezwijken als meer dan een fractie van de contracten die hier worden gesloten, aan de rechter zou worden voorgelegd. In een vrije samenleving is het overgrote deel van de transacties per definitie vrijwillig. En vrijwillige transacties vooronderstellen vertrouwen. Ik ben er altijd weer diep van onder de indruk dat transacties in westerse financiële markten waarbij het om honderden miljoenen dollars gaat, vaak eenvoudige mondelinge afspraken zijn die pas achteraf op schrift worden bevestigd, en soms na heel veel bewegingen in de prijs. Vertrouwen vraagt om bewijzen dat beide partijen integer zijn en een goede reputatie hebben.

Met de val van de Sovjet-Unie kwam er een eind aan een grootscheeps experiment: de langdurige discussie over de verdiensten van rond vrije markten georganiseerde economieën tegenover die van economieën die gestuurd worden door een centraal geleid socialisme is feitelijk ten einde gekomen. Natuurlijk is er nog een enkeling die een ouderwets soort socialisme voorstaat, maar wat de overgrote meerderheid van de socialisten nu propageert, is een hoogst verwaterde vorm die vaak marktsocialisme wordt genoemd.

Ik wil niet beweren dat de hele wereld nu op het punt staat het marktkapitalisme te omhelzen als de enige relevante vorm van economische en maatschappelijke organisatie. Er zijn nog steeds grote groepen die het kapitalisme en de nadruk die daarin op materialisme wordt gelegd, als iets vernederends beschouwen. En iemand kan heel goed naar materiele welvaart streven en toch de mening zijn toegedaan dat competitieve markten in hoge mate gemanipuleerd worden door reclamemakers en marketingdeskundigen die het leven trivialiseren door oppervlakkige en vluchtige waarden aan te prijzen. Sommige overheden, zoals onder andere die in China, proberen nog steeds de overduidelijke voorkeuren van hun burgers te onderdrukken door hun toegang tot buitenlandse media te beperken, uit angst dat die hun eigen cultuur zullen ondermijnen. En ten slotte heerst er in de Verenigde Staten en elders nog steeds een onderhuidse neiging tot protectionisme, die zou kunnen ontaarden in een heftig verzet tegen internationaal handels- en geldverkeer, en het vrijemarktkapitalisme dat daardoor wordt ondersteund, zeker als de hightech wereldeconomie van tegenwoordig zou instorten. Dit neemt niet weg dat het oordeel over centraal geleide economieën is geveld, en dat luidt ondubbelzinnig negatief.

7

EEN DEMOCRAAT EN ZIJN AGENDA

Op 17 februari 1993 zat ik 's avonds in het onaangenaam felle licht van de televisielampen tijdens een gezamenlijke zitting van het Congres tussen Hillary Clinton en Tipper Gore. Ik had niet echt verwacht dat ik tijdens de eerste toespraak van president Clinton op de voorste bank terecht zou komen. Ik had aangenomen dat de uitnodiging om bij de First Lady te komen zitten een beleefdheidsgebaar was en dat ik ergens achter in de loge zou zitten, tussen functionarissen van het Witte Huis. Het was natuurlijk fijn te weten dat de Fed als een waardevolle nationale instelling werd beschouwd, vooral na het niet bepaald warme onthaal van de kant van president Bush, maar ik was ongetwijfeld om een politieke reden vooraan neergezet. Mevrouw Clinton droeg een felrood pakje en tijdens de toespraak van de president werden de camera's om de haverklap op ons gericht.

Achteraf bleek dat niet iedereen even blij was geweest me daar te zien zitten, aangezien dat een schaduw kon werpen op de onafhankelijkheid van de Fed. Dat was uiteraard het laatste waar ik op uit was. Ik was echter wel vastbesloten een werkbare relatie op te bouwen met deze president, die zich op financieel-economisch gebied uitermate verantwoordelijk leek op te stellen.

Ik had Clinton begin december ontmoet, toen hij inmiddels de verkiezingen gewonnen had. Hij was toen nog niet naar Washington verhuisd, dus moest ik voor een ontmoeting naar Little Rock in Arkansas vliegen. Daar had hij samen met zijn overgangsteam een kantoor opgezet in de gouverneurswoning, een groot gebouw van rode baksteen met witte zuilen op een uitgestrekt terrein met gazons en tuinen in de buurt van het stadscentrum.

Ik werd een wachtkamer in geloodst en had geen flauw idee wat ik moest verwachten. Ik had inmiddels wel al gehoord dat hij altijd achter lag op zijn schema, dus had ik bij wijze van leesstof wat economische rapporten meegenomen waarmee ik me zo'n twintig minuten onledig hield, totdat hij verscheen. 'Meneer de voorzitter,' zei hij breed glimlachend op me toe lopend om me de hand te schudden. Ik snapte meteen waarom hij de naam had dat hij zichzelf erg goed kon verkopen. Hij bezorgde me echt het gevoel dat hij zich erop verheugd had me te ontmoeten.

Clinton had tijdens zijn verkiezingscampagne een grootscheeps en ambitieus pakket aan economische plannen geschetst. Hij wilde de belastingen voor de middenklasse verlagen, het begrotingstekort met de helft terugdringen, het scheppen van meer banen stimuleren, de Amerikaanse concurrentiepositie versterken middels nieuwe scholingsprogramma's, in de infrastructuur van het land investeren en noem maar op. Ik had te veel presidentiële campagnes meegemaakt. Kandidaten beloofden altijd voor elk wat wils. Maar ik vroeg me af wat Clintons werkelijke prioriteiten waren. Hij had vast mijn gedachten gelezen, want een van de eerste dingen die hij zei was: 'We moeten onze economische prioriteiten bepalen en ik ben heel benieuwd naar uw kijk op de economie.'

Vanuit de Fed bezien was het begrotingstekort veruit het dringendste probleem, als hij zich wilde bezighouden met de gezondheid van de economie op de lange termijn. Dat had ik al aangevoerd aan het begin van de ambtstermijn van Bush, en nu was het probleem alleen nog maar vier jaar ernstiger geworden. De staatsschuld aan de bevolking was tot drieduizend miljard dollar opgelopen, waarmee de renteaflossingen de op twee na grootste post op de federale begroting was, na het socialezekerheidsstelsel en defensie. Dus toen Clinton me naar mijn economische oordeel vroeg, stond ik klaar met mijn praatje.

De korte rente stond uitzonderlijk laag (we hadden het tot 3 procent teruggebracht) en de economie liet langzaamaan de gevolgen van de zogenaamde 'credit crunch' achter zich en groeide in een redelijk tempo, kon ik melden. Er waren sinds begin 1991 netto ruim een miljoen banen gecreëerd. Maar de lange rente bleef onverbiddelijk hoog. Dat werkte remmend op de economische bedrijvigheid omdat de kosten van hypotheken en de uitgifte van obligaties werden opgedreven. Deze situatie gaf aan dat mensen nog steeds waren voorbereid op een voortdurende inflatie waardoor beleggers een extra marge eisten ter compensatie van de grotere onzekerheid en het hogere risico.

Ik legde Clinton uit dat als hij kans zag de verwachtingen van beleggers bij te stellen, de lange rente omlaag kon waardoor de vraag naar nieuwe huizen, huishoudelijke apparaten, meubilair en het hele scala aan consumptiegoederen die met het bezit van een huis samenhangen, enorm gestimuleerd zou worden. Aandelenkoersen zouden ook stijgen, omdat obligaties minder aantrekkelijk werden en beleggers op aandelen overschakelden. Bedrijven zouden uitbreiden waardoor er meer banen ontstonden. Al met al kon het tweede deel van de jaren negentig er reusachtig goed uitzien. Clintons route naar een weldadige toekomst, hield ik hem voor, liep via het verkorten van het langetermijntraject van het federale begrotingstekort.

Tot mijn grote genoegen wekte Clinton de indruk dat hij daar helemaal in meeging. Blijkbaar voelde hij goed aan hoe dringend het begrotingstekort was en hij stelde een heleboel slimme vragen die politici meestal niet stellen. Onze ontmoeting had slechts een uur moeten duren maar het draaide uit op een levendige discussie van bijna drie uur. Er kwam afgezien van de economie nog een hele reeks onderwerpen aan de orde, zoals Somalië, Bosnië, de Russische geschiedenis, beroepsopleidingen en onderwijs, en hij vroeg me uit over wereldleiders die hij nog niet had ontmoet. Na verloop van tijd werd de lunch binnengebracht.

Dus de saxofoon was niet het enige wat we gemeen hadden. Hij was al net zo verslingerd aan informatie en het verkennen van nieuwe ideeën als ik. Bij mijn vertrek was ik echt onder de indruk, al wist ik niet helemaal wat ik moest denken. Qua intelligentie zat Bill Clinton duidelijk op het niveau van Richard Nixon, die ondanks zijn onmiskenbare zwakke kanten de slimste president was die ik tot dan toe had ontmoet. En óf Clinton was het eens met veel van mijn standpunten over de manier waarop het economische stelsel functioneert en wat er moest worden gedaan, óf hij was de behendigste kameleon die ik ooit had ontmoet. In het vliegtuig op weg naar huis zat ik daarover te piekeren. Terug in Washington zei ik tegen een vriend: 'Ik denk niet dat ik anders gestemd had, maar ik voel me nu wel gerustgesteld.'

Dat gevoel werd de week daarop nog eens versterkt toen Clinton een aantal vertrouwde mensen als zijn belangrijkste economische ploeg voorstelde. Als minister van Financiën had hij Lloyd Bentsen gekozen, de voorzitter van de Senaatscommissie voor Financiën, met de uitermate intelligente Wall Street-bankier Roger Altman als zijn tweede man. Als directeur Begroting had hij het Californische Congreslid Leon Panetta gekozen, voorzitter van de begrotingscommissie van het Huis van Afgevaardigden, met econoom Alice Rivlin als onderdirecteur. Zij was de enige econoom van het hele team en haar geloofsbrieven waren indrukwekkend: ze was de eerste directeur geweest van het *Congressional Budget Office* (CBO; het begrotingskantoor van het Congres), en had als een van de eersten een zogenaamde 'genius grant' ontvangen van de MacArthur Foundation. Al even interessant was Clintons keuze voor Goldman Sachs' medevoorzitter Robert Rubin als leider van een nieuwe Raad van Economische Adviseurs van het Witte Huis. Volgens de *New York Times* zou Rubin het economische equivalent van de nationale veiligheidsadviseur worden: het was zijn taak economische ideeën los te krijgen bij Financiën, Buitenlandse Zaken, het begrotingskantoor, de Raad van Economische Adviseurs en andere afdelingen, en daaruit een serie beleidsopties af te leiden om aan de president voor te leggen. Wat me onmiddellijk opviel, was dat Clinton duidelijk bij John F. Kennedy te rade was gegaan. Al zijn beleidsmakers waren in fiscaal opzicht conservatieve middenmoters, te vergelijken met Doug Dillon, de Republikeinse bankier die Kennedy als zijn minister van Financiën had aangewezen. Met deze keuze wekte Bill Clinton de indruk dat hij zo ver van de klassiek linkse 'tax and spend'-Democraat met een gat in de hand af stond als maar mogelijk was om nog net Democraat te zijn.

Net als elke nieuwe regering moest de regering-Clinton alle zeilen bijzetten om haar eerste begroting op tijd af te hebben voor de presentatie in het Congres begin februari. Naar verluidt had de president het niet makkelijk met alle aanbevelingen van zijn economische team. Pas toen begon duidelijk te worden voor wat voor begrotingsproblemen ze stonden: in december kwam het begrotingskantoor met een bijgestelde analyse waarin geschat werd dat de overheid in 1997 met een tekort van 360 miljard dollar zou zitten, wat ongeveer vijftig miljard meer was dan de eerdere schatting. Daarmee werd duidelijk dat Clinton een paar andere leuke plannetjes, zoals belastingverlagingen voor de middenklasse en het investeren in opleidingen en banen, moest opgeven of uitstellen om zelfs maar in de buurt te komen van zijn doelstelling het begrotingstekort te halveren.

Vooral via Lloyd Bentsen kon ik het opstellen van de begroting nauwlettend volgen. De nieuwe minister van Financiën was me voor het eerst opgevallen tijdens de voorrondes voor de presidentsverkiezingen in 1976; uiteindelijk had Jimmy Carter hem verslagen als kandidaat voor de Democraten, maar naar mijn mening had Bentsen er toen als een echte president uitgezien en had hij zich ook zo gedragen. Deze hoffelijke, grijsharige man van de wereld had in de Tweede Wereldoorlog met B24-bommenwerpers gevlogen, hij had vervolgens vier termijnen in de Senaat gezeten en had daar de verdiende reputatie opgedaan van iemand met een goed beoordelingsvermogen en een talent om zonder ophef dingen voor elkaar te krijgen. Andrea en ik gingen al enige tijd vriendschappelijk om met Bentsen en zijn indrukwekkende vrouw B.A. Het verbaasde me dan ook helemaal niet toen algauw bleek dat ik ook plezierig met hem kon samenwerken, zelfs als we het oneens waren.

Bentsen en de andere leden van de economische ploeg letten er zorgvuldig op de grenzen van de Fed te respecteren. Ze besloten zelfs publiekelijk geen commentaar te leveren op ons monetaire beleid, wat een hele vooruitgang was in vergelijking met het verleden en ons beider onafhankelijkheid alleen maar versterkte. Toen Panetta en hij me halverwege januari kwamen bijpraten over de begrotingsplannen die ze aan het ontwikkelen waren, vermeden ze zorgvuldig me om mijn steun te vragen of zelfs maar om een mening. Ik gaf alleen maar aan dat ik het begrepen had en daar lieten we het bij. Naar mijn mening zou het plan de inflatie niet versterken en dat verklaarde ik eind januari dan ook tegenover het Congres.

Bentsen vroeg me maar één keer om mijn invloed bij de president aan te wenden, en wel de dag nadat ik voor het eerst ten gunste van hun globale aanpak had getuigd. (Ik had me onthouden van commentaar op de details van Clintons programma.) Naarmate het team de getallen verder verwerkte en de begroting vorm begon te krijgen, kwam Clinton allengs voor keuzes te staan die niet met elkaar te verenigen waren. Hij kon kiezen voor een pakket bestedingsprogramma's waarmee hij zijn verkiezingsbeloften kon inlossen, of hij kon opteren voor een plan om het begrotingstekort terug te dringen, waarvan het succes afhing van het effect op de financiële markten en dat hoofdzakelijk pas op de lange duur vruchten zou afwerpen. Er was eenvoudig niet zoiets als een tussenoplossing en we konden ons niet beide oplossingen veroorloven. Het gevolg van dit dilemma was dat er een scheiding van geesten in het Witte Huis ontstond. Sommige stafleden maakten het plan om het begrotingstekort te verminderen belachelijk door te beweren dat je dan voor Wall Street zwichtte. En daarom nodigde Bentsen me naar het Witte Huis uit: om nog eens te benadrukken hoe belangrijk die hervormingen waren.

We spraken de president op de ochtend van 28 januari in de Oval Office; Bob Rubin voegde zich bij ons. Clinton bleef onpersoonlijk dus ik kwam onmiddellijk ter zake. Ik concentreerde me op de gevaren als het begrotingstekort niet meteen werd aangepakt, en beschreef hoe de komende tien jaar in dat geval naar alle waarschijnlijkheid zouden verlopen. Omdat de Koude Oorlog ten einde was, hield ik hem voor, 'zullen de defensie-uitgaven de komende paar jaar teruglopen, waardoor een heleboel problemen gemaskeerd worden. Maar tegen 1996 of 1997 zullen de tekorten niet meer te negeren zijn. Dat laten de cijfers duidelijk zien.' En ik schetste op wat voor manier de verplichte betalingen voor het socialezekerheidsstelsel en andere voorzieningen zouden toenemen waardoor het tekort nog verder zou toenemen. 'Dus de schuld zal in de eenentwintigste eeuw aanzienlijk oplopen en de rente op de schuld neemt toe, waardoor het tekort nog sneller dreigt te groeien. Als we daar geen stokje voor steken, kan dat tot een financiële crisis leiden,' zei ik. Aan het eind van het gesprek keek Clinton behoorlijk somber, wat niet verwonderlijk was.

Niet dat ik het met zo veel woorden had gezegd, maar de harde waarheid was dat Reagan geld van Clinton had geleend dat Clinton nu moest terugbetalen. Niet dat er reden was om medelijden met Clinton te hebben: tenslotte had hij zijn overwinning op George Bush aan deze problemen te danken. Maar wat ik indrukwekkend vond, was dat hij de werkelijkheid niet zo probeerde te verdoezelen als politici meestal doen. Op het gebied van de economische vooruitzichten en het monetaire beleid dwong hij zich de waarheid onder ogen te zien. De beslissing die hij toen nam om zich hard te maken voor het terugdringen van het begrotingstekort, getuigde van politieke moed. Het was heel makkelijk geweest de andere kant op te gaan. De eerstkomende twee, drie jaar zouden maar heel weinig mensen daar iets van hebben gemerkt.

Ik ondernam nog een stap om de voorstanders van de strijd tegen het begrotingstekort te helpen: ik vertelde Bentsen hoe ver het tekort naar mijn mening moest worden teruggedrongen om Wall Street echt te overtuigen en zodoende de lange rente omlaag te krijgen. 'Tegen 1997 minstens 130 miljard dollar per jaar,' was zijn ultrakorte samenvatting van wat ik had gezegd. Eigenlijk lag mijn advies wel iets ingewikkelder. Ik schetste een reeks mogelijkheden, met bij elk daarvan een inschatting van de waarschijnlijkheid. En ik benadrukte steeds heel zorgvuldig dat de inhoud en de geloofwaardigheid van zo'n programma belangrijker waren dan de cijfers. Maar ik begreep het best toen hij uiteindelijk zei: 'Je weet ook wel dat ik niet met zoiets ingewikkelds kan werken.' Het cijfer dat hij uit het hele verhaal had afgeleid kwam bij de president terecht en miste bepaald zijn uitwerking niet. In het Witte Huis raakte 130 miljard dollar bekend als het 'magische getal' dat ze met het terugdringen van het begrotingstekort moesten zien te bereiken.

Toen de begroting uiteindelijk werd gepubliceerd, was het groot nieuws. 'Plan Clinton om de economie te hervormen wil energie en hoge inkomens zwaarder belasten,' luidde de paginabrede kop in de *New York Times* op de ochtend na de toespraak van Clinton. 'Ambitieus plan om in vier jaar het begrotingstekort met vijfhonderd miljard terug te dringen.' *Usa Today* verklaarde: 'De strijd is losgebarsten' en beschreef Clintons voorstellen als 'een vijfjarig pakket pijnlijden'. De aandacht van de media ging vooral uit naar degenen die het ernstigst getroffen zouden worden door de bezuinigingen (en dat was iedereen behalve arme huishoudens; de rijken, de middenklasse, gepensioneerden en ondernemingen zouden extra worden belast). Opmerkelijk genoeg was de reactie van het publiek aanvankelijk gunstig; uit enquêtes bleek dat de Amerikaanse bevolking openstond voor het idee offers te brengen om de nationale huishouding weer op orde te krijgen.

Het Congres gunt de meeste presidenten zijn wittebroodsweken, maar Clinton kreeg een loopgravenoorlog op zijn bord. De begrotingsplannen waren aanvankelijk weliswaar gunstig ontvangen, maar de meerderheid in het Congres had er grote moeite mee, wat niet verwonderlijk was, aangezien het plan op abstracte doelen in een verre toekomst mikte en niets te bieden had op het gebied van nieuwe snelwegen, wapenprogramma's of andere lucratieve cadeautjes om aan hun kiezers door te geven. Volgens mij was Clinton diep geschokt door het felle verzet vanuit het Congres. Republikeinen wezen de begroting volledig van de hand en veel Democraten kwamen in opstand. De debatten duurden tot diep in de lente voort. De Democraten hadden weliswaar een meerderheid van 258 tegen 171 in het Huis van Afgevaardigden, maar er werd toch ernstig aan getwijfeld of de begroting wel zou worden aangenomen, en in de Senaat waren de vooruitzichten zo mogelijk nog somberder. Het conflict strekte zich uit tot in het Witte Huis, waar heel wat mensen op sleutelposities nog steeds aandrongen op een minder op Wall Street gericht programma. Een van hen was Clintons adviseur James Carville, die heel grappig opmerkte: 'Vroeger dacht ik altijd dat als er zoiets als reïncarnatie bestaat, ik als president, paus of een ijzersterke honkballer terug wilde komen, maar nu wil ik terugkomen als de obligatiemarkt, want dan kan je mensen pas goed intimideren.' Wijd en zijd werd in de media bericht over deze onenigheid, en dat zorgde ervoor dat Clinton een zwakke indruk maakte, waardoor de populariteit die hij aanvankelijk had genoten begon weg te ebben. Aan het eind van de lente was zijn populariteit tot maar liefst 28 procent gezakt.

Toen ik de president op 9 juni weer sprak, zat hij behoorlijk in de rats. Twee weken daarvoor had het Huis eindelijk zijn begroting goedgekeurd, met een verschil van één stem. En in de Senaat was de strijd nog maar net begonnen. Ik had een telefoontje gekregen van Clintons adviseur David Gergen. 'Hij maakt zich zorgen,' zei hij en hij vroeg of ik de president een hart onder de riem wilde komen steken. Ik kende Gergen al twintig jaar als adviseur van Nixon, Ford en Reagan. Clinton had hem deels aangetrokken omdat hij een evenwichtige, niet-neurotische Washington-vakman was, en deels omdat hij Republikein was. De president wilde graag zijn imago als man van het midden versterken.

Toen ik die ochtend naar de Oval Office liep, kon ik merken dat mensen onder druk stonden. Er werd beweerd dat ze zo'n beetje klokje rond aan het werk waren geweest, zelfs Bentsen, die toch al 72 was. (Andrea bevestigde dat; ze was inmiddels eerste correspondent bij het Witte Huis van NBC geworden.) Ze pendelden op en neer naar het Congres om de cijfers op orde te krijgen, en ze hadden ongetwijfeld het gevoel dat ze voor een hopeloos probleem stonden. De president zelf wekte een gelaten indruk. Dat was ook best voor te stellen. Hij had zijn hele politieke kapitaal ingezet, en toch was de begroting waar hij zo veel voor had opgeofferd in gevaar.

Ik sprak hem zo bemoedigend mogelijk toe. Ik hield hem voor dat we dankzij zijn plan voor het eerst in veertig jaar kans maakten op een stabiele groei op de lange termijn. Ik probeerde hem te laten inzien dat de strategie haar werk deed; ik toonde aan dat de lange rente over het geheel genomen al aan het dalen was. Het was een enorm pluspunt dat hij onder ogen had gezien dat het begrotingstekort moest worden aangepakt. Maar ik waarschuwde hem ook dat het niet makkelijk zou worden. En Clinton moest inderdaad knokken om er nog eens twee maanden uit te sleuren om zijn begroting door de Senaat te krijgen. Net als in het Huis van Afgevaardigden werd die met een verschil van één stem aangenomen, en ditmaal was vicepresident Gore degene die de doorslag gaf.

In de herfst van dat jaar maakte Clinton opnieuw diepe indruk op me door zijn gevecht voor de goedkeuring van het vrijhandelsverdrag NAFTA (North American Free Trade Agreement). Onder president Bush was al onderhandeld over dit verdrag, dat er in de eerste plaats op gericht was de invoerrechten en andere handelsbarrières tussen Mexico en de Verenigde Staten weg te nemen, al deed ook Canada mee. De vakbonden waren er fel tegen gekant, evenals het merendeel van de Democraten en zelfs sommige conservatieven; er waren maar heel weinig Congreskenners die dachten dat het ook maar een schijn van kans maakte. Maar Clinton voerde min of meer aan dat je de wereld er niet van kunt weerhouden te draaien; of je dat nu prettig vindt of niet, Amerika maakte steeds meer deel uit van de internationale economie, en NAFTA was de belichaming van de overtuiging dat handel en concurrentie voor welvaart zorgen en dat je vrije markten nodig hebt om dat te bereiken. De staf van het Witte Huis en hij zetten alles op alles en na een gevecht van twee maanden werd het verdrag goedgekeurd.

Al met al overtuigde dit me ervan dat onze nieuwe president iemand was die bereid was risico's te nemen en niet tevreden was met de status-quo. Hij had opnieuw aangetoond dat hij het liefst van feiten uitging. En wat de vrijhandel betreft lagen de feiten aldus: het onderscheid tussen binnenlandse concurrentie en internationale concurrentie heeft economisch gezien geen enkele betekenis. Als je werkt in een fabriek in Dubuque, Iowa, maakt het geen verschil of je met iemand uit Santa Fe of met iemand van over de grens concurreert. Nu de geopolitieke druk van de Koude Oorlog was weggevallen, hadden de Verenigde Staten een unieke kans om de economische banden met het buitenland aan te halen. Clinton kreeg vaak kritiek vanwege een gebrek aan consistentie en een neiging om met iedereen mee te praten, maar dat ging nooit op voor zijn economische beleid. Zijn presidentschap zou gekenmerkt worden door een consistente, strikte gerichtheid op langdurige economische groei.

De Fed lag dat jaar zelf ook overhoop met het Congres, en deels om dezelfde redenen. Onze felste tegenstander was de voorzitter van de Huiscommissie voor Bankzaken, het Texaanse Congreslid Henry B. Gonzalez. Deze heetgebakerde populist uit San Antonio was beroemd vanwege het feit dat hij eens in een restaurant een kiezer een stomp op zijn oog had gegeven omdat die hem een communist noemde. Hij had bij uiteenlopende gelegenheden om afzetting van Reagan, Bush en Paul Volcker gevraagd en stond uitermate achterdochtig tegenover 'de reusachtige macht van de Fed', zoals hij dat noemde. Ik denk dat hij veronderstelde dat de hele raad van gouverneurs een geheim genootschap Republikeinen was dat een monetair beleid voerde dat eerder in het belang van Wall Street dan dat van de gewone man was. In het najaar van 1993 voerde Gonzalez de strijd pas goed op.

De Fed heeft het Congres altijd al tegen de haren in gestreken, en dat zal wel zo blijven ook, zelfs al heeft het Congres de Fed zelf geschapen. Het wringt nu eenmaal onvermijdelijk tussen de wettelijk verplichte aandacht van de Fed voor de lange termijn en de behoeften op de korte termijn van veel politici die kiezers tevreden moeten stellen.

Deze wrijving kwam vaak aan het licht tijdens toezichthoorzittingen. De Fed is verplicht tweemaal per jaar met een rapport te komen over zijn monetaire besluiten en de economische vooruitzichten. Bij tijd en wijle kwam het bij die hoorzittingen tot stevige discussies over belangrijke kwesties. Maar even vaak waren het gewoon vertoningen waarin ik een rekwisiet was, want in feite waren de kiezers thuis het echte publiek. Tijdens de regering-Bush liet voorzitter van de Senaatscommissie voor Bankzaken Alfonse D'Amato zelden een kans voorbijgaan om naar de Fed uit te halen. 'Mensen creperen van de honger, en jullie maken je druk om de inflatie,' zei hij dan tegen me. Dat soort opmerkingen liet ik altijd over mijn kant gaan, maar als hij of iemand anders beweerde dat de rentetarieven te hoog waren, legde ik altijd uit waarom we dat hadden gedaan. (Natuurlijk zorgde ik er altijd voor dat ik opmerkingen over stappen die we mogelijk in de toekomst zouden nemen, in 'Fed-spraak' verpakte, om de markten niet in opschudding te brengen.)

Gonzalez ondernam een kruistocht om de Fed ertoe te brengen vaker verantwoording af te leggen, waarbij hij het vooral gemunt had op onze in zijn ogen overmatige geheimzinnigheid. Hij wilde met name dat de Federal Open Market Committee haar bezigheden in het openbaar zou verrichten en vond zelfs dat de besprekingen live op de televisie moesten plaatsvinden. Op een bepaald moment liet hij achttien leden van de FOMC naar Capitol Hill opdraven om onder ede getuigenis af te leggen, en hij hekelde de sinds jaar en dag gevolgde gewoonte van de FOMC om nooit in het openbaar beleidsmaatregelen en wijzigingen in de rentetarieven aan te kondigen. Het enige openbare verslag dat van elke vergadering werd gemaakt, was een stel korte notulen die zes weken na dato werden gepubliceerd, iets wat naar de maatstaven van de financiële markten zo'n beetje een eeuwigheid was. Het gevolg was dat signalen vanuit de openmarktactiviteiten van de Fed of openbare uitspraken van Fed-functionarissen door Wall Street altijd nauwkeurig werden uitgeplozen.

De Fed had er in het belang van de economische stabiliteit altijd naar gestreefd middels het toepassen van zogenaamde constructieve ambiguïteit voor zo liquide mogelijke schuldenmarkten te zorgen. De gedachte daarachter was dat markten uit onzekerheid over wat de rente ging doen zowel aan de bied- als aan de laatkant voor een grote buffer zouden zorgen. Begin jaren negentig begonnen de markten echter ook zonder hulp van de Fed voldoende breed en liquide te worden. En bovendien was men van mening dat het een stabiliserend effect op de geld- en kapitaalmarkt zou hebben als deelnemers in staat waren te anticiperen op maatregelen die de Fed in de toekomst ging nemen. We waren al op weg naar een grotere transparantie wat betreft onze beraadslagingen en activiteiten, al haalden we bij lange na niet het beleid dat Henry Gonzalez voor ogen stond.

Ik was tegen het openbaar maken van deze vergaderingen. De FOMC was onze belangrijkste beleidsinstantie, en als onze discussies openbaar werden, met alle details erbij over wie wat had gezegd, zouden ze vast ontaarden in een stel dodelijk saaie presentaties. De voordelen van een onbelemmerd debat voor de beleidsvorming zouden verloren gaan.

Ik deed mijn best deze overweging tijdens de hoorzittingen over het voetlicht te brengen, maar het mocht niet baten. Gonzalez bleef maar doorgaan over de vraag wat voor verslagen we eigenlijk precies bijhielden, en ik raakte in een uitzonderlijk lastig parket. In 1976, tijdens de regering-Ford, had Arthur Burns de staf opdracht gegeven de vergaderingen van de FOMC op band te zetten als geheugensteuntje bij het schrijven van de notulen. Dit werd nog steeds gedaan en dat wist ik, maar ik had altijd aangenomen dat de banden na het schrijven van de notulen gewist werden. Bij de voorbereiding van mijn verschijnen voor de commissie voor Bankzaken kwam ik erachter dat dit niet echt het geval was: de banden werden weliswaar gewist, maar kopieën van de volledige, onbewerkte transcripties werden bewaard in een afgesloten archiefkast op de gang bij mijn kantoor. Toen ik het bestaan van de transcripties onthulde, zat Gonzalez er meteen bovenop. Eens te meer ervan overtuigd dat we met z'n allen erop uit waren gênante geheimen verborgen te houden, dreigde hij de documenten te zullen opeisen.

Gonzalez was vooral achterdochtig vanwege twee conference calls van de FOMC bij de voorbereiding van de hoorzittingen. We wilden deze banden niet vrijgeven om geen precedent te scheppen. Na wat onderhandelen kwamen we overeen dat juristen uit de commissie (een Democraat en een Republikein) bij de Fed naar de banden konden komen luisteren.

Ze kwamen er al snel achter dat de Watergatebanden een stuk spannender waren. Nadat ze bijna twee uur lang geduldig naar de besprekingen van de FOMC hadden zitten luisteren, vertrok de Democraat zonder een woord, en de Republikein merkte op dat het materiaal gebruikt zou moeten worden om middelbare scholieren tijdens de lessen burgerschap bij te brengen hoe vergaderingen bij de overheid horen te verlopen. (Gonzalez werd in de *New York Times* van 16 november 1993 geciteerd. Hij beklaagde zich erover dat de banden 'kleinerende opmerkingen over één geacht lid van de commissie voor Bankzaken van het Huis en leden van de commissie voor Bankzaken in het algemeen' bevatten.)

Dat nam allemaal niet weg dat mijn collega's kwaad waren, waarschijnlijk vooral op Gonzalez, maar misschien waren ze over mij ook niet erg te spreken. Om te beginnen hadden de meesten niet eens geweten dat onze vergaderingen werden opgenomen. En het idee dat alles wat ze van nu af zouden zeggen onmiddellijk in de openbaarheid zou kunnen komen als Gonzalez zijn zin kreeg, zorgde voor een zekere kilte. Bij de volgende vergadering van de FOMC, op 16 november, was duidelijk te merken dat mensen minder bereid waren om een beetje met ideeën te spelen. 'Je merkte het verschil, en het was geen vooruitgang,' zei een gouverneur tegen een verslaggever van de *Washington Post*.

Na een uitgebreide discussie besloot de Raad desnoods voor de rechtbank verzet aan te tekenen tegen elke eis die de effectiviteit van het instituut zou aantasten. Ons interne overleg over een grotere transparantie werd er echter wel door verhaast. Uiteindelijk besloten we dat de FOMC onmiddellijk na elke vergadering haar maatregelen zou aankondigen, dat we de notulen na drie weken zouden vrijgeven en dat de complete transcripties na verloop van vijf jaar zouden worden gepubliceerd. (Er werden al grapjes gemaakt over de Fed met zijn eigen variant op glasnost.) We deden dit alles in het besef dat de publicatie van de transcripten ervoor zou zorgen dat onze vergaderingen langer en een beetje minder creatief werden. En uiteindelijk viel het allemaal wel erg mee. Dankzij de veranderingen werd het proces niet alleen doorzichtiger, ze boden ons ook een nieuwe manier om met de markten te communiceren.

Ik was president Clinton erg dankbaar voor het feit dat hij zich niet met deze storm in een glas water bemoeide. 'Geen mens die zijn verstand op een rijtje heeft, zal toch denken dat we iets zouden ondernemen om aan de onafhankelijkheid van de Fed te tornen,' zou hij later zeggen, en hij voegde eraan toe: 'Sinds ik president ben, heb ik geen kritiek op de Fed.'

Tijdens dat soort melodramatische toestanden in Washington was het weleens moeilijk niet te vergeten dat er ook nog zoiets als een echte wereld bestaat waarin echte dingen gebeuren. Die zomer legde een overstroming van de Mississippi en de Missouri negen staten in het Midden-Westen lam en astronauten van de NASA gingen de ruimte in om de ruimtetelescoop Hubble te repareren. Er werd een couppoging tegen Boris Jeltsin ondernomen en Nelson Mandela kreeg de Nobelprijs voor de vrede. Er vonden zorgwekkende uitbarstingen van geweld plaats in de Verenigde Staten, er was een bomaanslag op het World Trade Center, het beleg in Waco vond plaats, en de Unabomber werd gezocht wegens het vermoorden en verminken van wetenschappers en hoogleraren. In de Amerikaanse zakenwereld werd het zogenaamde 'herontwerpen van bedrijfsprocessen' de nieuwste managementmode, en Lou Gerstner ondernam een poging om IBM uit het slop te halen. En vanuit het standpunt van de Fed bezien was het belangrijkste dat de economie eindelijk de ellende van begin jaren negentig te boven leek te komen. Investeringen, huizenbouw en consumentenbestedingen schoten allemaal met grote snelheid omhoog en de werkloosheid daalde. Tegen het eind van 1993 was het reële BBP sinds de recessie van 1991 niet alleen met 8,5 procent gestegen maar het nam met een snelheid van 5,5 procent per jaar toe.

Allemaal redenen voor de Fed om te besluiten dat de teugels moesten worden aangehaald. Op 4 februari 1994 stemde de FOMC voor het verhogen van de federal funds rate met een kwart procent, tot 3,25 procent. Het was de eerste renteverhoging in vijf jaar en we deden het om twee redenen. Ten eerste was de credit crunch van na de jaren tachtig eindelijk over: consumenten kregen weer de hypotheken die ze nodig hadden, en ondernemingen konden weer leningen afsluiten. Maandenlang hadden we de rente uitzonderlijk laag gehouden, op 3 procent. (En als je rekening hield met de inflatie, die ook tegen de 3 procent per jaar was, was het rentetarief op de geldmarkt in werkelijkheid vrijwel nul.) Nu het financiële stelsel zich hersteld had, werd het tijd om een eind te maken aan deze 'al te accommoderende opstelling' zoals wij dat noemden.

De tweede reden had met de conjunctuur zelf te maken. De economie zat in een groeifase, maar we wilden ervoor zorgen dat de onvermijdelijke neergang niet aan een ritje in de achtbaan zou doen denken: dus liever een bescheiden vertraging dan een misselijkmakende duikvlucht de recessie in. De Fed had lange tijd geprobeerd de neerwaartse curve voor te zijn door bij het allereerste teken van inflatie de rentetarieven te verhogen, voordat de economie pas goed de kans kreeg oververhit te raken. Maar met het verhogen van de tarieven was nog nooit een recessie afgewend. Ditmaal kozen we ervoor gebruik te maken van de relatieve economische luwte om een heel nieuwe benadering uit te proberen: rustig en in het voren stappen ondernemen voordat er zelfs maar sprake was van een inflatie. Het was een kwestie van psychologie, legde ik in februari aan het Congres uit. Op basis van wat we de jaren daarvoor over inflatieverwachtingen hadden geleerd, zei ik, 'weten we dat de Fed, als hij met tegenmaatregelen wacht totdat de werkelijke inflatie verergert, te lang heeft gewacht. Dan zijn bescheiden corrigerende stappen al niet meer genoeg om de dreigende onevenwichtigheid van de economie onder controle te krijgen. Dan zijn er hardere maatregelen nodig met onvermijdelijke negatieve bijwerkingen voor de economische bedrijvigheid op de korte termijn.'

Het was inmiddels zo lang geleden sinds de laatste verhoging van de rentetarieven dat ik bang was dat het nieuws grote beroering in de markten zou veroorzaken. En dus zinspeelde ik er met goedvinden van de FOMC van tevoren al heel duidelijk op dat er een beleidswijziging in de lucht hing. 'De korte rentes zijn abnormaal laag,' hield ik eind januari het Congres voor. 'Bij ontstentenis van een onverwachte en langdurige verslapping van de economische bedrijvigheid zullen we ze te eniger tijd moeten veranderen.' (Dit klinkt de lezer misschien overmatig omzichtig in de oren, maar naar de maatstaven van de openbare uitspraken van de Fed voorafgaand aan een beleidswijziging was het zoiets als stevig met deksels tegen elkaar slaan.) Ik ging ook in het Witte Huis op bezoek om de president en zijn adviseurs alvast een seintje te geven. 'We hebben nog geen knoop doorgehakt,' zei ik, 'maar we hebben de keus tussen rustig afwachten en dan de tarieven waarschijnlijk meer moeten verhogen, of nu meteen wat kleinere verhogingen doorvoeren.' Clinton zei daarop: 'Natuurlijk heb ik liever lage tarieven.' Maar hij begreep het wel, zei hij.

Helaas leek het wel of de rest van de wereld zich oostindisch doof hield. De markten deden niets om een renteverhoging op te vangen (normaal gesproken gaan de korte rentes voorafgaand aan een verwachte verhoging een beetje omhoog en de aandelen wat omlaag). Dus toen we de stap werkelijk zetten, kwam de klap hard aan. In overeenstemming met onze nieuwe openheid besloten we tijdens de FOMC-vergadering van 4 februari de renteverhoging onmiddellijk na het sluiten van de vergadering aan te kondigen. Tegen het eind van de dag was de Dow-Jonesindex 96 punten gedaald, oftewel bijna 2,5 procent. Sommige politici reageerden uitermate heftig. Senator Paul Sarbanes van Maryland, die vaker kritiek op de Fed uitte, vergeleek ons met 'een bommenwerper die een boerderij platgooit... omdat ze denken dat daar die gemene inflatie zit..., terwijl er in feite een gelukkig gezinnetje woont... dat geniet van het herstel van de economische groei'.

Uit dat soort reacties sprak wat mij betreft vooral hoezeer Amerikanen inmiddels aan lage, stabiele rentetarieven gehecht waren geraakt. Achter gesloten deuren hadden diverse bankpresidenten op een tweemaal zo grote verhoging aangedrongen. Uit angst dat de markten paniekerig zouden reageren op een al te scherpe verhoging, drong ik er bij mijn collega's op aan deze eerste ingreep klein te houden.

Gedurende heel 1994 bleven we op de rem trappen, tot de federal funds rate tegen het eind van het jaar op 5,5 procent stond. En ondanks dat had de economie een uitstekend jaar: ze groeide met een stevige 4 procent en naarmate de productiviteit groeide en de winsten toenamen, werden er 3,5 miljoen nieuwe banen gecreëerd. En zeker zo belangrijk was dat de inflatie helemaal niet toenam: voor het eerst sinds de jaren zestig lag ze drie jaar achtereen onder de 3 procent per jaar. Lage tot stabiele prijzen werden normaal en iedereen verwachtte ze ook; zo erg zelfs dat toen ik eind 1994 met de Business Council (een organisatie die uit de leiders van belangrijke ondernemingen is samengesteld) praatte, een paar bestuursvoorzitters zich beklaagden over het feit dat het lastig was om prijsverhogingen in stand te houden. Ik kon geen medelijden opbrengen. 'Hoezo hebben jullie problemen?' vroeg ik. 'De winstmarges worden steeds groter. Schei toch uit met klagen.'

Tientallen jaren hadden analisten zich afgevraagd of de dynamiek van de conjunctuur een 'zachte landing', oftewel een conjuncturele vertraging zonder verlies van banen en zonder de onzekerheden van een recessie, wellicht onmogelijk maakte. De term 'zachte landing' was afkomstig uit de ruimtewedloop die zich in de jaren zeventig had afgespeeld, toen de Verenigde Staten en de Sovjet-Unie alles op alles zetten om als eerste een onbemande ruimtesonde op Venus en Mars te laten landen. Sommige van die ruimteschepen landden inderdaad zacht, maar de economie had dat nog nooit gedaan; die uitdrukking werd bij de Fed trouwens nooit gebruikt. Maar in 1995 voltrok zich wel degelijk een zachte landing. In de loop van dat jaar vertraagde de economische groei tot een tempo van nog geen 1 procent op jaarbasis in het vierde kwartaal, toen ons overdrachtelijke ruimteschip zachtjes landde.

In 1996 herstelde de economie zich weer. Tegen november, toen president Clinton herkozen zou worden, breidde de economische bedrijvigheid zich in een solide tempo van 4 procent uit. Ruimschoots voordat ik daartoe geneigd was, werd die zachte landing in de media al bezongen; nog tot in december 1996 sprak ik collega's waarschuwend toe: 'Het proces is nog niet helemaal afgerond. Over een half jaar kunnen we zo weer in een recessie terechtkomen.' Maar achteraf gezien was de zachte landing van 1995 een van de mooiste prestaties die de Fed tijdens mijn ambtstermijn leverde.

Dit lag uiteraard allemaal nog in de schoot der toekomst verborgen terwijl de FOMC gaandeweg de rentetarieven optrok. Het was een boeiende en soms nogal zenuwslopende intellectuele uitdaging om te bepalen wanneer je met verhogen moest beginnen, en met hoeveel, en vooral wanneer je weer moest ophouden, helemaal omdat niemand het ooit op deze manier had proberen te doen. Het ging niet van: 'Vooruit, laten we eens een zachte landing uitvoeren', maar meer van: 'Laten we eens van deze wolkenkrabber springen en netjes op onze voeten proberen te landen.' Voor sommige commissieleden was vooral de renteverhoging van 0,5 procent op 1 februari 1995 die achteraf de laatste bleek te zijn een zware aanslag. 'Ik vrees dat als we vandaag ingrijpen, dit de maatregel zal blijken te zijn die we achteraf betreuren,' zei Janet Yellen, een gouverneur die later voorzitter werd van Clintons Raad van Economische Adviseurs. Zij manifesteerde zich het duidelijkst als voorvechter van een afwachtende houding. Met de verhoging waar we die dag unaniem voor kozen, kwam het disconto maar liefst op 6 procent: tweemaal hoger dan het gestaan had toen we nog geen jaar daarvoor begonnen waren. Iedereen bij de FOMC kende de risico's. Hadden we de duimschroeven net één slag te veel aangedraaid? Of net niet genoeg? We tastten volledig in het duister. De FOMC heeft altijd onder ogen gezien dat als je in een periode van monetaire verkrapping te snel stopt, de inflatiedruk weer omhoog zal schieten en heel lastig weer onder controle te krijgen zal zijn. Daarom verhogen we vrijwel altijd bij wijze van veiligheidsmarge de discontovoet nog eens extra, in de verwachting dat het wellicht niet nodig zal blijken te zijn. Als je te snel stopt met het toedienen van monetaire antibiotica, loop je het risico dat de inflatie-infectie weer de kop opsteekt.

Intussen was 1994 een dramatisch jaar voor president Clinton. Zijn plan voor de hervorming van de gezondheidszorg liep op de klippen, en vervolgens raakte hij pijnlijk genoeg bij de tussentijdse verkiezingen zowel het Huis van Afgevaardigden als de Senaat kwijt. De Republikeinen wonnen op basis van het zogenaamde 'Contract met Amerika' van Newt Gingrich en Dick Armey: een plan tegen een grote overheid, en voor belastingverlagingen, hervormingen in de sociale voorzieningen en een begrotingsevenwicht.

En een paar weken later werd Clinton alweer op de proef gesteld. Eind december liet Mexico weten dat het aan de rand van de financiële ondergang stond. Het grote probleem school in de miljarden dollars aan kortetermijnschulden die het land had opgebouwd in de tijd dat de economie bloeide. Die groei was de laatste tijd vertraagd en naarmate de economie zwakker werd, moest de peso worden gedevalueerd, waardoor al die geleende dollars steeds duurder werden. Toen de Mexicaanse regering om hulp vroeg, bevonden de overheidsfinanciën zich al in een neerwaartse spiraal; over nog geen jaar moest vijfentwintig miljard dollar worden terugbetaald en er was maar zes miljard dollar aan reserves die ook nog eens snel aan het verdampen waren.

Niemand van ons was de Latijns-Amerikaanse schuldencrisis van 1982 vergeten, toen Mexico een schuld van tachtig miljard dollar niet kon betalen waardoor een hele cascade van nood-herfinancieringen in gang werd gezet in landen als Brazilië, Venezuela en Argentinië. Die gebeurtenis had diverse Amerikaanse bankreuzen bijna onderuit gehaald, en de economische ontwikkeling in Latijns-Amerika was er zeker tien jaar mee achterop geraakt. De crisis van 1994 was minder omvangrijk. En toch viel het risico moeilijk te overschatten. De crisis kon makkelijk overslaan naar andere landen, en vanwege de toenemende integratie van de financiële wereldmarkten en de handel dreigde er niet alleen voor Latijns-Amerika maar ook voor andere ontwikkelingslanden gevaar. En zoals al uit NAFTA bleek, waren de Verenigde Staten en Mexico over en weer allengs afhankelijker van elkaar geworden. Als de economie van Mexico instortte, zou de stroom immigranten naar de Verenigde Staten tweemaal zo groot worden en de economie van het zuidwesten het zwaar te verduren krijgen.

De crisis sloeg toe op het moment dat Andrea en ik op punt van vertrek stonden voor een korte trip na de Kerst naar New York. Ik had een kamer voor ons besproken in het Stanhope, een elegant hotel aan Fifth Avenue tegenover Central Park en het Metropolitan Museum of Art. We verheugden ons erg op een paar dagen concertbezoek, winkelen en rondzwerven in de betrekkelijke anonimiteit van de stad waar we elkaar hadden leren kennen. Er waren tien jaar verstreken sinds die besneeuwde avond van ons eerste afspraakje in Le Périgord aan East 52nd Street. Dit was weliswaar geen formeel jubileum maar we probeerden tussen Kerst en Nieuwjaar altijd naar de stad en de plek van die eerste afspraak terug te keren.

Zodra we waren gearriveerd, begon echter de telefoon te rinkelen; het telefoontje was afkomstig van mijn kantoor bij de Fed. De minister van Financiën in spe Bob Rubin moest me dringend spreken over de peso. Bob stond op de nominatie Lloyd Bentsen officieel op te volgen, omdat deze na Nieuwjaar met pensioen ging, maar in feite kwam het erop neer dat hij het werk al had overgenomen. Ik twijfel er niet aan dat hij op een soepeler overgang had gehoopt. Nu stond hij voor een ware vuurdoop.

Andrea besefte onmiddellijk wat het telefoontje betekende. Bij elke buitenlandse financiële crisis die invloed kan hebben op de Verenigde Staten, neemt het ministerie van Financiën het voortouw, maar de Fed wordt er altijd bij betrokken. 'Daar gaat mijn romantische uitje,' zuchtte ze. Na al die jaren begreep ze mij en mijn werk maar al te goed. En ik was dankbaar voor haar grootmoedigheid en geduld. Dus terwijl de Mexicaanse crisis op volle toeren begon te draaien, ging zij winkelen en op bezoek bij vrienden, en al die tijd zat ik op onze hotelkamer aan de telefoon.

De weken daarop zaten regeringsvertegenwoordigers in conclaaf met Mexicanen, het Internationaal Monetair Fonds en andere instanties. Het IMF was bereid Mexico alle hulp te bieden die het kon, maar het IMF beschikte niet over voldoende fondsen om een doorslaggevende invloed te hebben. Achter de schermen vond ik net als Bob Rubin en zijn hoogste waarnemer Larry Summers en anderen dat de Verenigde Staten grootscheeps en snel moesten bijspringen. Om te voorkomen dat Mexico financieel instortte, moest het land over voldoende fondsen beschikken om investeerders ervan te weerhouden peso's te dumpen of onmiddellijke terugbetaling van hun leningen te eisen. Dit was gebaseerd op hetzelfde marktpsychologische principe als de stapels papiergeld in de etalage om een run op de bank af te wenden, een gewoonte die Amerikaanse banken er in de negentiende eeuw op na hielden ten tijde van een crisis.

Opmerkelijk genoeg waren de leiders van beide partijen in het Congres het op dit punt helemaal met elkaar eens; een mogelijke chaos in een land met tachtig miljoen inwoners met wie we een grens van ruim drieduizend kilometer delen, mochten we eenvoudig niet negeren. Op 15 januari legden president Clinton, de nieuwe voorzitter van het Huis van Afgevaardigden Newt Gingrich en de nieuwe leider van de meerderheid in de Senaat Bob Dole gezamenlijk een pakket leengaranties ter waarde van veertig miljard dollar ter goedkeuring aan het Congres voor.

Het was een groots gebaar, maar binnen een paar dagen werd al duidelijk dat de financiële injectie politiek gezien geen enkele kans maakte. Amerikanen hebben zich altijd verzet tegen het idee dat de geldproblemen van een ander land ingrijpende consequenties kunnen hebben voor de Verenigde Staten. Een Mexicaanse crisis zo kort na het sluiten van NAFTA droeg nog eens extra bij aan deze isolationistische houding. Iedereen die zich tegen NAFTA had verzet (vakbonden, consumenten, milieuactivisten en de rechtervleugel van de Republikeinen), kwam nu in verzet tegen de reddingspoging. Een van Clintons hoogste economische adviseurs, Gene Sperling, vatte het politieke dilemma aldus samen: 'Hoe pak je een probleem aan dat in de ogen van het volk onbelangrijk is, waarbij het net lijkt of je zomaar geld weggeeft en mensen uit de brand helpt die hun geld stom belegd hebben?'

Toen het voorstel voor die veertig miljard was afgewezen, vroeg Newt Gingrich of ik Rush Limbaugh wilde bellen om hem uit te leggen waarom het in het belang van Amerika was om te interveniëren. 'Ik ken Rush Limbaugh niet,' zei ik. 'Denk je heus dat het enig verschil zal maken als ik hem bel?' 'Naar jou luistert hij wel,' hield Gingrich me voor. De uiterst strijdlustige radiopresentator gold als iemand met veel invloed onder conservatieven. Een stel nieuwelingen in het Congres was zichzelf zelfs de 'Dittohead Caucus' gaan noemen, naar de bijnaam die Rush voor de fans van zijn programma had. Het spreekt voor zich dat Limbaugh er groot genoegen in schepte het hele idee om Mexico te hulp te schieten belachelijk te maken. Ik had nog steeds mijn twijfels maar was erg onder de indruk van het feit dat de nieuwe voorzitter van het Huis bereid was een Democratische president te steunen over een kwestie die duidelijk niet bijzonder populair was. Dus met enige tegenzin greep ik de telefoon.

Ik kreeg de indruk dat Limbaugh zich nog slechter op zijn gemak voelde dan ik. Hij luisterde beleefd toe terwijl ik mijn argumenten aanvoerde en bedankte me voor mijn moeite. Daar keek ik van op; ik had verwacht dat Rush Limbaugh de confrontatie zou zoeken.

De situatie was dermate dringend dat er niet gewacht kon worden tot het Congres over de brug kwam. Toen Mexico eind januari op de rand van de afgrond wankelde, nam de regering de zaak zelf ter hand. Bob Rubin koos voor een oplossing die aanvankelijk van de hand was gewezen: het aanspreken van een noodfonds van Financiën dat onder Franklin Roosevelt was ingesteld om de waarde van de dollar te beschermen. Rubin vond het uitermate beangstigend om tientallen miljarden dollars van de belastingbetalers in de waagschaal te stellen. En zelfs al hadden de leiders in het Congres beloofd dat ze ermee zouden instemmen, het risico bleef dat de indruk werd gewekt dat de wil van het volk werd genegeerd: uit een grootscheepse enquête was naar voren gekomen dat maar liefst 79 procent van de kiezers tegen hulp aan Mexico was, tegenover 18 procent voorstanders.

Ik sprong bij om de details van het plan te helpen uitwerken. Op de avond van 31 januari legden Rubin en Summers het plan aan president Clinton voor. Toen Bob achteraf belde om me van de uitkomst op de hoogte te stellen, was de verbazing nog in zijn stem te horen. Clinton had doodeenvoudig gezegd: 'Hoor eens, dit moeten we gewoon doen,' vertelde Rubin, en hij voegde eraan toe: 'Hij aarzelde geen moment.'

Daarmee kwam een eind aan de impasse. Het Internationaal Monetair Fonds en andere internationale organen pasten een bedrag bij dat ruimschoots meer was dan de ongeveer twintig miljard aan garanties van Financiën, zodat Mexico een pakket kreeg aangeboden dat met inbegrip van alle componenten vijftig miljard beliep, grotendeels in de vorm van kortetermijnleningen. En het betrof hier beslist geen schenking, zoals tegenstanders hadden beweerd; de voorwaarden waren zelfs zo streng dat Mexico uiteindelijk maar een fractie van het krediet gebruikte. Zodra het vertrouwen in de peso was weergekeerd, betaalde het land het geld terug: in feite verdienden de Verenigde Staten nog vijfhonderd miljoen dollar aan de transactie.

Het was een prachtige overwinning voor de nieuwe minister van Financiën en zijn ploeg. En uit deze ervaring vloeide een blijvende band tussen Rubin, Summers en mij voort. Gedurende de talloze uren die we gezamenlijk doorbrachten met het analyseren van problemen, brainstormen en beproeven van ideeën, de gesprekken met onze buitenlandse tegenspelers en het getuigen voor het Congres, werden we gaandeweg economische gevechtsmaatjes. Ik had een gevoel van wederzijds vertrouwen bij Rubin dat in de loop van de tijd alleen maar sterker werd. Het zou nooit in mijn hoofd zijn opgekomen dat hij misschien iets anders ging doen dan wat hij beloofd had zonder mij van tevoren op de hoogte te stellen. Ik hoop dat andersom hetzelfde gold. We kwamen weliswaar uit tegengestelde partijen, maar we hadden allebei het gevoel dat we voor hetzelfde bedrijf werkten. We waren het op heel veel fundamentele punten eens en geen van beiden waren we gek op confrontaties, wat het al heel makkelijk maakte om te communiceren en voor elkaars ideeën open te staan.

Summers was begonnen als een economisch wonderkind. Deze zoon van twee gepromoveerde economen en neef van twee Nobelprijswinnaars voor de economie was een van de jongsten die ooit een aanstelling als hoogleraar aan Harvard hadden gekregen. Voordat hij lid van het kabinet werd, was hij hoofdeconoom bij de Wereldbank geweest. Hij was een expert op het gebied van openbare financiën, ontwikkelingseconomie en andere terreinen. Wat me nog het meest beviel, was dat hij net als ik een technicus was, graag theorieën ontwikkelde en een groot voorstander was van empirische feiten als basis voor theorieën. Bovendien was hij zeer goed ingevoerd in de economische geschiedenis, die hij altijd gebruikte om ideeën aan de werkelijkheid te toetsen. Hij maakte zich bijvoorbeeld zorgen dat de president zich te veel liet meeslepen door zijn beloften over de informatietechnologie: alsof de Verenigde Staten nooit eerder een razendsnelle technologische ontwikkeling hadden doorgemaakt. 'Veel te hallekidee over de productiviteit,' vatte Larry Clintons technologische enthousiasme eens samen. Daar was ik het niet mee eens, en we hadden hele discussies over de mogelijkheden van internet, met Bob als toehoorder. Larry kon heel uitgeslapen zijn: hij kwam op het idee om de rente op de leningen aan Mexico zo hoog op te schroeven dat de Mexicanen zich wel gedwongen voelden ons snel terug te betalen.

Rubin, Summers en ik zouden de vierenhalf jaar daarop wekelijks vertrouwelijk samen ontbijten en tussendoor spraken we elkaar regelmatig aan de telefoon of we liepen bij elkaar op kantoor binnen. (Larry en ik gingen daarmee door toen Bob halverwege de jaren negentig naar Wall Street terugkeerde en Larry minister van Financiën werd.) We kwamen om half negen bij Bob of bij mij op kantoor samen, lieten een ontbijt komen en wisselden vervolgens een uur of twee informatie uit, bogen ons over het cijfermateriaal, bedachten strategieën en broedden op ideeën.

En altijd kwam ik slimmer van zulke ontbijten vandaan dan toen ik arriveerde. Ze vormden de beste plek die ik me maar kon indenken om de zogenaamde Nieuwe Economie uit te puzzelen. De twee uitermate belangrijke invloeden vanuit de informatietechnologie en de globalisering begonnen zich te manifesteren, en zoals president Clinton het later formuleerde: 'De handleidingen waren gedateerd.' Sommige dolenthousiaste Democraten noemden dit pakket economische beleidsmaatregelen *Rubinomics*. In 2003 bestempelde een recensent van de *New York Times* in een bespreking van Bobs memoires deze Rubinomics tot 'de essentie van de regering-Clinton'. Hij definieerde de term als 'omhoogschietende prijzen van aandelen, onroerend goed en andere activa, een lage inflatie, afnemende werkloosheid, groeiende productiviteit, een sterke dollar, lage invoerrechten, de bereidheid als mondiale crisisbezweerder op te treden, en bovenal de verwachting van een reusachtig overschot op de federale begroting'. Ik zou graag willen beweren dat dit allemaal het resultaat was van een bewuste, effectieve strategie die was ontsproten aan onze wekelijkse werkontbijten. En voor een deel was dat zeker waar. Maar het weerspiegelde vooral de aanvang van een nieuwe fase in de globalisering en de economische gevolgen van de ondergang van de Sovjet-Unie, beide onderwerpen waar ik in latere hoofdstukken nog op terugkom.

Ik sprak president Clinton maar heel af en toe. Omdat Bob en ik zo goed konden samenwerken, was het maar zelden nodig dat ik deelnam aan de vergaderingen over economisch beleid in de Oval Office, behalve als er sprake was van een crisis, zoals die zich voordeed toen Clinton en het Congres in 1995 tegenover elkaar kwamen te staan in verband met de begroting en het Congres de overheid vrijwel lamlegde.

Veel later hoorde ik dat de president gedurende een groot deel van 1994 nogal kwaad op de Fed en mij was geweest omdat we de rente bleven verhogen. 'Naar mijn idee had de economie zich niet voldoende hersteld om dat te rechtvaardigen,' legde hij me jaren nadien uit. Maar in het openbaar riep hij de Fed nooit ter verantwoording. En halverwege 1995 hadden we inmiddels een ontspannen, spontaan contact opgebouwd. Tijdens diners of recepties in het Witte Huis nam hij me vaak even apart om te horen waar ik mee bezig was of een ideetje aan me voor te leggen. Ik was in een heel andere tijd opgegroeid dan hij en deelde niet zijn liefde voor de rock-'n-roll. Hij vond me vast doodsaai, niet bepaald het soort maatje met wie hij graag samen een sigaar opstak en naar football keek. Maar allebei hielden we van boeken lezen en waren we nieuwsgierig naar het reilen en zeilen van de wereld, en we konden best met elkaar overweg. In het openbaar noemde Clinton ons dat rare economische koppel.

Ik ben me altijd blijven verbazen over zijn fascinatie voor economische details: het effect van Canadees timmerhout op de huizenprijzen en de inflatie, en de ontwikkeling in de richting van 'just-in-time'-productie. Maar hij had ook oog voor het grote geheel, zoals de historische samenhang tussen inkomensongelijkheid en economische verandering. Naar zijn overtuiging waren IT-miljonairs een onvermijdelijk bijverschijnsel van de vooruitgang. 'Zodra je op een nieuw economisch model overschakelt, neemt de ongelijkheid toe,' zei hij vaak. 'Toen we van boerderij naar fabriek overschakelden, was het nog veel erger. Degenen die de industriële revolutie bekostigden en de mensen die de spoorwegen aanlegden hebben reusachtige rijkdommen vergaard.' En nu kwamen we in het digitale tijdperk terecht en dus kregen we IT-miljonairs. Verandering is goed, zei Clinton, maar hij wilde wel dat er manieren waren om meer van die nieuwe rijkdom naar de middenklasse door te sluizen.

Politiek is en blijft politiek, en ik verwachtte dan ook niet dat Clinton me aan het eind van mijn ambtstermijn als voorzitter in maart 1996 opnieuw zou benoemen. Hij was een Democraat en wilde ongetwijfeld iemand uit zijn eigen kamp. Maar tegen het eind van 1995 waren mijn vooruitzichten duidelijk veranderd. Het Amerikaanse bedrijfsleven deed het uitzonderlijk goed: de winst van grote ondernemingen was met 18 procent gestegen en de groei van de beurs was de hoogste in twintig jaar. Zowel het begrotingsbeleid als het monetaire beleid had zijn werk gedaan, men schatte dat het begrotingstekort voor 1996 tot nog geen 110 miljard zou dalen en de inflatie tot onder de 3 procent. De economische groei begon weer toe te nemen, zonder dat er sprake van een recessie was geweest. De verhouding tussen Fed en Financiën was nog nooit zo goed geweest. Nieuwjaar verstreek en in de pers begon men te speculeren dat de president me misschien wel zou vragen aan te blijven. In januari gingen Bob Rubin en ik naar een bijeenkomst van de G7 in Parijs. Tijdens een pauze liepen we even weg. Ik merkte dat Bob iets op zijn lever had. Ik kan me het hele tafereel nog precies herinneren: we stonden voor een glazen wand met een panoramisch uitzicht op de stad. 'Als we terug zijn in Washington, kun je een telefoontje van de president verwachten,' zei hij. Hij kwam niet echt over de brug, maar uit zijn lichaamstaal leidde ik af dat het goed nieuws was.

President Clinton had een leuke opgave in petto voor mij en de twee functionarissen die hij tegelijk met mij benoemde: Alice Rivlin, die vicevoorzitter bij de Fed werd, en de gerenommeerde economische voorspeller Laurence Meyer, die gouverneur bij de Fed zou worden. 'Er is in dit land een serieuze discussie gaande over de vraag of er een maximum is aan de groei over enig aantal jaren zonder dat zich een inflatie voordoet,' zei de president tegen verslaggevers. Het was niet echt moeilijk om tussen de regels te lezen. Nu de economische expansie haar zesde jaar in ging en de zachte landing werkelijkheid leek te worden, vroeg hij om een snellere groei, hogere lonen, en nieuwe banen. Hij wilde weleens zien wat deze raket in zich had.

8

IRRATIONELE OVERDAAD

9 augustus 1995 zal de geschiedenis in gaan als de dag dat de technologiehype werd geboren. Die hype werd in gang gezet toen Netscape naar de beurs ging. Het minieme, twee jaar oude softwarebedrijfje in Silicon Valley had vrijwel geen inkomsten en maakte geen cent winst. Het bedrijf gaf zijn producten zelfs grotendeels weg. En toch had zijn software waarmee je op internet kon navigeren, voor een explosie van het internetgebruik gezorgd. Daarmee werd iets wat eigenlijk met fondsen van de overheid was ontwikkeld als online speelplaats voor onderzoekers en ingenieurs, binnen de kortste keren de digitale snelweg van de wereld. Op de dag dat Netscape naar de beurs ging, schoot het aandeel omhoog van 28 naar 71 dollar, tot grote verbijstering van beleggers van Silicon Valley tot Wall Street.

De internetgoudkoorts was een feit. Steeds meer nieuwe bedrijven gingen tegen fantastische prijzen de beurs op. De aandelen Netscape bleven stijgen; tegen november had het bedrijf een hogere beurswaarde dan Delta Airlines, en de voorzitter van Netscape, Jim Clark, werd de eerste internetmiljardair. Deze opwinding rond de hightech stookte dat jaar een toch al verhitte aandelenmarkt nog eens extra op: de Dow-Jonesindex steeg boven de 4000 punten, toen boven de 5000, en eind 1995 was hij ruim 30 procent gestegen. De Nasdaq, waar de nadruk op technologiefondsen lag en de nieuwe aandelen stonden genoteerd, deed het zelfs nog beter, met een toename van ruim 40 procent. En de markt groeide tot in 1996 onverminderd door.

Over het algemeen hadden we het bij de Fed niet vaak over de beurs. Tijdens een gemiddelde FOMC-vergadering werd het woord '*stock*' eerder gebruikt in de betekenis van 'kapitaalgoederenvoorraad' als werktuigmachines, treinwagons, en de laatste tijd ook computers en telecommunicatieapparatuur, dan van aandelen. Wat de technologiehausse aanging, waren we meer gericht op de mensen die de chips maakten, de programma's schreven, de netwerken bouwden en de informatietechnologie in fabrieken, kantoren en de entertainmentindustrie integreerden. Dat nam niet weg dat we ons wel bewust waren van het 'weelde-effect': beleggers verdienden zo veel op hun aandelenportefeuilles dat ze meer gingen lenen en makkelijker geld uitgaven aan huizen, auto's en consumptiegoederen. Een naar mijn idee nog belangrijker aspect was het effect van de stijgende waarde van aandelen op uitgaven aan fabrieken en machines. Sinds ik ooit eens in december 1959 tijdens een slecht bezochte sessie van de jaarlijkse bijeenkomst van de American Statistical Association een voordracht had gehouden met de titel 'Aandelenkoersen en vermogensevaluatie', was ik erg geïnteresseerd geraakt in de invloed van de koersen op investeringen en dus op het niveau van de economische bedrijvigheid.[1] Ik toonde aan dat de verhouding tussen de aandelenkoersen en de prijs van nieuwe fabrieken en apparatuur enerzijds samenhing met nieuwe bestellingen van machines. Vastgoedontwikkelaars waren vertrouwd met deze redenatie, aangezien die volgens een vergelijkbaar principe te werk gaan: als de marktwaarde van kantoorgebouwen op een bepaalde locatie de kosten van nieuwbouw te boven gaat, zal daar heel wat uit de grond worden gestampt. Als de marktwaarde daarentegen onder die van nieuwbouw zakt, komen bouwactiviteiten tot stilstand.

Naar mijn idee vertelde de correlatie tussen de koersen en orders voor nieuwe machines een vergelijkbaar verhaal: wanneer de bedrijfsleiding constateerde dat de marktwaarde van kapitaalgoederen hoger was dan de kosten van nieuwe aanschaf, gingen de bestedingen omhoog, en uiteraard ging het omgekeerde ook op. Het was een teleurstelling voor me toen bleek dat die eenvoudige verhouding tijdens de jaren zestig minder goed werkte als voorspeller dan voordien het geval was geweest. Maar daar klaagden en klagen econometristen vaker over. De huidige versie van die samenhang is omgezet naar het impliciete rendement op voorgenomen kapitaalinvesteringen. Het functioneert nog steeds niet zo goed als naar mijn idee zou moeten, maar dat was de achterliggende gedachte bij mijn voordracht tijdens de vergadering van de FOMC in december 1995.

Topdeskundige op het gebied van de binnenlandse economie van de Fed was Mike Prell. Hij voerde aan dat het vermogenseffect er wellicht voor zou zorgen dat de consumentenbestedingen in het volgende jaar met vijftig miljard dollar stegen, waardoor de groei van het BBP in een versnelling zou raken. Gouverneur Larry Lindsey, die later economisch topadviseur van president George W. Bush werd, vond dat onwaarschijnlijk. De meeste aandelen zaten in pensioenfondsen en andere pensioenvoorzieningen waardoor consumenten moeilijk de hand op hun winst konden leggen. En de meeste mensen met een flinke aandelenportefeuille waren al behoorlijk gefortuneerd en niet het soort types dat geneigd was ineens heel veel geld uit te geven. Ik wist niet of ik het daar wel mee eens was, maar in elk geval was het een compleet nieuw verschijnsel en wisten we geen van allen wat we konden verwachten.

Uit het gesprek van die ochtend bleek ook hoe weinig inzicht we hadden in de toenemende kracht van de haussemarkt. Janet Yellen voorspelde dat wat voor effect de hausse ook mocht hebben, dat snel zou wegebben. ‘Eind 1996 is het helemaal verdwenen,’ zei ze. Ik maakte me zorgen dat de hausse misschien de opmaat tot een krach was. ‘Volgens mij schuilt het ware gevaar erin dat we aan de rand van een zeepbel verkeren,’ zei ik. En toch leek de markt niet zo oververhit als ze in 1987 had geleken. Ik sprak het vermoeden uit dat we waarschijnlijk in de buurt zaten van ‘op z’n minst een tijdelijke piek in de aandelenkoersen, al was het alleen maar omdat de markten niet ongelimiteerd kunnen stijgen’.

Die uitspraak bleek niet een van mijn meest vooruitziende te zijn. Maar de aandelenmarkt was op dat moment dan ook niet mijn grootste zorg. Ik had andere plannen, want ik was vastbesloten mensen ertoe te brengen over de reikwijdte van de technologische veranderingen na te denken. Na onderzoek van wat er in de economie gaande was, was ik ervan overtuigd geraakt dat we aan de vooravond van een historische verschuiving stonden, en de omhoogschietende aandelenkoersen waren slechts een teken aan de wand.

Het was de bedoeling dat we de vergadering zouden afronden met een voorstel om de federal funds rate verder te verlagen en dan zouden stemmen. Maar voordat we daaraan toekwamen, zei ik tegen de commissie dat ik nog even iets aan de orde wilde stellen. Ik bracht hun in herinnering dat we al maandenlang zagen wat voor effect de steeds sneller verlopende technologische veranderingen op de economie hadden, en zei: 'Ik wil een brede hypothese opwerpen over waar het op de langere termijn met de economie heen gaat, en wat de onderliggende krachten zijn.'

Mijn idee was dat we, nu de wereld de informatietechnologie had omarmd en geleerd had die te benutten, een periode zouden ingaan van langdurig lagere inflatie en rentetarieven, een toenemende productiviteit en dalende werkloosheid. 'Ik volg al sinds eind jaren veertig conjunctuurscycli,' zei ik, 'en dit is met niets te vergelijken. Zulke ingrijpende en aanhoudende technologische veranderingen,' merkte ik op, 'doen zich maar eens in de vijftig of honderd jaar voor.'

Om aan te geven hoe mondiaal die verandering was, wees ik op een nieuw fenomeen: het had er veel van dat de inflatie over de hele wereld afnam. Het punt was dat we nu met ons monetaire beleid aan de grenzen van onze kennis verkeerden waar, in elk geval voorlopig, zelfs aloude vuistregels wellicht niet van toepassing waren.

Het was allemaal erg speculatief, vooral voor een werkbespreking van de FOMC. Niemand zei dan ook erg veel terug, al waren een paar van de bankpresidenten het voorzichtig met me eens. De meeste leden van de commissie vonden het kennelijk een opluchting om terug te keren naar vertrouwde vragen als het verlagen van de federal funds rate al of niet met 0,25 procent; we stemden voor verlagen. Maar voordat we zo ver waren, kon een van onze bedachtzaamste leden het niet laten me een beetje te plagen. 'Ik hoop dat je me toestaat om het wel eens te zijn met de redenen die je hebt opgegeven voor het verlagen van de federal funds rate,' zei hij, 'zonder me achter dat "Heerlijke nieuwe wereld"-scenario van je te scharen, want daar ben ik nog niet helemaal aan toe.'

En dat was prima, wat mij betreft. Ik verwachtte ook niet dat de leden van de commissie het met me eens waren. Nog niet, in elk geval. En evenmin verwachtte ik dat ze iets zouden ondernemen. Ik wilde alleen dat ze hun gedachten erover lieten gaan.

De snelle hightech-hausse zorgde er uiteindelijk voor dat Schumpeters idee van 'creatieve vernietiging' alom ingang vond. Het werd dé kreet van de informatietechnologie, en als je eenmaal op internetsnelheid zit, is het verschijnsel inderdaad ook moeilijk over het hoofd te zien. In Silicon Valley herstructureerden ondernemingen zich voortdurend en aanhoudend verschenen en verdwenen er nieuwe bedrijven. De grootmachten van de technologie (bedrijven als AT&T, Hewlett-Packard en IBM) hadden de grootste moeite de ontwikkelingen bij te houden, en ze slaagden er dan ook niet allemaal in. 's Werelds grootste miljardair, Bill Gates, kwam met een bericht voor alle werknemers van Microsoft waarin de opkomst van internet werd vergeleken met het verschijnen van de personal computer, zoals bekend het grootste succes van de onderneming. De memo droeg de titel 'De internetvloedgolf'. Hij waarschuwde dat het ze geraden was aandacht te besteden aan deze jongste omwenteling; het was een kwestie van aanpassen of creperen.

Niet dat dit nu zo duidelijk was, maar de revolutie in de informatietechnologie was al veertig jaar in voorbereiding geweest. Het was na de Tweede Wereldoorlog begonnen met de ontwikkeling van de transistor, die een stortvloed aan vernieuwingen in gang zette. De computer, satellieten, de microprocessor en het combineren van laser en vezeloptica ten behoeve van communicatie droegen stuk voor stuk hun steentje bij aan de ogenschijnlijk zo plotselinge en snelle opkomst van internet.

Het bedrijfsleven beschikte nu over een reusachtige capaciteit om informatie te vergaren en te verspreiden. Dit zorgde ervoor dat het proces van creatieve vernietiging eens zo snel verliep nu kapitaal allengs verschoof van slecht of middelmatig presterende bedrijven en bedrijfstakken naar vernieuwende ondernemingen. Durfkapitaalfirma's in Silicon Valley met namen als Kleiner Perkins en Sequoia en investeringsbanken als Hambrecht & Quist vergaarden dankzij deze kapitaalverplaatsing plotseling enorme rijkdommen en bekendheid. Maar in feite was, en is, heel Wall Street bij deze financiering betrokken.

Neem een recenter voorbeeld als Google en General Motors. In november 2005 kondigde GM plannen aan om tot 2008 maximaal dertigduizend werknemers te ontslaan en twaalf fabrieken te sluiten. Als je de cashflow van de onderneming bekeek, zag je dat GM miljarden dollars die ze in het verleden besteed zou hebben aan het creëren van producten of het bouwen van fabrieken, wegsluiste naar fondsen om toekomstige pensioenen en ziektekosten voor werknemers en gepensioneerden uit te bekostigen. Deze fondsen staken dat geld op hun beurt weer in bedrijven die het hoogste rendement beloofden, zoals geavanceerde technologieën. Tegelijkertijd was Google in rap tempo aan het groeien. De kapitaaluitgaven van het bedrijf verdriedubbelden in 2005 tot ruim achthonderd miljoen dollar. En in de verwachting dat de groei zou aanhouden, joegen beleggers de marktwaarde van aandelen Google op tot elfmaal die van GM. Het pensioenfonds van General Motors bezat zelfs aandelen Google: een schoolvoorbeeld van kapitaalverplaatsing als gevolg van creatieve vernietiging.

En waarom heeft de informatietechnologie zo'n reusachtig effect? Een groot deel van de inspanningen van een bedrijf is erop gericht onzekerheden zo klein mogelijk te maken. Maar vrijwel de hele twintigste eeuw lang hadden ondernemers niet snel genoeg inzicht in de behoeften van klanten. Beslissingen werden genomen op basis van informatie die dagen of zelfs weken oud was. Dat heeft altijd een negatieve invloed op het eindresultaat gehad.

De meeste bedrijven dekten zich in: ze hielden een extra voorraad aan en hadden werknemers achter de hand om in te springen als zich iets onverwachts voordeed of een foute inschatting was gemaakt. Deze veiligheidsmarge werkte meestal wel maar tegen een hoge prijs. Extra voorraad en werknemers zijn allemaal kosten en dit soort 'werkuren' leveren geen extra productie op. De directe informatie die de nieuwere technologieën opleveren, heeft deze onzekerheden aanzienlijk gereduceerd. De rechtstreekse communicatie tussen de kassa in de winkel en de fabriek, en tussen expediteurs en de chauffeurs die vracht vervoeren, heeft tot kortere bezorgtijden geleid en tot vermindering van het aantal uren dat gestoken moet worden in de bezorging van boeken en fabrieksapparatuur, van beursnoteringen en software. De informatietechnologie heeft ervoor gezorgd dat de extra voorraad en werknemers productief en winstgevend kunnen worden ingezet.

Wat ook nieuw was voor de consument, was het gemak waarmee je op internet informatie kunt opzoeken, pakketten kunt volgen en dingen kunt bestellen die vervolgens vrijwel per omgaande worden bezorgd. Over het geheel genomen had de technologiehausse ook een uitermate gunstig effect op de werkgelegenheid. Er werden aanzienlijk meer banen geschapen dan er verdwenen. De werkloosheid in de Verenigde Staten liep ook werkelijk terug, van 6 procent in 1994 tot nog geen 4 procent in 2000, en er ontstonden zestien miljoen nieuwe banen. Dat nam niet weg dat de technologie, net als in de negentiende eeuw de telegrafisten was overkomen die ik als jongen zo had geïdealiseerd, de kantoren op hun kop zette. Plotseling werden miljoenen Amerikanen geconfronteerd met de duistere zijde van de creatieve vernietiging. Secretarieel en administratief werk werd door computerprogramma's overgenomen, en hetzelfde gold voor het werk van tekenaars in de architectuur, het ontwerpen van auto's en dergelijke. Arbeidsonzekerheid, van oudsher een probleem dat aan fabrieksarbeiders was voorbehouden, werd vanaf de jaren negentig ook een probleem voor hoger opgeleide mensen met betere inkomens. Dat kwam op dramatische wijze naar voren in de uitkomsten van enquêtes: uit een enquête die in 1991 tijdens een dieptepunt in de conjunctuur werd gehouden onder werknemers van grote ondernemingen, bleek 25 procent bang te zijn voor ontslag. En ondanks een scherpe daling van het werkloosheidscijfer die intussen had plaatsgevonden, bleek in 1995 en 1996 maar liefst 46 procent daar bang voor te zijn. Dat verschijnsel zorgde er uiteraard voor dat arbeidsonzekerheid in het middelpunt van de belangstelling stond.

Al even belangrijk, maar minder in het oog springend, was de toegenomen arbeidsmobiliteit. Tegenwoordig veranderen Amerikanen op overweldigend grote schaal van baan. Van de bijna 150 miljoen werkenden verlaten er maar liefst één miljoen per week hun baan. Zo'n 600.000 nemen vrijwillig ontslag, en ruwweg 400.000 worden ontslagen, vaak omdat hun bedrijf wordt overgenomen of moet inkrimpen. Tegelijkertijd vinden één miljoen mensen per week een baan of ze worden opnieuw aangenomen omdat nieuwe bedrijfstakken groeien of nieuwe bedrijven gaan draaien.

Naarmate de technologische vernieuwingen sneller verspreid raakten en hoe groter het effect werd, hoe meer wij economen alle zeilen bij moesten zetten om te achterhalen waar de economie fundamenteel was veranderd en waar niet. Halverwege de jaren negentig discussieerden de deskundigen bijvoorbeeld onophoudelijk over de vraag wat nu precies het zogenaamde natuurlijke werkloosheidsniveau was, oftewel de NAIRU (de *Non-Accelerating Inflation Rate of Unemployment*). Dit neokeynesiaanse begrip werd begin jaren negentig gebruikt om aan te voeren dat als de werkloosheid tot onder de 6,5 procent daalde, de lonen sneller zouden gaan stijgen, waardoor de inflatie omhoog zou gaan.

Dus toen de werkloosheid maar bleef dalen, naar 6 procent in 1994, 5,6 procent in 1995 en nog verder omlaag naar 4 procent en minder, begonnen veel economen te roepen dat de Fed de groei moest afremmen. Binnen de Fed en in het openbaar stelde ik me teweer tegen deze denktrant. Dit 'natuurlijke werkloosheidsniveau' is in een model weliswaar ondubbelzinnig duidelijk en heel handig voor een historische analyse, maar als je de schatting op de werkelijkheid loslaat, blijkt ze toch ongrijpbaar. Het cijfer werd voortdurend bijgesteld en bood naar mijn mening geen stabiel uitgangspunt voor inflatieprognoses en monetair beleid. Wat men ook aannam dat er zou gebeuren, in de eerste helft van de jaren negentig bleef het tempo waarmee de lonen toenamen, laag en binnen een nauwe marge, en er waren geen tekenen dat de inflatie ging stijgen. Uiteindelijk werd deze opvatting losgelaten en begonnen economen het natuurlijke werkloosheidsniveau naar beneden bij te stellen.

Jaren nadien vertelde Gene Sperling op wat voor manier deze controverse in de Oval Office had gespeeld. In 1995 begonnen de economische topadviseurs van president Clinton (Sperling, Bob Rubin en Laura Tyson) zich zorgen te maken dat de president zich al te zeer zou laten meeslepen door zijn hoge verwachtingen van de technologiehausse. Dus namen ze Larry Summers in de arm om hem weer met beide benen op de grond te krijgen. Dankzij de levendige discussies bij onze ontbijten wist ik dat Larry nogal sceptisch tegenover de technologie stond. En normaal gesproken liet hij bij de president alleen van zich horen over internationale aangelegenheden, dus Clinton zou wel begrijpen dat er iets bijzonders aan de hand was.

De economen kwamen de Oval Office binnen en Summers gaf een korte presentatie over de redenen waarom de krapte van de arbeidsmarkt betekende dat de groei moest worden afgeremd. Vervolgens sloten de anderen zich daarbij aan. Clinton luisterde een poosje toe en onderbrak ten slotte het betoog. 'Jullie vergissen je,' zei hij. 'Ik begrijp de theorie best, maar ik voel gewoon dat alles anders wordt met internet en al die nieuwe technologie. Overal om me heen zie ik groei.' Clinton verliet zich dus niet alleen op zijn instinct. Hij had met bestuursvoorzitters en ondernemers gepraat, zoals hij vaker deed. Natuurlijk willen politici nooit geloven dat er grenzen aan de groei zijn. Maar op dat moment had de president waarschijnlijk meer praktisch inzicht in de economie dan zijn economen.

Zowel de economie als de beurs bleef floreren. Aan het BBP afgemeten groeide de productie in het voorjaar van 1996 met een overspannen tempo van ruim 6 procent, waarmee een andere vaste overtuiging op losse schroeven kwam te staan, namelijk dat de Amerikaanse economie op zijn hoogst een groei van 2,5 procent probleemloos aankon. We moesten bij de Fed een hoop dingen herbezien. Je vergeet heel makkelijk met wat voor snelheid vernieuwingen als internet en e-mail van een exotisch verschijnsel in iets alom tegenwoordigs veranderden. Er was iets heel uitzonderlijks gaande en het was een enorme opgave om uit te dokteren wat het precies was, terwijl het gaande was.

Toen ik op 24 september 1996 de FOMC bijeenriep, waren er acht maanden en zeven vergaderingen voorbijgegaan sinds we voor het laatst het rentetarief hadden verlaagd. Veel commissieleden waren inmiddels tot het tegenovergestelde geneigd, namelijk om de rente te verhogen en daarmee de inflatie voor te zijn. Zij wilden de schaal met punch weer weghalen. Bedrijven maakten flinke winst, de werkloosheid was tot ruim onder de 5,5 procent gedaald en één zeer belangrijke factor was veranderd: de lonen waren eindelijk aan het stijgen. Onder zulke florissante omstandigheden was inflatie een duidelijk risico. Als bedrijven meer moesten betalen om werknemers vast te houden of aan te trekken, konden ze die hogere kosten binnenkort op de prijzen gaan verhalen. Volgens het boekje was de aangewezen strategie om de rentetarieven op te trekken, waarmee je de economische groei vertraagde en de inflatie in de kiem smoorde.

Maar stel nu dat dit geen normale conjunctuur was? Stel dat de technologische revolutie op z'n minst tijdelijk ervoor zorgde dat de economie een groter vermogen tot groei had? Als dat het geval was, zou het een vergissing zijn om de rentetarieven te verhogen.

Natuurlijk was ik altijd op mijn hoede voor inflatie. Maar nu was ik ervan overtuigd dat het risico veel kleiner was dan veel van mijn collega's dachten. Ditmaal ging het er niet om de traditionele overtuigingen op hun kop te zetten. Volgens mij hadden de boeken geen ongelijk, maar klopten onze cijfers niet. Ik concentreerde me op datgene wat naar mijn idee het grootste raadsel van de technologiehausse was, namelijk de kwestie van de productiviteit.

Uit de gegevens die we van het ministerie van Handel en dat van Arbeid binnenkregen, viel af te leiden dat de groei van de productiviteit (gemeten als productie per gewerkt uur) vrijwel nihil was, ondanks de al een tijd terug ingezette trend in de richting van computerisering. Ik kon me er geen voorstelling van maken waarom dat zo was. Jaar in, jaar uit werden enorme sommen gestoken in de aanschaf van desktopcomputers, servers, netwerken, software en andere geavanceerde spullen. Ik had in de loop van de jaren met genoeg fabrieksmanagers aan investeringsprojecten gewerkt om te weten op wat voor manier zulke aankoopbeslissingen genomen werden. Ze bestelden alleen dure apparatuur als ze ervan overtuigd waren dat hun productiecapaciteit er groter van zou worden of dat hun werknemers dankzij die aanschaf per uur meer konden produceren. Als een van beide niet het geval bleek te zijn, stopten ze met aanschaffen. En toch staken ze nog steeds geld in geavanceerde technologie. Dit werd al in 1993 duidelijk, toen de nieuwe bestellingen van hightech kapitaalgoederen na een langdurige periode van trage groei ineens begonnen toe te nemen. Bovendien hield die groei aan tot in 1994, waaruit je moet afleiden dat de eerste ervaringen met de nieuwe apparatuur blijkbaar positief waren.

En er waren meer, en zelfs nog overtuigender aanwijzingen dat de officiële productiviteitscijfers niet klopten. De meeste bedrijven meldden toenemende winstmarges. Terwijl maar een enkeling de prijzen had verhoogd. Dat moest betekenen dat hun kosten per geproduceerde eenheid in toom konden worden gehouden of daalden. De meeste geconsolideerde kosten (dat wil zeggen: de kosten van een bedrijf als geheel) waren arbeidskosten. Dus als die kosten per eenheid gelijk bleven of daalden en de gemiddelde lonen stegen, stond het rekenkundig vast dat als deze gegevens klopten, de productie per uur aan het groeien was; de productiviteit was echt aan het toenemen. En als dat zo was, was het niet erg waarschijnlijk dat de inflatie zou stijgen.

Ik wist zeker dat ik gelijk had, maar ik besefte wel dat ik mijn collega's moeilijk op basis van wat berekeningen op de achterkant van een envelop kon overtuigen. Ik had iets nodig wat overtuigender was. Met nog een paar weken te gaan tot de vergadering van 24 september 1996 vroeg ik de staf van de Fed om de landelijke productiviteitscijfers te fileren en de onderliggende gegevens van tientallen bedrijfstakken stuk voor stuk te bestuderen. Ik zat in mijn maag met een schijnbare inconsistentie in schattingen van het Bureau of Labor Statistics van de productiviteitsgroei op basis van verschillende sectorale indelingen van de Amerikaanse economie.

Meestal als ik om gedetailleerde cijfers vroeg, werden er bij de staf grapjes gemaakt over de voorzitter die weer eens 'verfraaiingen' wilde. Ditmaal merkten ze op dat ze het gevoel hadden dat ik hun zoiets als het Manhattanproject opdroeg. Dat nam niet weg dat ze zich op de uiteengerafelde gegevens stortten en net op tijd voor de FOMC-vergadering met hun rapport kwamen.

Die dinsdag waren de meningen onder de commissieleden verdeeld. Een stuk of vijf wilden meteen de rentetarieven verhogen, om, zoals de strijdvaardige president van de Fed-bank in St. Louis, Tom Melzer, het stelde, 'een verzekering af te sluiten' tegen de inflatie. Anderen hielden zich op de vlakte. Alice Rivlin, die inmiddels aan haar derde maand als vicevoorzitter van de raad van gouverneurs bezig was, bracht de situatie als volgt op haar eigen grappige manier onder woorden: 'We moeten wel voor ogen houden dat de zorgelijke gezichten rond deze tafel zich zorgen maken over het beste stel problemen dat we ons maar kunnen wensen. Centrale bankiers van overal ter wereld zouden een moord doen voor zo'n stel statistische gegevens.' Ze was het ermee eens dat we qua inflatie in een 'gevarenzone' zaten, maar ze wees er ook op dat we de inflatie nog niet hadden zien stijgen.

Toen ik aan de beurt was, kwam ik sterk voor de dag met behulp van het rapport van de staf. Het had er veel van weg dat de overheid al jaren de groei van de productiviteit onderschatte. Men had bijvoorbeeld in de dienstverlenende sector geen enkele toegenomen efficiëntie geconstateerd; het kwam er zelfs op neer dat uit de berekeningen naar voren leek te komen dat de productiviteit juist was afgenomen. Ieder commissielid besefte dat dit absurd was: advocatenkantoren, zakelijke dienstverleners, artsenpraktijken en welzijnsorganisaties waren net zo goed als de productiesector en de rest van de economie aan het automatiseren en stroomlijnen geweest.

Geen mens kon overtuigend verklaren waarom de cijfers niet klopten, zei ik.[2] Toch had ik er tamelijk veel vertrouwen in dat het inflatierisico te klein was om een renteverhoging te rechtvaardigen. Mijn aanbeveling was om rustig af te wachten.

Niet iedereen liet zich door deze redenering overtuigen; in feite discussiëren we nog steeds over de aard en de omvang van het effect dat de informatietechnologie op de productiviteit heeft gehad. Maar ik riep voldoende twijfel op om ervoor te zorgen dat de commissie met elf tegen één besloot het rentetarief op 5,25 procent te houden.

Een half jaar lang vonden we het niet nodig de rentetarieven te verhogen, en toen het zo ver was, nog maar tot 5,50 procent, maar dan om een andere reden. Nog eens vier jaar lang bleef het BBP gestaag omhooggaan, nam de werkloosheid af en bleef de inflatie onder controle. Dankzij het feit dat we niet al te snel de rentetarieven hadden verhoogd, effenden we de weg voor de langdurigste economische bloei van na de oorlog. Uit dit klassieke voorbeeld blijkt maar weer dat je niet alleen op basis van een econometrisch model voor een monetair beleid kunt kiezen. Joseph Schumpeter zou hebben kunnen zeggen dat ook modellen het voorwerp van creatieve vernietiging zijn.

Maar zelfs de stijgende productiviteit kon het merkwaardige gedrag van de koersen niet verklaren. Op 14 oktober 1996 sprong de Dow Jones voorbij de 6000 punten, waarmee volgens een voorpaginaverhaal in *USA Today* een mijlpaal was bereikt, 'op de openingsdag van het zevende jaar van de meest persistente hausse uit de geschiedenis'. In het hele land haalde het nieuws de voorpagina's. De *New York Times* schreef dat steeds meer

Amerikanen hun spaargeld voor hun pensioen in aandelen staken, waaruit een wijdverbreide overtuiging sprak dat de beurs de enige plek is om langetermijnbeleggingen te doen, aldus de krant.

Amerika was een natie van aandeelhouders aan het worden. Als je de totale waarde van het aandelenbezit afzette tegen de omvang van de economie, nam de betekenis van deze markt in rap tempo toe: met een waarde van 9500 miljard beliep het nu 120 procent van het BBP. Dat was een verdubbeling van de 60 procent in 1990, een verhouding die alleen overtroffen werd door Japan op het toppunt van de hausse aldaar in de jaren tachtig.

Ik voerde aanhoudend gesprekken hierover met Bob Rubin. We waren allebei enigszins zorgelijk gestemd. We hadden de Dow Jones binnen iets meer dan anderhalf jaar driemaal over een 'millenniumgrens' heen zien gaan: 4000, 5000 en 6000. De economische groei was weliswaar krachtig, maar we maakten ons ongerust over een al te groot enthousiasme bij de beleggers. De koersen begonnen verwachtingen te weerspiegelen die dermate overspannen waren dat ze nooit konden worden ingelost.

Natuurlijk is zo'n hausse economisch gezien mooi meegenomen: ze stelt bedrijven in staat uit te breiden, bezorgt consumenten het gevoel dat ze geld kunnen spenderen en helpt de groei van de economie. Zelfs een beurskrach is niet per se dramatisch: de krach van 1987 had ons wel de haren te berge doen rijzen, maar er waren heel weinig langdurige negatieve gevolgen geweest. Alleen wanneer een instortende beurs de echte economie dreigt lam te leggen, is er reden voor mensen als de minister van Financiën en de voorzitter van de Fed om zich zorgen te maken.

Zo'n soort ramp hadden we zich in Japan zien voltrekken, waar de economie nog steeds gebukt ging onder de gevolgen van een instorting van de beurs en de onroerendgoedmarkt in 1990. Bob noch ik dacht weliswaar dat de Verenigde Staten het zeepbellenniveau hadden bereikt, maar we zagen wel dat steeds meer huishoudens en bedrijven zich aan behoorlijke aandelenrisico's blootstelden. Dus hadden we het er onder het ontbijt vaak over wat we moesten doen als die zeepbel er echt zou komen.

Bob was de mening toegedaan dat een regeringsfunctionaris die zich met financiën bezighoudt, zich in het openbaar nooit over de beurs mag uitlaten. Verstokte lijstjesmaker die hij was, kwam hij meteen met drie redenen die later ook in zijn memoires werden opgenomen: 'Ten eerste kun je onmogelijk zeker weten wanneer een markt over- of onderschat wordt,' zei hij. 'Ten tweede kun je je niet tegen krachten in de markt teweerstellen, dus heeft het ook geen zin om het erover te hebben. En ten derde zal alles wat je zegt naar alle waarschijnlijkheid tegen je gebruikt worden en je geloofwaardigheid aantasten. Mensen zullen zich realiseren dat je niets meer weet dan een ander.'

Ik moest toegeven dat dit woord voor woord waar was. En toch was ik het er nog steeds niet mee eens dat het per se een slecht idee was om het onderwerp in het openbaar aan te kaarten. Het toenemende belang van de beurs viel niet te ontkennen. Hoe kon je het nu over de economie hebben zonder die spreekwoordelijke '800 pond zware gorilla' te noemen? De Fed had weliswaar niet de expliciete opdracht de beurs in de gaten te houden, maar het effect van de stijgende prijzen leek me een gerechtvaardigde reden voor bezorgdheid. Met het beteugelen van de inflatie hadden we bewezen dat stabiele prijzen van cruciaal belang zijn voor een langdurige economische groei. (In feite speelde het toenemende vertrouwen van beleggers dat die stabiliteit zou voortduren, een belangrijke rol bij het stijgen van de koersen.)

En toch was het concept van prijsstabiliteit helemaal niet zo vanzelfsprekend als het op het eerste gezicht leek. Er waren waarschijnlijk wel tien verschillende statistische reeksen omtrent prijzen die je kon bekijken. Voor de meeste economen had prijsstabiliteit betrekking op de prijzen van producten, dus de prijs van een paar sokken of een pak melk. Maar hoe zat het dan met de prijzen van inkomen genererende activa als aandelen en vastgoed? Stel dat die prijzen stegen en instabiel werden? Moesten we ons geen zorgen maken over de prijs van appeltjes voor de dorst en dan niet alleen het soort dat je bij de groenteman koopt? Niet dat ik nu zo graag opstond om te schreeuwen dat de beurs overspannen was en dat het allemaal mis zou gaan. Daar geloofde ik niet in. Maar ik vond het wel belangrijk om het onderwerp ter tafel te brengen.

Het concept van de 'irrationele overdaad' kwam in me op terwijl ik op een ochtend in bad een toespraak aan het schrijven was. Nog steeds is het bad dé plek waar ik veel van mijn beste ideeën krijg. Mijn assistenten zijn er inmiddels aan gewend om aantekeningen over te typen van vochtige notitieblokken (een klus die een stuk makkelijker werd toen we een pen vonden waarvan de inkt niet doorloopt). In bad voel ik me al net zo gelukkig als Archimedes, terwijl ik de wereld lig te overpeinzen.

Toen de Dow Jones halverwege oktober 1996 door de 6000-puntengrens heen gebroken was, begon ik uit te zien naar een gelegenheid iets over de waarde van activa te zeggen. Ik kwam tot de slotsom dat het jaarlijkse diner op 5 december van het American Enterprise Institute, waar ik de thematoespraak zou houden, de aangewezen plek was. Het is een buitengewoon chique bedoening waarbij wel duizend mensen aanwezig zijn, onder wie veel beleidsdeskundigen uit Washington, en het valt vroeg genoeg in het feestdagenseizoen om serieus genomen te worden.

Ik had bedacht dat het een goed idee zou zijn de kwestie van de beurs in het juiste perspectief te plaatsen door ze in een geschiedenis in vogelvlucht van de Amerikaanse centrale banken in te bedden. Ik ging helemaal terug naar Alexander Hamilton en William Jennings Bryan en werkte vandaar terug naar het heden en de toekomst. (Een algemener publiek had zich wellicht laten afschrikken door deze wat krakkemikkige aanpak, maar voor het American Enterprise Institute was dit het juiste tempo.)

Ik schreef mijn toespraak op zo'n manier dat de kwestie van beurskoersen in slechts twaalf zinnen tegen het eind van mijn verhaal aan bod kwam, en ik verpakte mijn boodschap in mijn gebruikelijke Fed-spraak. Maar toen ik de tekst op de dag dat ik de toespraak zou uitspreken aan Alice Rivlin liet lezen, viel ze meteen over die 'irrationele overdaad'. 'Weet u zeker dat u dat wilt zeggen?' vroeg ze.

Die avond sprak ik op het podium de betreffende passage uit en ik lette scherp op of mensen reageerden. 'Nu we de eenentwintigste eeuw in gaan,' zei ik verwijzend naar de Fed:

> zullen we, als het Congres dat wil, over de koopkracht van de dollar blijven waken. Maar er is één factor die deze taak compliceert, namelijk het feit dat het steeds lastiger wordt precies te bepalen wat nu eigenlijk een stabiel prijsniveau is...
>
> Waar trekken we de grens voor welke prijzen er wel en welke er niet toe doen? De prijzen van goederen en diensten die nu worden geproduceerd (onze basismaatstaf voor inflatie) doen er zeker toe. Maar hoe

zit het met de prijzen op de termijnmarkt? Of, wat nog belangrijker is, de prijzen van aanspraken op toekomstige goederen en diensten, zoals aandelen, onroerend goed en andere inkomen genererende activa? Is de stabiliteit van deze prijzen ook van essentieel belang voor de stabiliteit van de economie?...

Het spreekt voor zich dat een langdurige lage inflatie minder onzekerheid over de toekomst met zich meebrengt, en lagere risicopremies brengen hogere prijzen voor aandelen en andere inkomen genererende activa met zich mee. Dat zien we terug in de omgekeerde evenredigheid tussen prijzen en winsten en de ontwikkeling van de inflatie in het verleden.

Maar hoe weten we wanneer als gevolg van de irrationele overdaad de waarden van activa buitensporig zijn gestegen, die vervolgens aan onverwachte en langdurige inkrimpingen blootstaan, zoals dat de afgelopen tien jaar in Japan het geval is geweest? En hoe verwerk je die vaststelling in monetair beleid? Wij centrale bankiers hoeven ons geen zorgen te maken zolang een uiteenspattende financiële activa-zeepbel geen bedreiging vormt voor de echte economie, de productie, de banenmarkt en de stabiliteit van de prijzen. De scherpe daling van de beurs in 1987 had maar weinig negatieve gevolgen voor de economie. Maar we moeten de complexiteit van de wisselwerking tussen activamarkten en economie nooit onderschatten en op onze lauweren gaan rusten.

Ik moet toegeven dat het allemaal niet van het niveau van Shakespeare was. En het viel helemaal niet mee om het uit te spreken, zeker niet als je tijdens het cocktailuurtje een paar glazen hebt gedronken en erg naar het diner uitziet. Toen ik bij mijn tafel terugkeerde, fluisterde ik Andrea en de anderen toe: 'Wat haalt hiervan de krant, denken jullie?' Niemand raadde het, maar ik had mensen in het publiek de oren zien spitsen, en tegen het einde van de avond begon het geroezemoes. 'Voorzitter Fed stelt de hamvraag: Is de markt te hoog?' schreef de *Wall Street Journal* de volgende dag; 'Irrationele overdaad aan de kaak gesteld', stond in de *Philadelphia Inquirer*; 'Een verhulde boodschap die luid en duidelijk overkomt', aldus de *New York Times*. 'Irrationele overdaad' was hard op weg dé kreet van de hausse te worden.

Maar de beurs liep niet terug, wat mijn ongerustheid alleen maar groter maakte. Het is waar dat mijn opmerkingen aanvankelijk mondiaal voor een verkoopgolf van aandelen zorgden, deels omdat men vreesde dat de Fed onmiddellijk de rentetarieven zou verhogen. De koersen begonnen eerst in Japan te dalen, waar het al ochtend was toen ik mijn toespraak hield, vervolgens uren later toen de markten in Europa openden daar ook, en ten slotte de volgende dag in New York. Op Wall Street zakte de Dow-Jonesindex onmiddellijk na het luiden van de bel bijna 150 punten. Maar tegen de middag begonnen de Amerikaanse markten zich alweer te herstellen, en slechts één dag later hadden ze alle verloren terrein weer heroverd. De Amerikaanse beurzen eindigden dat jaar ruim 20 procent hoger.

En de beursbonanza duurde voort. De Dow-Jonesindex naderde al de 7000 punten toen de FOMC op 4 februari 1997 voor het eerst in dat jaar bijeenkwam. Inmiddels wist ik uit privégesprekken met veel van de gouverneurs en bankpresidenten dat de commissie net als ik bevreesd was dat de ontwikkeling van een beurszeepbel voor inflatoire instabiliteit zou zorgen. Afgezien van de koersstijgingen op de beurs was de economie nog net zo stevig als een half jaar daarvoor, toen ik me verzet had tegen het idee om de rentetarieven op te trekken. Maar omdat die zeepbel me zorgen baarde, was ik van gedachten veranderd. Ik zei tegen de commissie dat we wellicht een renteverhoging nodig hadden om de beurs te beteugelen. 'We moeten over voorzorgsmaatregelen gaan nadenken,' zei ik, 'en hoe we die overbrengen.'

Ik koos mijn woorden met de grootste omzichtigheid, onze gesprekken werden immers opgenomen en we speelden politiek gezien met nogal explosief materiaal. De Fed heeft geen expliciete opdracht om te proberen een beurszeepbel onder controle te houden. Wel hadden we indirect de bevoegdheid zoiets te doen als we de indruk hadden dat de koersen de inflatie dreigden op te jagen. Maar in dit geval konden we dat moeilijk hard maken, aangezien de economie uitstekend draaide.

De Fed functioneert niet in een vacuüm. Als we de rentetarieven verhoogden en als reden opgaven dat we de beurs wilden intomen, zou dat een politieke storm veroorzaken. We zouden ervan beschuldigd worden dat we de kleine belegger schade berokkenden en mensen hun pensioen misgunden. Ik kon me al voorstellen hoe hard ik bij de volgende hoorzitting van het Congres zou worden aangepakt.

Niettemin waren we het erover eens dat het binnen onze missie paste om te proberen zo'n zeepbel te vermijden en dat we verplicht waren die kans aan te grijpen. Ik liet die dag tijdens de vergadering hardop mijn gedachten gaan: 'In de allereerste plaats moeten we zorgen dat de inflatie, de risicopremies en de kosten van kapitaal laag blijven. Als we het over een langdurig evenwicht hebben, zijn hoge marktwaarden beter dan lage. We proberen uiteenspattende zeepbellen, wispelturigheid en dergelijke te vermijden.' Met toestemming van de commissie zinspeelde ik in de eerste weken daarna in mijn openbare uitlatingen op een aanstaande renteverhoging. Dit was bedoeld om de markten niet al te erg te schokken met een plotselinge maatregel. Daarna kwamen we op 25 maart weer bijeen en we verhoogden de rente met 0,25 procent tot 5,5 procent. Ik schreef de verklaring van de FOMC en kondigde het besluit zelf aan. Het ging alleen over de wens van de Fed om de onderliggende economische krachten aan te pakken die inflatie dreigden op te roepen, en er werd met geen woord gerept over de waarde van activa of aandelen. Kort daarop beschreef ik in een toespraak de renteverhoging aldus: 'We ondernamen een kleine stap om de kans te vergroten dat de economie goed zal blijven presteren.'

Eind maart en begin april 1997, vlak na onze vergadering, daalde de Dow Jones met zo'n 7 procent. Dat was een verlies van bijna vijfhonderd punten, en volgens sommigen was het eenvoudig een uitgestelde reactie op onze renteverhoging. Maar al binnen een paar weken veranderde de beweging van richting en kwam de markt weer helemaal terug. Alle verliezen werden goedgemaakt en de beurs steeg nog 10 procent extra, zodat de Dow Jones halverwege juni alweer de 7000 naderde. Het kwam erop neer dat de beleggers de Fed een lesje leerden. Bob Rubin had gelijk: je weet gewoon niet of een markt overschat wordt, en tegen krachten in de markt begin je niets.

De hausse duurde nog eens drie jaar, naar achteraf bleek, waarmee de papieren rijkdom van ons land aanzienlijk toenam, maar we bleven worstelen met grote vragen omtrent productiviteit, de stabiliteit van prijzen en andere aspecten van wat men inmiddels de Nieuwe Economie noemde. We gingen op zoek naar andere manieren om met het risico van een zeepbel om te gaan. Maar we verhoogden de tarieven niet meer en deden nooit meer een poging om de koersen in te tomen.

Andrea en ik beleefden ons eigen stukje overdaad door dat voorjaar eindelijk te trouwen. Ze zegt vaak dat het me pas bij de derde poging lukte haar ten huwelijk te vragen, omdat ik het alsmaar in Fed-spraak deed, maar dat is helemaal niet waar. Ik heb het haar maar liefst vijf keer gevraagd, dus ze heeft er zelfs een paar helemaal gemist. Kerstmis 1996 kwam de boodschap eindelijk over en zei ze ja. In april 1997 verbond rechter Ruth Bader Ginsburg van het Hooggerechtshof ons in de echt tijdens een simpele, prachtige ceremonie op een van onze lievelingsplekken, de Inn at Little Washington op het platteland van Virginia.

Natuurlijk bleven we onze huwelijksreis maar uitstellen: er gebeurde gewoon te veel in haar werkkring en de mijne. Maar vrienden van ons bleven maar aandringen dat we moesten gaan en stelden Venetië voor. Ten slotte pakte ik mijn agenda erbij en stelde ik voor om een huwelijksreisje achter een vergadering van een internationale monetaire conferentie te plakken die in juni in het Zwitserse Interlaken zou plaatsvinden, twee maanden na onze bruiloft.

Tijdens de conferentie stak de Duitse kanselier Helmut Kohl zoals gewoonlijk een saaie lunchrede af. Het onderwerp was de onafhankelijkheid van centrale banken en de revaluatie van de Duitse goudreserves. Naderhand ontliepen Andrea en ik de hordes verslaggevers die allemaal commentaar wilden op de vooruitzichten voor de Amerikaanse economie en wilden horen hoe groot de kansen waren dat de internethausse op de beurs zou voortduren. Ze wisten dat het mijn gewoonte was geen interviews te geven, en toch vroegen sommigen Andrea om als tussenpersoon op te treden, in de veronderstelling dat zij als collega-journalist wel bereid zou zijn te helpen. En het enige wat Andrea wilde, was een bezoek aan het kuuroord. Tegen de tijd dat we Interlaken verlieten, had ze onze reis bij wijze van grapje al tot 'de minst romantische huwelijksreis uit de geschiedenis' verklaard.

En toen kwamen we in Venetië aan. Creatieve vernietiging mag dan nog zo onmisbaar zijn om ervoor te zorgen dat onze materiële levensstandaard verbetert, het is geen toeval dat sommige van de plekken die het meest

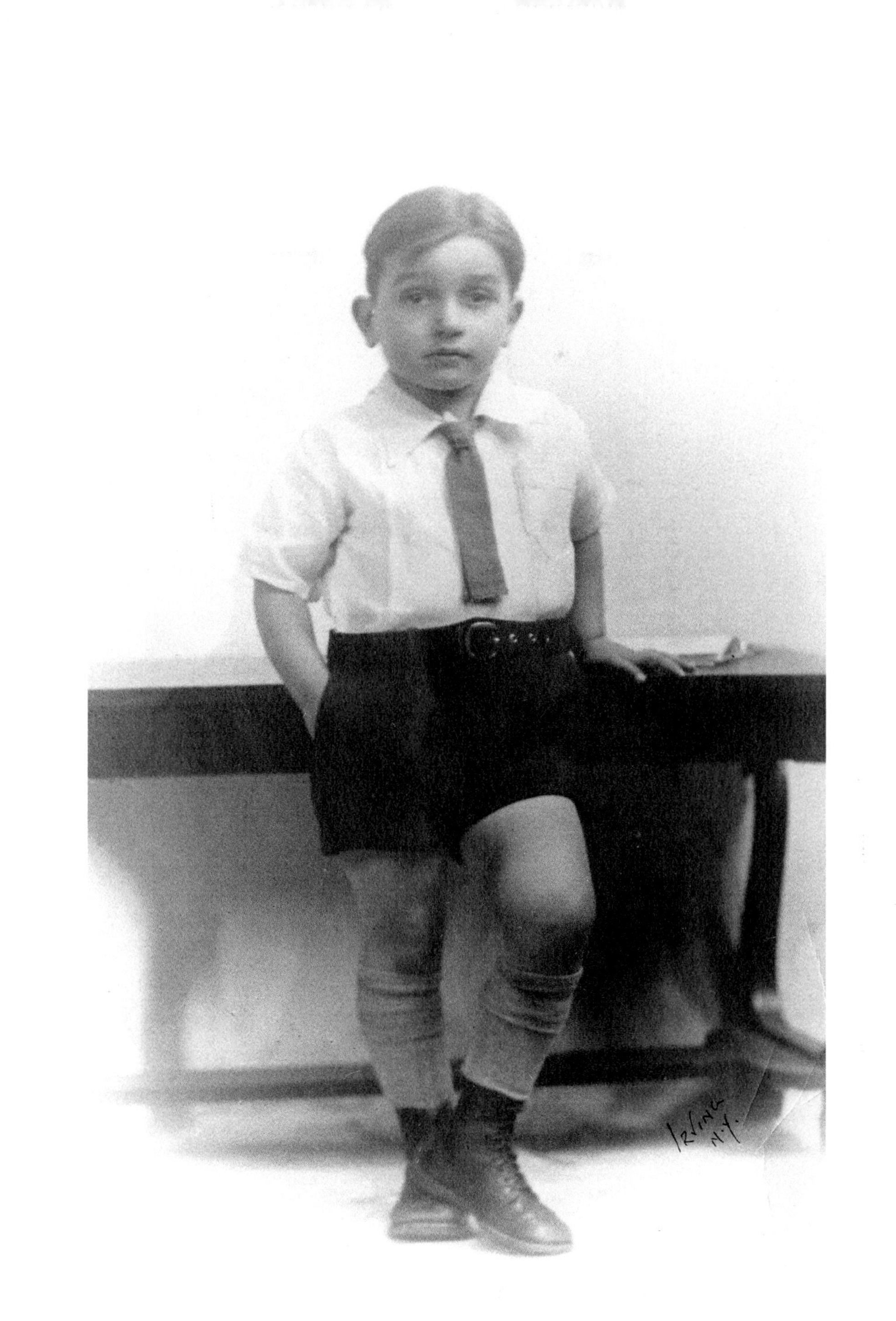

Op vijfjarige leeftijd, Washington Heights, New York, 1931.
Collectie Alan Greenspan

Met twee neven en een nichtje Greenspan, omstreeks 1934 (ik sta links).
Collectie Alan Greenspan

Zestien jaar oud, Hiawathameer, New Jersey.
Collectie Alan Greenspan

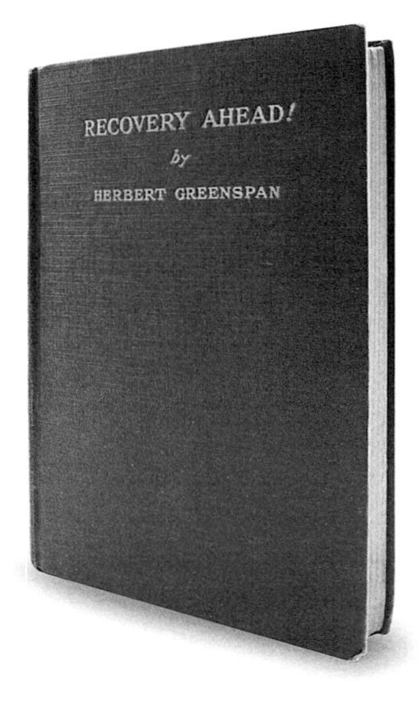

Mijn vader, die op Wall Street in aandelen handelde, verliet mijn moeder toen ik twee was. Toen ik negen was, gaf hij me een exemplaar van zijn boek *Recovery Ahead!*, waarin hij vol zelfvertrouwen het einde van de Depressie voorspelde, voorzien van de liefhebbende maar enigszins cryptische opdracht: 'Moge deze eerste prestatie van me, met jou voortdurend in mijn gedachten, uitmonden in een eindeloze reeks vergelijkbare prestaties zodat jij als je volwassen bent kunt omzien en een poging wagen om de redenaties achter deze logische prognoses te interpreteren en aan een eigen levenswerk kunt beginnen.'
Foto: Darren Haggar

Na een jaar studeren aan de Juilliard School toerde ik als begeleider rond met het dansorkest van Henry Jerome, waar ik saxofoon en klarinet speelde (ik zit helemaal links). Daarnaast vulde ik de belastingaangiften van de orkestleden in. *Met dank aan Henry Jerome*

Samen met mijn moeder, Rose Goldsmith, een moedige en levendige vrouw aan wie ik mijn liefde voor muziek te danken heb. *Collectie Alan Greenspan*

In 1950 verdiende ik als econoom inmiddels genoeg om te overwegen New York te verruilen voor de buitenwijken, iets wat ik iets meer dan een jaar later inderdaad deed. *Collectie Alan Greenspan*

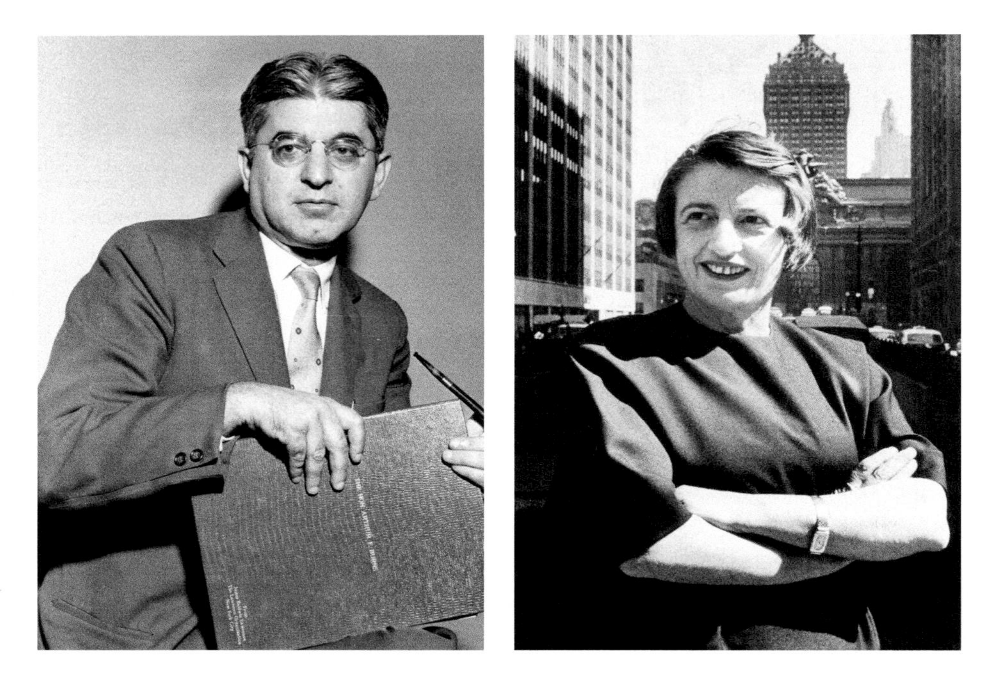

Van al mijn leraren hadden Arthur Burns en Ayn Rand de meeste invloed op mijn leven. De econoom Burns, die baanbrekend werk verrichtte op het gebied van conjunctuurcycli, was gedurende mijn eerste jaar postdoctorale studie aan Columbia mijn faculteitsadviseur en mentor, en jaren later wist hij me over te halen om mijn studie af te maken. Hij ging mij voor als hoofd van de Raad van Economische Adviseurs en als voorzitter van de Centrale Bank. Ayn Rand was degene die mijn intellectuele horizon verbreedde en me uitdaagde om verder te kijken dan de economie om het gedrag van individuen en gemeenschappen beter te begrijpen.
LINKS: *Bettmann/Corbis* RECHTS: *De* New York Times/*Getty Images*

Adam Smiths Verlichte ideeën over individueel initiatief en de kracht van de markt keerden in de jaren dertig terug uit de vergetelheid om vervolgens hun dominante plaats in de hedendaagse mondiale economie in te nemen. Smith (*linksboven*) is nog altijd een van degenen die intellectueel gezien de grootste invloed op me hebben gehad. Ik ben ook beïnvloed door de opvattingen van John Locke (*rechtsboven*), de grote Britse moraalfilosoof die fundamentele noties formuleerde omtrent leven, vrijheid en bezit, en de twintigste-eeuwse econoom Joseph Schumpeter wiens concept van de creatieve vernietiging de kern raakt van de rol die technologische veranderingen in een moderne kapitalistische maatschappij spelen.
LINKSBOVEN: *Bettmann/Corbis*; RECHTSBOVEN: *Hulton Archive/Getty Images*; RECHTSONDER: *Getty Images*

Bij mijn firma Townsend-Greenspan legde ik me toe op de zware industrie: textiel, mijnen, spoorwegen en met name staal. Omdat ik de ontwikkelingen in de staalindustrie goed volgde, was ik in een uitstekende positie om voor de recessie van 1958 te waarschuwen. Het was mijn eerste prognose omtrent de Amerikaanse economie als geheel.
Walter Daran/Time Life Pictures/Getty Images

Toen ik in 1974 voor het eerst een baan in Washington aannam, liet ik Townsend-Greenspan achter in de handen van vicepresidenten (*van links af*) Kathy Eichoff, Lucille Wu, en Bess Kaplan (*zittend*). Voormalig vicepresident Judith Mackey (*rechts*) kwam tijdelijk terug om bij te springen. Dat er bij Townsend-Greenspan vooral vrouwen werkten, was iets heel ongewoons in de wereld van de economie. The New York Times/*Redux*

Mijn rol in het openbare leven begon tijdens de verkiezingscampagne voor het presidentschap van Richard Nixon in 1968, als onbezoldigd lid van de campagnestaf. Ik was weliswaar onder de indruk van Nixons intelligentie, maar hij had een duistere kant die me dwarszat en ik besloot geen lid van de regering te worden. Bij deze vergadering in juli 1974 zit aan mijn linkerhand de medeoprichter van Hewlett-Packard, David Packard, die van 1969 tot 1974 minister van Defensie was. *Bettmann/Corbis*

Onder het toeziend oog van president Ford feliciteert mijn moeder me nadat ik ben beedigd als voorzitter van de Raad van Economische Adviseurs. Het land schudde nog op zijn grondvesten door de Watergate-affaire, de hoge olieprijzen en de inflatie, dus het was een uitermate spannend moment om een regeringsbaan aan te nemen. *Bettmann/Corbis*

Deze vergadering in april 1975 in het Oval Office over het economische beleid was net onderbroken door minister van Buitenlandse Zaken Henry Kissinger met de mededeling dat de Amerikanen uit Saigon werden geëvacueerd. *Van links naar rechts*: president Ford, plaatsvervangend stafchef Dick Cheney, ik, stafchef Donald Rumsfeld, vicepresident Nelson Rockefeller, en Kissinger. *David Hume Kennerly/The Gerald R. Ford Presidential Library*

De topfunctionarissen van het Witte Huis kwamen vaak tezamen op het kantoor van de stafchef om naar het avondnieuws te kijken en de gebeurtenissen van de dag door te nemen. Ik droeg mijn steentje bij vanaf het tapijt, waarop ik me vaak uitstrekte om mijn pijnlijke rug rust te gunnen. *David Hume Kennerly/The Gerald R. Ford Presidential Library/Getty Images*

Aan het werk in Camp David, *van links naar rechts*: minister van Financiën Bill Simon, perssecretaris Ron Nelson, president Ford, Dick Cheney, Donald Rumsfeld, en ik.
David Hume Kennerly/The Gerald R. Ford Presidential Library/Getty Images

Met president Ford in Palm Springs, 1980. Ford stond weliswaar bekend als iemand die lichamelijk onhandig was, maar hij was een geweldige golfer en had in het verleden in de All-American Football League gespeeld. *Foto: Neil Leifer*

Tijdens de campagne voor de presidentsverkiezingen in 1980 moest ik op deze vlucht Ronald Reagan bijpraten op het gebied van een lange lijst binnenlandse kwesties. Adviseur Martin Anderson, hier op de voorgrond, had mij ermee opgezadeld. 'Naar jou luistert hij wel,' zei hij. Maar het lukte me niet Reagan ervan te weerhouden voortdurend verhalen te vertellen. *Foto Michael Evans, met dank aan de Ronald Reagan Presidential Foundation.*

Tijdens de Republikeinse Conventie in juli 1980 probeerden Henry Kissinger en ik ex-president Ford over te halen Reagans running mate te worden. Uit enquêtes was gebleken dat Reagan en Ford samen een droomteam zouden vormen, maar na een spannende 24 uur liepen de onderhandelingen mis en ging de nominatie voor het vicepresidentschap naar George H.W. Bush. *David Hume Kennerly/Getty Images*

Eind jaren zeventig, begin jaren tachtig ontstonden er financiële problemen bij het sociale-verzekeringsstelsel, en zowel de Republikeinen als de Democraten beseften dat daar wat aan gedaan moest worden. Reagans hervormingscommissie, die ik voorzat, zag kans een compromis te bereiken. Toen Reagan in april 1983 in de Rose Garden zijn handtekening onder het wetsontwerp zette, gebeurde dat in gezelschap van de leiders van beide partijen, onder wie senator Bob Dole (op de foto links van mij), congreslid Claude Pepper (half verborgen), en voorzitter van het Huis van Afgevaardigden Tip O'Neill (degene die met de president praat). De karikatuur hieronder verscheen dat jaar in de financiële pers.
BOVEN: *AP Images/Thumma*; ONDER: *David Levine*

"All the News That's Fit to Print"

The New York Times

Late Edition

New York: Today, increasing clouds. High 62-67. Tonight, cloudy, breezy, showers likely. Low 51-57. Tomorrow, showers ending. High 58-63. Yesterday: High 68, low 48. Details on page B6.

VOL. CXXXVII . . . No. 47,298 — NEW YORK, TUESDAY, OCTOBER 20, 1987 — 30 CENTS

STOCKS PLUNGE 508 POINTS, A DROP OF 22.6%; 604 MILLION VOLUME NEARLY DOUBLES RECORD

U.S. Ships Shell Iran Installation In Gulf Reprisal

Offshore Target Termed a Base for Gunboats

By STEVEN V. ROBERTS

Special to The New York Times

WASHINGTON, Oct. 19 — United States naval forces struck back at Iran today for attacks on American-registered vessels and other Persian Gulf shipping by shelling two connected offshore platforms that American officials said were a base for Iranian gunboats.

A few hours later, a naval commando detachment boarded a third platform five miles away and destroyed radar and communications equipment, Pentagon officials said.

No American casualties were reported in the actions, which occurred 120 miles east of Bahrain at about 2 P.M. (7 A.M., Eastern daylight time).

A 20-Minute Warning

American officials said the attacking force took pains to avoid killing Iranians, giving the crew on the first two platforms a 20-minute warning before four destroyers, stationed about three miles away, began the shelling.

At the United Nations, an Iranian delegate said "several innocent people" had been killed in the attack, but the assertion could not be confirmed.

With the bombardment, the Administration intended to send a message to Iran: The United States had shown restraint in the level of its attack this time, but might respond with greater force if Iran continued "unprovoked attacks" on gulf shipping. [Military analysis, page A10.]

'Prudent Yet Restrained'

President Reagan issued a statement describing the actions as a "prudent yet restrained response." Defense Secretary Caspar W. Weinberger warned that "stronger countermeasures" would be taken if Iranian attacks continued.

Administration officials acknowledged that today's action was unlikely to halt the cycle of violence that has ensnared American forces in the gulf since 11 Kuwaiti tankers were placed under their protection this summer. "Nobody thinks that this will end it," Vice President Bush said today.

But the actions were necessary, Mr. Bush added, because American credibility was at stake in the region after a

Continued on Page A10, Column 1

A Huge Blow to the Five-Year Bull Market

The Dow Jones industrial average, which has been marching up since August 1982, began a dramatic fall last week that continued through yesterday when it closed at 1,738.74. Shown: Weekly close of the Dow.

Dow's Record Fall

Yesterday's close was down 22.6 percent from Friday's close.

WORLDWIDE IMPACT

Frenzied Trading Raises Fears of Recession — Tape 2 Hours Late

By LAWRENCE J. DE MARIA

Stock market prices plunged in a tumultuous wave of selling yesterday, giving Wall Street its worst day in history and raising fears of a recession.

The Dow Jones industrial average, considered a benchmark of the market's health, plummeted a record 508 points, to 1,738.74, based on preliminary calculations. That 22.6 percent decline was the worst since World War I and far greater than the 12.82 percent drop on Oct. 28, 1929, that along with the next day's 11.7 percent decline preceded the Great Depression.

Since hitting a record 2,722.42 on Aug. 25, the Dow has fallen almost 1,000 points, or 36 percent, putting the blue-chip indicator 157.5 points below the level at which it started the year. With Friday's plunge of 108.35 points, the Dow has fallen more than 26 percent in the last two sessions.

Unprecedented Trading

Yesterday's frenzied trading on the nation's stock exchanges lifted volume to unheard of levels. On the New York Stock Exchange, an estimated 604.3 million shares changed hands, almost double the previous record of 338.5 million shares set just last Friday.

With the tremendous volume, reports of brokers' trades on the New York Stock Exchange were delayed by more than two hours at one point. The New York Stock Exchange said that, as a result, it would not have definitive figures for the Dow's point decline and the exchange's volume until today.

Yesterday's big losers included International Business Machines, the bluest of the blue chips, which dropped $31, to $104. In August the stock was at $176. The other big losers among the blue chips were General Motors, which lost $13.875, to $52.125, and Exxon, which dropped $10.25, to $33.50.

More Than $1 Trillion Lost

According to Wilshire Associates, which tracks more than 5,000 stocks, the rout obliterated more than $500 billion in equity value from the nation's stock portfolios. That equity value now stands at $2.311 trillion. Since late summer, more than $1 trillion in stock values has been lost.

The losses were so great they sent shock waves to markets around the world, and many foreign exchanges posted record losses. In a sign of the continuing effect, the Tokyo Stock Exchange fell sharply today. The Nikkei Dow Jones average plummeted a record 3,395.95 yen, to 22,350.61, a drop of 13.2 percent, by late afternoon. Also, The Hong Kong exchange decided to close for the week.

In Washington yesterday, the White House spokesman, Marlin Fitzwater, issued a statement saying that President Reagan had "watched with concern" the stock market's collapse. But Mr. Reagan remained convinced that the economy was sound.

Economy Called Sound

Mr. Fitzwater said the President had directed Administration officials to contact leading financial experts. "Those consultations confirm our view that the underlying economy remains sound," he added.

Stock market analysts scrambled for explanations, which ranged from rising interest rates to the falling dollar to the possibility of war between the United States and Iran.

Indeed, the panic selling may have been bolstered by the news that the United States Navy destroyed an Iranian offshore oil platform in the central Persian Gulf yesterday, and Iran vowed retaliation.

But many experts seemed to think

Continued on Page D34, Column 1

Does 1987 Equal 1929?

By ERIC GELMAN

News Analysis

As stock prices soared this year, a chorus of pessimists warned that 1987 was looking more like 1929, when a stock market crash helped to usher in the Great Depression. Yesterday, after a plunge reminiscent of the worst days of 1929, one pressing question was whether the aftershocks would be as devastating to individuals and the nation.

The quick answer, many economists say, is no. The huge losses on Wall Street constitute a substantial blow to the economy at large. But there are many safeguards in place today — some instituted directly in response to the Depression — that would tend to prevent the cascading financial collapse that characterized the crash, impoverishing millions of Americans.

"A stock market crash doesn't ripple out into the economy with the same force" as it did in 1929, said Geoffrey H. Moore, director of the Center for International Business Cycle Research at Columbia University.

To be sure, there are some unsettling similarities between the current era and the pre-Depression years. Like the Roaring Twenties, the 1980's have seen an astonishing boom [illegible] Wall Street. Now as then, individual and corporate debt are high, and some sectors of the economy are extremely weak. Trade relations are stressed, with protectionist sentiment growing.

But today's economy is better equipped to handle financial shocks. "I don't see this decline in the stock market leading to a great breakdown in the economy," said Robert A. Kavesh, a professor of finance and economics at the New York University School of Business. "There are still many elements of strength in the economy —

Continued on Page D34, Column 5

Who Gets Hurt?

By ROBERT A. BENNETT

Unless the stock market bounces back quickly and substantially, most Americans are likely to be hurt by the dramatic decline in stock values — even those who do not own stock at all.

Although it is a long jump from a record stock market plunge to a second Great Depression, it is much more likely that the plunging market may shake the economy and lead to a distinct downturn.

The biggest threat may be the spread of worry and fear. If investors feel poorer and employees begin to worry about the fortunes of their employers, consumers may draw back from spending of all kinds. They will postpone [illegible] and put off buying [illegible].

Reluctant to Build Plants

Similarly, businesses, stunned by the decline in their shares' value and facing the prospect of curtailed consumer spending, will shy away from building new plants or buying new equipment. Universities, churches, hospitals and other nonprofit institutions will likewise see the value of their endowments shrink in value and are likely to brake their own spending.

And for all these diverse investors, the lower level of stock-market wealth will make it tougher to raise money by selling stock or borrowing against it.

"This affects even those who don't have direct investments in stocks," said Henry Kaufman, the chief economist of Salomon Brothers, a major

Continued on Page D34, Column 1

Two connected Iranian offshore platforms on fire after being shelled by American destroyers. A U.S. warship can be seen in the background.

Terrence J. McManus, a specialist with Spear, Leeds & Kellogg, on the floor of the New York Stock Exchange yesterday. Articles on Wall Street's day to remember and the sinking of investor hopes, page D1.

Goetz Given 6-Month Term on Gun Charge

Bernhard H. Goetz, who ignited a nationwide debate about self-defense when he shot four teen-agers on a Manhattan subway train, was sentenced yesterday to six months in jail for carrying an unlicensed concealed pistol.

Mr. Goetz, who was acquitted of charges of attempted murder and assault at his trial last June, was also sentenced to five years' probation and ordered to undergo psychiatric counseling. He could have received as much as seven years' imprisonment.

The judge, Acting Justice Stephen G. Crane, stayed the sentence pending an appeal by Mr. Goetz, who left the courtroom without making any comment to reporters.

Outside the courthouse, however, Mr. Goetz's lead lawyer, Barry I. Slotnick, said, "We think that he's being treated harsher as a result of the fact that he's Bernhard Goetz."

The case began Dec. 22, 1984, when Mr. Goetz shot the youths on a downtown IRT train with a .38-caliber revolver. From his surrender that month through his indictments, the long legal maneuvering and the trial, Mr. Goetz steadfastly insisted that he had shot the youths because they were about to rob him.

Article, page B1.

More About the Markets

Bonn and the United States agreed that the dollar should be stabilized near current levels. Disagreement on currency levels and interest rates had contributed to unrest in the markets. Page D1.

Small investors searched for news much of the day. Many held on to their stocks, as they tried to determine what really was happening in the stock market. Page D1.

Washington officials hesitated to offer investors immediate advice. The shouts of panic on Wall Street echoed only faintly in the corridors of the Reagan Administration. The White House maintained that the underlying economy remained sound. News analysis, page D32.

Investors bought U.S. securities in a search for a safe place to put their money. Some interest rates hovered just below 10 percent. Page D1.

Tokyo's stock market plummeted to record losses today and the Hong Kong market suspended trading for the week as Asian investors reacted in fright to the collapse on Wall Street. Page D1.

Business leaders were shaken by the collapse, which wiped out huge amounts of the market value of their companies. And they seemed to have been caught by surprise. But many leaders were confident the panic would pass. Page D32.

Overseas investors sold actively on Wall Street after years of having poured money into the bull market. Accounts of the volume of foreign selling varied widely. Page D4.

Wall Street firms are uncertain about the effect the historic drop could have on them, but some analysts fear that smaller and poorly capitalized firms may find rough going in the days ahead. Page D33.

Mutual funds sold stock shares in huge numbers, feeding the historic drop. Several mutual fund management companies said the number of phone calls from investors was about double the normal volume. Page D33.

New York City could be affected significantly because of its large number of securities industry employees. Some experts maintain that the city's economy has grown too reliant on Wall Street. Page D32.

Trading tested computers' ability to handle a volume of trading that had not been expected until the early 1990's. Page D34.

The dollar closed lower against leading currencies except the Canadian dollar. Analysts said trading was quiet as traders were preoccupied by the jarring news from the stock market. Gold was $480.50 an ounce, up $15.50 from Friday to reach its highest level in over four years. Page D26.

Democratic leaders called for talks with President Reagan on a deficit-reduction package that would include tax increases. Page D32.

In politics, two questions loomed: How badly were the Republicans' 1988 chances hurt? How were the Democrats' prospects helped? Political Memo. Page A30.

News Summary, Page A2

INSIDE

Turnaround on Schools

A week after adopting a year-round term, the Los Angeles Board of Education reversed itself. A new vote was set for March 1. Page A17.

Senator Stennis to Retire

John C. Stennis, Democrat of Mississippi, will leave the Senate at the end of this term, when he will have served more than 41 years. Page A16.

Martin Back With Yankees

The Yankees promoted Lou Piniella to the post of general manager and brought Billy Martin back for his fifth stint as manager. Page B7.

Op 2 juni 1987 kondigde president Reagan aan dat hij mij zou benoemen tot opvolger van Paul Volcker als voorzitter van de Centrale Bank. Stafchef Jim Baker (*rechts*) had me al maanden daarvoor over de baan gepeild. Nog maar tien weken na mijn beëdiging volgde mijn vuurdoop: de krach van 19 oktober 1987.

BOVEN: *Met dank aan de Ronald Reagan Library*; LINKS: © 1987 *New York Times Co. Met toestemming afgedrukt*.

De geschiedenis nam een verrassende wending toen de Berlijnse Muur in november 1989 viel. Maar waar ik nog veel meer van opkeek was de economische puinhoop die in de weken na de val van de muur aan het licht kwam. Toen de eerste minister van de Sovjet-Unie Gorbatsjov het voorjaar daarop zijn derde bezoek aan de Verenigde Staten bracht, was de Sovjet-Unie al aan het uiteenvallen. Hieronder staat hij afgebeeld met president George H.W. Bush en mij tijdens een staatsiediner in Washington op 31 mei 1990.
LINKS: *AP Images/John Gaps III*;
ONDER: *Met dank aan de George Bush Presidential Library.*

De gespannen verhouding tussen president George H. Bush en de Centrale Bank was overduidelijk tijdens deze bijeenkomst in juli 1991 in het Oval Office. Hij maakte er geen geheim van dat hij vond dat de Fed de rentetarieven niet voldoende had verlaagd. Hij benoemde me dat jaar opnieuw tot voorzitter van de Fed, maar later gaf hij mij er de schuld van dat hij de presidentsverkiezingen van 1992 had verloren.
Met dank aan de George Bush Presidential Library

De machtigste en gevoeligste besluitvormingsgroep binnen de Fed, de Federal Open Market Committee, in zitting in juni 2003. De commissie komt achtmaal per jaar samen.
Foto Federal Reserve – Britt Leckman

Ik had op mijn kantoor bij de Fed toegang tot een breed scala aan informatie, dankzij de technologie die de economische analyse bij de Fed ingijpend veranderde.
Diana Walker

Ik zorgde dat ik elke dag tijd vrijmaakte om in alle rust te kunnen studeren en nadenken.
Linda L. Creighton

aanbeden worden, nu juist in de loop van de eeuwen het minst veranderd zijn. Ik had deze stad nog nooit bezocht en net als talloze reizigers die me waren voorgegaan, raakte ik betoverd. We hadden ons voorgesteld gewoon spontaan rond te lopen en dingen te doen. En dat mag dan niet helemaal lukken met een stel beveiligingsmensen op je hielen, we kwamen er toch in de buurt. We aten op terrassen, winkelden en bezochten kerken en het oude joodse getto.

Eeuwenlang was de stadstaat Venetië het middelpunt van de wereldhandel geweest, en de verbinding tussen West-Europa en het Byzantijnse Rijk en de rest van de toen bekende wereld. Na de renaissance werden de handelsroutes naar de Atlantische Oceaan verplaatst en verloor Venetië zijn positie als zeevarende mogendheid. Nog de hele achttiende eeuw lang bleef het de elegantste stad van Europa, een centrum van de literatuur, de architectuur en de kunst. De beroemde zin uit *De koopman van Venetië*: 'Wat is het nieuws uit de Rialto?', die verwijst naar het commerciële hart van de stad, roept nog steeds een levendig, kosmopolitisch beeld op.

De hedendaagse Rialto ziet er tot op grote hoogte nog steeds zo uit als toen handelaren er hun zijden stoffen en specerijen uit de Oriënt uitlaadden. En hetzelfde geldt voor de schitterend beschilderde renaissancepaleizen, de Piazza San Marco en tientallen andere bezienswaardigheden. Als je de gemotoriseerde *vaporetti* even buiten beschouwing laat, zou je je net zo goed in de zeventiende of achttiende eeuw kunnen wanen.

Terwijl we langs de kanalen wandelden, kreeg de econoom die in mijn binnenste huist, uiteindelijk de overhand. Ik vroeg Andrea: 'Wat is de toegevoegde waarde die in deze stad wordt geproduceerd?'

'Je stelt de verkeerde vraag,' antwoordde ze in lachen uitbarstend.

'Maar deze stad is één groot museum. Denk je eens in wat het kost om dat te onderhouden.'

Andrea bleef stilstaan en keek me aan. 'Kijk nou maar hoe mooi het hier is.'

Natuurlijk had mijn vrouw gelijk. Maar door dat gesprek kreeg iets wat al maanden in mijn achterhoofd zat ineens vaste vorm.

Het drong tot me door dat Venetië het volmaakte tegendeel is van creatieve vernietiging. Het bestaat om een verleden in stand te houden en te eren en niet om een toekomst te scheppen. Maar dat was ook precies waar het om draaide, besefte ik. Deze stad voorziet in een diep gevoelde menselijke behoefte aan stabiliteit en bestendigheid, en aan de behoefte aan schoonheid en romantiek. De populariteit van Venetië staat voor een conflict in de menselijke aard: de botsing tussen de behoefte om materiële welvaart te vergroten en de behoefte om verandering en de bijbehorende spanningen te vermijden.

De materiële levensstandaard wordt in Amerika voortdurend beter, en toch zorgt de dynamiek van diezelfde economie ervoor dat honderdduizenden mensen wekelijks onvrijwillig op straat komen te staan. Het is geen wonder dat de roep om bescherming tegen de effecten van de concurrentiestrijd steeds luider wordt en het verlangen naar een trager en eenvoudiger bestaan toeneemt. Niets brengt zo veel onrust als die voortdurende storm van creatieve vernietiging. Silicon Valley is ongetwijfeld een spannende plek om te werken, maar ik neem aan dat het als bestemming voor pasgehuwden tot nu toe niet hoog op de lijst staat.

De avond daarop gingen Andrea en ik naar een celloconcert van Vivaldi dat op barokinstrumenten werd gespeeld. De Venetiaan Antonio Vivaldi was beroemd om de vernieuwende manier waarop hij in zijn muziek een welluidende, ritmische formaliteit wist te combineren met vrolijke helderheid. Zijn melodieën zweefden door de ruimte om ons heen als een opwindende aanvulling op de sombere luister van de oude kerk met haar schaduwen, rondingen en dikke stenen die de vochtigheid van de kanalen leken uit te wasemen. Ik heb Vivaldi's muziek wel eens beter horen spelen, maar nog nooit heb ik er zo van genoten.

9

MILLENNIUMKOORTS

Eind jaren negentig was de economie zo sterk dat ik 's ochtends na het opstaan voor de spiegel ging staan en tegen mezelf zei: 'Denk eraan, dit is tijdelijk. Zo gaat het normaal gesproken niet toe op de wereld.'

Ik vond het heerlijk om te zien hoe de economie bloeide en met de onbekende nieuwe uitdagingen geconfronteerd te worden die daarmee gepaard gingen. Neem bijvoorbeeld het ontstaan van het federale begrotingsoverschot. Dit wonderbaarlijke verschijnsel manifesteerde zich voor het eerst in 1998, na een reeks van vijf opeenvolgende jaren waarin het tekort gestaag was afgenomen na de piek van bijna driehonderd miljard dollar in het fiscale jaar 1992. Het overschot was afkomstig van factoren waarvan we dachten dat we ze begrepen: fiscaal conservatisme en economische groei. Maar de omvang van de verandering ging daar ver bovenuit. Niemand bij de Fed of elders voorzag het grootste overschot (in verhouding tot het BBP) sinds 1948 dat zich in het fiscale jaar 2000 zou openbaren.

Uit de geschiedenis wisten we dat dit soort economische bloei niet eeuwig kan aanhouden. En toch duurde deze langer dan ik ooit voor mogelijk had gehouden. Eind jaren negentig groeide de economie met een tempo van ruim 4 procent per jaar. Dat viel te vertalen in zo'n vierhonderd miljard dollar aan welvaart (oftewel de complete omvang van de economie in de voormalige Sovjet-Unie) die jaarlijks aan de Amerikaanse economie werd toegevoegd.

En vrijwel elk huishouden profiteerde daarvan. Gene Sperling, de economisch adviseur van Clinton, vestigde graag de aandacht op de omvang van het sociale effect: tussen 1993 en 2000 nam het reële jaarinkomen van het gemiddelde Amerikaanse gezin met achtduizend dollar toe.

Deze economische groei deed de nationale ziel bepaald geen kwaad en veranderde de manier waarop we tegen onze eigen positie in de wereld aankeken. Vanaf de jaren tachtig tot in de jaren negentig hadden de Amerikanen een periode van angst en depressie doorgemaakt. Mensen waren bang dat we terrein verloren aan Duitsland, aan Europa dat zich inmiddels aan het verenigen was, en aan Japan. Larry Summers zei over deze economische rivalen: 'Ze waren meer op investeren en produceren gericht, hadden minder advocaten, meer onderzoekers en meer zelfdiscipline dan wij.'

In de jaren tachtig leken met name de reusachtige Japanse *zaibatsu* of conglomeraten een ernstige bedreiging te vormen: zij hadden Amerika verdrongen als leverancier van staal en fabrieksapparatuur, onze auto-industrie in het defensief gedrongen en ons zodanig overstroomd met consumentenelektronica dat zelfs de televisies waar we zo afhankelijk van waren geworden voor onze nieuwsvoorziening, van Sony, Panasonic of Hitachi afkomstig waren. Sinds de Spoetnik had Amerika zich niet meer zo angstaanjagend in het nadeel gevoeld. Zelfs het eind van de Koude Oorlog nam deze somberheid niet weg: die reusachtige oorlogsmacht van ons deed opeens erg overbodig aan, en internationale status werd nu afgemeten aan economische slagvaardigheid.

Maar toen kwam de technologiehausse en werd alles anders. De informele, ondernemingslustige 'wie niet waagt die niet wint'-cultuur die in Amerika heerste, riep wereldwijd afgunst op. Amerikaanse informatietechnologie overspoelde de wereldmarkt, evenals allerlei innovaties, van de *lattes* van Starbucks tot kredietderivaten. Van heinde en verre kwamen buitenlandse studenten naar Amerikaanse universiteiten. De veranderingen die de Verenigde Staten hadden ondernomen om hun economie te moderniseren – twee decennia van pijnlijke dereguleringen, bezuinigingen en het verlagen van handelsbarrières –, begonnen nu vruchten af te werpen. Terwijl Europa en Japan in een economisch dal terechtkwamen, ging het Amerika voor de wind.

Dat federale begrotingsoverschot was een verbijsterende ontwikkeling. 'We moeten allemaal terug naar de spreadsheets voor een nieuwe belastingvoorspelling,' zei een topfunctionaris van de Fed in New York in mei 1997 tegen de FOMC, toen er een rapport was uitgekomen waaruit bleek dat de ontvangsten van het ministerie van Financiën vijftig miljard boven de prognoses uitkwamen. De economen van het begrotingskantoor van het Congres en de Fed hadden stuk voor stuk geen idee hoe dat zat. De economie draaide weliswaar als een lier, maar niet goed genoeg om zo'n reusachtige toename aan belastinginkomsten te rechtvaardigen. We hadden het vermoeden dat we met een beurseffect te maken hadden en ik drong er bij de staf van de Fed op aan zo snel mogelijk het effect van aandelenopties en koerswinsten op het belastbaar inkomen van huishoudens uit te werken. Natuurlijk vormden opties een belangrijk middel voor technologiebedrijven om werknemers aan te trekken en vast te houden; ze werden inmiddels zelfs aan secretaresses en administratief personeel uitgedeeld. Het was bijzonder lastig deze nieuwe bron van vermogen nauwkeurig te meten. Jaren later bleek deze theorie te kloppen, maar op het moment zelf zat er voor economen niets anders op dan te bevestigen dat dit inderdaad het geval kon zijn. Het begrotingstekort voor 1997 slonk tot net aan 22 miljard dollar, wat statistisch gezien in de context van een federale begroting van 1600 miljard en een BBP van tienduizend miljard verwaarloosbaar was.

Bijna van de ene op de andere dag kreeg de regering te maken met een begrotingsoverschot dat haast net zo snel toenam als het tekort was geslonken. President Clinton had nog maar nauwelijks iets gezegd over de mogelijkheid dat de federale begroting in 1998 misschien wel in balans zou zijn, of zijn economen moesten snel plannen gaan maken over wat er met het overschot moest gebeuren. Dit was weliswaar een alleraardigst probleem, maar zoals alles wat betrekking heeft op budgettaire aangelegenheden, moet ook een succes gestuurd worden. En dat geldt bij uitstek in Washington, waar politici altijd wel voor twintig miljard dollar aan bestedingen kunnen bedenken zodra ze ergens één miljard ontdekken. En het zag ernaar uit dat het overschot waarlijk mythische vormen zou aannemen: volgens de ramingen van het begrotingskantoor van het Congres zou het in tien jaar 660 miljard dollar kunnen belopen.[1]

Zodra het nieuws bekend werd, eisten beide partijen de eer op. Het Republikeinse Congreslid John Boehner van Ohio verklaarde: 'Dankzij het Republikeinse begrotingsbeleid met zijn nadruk op beheerste bestedingen, minder overheidsbemoeienis en belastingverlagingen kampt dit land in drie jaar tijd niet meer met een tekort maar met een overschot.' President Clinton kondigde het overschot formeel aan tijdens een speciale ceremonie op het Witte Huis waarbij Democratische leiders aanwezig waren maar Republikeinen werden geweerd. De president bracht zijn gehoor in herinnering dat niet één Republikein in 1993 voor zijn strenge begroting had gestemd, waaraan hij toevoegde: 'Als ze dat wel hadden gedaan, hadden ze er vandaag bij mogen zijn.'

Uiteraard was er heftige onenigheid over wat er met de extra inkomsten moest gebeuren. Progressieve Democraten wilden het geld besteden aan sociale programma's die volgens hen al jaren te kort waren gekomen; conservatieve Republikeinen stelden voor het overschot in de vorm van belastingverlagingen 'terug te geven'. Bill Archer, de Republikeinse voorzitter uit Texas van de Belastingcommissie van het Huis van Afgevaardigden met wie ik goed bevriend was, verdiende de prijs voor de grappigste opmerking in de hele discussie: 'Vanwege de torenhoge belastingen,' verklaarde hij ironisch, 'rijst het overschot de pan uit.'

Intussen vonden fiscale conservatieven als Bob Rubin en ik dat belastingverlagingen noch nieuwe bestedingen verstandig waren. Naar ons idee moest het overschot gebruikt worden om de overheidsschuld aan de bevolking af te betalen. Die beliep inmiddels 3700 miljard dollar, het gevolg van een kwarteeuw bestedingen bij een begrotingstekort (het laatste jaar dat er sprake was geweest van een begrotingsoverschot was 1969).

Ik was te lang bij de hervormingen van de socialezekerheidswetgeving betrokken geweest om niet te beseffen dat uitkeringsinstanties en Medicare binnen niet al te lange tijd voor aanspraken zouden komen te staan die in de honderden miljarden liepen, naarmate de kinderen uit de geboortegolf van kort na de Tweede Wereldoorlog steeds ouder werden. En er was geen manier te bedenken om in het voren aan die verplichtingen te voldoen. De beste oplossing was die schuld af te betalen en daarmee extra besparingen te creëren, die op hun beurt de productiecapaciteit van het land en de federale inkomsten zouden vergroten zonder de belastingen te verhogen tegen de tijd dat de geboortegolvers met pensioen gingen.

Het afbetalen van die schuld had nog een ander voordeel: het was de eenvoudigste optie. Zolang het Congres niet met wetgeving komt om het geld op een andere manier te besteden, brengen alle overschotten die in de schatkist vloeien, de staatsschuld automatisch omlaag. Op voorwaarde dat het Congres zijn grijpgrage vingers kon thuishouden. Iets diplomatieker formuleerde ik het tegenover de Begrotingscommissie van de Senaat door te stellen dat de nationale schuld inmiddels zo hoog was opgelopen dat de overheid er nog jarenlang een eind aan weg kon snoeien. 'Ik kan niets bedenken waarom het de economie zou schaden als je die overschotten een tijd ongemoeid laat voordat je er iets mee doet,' zei ik. 'Laten we nu eens niet tegen die overschotten aankijken alsof ze een bedreiging voor de economie vormen. Dat zijn ze namelijk beslist niet.'[2] Ik moest toegeven dat het terugbetalen van schulden nogal een ondergeschoven kindje is in vergelijking met belastingverlagingen en het opvoeren van de bestedingen. Ik vroeg me af of Clinton wel in staat zou zijn zich aan het conservatieve fiscale beleid te houden dat zijn eerste ambtstermijn had gekenmerkt, als hij dat al wilde.

Ik speelde geen rol bij het bedenken van een mogelijke aanpak, maar ik had wel bewondering voor de oplossing die Clinton en zijn beleidsmakers aandroegen. Ze hadden de vinger gelegd op het enige argument om het geld van tafel te halen waar niets op af te dingen viel: ze hingen het begrotingsoverschot op aan de sociale zekerheid. Hij stak zijn verkooppraatje af tijdens de State of the Union-rede van 1998:

Wat gaan we met dat verwachte overschot doen? Ik heb een eenvoudig antwoord van vier woorden: eerst het socialezekerheidsstelsel redden. Ik stel voor om 100 procent van het overschot apart te zetten (en dat wil zeggen elke cent van elk overschot) tot we alle benodigde maatregelen hebben getroffen om het socialezekerheidsstelsel voor de eenentwintigste eeuw veilig te stellen.

Al snel werd duidelijk dat Clinton van plan was het leeuwendeel van een overschot opzij te zetten om de staatsschuld af te betalen. Ik was er erg van onder de indruk dat Clinton op deze manier voor een groot deel de discussie had weten te vermijden die ongetwijfeld was ontstaan als hij zich enkel en alleen op het reduceren van de staatsschuld had geconcentreerd. 'Ik sta er echt van te kijken,' zei ik tegen Gene Sperling. 'Jullie hebben een manier gevonden om het terugdringen van de staatsschuld politiek aantrekkelijk te maken.'

De jaren daarop bleven de begrotingsoverschotten toenemen – van zeventig miljard in 1998 tot 124 miljard in 1999 en 237 miljard in 2000 – en keer op keer zag ik hoe het Congres het geld probeerde binnen te halen. In de zomer van 1999 dienden de Republikeinen een plan in om de belastingen in de loop van tien jaar met bijna achthonderd miljard terug te schroeven, en de Senaatscommissie voor Bankzaken riep mij op te komen getuigen over de vraag of dit plan op de lange termijn economisch gezien zinvol was. Ik moest hun voorhouden dat dit niet het geval was, of in elk geval nog niet op dat moment. 'Het is waarschijnlijk een beter idee om voorlopig af te zien van belastingverlagingen,' zei ik, 'vooral omdat de overschotten een gunstig effect op de economie blijken te hebben.' En ik had nog twee argumenten, voegde ik eraan toe. Om te beginnen beliepen de prognoses van deze overschotten voor de tien jaar daarop weliswaar wel zo'n drieduizend miljard, maar vanwege de onzekerheden over de economie waren die reusachtige cijfers ook weer twijfelachtig. 'Voor hetzelfde geld slaan ze zo weer in het tegendeel om,' zei ik. En ten tweede stond de economie er al zo florissant voor, dat een extra stimulans in de vorm van een grote belastingverlaging er wellicht voor zou zorgen dat ze oververhit raakte. Daar stond tegenover dat ik geen bezwaar kon bedenken tegen het uitstellen van zo'n belastingverlaging.

Deze opmerkingen haalden wel de kranten, maar het Congres liet zich er niet door weerhouden het wetsvoorstel in te dienen. Het werd een week later aangenomen om vervolgens door de president te worden tegengehouden. 'Op een moment dat Amerika de goede kant op gaat, zou dit wetsvoorstel een terugkeer betekenen naar mislukt beleid uit het verleden,' zei hij bij de ondertekening van zijn veto in de Rose Garden.

De ouderwetse houding van president Clinton ten opzichte van schulden had wellicht een langduriger effect kunnen hebben op de prioriteiten van ons land. Maar helaas werd zijn invloed ondermijnd door het tumult rond Monica Lewinski, wier naam een paar dagen voordat hij met zijn aanpak van het begrotingsoverschot kwam, in de pers begon rond te zingen. Het schandaal zwol aan en er verschenen steeds meer details in de pers omtrent hun vermeende ontmoetingen, maar ik kon het eenvoudig niet geloven. 'Die verhalen kunnen gewoon niet waar zijn,' zei ik tegen mijn vrienden. 'Ik ben in dat stuk van het Witte Huis geweest tussen de Oval Office en de privé-eetkamer. Daar lopen voortdurend mensen van de staf en de geheime dienst in en uit. Het is onmogelijk.' Toen later bleek dat de verhalen wel waar waren, vroeg ik me af hoe de president zulke risico's had durven nemen. Het klopte voor mijn gevoel totaal niet met de Bill Clinton die ik kende en het stemde me erg teleurgesteld en treurig. Bovendien had het een dramatisch effect: dat zag je al aan een stel krantenkoppen die op de webpagina van CNN naast elkaar stonden: 'Lewinsky zal handschrift en vingerafdrukken leveren' en: 'Clinton kondigt verwacht begrotingsoverschot van 39 miljard dollar aan'.

Terwijl Amerika een hoogconjunctuur beleefde, schudde de rest van de wereld op haar grondvesten. In het kielzog van het einde van de Koude Oorlog en de ondergang van een groot deel van de planeconomieën waren veel ontwikkelingslanden op zoek naar mogelijkheden om buitenlandse investeringen aan te trekken door hun wetgeving omtrent eigendomsrechten te verbeteren en grotere delen van hun economie te ontsluiten. Maar als onderdeel van deze initiatieven begon zich een zorgelijk patroon af te tekenen: Amerikaanse investeerders die rijk geworden waren aan onze economische bloei, stortten zich in hun behoefte aan belangenspreiding op onbekende opkomende markten. Grote banken deden mee, op zoek naar hogere opbrengsten voor hun leningen dan ze in de Verenigde Staten konden krijgen, waar de rentetarieven inmiddels in de buurt van een historisch dieptepunt kwamen. Om zulk kapitaal aan te trekken en de handel te bevorderen, koppelden sommige ontwikkelingslanden hun valuta aan de dollar met een vaste wisselkoers. Op die manier konden Amerikaanse en andere investeerders het gevoel hebben dat ze op zijn minst enige tijd tegen koersrisico's waren ingedekt. De leners van deze dollars wisselden die vervolgens om in de plaatselijke munt en leenden het geld tegen de geldende hoge rentes in ontwikkelingslanden uit. Daarbij gokten ze erop dat ze, zodra zo'n lening werd terugbetaald, in staat zouden zijn het geld tegen de vaste wisselkoers terug te wisselen in dollars en hun eigen leningen zonder koersverlies zouden kunnen terugbetalen. Toen slimme marktspelers die niet in sprookjes geloofden in de gaten kregen dat die vaste wisselkoers maar voor een beperkte periode kon worden aangehouden en hun plaatselijke valuta voor dollars begonnen te verkopen, was het hek van de dam. Centrale banken die hun vaste dollarkoers probeerden aan te houden, raakten al snel door hun dollarreserves heen.

Deze gebeurtenissen veroorzaakten de zogenaamde Aziëcrisis, een reeks financiële crises die in de zomer van 1997 een aanvang nam met de instorting van de Thaise bath en de Maleisische ringgit en uitgroeide tot een ware bedreiging van de wereldeconomie. Bijna onmiddellijk sloeg in Thailand en Maleisië de recessie toe. Ook de economie in Hongkong, de Filippijnen en Singapore werd zwaar getroffen. In Indonesië met zijn tweehonderd miljoen inwoners kelderde de roepie, de beurs zakte in en de economische chaos die daarvan het gevolg was, leidde tot voedseloproeren, wijdverbreide ellende en uiteindelijk tot de val van president Soeharto.

Net als tijdens de crisis in Mexico twee jaar daarvoor bood het Internationaal Monetair Fonds financiële steun. Bob Rubin, Larry Summers en het departement van Financiën waren opnieuw degenen die het initiatief namen tot het antwoord van de Verenigde Staten; en zoals gewoonlijk speelde de Fed hoofdzakelijk een adviserende rol. Pas in november raakte ik er meer bij betrokken omdat toen een topfunctionaris bij de Bank of Japan de Fed belde om ons te waarschuwen dat Zuid-Korea het volgende slachtoffer zou worden. 'De dam is aan het doorbreken,' zei de functionaris en hij legde uit dat de Japanse banken hun vertrouwen in Korea waren kwijtgeraakt en op het punt stonden dollarleningen van tientallen miljarden niet meer te verlengen.

Dit was een geweldige schok. Zuid-Korea stond symbool voor de opmerkelijke groei van Azië en was inmiddels de op tien na grootste economie van de wereld, tweemaal zo groot als die van Rusland en groter dan die van Argentinië en Taiwan. Het ging zo goed met Korea dat het al niet meer als een ontwikkelingsland werd beschouwd maar door de Wereldbank inmiddels tot de industrielanden werd gerekend. Marktanalisten wisten wel degelijk dat er de laatste tijd problemen waren geweest, maar dat nam niet weg dat alles erop wees dat de economie nog steeds gestaag aan het groeien was. De centrale bank van Korea had zelfs een dollarreserve van vijfentwintig miljard, wat naar ons idee een behoorlijke bescherming was tegen de Aziëcrisis.

Wat we niet wisten maar al snel zouden ontdekken, was dat de overheid vreemde toeren had uitgehaald met die reserves. Men had het grootste deel van die dollars stilletjes aan Zuid-Koreaanse handelsbanken verkocht of geleend, die ze op hun beurt hadden gebruikt om slechte leningen op te vangen. Dus toen een van onze gerenommeerdste internationale economen, Charlie Siegman, in het weekeinde van Thanksgiving een Koreaanse centrale bankier belde en vroeg: 'Waarom geven jullie niet wat meer van jullie reserves uit?', antwoordde de man: 'Die hebben we niet.' De bedragen die ze als reserves hadden gepubliceerd waren al toegezegd.

Het kostte weken voordat deze chaos was ontrafeld. Rubins taakgroepen waren vrijwel klokje rond aan het werk en het IMF stelde een pakket financiële steunmaatregelen van 55 miljard dollar samen: de omvangrijkste financiële reddingsoperatie die ze ooit hadden verricht. Een vereiste was wel dat de nieuwe president van Korea, Kim Dae Jung, zijn medewerking zou verlenen. Diens eerste grote beslissing betrof dan ook het vaste voornemen strikte economische hervormingen door te voeren. Intussen was het aan het ministerie van Financiën en de Fed om te proberen de grootste banken van de wereld over te halen hun leningen aan Korea niet stop te zetten. Al die initiatieven leverden zo'n beetje tegelijkertijd resultaat op, wat voor Bob later aanleiding was om op te merken: 'We hebben vast een of ander record gebroken voor het wakker schudden van een massa ministers van Financiën en centrale bankiers.'

Het risico van zo'n omvangrijke reddingsoperatie is altijd dat het een ongewenst precedent schept: hoe vaak zouden investeerders nog geld steken in bereidwillige maar wankele economieën omdat ze er toch op rekenden dat het IMF hen wel uit de brand zou helpen als ze in al te grote problemen kwamen? Dit was een variant op wat men in de verzekeringsbranche het 'moral hazard' noemt van het risicovol in bescherming nemen van individuen. De theorie luidt dat hoe groter het veiligheidsnet is, hoe groter de roekeloosheid zal zijn waarmee mensen, bedrijven of overheden geneigd zijn zich te gedragen.

En toch zouden de gevolgen waarschijnlijk ernstiger, en misschien zelfs veel ernstiger zijn geweest als men had toegestaan dat Korea niet meer aan zijn verplichtingen kon voldoen. Bij een land met een omvang als dat van Korea had dat vrijwel zeker de wereldmarkten op hun kop gezet. Naar alle waarschijnlijkheid waren grote banken in Japan en elders ten onder gegaan, waarmee het hele stelsel nog eens extra aan het wankelen zou worden gebracht. Diep geschokte investeerders hadden zich dan niet alleen uit Oost-Azië maar ook uit Latijns-Amerika en andere opkomende regio's teruggetrokken waardoor hun ontwikkeling tot staan zou zijn gekomen. Het was in de industrielanden beslist ook moeilijker geworden om kredieten af te sluiten. En dan laten we nog even het militaire risico buiten beschouwing dat is voorbehouden aan de unieke situatie van Zuid-Korea. Bob Rubin en Larry Summers verdienen alleen al vanwege hun aanpak van deze crisis een plaatsje in de eregalerij van ministers van Financiën.

In de Verenigde Staten ging de bloei intussen rustig door naarmate internet steeds meer een onlosmakelijk deel van het dagelijks bestaan werd. De computer werd al even onmisbaar in het huishouden als de telefoon, de koelkast en de televisie. Het werd een manier om op de hoogte te blijven van het nieuws: in de zomer van 1997 gingen miljoenen mensen internet op om oogverblindende foto's te zien die afkomstig waren van *Pathfinder*, de eerste Amerikaanse ruimtesonde in twintig jaar die een geslaagde landing op Mars maakte. Het werd ook een manier om inkopen te doen: in 1998 deed de e-commerce grootscheeps haar intrede. Vooral omstreeks de feestdagen stroomden massa's mensen af op webpagina's als Amazon, eToys en eBay.

Maar de Aziëcrisis was nog niet uitgewoed. Het grimmige scenario dat ons tijdens de Koreacrisis voor ogen had gestaan, dreigde acht maanden later een halfrond bij ons vandaan werkelijkheid te worden: in augustus 1998 kon Rusland een enorme dollarschuld niet aflossen.

Net als in Azië was de crisis in Rusland het resultaat van een gevaarlijk samenspel van al te enthousiaste buitenlandse investeerders en onverantwoordelijk binnenlands beleid. Wat de zaak in gang zette, was het kelderen van de olieprijs, die uiteindelijk nog maar elf dollar per vat opbracht, het laagste niveau in vijfentwintig jaar, omdat de economische gevolgen van de crises in Azië wereldwijd de vraag deed afnemen. En aangezien olie het belangrijkste exportproduct van Rusland was, betekende dit grote problemen voor het Kremlin: plotseling kon Rusland de rente over zijn schulden niet meer betalen.

Ik was zeven jaar daarvoor, aan de vooravond van het uiteenvallen van de Sovjet-Unie, in Moskou geweest, en de hoge verwachtingen van de economische hervormers en de grauwe ellende op straat stonden me nog helder voor de geest. Intussen waren de omstandigheden er zeker niet beter op geworden. In het vacuüm dat ontstaan was na het instorten van de planeconomie, hadden de economen van Boris Jeltsin vruchteloos geprobeerd betrouwbare markten te scheppen voor voedsel, kleren en andere eerste levensbehoeften. Gezinnen en bedrijven wisten zich grotendeels te redden dankzij het grijze circuit, met als gevolg dat de overheid niet eens de belastingen kon innen die ze nodig had om basisdiensten te leveren en haar schulden af te betalen. Grote delen van de natuurlijke hulpbronnen en rijkdom van het land vielen inmiddels onder het beheer van oligarchen, en de inflatie rees bij tijd en wijle de pan uit, waardoor tientallen miljoenen Russen die toch al van een beperkt inkomen moesten rondkomen, nog dieper in de ellende raakten. De overheid had merkwaardig genoeg nagelaten om zoiets als eigendomsrechten en wetshandhaving te regelen of men had er eenvoudig de noodzaak niet van ingezien.

De crisis verergerde, en opnieuw stond het IMF klaar om bij te springen: in juli werd een pakket van 23 miljard dollar aan steun aangekondigd. Maar zodra Rusland de eerste betalingen had ontvangen, maakte het parlement duidelijk dat men niet van plan was zich te houden aan de gebruikelijke voorwaarden van het IMF als beter begrotingsbeleid en economische hervormingen. Die dwarse houding was voor het IMF reden tot de slotsom te komen dat ze alleen maar geld zouden weggooien als ze de rest van de hulpgelden stuurden: daarmee zou het onvermijdelijke moment waarop ze niet meer aan hun verplichtingen konden voldoen, slechts worden uitgesteld en vermoedelijk alleen maar ernstiger worden. Halverwege augustus was de Russische centrale bank door haar reserves aan buitenlandse valuta heen. Verwoede pogingen van de diplomatie om nog iets te redden, mislukten en op 26 augustus onttrok de centrale bank haar steun aan de roebel. De wisselkoers daalde van de ene dag op de andere met 38 procent. Het pakket steungelden van het IMF werd ingetrokken.

Toen het eenmaal zo ver was dat Rusland niet meer aan zijn verplichtingen kon voldoen, kwam de klap keihard aan bij investeerders en banken die ondanks de overduidelijke risico's geld in Rusland hadden gestoken. Velen waren ervan uitgegaan dat het Westen de gevallen supermacht altijd weer op de been zou helpen, al was het maar omdat Rusland 'veel te nucleair was om te mislukken'. Maar die investeerders hadden fout gegokt. De Verenigde Staten en hun bondgenoten hadden in alle stilte met succes Jeltsin en zijn regering geholpen de kernkoppen achter slot en grendel te houden; de Russen bleken veel beter te zijn in het onder controle houden van een wapenarsenaal dan in het runnen van een economie. Dus besloten president Clinton en andere leiders na rijp beraad dat het terugtrekken van het IMF het nucleaire risico niet vergrootte en ze keurden de beslissing van het fonds om de hulp stop te zetten goed. We hielden collectief de adem in.

De schokgolf die van Ruslands financiële debacle uitging, trof Wall Street heel wat harder dan de Aziatische crises hadden gedaan. In de loop van de laatste vier handelsdagen van augustus alleen al daalde de Dow Jones met ruim 1000 punten, een verlies van 12 procent. De obligatiemarkten reageerden nog heftiger nu investeerders hun toevlucht zochten bij veilige staatsobligaties. Ook banken schortten nieuwe leningen op en verhoogden de rentetarieven op handelsleningen.

En achter al die tekenen van onzekerheid ging de toenemende angst schuil dat de Amerikaanse hoogconjunctuur na zeven vette jaren haar einde naderde. Dat bleek een voorbarige angst te zijn. Toen we de Russische crisis hadden verwerkt, duurde de hausse nog zo'n twee jaar voort, tot eind 2000, toen de conjunctuurscyclus uiteindelijk van richting veranderde. Maar ik zag wel wat de gevaren waren en was ervan overtuigd dat we daar wat aan moesten doen.

Begin september had ik een afspraak die al een hele tijd in de pen zat om aan de universiteit van Californië in Berkeley een gehoor van bedrijfskundigen toe te spreken. Ik was van plan geweest over technologie en economie te praten en daarbij onderwerpen als productiviteit, innovatie, opwaartse spiralen en dergelijke aan te snijden. Maar toen de afgesproken datum naderde, kwam ik tot de slotsom dat ik me niet tot de nationale economie kon beperken. Zeker niet na wat er net in Rusland was gebeurd. Amerika zat niet met het probleem dat de fut uit zijn economie was. Het zat 'm in de onevenwichtigheden die veroorzaakt werden door de technologische revolutie en de snel globaliserende markten die de financiële stelsels van de wereld onder druk zetten.

Ik roerde in mijn praatje het effect aan van de opschudding die in het buitenland was ontstaan. Tot nu toe was het enige effect geweest dat de prijzen laag bleven en de vraag naar Amerikaanse producten stagneerde. Maar ik waarschuwde dat als de ontregeling in het buitenland zou verergeren, onze financiële markten daar zeker de gevolgen van zouden ondervinden, waardoor het effect ernstiger zou worden. En dat maakte het toekomstbeeld voor de economie niet rooskleuriger.

'Het is eenvoudig niet geloofwaardig om aan te nemen dat de Verenigde Staten een oase van welvaart kunnen blijven te midden van een wereld waar steeds grotere spanningen heersen,' zei ik. We zouden nooit ten volle van de technologische revolutie kunnen profiteren als de rest van de wereld niet in die groei kon delen. We moesten ons buigen over de levensstandaard in landen waar we zaken mee deden. Voor menigeen onder de toehoorders die een graantje van de technologische revolutie had meegepikt, was dit volkomen nieuw.

Ik denk niet dat mijn 'oase van welvaart' die dag erg veel indruk maakte. Het was ook de bedoeling dat het idee langer meeging. Ik had het niet over de eerstvolgende zes maanden of het komende jaar. Die isolationistische opstelling van Amerika zit zo diep dat mensen er nog steeds geen afstand van hebben genomen. De achterliggende gedachte is altijd dat Amerika beter is dan wie ook en dat we het dus allemaal zelf moeten doen.

Ik hield de toehoorders in Berkeley voor dat de crisis in Rusland ervoor had gezorgd dat we bij de Fed ingrijpend anders waren gaan denken. We waren zo op binnenlandse inflatie gefocust geweest dat we niet genoeg aandacht hadden besteed aan de waarschuwende signalen die op een mogelijke internationale financiële crisis wezen. Dat deel van mijn rede pikten de media op, en mijn boodschap dat de FOMC klaarstond om de rentetarieven te verlagen, kwam op Wall Street luid en duidelijk over.

Die dreiging van een mondiale recessie kwam mij allengs reëler voor. En ik was ervan overtuigd dat de Fed die niet in zijn eentje kon opvangen. We stonden voor financiële problemen van wereldwijde afmetingen en de maatregelen om ze onder controle te krijgen, moesten ook mondiaal zijn. Bob Rubin was dezelfde mening toegedaan. Achter de schermen namen hij en ik contact op met de ministers van Financiën en centrale bankiers van de G7-landen om te proberen een gezamenlijk aanpak te organiseren. We hamerden voorzichtig doch dringend op de noodzaak om in de hele geïndustrialiseerde wereld de liquiditeit te verhogen en de rentetarieven te verlagen.

Sommige tegenspelers bleken erg moeilijk te overtuigen. Maar tegen de tijd dat de markten in Europa op 14 september sloten, kwam de G7 uiteindelijk met een omzichtig opgestelde verklaring. 'De risicobalans van de wereldeconomie is verschoven,' stond erin. Verder werd nader uitgewerkt hoe het beleid van de G7 eveneens zou verschuiven en dat men zich niet alleen meer zou richten op het bestrijden van de inflatie maar ook op het stimuleren van groei. Zoals Rubin het later in zijn memoires zo mooi onder woorden bracht, hadden die zeven woorden misschien nogal nietszeggend geklonken, maar stonden ze wel voor een ingrijpende verandering in het mondiale financiële plaatje: 'Elke oorlog heeft zijn eigen wapenen, en als je met instabiele financiële markten en angstige investeerders te maken hebt, kan een zorgvuldig opgesteld communiqué dat ondertekend is door de hoogste financiële mensen van de zeven grootste industrielanden van de wereld een doorslaggevend verschil maken.'

Aanvankelijk veranderde dit allemaal weinig aan het gevoel van naderend onheil. Brazilië viel als volgende ten prooi aan de malaise, en Rubin en Summers waren een groot deel van september samen met het IMF bezig een reddingsplan op te stellen. Intussen nam het hoofd van de New Yorkse Fed, Bill McDonough, het op zich een oplossing te vinden voor het instorten van een van de grootste en succesvolste speculatieve beleggingsfondsen van Wall Street, Long-Term Capital Management (LTCM).

Hollywood had geen aangrijpender script voor een financiële ramp kunnen bedenken. Het fonds mocht dan een doodsaaie naam hebben, maar het was een trotse, flink aan de weg timmerende en buitengewoon goed presterende onderneming in Greenwich, Connecticut, die spectaculaire winsten maakte met het beleggen van een portefeuille van 125 miljard dollar voor vermogende beleggers. In de leiding zaten twee Nobelprijswinnaars, Myron Scholes en Robert Merton, die met hun geavanceerde rekenmodellen het financiële succes van de firma hadden mogelijk gemaakt. LTCM was gespecialiseerd in riskante, lucratieve arbitragehandel in Amerikaanse, Japanse en Europese obligaties, met ruim 120 miljard dollar aan bij banken geleend geld. De firma bezat ook nog zo'n 1250 miljard dollar aan financiële derivaten, die maar voor een deel op hun balans waren terug te vinden. Deels waren dat speculatieve beleggingen, en deels waren ze bedoeld om de portefeuille van LTCM tegen alle denkbare risico's in te dekken. (Ook toen de rook eenmaal was opgetrokken, heeft niemand ooit precies geweten met hoeveel geleend geld LTCM aan het speculeren was toen de zaak scheef ging, maar met ruim 35 dollar voor elke dollar die ze werkelijk bezaten, kom je waarschijnlijk dicht in de buurt.)

Het moment waarop Rusland niet meer aan zijn verplichtingen kon voldoen, was waarschijnlijk de ijsberg voor deze financiële *Titanic*. Die ontwikkeling zorgde voor een ernstige ontwrichting van de markten die zelfs deze Nobelprijswinnaars zich niet hadden kunnen voorstellen. Het tij sloeg zo snel om voor LTCM dat de uitgebreide voorzorgsmaatregelen die ze getroffen hadden niet eens de kans kregen hun werk te doen. Vrijwel van de ene dag op de andere zagen de verbijsterde oprichters het kapitaal van bijna vijf miljard dollar dat ze hadden opgebouwd, als sneeuw voor de zon verdwijnen.

De New York Fed, die geacht wordt mede de orde te handhaven op de markten van Wall Street, volgde de dodelijke spiraal waarin LTCM terechtkwam. Normaal gesproken moet je een bedrijf dat een fatale blunder begaat, aan zijn lot overlaten. Maar de markten waren al nerveus; Bill McDonough vreesde dat de koersen zouden kelderen als een bedrijf van de omvang van LTCM zijn bezittingen op de markt moest dumpen. Daarmee zou een kettingreactie in gang worden gezet waaraan ook andere firma's bankroet zouden gaan. Dus toen hij belde om te zeggen dat hij besloten had in te grijpen, was ik daar niet blij mee maar ik kon het er niet mee oneens zijn.

Het verhaal over de manier waarop hij ervoor heeft gezorgd dat de crediteuren van LTCM het bedrijf een financiële injectie gaven, is al zo vaak verteld dat het inmiddels deel uitmaakt van de Wall Street-mythologie. Hij zette letterlijk de topfunctionarissen van zestien van de machtigste banken en beleggingshuizen ter wereld in een kamer bijeen, merkte nadrukkelijk op dat ze, als ze ten volle begrepen voor wat voor verliezen ze te staan zouden komen als de bezittingen van LTCM gedwongen verkocht werden, wel tot een oplossing zouden komen, en vertrok vervolgens. Na dagen van allengs gespannener onderhandelingen kwamen de bankiers met een financiële injectie van 3,5 miljard dollar. Zo kreeg de firma voldoende tijd om zijn zaken naar behoren af te wikkelen.

Er werd geen geld van de belastingbetaler uitgegeven (behalve misschien hier en daar voor een sandwich en een beker koffie), maar de ingreep van de Fed raakte wel een populistische openliggende zenuw. 'Fed beschouwt fonds als te groot om te mislukken en helpt bij redding,' kopte de *New York Times* op de voorpagina. Een paar dagen later, op 1 oktober, moesten McDonough en ik voor de Huiscommissie voor Bankzaken verschijnen om uit te leggen waarom, zoals *USA Today* het formuleerde, 'het nodig was dat een privéonderneming die voor miljonairs bedoeld was, blijkbaar gered moest worden met een plan dat door een organisatie van de centrale overheid was geregeld en ondersteund'. De kritiek was uit beide kampen afkomstig. Het Republikeinse Congreslid uit Delaware Michael Castle zei half en half als grapje dat zijn aandelen en beleggingen in vastgoed het ook niet zo geweldig deden, maar dat niemand hem te hulp schoot. En Democratisch Congreslid Bruce Vento uit Minnesota klaagde dat we de rijken in bescherming namen tegen de pijnlijke effecten van krachten in de markt die de kleine man vaak grote ellende bezorgden: 'Er zijn kennelijk twee regels,' zei hij, 'een voor de gewone man en een voor Wall Street.'

Maar je kon bij lange na niet van een redding spreken als je de banken die bij LTCM betrokken waren, voorhield dat ze zichzelf een hoop geld konden besparen door een keurige liquidatie van het fonds mogelijk te maken. Ze hebben zichzelf en naar mijn idee miljoenen medeburgers, onder wie zowel kleine beleggers als Wall Street-types, heel veel geld bespaard.

Ik volgde de voortekenen van naderend onheil in de financiële wereld met toenemende bezorgdheid over de schade die het de economie wellicht zou toebrengen. Op 7 oktober, toen de staatsobligaties met een looptijd van dertig jaar het laagste rentetarief in dertig jaar bereikt hadden, gooide ik de toespraak die ik had voorbereid weg en hield mijn gehoor van economen voor: 'Ik volg de Amerikaanse markten nu al vijftig jaar, en zoiets heb ik nog nooit meegemaakt.' Met name beleggers op de obligatiemarkt gedroegen zich irrationeel, zei ik; zij betaalden aanzienlijke bedragen extra voor de nieuwste en meest liquide staatsobligaties, zelfs al waren net iets oudere maar iets minder liquide certificaten net zo veilig. Deze run op liquiditeit was nog nooit vertoond, merkte ik op, en het weerspiegelde niet zozeer oordeelkundigheid als wel pure paniek. 'Wat ze eigenlijk zeggen, is: "Ik wil weg. Ik wil helemaal niet weten of een investering al of niet riskant is. Ik kan die druk niet verdragen en ik wil weg."' De economen wisten precies waarover ik het had. Als er op een markt paniek heerst, is dat net zoiets als vloeibare stikstof; het kan binnen de kortste keren voor een allesverwoestende bevriezing zorgen. En inderdaad kwam al uit onderzoek van de Fed naar voren dat banken allengs minder makkelijk leningen toekenden.

Er hoefde met geen woord over gediscussieerd te worden om de FOMC zo ver te krijgen de rentetarieven te verlagen. We deden het driemaal kort achtereen tussen 29 september en 17 november. In overeenstemming met hun nieuwe verplichtingen aan de G7 verlaagden sommige Europese en Aziatische centrale banken eveneens hun tarieven. En zoals we hadden gehoopt, sloeg het medicijn langzamerhand aan. De wereldmarkten kwamen tot rust en anderhalf jaar na het begin van de Aziëcrisis was Bob Rubin eindelijk in de gelegenheid met zijn gezin van een ononderbroken vakantie te genieten.

De manier waarop de Fed op de Russische crisis reageerde, was al een blijk van het feit dat we langzaamaan van ons vaste beleid begonnen af te wijken. In plaats van al onze energie te steken in een poging de allerbeste prognose te krijgen en daar dan alles op in te zetten, baseerden we onze aanpak op een reeks mogelijke scenario's. Toen Rusland niet meer aan zijn verplichtingen kon voldoen, toonden de wiskundige modellen van de Fed aan dat de Amerikaanse economie ondanks de Russische problemen en zonder ingrijpen van de Fed naar alle waarschijnlijkheid in een gezond tempo zou blijven doorgroeien. Toch kozen we ervoor de rentetarieven te verlagen, vanwege een klein maar reëel gevaar dat de Russische betalingsproblemen de financiële wereldmarkten dermate ernstig zouden beïnvloeden dat ook de Verenigde Staten eronder zouden lijden. Die afweging was helemaal nieuw voor ons: we beschouwden deze onwaarschijnlijke gebeurtenis die uitermate destabiliserend kon zijn, als een groter gevaar voor de welvaart dan de hogere inflatie die kon ontstaan als geld makkelijker beschikbaar werd. Ik neem aan dat de Fed in het verleden vaker zulke beslissingen heeft genomen, maar het besluitvormende proces dat eraan ten grondslag lag, was nooit tot iets systematisch of expliciets gemaakt.

Langzamerhand begon het systematische afwegen van kosten en baten een doorslaggevend onderdeel van onze beleidsvorming te worden. Het beviel me, omdat het voortborduurde op een aantal ad-hocbeslissingen die we in de jaren daarvoor hadden genomen. Het stelde ons in staat los van de econometrische modellen bredere, zij het wiskundig minder exacte hypotheses over de manier waarop het in de wereld toegaat in hun geheel mee te nemen. En vooral heel belangrijk was dat het ons in staat stelde van het verleden te leren: we konden bijvoorbeeld bekijken wat we uit de spoorweghausse uit de jaren tachtig van de negentiende eeuw konden opsteken over gedrag in de markten tijdens de internetgekte.

Sommige economen vinden nog steeds dat zo'n aanpak veel te weinig gedisciplineerd, te ingewikkeld, schijnbaar willekeurig en lastig uit te leggen is. Die willen dat de Fed zich bij het vaststellen van de rente laat leiden door formele criteria en regels. We zouden de economie zo moeten sturen dat er bijvoorbeeld volledige werkgelegenheid is, of op een bepaalde inflatie moeten mikken. Ik ben het ermee eens dat je alleen aan de hand van strikt analytische structuren een verstandig beleid kunt ontwikkelen. Maar we hebben veel te vaak te maken met onvolledige of niet kloppende gegevens, onberedeneerde angsten en meer dan eens te weinig duidelijke wetgeving. De hedendaagse econometrie mag dan nog zo elegant zijn geworden, ze is niet opgewassen tegen de taak om keurige beleidsrecepten af te leveren. De wereldeconomie is te complex en te zeer verknoopt geraakt. En onze beleidsvorming moet in overeenstemming met die complexiteit worden ontwikkeld.

Ik neem aan dat we wel hadden kunnen voorzien dat het laatste jaar van het millennium het wildste en meest onbezonnen haussejaar van allemaal zou worden. De Amerikaanse markten werden in 1999 overspoeld door een reusachtige euforie, deels omdat de crisis in Oost-Azië ons niet de kop had gekost. Als we die crisis konden overleven, was de gedachte, dan moest de toekomst wel tot in eeuwigheid rooskleurig zijn.

Dit optimisme was vooral zo aanstekelijk omdat het op feiten berustte. Aangedreven door de technologische innovaties en dankzij een krachtige consumptie en andere factoren maakte de economie een reusachtige bloei door. Maar al waren die kansen dan wellicht reëel, de hype nam surrealistische vormen aan. Je kon de krant niet opslaan of een tijdschrift lezen of je kwam verhalen tegen over de zoveelste technologietriljonair. De directeur van een groot adviesbureau haalde de krantenkoppen toen hij ontslag nam en met Webvan begon, een bedrijf dat boodschappen zou gaan bezorgen die via internet waren besteld. Bij zijn beursintroductie haalde het bedrijf 375 miljoen dollar op. Een stel Londense modetypes van wie ik nog nooit had gehoord, richtten Boo.com op, een kledingwebsite die 135 miljoen dollar opleverde met het plan om wereldwijd de grootste verkoper van hippe sportkleding te worden. Blijkbaar had iedereen wel een oom of een buurman die dik verdiend had aan internetaandelen. Bij de Fed mochten we vanwege de regels omtrent belangenverstrengeling niet speculeren, en dus was het waarschijnlijk een van de weinige plekken in Amerika waar je in de lift nu eens geen beleggingstips hoorde. (Net als talloze andere internetbeginners gingen Webvan en Boo.com ten onder – respectievelijk in 2001 en 2000.)

Het internet werd een vast onderdeel van het televisienieuws, en dan niet alleen op de zenders waarvan ik vanwege Andrea een trouwe kijker ben, maar ook op CNBC en andere snelle, nieuwe kabelkanalen die met name op zakenlui en beleggers gericht waren. Tijdens de Superbowl Sunday in 2000 werd de helft van de reclamespotjes van elk een halve minuut door zeventien nieuwe internetbedrijven gekocht voor 2,2 miljoen dollar per stuk: de sokpop van Pets.com verscheen naast de Schotse trekpaarden van Budweiser en Dorothy uit *De tovenaar van Oz* (in een reclamespot van FedEx).

In de populaire cultuur zat ik op één lijn met de sokpoppen. CNBC bedacht de zogenaamde 'aktetasmeter' waarbij ik op de ochtenden van FOMC-vergaderingen door camera's werd gevolgd bij mijn aankomst bij de Fed. Als mijn aktetas dun was, luidde de theorie, maakte ik me geen zorgen en ging het goed met de economie. Maar als hij uitpuilde, had ik blijkbaar tot laat doorgewerkt en hing er een renteverhoging in de lucht. (Overigens werkte de aktetasmeter niet echt goed. De omvang van mijn aktetas was uitsluitend afhankelijk van de boterhammen die ik al of niet voor tussen de middag bij me had.)

Regelmatig hielden mensen me op straat staande om me voor hun pensioenregeling te bedanken; ik reageerde altijd hartelijk maar ik moet toegeven dat ik af en toe in de verleiding kwam om te zeggen: 'Ik heb helemaal niets met die pensioenregeling van u te maken gehad, mevrouw.' Het bezorgt je een hoogst ongemakkelijk gevoel als je een compliment krijgt voor iets wat je niet hebt gedaan. Andrea, die zich soms ergerde en soms geamuseerd was, had een doos vol 'Greenspanalia' als cartoons, ansichtkaarten en gekke knipsels, Alan Greenspan-T-shirts niet te vergeten, en zelfs een pop.

Ik had dit soort toestanden ongetwijfeld kunnen vermijden, bijvoorbeeld door rechtstreeks de garage van de Fed in te rijden en zo de camera's te ontlopen. Maar ik had nu eenmaal de gewoonte die laatste paar straten naar kantoor te lopen, en toen ze eenmaal met die aktetasmeter waren begonnen, wilde ik niet de indruk wekken dat ik me verstopte. Bovendien was het allemaal niet kwaad bedoeld, dus waarom zou ik hun plezier bederven?

De aktetasmeter was helaas geen goede manier om monetair beleid over te brengen. De ideeën die we over het voetlicht moesten krijgen, waren vaak erg subtiel en moesten goed doordacht worden, wat ze weinig geschikt maakte voor even een snel citaat. Als ons enige contact met de media uit snelle soundbites had bestaan, had ik me ernstig zorgen gemaakt. Maar de Fed kreeg veel deskundige publiciteit. Ik probeerde te vermijden dat ik rechtstreeks geciteerd werd, maar mijn deur stond altijd open voor serieuze verslaggevers. Als iemand belde met vragen voor een belangrijk verhaal, maakte ik meestal tijd vrij om achtergrondinformatie te geven en ideeën door te spreken. (De schrijvende pers had daar meer aan dan de televisiejournalistiek, zoals Andrea terecht opmerkte, maar daar kon ik niets aan veranderen.)

Te midden van al deze gekte was er nog steeds echt werk te verzetten. In de herfst moesten Larry Summers en ik een forse territoriale oorlog tussen Financiën en de Fed beslechten. De aanleiding was dat het Congres er erg op aandrong de wetten te herzien die golden voor Amerikaanse financiële instellingen als banken, verzekeringsmaatschappijen, beleggingshuizen, vastgoedbedrijven en dergelijke. De wet op de modernisering van de financiële diensten was jarenlang in voorbereiding geweest en maakte ten slotte een einde aan de uit de Depressie daterende Glass-Steagall-wet waarin beperkingen werden opgelegd aan de mogelijkheden van banken, investeringsbedrijven en verzekeringsmaatschappijen om zich op elkaars terrein te begeven. Banken en andere instellingen popelden om hun activiteiten uit te breiden; zo wilden ze klanten de mogelijkheid bieden op één plek al hun financiële zaken te regelen. Hun argument luidde dat ze terrein aan het verliezen waren aan buitenlandse concurrenten, en met name aan Europese en Japanse 'universele banken' die niet aan die beperkingen gebonden waren. Ik moest toegeven dat het hoog tijd werd om deze markten te liberaliseren. Het ministerie van Financiën was via de Office of the Comptroller of the Currency (de toezichthouder van alle nationale banken) verantwoordelijk voor de supervisie van alle nationale banken. De Fed hield toezicht op bankholdings en door de staat gelicentieerde instellingen die ervoor hadden gekozen zich door de Fed te laten reguleren. In het wetsvoorstel over de hervormingen dat door de Senaat was aangenomen, werd de meeste verantwoordelijkheid aan de Fed toegekend; in de versie van het Huis van Afgevaardigden ging de meeste verantwoordelijkheid naar Financiën. Na eindeloze pogingen de twee versies met elkaar in overeenstemming te brengen, gaf het Congres het op en kregen beide instanties tot 14 oktober de tijd om het zelf uit te zoeken. En dus begonnen de Fed en Financiën te onderhandelen.

Niet dat het nu direct een wildwesttoestand was, maar wrijving was er genoeg. Het ministerie van Financiën en de staf van het controleurskantoor waren de mening toegedaan dat alle regelgeving aan hen behoorde toe te vallen, en de staf van de Fed was dezelfde mening toegedaan. Ze werkten dag en nacht door en kregen het uiteindelijk voor elkaar een aantal problemen op te lossen, maar op 14 oktober waren ze op andere punten in een patstelling geraakt en resteerde er nog een hele lijst onoverkomelijke meningsverschillen. Niet dat ik er persoonlijk iets van merkte, maar ik had zo'n vermoeden dat de gemoederen aardig verhit raakten.

Toevallig was 14 oktober ook de dag waarop Larry en ik weer ons vaste wekelijkse ontbijt hadden. We keken elkaar aan en zeiden: 'Dit moeten wij oplossen.' Die middag kwam ik naar zijn kantoor en trokken we de deur achter ons dicht.

Larry en ik lijken erg op elkaar: we houden ervan vanuit basisprincipes en op grond van bewijzen iets te beargumenteren. Het is doodjammer dat we geen band hebben laten meelopen, want het was echt een schoolvoorbeeld van hoe je beleid ontwikkelt door rationele compromissen te sluiten. We voerden punt voor punt onze argumenten aan. Af en toe zei ik: 'Jouw argument klinkt geloofwaardiger dan het mijne', dus dan werd dat punt aangenomen. Bij andere kwesties accepteerde Larry het argument van de Fed. Na een uur of twee hadden we de buit verdeeld. Financiën en Fed werden het over één enkel wetsvoorstel eens, dat ging vervolgens diezelfde dag nog naar Capitol Hill, en daar werd het aangenomen. Geschiedkundigen beschouwen de Financial Services Modernization Act als een mijlpaal op het gebied van de zakelijke wetgeving, en ik zal het me altijd blijven herinneren als een glorieus staaltje beleidsmakerij waar eigenlijk een liedje over zou moeten worden geschreven.

Tegen het einde van dat jaar steeg de hausse tot een crescendo: de Nasdaq was eind december in een jaar bijna verdubbeld (de Dow steeg in diezelfde tijd 20 procent). De meeste mensen die in aandelen hadden belegd, voelden zich steenrijk, en ze hadden geen ongelijk.

Hiermee kwam de Fed voor een boeiend raadsel te staan:

Hoe trek je de grens tussen een gezonde, spannende economische hoogconjunctuur en een losgeslagen, speculatieve beurszeepbel die wordt aangedreven door de minder mooie kanten van de menselijke natuur? Tegenover de Huiscommissie voor Bankzaken merkte ik droog op dat die kwestie des te ingewikkelder was omdat die twee naast elkaar kunnen bestaan: 'Als we de huidige ontwikkeling interpreteren als een versnelling van de productiviteit, sluit dat nog niet uit dat de prijzen van aandelen overtrokken zijn.' Een boeiend voorbeeld daarvan vond ik de concurrentiestrijd tussen Qwest, Global Crossing, MCI, Level 3 en andere telecommaatschappijen. Net als de spoorwegondernemers uit de negentiende eeuw zetten die alles op alles om internet te verbreiden door duizenden kilometers glasvezelkabel te leggen. (Dat verband met de spoorwegen is niet eens alleen overdrachtelijk bedoeld. Qwest maakte bij de aanleg van zijn netwerken gebruik van oude spoorwegrechten.) Daar was niets mis mee, tenslotte nam de vraag naar bandbreedte met rasse schreden toe; maar elke concurrent legde genoeg kabel om aan 100 procent van de verwachte totale vraag te voldoen. Dus werd er weliswaar iets aangelegd wat van grote waarde was, maar intussen leek het overduidelijk dat de meeste mededingers verlies zouden gaan lijden, dat de waarde van hun aandelen zou kelderen en dat miljarden dollars van hun aandeelhouders in rook zouden opgaan.

Ik had er uitgebreid over nagedacht of er sprake was van een beurszeepbel, en als dat zo was, wat we er dan aan moesten doen. Als de markt in korte tijd 30 of 40 procent zou inzakken, was mijn gedachtegang, dan was ik geneigd die vraag met ja te beantwoorden. Maar dat hield in dat ik met enige zekerheid moest voorspellen dat de markt in korte tijd 30 of 40 procent zou inzakken, wilde ik zeker weten dat er sprake was van een beurszeepbel. En dat was een erg lastige positie.

Stel dat de Fed tot de slotsom kwam dat we met een zeepbel te maken hadden en dat we wat lucht zouden willen laten ontsnappen, zou dat ons dan lukken, vroeg ik me af. We hadden het al eens vruchteloos geprobeerd. In 1994 had de FOMC de rentetarieven met 3 procentpunten opgetrokken. Dat deden we omdat we vreesden dat de inflatiedruk toenam. Maar de hoge rente viel ook samen met afvlakking van de opkomende beurshausse die bijna heel 1993 had geduurd. Zodra er in februari 1995 een einde kwam aan onze renteverhogingen, begonnen de koersen weer te stijgen. In 1997 trokken we opnieuw de rentetarieven op, weer begonnen de koersen na afloop van de renteverhogingen te stijgen. Het leek erop neer te komen dat we de koersontwikkeling op de lange termijn aan het opkrikken waren. Als het opvoeren van de rentetarieven er niet voor zorgde dat de koersen omlaaggingen als gevolg van een teruglopende economie en afnemende winsten, had het er veel van dat aandelen allengs een minder riskant bezit werden. Onze bescheiden ingrepen hadden dus alleen maar de voorwaarden geschapen voor verdere stijging van de koersen.

Een forse verhoging van de rentetarieven zou weleens een heel ander verhaal kunnen worden. Ik twijfelde er geen moment aan dat we van de ene dag op de andere een zeepbel uiteen konden laten spatten door de tarieven ineens met bijvoorbeeld 10 procent te verhogen. Dan zouden we echter ook de economie en de groei die we nu juist wilden beschermen, ernstig schaden. We zouden de patiënt vermoorden om de ziekte te genezen. Ik was er tamelijk zeker van dat het volkomen contraproductief zou zijn om te proberen de opzwellende zeepbel te laten slinken door de rentetarieven periodiek te verhogen, zoals menigeen aanried. In mijn ervaring bevestigde zo'n periodieke verhoging alleen maar het idee van mensen dat de hausse niet kapot te krijgen was, tenzij we de hoogconjunctuur en de bijbehorende winsten ermee onderuit haalden. En bij een bescheiden verhoging was de kans dat de koersen stegen groter dan dat ze zouden dalen.

Na rijp beraad kwam ik tot de slotsom dat we ons bij de Fed het beste aan onze kerndoelstelling konden houden, namelijk het stabiliseren van de prijzen van producten en diensten. Als we dat goed aanpakten, konden we de kracht en de stabiliteit verwerven die nodig waren om de schade van een eventuele instorting op te vangen. Die opvatting werd door de hele FOMC gedeeld. We waren het erover eens dat ons beleid in het geval van grote koersdalingen zou zijn om agressief op te treden, de rentetarieven te verlagen en het stelsel met liquiditeit te overspoelen om op die manier de economische gevolgen te verzachten. Maar het had er alle schijn van dat een rechtstreekse en preventieve aanpak van de beurshausse buiten ons bereik lag.

Toen ik deze 'terug naar de basis'-filosofie in 1999 aan het Congres voorlegde, wekte dat bij menigeen grote verbazing. Ik zei dat ik me nog steeds zorgen maakte over de mogelijk te hoge koersen, maar dat de Fed niet van plan was 'honderdduizenden goed geïnformeerde beleggers' te kritiseren en dat we ons in plaats daarvan zouden opmaken om de economie in bescherming te nemen in het geval van een krach. 'Uiteenspattende zeepbellen zijn zelden goedaardig, maar de gevolgen hoeven niet per se rampzalig te zijn voor de economie,' hield ik de wetgevers voor.

Het redactionele commentaar van de *New York Times* hierop luidde: 'Dat klinkt opmerkelijk anders dan de oude Greenspan, die de beleggers nog maar dertig maanden terug voor "irrationele overdaad" waarschuwde.' Ondanks de toon van het artikel (je kon de schrijver bijna veelbetekenend horen kuchen) klopte die indruk wel. Ik was gaan beseffen dat we nooit in staat zouden zijn die irrationele overdaad onomstotelijk vast te stellen, laat staan dat we actie konden ondernemen, voordat het werkelijk zo ver was. Maar dat kon de politici aan wie ik dit uitlegde, allemaal niet schelen; ze waren juist erg opgelucht dat de Fed er niet op uit leek een eind aan het feest te maken.

Ironisch genoeg draaide het er kort daarna toch op uit dat we de rentetarieven optrokken. Tussen halverwege 1999 en midden 2000 verhoogden we de federal funds rate gefaseerd van 4,75 tot 6,5 procent. Aanvankelijk was dat bedoeld om de liquiditeit terug te nemen die we aan het stelsel hadden toegevoegd om het tijdens de internationale financiële crisis veilig te stellen. Vervolgens namen we nog wat meer terug om 'een kleine verzekering' op te bouwen, zoals Bill McDonough het noemde, tegen de krappe Amerikaanse arbeidsmarkt en de mogelijke oververhitting van de economie. Kortom, we maakten ons op voor een poging opnieuw een zachte landing te maken als de conjunctuurcyclus uiteindelijk van richting veranderde. Maar de koersen bleven grotendeels onaangetast; pas in maart 2000 bereikten ze hun top, en zelfs toen bewoog het grootste deel van de markt nog maandenlang zijwaarts.

Al die opgaven lagen nog in het verschiet toen de wereld zich opmaakte om op 31 december 1999 het nieuwe jaar in te luiden. De felst begeerde uitnodiging in Washington betrof het diner aan Pennsylvania Avenue 1600, en Andrea en ik waren erbij, samen met Muhammad Ali, Sophia Loren, Robert De Niro, Itzhak Perlman, Maya Lin, Jack Nicholson, Arthur Schlesinger jr., Bono, Sid Caesar, Bill Russell en tientallen anderen. De Clintons hadden voor de viering van het nieuwe millennium een reusachtig feest georganiseerd, dat van zonsondergang tot zonsopgang moest duren, te beginnen met een diner in vol ornaat voor 360 mensen in het Witte Huis, dan een landelijk uitgezonden amusementsprogramma bij het Lincoln Memorial dat geproduceerd werd door mijn vriend George Stevens jr. en Quincy Jones. Het thema was 'Amerikaanse scheppers'. En na het vuurwerk om middernacht terug naar het Witte Huis voor het ontbijt en dansen tot zonsopgang.

Ik had inmiddels al een flauw vermoeden wat het nieuwe millennium voor mij in petto had: John Podesta, de stafchef van het Witte Huis, had me laten weten dat president Clinton me voor een vierde termijn wilde aanstellen. Ik had al ja gezegd. Ik kon eenvoudig niets bedenken dat ik liever deed dan voorzitter van de Fed zijn en betrokken zijn bij het analyseren van de levendigste economie ter wereld om vervolgens aan de hand van die analyse tot beslissingen te komen en daar feedback op te krijgen. Ik mocht dan 73 zijn, ik merkte niets van enige teruggang van mijn creativiteit, van mijn vermogen met wiskundige relaties om te gaan, of mijn plezier in werken. Als dat wel zo geweest was, had ik mijn lier aan de wilgen gehangen. In zijn boek *Maestro*, dat over mij gaat, schrijft Bob Woodward dat ik in 'een staat van ingetogen vervoering' raakte bij mijn herbenoeming. En ik moet toegeven dat ik het bijzonder naar mijn zin had.

Dit alles voegde nog een extra vrolijk tintje aan de feestdagen toe, al was mijn herbenoeming dan nog niet officieel aangekondigd en moesten Andrea en ik het voor ons houden. Ze had een japon gekocht voor het feest bij het Witte Huis: een donkerrood met zwarte Badgley Mischka van ausbrennerfluweel, en hoe hard ze ook had gewerkt en hoe grieperig ze ook was, ze zag er schitterend uit.

Het Millenniumdiner besloeg de hele East Room en de State Dining Room, die in de geëxalteerde bewoordingen van een verslaggever 'waren omgetoverd in een sprookje van wit en zilver, met witte orchideeën en rozen op zilverkleurige fluwelen tafellakens'. Ik heb niet zo'n oog voor dat soort dingen. Wat me tijdens de beloegakaviaar en de champagne echter wel opviel, was dat gastheer en -vrouw allebei oprecht blij leken: hij bezig aan de afronding van zijn tweede ambtstermijn als president en zij aan de vooravond van de lancering van haar eigen politieke loopbaan met haar kandidatuur voor de Amerikaanse Senaat. De president bracht een heildronk op de gasten uit: 'De gedachte dringt zich aan me op hoe anders Amerika is, en hoe anders en beter de geschiedenis is, omdat u die hier aanwezig bent en al diegenen die u vertegenwoordigt, in staat waren hun verbeelding te gebruiken, dingen uit te vinden en ergens naar te streven.' Na zeven jaar in het Witte Huis, na de bezoekingen in Bosnië, de smoezeligheid rond Monicagate en de ongekende economische en financiële bloei was dit waarlijk het Camelot van de Clintons.

Even na negenen was het diner ten einde en ging de menigte op weg naar de bussen die ons naar het Lincoln Memorial zouden brengen. Maar Andrea en ik maakten ons los uit de stroom. Wij moesten nog naar een andere millenniumbijeenkomst bij de Fed, waar een omvangrijke ploeg in de startblokken zat om de hele nacht lang de overgang van de nationale financiële systemen te volgen.

De Fed had zich jaren ingespannen om ervoor te zorgen dat de millenniumwisseling geen ramp zou worden. De dreiging school in de achterhaalde software (het millenniumvirus zoals het werd genoemd) die wereldwijd in computers zat ingebouwd. Om kostbare opslagcapaciteit te besparen, hadden programmeurs tientallen jaren lang maar twee in plaats van vier getallen gebruikt om een jaartal aan te duiden, dus het jaar 1974 werd bijvoorbeeld eenvoudig als 74 weergegeven. In de jaren zeventig had ik bij Townsend-Greenspan zelf ook wel eens met behulp van ponskaarten een programma geschreven, maar het was nooit in mijn hoofd opgekomen dat zulke programma's (weliswaar uitgebreid bijgewerkt) aan het eind van de eeuw nog steeds in gebruik zouden zijn, en ik had nooit de moeite genomen zo'n programma vast te leggen. Begrijpelijk genoeg maakte men zich in brede kring zorgen dat die software bij de overgang van 1999 naar 2000 van slag zou raken. Deze mogelijke storingsbron was vaak verduveld lastig op te sporen en erg kostbaar om te verhelpen. Maar in veel millenniumvirus-scenario's was het nog dramatischer als dat werd nagelaten: cruciale burgerlijke en militaire netwerken zouden plat gaan, waardoor de elektriciteit zou uitvallen, de telefoon niet meer werkte, creditcards onbruikbaar werden, vliegtuigen tegen elkaar zouden vliegen en nog veel erger. Om te voorkomen dat er in het financiële stelsel chaos zou uitbreken, had Fed-commissaris Mike Kelly een omvangrijke operatie van tweeënhalf jaar op touw gezet om de computers van de Amerikaanse banken en de Fed zelf te moderniseren. De Fed had er alles aan gedaan om centrale banken elders mee te krijgen.

Die avond zouden we erachter komen of al die voorzorgsmaatregelen vruchten hadden afgeworpen. Mike en zijn ploeg hadden hun vrije dagen opgeofferd om een commandopost te bemannen op de begane grond van het William McChesny Martin Building van de Fed, waar ze een grote ruimte in de buurt van de kantine hadden uitgerust met telefoons, schermen, televisies en werkplekken voor zo'n honderd mensen. De keuken was open; er was geen champagne maar wel een ruime hoeveelheid non-alcoholische cider met belletjes. Toen Andrea en ik even langskwamen, zaten ze er al de hele dag op de televisie naar de ene festiviteit na de andere te kijken naarmate het millennium verder over de wereld trok. Om te beginnen werd het in Australië Nieuwjaar, daarna in Japan, vervolgens Azië, toen Europa. Natuurlijk toonde de televisie op elk van die plaatsen het vuurwerk, maar Mike en zijn ploeg zaten eigenlijk naar de stadsverlichting op de achtergrond te kijken, om te zien of die bleef branden.

Ik voelde me een beetje misplaatst toen ik daar in avondkleding kwam binnenwandelen; voor de rest droeg vrijwel iedereen een rood T-shirt met daarop een adelaar op een rood-wit-blauw schild en de woorden 'Federal Reserve Board' en 'Y2K'. Mike had me al steeds op de hoogte gehouden en liet nu weten dat het allemaal opmerkelijk goed verliep. Zojuist had Groot-Brittannië blijkbaar zonder problemen de eenentwintigste eeuw betreden. We zaten nu in een windstilte zolang middernacht over de Atlantische Oceaan schoof. De Verenigde Staten waren de laatste grote economie die overging, wat het nog eens extra spannend maakte, omdat het ontzettend gênant zou zijn als onze systemen zouden falen nadat we andere landen zo achter de broek hadden gezeten. Maar we kwamen buitengewoon goed beslagen ten ijs: de hele Amerikaanse financiële branche had miljarden dollars gestoken in het vervangen en bijwerken van oude systemen en programma's; in elk district van de Federal Reserve en bij elke grote bank zat een crisisteam klaar. Middels opties en andere vernieuwende technieken had de FOMC miljarden dollars in het financiële systeem gepompt. En voor het geval dat het creditcardsysteem of de pinautomaten plat zouden gaan, had de Fed zelfs op negentig locaties door het hele land een voorraad extra contanten aangelegd. Aangezien ik medeschuldig was aan het probleem, had ik onmogelijk op 3 januari weer op kantoor kunnen verschijnen zonder aan de vooravond van de potentiële ramp een bezoek aan de troepen in de loopgraven te brengen.[3]

Vandaar gingen Andrea en ik naar huis. Het was nog maar half elf, maar we hadden vreemd genoeg het gevoel dat we de millenniumwisseling al hadden meegemaakt. Tegen de tijd dat het middernachtelijk uur Washington bereikte en aan zijn rustige opmars door de Verenigde Staten begon, lagen wij lekker onder de wol.

10

DE WEG OMLAAG

Mijn eerste ontmoeting met aanstaand president Bush vond plaats op 18 december 2000, nog geen week na de beslissing van het Supreme Court die hem in staat stelde de verkiezingsoverwinning op te eisen. We hadden afgesproken bij het Madison, het hotel in de buurt van het Witte Huis waar zijn ploeg en hij kantoor hielden. Dit was zijn eerste reisje naar Washington als aanstaand president; we hadden elkaar in de loop van de jaren een paar maal ontmoet maar hadden slechts één keer wat langer gepraat, op het podium tijdens een banket het afgelopen voorjaar.

Bij het ontbijt in het Madison waren tevens aanwezig de aanstaande vicepresident Cheney, Bush' stafchef Andy Card en een paar assistenten. De situatie kwam me bekend voor: ik had al vijf keer eerder aankomende presidenten op de hoogte gesteld van de toestand van de economie, waaronder uiteraard de vader van de aankomende president.

Bij deze gelegenheid moest ik helaas melden dat de vooruitzichten op de korte termijn niet goed waren. Voor het eerst in jaren leek de kans op een recessie uitermate reëel.

Het grootste financiële debacle van de maanden daarvoor was het leeglopen van de technologiezeepbel geweest. Tussen maart en het einde van het jaar was de Nasdaq maar liefst 50 procent van zijn waarde kwijtgeraakt. De bredere markten waren veel minder gedaald: de S&P 500 was met 14 procent omlaaggegaan, de Dow met 3 procent. De totale verliezen waren weliswaar bescheiden in verhouding tot de papieren rijkdom die de hausse had opgeleverd, maar het waren forse dalingen en de vooruitzichten voor Wall Street bleven somber, wat een negatieve invloed had op het consumentenvertrouwen.

De algehele toestand van de economie was echter reden voor nog grotere zorg. Gedurende een groot deel van het jaar leek er een gematigde cyclische vertraging te ontstaan; dit was te verwachten geweest aangezien het bedrijfsleven en de consument zich moesten aanpassen aan de gevolgen van een lange reeks jaren van hoogconjunctuur, een enorme hoeveelheid technologische veranderingen en de uiteengespatte zeepbel op de beurs. Om dit aanpassingsproces te vergemakkelijken had de Fed van juli 1999 tot juni 2000 de rentetarieven in een aantal stappen verhoogd. We hoopten opnieuw op een zachte landing.

Maar in de afgelopen paar weken waren de cijfers ernstig gedaald, zei ik. Onder autoproducenten en andere fabrikanten was hier en daar sprake geweest van een vertraagde productie, er waren meldingen van naar beneden bijgestelde winstverwachtingen en groeiende voorraden, een opmerkelijke toename van nieuwe aanvragen voor werkloosheidsuitkeringen en een afnemend consumentenvertrouwen. En ook de energievoorziening drukte zwaar op de economie: eerder dat jaar piekte olie met een prijs van ruim dertig dollar per vat en ook de prijzen voor aardgas gingen omhoog. En verder waren er de anekdotische bewijzen. Wal-Mart had de Fed laten weten dat het de verwachtingen voor de kerstverkopen zou terugschroeven, en FedEx meldde dat de verzendingen lager uitvielen dan verwacht was. Niet dat je de gezondheid van de economie nu helemaal kunt afleiden uit de lengte van de rijen voor de kerstman bij Macy's, maar het was al halverwege december en wie kerstinkopen had gedaan, wist dat de winkels griezelig leeg waren.

En toch was de prognose op de lange termijn voor de economie nog steeds solide. De inflatie bleef laag en stabiel, de lange rente daalde en de productiviteit steeg nog steeds. En de federale overheid, niet te vergeten, had nu al voor het vierde achtereenvolgende jaar een begrotingsoverschot. In de jongste prognose voor het belastingjaar 2001, dat nog maar net in oktober was begonnen, beliep het overschot bijna 270 miljard dollar.

Tegen het eind van het ontbijt nam Bush me terzijde. 'Ik wil dat u weet,' zei hij, 'dat ik alle vertrouwen heb in de Fed en dat we niet achteraf kritiek zullen hebben op uw beslissingen.' Ik bedankte hem, en we praatten nog wat na. Toen moest hij weg voor afspraken op Capitol Hill.

Bij het verlaten van het hotel werden we begroet door camera's en verslaggevers. Ik verwachtte niet anders dan dat de aanstaande president gewoon op de microfoons zou afstappen, maar hij sloeg een arm om mijn schouder en nam mij mee. Ik sta breed grijnzend op de foto van Associated Press die die ochtend werd gemaakt, alsof ik net goed nieuws heb vernomen. En dat was ook zo. Hij had precies de vinger gelegd op datgene wat voor de Fed de dringendste kwestie was, namelijk onze autonomie. Ik wist nog niet precies wat ik van George W. Bush moest denken, maar ik was geneigd aan te nemen dat hij het werkelijk meende toen hij zei dat we niet over het monetaire beleid zouden hoeven steggelen.

Ik vond het een hele opluchting dat er een eind was gekomen aan de verkiezingscrisis. Na 36 dagen vol niet goed doorgedrukte prikkaarten, hertellingen, rechtszaken, beschuldigingen van gerommel met stemmen en fraude, die in andere landen vast tot relletjes hadden geleid, waren we in elk geval tot een nette afronding gekomen. Ik ben weliswaar een doorgewinterde Republikeinse libertijn, maar ik heb aan beide zijden van de politieke scheidslijn zeer goede vrienden, en ik meende te begrijpen waarom de Democraten met lede ogen toezagen hoe George W. Bush het Witte Huis betrok. Maar laten we ons er liever op concentreren hoe uitzonderlijk het in de politiek is dat een bittere strijd eindigt met de tegenstrevers die elkaar het beste toewensen. De toespraak van Al Gore waarin hij zijn nederlaag toegaf en waarmee een einde kwam aan de wedren om het presidentschap, was de hoffelijkste die ik ooit heb gehoord. 'Bijna anderhalve eeuw terug,' merkte hij op, 'zei senator Stephen Douglas tegen Abraham Lincoln die hem net had verslagen in de strijd om het presidentschap: "Partijdigheid moet plaats maken voor patriottisme. Ik sta achter u, meneer de president, en God zegene u." En in diezelfde geest zeg ik tegen aanstaand president Bush dat wat er nog rest aan rancuneuze gevoelens terzijde moet worden geschoven, en moge God zijn leiderschap over dit land zegenen.'

Ik mocht dan geen idee hebben welke kant George W. Bush ons op zou leiden, ik had wel alle vertrouwen in de ploeg die langzamerhand vorm kreeg. Mensen maakten wel grapjes over de wederkomst van de regering-Ford, maar voor mij betekende dat heel veel. Ik was onder Ford voor de overheid gaan werken en die jaren waren voor mij iets heel speciaals geweest. Gerald Ford was een uitgesproken fatsoenlijk man die een presidentschap kreeg opgedrongen waar hij nooit op uit was geweest en dat hij op eigen kracht waarschijnlijk nooit had gewonnen. In zijn wedloop met Jimmy Carter in 1976 liet hij duidelijk zien dat hij niet erg goed was in het politieke vuistgevecht dat een presidentiële campagne nu eenmaal is; hij had ervan gedroomd voorzitter van het Huis van Afgevaardigden te worden. Maar in de chaos rond een president die zich te schande maakte en moest aftreden, had hij verklaard: 'Onze lange, nationale nachtmerrie is ten einde', en hij had een groep getalenteerde mensen om zich heen verzameld zoals maar zelden was vertoond.

En in december 2000 bemande George W. Bush de kern van zijn regering met trouwe leden van de regering-Ford, die inmiddels een stuk ouder en een stuk ervarener waren geworden. Donald Rumsfeld, de nieuwe minister van Defensie, was Fords eerste stafchef van het Witte Huis geweest. Indertijd had Rumsfeld bewezen uitzonderlijk efficiënt te zijn. Hij werd door de president teruggeroepen van zijn post als ambassadeur bij de NAVO, had binnen de kortste keren het Witte Huis gereorganiseerd en bestierde dat met grote vaardigheid totdat Ford hem in 1975 tot minister van Defensie benoemde. Na zijn terugkeer naar het bedrijfsleven nam Rumsfeld de teugels over van het sukkelende G.D. Searle, een wereldwijd opererende farmaceutische onderneming. Ik werd erbij gehaald als economisch adviseur van de onderneming en keek geboeid toe met wat voor gemak deze voormalige vlieginstructeur van de Amerikaanse marine, Congreslid en regeringsfunctionaris zijn draai vond in het bedrijfsleven.

Een andere getrouwe uit de regering-Ford was de nieuwe bewindsman op Financiën, mijn vriend Paul O'Neill. Paul had op iedereen diepe indruk gemaakt als vicedirecteur van het Office of Management and Budget van Gerald Ford. Hij zat in het middenkader, maar dat nam niet weg dat we Paul er bij alle belangrijke vergaderingen bij haalden omdat hij als een van de weinigen goed op de hoogte was van alle details van de begroting. Na zijn vertrek bij de overheid had hij zich in het zakenleven gestort en was tot bestuursvoorzitter van Alcoa opgeklommen. Ik had trouwens zitting gehad in het bestuur dat hem had aangenomen. In de twaalf jaar dat hij dat werk had gedaan, had hij er een groot succes van gemaakt. Maar hij was eraan toe zich uit de onderneming terug te trekken en tot mijn grote genoegen vernam ik dat hij boven aan het lijstje kandidaten stond voor minister van Financiën. Dick Cheney belde me op met de mededeling dat Paul de aanstaande president had gesproken en zich nu nogal verscheurd voelde. 'Hij heeft twee bladzijden vol voors en tegens,' zei Cheney. 'Kun jij met hem praten?'

Ik nam met alle genoegen de telefoon ter hand. Met dezelfde woorden die Arthur Burns in de nadagen van de regering-Nixon op mij had losgelaten, sprak ik Paul toe: 'We hebben je hier echt hard nodig.' Met dat argument had ik me indertijd laten overhalen voor het eerst van mijn leven New York te verlaten en voor de regering te gaan werken, en bij Paul had het ook succes. Ik dacht dat zijn aanwezigheid een belangrijk pluspunt voor de nieuwe regering zou zijn. Zouden de programma's en begrotingen van de president een gunstige uitwerking hebben op de langetermijnprognoses voor de Amerikaanse economie? Wat zou het kaliber van zijn economische adviseurs en stafleden zijn? Wat dat betreft was het in mijn ogen al een reusachtige stap in de goede richting om Paul aan te wijzen als degene die de dollarbiljetten signeerde.

Er was nog een reden die deels beroepsmatig en deels persoonlijk was. President Clinton had me begin 2000 opnieuw benoemd, dus ik had nog minstens drie jaar als voorzitter te gaan. In de loop van een groot deel van de jaren negentig hadden de Fed en het ministerie van Financiën fantastisch samengewerkt (een enkele schermutseling over territorium daargelaten). We hadden het economische beleid door de langste hoogconjunctuur in de moderne geschiedenis van de Verenigde Staten geloodst, in tijden van crisis met goed gevolg geïmproviseerd, en we hadden het Witte Huis ter zijde gestaan bij het wegwerken van de gruwelijke overheidstekorten uit de jaren tachtig. Mijn samenwerking met de drie ministers van

Financiën onder Clinton, Lloyd Bentsen, Bob Rubin en Larry Summers, had beslist aan dat succes bijgedragen en we beschouwden elkaar over en weer als vrienden voor het leven. Ik wilde in het belang van de Fed en van mezelf met de nieuwe regering een al even vruchtbare samenwerking opbouwen. Dus ik was heel blij toen Paul uiteindelijk ja zei.

De belangrijkste veteraan uit de regering-Ford was natuurlijk de aanstaande vicepresident. Dick Cheney was zijn mentor Rumsfeld opgevolgd als stafchef van het Witte Huis; met zijn 34 jaar was hij de jongste die die post ooit had bekleed. Dankzij een combinatie van gedrevenheid en bij tijd en wijle een sfinxachtige kalmte had hij zich absoluut geknipt getoond voor deze baan. De kameraadschap die we in de jaren na Watergate hadden opgebouwd, was niet bekoeld. Ik kwam hem tegen bij reünies van de regering-Ford en bij andere bijeenkomsten in de tijd dat hij Congreslid was, en het was me een groot genoegen toen de eerste president Bush hem in 1989 tot minister van Defensie benoemde. De minister van Defensie en de voorzitter van de Fed kruisen maar zelden elkaars pad, maar we hielden toch contact.

En nu stond hij op het punt vicepresident te worden. Ik wist dat veel commentatoren verwachtten dat hij heel wat meer zou zijn dan vicepresident; Cheney had immers zo veel meer ervaring in nationale en internationale aangelegenheden dan George W. Bush, en daarom dacht men dat hij in feite de regeringsleider zou worden. Ik geloofde er niets van; uit mijn korte ontmoeting met de aanstaande president leidde ik af dat hij prima op eigen benen kon staan.

In de weken na de verkiezingen wilde Cheney graag mijn mening over allerlei zaken horen, zoals hij die ongetwijfeld ook van andere oude vrienden vroeg. Zijn vrouw Lynne en hij waren nog niet verhuisd naar de residentie van de vicepresident in het Naval Observatory, dus reed ik op zondagmiddag naar hun huis in McLean, Virginia, een buitenwijk van Washington, waar hij en ik dan aan de keukentafel gingen zitten of ons in de hobbykamer installeerden.

De toon van onze vriendschap veranderde door zijn nieuwe positie: ik sprak hem niet meer met Dick aan maar met ‘meneer de vicepresident’, en daar protesteerde hij niet tegen, al had hij niet om die nieuwe formaliteit gevraagd. We hadden het hoofdzakelijk over de uitdagingen waar de Verenigde Staten voor stonden. En dat vaak tot in de kleinste details. Een cruciaal onderwerp was de energie. De piek in de olieprijzen van kort daarvoor had ons er weer even met de neus op gedrukt dat zelfs de aanvoer van grondstoffen in de eenentwintigste eeuw een bron van grote strategische zorg bleef. Toen Cheney eenmaal in functie was, was zijn eerste belangrijke doelstelling het organiseren van een taakgroep op het gebied van energiebeleid. Ik gaf hem mijn analyse van de rol van olie in de economie en de ontwikkeling van de internationale markten voor olie en aardgas; we bespraken kernenergie, vloeibaar gemaakt aardgas en andere alternatieven.

Ik voerde aan dat het ouder worden van de dertig miljoen babyboomers de grootste economische uitdaging op het thuisfront was. Hun pensionering lag niet meer in de verre toekomst, zoals nog wel het geval was geweest toen ik onder Reagan bij de hervorming van het socialezekerheidsstelsel betrokken was geweest. De oudste babyboomers werden over zes jaar zestig, en vanaf 2010 zouden er enige tientallen jaren lang uitzonderlijk zware financiële eisen aan het stelsel gesteld worden. Het socialezekerheidsstelsel en Medicare waren aan een ingrijpende revisie toe, wilden ze zo lang solvabel en effectief blijven.

Dick liet duidelijk merken dat binnenlands economisch beleid niet echt zijn domein zou worden. Dat nam niet weg dat hij benieuwd was naar mijn ideeën; hij zat aandachtig te luisteren en maakte vaak aantekeningen waarvan ik aannam dat hij ze zou doorgeven.

Tijdens die laatste dagen van december en eerste dagen van januari stelde ik me even voor dat dit de regering had kunnen zijn als Gerald Ford kans had gezien die ene procent meer stemmen binnen te halen die hij nodig had gehad om Jimmy Carter voorbij te streven en een tweede ambtstermijn te verwerven. Bovendien had de Republikeinse Partij voor het eerst sinds 1952 kans gezien niet alleen het Witte Huis binnen te slepen maar ook de meerderheid in beide huizen van het Congres. (In de Senaat was de verdeling fiftyfifty, maar Cheney zou als voorzitter van de Senaat de doorslaggevende stem krijgen.) Naar mijn idee hadden we nu een gouden kans om het ideaal van een effectieve, verstandig met belastingen omgaande regering en vrije markten dichterbij te brengen. Reagan had het conservatisme in 1980 weer het Witte Huis binnengehaald; Newt

Gingrich had het in 1984 naar het Congres teruggehaald. Maar niemand had het allemaal weten te combineren zoals deze nieuwe regering nu kon doen.

Ik verheugde me op een collegiale samenwerking van minstens vier jaar met veel van de beste en slimste mensen binnen de regering, met wie ik al heel wat gedenkwaardige belevenissen had meegemaakt. En op het persoonlijke vlak zou het ook inderdaad zo gaan. Maar politiek gezien zou ik mijn oude vrienden weldra volkomen onverwachte wegen in zien slaan. Mensen krijgen in de loop van de jaren andere ideeën, en soms ook andere idealen. Ik was zelf ook een ander dan toen ik een kwarteeuw eerder voor het eerst aan de glamour van het Witte Huis werd blootgesteld. En hetzelfde gold voor mijn oude vrienden: niet qua persoonlijkheid of karakter, maar wel qua opvattingen over hoe de wereld functioneert en dus over wat al of niet belangrijk is.

In de weken voorafgaand aan de inhuldiging zette de FOMC alles op alles om een uiterst ingewikkeld plaatje begrijpelijk te krijgen, namelijk de plotselinge vertraging van onze economie met een productie van maar liefst tienduizend miljard per jaar en de praktische implicaties voor de Fed van de niet-aflatende reusachtige overschotten op de begroting. Bij de vergadering van de FOMC de dag na mijn ontmoeting met de aanstaande president stond de neerwaartse beweging boven aan de agenda.

Recessies zijn heel lastig te voorspellen omdat ze voor een deel het gevolg zijn van irrationeel gedrag. Gevoelens over de vooruitzichten van de economie verschuiven meestal niet netjes van optimisme via gelijkmoedigheid naar somberte; het heeft eerder iets van een dam die doorbreekt, waarbij zich eerst een vloedstroom opbouwt, waarna er barsten ontstaan en de dam het begeeft. De woeste stroom die dan loskomt, sleurt alle restjes vertrouwen die er nog waren mee, en het enige wat rest is angst. Het had er veel van dat we met zo'n damdoorbraak te maken zouden krijgen. Bob McTeer, hoofd van de Fed in Dallas, formuleerde het zo: 'Dat woord dat met een R begint, wordt nu zo ongeveer overal openlijk uitgesproken.'

We kwamen tot de slotsom dat de rentetarieven omlaag moesten, tenzij de situatie de komende twee, drie weken aantrok. Maar voorlopig zouden we ons beperken tot het uitspreken van onze bezorgdheid. In onze verklaring stond: 'De commissie zal de ontwikkeling van de economische situatie nauwlettend blijven volgen. Het risico bestaat vooral dat er in de nabije toekomst voorwaarden ontstaan voor een economische zwakte.' Een commissielid vertaalde dat droogjes als volgt: 'We zijn nog niet in paniek.'

Binnen twee weken was duidelijk dat de neergang niet afvlakte. Op 3 januari, de eerste werkdag van het nieuwe jaar, overlegden we opnieuw tijdens een videoconferentie en verlaagden we de fed funds rate met 0,5 procentpunt tot 6 procent. De media reageerden alsof het een enorme verrassing was, al hadden we er voor Kerstmis al op gezinspeeld, maar dat maakte niet uit: de Fed had op de markten en de economie gereageerd.

We hadden eigenlijk het idee dat deze verlaging wel eens de eerste van een hele reeks kon zijn die nodig was om de economie tot rust te brengen. Ik zei tegen de commissie dat eventuele volgende verlagingen naar mijn idee sneller moesten worden uitgevoerd dan normaal. De technologie die zo'n stimulerende werking had op de groei van de productiviteit, was er wellicht ook de oorzaak van dat het proces van cyclische aanpassingen sneller verliep. Een 'just in time'-economie vroeg om een 'just in time'-beleid op monetair gebied. Dat werd ook onze overweging achter de volgende verlaging van nog eens 0,5 procentpunt voordat januari om was, en opnieuw een in maart, april, mei en juni, waarmee het tarief uiteindelijk nog maar 3,75 procent was.

De andere kwestie waar de FOMC erg mee zat, was het verdwijnen van de staatsschuld. Achteraf gezien klinkt het misschien vreemd, maar in januari 2001 behoorde dat wel degelijk tot de mogelijkheden. Dankzij een tiental jaren van steeds sneller groeiende productiviteit en begrotingsdiscipline verkeerde de Amerikaanse overheid in de positie dat ze overschotten kon produceren 'zover het oog reikte', om even een zinsnede te lenen die Reagans begrotingsdirecteur David Stockman ruim twintig jaar daarvoor had gebezigd in verband met een prognose over te verwachten tekorten. Zelfs als het rekening hield met een recessie die wellicht voor de deur stond, maakte het bipartiete begrotingskantoor van het Congres zich op om zijn prognose voor het begrotingsoverschot over een periode van tien jaar tot een verbijsterend bedrag van 5600 miljard dollar op te trekken. Dat was drieduizend miljard meer dan de prognose van het CBO in 1999, en duizend miljard meer dan de voorspelling die ze het juli daarvoor nog had gedaan.

Ik heb altijd mijn twijfels gehad of begrotingsoverschotten duurzaam kunnen zijn. Gegeven de neiging van politici om liever te veel dan te weinig geld uit te geven, kostte het me grote moeite me voor te stellen dat het Congres ooit iets anders dan tekorten zou opbouwen, of zelfs maar dat het in staat was op nul uit te komen. Mijn twijfels over de mogelijkheid dat die overschotten stand zouden houden, vormden dan ook de reden waarom ik er anderhalf jaar daarvoor bij het Congres op had aangedrongen die belastingverlaging van bijna achthonderd miljard dollar over een periode van tien jaar tegen te houden, waar president Clinton uiteindelijk ook zijn veto over uitsprak.

Toch moest ik erkennen dat de consensus onder economen en statistici die ik wel degelijk respecteerde (en dan niet alleen bij het CBO, maar ook bij het Office of Management and Budget, het departement van Financiën en de Fed), luidde dat de overschotten bij het huidige beleid zouden blijven groeien. Het had er veel van dat de scherpe stijging van de productiviteitsgroei die in gang was gezet door de technologische revolutie, de oude aannames op hun kop zette. Naarmate de aanwijzingen toenamen dat de overschotten duurzaam waren, kwam er een merkwaardig gevoel over me – alsof ik iets kwijt was. Het economisch model waarmee ik in mijn hoofd rondliep, leek achterhaald. Het Congres gaf het geld nu eens niet sneller uit dan Financiën het binnenkreeg. Was de menselijke natuur dan misschien veranderd? Maandenlang had ik geworsteld met de mogelijkheid dat dit misschien echt het geval was: het was puur een kwestie van ofwel je maffe oude theorieën ofwel je leugenachtige ogen geloven.

Mijn collega's bij de FOMC leken ook een beetje in de war. Tijdens onze vergadering van eind januari zaten we urenlang te filosoferen over het functioneren van de Fed in een heerlijke nieuwe wereld met een minimale staatsschuld. Natuurlijk was het wegwerken van de schuldenlast een prettige ontwikkeling voor ons land, maar voor de Fed leverde het niettemin een flink dilemma op. Ons primaire instrument voor het uitvoeren van ons monetaire beleid was het kopen en verkopen van overheidsobligaties: de schuldbekentenissen van Uncle Sam. Maar naarmate de schulden werden afbetaald, zouden die overheidsobligaties steeds zeldzamer worden en moest de Fed aan andere vermogenstitels zien te komen om zijn monetaire beleid uit te voeren. Al bijna een jaar lang waren ervaren economen en handelaren van de Fed aan het onderzoeken geweest wat voor andere activa we konden kopen en verkopen.

Het resultaat van dat onderzoek was een dichtbedrukte verhandeling van 380 pagina's die in januari op ons bureau belandde. Het goede nieuws was dat we niet over de kop zouden gaan; het slechte nieuws luidde dat er eigenlijk niets was dat in omvang, liquiditeit en risicoloosheid kon tippen aan de staatsobligatiemarkt. De conclusie van het rapport luidde dat de Fed voor het voeren van zijn monetaire beleid zou moeten leren omgaan met een complexe portefeuille aan gemeentelijke obligaties, door buitenlandse overheden uitgegeven obligaties, *mortgage backed securities* (uitstaande hypotheken die gebundeld tot één obligatie aan beleggers worden verkocht) en andere schuldinstrumenten. Het was een angstwekkend vooruitzicht. 'Ik voel me net Alice in Wonderland,' zei de president van de Fed in Boston Cathy Minehan, toen het onderwerp voor het eerst ter sprake kwam, en we snapten allemaal wat ze bedoelde. Uit het feit dat we die discussie aangingen, bleek al dat we verwachtten dat het economische landschap zeer ingrijpend en zeer snel zou veranderen.

Dat begrotingsoverschot was ook wat Paul O'Neill en mij erg bezighield tijdens onze bijeenkomsten in januari om begrotingsideeën uit te wisselen. Uiteraard wisten we allebei dat er nog wel het een en ander afging van het bedrag van 5600 miljard over een periode van tien jaar dat het CBO had opgegeven. Zo'n 3100 miljard dollar was gereserveerd voor het socialezekerheidsstelsel en Medicare. Na aftrek daarvan bleef er 2500 miljard aan bruikbare fondsen over. Natuurlijk had George Bush een grote belastingverlaging tot pièce de résistance van zijn verkiezingscampagne gemaakt. Hij had zich tegen zijn vader afgezet door al vroeg in de campagne te zeggen: 'Het gaat hier niet zomaar om "geen nieuwe belastingen", maar om "belastingverlagingen, zo helpe mij God Almachtig".' Bush beweerde dat belastingverlagingen de beste manier waren om het overschot te gebruiken, waarmee hij Al Gores opvatting verwierp dat het afbetalen van schulden en het opzetten van sociale programma's even belangrijk waren.

Tijdens hun eerste debat formuleerde hij het zo: 'Mijn tegenstander denkt blijkbaar dat dit overschot van de regering is. Ik vind van niet. Volgens mij is het geld van de harde werkers in Amerika.' In navolging van Reagan stelde Bush een ingrijpende verlaging voor van maar liefst 1600 miljard over een periode van tien jaar en verdeeld over alle belastingschijven. Gore had campagne gevoerd met een belastingverlaging van zevenhonderd miljard dollar.

O'Neill en ik waren het erover eens dat, gegeven een voortgaand substantieel overschot, een belastingverlaging in een of andere vorm wel een goed idee was. Terecht wees hij erop dat de belastingen immiddels 20 procent van het BBP uitmaakten, tegenover een historisch gemiddelde van 18 procent. Er waren echter andere toepassingen voor het overschot die in overweging genomen moesten worden. En wel in de eerste plaats het afbetalen van staatsschulden. Daar had Al Gore gelijk in. De federale schuld aan de bevolking, zoals de naam officieel luidde, stond inmiddels op 3400 miljard dollar; ruim 2500 miljard daarvan werd als 'reduceerbaar' oftewel onmiddellijk betaalbaar beschouwd (niet-reduceerbare schulden zijn bijvoorbeeld spaarbrieven en andere obligaties die beleggers zouden weigeren te verkopen).

Nog een belangrijk punt op ons lijstje wensen was een hervorming van de sociale zekerheid en Medicare. Ik hoopte al lang dat het socialezekerheidsstelsel zou worden omgevormd tot een systeem met persoonlijke tegoeden; het kostte waarschijnlijk zo'n duizend miljard dollar aan extra fondsen om zo'n wijziging te lanceren en tegelijkertijd aan de reeds bestaande verplichtingen jegens werkenden en gepensioneerden te kunnen voldoen. En dan had het land zich nog helemaal geen rekenschap gegeven van het feit dat de kosten van Medicare exponentieel zullen toenemen. Die kwestie was van tafel verdwenen toen ik voorzitter was van de commissie ter hervorming van het socialezekerheidsstelsel van president Reagan, bijna twintig jaar daarvoor, maar nu de kinderen van de geboortegolf allengs ouder werden, werd het een dringende aangelegenheid.

Ik wees erop dat de statistici wel erg met de natte vinger bezig waren door maar liefst voor tien jaar vooruit prognoses op te stellen. Wat zou er gebeuren als er niets van die overschotten terechtkwam?

O'Neill had al net zo veel bezwaren tegen tekorten als ik. Zijn oplossing was het inbouwen van zogenaamde 'triggers', voorzieningen die in elke nieuwe wetgeving voor bestedingen of belastingen moesten worden ingebouwd om ervoor te zorgen dat verlagingen konden worden uitgesteld of dat er kon worden verlaagd zodra het overschot verdwenen was. Ik was het met hem eens dat zo'n soort beveiligingsmechanisme wel eens goed kon werken. Een van de belangrijkste dingen die het Congres en de laatste twee regeringen tot stand hadden gebracht, was dat het in balans houden van de begroting tot wet verheven was. De overheid werkte nu met zogenaamde 'pay-go'-regels: wie met een voorstel voor een programma komt, moet ook aangeven waar het geld vandaan moet komen, ofwel door de belastingen te verhogen danwel door op andere punten te bezuinigen. 'We keren niet terug naar de rode cijfers,' verklaarde ik.

In januari ging het allemaal heel snel. Natuurlijk zijn de voorbereidingen voor een nieuwe regering en een nieuw Congres altijd hectisch, en dit jaar gold dat eens te meer; vanwege de langdurige strubbelingen rond de uitslag van de wedloop om het presidentschap hadden Bush en zijn overgangsploeg maar net zes in plaats van de normale tien weken ter voorbereiding op de inhuldiging.

Zoals te verwachten, prijkten de belastingen hoog op de agenda. Tijdens een privégesprek halverwege januari liet Cheney O'Neill en mij weten dat Bush een duidelijke overwinning voor zijn belastingverlaging van cruciaal belang achtte. Dit klonk al even onverbiddelijk als wat ik Cheney op een zondagochtend een paar weken daarvoor in een tv-interview had horen zeggen: 'Bush heeft het als aanstaand president meer dan duidelijk gemaakt dat hij met een uitermate zorgvuldig ontwikkeld verkiezingsprogramma campagne heeft gevoerd; het is zijn programma en zijn agenda en we zijn niet van plan daarvan af te wijken.'

Ik zat al lang genoeg in Washington om hierin een vertrouwd patroon te ontwaren. Verkiezingsbeloften vormen het uitgangspunt van elk nieuw presidentschap. Elke nieuwe regering komt bij haar aantreden met voorstellen en andere plannen die ook tijdens de verkiezingscampagne aan de orde waren. De moeilijkheid om dit soort beloftes in beleid om te zetten, is echter dat die verkiezingsprogramma's geschreven worden met het oog op de kiezers en niet voor een optimaal effect. Zo'n agenda is een haastig opgestelde routebeschrijving op basis van de op dat moment geldende omstandigheden; zoiets kan dus al per definitie niet een volledig uitgewerkte regeringsverklaring zijn. Andere krachten binnen de regering (zoals het Congres en de uitvoerende tak) zorgen altijd weer voor een toetsing aan de praktijk, zodat de plannen moeten worden bijgesteld. Dat wist ik uit ervaring: ik had in 1968 aan de campagne van Nixon meegewerkt en in 1980 aan die van Reagan, en in geen van beide gevallen had het pakket aan beleidsvoorstellen of prognoses de eerste paar weken van een nieuwe regering overleefd.

Ik voorzag niet hoe anders het in het Witte Huis van Bush zou toegaan. Zijn opstelling luidde: 'Dit hebben we voorgesteld en dit is dus wat we gaan doen', en dat bedoelde hij behoorlijk letterlijk. Men hechtte weinig waarde aan een streng debat over economisch beleid of het afwegen van de consequenties op de lange termijn. De president zelf bracht het een paar maanden later tegenover O'Neill als volgt onder woorden, toen hij een voorstel verwierp over een manier waarop het plan van de regering voor een hervorming van het socialezekerheidsstelsel verbeterd kon worden: 'Voor die aanpak heb ik in mijn campagne ook niet gekozen.' Algauw had mijn vriend weinig meer in te brengen; tot mijn diepe teleurstelling hield de staf van het Witte Huis wat het economische beleid betreft de touwtjes stevig in eigen hand.

Toen het nieuwe Congres bijeenkwam, was het begrotingsoverschot de eerste kwestie die de Begrotingscommissie van de Senaat aanpakte. Zo kwam het dat ik op de ochtend van donderdag 25 januari onder de felle lampen van een hoorzaal op het punt stond een politieke storm te veroorzaken.

Commissievoorzitter Pete Domenici merkte in zijn welkomstwoord op dat de cruciale kwesties waren of het voorspelde overschot op de lange termijn van voorbijgaande of blijvende aard zou zijn, en, als het zou blijven toenemen: 'Wat moeten we er dan mee doen?' In voorgaande jaren had mijn antwoord altijd doodeenvoudig geluid: 'De staatsschuld afbetalen.' Maar inmiddels waren de overschotten zo hoog opgelopen dat die schuld binnen een paar jaar terugbetaald zou zijn. En het overschot zou blijven doorgroeien. De statistici van het CBO verwachtten bij een gelijk blijvend beleid dat in 2001 de overschotten 281 miljard dollar zouden bedragen, 313 miljard dollar in 2002, 359 miljard dollar in 2003 enzovoort. Uitgaand van de veronderstelling dat er geen belangrijke verandering in het belastingbeleid zou komen, verwachtte de commissie dat de reduceerbare schulden tegen 2006 volledig zouden zijn afbetaald; daarna moesten mogelijke overschotten in iets anders dan staatsobligaties worden ondergebracht. In 2006 zou het overschot de vijfhonderd miljard overschrijden. Daarna zou er jaarlijks ruim vijfhonderd miljard de schatkist in stromen.

Ik vond dat vooruitzicht nogal verbijsterend: 500 miljard dollar is een nauwelijks te bevatten bedrag, ruwweg is het dus de waarde van de bezittingen van de vijf grootste pensioenfondsen van Amerika bij elkaar opgeteld die jaarlijks wordt toegevoegd. Wat zou het ministerie van Financiën met al dat geld doen? Waar zouden ze het geld in investeren?

De enige private markten die groot genoeg zijn om zulke bedragen te kunnen verwerken, zijn aandelen, obligaties en vastgoed, in binnen- en buitenland. Ik betrapte me erop dat ik me voorstelde dat Amerikaanse overheidsfunctionarissen de grootste beleggers ter wereld zouden worden. Ik was dat vooruitzicht al eens eerder tegengekomen en ik vond het een behoorlijk angstaanjagend idee. Twee jaar eerder had president Clinton voorgesteld zevenhonderd miljard aan gelden voor de sociale zekerheid in aandelen te beleggen. Om te voorkomen dat de politiek zich met beleggingsbeslissingen ging bemoeien, stelde hij voor een door privépersonen gestuurd mechanisme te creëren om de gelden te beheren. Maar als de regering zo'n stevige financiële vinger in de pap kreeg, kon ik me zonder moeite het misbruik voorstellen dat daarvan onder een president van het type Richard Nixon of Lyndon Johnson kon worden gemaakt. Ik zei tegen de Belastingcommissie van het Huis van Afgevaardigden dat het naar mijn idee 'politiek gezien niet handig was om zulke reusachtige bedragen aan de invloed van de overheid te onttrekken'. Tot mijn grote opluchting liet Clinton het hele idee kort daarop varen. En nu kwam het vast en zeker weer aan de orde.

Als ik dat allemaal in overweging nam, kwam ik tot de schokkende conclusie dat een chronisch overschot bijna net zo ontregelend is als een chronisch tekort. De staatsschuld afbetalen volstond niet. Ik besloot met een voorstel te komen waarbij Uncle Sam zijn schulden afbetaalde en er nauwelijks een overschot overbleef als de schuld tot nul was gedaald. De bestedingen moesten omhoog of de belastingen omlaag, en de optie waar mijn voorkeur naar uitging, leek duidelijk. Ik ben altijd bang geweest dat als de bestedingen eenmaal omhooggaan, het erg moeilijk wordt om ze te beteugelen. Datzelfde gaat in mindere mate op voor belastingverlagingen. (Er is geen bovengrens aan uitgaven, maar belastinginkomsten kunnen nooit onder nul zakken.) Bovendien worden de lasten van privéondernemingen lager zodra je de belastingen verlaagt, zodat je mogelijk de belastinggrondslag verhoogt. Een alternatief was om een paar jaar te wachten en als er dan nog steeds sprake was van een overschot, alsnog de belastingen zodanig te verlagen dat het overschot verdween. Maar geen mens kon op dat moment vertellen of dat een verstandige keuze was; als er sprake was van inflatiedruk, kon zo'n belastingverlaging voor verdere verhitting van de economie zorgen. De enige aanpak die mij aansprak, was om nu in te grijpen en het begrotingsbeleid op een glijdend pad te zetten, zoals ik dat noemde, in de richting van een evenwichtige begroting. Daarbij zouden de overschotten in de loop van de komende paar jaar gefaseerd worden weggewerkt middels een combinatie van belastingverlagingen en een herziening van het socialezekerheidsstelsel.

Er lagen al twee wetten voor belastingverlagingen ter tafel. Op de eerste zittingsdag van het nieuwe Congres hadden de senatoren Phil Gramm en Zell Miller een wetsvoorstel ingediend dat overeenkwam met de voorgestelde belastingverlagingen van 1600 miljard dollar uit de campagne van Bush, en de leider van de minderheid in de Senaat Tom Daschle kwam met een bescheidener plan voor zevenhonderd miljard dollar. Beide belastingverlagingen kwamen tegemoet aan mijn doelstelling om het overschot af te romen terwijl er toch nog genoeg geld overbleef voor een hervorming van de sociale zekerheid.

Natuurlijk was ik nog steeds bevreesd dat het Congres en het Witte Huis toch weer te veel geld gingen uitgeven of dat de inkomsten onverwacht zouden inzakken waardoor de tekorten weer keihard zouden toeslaan. Dus bij het opstellen van mijn verklaring lette ik erop dat ik Paul O'Neills idee om de belastingverlagingen aan bepaalde voorwaarden te verbinden, duidelijk vermeldde. Ik vroeg het Congres voorzieningen in overweging te nemen 'die acties om het overschot te verlagen beperken zodra bepaalde doelen voor het begrotingsoverschot en de staatsschuld niet zijn gehaald'. Als de chronische overschotten zich niet in overeenstemming met de prognoses ontwikkelden, moesten de belastingverlagingen of de nieuwe bestedingen worden beperkt.

Ik kon maar niet de overtuiging van me afzetten die ik in de loop van tientallen jaren had opgedaan dat binnen ons politieke stelsel de voorkeur altijd naar tekorten uitgaat. Dus zorgde ik ervoor dat ik mijn verklaring afsloot met een stevige waarschuwing. 'Gegeven de huidige euforie omtrent de overschotten,' schreef ik, 'is het niet moeilijk je voor te stellen dat de fiscale zelfbeheersing die we de afgelopen jaren met veel moeite hebben ontwikkeld, weer snel zal verdwijnen. We moeten weerstand bieden aan beleid waarmee binnen de kortste keren de tekorten uit het verleden en de fiscale onevenwichtigheid die daarvan het gevolg was, weer de kop opsteken.'

Mijn kantoor deed de leiders van de Begrotingscommissie een dag van tevoren een exemplaar van mijn opmerkingen toekomen, zoals we dat vaker deden met een ingewikkelde verklaring die niet rechtstreeks betrekking had op de financiële markten. Tot mijn verbazing kreeg ik op woensdagmiddag een telefoontje van de hoogste Democraat bij de commissie, Kent Conrad, senator van North Dakota. Hij vroeg of ik misschien op zijn kantoor kon langskomen. De voormalige belastingontvanger Conrad zat net zo lang in de Senaat als ik voorzitter was en stond bekend als een conservatief op begrotingsgebied. Na me te hebben bedankt dat ik tijd had willen vrijmaken, kwam de senator meteen ter zake. 'U zorgt straks voor een grabbelfestijn,' zei hij. 'Waarom steunt u die belastingverlagingen van Bush?' Hij voorspelde dat ik er met mijn getuigenis niet alleen voor zou zorgen dat de voorstellen van het Witte Huis werden aangenomen maar ook dat het Congres de breekbare overeenstemming die in de loop van de jaren was opgebouwd over zelfdiscipline op belastinggebied, overboord zou gooien.

'Maar dat beweer ik helemaal niet,' zei ik, en ik wees erop dat ik in mijn getuigenis weliswaar een belastingverlaging voorstond om het overschot weg te werken, maar dat ik het niet per se over het bedrag had dat de president voor ogen stond. Mijn uiteindelijke doel was een lagere staatsschuld en het wegwerken van het tekort. Ik somde nogmaals mijn ideeën op over hoe ingrijpend de visie op het overschot was veranderd en legde uit dat vrijwel elke analist aannam dat de groei van de productiviteit blijvend zou zijn, of in elk geval de komende paar jaar sneller ging verlopen. Daarmee waren de prognoses voor de revenuen ook fundamenteel veranderd. En ten slotte gaf ik hem gelijk dat het nog steeds van groot belang was op die fiscale zelfbeheersing te hameren en ik bood aan uitgebreid in te gaan op de noodzaak om een soort veiligheidsmechanisme als de triggers van O'Neill in te bouwen, als de senator er mij tijdens het vragenuurtje naar zou vragen.

Bij mijn vertrek zag ik wel dat senator Conrad niet geheel tevreden was met dit antwoord, maar ik kon me slecht voorstellen dat het Congres zich werkelijk iets van mijn opmerkingen zou aantrekken. Politici hadden nooit een moment geaarzeld mijn aanbevelingen met een korrel zout te nemen of ze zelfs compleet te negeren als dat hun beter uitkwam. Ik kan me niet herinneren dat ik het tij heb gekeerd met mijn steun aan het voorstel om in de uitkeringen te snijden. Ik was helemaal niet van plan partij te kiezen voor deze of gene belastingverlaging; toen senator Domenici me tijdens de hoorzitting de volgende ochtend vroeg mijn steun te geven aan het plan van Bush, zei ik dat dit een uitgesproken politieke vraag was. En ik was een analist en geen politicus; ik zou geen plezier aan mijn werk beleven als ik me bij elke uitspraak moest afvragen wat de politieke implicaties waren. Ik kwam alleen met een naar mijn idee geheel nieuw inzicht en hoopte dat mijn verklaring een belangrijke dimensie aan het debat zou toevoegen.

Ik keerde terug naar de Fed en zat nog geen uur achter mijn bureau toen Bob Rubin belde. 'Kent Conrad belde net,' zei hij. 'Hij vond dat ik je moest bellen voordat jij je getuigenis aflegt.' Bob had mijn verklaring niet gelezen maar Conrad had hem op de hoogte gesteld en nu liet hij me weten dat hij in een paar opzichten dezelfde bedenkingen had als de senator. Als je met een grote belastingverlaging komt, zei Bob, 'loop je het risico dat je de politieke bereidheid tot fiscale zelfbeheersing kwijtraakt'.

Hij en ik hadden jarenlang geploeterd om die consensus te promoten, dus ik vroeg of hij wel wist dat ik het terugdringen van de schuld nog steeds als het uiteindelijke doel presenteerde. 'Dat heb ik begrepen,' zei hij. Maar wat was dan het probleem? vroeg ik. 'In welk onderdeel van mijn getuigenis kun je je dan niet vinden?'

Er viel een stilte. Ten slotte antwoordde hij: 'Het punt is niet zozeer wat jij zegt als wel hoe het zal worden opgevat.'

'Ik ben niet verantwoordelijk voor de manier waarop mensen dingen opvatten,' reageerde ik vermoeid. 'Zo functioneer ik niet. Zo kan ik eenvoudig niet functioneren.'

Conrad en Rubin bleken gelijk te hebben. Mijn getuigenis over de belastingverlagingen werd een politiek kruitvat. Nog voordat ik op Capitol Hill arriveerde, barstte het rumoer los: er was een kopie van mijn verklaring uitgelekt en de kop op de voorpagina van *USA Today* luidde: 'Greenspan steunt belastingverlagingen'. In het bijgaande verhaal werd zowel Conrad als Domenici aangehaald, waarbij Domenici bevestigde dat ik op het punt stond mijn opstelling tegenover de belastingverlagingen te wijzigen 'omdat het overschot zo groot is'.

De hoorzaal zelf was afgeladen, met twintig senatoren en elk hun staf, een muur van camera's en een omvangrijke menigte toeschouwers. Het kostte me bijna een half uur om mijn verklaring voor te lezen, en ik wist niet zo zeker wat me daarna te wachten stond. Senator Conrad bedankte me voor een 'bijzonder uitgewogen' benadering zoals hij het noemde, wat naar mijn idee erg vriendelijk was aangezien ik na het gesprek van de dag ervoor geen woord had veranderd.

Vervolgens vroeg hij: 'Afgaande op uw getuigenis, stelt u voor dat we onze fiscale zelfdiscipline blijven betrachten. Klopt dat?'

'Dat is helemaal waar, senator,' antwoordde ik als mijn bijdrage aan de pas de deux waarvoor ik hem de dag ervoor had uitgenodigd. Daarna ging ik nog wat nader in op mijn opvattingen over de blijvende noodzaak de staatsschuld te verlagen en fiscale zelfdiscipline te betrachten.

Toen was het de beurt aan de andere senatoren, en de vragen die twee uur lang volgden, kwamen duidelijk uit twee verschillende kampen. Beide zijden hadden weliswaar een belastingverlaging voorgesteld, maar het waren toch vooral Republikeinen die dolenthousiast waren te horen dat ik mijn zegen aan het idee had gegeven. 'Ik denk dat we eigenlijk best weten welke kant we op gaan,' zei Phil Gramm van Texas. 'Hoe eerder we de begroting hebben opgesteld, hoe beter het is, en dan kunnen we verder.' De Democraten betoonden zich in hun commentaren voornamelijk verbijsterd. 'Dit leidt tot regelrechte paniek,' zei Fritz Hollings van South

Carolina. En Paul Sarbanes van Maryland sloot zich daarbij aan: 'Het zou niet ver bezijden de waarheid zijn als de pers met het verhaal zou komen dat Greenspan de deksel van de koektrommel heeft gehaald.' En de aansprekendste klacht was afkomstig van de senator met de langste staat van dienst uit de Amerikaanse geschiedenis, Bob Byrd. Met dat lijzige accent van hem begon hij als volgt: 'Ik ben doopsgezind. Wij hebben een gezangboek en in dat gezangboek staat een lied dat 'The Anchor Holds' heet. En deze hele periode van economische expansie heb ik u beschouwd als een belangrijk onderdeel van dat anker. Ik heb u de afgelopen paar jaar horen zeggen dat we de staatsschuld moeten afbetalen, dat dit dringend noodzakelijk is. Volgens mij had u toen gelijk en ik ben nogal verbijsterd dat het anker vandaag lijkt te haperen.'

Dat is het soort opmerkingen dat je bijblijft. Aan het eind van de hoorzitting had ik er alle vertrouwen in dat de ideeën die ik naar voren had gebracht (het risico dat overmatige overschotten opleveren, het voorstel van het glijdende pad en het idee om een trigger in te bouwen), op de lange duur wel meer aandacht zouden krijgen naarmate het wetgevende proces vorderde. Maar voorlopig legde ik me erbij neer dat de politiek met mijn getuigenis aan de haal was gegaan. Later zei ik tegen mijn vrouw dat ik diep geschokt was te merken dat de politiek op Capitol Hill blijkbaar een stevig woordje meesprak.

Het Witte Huis gaf al snel blijk van zijn genoegen. President Bush liet verslaggevers die avond in hoogsteigen persoon weten dat mijn getuigenis 'weloverwogen en precies goed' was. Ook de grote kranten beschouwden mijn getuigenis als iets politieks. 'Belastingverlagingen zijn onvermijdelijk en meneer Greenspan heeft helemaal gelijk om te vermijden dat hij het in zo'n vroeg stadium al niet met de nieuwe regering eens is,' schreef de *Financial Times*. De *New York Times* meldde dat ik het Witte Huis op vrijwel dezelfde manier te hulp schoot als ik indertijd had gedaan door mijn steun te verlenen aan het initiatief van president Clinton om het begrotingstekort omlaag te krijgen, toen hij in 1993 net was aangetreden: 'Net zoals hij indertijd met zijn omzichtige steun voor Clintons plan voor onschatbare politieke dekking had gezorgd... toen [de Democraten] voor verhoging van de belastingen stemden, zo heeft zijn voorzichtige steun aan een belastingverlaging de pogingen van de Republikeinen om de grootste belastingverlaging sinds de regering-Reagan erdoor te drukken, een nieuwe impuls gegeven.'

Toen ik deze commentaren las, begreep ik dat ik de emoties van dat moment volkomen verkeerd had ingeschat, terwijl ik helemaal geen politiek had willen bedrijven. We hadden net een constitutionele crisis in verband met een verkiezing achter de rug, en zoiets is niet het geschiktste moment om te proberen een genuanceerd standpunt op basis van economische analyse over het voetlicht te krijgen, begreep ik achteraf. En toch zou ik dezelfde getuigenis hebben afgelegd als Al Gore president was geweest.

Ik zette alles op alles om in de weken daarna de idee van de triggers op de agenda te houden. Tijdens hoorzittingen in het Congres in februari en maart vestigde ik keer op keer de aandacht op het feit dat alle prognoses uitermate speculatief waren, en ik bleef erop hameren dat er waarborgen moesten worden ingebouwd. 'Het is van cruciaal belang dat we strategieën voor de begroting ontwikkelen voor als we voor bepaalde teleurstellingen komen te staan,' zei ik op 2 maart tegen een commissie van het Huis van Afgevaardigden.

Een paar dagen later hield een kleine groep fiscale conservatieven uit beide partijen in de Senaat een persconferentie waarin ze verklaarden dat zulke triggers inderdaad de oplossing waren. Ik had deze groep van vijf Republikeinen en zes Democraten onder leiding van senator Olympia Snowe van Maine enige keren gesproken en aangemoedigd.

Maar uiteindelijk bleken die triggers niet veel kans te hebben. Ze vielen bij de leiding van geen van beide partijen in de smaak. Toen verslaggevers op de dag van mijn getuigenis bij de woordvoerder van het Witte Huis Ari Fleischer informeerden naar het inbouwen van een beveiliging tegen een begrotingstekort in de voorgestelde belastingverlaging, antwoordde hij kordaat: 'Daar moeten we een vaste wet van maken.' Kort daarop haalde *Time* topadviseur voor politieke zaken Karl Rove aan die over het concept van de triggers zei dat het 'wat deze president betreft een doodgeboren kindje' was. En toen president Bush in februari officieel zijn begrotingsplan voor 2002 presenteerde, omvatte dat precies de belastingverlaging van 1600 miljard dollar zoals hij die in zijn verkiezingscampagne had voorgesteld. Ook de leiding van de Democraten verwierp het idee van de triggers. 'Je hebt geen trigger nodig als je de belastingverlaging beperkt houdt,' zei de leider van de minderheid in de Senaat Daschle. Begin maart zag de leiding van de Republikeinen in het Huis van Afgevaardigden kans te voorkomen dat een amendement omtrent trigggers ter tafel kwam, en het Huis aanvaardde de belastingverlaging van Bush vrijwel ongewijzigd. En toen het debat zich naar de Senaat verplaatste, kregen de triggers verder geen steun.

Uiteindelijk behaalde Bush de overwinning. De belastingverlaging van 1350 miljard dollar die er uiteindelijk uit rolde, was kleiner dan hij had gewild, zo ongeveer halverwege tussen de plannen van de Republikeinen en die van de Democraten. Maar het plan zat helemaal à la Bush in elkaar als een verlaging over alle schijven. De wet omvatte slechts één belangrijk aspect dat geen deel had uitgemaakt van het oorspronkelijke plan: een belastingteruggave die bedoeld was om bijna veertig miljard van het overschot van 2001 terug te geven. Daarin stond dat elk huishouden tot zeshonderd dollar terug zou krijgen, afhankelijk van de hoogte van de inkomstenbelasting die zo'n huishouden het jaar daarvoor had betaald. Het Congres keurde deze zogenaamde 'Bush-teruggave' goed als stimulans op de korte termijn om de economie uit haar lethargie te wekken. 'De Amerikaanse belastingbetaler zal meer geld in zijn zak hebben,' verklaarde de president, 'zodat de economie een welverdiende injectie krijgt.'

Op 7 juni ondertekende hij het wetsvoorstel voor de belastingverlaging: een recordtijd voor een ingrijpende begrotingsmaatregel. Ik was bereid optimistisch gestemd te zijn over het effect van de wet. De overschotten zouden ermee worden teruggeschroefd voordat ze gevaar gingen opleveren. En de belastingverlaging was weliswaar niet opgezet als een stimulans op de korte termijn (daar had de economie ook geen behoefte aan gehad toen de mensen van Bush het plan tijdens zijn campagne ontwierpen), maar ze kon bij toeval wel zo blijken te werken. Dit was beslist het juiste moment.

Helaas zou ik het algauw nog meer betreuren dat er geen triggers in de wetgeving waren ingebouwd. Al binnen een paar weken bleek dat ik mijn twijfels over het voortduren van de overschotten nooit had moeten opgeven. Die rooskleurige prognoses voor de komende tien jaar zaten er in feite ernstig naast.

Nog voordat de cheques met de belastingteruggave van Bush in de bus lagen, stortten de inkomsten van de federale overheid op onverklaarbare wijze in. De betalingen van persoonlijke inkomstenbelasting, zoals die door het ministerie van Handel per seizoen werden bijgesteld, begonnen miljarden dollars lager uit te vallen. Het veelgeroemde begrotingsoverschot dat er toen Bush in juni de belastingverlaging ondertekende nog steeds veelbelovend uitzag en naar verwachting nog vele jaren zou voortduren, verdween als sneeuw voor de zon. Vanaf juli van dat jaar keerden de rode cijfers blijvend terug.

Zelfs onze beste statistici werden volstrekt overvallen door deze omslag; het zou begrotingsdeskundigen nog maanden en het categoriseren van miljoenen belastingaangiften kosten voordat ze erachter kwamen wat er verkeerd was gegaan. Het tegenvallen van de inkomsten was blijkbaar een weerspiegeling van de voortdurende teruggang van de beurs. (Tussen januari en september raakte de S&P 500 ruim twintig punten aan waarde kwijt.) Dat zorgde voor een scherpe daling van de kapitaalwinstbelasting en de belasting over het uitoefenen van opties, die veel groter bleek te zijn dan de deskundigen hadden voorspeld. Zoals de technologiehausse voor het overschot had gezorgd, had de dotcombaisse dat overschot weer weggenomen.

Hoe hadden de prognoses er toch zo verschrikkelijk naast kunnen zitten? De economische neergang was dermate bescheiden dat de belastingstatistici zich ertoe hadden laten verleiden een aanzienlijk minder ernstige teruggang in inkomsten te verwachten. Maar in 2002 kwam de omvang van de neergang duidelijk uit de cijfers naar voren. In januari 2001 had het CBO de totale inkomsten voor het fiscale jaar 2002 nog op 2236 miljard dollar geschat. Tegen augustus 2002 was dat cijfer al tot 1860 miljard dollar geslonken: een bijstelling naar omlaag van 376 miljard dollar in achttien maanden. Daarvan was 75 miljard dollar toe te schrijven aan de belastingverlaging van Bush, en 125 miljard dollar aan het afnemen van de economische bedrijvigheid. De overige 176 miljard dollar – een verbijsterend groot bedrag – kwam voor rekening van iets wat begrotingsdeskundigen 'technische veranderingen' noemen, wat geheimtaal is voor dingen die niet kunnen worden verklaard aan de hand van wat er in de economie of op Capitol Hill gaande is, zoals verknoeide prognoses voor de inkomsten aan kapitaalwinstbelastingen.

In september kwam Bob Woodward me op mijn kantoor interviewen over de toestand van de economie. Hij was bezig met de voorbereiding van een nieuw hoofdstuk voor de pocketeditie van *Maestro*, zijn bestseller over mij en de Fed. Ik vertelde hem dat ik niets begreep van de manier waarop de recessie van 2001 zich ontwikkelde: zoiets had ik nog nooit meegemaakt. Na de scherpe afname van het consumentenvertrouwen die zich in december had voltrokken en de aanzienlijke teruggang van de koersen in de loop van de zomer, was ik voorbereid op een forse daling van het BBP. De industriële productie bleef het hele jaar 5 procent achter, en toch bleef het BBP op peil. We zaten niet in een diep dal maar op een plateau. (En uiteindelijk bleek de economie zelfs nog kans te zien dat jaar een klein beetje te groeien.)

De geringe diepte van de recessie was wellicht het gevolg van mondiale economische krachten die in grote delen van de wereld voor een daling van de lange rente en een scherpe stijging van de huizenprijzen hadden gezorgd. In de Verenigde Staten waren de huizen zozeer in waarde gestegen dat huishoudens zich blijkbaar rijk rekenden en bereid waren geld te besteden. In combinatie met een onderliggende groei van de productiviteit had dat de Amerikaanse economie kennelijk een geheel nieuwe veerkracht bezorgd.

Woodward probeerde de zaak als volgt samen te vatten: 'Dus misschien is het verhaal dit jaar wel dat niet zozeer de neergang als wel de ramp is afgewend.'

'Het is nu nog te vroeg om dat te zeggen,' was mijn antwoord. 'Dat weet je pas als de hele zaak in een saai patroon is veranderd.'

Het gesprek onderscheidde zich niet bijzonder van een tiental andere achtergrondgesprekken die ik in de loop van de zomer met verslaggevers voerde, behalve het tijdstip waarop het plaatsvond. Het was donderdag 6 september, vlak voor mijn vertrek naar een internationale bijeenkomst van bankiers in Zwitserland. De datum voor mijn terugkeer die op het ticket vermeld stond, was dinsdag 11 september.

11

DE BEPROEVING

Na 11 september 2001 verkeerden we anderhalf jaar lang in een soort schemertoestand. De economie zag kans te groeien, maar het was een onzekere en zwakke groei. Ondernemingen en beleggers voelden zich bedreigd. De crises van de eerste maanden (de jacht op mensen die verdacht werden van banden met Al Qaida, de miltvuuraanslagen, de oorlog in Afghanistan) maakten plaats voor de wat minder heftige druk die gepaard ging met de angsten en kosten in verband met de binnenlandse veiligheid. Het faillissement van Enron in december 2001 dreef de onzekerheid en de terneergeslagenheid nog verder op; het zette een hele golf van boekhoudschandalen en faillissementen in gang waarbij de aanstekelijke hebzucht en de malversaties aan het licht kwamen die de keerzijde van de grote economische boom waren geweest.

Soms leek er wel geen eind te komen aan het verontrustende nieuws: de controverse over de financiering van verkiezingscampagnes, de sluipschuttermoorden in Washington, de terroristische aanslag in een uitgaanswijk op Bali. In de zomer van 2002 stortte telecomreus WorldCom ter aarde in een wolk van boekhoudschandalen: met 107 miljard dollar aan activa was dit het grootste faillissement uit de geschiedenis.

Vervolgens stak SARS de kop op, de dodelijke, op griep lijkende aandoening die in China was begonnen en wekenlang het handelsverkeer verstoorde. Uiteraard voerde de regering in diezelfde periode haar aanvallen op Saddam Hoessein op, en in maart en april 2003 domineerden de inval in Irak en het omverwerpen van het regime van Hoessein de krantenkoppen.

En alles werd overschaduwd door de verwachting dat er nog meer terroristische aanvallen op Amerikaans grondgebied zouden volgen. Vooral rond de regeringsgebouwen in Washington viel het niet mee het gevoel van dreigend gevaar van je af te schudden: overal zag je steeds nieuwe verkeersbarrières, controleposten, bewakingscamera's en zwaarbewapende bewakers. Voor mij was het afgelopen met mijn wandelingetje van een paar straten op weg naar mijn werk langs de tv-camera's voor de aktetasmeter; elke ochtend werd ik de zwaarbewaakte ondergrondse garage van de Fed in gereden. Bezoekers voor de Fed mochten daar weliswaar nog steeds parkeren maar nu moesten ze eerst wachten tot een hond de auto op explosieven had afgesnuffeld, waarbij de hond zelfs de kofferbak in dook.

De belangrijkste vraag die men zich in Washington stelde, was waarom er geen tweede aanval kwam. Als Al Qaida de bedoeling had de Amerikaanse economie te ontwrichten, zoals Bin Laden had verklaard, moesten de aanvallen doorgaan. We hadden een open maatschappij, onze grenzen waren zo lek als een mandje, en ons vermogen om wapens en bommen op te sporen was tamelijk pover. Ik legde die vraag aan heel veel mensen op de hoogste regeringsniveaus voor, maar niemand had blijkbaar een overtuigend antwoord.

De verwachting dat er meer terroristische aanslagen zouden worden gepleegd, beïnvloedde vrijwel alles wat de regering ondernam. En onvermijdelijk had de afscherming die we rond onze instellingen hadden opgetrokken, invloed op elke beslissing. In 2002 werd het nieuwe binnenlandse-veiligheidsprogramma voorbereid in het kader waarvan persoonlijke vrijheden aanzienlijk werden beperkt door maatregelen als verscherpte identificatieplicht, het opvoeren van de identiteitscontroles, het beperken van reismogelijkheden en het terugschroeven van de privacy.[1] De leiders van beide partijen stonden daar volledig achter. Maar toen verdere aanvallen uitbleven, keerden de politici gaandeweg terug naar hun opvattingen van voor 11 september op het punt van burgerlijke vrijheden, alleen deden sommigen er wat langer over dan anderen. Het is hoogst interessant je gedachten te laten gaan over hoe de Verenigde Staten er nu uit zouden zien als er een tweede, derde en vierde aanval waren gevolgd. Had onze cultuur dat overleefd? Waren we dan in staat geweest een werkbare economie in stand te houden, zoals de Israëli's dat doen, of de Londenaren ten tijde van de bomaanslagen door de IRA? Ik had er eigenlijk alle vertrouwen in dat we dat konden, maar een beetje twijfel houd je toch.

De Fed reageerde op al deze onzekerheid door ons programma van forse verlagingen van de korte rente voort te zetten. We hadden begin 2001 al een reeks van zeven verlagingen uitgevoerd om het effect van de instorting van de dotcomindustrie en de algemene neergang van de beurs te verzachten. Na de aanvallen op 11 september verlaagden we de rente op de geldmarkt nog eens viermaal, en toen nog één keer op het toppunt van de bedrijfsschandalen in 2002. In oktober van dat jaar stond de rente op de geldmarkt inmiddels op 1,25 procent, wat voor de meesten van ons tien jaar terug onvoorstelbaar laag was geweest. (En inderdaad waren de rentes sinds de dagen van Dwight Eisenhower nog nooit zo laag geweest.) Als functionarissen die hun hele loopbaan hadden gewijd aan het bestrijden van inflatie, vonden we al die verlagingen maar een vreemde ervaring. En toch was de economie duidelijk in de greep van de deflatie, waarbij een combinatie van krachten in de markt ervoor zorgt dat de lonen en prijzen laag blijven en de inflatieverwachting afneemt, waardoor ook de langetermijnrentetarieven dalen.

Inflatie was dus voorlopig even geen probleem. Tussen 2000 en 2003 bleef de lange rente dalen (de rente op obligaties met een looptijd van tien jaar daalde van bijna 7 procent naar nog geen 3,5 procent). De verklaring daarvoor lag overduidelijk tot ver voorbij de Amerikaanse grenzen, want de lange rente ging wereldwijd omlaag. De globalisering oefende blijkbaar een deflatoire invloed uit.

Die bredere kwestie legden we terzijde om ons bezig te houden met de dringendere uitdaging waar de Fed voor stond, namelijk een inzakkende economie. De FOMC ging ervan uit dat er voorlopig geen gevaar bestond dat de prijzen zouden stijgen, dus dat gaf ons de armslag om de korte rente te verlagen.

In 2003 hadden de economische neerslachtigheid en de deflatie echter zo lang voortgeduurd dat de Fed de mogelijkheid van een veel uitzonderlijker gevaar in overweging moest nemen, namelijk dalende prijzen en deflatie. De mogelijkheid bestond dat de Amerikaanse economie in een zelfde verlammende spiraal zou raken waarin Japan dertien jaar had verkeerd. Ik vond het een bijzonder verontrustende kwestie. In moderne economieën die juist altijd met inflatie worstelen, is deflatie een zeldzame aandoening. De Verenigde Staten hadden de gouden standaard immers losgelaten. Ik kon me eenvoudig geen deflatie voorstellen bij een systeem van ongedekt papiergeld. Ik had altijd aangenomen dat als er deflatie dreigde, we de drukpersen konden laten draaien om net zo veel dollars bij te drukken tot er een eind kwam aan de deflatiespiraal. Nu wist ik dat echter niet zo zeker meer. Japan had bij wijze van spreken de geldkraan opengezet, de rente tot nul teruggeschroefd en een reusachtig begrotingstekort opgelopen, en nog bleven de prijzen dalen. De Japanners leken zich maar niet aan de wurggreep van de deflatie te kunnen ontworstelen en ze waren vast doodsbenauwd dat ze in een neerwaartse spiraal terecht waren gekomen zoals die zich sinds de jaren dertig niet meer had voorgedaan.

Binnen de Fed groeide de bezorgdheid over de deflatie. De economie zag weliswaar kans een reële groei van 1,6 procent van het BBP te bewerkstelligen, maar het was duidelijk dat ze het zwaar had. Zelfs krachtige ondernemingen als Aetna en SBC Communications maakten weinig winst, ontsloegen mensen en meldden dat ze problemen hadden om prijsverhogingen in stand te houden. De werkloosheid was van 4 procent eind 2000 tot 6 procent gestegen.

Tijdens de vergadering van de FOMC eind juni, waar we besloten de rentetarieven nogmaals te verlagen, tot 1 procent, was deflatie hét onderwerp van gesprek. We besloten tot die verlaging ofschoon we het erover eens waren dat de economie niet echt nog eens een verlaging van de rentetarieven nodig had. De beurs begon eindelijk aan te trekken en onze prognoses wezen op een aanzienlijk sterkere toename van het BBP in de tweede helft van het jaar. Dit nam niet weg dat we het na afweging van de risico's toch deden. We wilden de mogelijkheid van een ondermijnende deflatie volkomen uitsluiten en namen voor lief dat we met die renteverlaging wellicht een soort inflatoire hausse in de hand zouden werken die we dan vervolgens weer moesten aanpakken. Ik was heel tevreden over de manier waarop we de strijdige factoren tegen elkaar hadden afgewogen. De tijd zou leren of we de juiste beslissing hadden genomen, maar in elk geval was het een beslissing die op de goede manier was genomen.

De economie zag kans de malaise van na 11 september te overleven dankzij de consumentenbestedingen, die op hun beurt weer overleefden dankzij de huizenmarkt. In grote delen van de Verenigde Staten begon de huizenprijs fors te stijgen dankzij de scherpe daling in de hypotheekrentetarieven. Marktprijzen van bestaande huizen stegen in 2000, 2001 en 2002 met 7,5 procent per jaar, ruim het dubbele van nog maar een paar jaar daarvoor. De bouw van nieuwe huizen steeg niet alleen tot recordhoogte, daarnaast wisselden ook ongekende aantallen bestaande huizen van eigenaar. Die bloeiende huizenmarkt was een flinke opsteker: je eigen huis stond dan misschien niet te koop, maar je hoefde maar even verderop in de straat te kijken om te zien dat andermans huis wegging voor een onwaarschijnlijk hoog bedrag, en dit betekende dat jouw huis ook meer waard was.

Begin 2003 was de rente op hypotheken met een looptijd van dertig jaar tot onder de 3 procent gedaald, en zo laag had die sinds de jaren zestig niet meer gestaan. Hypotheken met een variabele rente waren zelfs nog goedkoper. Dat werkte een grotere omzetsnelheid van huizen in de hand, waardoor de prijzen nog verder werden opgejaagd. Sinds 1994 nam het aantal Amerikaanse huishoudens met een eigen huis voortdurend toe. In 2006 bezat inmiddels bijna 69 procent van de huishoudens zijn eigen huis, in vergelijking met 64 procent in 1994, en 44 procent in 1940. Die toename was vooral opmerkelijk groot onder latino's en zwarten, aangezien veel leden van minderheidsgroepen voor het eerst in staat waren een huis te kopen dankzij een grotere welvaart en de overheidssteun aan programma's voor hypotheken aan minder kredietwaardige leners. Dankzij dit toegenomen huizenbezit kregen meer mensen een zakelijk belang in de toekomst van ons land, wat naar mijn idee alleen maar bevorderlijk was voor de nationale cohesie. Het bezit van een eigen huis roept nog net zulke sterke gevoelens op als een eeuw geleden. Zelfs in het digitale tijdperk bezorgen baksteen en cement (of triplex en gipsplaat) ons het gevoel dat we ergens thuishoren.

Mensen stonden allengs te popelen om die vermogensaanwas, en dan vooral in contanten, uit te geven. Algauw zagen statistici een stijging in de consumentenbestedingen die overeenkwam met de toename in vermogensaanwas. Sommige analisten schatten dat 3 à 5 procent van de toegenomen waarde van huizen jaarlijks terugkwam in de vraag naar allerhande goederen en diensten, van auto's en koelkasten tot vakanties en entertainment. En natuurlijk staken mensen ook geld in de modernisering en uitbreiding van hun huis, waardoor de hausse nog verder werd opgejaagd. Deze toename in uitgaven werd vrijwel volledig bekostigd met het verhogen van de hypotheek, wat financiële instellingen extra makkelijk maakten.[2] Het nettoresultaat hiervan werd keurig onder woorden gebracht door de schrijver van economische columns Robert Samuelson, die op 30 december 2002 in *Newsweek* schreef: 'De bloeiende huizenmarkt heeft de economie gered... Amerikanen hadden hun buik vol van de beurs en stortten zich in een onroerendgoedorgie. We kochten een duurder huis, lieten muren doorbreken en de boel uitbreiden.'

Een hausse leidt tot een zeepbel, zoals de bezitters van dotcomaandelen op pijnlijke wijze hadden ervaren. Zorgden we met z'n allen nu misschien voor een gruwelijke onroerendgoedkrach? Die vrees begon voor het eerst te spelen in uitgesproken verhitte markten als San Diego en New York, waar de prijzen in 2002 respectievelijk met 22 en 19 procent stegen, en waar sommige beleggers huizen en appartementen begonnen te beschouwen als de nieuwste manier om snel rijk te worden. De Fed hield zulke ontwikkelingen nauwlettend in de gaten. Naarmate de hausse langer voortduurde, vielen de aanwijzingen dat er gespeculeerd werd, steeds lastiger te negeren. De markt voor eengezinswoningen was in de Verenigde Staten van oudsher vooral op eigenwoningbezit gericht geweest, en het percentage aankopen bij wijze van belegging of voor speculatiedoeleinden kwam zelden boven de tien uit. (Dergelijke aankopen worden doorgaans gedaan door mensen die woningen kopen en verhuren. Dikwijls is zo'n figuur eigenaar van een koopflat of van een twee-onder-een-kaphuis, waarvan één woning wordt verhuurd.) Maar in 2005 kwam volgens de National Association of Realtors inmiddels al 28 procent van de gekochte huizen voor rekening van investeerders. Die investeerders werden een belangrijke kracht in de markt aangezien ze de omzetsnelheid van bestaande huizen met bijna eenderde opdreven. Tegen die tijd verschenen er berichten in de krant over zogenaamde 'flippers': een term waarmee speculanten in plaatsen als Las Vegas en Miami werden aangeduid. Mensen die gebruik maakten van makkelijk te verkrijgen kredieten om even snel vijf, zes nieuwe appartementen te kopen met de bedoeling ze met een forse winst door te verkopen voordat ze zelfs maar waren gebouwd. Dat soort ernstige toestanden bleef gelukkig wel een regionaal verschijnsel. Ik hield mijn toehoorders vaak voor dat hier geen sprake was van een zeepbel maar van zeepschuim, oftewel een heleboel kleine, plaatselijke zeepbelletjes die nooit groot genoeg werden om de gezondheid van de hele economie in gevaar te brengen.

Of het nu een zeepbel of schuim was, in elk geval begon het feestje eind 2005 af te lopen, aangezien mensen die toen voor het eerst een huis wilden kopen, de huizenprijzen allengs onbetaalbaarder vonden. Hogere prijzen vroegen om hogere hypotheken die een steeds grotere aanslag op het maandelijkse inkomen deden. De wilde tijden toen kopers meer betaalden dan de vraagprijs om een huis maar in de wacht te kunnen slepen, waren voorbij. De vraagprijs van verkopers bleef op peil maar kopers hielden zich in. Het gevolg was dat de verkoop van zowel nieuwe als bestaande huizen scherp daalde. De hausse was voorbij.

Die hausse had deel uitgemaakt van een opmerkelijke internationale trend. De hypotheekrente was niet alleen in de Verenigde Staten gedaald, maar ook in Groot-Brittannië, Australië en veel andere landen met een goed functionerende hypotheekmarkt. In reactie daarop waren de prijzen wereldwijd omhooggeschoten. De *Economist* volgt huizenprijzen in twintig landen en schat dat de marktwaarde van woonhuizen in industrielanden tussen 2000 en 2005 is gestegen van veertig biljoen tot ruim zeventig biljoen dollar. Het grootste deel van die stijging, acht biljoen, komt voor rekening van Amerikaanse eengezinswoningen. Maar de ontwikkelingen in andere economieën waren veelbetekenend aangezien daar de hausse zo'n twee jaar eerder begon en eindigde. In Australië en Groot-Brittannië begon de vraag in 2004 om dezelfde redenen af te nemen als later in de Verenigde Staten: mensen die voor het eerst een huis wilden kopen, kwamen niet meer aan de bak, en speculanten trokken zich terug. De hausse kwam in die landen weliswaar ten einde, en de prijzen stabiliseerden zich of zakten iets, maar op het moment dat ik dit schrijf zijn ze niet ingestort.

Vanwege de hausse op de huizenmarkt en de bijbehorende explosie aan nieuwe hypotheekproducten had het gemiddelde Amerikaanse huishouden uiteindelijk een waardevoller huis en meer toegang tot de rijkdom die dat huis vertegenwoordigde. Natuurlijk heeft zo'n gezin ook een hogere hypotheek, maar aangezien de rente over die schuld lager is, is het deel van het inkomen van de gemiddelde huiseigenaar dat naar afbetaling van schulden gaat, tussen 2000 en 2005 niet noemenswaardig gestegen.

Het herstel van na 11 september had echter ook een schaduwzijde. Er heeft zich een verontrustende verschuiving voltrokken in de concentratie van het inkomen. In de afgelopen vier jaar zijn de gemiddelde salarissen van mensen met een toezichthoudende functie aanzienlijk meer gestegen dan die van productiearbeiders en niet-toezichthouders. (Bij veel huishoudens werd het achterblijven van het reële inkomen gecompenseerd door de toegenomen waarde van hun huis, al ging het overgrote deel van die toename naar groepen met een bovenmodaal of hoger inkomen.)

Zelfs toen de economische groei terugkeerde, zag je die scheve verhoudingen in loon nog steeds terug in de onderzoeken. In 2004 steeg het BBP inmiddels weer met een gezonde 3,9 procent per jaar, de werkloosheid daalde, en het totaal aan lonen en salarissen deed het ook niet slecht. En toch ging een buitenproportioneel deel van de stijging van het gemiddelde inkomen naar de hooggeschoolden. Er zijn aanzienlijk meer mensen met een modaal inkomen, en die doen het al een tijd niet zo geweldig. Dus het is geen wonder dat onderzoekers die duizend huishoudens belden, van 60 procent te horen kregen dat ze vonden dat de economie er heel slecht voorstond, en maar van 40 procent dat het goed ging. Zo'n tweedeling in de inkomensverdeling is een normaal verschijnsel in ontwikkelingslanden, maar Amerikanen hebben zo'n uitgesproken inkomensongelijkheid sinds de jaren twintig niet meer meegemaakt. Wanneer de totaalcijfers er goed uitzagen, waren de uitslagen van de enquêtes ook altijd positief.

En recentelijk zijn sommige groepen ook getroffen door de afnemende hausse op de huizenmarkt. Die leverde voor de overgrote meerderheid van huiseigenaren geen bijzonder grote problemen op, want zij hadden dankzij de gestegen prijzen een aanzienlijk vermogen opgebouwd. Maar heel veel gezinnen met een laag inkomen die gebruik hadden gemaakt van de speciale hypotheken voor mensen met lage kredietwaardigheid (de zogenoemde *subprime* hypotheken), waren te laat aan de hausse gaan meedoen om van de voordelen te profiteren. Zonder een buffervermogen om op terug te vallen, hebben ze de grootste moeite hun maandelijkse betalingen op te brengen, en steeds meer mensen dreigen uit hun huis gezet te worden. Van de bijna drie biljoen dollar aan hypotheken die in 2006 werden afgesloten, was eenvijfde voor hypotheken aan gezinnen met een laag inkomen en nog eens eenvijfde waren zogenaamde Alt-A-hypotheken. Dit zijn hypotheken die worden afgesloten door mensen met een gezonde kredietgeschiedenis, maar die vaak maandelijks alleen rente afdragen, en wier papieren met betrekking tot het inkomen van de hypotheeknemer en andere kenmerken niet geheel adequaat zijn. Slechte prestaties van deze tweederde van de afgesloten hypotheken hebben ervoor gezorgd dat de beschikbaarheid van kredieten aanzienlijk krapper is geworden, wat weer een duidelijk effect op de verkoop van huizen heeft gehad. Ik besefte wel degelijk dat het verruimen van de voorwaarden voor het afsluiten van een hypotheek voor hypotheeknemers met een onzeker inkomen de financiële risico's vergrootte, en dat overheidssubsidies om eigenwoningbezit te stimuleren, de marktuitkomsten vertekenen. Maar ik was toen van mening, en dat ben ik nog steeds, dat de gunstige effecten van toegenomen eigenwoningbezit het risico ruimschoots waard is. Voor de bescherming van eigendomsrechten, iets wat in een markteconomie van cruciaal belang is, is een bepaalde kritische massa aan eigenaars nodig om de politieke steun in stand te houden.

De veerkracht van de economie bemoedigde me weliswaar zeer, maar het optreden van de regering vond ik daarentegen hoogst onrustbarend. In 2002 keerden de rode cijfers terug: het tekort liep op tot 158 miljard dollar, een verslechtering van ruim 250 miljard ten opzichte van het overschot van 127 miljard dollar in 2001.

President Bush loodste zijn regering nog steeds in de richting van inlossing van zijn verkiezingsbeloften uit 2000: belastingenverlagingen, versterking van de nationale defensie en uitbreiding van het geneesmiddelenpakket van Medicare. Deze doelstellingen waren in het licht van grote en naar verwachting voortdurende overschotten niet onrealistisch geweest. Maar de overschotten waren zes à negen maanden na de ambtsaanvaarding van George W. Bush verdwenen. En in een totaal veranderde wereld met toenemende tekorten pasten die doelstellingen niet echt meer. Niettemin bleef hij proberen de beloften uit zijn verkiezingscampagne waar te maken.

Wat mij nog het meest verontrustte, was de bereidheid van zowel het Congres als de regering om de begrotingsteugels te laten vieren. Na vier jaar overschotten was zuinigheid op Capitol Hill een schaars goed geworden. Overschotten zijn iets onweerstaanbaars voor regeringsfunctionarissen die gek zijn op politieke 'cadeautjes'. Ik heb in de loop van de jaren negentig ik weet niet hoeveel brieven van Capitol Hill ontvangen met het ene na het andere plan om meer geld uit te geven of minder belasting op te leggen, waarbij men aan de verplichting om aan te geven waar dat geld dan vandaan moest komen, tegemoetkwam met een of ander duister financieel handigheidje dat de ware kosten van het plan moest verhullen. In het Congres was dubbel boekhouden blijkbaar uit de mode geraakt.

Uiteindelijk liet het Congres zijn masker vallen. In het laatste jaar van de regering-Clinton had het Congres de bestedingsbeperkingen die het zichzelf had opgelegd, genegeerd en was met een aantal wetten gekomen om over een periode van tien jaar nog eens duizend miljard dollar extra te besteden. Zonder die bestedingen was het recordoverschot van 237 miljard dollar in 2000 nog hoger geweest. En vervolgens kwam George Bush met zijn belastingverlagingen die niet werden gecompenseerd door verminderde bestedingen, en na 11 september begon men helemaal met ruime hand geld uit te geven.

Bij de wetten die na 11 september werden aangenomen, zaten uiteraard ook de noodzakelijke verhoogde budgetten voor defensie en nationale veiligheid. Maar de noodmaatregelen op belastinggebied wekten bij het Congres blijkbaar ook een grote behoefte om geld uit te geven aan leuke dingen voor hun kiezers. Een vroeg voorbeeld was een wetsvoorstel op het gebied van vervoer ter hoogte van zestig miljard dollar dat in december 2001 bijna unaniem werd aangenomen. Grote sommen gingen naar het opvoeren van de veiligheid bij de luchtvaart en er werd extra belasting geheven op vliegtickets om de kosten voor een deel te compenseren, wat ontegenzeggelijk verstandige acties waren. Maar het omvatte ook nog eens ruim vierhonderd miljoen aan leuke dingen voor de mensen: geld voor snelwegen dat aan de overheid werd onttrokken om door de wetgevers aan leuke projectjes in hun eigen staat te besteden.

Het ontwerp voor een landbouwwet die in mei het jaar daarop werd ingediend, vond ik helemaal aanstootgevend. Het was een cadeautje van 250 miljard dollar dat maar liefst zes jaar achtereen zou worden uitbetaald en een reusachtige aanslag op de begroting betekende, waarmee al zwaarbevochten initiatieven die eerder waren ondernomen om de landbouwsubsidies terug te draaien, zodat de handel in landbouwproducten aan de marktwerking zou worden overgelaten, volledig werden teruggedraaid. De subsidies op katoen en graan zouden fors worden opgetrokken, en van suiker tot kikkererwten kreeg van alles nieuwe subsidies toebedacht. De voorzitter van de Huiscommissie voor de Landbouw, de Texaanse Republikein Larry Combast, maakte zich hard voor het wetsvoorstel, alsmede Democraten uit het Midden-Westen als leider (van de Democratische meerderheid) in de Senaat Daschle uit South Dakota.

Er bestaat een uitstekend middel tegen de overdaad van wetgevers, namelijk een veto van de president. In gesprekken achter de schermen met economische topfunctionarissen maakte ik er geen geheim van dat ik vond dat president Bush bepaalde wetsvoorstellen moest verwerpen. Daarmee zou hij het Congres duidelijk maken dat het niet de vrije hand had om naar believen geld uit te geven. Maar het antwoord dat ik van een hoge functionaris bij het Witte Huis kreeg, luidde dat de president de voorzitter van het Huis van Afgevaardigden Dennis Hastert niet op de kast wilde jagen. 'Hij denkt dat hij hem beter onder de duim kan houden als hij hem niet tegen zich in het harnas jaagt,' aldus de functionaris.

En inderdaad werd het niet uitoefenen van zijn vetorecht kenmerkend voor Bush' presidentschap: in de bijna zes jaar dat hij nu in het Witte Huis zit, heeft hij niet één enkel wetsvoorstel verworpen. Dat is uniek in de moderne geschiedenis. Johnson, Nixon, Carter, Reagan, George H.W. Bush en Clinton hebben allemaal tientallen wetsvoorstellen van de hand gewezen. En Jerry Ford wees gewoon alles af wat hem maar werd voorgelegd: meer dan zestig wetsvoorstellen in nog geen drie jaar. Dankzij die opstelling was hij in staat ondanks een grote Democratische meerderheid in beide huizen van het Congres veel invloed uit te oefenen en wetgevers de kant op te sturen die in zijn ogen belangrijk was. Naar mijn mening was die opstelling van Bush om samen te werken en vooral niet de confrontatie aan te gaan, een ernstige vergissing: daarmee ontnam hij het land het 'checks and balances'-mechanisme dat onontbeerlijk is voor belastingdiscipline.

Op 30 september 2002 gaf de begrotingsdiscipline van Washington formeel de geest. Dat was de dag waarop het Congres de belangrijkste antibegrotingstekortwet liet verlopen. De wet ter bekrachtiging van de begroting uit 1990 was een waar monument voor de zelfbeheersing van het Congres geweest. Hij was met steun van beide partijen onder de eerste president Bush aangenomen en had een belangrijke rol gespeeld bij het onder controle krijgen van de overheidstekorten waardoor de weg naar de hoogconjunctuur van de jaren negentig werd opengelegd. In deze wet legde het Congres zichzelf strikte limieten en 'pay-go'-voorschriften op waarin bepaald werd dat elke nieuwe besteding of belastingverlaging elders in de begroting moest worden gecompenseerd. Overtreding van die voorschriften zou onmiddellijk leiden tot ernstige strafmaatregelen, zoals het over de hele linie terugschroeven van sociale voorzieningen en defensie, iets wat iedere politicus koste wat kost wilde vermijden.

Maar in deze Budget Enforcement Act was geen rekening gehouden met de mogelijkheid dat er jarenlang sprake zou zijn van een overschot (de wet was ironisch genoeg bedoeld geweest om de begroting in 2002 in evenwicht te krijgen). En in de bestedingsdrift van eind jaren negentig had het Congres naar allerlei technische foefjes gegrepen om zijn eigen regels te overtreden. Een doorgewinterd staflid bij het Huis van Afgevaardigden formuleerde het zo: 'We waren verplicht "tekortneutraal" te zijn, maar er was geen sprake van een tekort!' En juist nu de veiligheidsmaatregelen op het punt stonden te verlopen, sloegen de tekorten opnieuw toe.

Halverwege september hield ik het dringendste pleidooi dat ik maar kon houden om het Congres te overtuigen deze eerste verdedigingslinie in stand te houden. 'De begrotingsregels staan op het punt te verlopen,' hield ik de Begrotingscommissie van het Huis voor. 'Het zou een ernstige vergissing zijn om ze niet in stand te houden. Zonder duidelijke richtlijnen en constructieve doelstellingen is de kans immers groot dat de ingebouwde politieke voorkeur voor begrotingstekorten weer voet aan de grond krijgt... Als we de begrotingsregels niet in stand houden en onze toewijding aan fiscaal verantwoordelijkheidsgevoel niet opnieuw bevestigen, zullen al die jaren van inspanning verspilde moeite zijn geweest.' Ik erkende dat de ergste gevolgen niet onmiddellijk merkbaar zouden zijn, maar ernstig zouden ze beslist zijn. 'De geschiedenis leert ons,' waarschuwde ik, 'dat het opgeven van belastingdiscipline uiteindelijk zal leiden tot hogere rentetarieven, verdringing van investeringen en het achterblijven van de groei van de productiviteit, waardoor we in de toekomst voor harde keuzes zullen komen te staan.'

Mijn verklaring deed al de ronde voordat ik haar uitsprak. Uiteraard was het beslist niet het soort boodschap dat de leden van de commissie graag vernamen. Van de 41 leden verscheen maar ongeveer de helft. Onder het voorlezen van een passage over de historische eensgezindheid van beide partijen die had geleid tot de totstandkoming van de Budget Enforcement Act, hield ik de reacties van de Congresleden in de gaten. De meesten keken nogal blanco terug. En wat erger was, tijdens het vragenuurtje bleek overduidelijk dat maar heel weinig zo niet geen van de wetgevers enige interesse had in het in stand houden van de bestedingsbeperkingen. Niemand ging in op mijn voorstel en het ernstige economische gevaar waaraan ik had gerefereerd, men veranderde eenvoudig van onderwerp. De discussie ging vrijwel uitsluitend over de voor- en nadelen van belastingverlagingen nu en in de toekomst. En dat was ook het enige wat in die paar nieuwsberichten die de dag erop verschenen over mijn getuigenis, aan bod kwam.

In de Senaat zetten Pete Domenici, Phil Gramm, Kent Conrad, Don Nickles en andere fiscale conservatieven alles op alles om de mechanismen te handhaven die voor een evenwichtige begroting moesten zorgen. De politieke wil ontbrak echter. Het enige wat ze voor elkaar kregen, was een verlenging van een half jaar voor een procedureel voorschrift dat het net een beetje lastiger maakte om een wet aan te nemen die het tekort zou vergroten. Maar zonder de strafmaatregelen die in de Budget Enforcement Act waren vastgelegd, had dat voorschift geen tanden. De begrotingsdiscipline waar we zo veel plezier van hadden gehad, was in feite uitgeschakeld.

Toen de Republikeinen bij de tussentijdse verkiezingen in november 2002 met grote meerderheid wonnen, werd de situatie alleen nog maar erger. Voorzitter van de Raad van Economische Adviseurs Glenn Hubbard stelde in een toespraak die hij in december hield, dat het voor de economie als geheel weinig verschil maakte of de begroting al of niet in evenwicht was. 'Men mag hopen dat de discussie nu eens over iets anders gaat dan over het idee dat een hoger tekort de lange rente opdrijft en voor een afkoelende groei zorgt,' zei hij. 'Dat is pure Rubinomics, en daar deugt naar onze mening niets van.' Als we even buiten beschouwing laten dat dit een uithaal naar de Democraten was, had Hubbard op de korte termijn geen ongelijk. De obligatiemarkten functioneren inmiddels zo efficiënt dat rentetarieven alleen nog maar veranderen als er op grond van nieuwe informatie een wijziging optreedt in de verwachtingen voor de toekomstige begrotingstekorten en staatsschuld. Over het algemeen zijn veranderingen in het aanbod van Amerikaanse staatsobligaties relatief klein in verhouding tot het mondiale aanbod van even veilige verhandelbare schuldinstrumenten. Kleine veranderingen in de relatieve prijzen (dat wil zeggen de rentetarieven) kunnen beleggers ertoe verleiden aanzienlijke hoeveelheden staatsobligaties te vervangen door even grote hoeveelheden kwalitatief goede bedrijfsobligaties of buitenlandse staatsobligaties. En het omgekeerde geldt ook: zulke veranderingen in de schulden of, bij uitbreiding, in de tekorten hangen samen met opmerkelijk kleine veranderingen in rentetarieven. De wereldmarkt voor schuldbrieven die met Amerikaanse staatsobligaties kunnen concurreren, is inmiddels zo omvangrijk en zo efficiënt dat de onderliggende samenhang tussen overheidstekorten, schulden en rentetarieven ermee buiten beeld is geraakt.

Als een kwestie erg gecompliceerd is, is het soms een handig gedachte-experiment om zoiets tot het uiterste door te voeren. Als het echt waar is dat tekorten er niet toe doen en het alleen maar van goed overheidsbeleid getuigt om de belastingen te verlagen zonder ook de bestedingen terug te draaien, waarom zou je dan niet gewoon alle belastingen afschaffen? Het Congres kan dan naar believen alles lenen wat het maar wil en zonder beperkingen geld uitgeven zonder bang te hoeven zijn dat de economische groei te lijden heeft van een uit de pan rijzende staatsschuld. En toch hebben we al keer op keer in ontwikkelingslanden gezien hoe het ongebreideld lenen en besteden van overheidswege alleen maar leidt tot hyperinflatie en economisch verval.

Die tekorten doen er dus wel degelijk toe. Beleidsmakers moeten zich niet de vraag stellen óf ze de groei schaden, maar in welke mate ze de groei schaden. In de econometrische modellen van Hubbard hebben veranderingen in de uitstaande staatsschuld weliswaar slechts weinig effect op de rente, maar dit neemt niet weg dat hij onlangs schreef: 'Deze bevindingen moeten niet worden opgevat als een bewijs dat tekorten er niet toe doen. Aanzienlijk grotere, voortdurende en onhoudbare overheidsschulden kunnen uiteindelijk zorgen voor een steeds grotere druk op de beschikbare binnen- en buitenlandse leenfondsen... Op dit moment zijn in de Verenigde Staten met name de niet-gefinancierde impliciete verplichtingen verbonden met het socialezekerheidsstelsel en Medicare een reden tot zorg.' Maar in de politieke werkelijkheid gingen de subtiliteiten van het economische debat blijkbaar geheel verloren. Het Congres en de president beschouwden begrotingsdiscipline als een hinderpaal voor de wetgeving waar zij op uit waren. 'Tekorten doen er niet toe,' werd tot mijn grote ergernis een vaste kreet onder Republikeinen.

Ik had de grootste moeite me te verzoenen met de gedachte dat dit nu de norm en het economische beleid van de Grand Old Party was geworden. Maar ik had er in de jaren zeventig al een voorproefje van gekregen tijdens een lunch met Jack Kemp, indertijd een jong Congreslid uit de staat New York. Hij klaagde erover dat de Democraten altijd stemmen wonnen door aan alle kanten de bestedingen op te drijven. En de tekorten die daar het gevolg van waren, belandden altijd weer op het bordje van een Republikeinse regering. 'Waarom kunnen we zelf niet eens een keer een beetje onverantwoordelijk zijn?' vroeg hij tot mijn verbijstering. 'Waarom kunnen wij niet eens de belastingen verlagen en leuke cadeautjes weggeven voordat zij dat doen?' En dat was precies wat er nu gebeurde. Ik voelde me aangetast in de gevoelens die ik er als libertaire Republikein op nahield.

Eind december 2002 en begin januari 2003 nam ik de ongebruikelijke stap om er bij economische topfunctionarissen van het Witte Huis op aan te dringen voor een verstandigere benadering te kiezen. Ik kan niet zeggen dat mijn protesten nu zo veel effect sorteerden, maar men realiseerde zich blijkbaar wel in het Witte Huis dat de kreet 'tekorten doen er niet toe' wel erg kort door de bocht was, want tegen de tijd dat president Bush zijn begrotingsplan voor 2004 presenteerde, had hij zijn taal gematigd. 'Mijn regering gelooft ten stelligste in het beheersen en terugdringen van het begrotingstekort zolang onze economie krachtiger wordt en er aan de behoeften voor nationale veiligheid tegemoet wordt gekomen,' verklaarde hij op 3 februari 2003 tegenover het Congres. Maar hij stelde vervolgens wel dat die tekorten voorlopig onvermijdelijk waren vanwege de noodzaak van nieuwe belastingverlagingen om de groei te stimuleren en nieuwe uitgaven om de strijd tegen het terrorisme te bekostigen. John Snow, die kort daarvoor Paul O'Neill was opgevolgd als minister van Financiën, sloeg de volgende dag dezelfde toon aan. 'Tekorten doen er wel degelijk toe,' hield hij de Belastingcommissie van het Huis van Afgevaardigden voor, maar de tekorten die in de nieuwe begroting van de president waren voorzien, waren zowel 'hanteerbaar' als 'onvermijdelijk'.

In mijn ogen was de nieuwe begroting wel iets verontrustender dan dat. De uitgaven beliepen meer dan 2200 miljard dollar, met als gevolg dat het voorziene tekort voor zowel 2003 en 2004 ruim driehonderd miljard dollar bedroeg en in 2005 nog eens tweehonderd miljard dollar (op grond van een stel uiterst rooskleurige aannames, naar mijn idee). Zoals te verwachten voorzag het voorstel in aanzienlijk grotere uitgaven voor binnenlandse veiligheid en defensie, maar niet in de kosten voor de oorlog in Irak, die steeds dichterbij kwam. (Als het zo ver was, moest de regering daarvoor extra geld vrijmaken, waarmee het tekort nog verder zou oplopen.)

De kern van de begroting werd gevormd door nog weer een flinke ronde belastingverlagingen, zoals die een paar weken eerder al door president Bush waren voorgesteld. De verlaging die het meest in de papieren zou lopen, was het gedeeltelijk afschaffen van de dubbele belasting van dividend. Ik had al jaren aangedrongen op volledige afschaffing van de dubbele belasting op bedrijfsdividenden als middel om investeringen te bevorderen. In het nieuwe plan was tevens voorzien in versnelde verlagingen van de inkomstenbelastingen over alle schijven, zodat ze per direct ingingen, en in de permanente intrekking van successierechten. Het pakket belastingmaatregelen zou naar schatting over een periode van tien jaar nog eens 670 miljard dollar (of ruim duizend miljard dollar als de verlagingen blijvend zouden worden) toevoegen aan de 1350 miljard dollar die de eerste ronde van Bush' belastingverlagingen hadden gekost.

De directeur van het Office of Management and Budget Mitch Daniels haastte zich erop te wijzen dat een begrotingstekort van driehonderd miljard dollar altijd nog maar slechts 2,7 procent van het BBP beliep, wat naar historische maatstaven tamelijk bescheiden was. Daar had hij gelijk in, maar waar ik me eigenlijk zorgen over maakte, was ook eerder dat men geen aandacht besteedde aan het feit dat de beloofde belastingvoordelen op de langere termijn een reusachtig gat in toekomstige begrotingen zullen slaan. Terwijl we ons juist met een evenwichtige begroting of zelfs een begrotingsoverschot zouden moeten voorbereiden op het pensioen van de babyboomers. (De overschotten vormen geen bedreiging meer van een aanwas van privévermogen zoals in 2001 nog het geval was. Het schuldniveau is nu substantieel hoger dan in 2001 werd bevroed.)

Er werd beweerd dat verdere belastingverlagingen de economische groei een nieuwe prikkel zouden geven. Maar uit de analyse van de Fed bleek dat de slapte eerder angst en onzekerheid over een mogelijke oorlog weerspiegelde en niet zozeer de behoefte aan meer stimulans. Irak domineerde het nieuws. Colin Powell had op 5 februari bij de Verenigde Naties de toespraak gehouden waarin hij Irak ervan beschuldigde dat het massavernietigingswapens verborgen hield; tien dagen later werden er in steden over de hele wereld protestdemonstraties tegen de oorlog gehouden. Zolang de situatie in Irak niet was opgelost, viel niet uit te maken of belastingverlagingen werkelijk zin hadden. Op 11 februari zei ik tegen de Senaatscommissie voor Bankzaken: 'Ik ben een van de weinige mensen die er nog steeds niet van overtuigd zijn dat een prikkel op dit moment het meest geëigende beleid is.'

Wat volgens mij veel dringender was dan belastingverlagingen, zei ik, was de noodzaak iets tegen de omhoogschietende tekorten te ondernemen. Ik drong er bij de senatoren op aan de wettelijk voorgeschreven bestedingsbeperkingen en de 'pay-go'-regel opnieuw in te voeren. 'Ik ben ervan overtuigd dat als het mechanisme om het begrotingsproces te sturen niet opnieuw wordt ingesteld, het gebrek aan een duidelijke richting en aan constructieve doelstellingen ervoor zullen zorgen dat... begrotingstekorten opnieuw de norm zullen worden.' En dat zou problemen tot gevolg hebben waar alle prikkels ter wereld niets aan konden veranderen. Het aanbodeconomische argument dat een snellere economische groei het makkelijker maakt om de tekorten in de hand te houden, was ongetwijfeld waar, zei ik. Even het onwaarschijnlijke geval daargelaten dat die belastingverlaging helemaal op een spaarrekening wordt gezet, zorgt het deel dat wordt uitgegeven voor een verhoging van het BBP en de belastinggrondslag en dus van de belastingontvangsten. Kortom: de bruto belastingverlaging is groter dan het verlies aan inkomsten. Maar er blijft sprake van verlies. En gegeven de omvang van de tekorten waar we mee te maken hadden, waarschuwde ik, 'mogen we er niet op rekenen dat de economische groei de tekorten zal wegnemen en dat we niet voor de moeilijke keuzes zullen komen te staan die nodig zijn om de belastingdiscipline te herstellen'.

Dat ik het begrotingsplan van de regering openlijk aan de kaak stelde, baarde heel wat opzien. 'Nee, meneer de president: Greenspan komt met strenge berisping voor verhogen begrotingstekort,' luidde een kop in de *Financial Times* van de volgende dag. Maar uit de koppen in de Amerikaanse kranten bleek duidelijk dat ik er niet in was geslaagd het debat te verplaatsen naar waar het werkelijk thuishoorde. Ik probeerde mensen te laten inzien dat het noodzakelijk was zelfbeheersing te betrachten, en dan niet alleen op het gebied van belastingen maar, wat minstens zo belangrijk was, ook qua bestedingen. En toch was iedereen op die belastingen gefocust. De *Washington Post* schreef: 'Greenspan zegt dat belastingverlagingen prematuur zijn; angst voor oorlog zou stagnatie verklaren.' 'Greenspan raadt aan belastingverlagingen op te schorten,' schreef *USA Today*. En ook onder de leiders in het Congres was er niet een die zich hard maakte voor maatregelen om de begroting onder controle te houden.

Heel even groeide de kwestie van de belastingverlagingen uit tot een mediacircus. Die week publiceerden ruim 450 economen, onder wie tien Nobelprijswinnaars, een brief waarin ze aanvoerden dat de belastingverlagingen die Bush voorstelde de tekorten zouden opdrijven zonder de economie ten goede te komen; daarop kwam het Witte Huis met een brief die door 250 economen was ondertekend die achter het begrotingsplan stonden. Veel van de namen kende ik: de 450 waren voornamelijk keynesianen en de 250 vooral aanbodeconomen. Het hele debat leverde niet zozeer inzicht als wel opwinding op en weldra werd het volledig overvleugeld door de oorlog in Irak. Toen het Congres in mei de president de belastingverlaging gunde waar hij om gevraagd had en hij er zijn handtekening onder zette, stond de noodzaak om begrotingsdiscipline te betrachten bij lange na niet meer op het lijstje van meest dringende zaken. Ik wist precies hoe Cassandra zich gevoeld moet hebben.

Tijdens de regering-Bush, en zeker na 11 september, bracht ik meer tijd in het Witte Huis door dan ik ooit in mijn loopbaan bij de Fed had gedaan. Minstens eenmaal per week maakte ik de korte wandeling van mijn kantoor naar de lift die me naar de garage van de Fed bracht voor een ritje van nog geen kilometer naar de poort aan de zuidwestkant van het terrein. Soms ging het om een vaste vergadering met het hoofd van de National Economic Council Steve Friedman, diens opvolger Al Hubbard of andere economische topfunctionarissen. Af en toe ging ik langs bij Dick Cheney, Condoleezza Rice, Andy Card of andere mensen. En soms kwam ik er natuurlijk om de president te spreken.

Ik trad weer op als adviseur. In deze vergaderingen kwamen dingen aan de orde als de internationale economie, wereldwijde vraag en aanbod van energie en olie, de toekomst van de sociale zekerheid, deregulering, boekhoudschandalen, de problemen bij hypotheekverstrekkers Fannie Mae en Freddie Mac en, als het aan de orde was, het monetaire beleid. Veel van de ideeën waar ik het meest mijn best op deed om ze over het voetlicht te brengen, komen in de volgende hoofdstukken aan bod.

De regering-Bush bleek geenszins de reïncarnatie van de regering-Ford te zijn die ik me had voorgesteld. De nadruk lag nu veel meer op de politiek. Als voorzitter van de Fed was ik onafhankelijk, en ik liep hier al een hele tijd rond, maar ik was absoluut niet de aangewezen man om deel uit te maken van deze coterie en dat was ook het laatste wat ik wilde.

Al snel was duidelijk dat er in deze regering geen plaats was voor de uitgesproken tegenstander van een begrotingstekort die Paul O'Neill was. Hij en ik ploeterden uren op initiatieven als de hervorming van het socialezekerheidsstelsel tot een systeem met individuele tegoeden en een strenge nieuwe wet met betrekking tot de aansprakelijkheid van bestuursvoorzitters, maar die kregen al evenmin een warm onthaal als de triggers die we tijdens de eerste ronde belastingverlagingen hadden gepropageerd. Paul nam geen blad voor de mond, en dat viel niet goed bij een regering die de nadruk legt op loyaliteit en trouw aan de boodschap. De twee jaar dat hij minister van Financiën was, lag Paul bijna voortdurend overhoop met de economen van Bush, en met name met Larry Lindsey, die de belangrijkste man achter de belastingverlagingen was. Na de verkiezing in 2002 boden beiden hun ontslag aan. Paul werd vervangen door een andere voormalige bestuursvoorzitter, John Snow, die aan het hoofd had gestaan van de reusachtige spoorwegonderneming CSX. John bleek een betere bestuurder dan Paul en een diplomatiekere en aanzienlijk effectievere woordvoerder voor het economische beleid, en dat was het enige wat het Witte Huis van zijn minister van Financiën verwachtte.

De verhouding tussen de president en mij bleef tot op grote hoogte net zo als die eerste ochtend in het Madison Hotel. Diverse keren per jaar nodigde hij me uit in zijn privé-eetkamer te komen lunchen, meestal in gezelschap van vicepresident Dick Cheney, Andy Card en een van de economische adviseurs. Bij deze bijeenkomsten was ik net als die eerste keer de meeste tijd aan het woord, over mondiale economische tendensen en problemen. Ik praatte zoveel dat ik me niet kan herinneren dat ik ooit tijd had om te eten. Het kwam er altijd op neer dat ik op de terugweg naar mijn kantoor even snel nog wat at.

Gedurende de vijf jaar dat we tegelijkertijd in functie waren, hield president Bush zich aan zijn toezegging dat hij de autonomie van de Fed zou respecteren. Natuurlijk hielden we een groot deel van die tijd de korte rente buitengewoon laag, dus er viel ook niet veel te klagen. Maar zelfs toen in 2004 de economische groei eindelijk was teruggekeerd en de FOMC de tarieven weer begon op te trekken, onthield het Witte Huis zich van commentaar. Intussen verdroeg de president nog steeds mijn kritiek op zijn begrotingsbeleid, al stond hij er niet direct open voor. Nog geen maand nadat ik in het geweer was gekomen tegen zijn stelling dat er weer een belastingverlaging geboden was, kondigde hij bijvoorbeeld aan dat hij van plan was mij een vijfde termijn als voorzitter aan te bieden. Daar werd ik volslagen door overvallen; mijn vierde termijn zou immers pas over ruim een jaar eindigen.

De regering nam ook het advies van de Fed ter harte wat betreft de beleidsmaatregelen die naar ons idee cruciaal waren voor de gezondheid van de financiële markten. De voornaamste daarvan was de poging die in 2003 werd ondernomen om de excessen bij Fannie Mae en Freddie Mac onder controle te krijgen. Deze bedrijven zijn door het Congres aangewezen om hypotheken op huizen te helpen verzekeren. Zij krijgen de facto een subsidie van de financiële markten in de vorm van rentetarieven met een uitermate lage risico-opslag, omdat de markten ervan uitgaan dat de overheid wel zal bijspringen als ze niet meer aan hun verplichtingen kunnen voldoen. Fannie en Freddie hadden die subsidie aangewend om hun winsten te verhogen en flink uit te breiden. Maar hun bezigheden begonnen de markten te verstoren en gevaar op te leveren, en het zag ernaar uit dat het probleem steeds groter zou worden. Beide ondernemingen hadden bedreven lobbyisten in dienst en machtige mensen in het Congres om hun zaak te bepleiten. President Bush had er politiek gezien weinig bij te winnen om zich achter een stevig ingrijpen te scharen. En toch steunde hij de Fed tijdens een worsteling van twee jaar die uitmondde in een aantal cruciale hervormingen.

Mijn grootste ergernis was nog steeds dat de president bleef weigeren zijn veto uit te spreken over onbeheerste bestedingen. Nog niet zo lang geleden was ik in de gelegenheid om vast te stellen hoezeer de begrotingsstatus van de Verenigde Staten was veranderd sinds deze regering in januari 2001 was aangetreden. Ik vergeleek de prognose voor september 2006 bij het toen geldende beleid (de bestaande wettelijke en begrotingsafspraken) zoals ingeschat door het begrotingskantoor van het Congres, met de werkelijke uitkomsten in 2006. De schuld aan de bevolking zoals die voor eind september 2006 was ingeschat, bedroeg 1,2 biljoen dollar. De werkelijke schuld beliep 4,8 biljoen dollar. Dus die schatting zat er fors naast. Toegegeven, een aanzienlijk deel van de tegenvallende inkomsten kwam voor rekening van het feit dat het CBO er niet in geslaagd was de dreigende terugval in vermogenswinstbelasting en andere belastingen die met de inzakkende beurs samenhingen, juist te voorspellen. Maar in 2002 was dat al bekend bij de regering en het Congres, en ze hadden hun beleid slechts minimaal aangepast.

De rest van het tekort was een beleidskwestie: belastingverlagingen en hogere bestedingen. De kosten van de oorlog in Irak en de antiterrorismemaatregelen kunnen het gat niet voldoende verklaren. Volgens de schatting van het begrotingskantoor van het Congres beliepen de bestedingen voor beide in het jaar 2006 in totaal 120 miljard dollar. Dat is een fors bedrag, maar in een economie waarin 13 biljoen dollar omgaat, is zoiets makkelijk op te vangen. De overheidsuitgaven voor de nationale defensie, die in het fiscale jaar 2000 met 3 procent van het BBP het laagste punt sinds zestig jaar hadden bereikt, vlogen in 2004 weer omhoog naar 4 procent en zijn sindsdien gelijk gebleven: in 2006 was het 4,1 procent. (De overheidsuitgaven voor defensie beliepen op het toppunt van de oorlog in Vietnam maar liefst 9,5 procent van het BBP, en tijdens de Korea-oorlog ruim 14 procent.)

Maar de bestedingen in de civiele sector, de zogenaamde niet-militaire discretionaire uitgaven, zijn aanzienlijk hoger uitgevallen dan was voorzien in prognoses uit de glorietijd van het nieuwe millennium toen we nog overschotten hadden. Wat ik nog het meest ontmoedigend vond, was het feit dat eind 2003 de wet op de geneesmiddelen op recept werd bekrachtigd. Er was geen sprake van dat er de hoogst noodzakelijke hervormingen van Medicare in verwerkt zaten, integendeel, de verwachting was dat hij in tien jaar nog eens vijfhonderd miljard dollar zou toevoegen aan de toch al reusachtige en onhanteerbare kosten van het stelsel. Het was fijn voor de president dat hij weer een van zijn verkiezingsbeloften kon afvinken, maar de wet droeg geen enkele oplossing aan voor de fondsen die ervoor nodig waren.

Deze gebeurtenis stond niet op zichzelf. De regering en het Congres stoomden welgemoed af op een overheidstekort van ruim vierhonderd miljard dollar in 2004, en intussen waren er waarachtig Republikeinen die het opgeven van het libertaire ideaal van de 'kleine overheid' probeerden te rationaliseren. 'Gebleken is dat het Amerikaanse volk niet wil dat de overheid erg wordt teruggedrongen,' schreef Congreslid John Boehner van Ohio in een witboek vlak nadat de medicijnenwet was aangenomen. Boehner was de man geweest achter de Republikeinse overname van het Huis van Afgevaardigden negen jaar daarvoor, maar nu stond de partij voor 'nieuwe politieke realiteiten', zei hij. In plaats van de omvang van de overheid terug te dringen, was het beste wat men kon hopen dat de groei vertraagd kon worden. 'De Republikeinen hebben zich neergelegd bij realiteiten als de lasten die gepaard gaan met een meerderheidsbestuur,' schreef hij. Een grotere maar efficiënter werkende overheid moest de nieuwe doelstelling worden, voerden hij en andere partijleiders aan. Het eerste kregen ze voor elkaar, het laatste niet.

De werkelijkheid was in feite nog akeliger. Menig partijleider stelde zich ten doel het verkiezingsproces zodanig te veranderen dat de Republikeinse Partij het blijvend voor het zeggen kreeg in de regering. Voorzitter van het Huis van Afgevaardigden Hastert en leider van de meerderheid in het Huis Tom DeLay leken al te graag bereid met geld te strooien als het er maar even naar uitzag dat ze daarmee nog wat zetels voor de Republikeinse meerderheid konden binnenhalen. De leiders in de Senaat waren nauwelijks een haar beter. Meerderheidsleider Bill Frist, een uitzonderlijk intelligente arts die een groot voorstander was van belastingdiscipline, was helaas niet krachtig genoeg om stevig op te treden. En de waarschuwingen van conservatieven als Phil Gramm, John McCain, Chuck Hagel en John Sonunu werden vrijwel altijd in de wind geslagen.

Het Congres had het gewoon te druk zich aan de trog vol te proppen. Het misbruik van het zogenaamde 'oormerken' liep volledig uit de hand omdat politici ongegeneerd gebruikmaakten van hun recht overheidsgelden aan bepaalde projecten toe te kennen, wat tot een hoop gelobby leidde en in 2005 op een aantal corruptieschandalen uitdraaide. In de 'pork barrel reduction'-wet die naderhand werd ingediend door een bipartiete groep onder leiding van McCain, werd vastgesteld dat deze voor specifieke projecten apart gezette bedragen waren gestegen van 3023 in 1996, aan het eind van Clintons eerste ambtstermijn, tot bijna 16.000 in 2005, aan het begin van de tweede ambtstermijn van Bush. Het was lastiger om het totale bedrag van deze zieltjeswinnerij te peilen (sommige van die reserveringen zijn immers legitiem) maar in elk geval liep het in de tientallen miljarden dollar. Ik moet toegeven dat zo'n bedrag nog maar een heel klein percentage uitmaakt op de totale begroting van meer dan twee biljoen dollar, maar daar gaat het natuurlijk niet om. Zulke reserveringen zijn een voorbode van het verdwijnen van de begrotingsdiscipline. En een heel sombere voorbode.

Toen de Republikeinen bij de verkiezingen in november 2006 de meerderheid in het Congres kwijtraakten, schreef voormalig leider van de Republikeinse meerderheid in het Huis van Afgevaardigden Dick Armey een scherpzinnig stuk op de opiniepagina van de *Wall Street Journal*. De kop luidde 'Het einde van de revolutie', en hij verwees naar de Republikeinse overname van het Congres in 1994:

> De voornaamste vraag die wij ons in die begintijd stelden, luidde: 'Hoe hervormen we de overheid en geven we het Amerikaanse volk geld en macht terug? Uiteindelijk maakten de beleidsvernieuwers en de 'geest van '94' grotendeels plaats voor politieke bureaucraten met een beperkte visie. De vraag die zij zich stelden, luidde: 'Hoe houden we de politieke macht in handen?' De dwalingen en schandalen die uiteindelijk de Republikeinse meerderheid in 2006 kenschetsten, waren een rechtstreeks gevolg van deze verschuiving.

Armey sloeg de spijker op zijn kop. De Republikeinen in het Congres waren de weg kwijtgeraakt. Ze verruilden hun principes voor macht. Uiteindelijk bleven ze met lege handen achter. En dat was hun verdiende loon.

De tranen schoten me in de ogen bij het aanschouwen van de menigte Amerikanen die in de nadagen van 2006 in stil eerbetoon voor Gerald R. Ford langs de weg stond toen een stoet auto's het lichaam van de 38ste president van de Verenigde Staten begeleidde van de luchtmachtbasis Andrews naar het Capitool, waar hij zou worden opgebaard. Met zijn 93 jaar was hij de langst levende president geweest. Het was opmerkelijk te zien hoe het onder partijtwisten en een slecht functionerende regering gebukt gaande Washington dit symbool van onpartijdige kameraadschappelijkheid uit een ver verleden in de armen sloot. Het was een eerbetoon aan deze hartelijke man maar tevens een blijk dat heel Amerika terugverlangde naar de fatsoenlijke omgangsvormen in de politiek die Ford had vertegenwoordigd en die al zo lang waren verdwenen.

Ford werd in de presidentsverkiezingen van 1976 verslagen door Jimmy Carter, en het was dan ook heel symbolisch dat Carter een van de lijkredes uitsprak bij Fords teraardebestelling in Grand Rapids in Michigan, terwijl de mensen die hij een kwarteeuw in het Congres had vertegenwoordigd om hem rouwden. Ford had de verkiezingen in 1976 verloren omdat hij Richard Nixon gratie had verleend. Die beslissing had onder Democraten een storm van verontwaardiging ontketend; zij wilden immers dat Nixon aansprakelijk werd gesteld voor de misdrijven die hij tijdens zijn ambtstermijn had begaan. En toch kwamen veel prominente Democraten gaandeweg tot de conclusie dat die gratie de enige manier was geweest om het trauma van Watergate achter ons te laten. (Senator Ted Kennedy had het op 21 mei 2001 'een uitgesproken moedige daad' genoemd toen Ford de John F. Kennedy Profile in Courage Award kreeg uitgereikt in de Kennedy-bibliotheek in Boston.)

Op die zonnige dag keek ik uit het raampje van mijn auto in de processie op maar een paar passen achter de lijkwagen met Fords kist (ik was een van de ere-lijkdragers) en ik vroeg me af wat er toch met de Amerikaanse politiek was gebeurd sinds de tijden dat Jerry Ford van 9 uur 's ochtends tot 5 uur 's middags met Tipp O'Neill, die indertijd voorzitter was van een Democratisch Congres, overhoop kon liggen, en vervolgens zijn goede vriend rustig uitnodigde om 's avonds in het Witte Huis een borrel te komen drinken.

Ik voegde me in augustus 1974 bij de regering-Ford, terwijl heel Washington nog in de greep was van de traumatische Watergate-affaire. Maar als de zon onderging, werden partijdige gevoelens grotendeels opzijgezet. Bij de diners die ik bezocht (een politiek ritueel in Washington), waren altijd beide partijen vertegenwoordigd.

Senatoren en vertegenwoordigers van beide partijen mengden zich met regeringsgetrouwen, de media en de mensen die de maatschappelijke touwtjes in handen hadden in de stad. In 2005, mijn laatste hele jaar bij de overheid, waren die rituele diners er nog steeds, maar inmiddels was het een uitgesproken partijdige aangelegenheid geworden. Regelmatig was ik de enige Republikein. En bij 'Republikeinse diners' waren er heel weinig tot geen Democraten. Alleen de jaarlijkse festiviteiten die vooral door de media werden georganiseerd, zoals de Gridiron en andere diners voor correspondenten, waren nog net zo onpartijdig als ze in mijn jaren onder Ford waren geweest. Maar de kameraadschappelijkheid bij dat soort gelegenheden maakte toch een geforceerde, onechte indruk.

De oorzaken van wrijvingen tussen partijen zijn wetenschappelijk uit en te na geanalyseerd, echter zonder dat dit tot enige overeenstemming heeft geleid. Er is zelfs een intrigerende stelling dat die heerlijke tijd in de jaren vijftig en zestig dat er kameraadschap tussen de partijen heerste, de historische afwijking is en dat de wrijvingen van vandaag de dag min of meer de norm zijn. Ik zag indertijd hoe Nixons 'zuidelijke strategie' zich in zijn verkiezingscampagne met succes ontplooide, en in mijn ogen liggen de wortels van ons slecht functionerende politieke bestel in de verschuiving die zich na het aannemen van de Wet op de Burgerrechten van 1964 in de zuidelijke, conservatieve vertegenwoordiging in het Congres voltrok van de Democraten naar de Republikeinen. In de jaren zestig waren de Democraten ver in de meerderheid en sinds de New Deal hadden ze in het Congres en het Witte Huis vrijwel voortdurend de dienst uitgemaakt. Toen het Zuiden een Democratisch bolwerk was geworden, bouwden de Democraten uit die contreien in het Congres een aanzienlijke voorsprong in anciënniteit op, en sinds het presidentschap van Franklin D. Roosevelt waren de zuidelijke Democratische commissievoorzitters ver in de meerderheid. Die ongemakkelijke coalitie tussen vooruitstrevende noorderlingen en conservatieve zuiderlingen moest toen nog stuklopen op kwesties als de burgerrechten en begrotingsdiscipline.

De legende wil dat Lyndon Johnson bij de ondertekening van de Wet op de Burgerrechten over de Democratische Partij zou hebben gezegd: 'Nu zijn we het Zuiden een generatie lang kwijt.' Als hij dat werkelijk heeft gezegd, waren het profetische woorden. Democratische senatoren uit het Zuiden onder leiding van Richard B. Russell van Georgia voelden zich hevig bedrogen door hun Texaanse leider. De vertegenwoordiging van Democratische senatoren uit het Diepe Zuiden liep terug van zeventien van de achttien in 1964, tot vier van de achttien in het Congres dat in 2004 werd gekozen. Het aandeel van de Democraten in het Huis van Afgevaardigden liep proportioneel terug. Met de verplaatsing van industrieën uit het Noorden naar het Zuiden die na de Tweede Wereldoorlog was ingezet, moest de houdgreep van de Democraten op de zuidelijke politiek wel veranderen. Dit neemt niet weg dat de Wet op de Burgerrechten dat proces ongetwijfeld heeft versneld. Het stemt me treurig dat iets wat vanuit een Republikeins standpunt een goede ontwikkeling is, om de verkeerde redenen is bereikt.

De vier Congressen (twee voor elke kamer) zijn in de loop van de jaren ingrijpend veranderd. In het verleden (twee Republikeinse en twee Democratische Congressen) zaten zowel vooruitstrevende, gematigde en conservatieve leden in het parlement. Natuurlijk verschilden de verhoudingen per partij, en toch was er zelden een overweldigende meerderheid van een van de vier Congressen. De normale gang van zaken bij stemmingen over wetten was dat 60 procent van de Democraten voor en 40 procent tegen was, en 40 procent van de Republikeinen voor en 60 tegen was. Of andersom.

Ten gevolge van de verschoven partijaffiliaties in het Zuiden, zijn de afgevaardigden in het Congres tegenwoordig ofwel voornamelijk vooruitstrevend (de Democraten), ofwel voornamelijk conservatief (de Republikeinen). Het gevolg is dat wetsvoorstellen die vroeger een stemverdeling van zestig tegen veertig opleverden, tegenwoordig eerder iets in de richting van 95 tegen 5 procent opleveren. En dus is de wetgeving ook een uitgesproken partijaangelegenheid geworden.

Natuurlijk kan men aanvoeren dat er nooit bijzonder warme gevoelens hebben bestaan tussen liberals en conservatieven. Maar vroeger verschool niemand zich achter het vaandel van een 'Conservatieve Partij' of een 'Progressieve Partij'. Bestuursmechanismen als het lidmaatschap van een commissie of leidinggevende posten waren ofwel Democratisch of Republikeins, en de partij zwaaide de scepter. De dominantie die de Republikeinen uiteindelijk in de zuidelijke politiek veroverden, zorgde er weliswaar voor dat de twee grote partijen getalsmatig op gelijk niveau kwamen, maar zorgde ook voor een ideologische kloof tussen conservatieve Republikeinen en progressieve Democraten. Daardoor is er in het politieke midden een reusachtig veronachtzaamd gebied ontstaan waaruit in 2008 of anders in 2012 een acceptabele, goed gefinancierde onafhankelijke presidentskandidaat zou kunnen opstaan.

Die politieke gaping is wel wat meer dan een prikkelende kwestie voor een stel politieke wijsneuzen. Het landsbestuur functioneert inmiddels echt gevaarlijk slecht. De overdadige eer die de media en een hele menigte mensen Gerald Ford betoonden, was voor een deel ook een rouwbeklag voor het verscheiden van de politieke collegialiteit. Nog maar twee maanden daarvoor hadden de Amerikanen de Republikeinen de leiding in het

Congres ontnomen. Naar mijn idee hadden de Democraten echter niet gewonnen. De Republikeinen hadden alleen verloren. De Democraten kregen de macht in het Congres in handen omdat ze de enige partij waren die nog overeind stond.

Ik vraag me regelmatig af of je met een Republikein als president en een Democraat als vicepresident, of andersom, dat veronachtzaamde politieke midden voor je kunt winnen. Misschien zou die hele kwestie er niet toe doen als er wereldwijd vrede heerste. Wie de leiders zijn, zou dan veel minder belangrijk zijn, nu de onzichtbare hand van de globalisering steeds meer invloed heeft op de miljarden economische beslissingen die dagelijks worden genomen. Maar vrede is het sinds 11 september niet meer geweest. Het doet er nog wel degelijk toe wie de touwtjes in handen heeft.

12

DE UNIVERSELE WETTEN VAN DE ECONOMISCHE GROEI

Als voorzitter van de Fed heb ik vaak ondervonden dat je moet proberen te ontdekken hoe de menselijke aard en de marktkrachten onderling reageren om de urgente problemen te kunnen aanpakken die het Amerikaanse economische beleid bedreigen. In de vorige hoofdstukken heb ik verteld hoe ik na een leerproces van zestig jaar de werking van de economische wereld heb leren begrijpen. In de volgende hoofdstukken vertel ik meer over de krachten die volgens mij de wereldeconomie bijeenhouden en voor voortdurende ontwikkeling zorgen, en over de tegengestelde krachten, die de economie juist dreigen te beschadigen. Ik hoop dat lezers uiteindelijk beloond zullen worden met een dieper inzicht van wat de economische toekomst hun kan brengen.

Ik begreep al vroeg in mijn carrière dat concurrentie de motor is van de economische groei en de stijgende levensstandaard in de Verenigde Staten. Toen ik me enige tientallen jaar later op de wereld als geheel richtte, moest ik mijn perspectief slechts een klein beetje bijstellen. In 1987 werd ik door president Reagan benoemd tot voorzitter van de Federal Reserve Board, waarbij velen hun zorg uitspraken over mijn gebrek aan internationale economische ervaring. En met reden. Toen ik directeur was van Townsend-Greenspan, dat vooral op de Verenigde Staten was gericht, had ik weinig te maken met de internationale economie, op die van de internationale olie-industrie na. Tijdens mijn periode bij de Raad van Economische Adviseurs, halverwege de jaren zeventig, maakte ik wel de successen en problemen van Europa mee en in mindere mate die van het opkomende Azië. Maar pas toen ik in augustus 1987 bij de Fed kwam werken, werd ik geconfronteerd met de details van de rest van de wereld en de krachten die eraan ten grondslag lagen. Mijn opvattingen werden radicaal bijgesteld door de periodieke crises in Latijns-Amerika in de jaren tachtig en negentig, de ineenstorting van de Sovjet-Unie en de Russische economie, het bijna-bankroet van Mexico in 1995 en de beangstigende reeks financiële crises die zich over opkomende markten verspreidden en in 1998 tot een hoogtepunt kwamen bij een wanbetalend Rusland. Mijn eerste leraar bij de Fed was het hoofd van de divisie International Finance, Ted Truman. Hij was een verre verwant van president Harry Truman, had een doctorsgraad behaald aan Yale, waar hij een paar jaar gedoceerd had voordat hij bij de Fed terechtkwam. Ik leerde veel van Ted, maar na een schitterende carrière bij de Fed werd Truman in 1998 benoemd tot staatssecretaris Financiën bij Buitenlandse Zaken. Vervolgens leerde ik veel van Karen Johnson, die was gepromoveerd aan het MIT.

Tijdens mijn jaren bij de Fed had ik veel te maken met experts voor bijna ieder internationaal economisch onderwerp dat men zich maar kan voorstellen, van de transparante boekhoudregels die gelden voor onze financiële bijdragen aan het IMF, tot de economie van de Chinese Parelrivierdelta. Door de snel voortschrijdende globalisering moest ik voortdurend mijn opvattingen bijstellen over de werking van de Amerikaanse economie in de steeds uitdijende context van de globalisering. Op mijn scholing in de Amerikaanse economie werd behalve door Don Kohn ook toegezien door David Stockton, hoofdeconoom bij de Fed sinds 2000 en medewerker bij de Fed sinds 1981. Hij kreeg noch zocht ooit de persaandacht die gouverneurs van de Fed normaal gesproken krijgen, maar wanneer de gouverneurs redevoeringen hielden, kregen de Fed-watchers zijn voorspellingen over de Amerikaanse economie te horen. Wij gouverneurs leerden hem als een onmisbare medewerker achter de schermen te beschouwen. (David is zo bescheiden dat ik pas na afloop van onze intensieve samenwerking erachter kwam dat zijn verre voorvader, Richard Stockton, een van de ondertekenaars van de Onafhankelijkheidsverklaring was.) Lang voordat Adam Smith in 1776 zijn meesterwerk *An Enquiry into the Causes of the Wealth of Nations* schreef, discussieerden mensen over de vraag wat de kortste weg naar welvaart was. Het is een discussie die waarlijk geen einde kent. Toch kunnen er op basis van de gegevens drie belangrijke kenmerken worden aangewezen die van invloed zijn op wereldwijde groei:

1 de mate van binnenlandse concurrentie en – vooral voor ontwikkelingslanden – de mate waarin een land openstaat voor handel en integratie met de rest van de wereld;
2 de kwaliteit van de instituties van een land die zorgen dat een economie werkt; en
3 het succes van beleidsmakers bij de implementatie van maatregelen die nodig zijn voor macro-economische stabiliteit.

Maar hoewel er algemene consensus lijkt te bestaan dat deze drie kenmerken essentieel zijn voor welvaart, denk ik dat als er een enquête zou worden gehouden onder experts op het gebied van economische ontwikkeling, velen van hen een andere volgorde van belangrijkheid zouden aanhouden en waarschijnlijk ook andere aspecten van de individuele kenmerken zouden benadrukken. Ik beschouw zelf een door de staat beschermd recht op eigendom als de belangrijkste voorwaarde voor groei. Want als dat recht niet wordt beschermd, worden de mogelijkheden voor open handel en de enorme voordelen van concurrentie en het hebben van een voorsprong ernstig belemmerd.

Mensen doen over het algemeen geen moeite om het kapitaal bijeen te brengen dat nodig is voor economische groei als ze dit niet kunnen bezitten. Er kunnen natuurlijk allerlei voorwaarden zijn verbonden aan het eigenaarschap. Ben ik zonder meer de bezitter van een stukje land of zijn er zoveel regeltjes aan het bezit verbonden dat het nog maar weinig waarde voor me heeft? Of, nog belangrijker, als overheden mijn bezit mogen opeisen wanneer hun dat uitkomt, hoe waardevol zijn mijn eigendomsrechten dan nog? Als er continu angst heerst voor onteigening, wat zal ik dan nog ondernemen om mijn eigendom te verbeteren? En welke prijs kan ik vragen als ik ervoor kies om het te verkopen?

Het is verbazingwekkend om te zien wat zelf maar een klein beetje privé-eigendom in de loop der jaren kan doen. Toen China een verwaterde vorm van eigendomsrecht toestond aan plattelandsbewoners die gezamenlijk de enorme communeakkers bewerkten, stegen de opbrengst per hectare en de levensstandaard aanzienlijk. Het was een voortdurend gênante smet op de centrale planning van de Sovjet-Unie dat een zeer groot deel van de oogst afkomstig was van stukjes grond die 'privébezit' waren en slechts een klein deel van het totale landbouwgebied vormden.

Als er fysieke eigendommen zoals eten, kleding en een huis nodig zijn om te kunnen leven, dan moeten mensen wettelijk beschermd worden om dergelijke zaken te kunnen bezitten en erover te kunnen beschikken zonder dat mensen de kans lopen dat deze door de staat of door de meute op straat worden geconfisqueerd. Natuurlijk blijven mensen in een totalitaire staat ook gewoon in leven. Maar het is een minder soort bestaan. John Locke, de zeventiende-eeuwse Britse Verlichtingsfilosoof, die indirect van grote invloed was op de Founding Fathers van de Verenigde Staten, schreef in 1690 dat de mens 'van nature de macht heeft om zijn leven, vrijheid en bezit tegen aanvallen en pogingen daartoe te beschermen'.[1]

Het recht op eigendom wordt helaas nog steeds vaak betwist, vooral in landen waar winst maken als min of meer immoreel wordt beschouwd. Het enige doel van eigendomsrechten is het beschermen van bezittingen, zodat men er winst mee kan maken of solvent kan blijven. Eigendomsrechten werken niet in een maatschappij waar men de marxistische opvatting 'eigendom is diefstal' huldigt. Bij het marxisme wordt uitgegaan van collectief eigendom, en van de veronderstelling dat de rechten van het individu zijn 'gestolen' van de maatschappij als geheel. Dit idee dateert natuurlijk van voor Marx en is diep geworteld in veel godsdiensten.

Het concept privé-eigendom en de juridische geldigheid van de overdracht ervan moeten diep verankerd zijn in de cultuur van een maatschappij voordat een vrijemarkteconomie goed kan functioneren. In het Westen, en vooral onder de Britse *common law* en de afgeleiden daarvan, wordt ervan uitgegaan dat bezit moreel aanvaardbaar is of tenminste door bijna de gehele bevolking aanvaardbaar wordt geacht. De houding en denkbeelden over eigenaarschap worden van de ene generatie op de andere doorgegeven binnen families en door het onderwijssysteem. Vandaar dat de overgang van het zogenoemde collectieve bezit in socialistische economieën naar het individuele eigendomsrecht waarschijnlijk langzaam zal verlopen. Het is ontzettend moeilijk om in een land dingen te veranderen die de kinderen met de paplepel krijgen ingegoten. Dat lukt niet van de ene dag op de andere. Het is niet eenvoudig om de houding ten opzichte van armoede en winst te veranderen, want deze is gebaseerd op de diepste waarden van mensen en beheerst de sociale interactie.

Het recht op privé-eigendom wordt niet in alle democratieën even enthousiast beschermd. De verschillen zijn zelfs groot. In India, de grootste democratie ter wereld, moet men bij zakelijke activiteiten aan zo veel regeltjes voldoen dat het recht om over individueel eigendom te beschikken – een essentiële graadmeter voor de mate waarin eigendom wordt beschermd – ernstig wordt verzwakt. Het is niet zo dat maatschappijen met een goed gewaarborgd eigendomsrecht altijd naar de wil van de meerderheid buigen. In de begintijd was Hongkong bijvoorbeeld geen democratie, maar bestond er alleen een 'lijst van rechten' die werden beschermd door de Britse common law. In Singapore zijn vanuit een soortgelijke achtergrond de eigendoms- en contractrechten beschermd, terwijl het land een aantal democratische kenmerken mist die we in het Westen kennen. Toch is een democratie met een vrije pers en bescherming van de rechten van minderheden de effectiefste vorm om eigendomsrechten te beschermen, grotendeels omdat democratieën de ontevredenheid zelden laten toenemen tot een punt dat tot explosieve veranderingen leidt. Het autoritaire kapitalisme is inherent instabiel omdat grote groepen benadeelde burgers buiten de wet naar remedies gaan zoeken. Dat risico wordt verdisconteerd in hogere financieringskosten.

De discussie over eigendomsrechten en democratie is nog lang niet ten einde. Toch werd ik getroffen door de volgende opmerking van Amartya Sen, de Nobelprijswinnaar economie: 'Er heeft zich in de loop van de geschiedenis van hongersnoden op de wereld nog nooit een hongersnood voorgedaan in een onafhankelijk en democratisch land. Uitzonderingen op deze regel hebben we niet kunnen vinden, hoe we ook zochten.' Omdat de pers in landen met een autoritair regime geneigd is tot zelfcensuur, bericht ze niet over de interventies in de markt die leiden tot een verstoring van de voedselvoorziening (wat vaak de oorzaak is van hongersnood), waardoor er niet tijdig iets tegen wordt gedaan.

Het belang van eigendomsrechten is een groter vraagstuk dan het creëren van investeringsprikkels voor grote bedrijven of zelfs voor uitvinders die in een garage aan het experimenteren zijn. De Peruaanse econoom Hernando de Soto bezocht in januari 2003 het kantoor van de Fed om mij uitleg te geven over een schijnbaar radicaal idee om de levensstandaard van een belangrijk deel van de arme wereldbevolking te verhogen. Een verplichting (en soms een last) die bij mijn baan hoorde, was het ontvangen van buitenlandse gasten op mijn kantoor als ze in de stad waren. Ze waren tegelijk ook een belangrijke informatiebron voor mij en andere medewerkers van de Fed die bij deze bijeenkomsten aanwezig waren. De Soto had de reputatie goedbedoelend, maar idealistisch en niet altijd even goed geïnformeerd te zijn (hij werd soms ook wat minder flatteus een don quichot genoemd die op windmolens jaagde). Zijn eenvoudige idee was dat de meeste arme mensen op de wereld wel het gebruik hadden van onroerend goed (een huisje of land), maar niet over het juridisch eigendom ervan beschikten. Daarom konden ze het niet voor geld verkopen of als onderpand gebruiken om een lening te krijgen bij een bank of een andere financiële instelling. Als ze een duidelijk juridisch bewijs van eigendom konden krijgen, zouden er enorme hoeveelheden kapitaal beschikbaar kunnen komen. Ik vond het een vernieuwend idee dat we in overweging moesten nemen. De enorme hoeveelheden buitenlandse hulp die er sinds de Tweede Wereldoorlog aan andere theorieën voor ontwikkelingshulp waren besteed, leken in elk geval weinig goeds te hebben opgeleverd.

Mijn nieuwsgierigheid was in elk geval voldoende gewekt om De Soto te ontmoeten. Zijn berekeningen gingen uit van niet-aangesproken eigendommen ter waarde van negen biljoen dollar over de hele wereld. Het verbaasde me. Als hij ook maar een klein beetje gelijk had, zou het een flinke hoeveelheid waarde toevoegen aan het totaal van juridisch beschermd eigendom. Hij had veel politici uit ontwikkelingslanden ontmoet om te proberen juridische helderheid te scheppen in de door armoede getroffen wereld van het de facto landeigenaarschap. De Soto was hoopvol, maar ik dacht niet dat hij zo veel vooruitgang zou boeken als hij hoopte.

Na zijn vertrek peinsde ik: heeft De Soto soms iets ontdekt wat wij op een of andere manier hebben gemist? Het leek me uiteindelijk dat hij moeite zou hebben om de vaak corrupte politici te overtuigen om rechten op te geven op wat de facto, zo niet de jure, staatseigendom is. Er waren twee schijnbaar onontkoombare belemmeringen voor De Soto's ideeën. In de eerste plaats geloofden veel politici in een vorm van collectief eigenaarschap, ook al gingen ze niet zo ver dat ze vonden dat eigendom diefstal was. Relevanter was misschien dat het toekennen van het juridisch recht aan de arme bevolking om de stukjes land die ze in gebruik hadden, te verkopen of als onderpand te gebruiken, ten koste zou gaan van de macht van politici. Legalisering zou betekenen dat politici niet meer naar believen grote delen van door armen bezet land konden laten ontruimen. In China deden zich onlangs incidenten voor die aantonen hoe destabiliserend dat in politiek opzicht kan zijn. Bij hun moderniseringspogingen confisqueren provinciale en lokale Chinese autoriteiten af en toe land van boeren voor projectontwikkeling, wat regelmatig tot relletjes leidt. Het toekennen van juridische rechten aan boeren voor het land dat ze bewerken, zou grotendeels een einde kunnen maken aan deze ontevredenheid.[2] Hoewel het niet duidelijk is hoe De Soto's einddoel bereikt moet worden, is het wel degelijk aantrekkelijk.

Bij de bescherming van eigendomsrechten moet de wet voortdurend proberen de economische veranderingen bij te benen. Zelfs in de Verenigde Staten, waar de eigendomsrechten in brede zin worden beschermd, stelde het Amerikaanse Hooggerechtshof in een zaak die door landbezitters uit het plaatsje New London, Connecticut, was aangespannen vanwege de onteigening van hun land in 2005, de plaatselijke overheid in het gelijk die het land commercieel wilde ontwikkelen, wat tot veel verontwaardiging leidde in het Congres. Het is dus niet zo verrassend dat verschillende culturen anders denken over de mate waarin eigendom moet worden beschermd. Dit onderwerp wordt steeds heikeler nu er steeds meer sprake is van intellectueel eigendom. Hier ga ik in hoofdstuk 25 verder op in.

Hoewel ik een functionerend rechtssysteem en de bescherming van eigendomsrechten als de belangrijkste institutionele voorwaarden voor economische groei en welvaart beschouw, zijn andere factoren duidelijk ook van belang.

Landen die naar onmiddellijke bevrediging streven en op de pof leven, zodat de lasten op latere generaties worden afgewenteld, lijden meestal aan inflatie en stagnatie. Het overheidstekort in dergelijke landen is doorgaans aanzienlijk, en dat wordt gefinancierd met geld van de drukpers. De inflatie die daar het gevolg van is, leidt tot recessie of erger, vaak omdat centrale banken gedwongen zijn om ingrijpende maatregelen te nemen. En vervolgens begint het hele proces weer opnieuw. Veel Latijns-Amerikaanse landen hebben last van deze ziekte. En ik ben bang dat zelfs de Verenigde Staten er niet geheel van zijn gevrijwaard.

Een zelden besproken maar belangrijke macro-economische determinant voor economisch succes is de mate van flexibiliteit van een economie – dat wil zeggen de mate waarin deze in staat is schokken op te vangen. Het feit dat de economie na de aanslagen van 11 september 2001 er weer zo snel bovenop kwam, is een bewijs voor het belang van flexibiliteit, zoals ik ook in een eerder hoofdstuk betoogde. Flexibiliteit en de bescherming van eigendomsrechten zijn nauw met elkaar verwant. Om flexibel te kunnen zijn, moet de concurrerende markt vrij zijn om zich te kunnen aanpassen, wat betekent dat marktdeelnemers vrij moeten zijn om met hun eigendommen te doen wat ze willen. Beperkingen aan prijsstelling, lenen, samenwerking en de marktpraktijken in het algemeen vertragen de groei. Het omgekeerde, deregulering, wordt steeds vaker geassocieerd met 'hervormingen'. (In de jaren zestig dacht men bij 'hervormingen' nog vooral aan de regulering van het bedrijfsleven. Het beleid wordt geregeerd door ideeën.)

Er is nog een belangrijke eis voor het goed functioneren van marktkapitalisme die zelden of nooit wordt genoemd bij de rij van factoren die bijdragen aan de economische groei en de levensstandaard: vertrouwen in de beloften die anderen doen. Hoewel in een rechtsstaat iedereen die denkt benadeeld te zijn via de rechter zijn gelijk kan halen, zou het juridische systeem meteen overvoerd raken en tot stilstand komen als er voor meer dan een fractie van het totale aantal contracten de uitspraak van een rechtbank nodig was.

Dit impliceert dat mensen in een vrije maatschappij, die wordt geregeerd door de rechten en verantwoordelijkheden van haar burgers, op vrijwillige basis aan contracten voldoen, wat noodzakelijkerwijs vertrouwen veronderstelt in de beloften van degenen met wie we zaken doen, die in bijna alle gevallen vreemden zijn. Het is opmerkelijk dat we het niet verrassend vinden dat grote aantallen contracten, vooral in financiële markten, in eerste instantie mondeling zijn, en pas in een later stadium door een schriftelijke overeenkomst worden bevestigd, soms nadat de prijzen enorm zijn gedaald of gestegen.

In een marktsysteem dat op vertrouwen is gebaseerd, heeft de reputatie van een onderneming een significante economische waarde. Zij komt officieel als 'goodwill' op de balans te staan, en draagt aanzienlijk bij aan de marktwaarde van de onderneming. Ik denk sinds lang dat de reputatie en het vertrouwen dat daaruit voortkomt, de kern vormen van het marktkapitalisme. Wetten kunnen op z'n hoogst een klein deel van de dagelijkse activiteiten op de markt voorschrijven. Als er geen vertrouwen is, wordt het vermogen om in een land zaken te doen ernstig ondermijnd. De onzekerheden die ontstaan doordat marktpartijen mogelijk niet betrouwbaar zijn, leiden tot financiële risico's, wat een stijging van de rentetarieven tot gevolg heeft.

In de meer dan achttien jaar dat ik toezichthouder was van banken, kwam ik tot de conclusie dat regulering door de overheid geen substituut is voor individuele integriteit. Sterker, kredietgarantie van de overheid maakt het voor financiële instellingen minder noodzakelijk een reputatie als eerlijk te verwerven. Het is natuurlijk denkbaar dat de overheidsgarantie superieur is aan de reputatie van het individu. Maar garanties, zelfs die zo algemeen gewaardeerd worden als de depositoverzekering, hebben kostbare consequenties. Ik concludeerde, en ik denk dat de meeste toezichthouders het met me eens zijn, dat *counterparty surveillance* ('bewaking' van de tegenpartij) de eerste en meest effectieve verdedigingslinie tegen fraude en insolventie is. JP Morgan onderzoekt bijvoorbeeld nauwgezet de boeken bij Merrill Lynch voordat het leent. Het concern vertrouwt niet op de Beurscommissie om te zien of Merrill aan zijn financiële verplichtingen kan voldoen.

De bancaire sector en de farmaceutische industrie zijn de meest zichtbare voorbeelden van bedrijfstakken waar de reputatie een grote marktwaarde heeft, maar ook in alle andere branches speelt ze een rol. Toen ik een kind was, werden er vaak grappen gemaakt over gewetenloze tweedehandsautoverkopers, maar natuurlijk heeft een flagrant oneerlijke autoverkoper al snel geen klanten meer. Tegenwoordig wordt bijna elke branche door een toezichthouder in de gaten gehouden, dus is het moeilijker om te zien hoe belangrijk de reputatie op zich is. Een sector waarin dat wel kan, is e-commerce. Alibris is bijvoorbeeld een website die als bemiddelaar optreedt tussen kopers en verkopers van tweedehands boeken. Als u een vroege editie van Adam Smith' *The Wealth of Nations* zou willen kopen, kunt u op Alibris naar namen van boekverkopers in het hele land zoeken die dit werk te koop aanbieden. Klanten kunnen zelf aangeven hoe betrouwbaar ze de boekverkoper vinden bij wie ze kopen. Dit oordeel komt op de site te staan en speelt ongetwijfeld een belangrijke rol bij de beslissing van andere klanten voor een bepaalde boekverkoper. Deze vorm van klantenfeedback is een belangrijke aansporing voor de boekverkopers om bestellingen prompt en volledig af te handelen en eerlijk te zijn over de conditie van hun boeken. Maar niemand is immuun voor de scepsis van klanten. Als voorzitter van de Fed werd me vaak door andere centrale bankiers met grote hoeveelheden Amerikaanse dollars onder zich gevraagd of dollars wel een veilige investering waren.

Verrassender dan alles wat er op de lijst staat van factoren die bijdragen aan de groei en verhoging van de levensstandaard, is wat er niet op deze lijst thuishoort. Hoe is het mogelijk dat een overvloed aan belangrijke natuurlijke hulpbronnen – zoals olie, gas, koper, ijzererts – niet in belangrijke mate bijdraagt aan de productie en rijkdom van een land? De meeste analisten zijn het er paradoxaal genoeg over eens dat de levensstandaard lager wordt door een overvloed aan natuurlijke hulpbronnen.

Dit gevaarlijke fenomeen wordt wel de 'Hollandse ziekte' genoemd. (*The Economist* verzon deze term in de jaren zeventig om de problemen te beschrijven die fabrikanten in Nederland ondervonden na de ontdekking van de aardgasbel.) De Hollandse ziekte slaat toe als de buitenlandse vraag naar export de wisselkoers van het exporterende land doet stijgen. Hierdoor worden andere exportproducten duurder en ondervindt het land concurrentienadeel in het buitenland. Analisten noemen dit vaak als reden waarom het landen als Hongkong, Japan en West-Europa voor de wind gaat, hoewel ze verhoudingsgewijs weinig natuurlijke hulpbronnen bezitten, terwijl het tegendeel het geval is voor olielanden als Nigeria.[3]

'Over tien, twintig jaar zal blijken dat olie ons alleen maar ellende heeft gebracht,' zo verwoordde de voormalige Venezolaanse olieminister en medeoprichter van de OPEC Juan Pablo Pérez Alfonso het in de jaren zeventig. Hij voorzag terecht dat de OPEC-landen niet in staat zouden zijn belangrijke exporteurs te worden van andere producten dan olie en aanverwante zaken. Niet alleen wordt de waarde van de munt beïnvloed door de opbrengsten van natuurlijke rijkdommen, maar ze hebben vaak ook een verlammend sociaal effect. Gemakkelijke, niet-verdiende inkomsten remmen vaak de productiviteit, zo blijkt. Sommige oliestaten in de Golf geven hun burgers zo veel extra's dat degenen die geen aangeboren wil hebben om te werken, dat niet zullen doen. Het eenvoudiger werk wordt door immigranten en gastarbeiders verricht, die het maar wat graag doen omdat het salaris voor hen hoog is. Het fenomeen heeft ook politieke gevolgen: de regerende kliek kan een deel van de opbrengsten van de natuurlijke rijkdommen gebruiken om zijn bevolking tevreden te houden en ervoor te zorgen dat ze niet tegen het regime te hoop lopen.

Geen wonder dat toen er olie werd ontdekt in de territoriale wateren van São Tomé en Príncipe, een kleine groep eilanden voor de westkust van Afrika, sommige mensen serieus overwogen deze maar niet te exploiteren. President Fradique de Menezes zei in 2003: 'Ik heb mijn volk beloofd dat we de "vloek van de olie" of de "Hollandse ziekte", zoals sommigen dit fenomeen noemen, zullen vermijden. Uit statistieken blijkt dat ontwikkelingslanden die veel olie bezitten, het duidelijk slechter doen wat betreft de ontwikkeling van het BBP dan landen met weinig natuurlijke hulpbronnen. Ook de sociale indicatoren zijn er benedengemiddeld. We zijn vastbesloten om in São Tomé en Príncipe deze paradox van de overvloed te vermijden.'

Vooral ontwikkelingslanden worden getroffen door de Hollandse ziekte, want zij zijn er het slechtst op ingesteld om haar te vermijden. Tegelijkertijd is de schaal van de uitdaging meestal groter. Aangezien de natuur haar schatten verdeelt zonder acht te slaan op omvang of de mate van ontwikkeling van de plaatselijke economie, wordt het BBP van ontwikkelingslanden vaker aangetast door een grote rijkdom aan natuurlijke hulpbronnen dan ontwikkelde landen. Over het algemeen zijn landen immuun voor kwalijke effecten op lange termijn als ze 'ontwikkeld' zijn voordat er veel natuurlijke rijkdommen worden gevonden. Niettemin kan de Hollandse ziekte overal toeslaan. Groot-Brittannië had er na de ontwikkeling van de olievelden op de Noordzee begin jaren tachtig een tijdlang last van. Toen het land op een gegeven moment netto meer olie exporteerde dan importeerde, steeg de waarde van het Britse pond en werden de prijzen van Britse exportgoederen tijdelijk minder concurrerend. Noorwegen, een land met minder dan vijf miljoen inwoners, moest zware maatregelen nemen om de kleine economie te beschermen tegen de kwalijke gevolgen van de Noordzeeolie. Het land richtte een stabilisatiefonds op dat de druk op de wisselkoers van de kroon verminderde nadat deze eind jaren negentig enorm was gestegen. En Rusland worstelt sinds de val van het communisme met een milde vorm van de Hollandse ziekte.

In de afgelopen 35 jaar hebben veel landen hun best gedaan hun economie te liberaliseren en de kwaliteit van hun beleid te verbeteren. Hierdoor is het inkomen per hoofd van de wereldbevolking langzaam gestegen. Dit geldt vooral voor landen die voorheen deels of geheel centraal werden gepland en die sinds de val van de Berlijnse Muur een vorm van marktkapitalisme kennen. Het is natuurlijk heel moeilijk de armoede te meten, maar volgens de Wereldbank is het deel van de wereldbevolking dat van minder dan een dollar per dag leeft – een vaak gebruikte maatstaf om extreme armoede te meten –, de afgelopen dertig jaar flink gedaald, van 1247 miljoen in 1990 tot 986 miljoen in 2004. Daarnaast is het kindersterftecijfer met meer dan de helft gedaald sinds 1970, gaan er steeds meer kinderen naar school en daalt het aantal analfabeten.[4]

Hoewel rijkdom en de kwaliteit van leven wereldwijd zijn toegenomen, is het succes niet gelijk verdeeld over regio en landen. De economieën van Oost-Azië worden vaak genoemd als voorbeelden van succes. Die van China, Maleisië, Zuid-Korea en Thailand groeien niet alleen heel sterk, maar kennen bovendien de sterkste daling van de armoede. Toch is ook in Latijns-Amerika in deze periode het inkomen per hoofd van de bevolking gestegen en de armoede gedaald, hoewel het daar iets langzamer ging. Maar helaas is het inkomen per hoofd van de bevolking in veel landen van zwart Afrika gedaald.

Ik vind het opvallend dat onze ideeën over de heilzaamheid van concurrentie in essentie onveranderd zijn sinds de tijd van de Verlichting, toen ze voor het eerst werden geformuleerd. Dit was vooral te danken aan één man: Adam Smith. Met de ondergang van de centrale planning aan het eind van de twintigste eeuw hebben de krachten van het kapitalisme vrij spel gekregen, verder gestimuleerd door een steeds verder om zich heen grijpende globalisering. Ongetwijfeld zullen de opvattingen van economen over wat werkte om het materiële welbevinden te vergroten zich blijven ontwikkelen. Maar in zekere zin is de geschiedenis van het kapitalisme en de concurrerende markt nog steeds het verhaal van het wel en wee van de ideeën van Adam Smith. Daarom betaalt aandacht voor Smith' werk en de receptie ervan zich dubbel en dwars terug. Het is tevens ook een voorbereiding voor het onderwerp van mijn volgende hoofdstuk, dat gaat over een groot 'probleem' waarmee het kapitalisme gepaard gaat, namelijk de 'creatieve destructie', die door veel mensen als gewone 'destructie' wordt gezien. De receptiegeschiedenis van Smith' ideeën is in bepaalde opzichten ook de geschiedenis van de houding ten opzichte van de sociale ontregeling (en de mogelijk remedies) die het kapitalisme met zich meebrengt.

Smith, die in 1723 in het Schotse plaatsje Kirkcaldy werd geboren, leefde in een tijdperk dat was beïnvloed door de ideeën en gebeurtenissen van de Reformatie. Voor het eerst in de geschiedenis van de westerse beschaving vonden mensen dat ze zonder door de staat of de geestelijkheid opgelegde beperkingen konden leven. Moderne opvattingen van politieke en economische vrijheid werden courant. Deze ideeën vormden samen het begin van de Verlichting, vooral in Frankrijk, Schotland en Engeland. Plotseling was er een visie van een maatschappij waarin individuen werden geleid door de rede en in staat waren hun eigen lot te bepalen. Er ontstond een betrouwbaar rechtssysteem – vooral wat betreft de bescherming van individuen en hun eigendommen – waardoor mensen werden aangemoedigd te produceren, te handelen en te innoveren. Rigide gewoontes die vanaf de feodale Middeleeuwen hadden bestaan, sleten langzaam weg door de invloed van marktkrachten.

Tegelijkertijd zorgde de beginnende Industriële Revolutie voor onrust en ontregeling. Het Engelse landschap moest op veel plaatsen wijken voor fabrieken en spoorwegen, landbouwgronden werden in schaapsweiden veranderd ten behoeve van de nieuwe textielindustrie, en een groot aantal boeren raakte ontheemd. De nieuwe industriële klasse kwam in aanvaring met de aristocratie, die haar rijkdom en landgoederen aan overerving te danken had. Het protectionistische denken, dat bekendstond als het mercantilisme en dat de belangen van landeigenaren en kolonialisten diende, begon zijn greep op de handel te verliezen.

Onder deze gecompliceerde en verwarrende omstandigheden ontwikkelde Adam Smith een stel principes die conceptuele helderheid brachten in de schijnbare chaos van de economische activiteit. Hij beschreef vanuit mondiaal perspectief de werking van de markteconomieën die toen in opkomst waren. Hij deed het eerste brede onderzoek naar de vraag waarom sommige landen een hoge levensstandaard ontwikkelen en andere minder vooruitgang boeken.

Smith begon als universitair docent in Edinburgh, maar werd al snel aangesteld als hoogleraar in Glasgow, waar hij eerder had gestudeerd. Hij wist veel van wat hij de *progress of opulence* in de maatschappij noemde ('de progressie van overdaad'; de term 'economie' bestond nog niet). Smith raakte in de loop der jaren steeds meer geïnteresseerd in het gedrag van de markt en na een lucratief verblijf van verschillende maanden in Frankrijk als de gouverneur van een jonge Schotse lord, vestigde hij zich in 1766 in zijn geboorteplaats Kirkcaldy, waar hij zich fulltime aan zijn magnum opus wijdde.

Het boek dat hij tien jaar later schreef, *An Inquiry into the Nature and Causes of the Wealth of Nations* (dat eenvoudigweg als *The Wealth of Nations* bekend zou worden), is een van de grote prestaties in de intellectuele geschiedenis. Smith probeerde de belangrijkste macro-economische vraag die er bestaat te beantwoorden: waardoor groeien economieën? Hij noemt in zijn boek terecht het vergaren van kapitaal, vrijhandel, een passende – maar beperkte – rol voor de overheid en een goed functionerend rechtssysteem als de sleutels voor nationale welvaart. Nog belangrijker was het feit dat hij het persoonlijk initiatief benadrukte: 'De natuurlijke neiging van ieder individu om zijn omstandigheden te verbeteren, mits het voldoende veilig en vrij is om dit te kunnen doen, is zo'n krachtig principe dat dit alleen al, zonder enige hulp..., een maatschappij rijk en welvarend kan maken.' Hij vond dat mensen 'vrij moeten zijn om op hun eigen wijze hun eigenbelang na te streven' mits dit niet tegen de wet indruist. Concurrentie was een belangrijke factor omdat mensen erdoor worden aangespoord om productiever te worden – vaak door middel van specialisatie en arbeidsverdeling. En hoe productiever mensen zijn, des te groter de welvaart.

Dit leidde tot Smith' bekendste uitspraak, dat individuen die concurreren om geldelijk voordeel, lijken te worden geleid 'door een onzichtbare hand' ten behoeve van het algemene welzijn. Het idee van deze onzichtbare hand spreekt natuurlijk over de hele wereld tot de verbeelding – mogelijk omdat dit beeld aan de markt een goddelijk soort welwillendheid en alwetendheid toeschrijft, hoewel die natuurlijk even onpersoonlijk is als Darwins natuurlijke selectie. Maar deze uitspraak was veel minder belangrijk voor Smith zelf; in al zijn geschriften komt hij slechts drie keer voor. Het effect dat hij ermee beschrijft, neemt hij op ieder niveau van de maatschappij waar, van de grote stromen goederen tussen landen tot de transacties zoals die dagelijks in buurten plaatsvinden: 'Het is niet vanwege de welwillendheid van de slager, de brouwer of de bakker dat wij te eten krijgen, maar vanwege hun eigenbelang.'

Smith' besef van de importantie van eigenbelang was revolutionair omdat eigenbelang – en het streven naar kapitaalvermeerdering – in de loop van de geschiedenis en in veel culturen als onfatsoenlijk en zelfs als crimineel werd beschouwd. Maar in de zienswijze van Smith hoeft de overheid alleen maar te zorgen voor stabiliteit en vrijheid, en kan ze verder op de achtergrond blijven, omdat het algemeen welzijn door persoonlijke initiatieven wordt gediend. Of, zoals hij in 1755 tijdens een lezing zei: 'Om een toestand van de laagste barbarij in een land te veranderen in een van grote overdaad, is weinig anders nodig dan vrede, bescheiden belastingen en een redelijk rechtsstelsel – de rest wordt tot stand gebracht door het natuurlijke verloop der dingen.'

Smith slaagde erin op basis van opmerkelijk weinig empirische bewijzen algemene conclusies te trekken over het functioneren van handel en overheid. Hij kon niet als moderne economen over grote hoeveelheden informatie van bedrijven en overheden beschikken. Maar hij had gelijk, zoals later door de cijfers zou worden aangetoond. In een groot deel van de beschaafde wereld zorgde de vrije markt eerst voor voldoende eten om de bevolking te laten groeien, om pas veel later een zodanige welvaart te genereren dat de levensstandaard en levensverwachting konden stijgen. Deze laatste ontwikkeling opende voor gewone mensen in ontwikkelde landen de mogelijkheid zich langetermijndoelen te stellen. Een dergelijke luxe was daarvoor slechts voor een fractie van de bevolking weggelegd.

Het kapitalisme maakte van verandering een manier van leven. Gedurende het grootste deel van de geschiedenis leefden mensen in statische en voorspelbare samenlevingen. De enige keuze voor een jonge boer uit de twaalfde eeuw was altijd hetzelfde stukje land van zijn heer bewerken totdat hij stierf door ziekte, honger, een natuurramp of geweld. En het einde kwam vaak snel. De levensverwachting bij de geboorte was gemiddeld 25 jaar, en dat was het al ongeveer duizend jaar. De boer wist bovendien dat zijn kinderen en hun kinderen eveneens uitsluitend datzelfde lapje grond konden bewerken. Een zo streng geprogrammeerd leven gaf een gevoel van veiligheid, ontstaan door voorspelbaarheid, maar liet weinig ruimte voor persoonlijk initiatief.

Door verbeterde landbouwtechnieken en handel buiten het voornamelijk zelfvoorzienende feodale boerenbedrijf van de heer om vond er meer arbeidsverdeling plaats, waardoor in de zestiende en zeventiende eeuw de levensstandaard steeg en de bevolking toenam. Maar de groei verliep uiterst langzaam. In de zeventiende eeuw produceerde de overgrote meerderheid van de bevolking nog steeds op dezelfde wijze als haar voorouders van vele generaties terug.

Volgens Smith was slimmer werken, en niet gewoon harder, de manier om rijk te worden. In de eerste alinea's van *The Wealth of Nations* benadrukte hij dat toename van de arbeidsproductiviteit een cruciale rol speelt. Volgens hem was 'de vaardigheid, handigheid en het beoordelingsvermogen waarmee arbeid wordt toegepast' een essentiële determinant voor de levensstandaard. Dit was in tegenspraak met eerdere theorieën, zoals het mercantilistische voorschrift dat de rijkdom van een land wordt gemeten aan de hoeveelheid goud die het bezit, of het fysiocratische idee dat waarde op land is gebaseerd. 'Hoe het ook gesteld is met de bodem, het klimaat en de afmetingen van een land,' schreef Smith, 'de overvloed of schaarste van de jaaropbrengst hangt noodzakelijkerwijs af... van de productieve arbeidskrachten.' Twee eeuwen van economisch denken later staan deze inzichten nog recht overeind.

Met hulp van Smith en zijn onmiddellijke opvolgers werd het mercantilisme geleidelijk ontmanteld en nam de economische vrijheid overal toe.

In Groot-Brittannië bereikte dit proces in 1846 een hoogtepunt met het intrekken van de Corn Laws, een belasting die sinds lang de import van graan had tegengehouden, waardoor de graanprijzen en daarom ook de inkomsten van landeigenaren kunstmatig hoog waren gehouden, en fabrieksarbeiders natuurlijk te veel voor hun brood moesten betalen. Tegen die tijd was de aanvaarding van de economie van Smith in grote delen van de 'beschaafde' wereld aanleiding voor een reorganisatie van de handel.

Maar de invloed en reputatie van Smith namen af naarmate de industrialisatie voortschreed. Hij was geen held voor de velen die in de negentiende en twintigste eeuw streden tegen de vrijemarkteconomie en het laissez faire, die zij barbaars en onrechtvaardig vonden. De succesvolle Britse fabrieksdirecteur Robert Owen geloofde dat het ongebreidelde kapitalisme uit de aard van het fenomeen zelf alleen maar tot armoede en ziekte kon leiden. Hij richtte de utopische beweging op, die 'coöperatieve dorpen' stichtte, zoals Owen ze noemde. In 1826 zetten zijn aanhangers in de Amerikaanse staat Indiana de coöperatie New Harmony op. Ironisch genoeg kwam er binnen twee jaar door onderling geruzie een einde aan New Harmony. Maar grote aantallen mensen die onder verschrikkelijke arbeidsomstandigheden hun brood verdienden, bleven zich aangetrokken voelen door Owens charisma.

Karl Marx stond afwijzend tegenover Owen en zijn utopisten, maar was evenmin een aanhanger van Smith. Hoewel hij zich aangetrokken voelde tot Smith' intellectuele strengheid – Marx was van oordeel dat Smith en de andere zogenaamde klassieke economen de oorsprong en de werking van het kapitalisme adequaat hadden beschreven –, vond hij dat Smith niet had begrepen waar het om ging, namelijk dat het kapitalisme slechts een stap was. Hij zag het kapitalisme als een historisch stadium in een onvermijdelijke progressie naar de revolutie van het proletariaat en de triomf van het communisme. Een belangrijk deel van de wereldbevolking zou uiteindelijk Marx' leer volgen – voorlopig, tenminste – en niet die van het kapitalisme.

De aanhangers van de Fabian Society van het einde van de negentiende eeuw waren eveneens socialisten, maar ze streefden in tegenstelling tot Marx niet naar een revolutie. De groep was genoemd naar de Romeinse generaal Fabius, die het invasieleger van Hannibal tegenhield met een militaire uitputtingsstrategie in plaats van een rechtstreekse confrontatie te zoeken. Evenzo wilden de Fabians het kapitalisme niet vernietigen maar inperken. Ze meenden dat de overheid het publiek actief moest behoeden voor de meedogenloze concurrentie van de markt. Ze waren voorstanders van protectionisme in de handel en van de nationalisering van land. Bekende aanhangers waren George Bernard Shaw, H.G. Wells en Bertrand Russell.

De Fabians legden de basis voor de moderne sociaal-democratie, en hun invloed op de wereld zou uiteindelijk net zo groot zijn als die van Marx. Terwijl het kapitalisme er in de negentiende en twintigste eeuw op briljante wijze in slaagde een hogere levensstandaard voor arbeiders tot stand te brengen, werd de markteconomie politiek verteerbaar door het socialisme van de Fabians. Bovendien werd ook het communisme erdoor tegengehouden. De Fabians hadden een aandeel in de oprichting van de Britse Labour Party. Ze waren ook van grote invloed op de Britse kolonies die onafhankelijk werden. In 1947 baseerde Jawaharlal Nehru zijn economische beleid voor de Indiërs – eenvijfde van de wereldbevolking – op de principes van de Fabian Society.

Toen ik na de Tweede Wereldoorlog voor het eerst Adam Smith las, waren zijn theorieën niet populair. Tijdens de Koude Oorlog waren de economieën aan beide zijden van het IJzeren Gordijn centraal gepland of sterk gereguleerd. Laissez faire was bijna een vies begrip. De meest prominente voorstanders van het vrijemarktkapitalisme waren iconoclasten als Ayn Rand en Milton Friedman. Eind jaren zestig, op het moment dat ik aan mijn carrière begon, begon het tij van het economisch denken te keren ten gunste van Smith' theorieën. De comeback kostte tijd, vooral in het land waar Smith vandaan kwam. Een Amerikaanse econoom die in 2000 op een begraafplaats in Edinburgh op zoek ging naar Smith' graf, moest bierblikjes en vuil wegruimen om de versleten inscriptie op de steen te kunnen lezen:

> Here are deposited the remains of ADAM SMITH
> Author of the Theory of Moral Sentiments
> and Wealth of Nations.

> [Hier liggen de overblijfselen van Adam Smith
> Auteur van de Theory of Moral Sentiments
> en The Wealth of Nations.]

Schotland heeft Smith uiteindelijk wel de eer bewezen die hij verdient. De weg naar het graf wordt nu gemarkeerd door een nieuwe steen, waarop een citaat uit *The Wealth of Nations* staat, en er is bij Kirkcaldy een universiteit naar Adam Smith vernoemd. Op de Royal Mile in Edinburgh verschijnt een drie meter hoog bronzen beeld van Adam Smith. Het is, geheel in stijl, gefinancierd met privégeld. En meer op het persoonlijk vlak werd ik in 2004 uitgenodigd door mijn goede vriend Gordon Brown, sinds lang minister van Financiën en sinds mei 2007 premier van Groot-Brittannië, om de eerste Adam Smith Memorial Lecture te houden in Kirkcaldy – ook de geboorteplaats van Gordon Brown. Dat deze gelegenheid financieel werd gesteund door een leider van de Britse Labour Party, die is voortgekomen uit de Fabian Society, een beweging die bijna in tegenspraak is met de uitgangspunten van Smith, is zeker een teken des tijds. Zoals ik zal bespreken, heeft Groot-Brittannië geprobeerd een aantal uitgangspunten van de Fabians in overeenstemming te brengen met het marktkapitalisme – een patroon dat zich over de hele wereld in min of mindere mate voordoet.

13

SOORTEN KAPITALISME

In de grote, volle vergaderzaal van het IMF-hoofdkwartier kon ik tussen de opmerkingen van de sprekers door de slogans en kreten horen van de antiglobalisten op straat. Het was april 2000 en tussen de tien- en dertigduizend studenten, leden van kerkelijke groeperingen, vakbondsleden en milieuactivisten waren in Washington samengekomen om te protesteren tegen de voorjaarsvergadering van de Wereldbank en het Internationaal Monetair Fonds. En hoewel de ministers van Financiën en de centrale bankiers in de zaal niet konden verstaan wat er buiten precies werd geroepen, was het niet moeilijk te begrijpen waarom het ging. Er werd geprotesteerd tegen wat zij zagen als de uitwassen van de toegenomen wereldhandel, in het bijzonder tegen de onderdrukking en exploitatie van de armen in ontwikkelingslanden. Dergelijke gebeurtenissen stemden en stemmen me treurig, want als de demonstranten erin zouden slagen de wereldhandel te vernietigen, dan zouden de honderden miljoenen armen op de wereld, de mensen voor wie ze zeggen op te komen, daar het meest onder lijden.

Centrale planning is misschien niet langer een geloofwaardige vorm van economische organisatie, maar het is duidelijk dat de intellectuele slag ten gunste van de rivaal daarvan, het kapitalisme, nog steeds niet is gewonnen. Tien generaties lang boekte het kapitalisme de ene na de andere overwinning, want de standaard en de kwaliteit van het leven zijn in grote delen van de wereld met een ongeëvenaard tempo gestegen. De armoede is enorm afgenomen en de levensverwachting is meer dan verdubbeld. Door de stijging in materieel welbevinden – een tienvoudige toename van het reële inkomen per hoofd van de bevolking in twee eeuwen – kon de wereldbevolking zes keer zo groot worden. En toch vinden velen het kapitalisme moeilijk aanvaardbaar, laat staan dat men er werkelijk voorstander van is.

Het probleem is dat de kenmerkende dynamiek van het kapitalisme – meedogenloze marktconcurrentie – botst met het menselijk verlangen naar zekerheid en stabiliteit. Heftige concurrentie leidt tot stress en ongerustheid, en die willen we graag vermijden. Een belangrijke oorzaak voor de ongerustheid is de continue vrees om werkloos te worden. Nog meer stress wordt veroorzaakt door de voortdurende verstoring van de status-quo en de manier van leven, goed of slecht, waaraan mensen gewend zijn. Ik weet zeker dat de Amerikaanse staalfabrikanten die ik in de jaren vijftig adviseerde, heel blij geweest zouden zijn als de Zuid-Koreaanse staalmakers niet hun kwaliteit en productiviteit zo sterk hadden verbeterd. En ik betwijfel of IBM wel zo blij was met de tekstverwerker, die hun eerbiedwaardige elektrische typemachine-met-bolletje verdrong.

Het kapitalisme leidt tot innerlijke twijfel. We zijn afwisselend agressief ondernemer en de passieve consument die onbewust de voorkeur geeft aan een economie met minder concurrentie en gelijke inkomens. Hoewel concurrentie essentieel is voor economische vooruitgang, geniet ik daar zelf zeker niet altijd van. Ik heb nooit vriendelijk gedacht over rivaliserende bedrijven die probeerden klanten bij Townsend-Greenspan weg te lokken. Maar om te concurreren, moest ik beter worden. Ik moest betere service bieden, ik moest productiever worden. En uiteindelijk werd ik er natuurlijk beter van. Dat gold ook voor mijn klanten en waarschijnlijk zelfs voor mijn concurrenten. Uiteindelijk is dat waarschijnlijk ook de boodschap van het kapitalisme: 'creatieve destructie' (het naar de schroothoop verwijzen van oude technologieën en oude manieren om dingen te doen, en ze te vervangen door nieuwe) is de enige manier om de productiviteit te verhogen en daarom de enige manier om de gemiddelde levensstandaard duurzaam te verhogen. En dat gebeurt niet, zo leert de geschiedenis ons, door goud, olie of andere natuurlijke rijkommen te vinden.

De prestaties van het kapitalisme zijn onmiskenbaar. Markteconomieën zijn in de loop der eeuwen succesvol geworden doordat ze inefficiënte, slecht toegeruste concurrenten eruit hebben gefilterd en doordat ze beloningen toekennen aan degenen die anticiperen op de vraag van klanten, en er met het efficiëntste gebruik van arbeid en kapitaal aan weten te voldoen. Dit meedogenloze kapitalistische proces op wereldwijde schaal wordt in toenemende mate voortgestuwd door nieuwe technologieën. Als overheden hun bevolking 'beschermen' tegen te veel concurrentiedruk, bereiken ze daarmee een lagere algemene levensstandaard voor hun volk.

Helaas leidt economische groei niet noodzakelijkerwijs tot tevredenheid of geluk. Als dat het geval was, zou de tienvoudige toename van het BBP per hoofd van de wereldbevolking in de afgelopen twee eeuwen tot een euforische stijging van de tevredenheid hebben geleid. Door een hoger inkomen neemt het geluksgevoel weliswaar toe, maar slechts tot op zekere hoogte – tot het punt waar aan de basisbehoeften is voldaan – maar daarna is geluk een relatieve toestand die op lange termijn grotendeels los staat van economische groei. Ons geluk lijkt voornamelijk te worden bepaald door hoe we ons leven en prestaties zien in vergelijking tot degenen die we als gelijkwaardig beschouwen. Door (of misschien ten gevolge van) de toename van de welvaart vrezen veel mensen de koortsachtige concurrentie en de veranderingen in hun status, die belangrijk is voor hun zelfbeeld. Geluk is veel meer afhankelijk van hoeveel mensen verdienen in vergelijking met de rest van hun sociale groep of zelfs met hun rolmodellen, dan van ze in absoluut materiële zin presteren. Toen een tijdje terug aan Harvard-studenten werd gevraagd of ze gelukkiger zouden zijn met 50.000 dollar per jaar als hun medestudenten daarvan de helft verdienden, dan met 100.000 dollar als hun medestudenten het dubbele daarvan verdienden, koos de meerderheid voor het eerste. Toen ik het verhaal voor het eerst zag, moest ik lachen en verbond ik er weinig consequenties aan. Maar het herinnerde me aan een onderzoek van lang geleden dat ik al bijna vergeten was, een fascinerend onderzoek dat in 1947 werd verricht door Dorothy Brady en Rose Friedman.

Brady en Friedman presenteerden gegevens waaruit bleek dat het deel van het inkomen dat Amerikaanse gezinnen uitgeven aan goederen en diensten, niet wordt bepaald door de hoogte van hun inkomen, maar door de hoogte van hun inkomen ten opzichte van het gemiddelde gezinsinkomen in hun land. Hun onderzoek toonde aan dat een gezin met een gemiddeld inkomen in het jaar 2000 hetzelfde deel van zijn inkomen uitgeeft als een gezin met een gemiddeld inkomen in 1900, ook al was het inkomen uit 1900 na aanpassing voor de inflatie slechts een fractie van dat uit 2000. Ik heb hun berekening nagelopen en aangepast en kwam tot dezelfde conclusie.[1] Consumentengedrag is de afgelopen 125 jaar nauwelijks veranderd.

De gegevens maakten duidelijk dat niet de werkelijke koopkracht van mensen bepalend was voor de vraag hoeveel ze uitgaven of spaarden, maar hun pikorde in de inkomensschaal, hun inkomen in verhouding tot andere consumenten.[2] Het opmerkelijke aan deze ontdekking is dat ze ook geldt voor de tweede helft van de negentiende eeuw, toen mensen een groter deel van hun inkomen aan voedsel spendeerden dan in 2004.[3]

Dit zou nauwelijks verbazing hebben gewekt bij Thorstein Veblen, de Amerikaanse econoom die in zijn boek *The Theory of the Leisure Class*, geschreven in 1899, de beroemde uitdrukking *conspicuous consumption* ('opzichtig consumptie') introduceerde. Het viel hem op dat het koopgedrag van individuen verbonden is met het idee van 'niet onderdoen voor de buren'. Als Katie een nieuwe muts kocht, moest Lisa er ook een. Ik dacht altijd dat Veblen zijn theorie op de spits dreef, maar het lijdt geen twijfel dat hij een belangrijk element in het gedrag van mensen ontdekte. Uit gegevens blijkt dat iedereen zeer gevoelig is voor wat anderen in dezelfde situatie verdienen en uitgeven. Het gaat wellicht om vrienden, maar ze zijn tevens rivalen in de pikorde. Individuen zijn aantoonbaar gelukkiger en minder gestresst als hun inkomen stijgt op het moment dat het beter gaat met de economie van het land, en uit onderzoeken blijkt dat rijke mensen over het algemeen gelukkiger zijn dan mensen met lagere inkomens. Maar de aanvankelijke euforie over de hogere levensstandaard slijt al snel als men zich aan de betere positie in het leven heeft aangepast. Het nieuwe niveau wordt al snel als normaal ervaren. Iedere toename van menselijk geluk is een tijdelijk fenomeen. (Gelukkig werkt deze psychologie ook andersom. Flinke financiële tegenslagen leiden tot diepe depressies. Maar mensen die niet met andersoortige psychologische problemen te kampen hebben, pakken na verloop van tijd de draad weer op. Ze glimlachen weer.)

Na de oorlog werd er in verschillende landen anders op het kapitalisme gereageerd, zowel negatief als positief, wat aanleiding gaf tot verschillende vormen van kapitalistische praktijk, van sterk gereguleerd tot slechts licht beperkt. Hoewel ieder individu een mening heeft, heeft een groot deel van een maatschappij de zichtbare neiging zich rond een gezamenlijke mening te scharen, die vaak erg verschilt van die van andere maatschappijen. Dit wordt, denk ik, veroorzaakt door de behoefte van mensen om bij een groep te horen die vanuit de geschiedenis, de godsdienst of de cultuur is ontstaan. Deze groepen ontstaan op hun beurt weer door de aangeboren behoefte aan leiders: van het gezin, van de stam en van het land. Het is een universele behoefte, die waarschijnlijk wordt bepaald door de noodzaak van het maken van keuzes voor dagelijks gedrag. De meeste mensen voelen zich niet altijd opgewassen tegen de taak en zoeken hulp bij hun godsdienst, de adviezen van gezinsleden en de uitspraken van de president. Bijna alle menselijke organisaties vertonen deze behoefte aan hiërarchie. De gezamenlijke denkbeelden van iedere maatschappij zijn in de praktijk denkbeelden die worden gesteund door het leiderschap.

Als geluk uitsluitend te maken had met materieel welbevinden, dan zou iedereen de Amerikaanse vorm van het kapitalisme aanhangen, die het meest dynamisch en productief is. Maar het is ook de vorm die voor de meeste stress zorgt, vooral op de banenmarkt. Zoals ik in hoofdstuk 8 opmerkte, worden er in de Verenigde Staten iedere *week* gemiddeld 400.000 mensen ontslagen. De gemiddelde tijd dat een Amerikaanse werknemer bij één werkgever blijft, is 6,6 jaar, veel minder dan in Duitsland (10,6 jaar) of Japan (12,2 jaar). Op de markt gebaseerde maatschappijen (bijna allemaal, tegenwoordig) moesten kiezen waar ze zich precies bevinden tussen twee extremen, die men symbolisch zou kunnen voorstellen als twee punten op de landkaart: aan de ene kant het koortsachtige maar hoogst productieve Silicon Valley en aan de andere kant het onveranderlijke Venetië.

Voor iedere maatschappij lijkt de keuze, of het compromis, tussen materiële welvaart en gebrek aan stress te zijn gebaseerd op de rest van de geschiedenis en de cultuur waartoe ze aanleiding heeft gegeven. Met cultuur bedoel ik de gedeelde waarden die leden van een maatschappij op vroege leeftijd aanleren en waarvan het leven tot in detail is doordrongen.

Maar de cultuur van een heel land heeft wel degelijk invloed op het bruto binnenlands product. Een positieve houding ten opzichte van zakelijk succes, wat een cultureel fenomeen is, is in de loop der eeuwen altijd een belangrijke voorwaarde voor het materiële welbevinden van een land geweest. Een maatschappij met zo'n positieve houding geeft ondernemingen natuurlijk veel meer vrijheid om te concurreren dan een maatschappij die concurrentie als onethisch of als een bron van onrust beschouwt. In mijn ervaring hebben degenen die weliswaar toegeven dat kapitalisme en concurrentie tot materieel welbevinden leiden, maar toch bezwaren blijven koesteren, daar over het algemeen twee redenen voor, redenen die met elkaar te maken hebben. De eerste is het vrij algemene idee dat rijk worden niet helemaal ethisch is. Hoewel rijkdom een gewilde methode is om zijn status te verhogen (wat Veblen goed zou begrijpen), wordt deze neiging ondergraven door een overtuiging die het best wordt weergegeven door de bijbelse uitdrukking 'een kameel gaat eerder door het oog van een naald dan dat een rijke het koninkrijk der hemelen zal binnengaan'. De afwijzing van het vergaren van rijkdommen heeft een langdurige culturele geschiedenis en de maatschappij is er tot op de dag van vandaag van doortrokken. Het heeft een diepgaande invloed op de ontwikkeling van de welvaartsstaat en het sociale vangnet dat er de kern van vormt. Er wordt betoogd dat onbeperkt risico nemen leidt tot een concentratie van inkomens en rijkdommen. Het doel van de welvaartsstaat is die concentratie van inkomens en rijkdom meer te spreiden, wat voornamelijk gebeurt door middel van wetten die regels stellen aan de risico's, en door belastingen die de geldelijke beloning verminderen die aan die risico's zijn verbonden.

Hoewel de wortels van het socialisme seculier zijn, vertoont de politieke beweging veel trekken van religieuze bewegingen in wat ze voor de burgermaatschappij doen, zoals zorgen voor de armen. Het nastreven van rijkdom geldt sinds mensenheugenis, sinds lang voor de opkomst van de welvaartsstaat, als onethisch, zo niet immoreel.

Deze antimaterialistische houding heeft altijd al een mild onderdrukkende werking gehad op het nastreven van dynamische concurrentie en kapitalisme. Veel tycoons van het negentiende-eeuwse Amerikaanse bedrijfsleven twijfelden of het moreel wel verantwoord was om alles wat ze als ondernemer hadden verdiend zelf te houden, en gaven een groot deel weg. Tot op de dag van vandaag bestaat er onder de oppervlakte van onze marktcultuur een rest schuldgevoel over vermogensopbouw, maar de mate van twijfel aan de moraliteit van rijk worden en de houding ten opzichte van risico nemen verschillen per land. Neem Frankrijk en de Verenigde Staten, allebei landen met waarden die zijn geworteld in de Verlichting. Volgens een recente enquête is 71 procent van de Amerikanen het ermee eens dat de vrije markt het beste economische systeem is waarover we beschikken. Slechts 36 procent van de Fransen is het daarmee eens. Volgens een andere enquête willen drie van de vier Fransen – man of vrouw – graag bij de overheid werken, terwijl maar heel weinig Amerikanen die voorkeur uitspreken.

Dergelijke getallen getuigen van een opmerkelijk verschil in de bereidheid om risico te aanvaarden. De Fransen zijn veel minder geneigd de concurrentiedruk van een vrije markt te accepteren en kiezen massaal voor de veiligheid van een baan bij de overheid, ondanks alle bewijzen dat het nemen van risico essentieel is voor economische groei. Het gaat te ver om te zeggen 'hoe groter de bereidheid om risico's te nemen, des te hoger het groeitempo', want roekeloosheid is op lange termijn zelden lonend. De risico's die ik bedoel, zijn van de rationeel beredeneerde soort, die bij de meeste zakelijke beslissingen een rol spelen. Het is duidelijk dat het stellen van beperkingen aan de vrijheid van handelen of het heffen van hoge belastingen voor succesvolle zakelijke projecten, de bereidheid van marktdeelnemers om te handelen niet ten goede komt. Volgens mij is de bereidheid om risico's te nemen uiteindelijk het belangrijkste kenmerk om het soort kapitalisme te herkennen dat in een bepaald land wordt gebruikt. Of de risicomijdende maatregelen nu worden genomen vanwege een ethische afkeer van het vergaren van rijkdommen of uit ongenoegen over de stress waartoe de voortdurende concurrentie leidt, maakt niet uit voor de consequenties die het heeft voor een land. Op beide wordt gereageerd door wettelijke beperkingen op te leggen aan de concurrentie, zodat het ongebreidelde kapitalisme aan banden wordt gelegd. En dat is een belangrijk doel van de verzorgingsstaat.

Maar er worden ook andere, minder fundamentele methoden gebruikt die het concurrerende gedrag remmen. Politiek het meest prominent is de neiging van veel landen om de nationale economie te beschermen tegen constructieve destructie of – nog erger – tegen overname door buitenlanders. Dat vormt een gevaarlijke beperking op de internationale concurrentie en andere kwesties die de ene cultuur van de andere scheiden. In 2006 blokkeerden Franse functionarissen bijvoorbeeld de pogingen van een Italiaanse onderneming om een groot in Parijs gevestigd nutsbedrijf, Suez, te kopen door een fusie tussen Suez en Gaz de France te promoten. Spanje en Italië ondernemen soortgelijke stappen tot protectionisme.

Maar ook de Verenigde Staten verdienen in dat opzicht kritiek. In juni 2005 deed China National Offshore Oil Corporation (CNOOC), een dochter van de op twee na grootste oliemaatschappij van China, een bod van 18,5 miljard dollar in cash op de Amerikaanse oliemaatschappij Unocal. Dit was een stuk meer dan een eerder bod van 16,5 miljard dollar in cash en aandelen, dat door Chevron was gedaan. Volgens Chevron was er sprake van een oneerlijke concurrent, omdat CNOOC door de Chinese overheid werd geholpen. Congresleden meenden dat 'de jacht van de Chinese overheid op de wereldwijde energiebronnen' een strategische bedreiging vormde. Twee maanden later was de politieke oppositie zo fel geworden dat de CNOOC zijn bod introk, met de mededeling dat de controverse had gezorgd voor 'een niveau van onzekerheid dat een onaanvaardbaar risico betekent'. Chevron won en kocht Unocal, maar dit ging ten koste van de Amerikaanse reputatie van een eerlijke, niet-discriminerende positie in de internationale handel, vooral wat betreft de belofte om buitenlandse ondernemingen op dezelfde manier te beoordelen als binnenlandse.

Drie maanden later speelde de Amerikaanse xenofobie weer op toen een Arabisch staatsconcern, Dubai Ports World, een bedrijf kocht dat containerterminals aan de Amerikaanse Oostkust en Golfkust beheerde. De overname leidde tot een storm van protest in het Congres, waar Republikeinen zowel als Democraten riepen dat de strijd tegen het terrorisme werd ondermijnd en de nationale veiligheid in gevaar werd gebracht als men Amerikaanse havens door Arabieren liet beheren. Uiteindelijk kondigde de directie van Dubai Ports World in maart 2006 aan dat ze het bestuur van de Amerikaanse havens zou overlaten aan een ongenoemd Amerikaans bedrijf. Het risico voor de Amerikaanse nationale veiligheid werd nooit hardgemaakt.

In meer algemene zin komen eerbied voor tradities en pogingen deze te beschermen (hoe fout ook), voort uit de wens de wereld die men prettig vindt, waaraan men gewend is geraakt en waarop men trots is, te behouden.

Hoewel ik groot voorstander ben van vernieuwing, ben ik niet voor de afbraak van het Capitool en vervanging door een modern, efficiënt kantoorgebouw. Maar wat men ook denkt over dergelijke zaken, het is zeker dat als de creatieve destructie wordt beteugeld om iconen in stand te houden, dit ten koste gaat van verbetering van de materiële levensstandaard.

Natuurlijk zijn er andere voorbeelden van storend en contraproductief overheidsingrijpen in de concurrerende markt van een land. Als de politieke leiders van een land routinematig bedrijven of individuen gunsten verlenen in ruil voor politieke steun, wordt gezegd dat de maatschappij in de greep is van *crony capitalism* ('vriendjeskapitalisme'). Dit gold in hoge mate voor Indonesië onder Soeharto, tussen 1968 en 1998, voor Rusland meteen na de instorting van de Sovjet-Unie en voor Mexico tijdens de vele jaren onder de PRI. De gunsten bestaan meestal uit het toekennen van een monopoliepositie in bepaalde markten, bevoordeling bij de verkoop van overheidsbezit of speciale toegang tot andere machtige politici. Door een dergelijk gunstensysteem wordt effectief gebruik van kapitaal ondermijnd en daalt de levensstandaard.

Dan is er de bredere kwestie van de corruptie, waarvan crony capitalism slechts een onderdeel is. Corruptie ontstaat meestal op plekken waar overheden gunsten kunnen verlenen of iets te verkopen hebben. Waar sprake is van vrij verkeer van goederen en mensen over grenzen heen, hebben douanebeambten en immigratieambtenaren niets te verkopen. Dit was tot op grote hoogte voor de Tweede Wereldoorlog het geval in de Verenigde Staten. Een Amerikaan uit de eenentwintigste eeuw kan zich nauwelijks meer voorstellen hoe ver de overheid in die tijd verwijderd was van het bedrijfsleven. De geringe corruptie die er bestond, werd breed uitgemeten in de kranten. Aan het begin van de negentiende eeuw waren er veel twijfelachtige transacties bij de aanleg van kanalen. En de bouw van een transcontinentale spoorweg en de uitgifte van land om de bouw te subsidiëren, leidden tot veel zichtbare corruptie, waaronder het enorme schandaal rond de Union Pacific en Crédit Mobilier uit 1872, dat draaide om geknoei met bouwcontracten. Hoe weinig ze ook voorkwamen, wat mensen zich van die periode herinneren, zijn vooral dergelijke schandalen.

Hoewel de overheid sinds de jaren dertig van de vorige eeuw steeds meer betrokken is geraakt bij het bedrijfsleven, is een aantal landen opmerkelijk gevrijwaard gebleven van corruptie, ook al hebben de ambtenaren in hun regulerende rol er heel wat macht om zaken of informatie te verkopen. Vooral indrukwekkend waren de lage corruptiecijfers in Finland, Zweden, Denemarken, IJsland, Zwitserland, Nieuw-Zeeland en Singapore. De cultuur speelt duidelijk een rol bij het corruptieniveau in een maatschappij. John Wolfensohn, sinds lang een goede vriend van me, bepaalde als president van de Wereldbank tussen 1995 en 2005 het beleid van de bank om corruptie in de derde wereld tegen te gaan. Ik beschouwde dit als een uiterst belangrijke bijdrage aan de ontwikkeling van de wereld.

Het is niet goed mogelijk rechtstreeks de invloed van de culturele mores op de economische activiteit te meten. Maar een samenwerkingsverband tussen de Heritage Foundation en de *Wall Street Journal* stelde aan de hand van gegevens van het IMF, de Economist Intelligence Unit (researchunit van The Economist Group) en de Wereldbank voor 161 landen een 'Index of Economic Freedom' op die dit mogelijk maakt. In de index is onder andere opgenomen de mate van aandacht voor en naleving van eigendomsrechten, het gemak waarmee een bedrijf kan worden opgericht en worden ontbonden, de stabiliteit van de munt, de arbeidspraktijk, de mate van openheid voor investeringen en internationale handel, de mate van corruptie en het aandeel van de nationale productiviteit die aan het openbaar nut wordt besteed. Er speelt natuurlijk een hoge mate van subjectiviteit mee als men probeert dergelijke kwalitatieve kenmerken in getallen uit te drukken. Maar de conclusies die ze uit hun gegevens trekken, lijken overeen te komen met mijn meer terloopse observaties.

In de index voor 2007 staan de Verenigde Staten bovenaan als de meest 'vrije' van alle grotere economieën, en Hongkong, een provincie van het ondemocratische China, staat vreemd genoeg ook boven aan de lijst. Het is misschien geen toeval dat de bovenste zeven economieën (Hongkong, Singapore, Australië, de Verenigde Staten, het Verenigde Koninkrijk, Nieuw-Zeeland en Ierland) allemaal Britse wortels hebben – en dus teruggaan op Adam Smith en de Britse Verlichting. Maar de Britse achtergrond is zeker geen permanente garantie, want de voormalige Britse kolonie Zimbabwe (die toen Zuid-Rhodesië heette) kwam de laatste keer bijna op de laatste plaats.

Hoe groter de economische vrijheid, des te meer mogelijkheden om zakelijke risico's te nemen en winst te maken, en daarom des te groter de neiging om risico te nemen. Maatschappijen waarin veel mensen risico's nemen, vormen overheden met regels die het nemen van economisch productieve risico's bevorderen door eigendomsrechten te beschermen, de munt stabiel en de handel open te houden, en kansen te bieden. Ze hebben wetten en regels die ambtenaren weinig toegang geven tot voordelen die verkocht kunnen worden voor geld of politieke gunsten. De index meet in hoeverre een land bewust probeert de concurrentie op een markt in te perken. De Index of Economic Freedom is dus niet noodzakelijkerwijs een maatstaf voor 'succes', aangezien iedere natie impliciet de mate van economische vrijheid kiest die ze wil.[4] Duitsland, dat op de negentiende plaats staat (meteen na Japan), heeft er bijvoorbeeld voor gekozen een grote verzorgingsstaat in stand te houden die een groot deel van 's lands economische middelen opeist. De Duitse arbeidsmarkt kent ook veel beperkingen. Het is duur om werknemers te ontslaan. Maar Duitsland scoort ook het hoogst wat betreft vrijheid om een bedrijf te beginnen of te sluiten. Frankrijk, dat op de 45ste plaats staat, heeft een soortgelijk gemengd profiel als Duitsland, net als Italië (dat de 60ste plaats inneemt).

De ultieme test voor een dergelijke index is of hij correleert met de economische prestaties. En dat doet hij. De correlatiecoëfficiënt van 157 landen tussen de score op de Index of Economic Freedom en de logaritme van het inkomen per hoofd van de bevolking, bedraagt 0,65 – wat indrukwekkend is voor een dergelijke bonte verzameling cijfers.[5] Maar er blijft een kritische vraag over: als we ervan uitgaan dat concurrerende open markten de economische groei bevorderen, bestaat er dan een optimaal compromis tussen de beste economische prestaties, waarvoor de prijs onrustgevoelens vanwege de voortdurende concurrentie is, en een sociaal beleid, waar veel continentale Europeanen en anderen voorstander van zijn? In Europa wordt het Amerikaanse economische systeem vaak laatdunkend 'cowboy-kapitalisme' genoemd en worden sterk concurrerende vrije markten als obsessief materialistische instellingen beschouwd, die het grotendeels ontbreekt aan culturele waarden. Dit opvallende verschil tussen de Verenigde Staten en het continentale Europa bleek voor mij duidelijk uit een opmerking van de Franse premier Edouard Balladur. Hij vroeg: 'Wat is de markt? De wet van de jungle, de wet van de natuur. En wat is beschaving? De strijd tegen de natuur.' Hoewel mensen met een dergelijke mening vaak wel toegeven dat concurrentie bevorderlijk is voor de groei, zijn ze bezorgd dat de economische krachten om die groei te bereiken alleen aan de wet van de jungle zullen gehoorzamen. Deze mensen kiezen dan maar voor minder groei in ruil voor een socialer beleid – tenminste dat denken ze.

Maar bestaat er wel een afruil tussen sociaal gedrag, zoals gedefinieerd door hen die ongepolijst concurrerend gedrag afkeurenswaardig vinden, en materiële rijkdom, dat de meesten niettemin nastreven? Uit de gegevens voor de lange termijn blijkt zo'n afruil niet echt te bestaan. In de afgelopen eeuw zorgde de groei van de markt (die door concurrentie werd veroorzaakt) in de Verenigde Staten voor veel meer dan de eerste levensbehoeften. Dat surplus wordt zelfs in de agressiefst concurrerende economieën grotendeels gebruikt om de kwaliteit van het leven in allerlei opzichten te verbeteren. Om een korte opsomming te geven:

1 mensen leven langer vanwege de verbeterde aanvoer van schoon drinkwater en vervolgens vanwege de vooruitgang in medische technologie;
2 er ontstond een universeel onderwijssysteem dat de sociale mobiliteit enorm heeft bevorderd;
3 de arbeidsomstandigheden werden enorm verbeterd; en
4 er ontstonden mogelijkheden onze natuur te beschermen door nationale parken in te stellen in plaats van dat land te moeten gebruiken om in ons bestaan te voorzien.[6]

Op fundamenteel niveau hebben Amerikanen de substantiële vermeerdering van de rijkdom in de door de markt bepaalde economie gebruikt om een socialere maatschappij te vormen.

Het is duidelijk dat niet alle activiteiten die in de markt worden ondernomen, sociaal zijn. Vele zijn misschien nog net legaal, maar toch niet fris. Wetsovertredingen en misbruik van vertrouwen ondermijnen de efficiency van de markt. Maar de wettelijke basis en discipline van de Amerikaanse markt zijn zo stevig in een rechtssysteem verankerd dat deze misstanden weinig voorkomen. Het is veelzeggend dat ondanks het kolossale misbruik van vertrouwen waarvan een aantal grote Amerikaanse financiële en andersoortige ondernemingen de afgelopen jaren blijk gaf, de productiviteit (die een belangrijke maatstaf is voor de efficiency van het bedrijfsleven) tussen 1995 en 2002 is gestegen. Ik ga in hoofdstuk 23 dieper in op het bestuur van ondernemingen.

Wat kan de geschiedenis ons leren over de stabiliteit van economische culturen op de lange termijn? Hoe beïnvloedt de cultuur de toekomst? De huidige Amerikaanse cultuur is totaal anders dan in de begindagen van de Verenigde Staten, hoewel het land geworteld blijft in de waarden van onze Founding Fathers. Hoe ongeremd het Amerikaanse kapitalisme tegenwoordig ook lijkt, het is niets vergeleken bij hoe het vroeger was. De Verenigde Staten waren waarschijnlijk in de decennia voor de Amerikaanse Burgeroorlog (1861–1865) het dichtst bij puur kapitalisme. De Amerikaanse federale overheid voerde een beleid van laissez faire en bood zo goed als geen vangnet voor de kapitalisten in de dop die wedijverden om rijkdommen te vergaren. Als hun onderneming – vaak in de snel groeiende pioniersssteden aan de Amerikaanse frontier – mislukte, moesten ze zelf maar zien hoe ze er weer bovenop kwamen. Tientallen jaren laten bedacht Herbert Spencer, een volgeling van Charles Darwin, de term survival of the fittest, waarmee hij een soort concurrentie bedoelde die ook in het negentiende-eeuwse Amerika in zwang was. Roosevelts New Deal zou nog een eeuw op zich laten wachten.

Toen ik begin twintig was, voelde ik me aangetrokken tot deze ruige kapitalistische maatschappij die, zo fantaseerde ik, grotendeels op verdienste was gebaseerd. Hoewel er onder populistische druk aan het eind van de negentiende eeuw een aantal wetten werd ingevoerd die bepaalde zakelijke praktijken aan banden legden, werd de Amerikaanse economie tot en met de jaren twintig vooral gekenmerkt door het laissez fairebeleid dat nog uit het begin van de negentiende eeuw stamde.

Bij de New Deal werd er natuurlijk een stortvloed aan beperkende overheidsregels ingevoerd, die grotendeels tot op de dag van vandaag zijn blijven bestaan. De ruwere kantjes van de 'creatieve destructie' werden er door middel van wetgeving afgehaald. Het Congres nam in 1946 de Full Employment Act aan, een wet die de Amerikaanse overheid verplichtte om haar beleid zodanig te organiseren dat 'degenen die in staat en bereid zijn te werken', een baan konden vinden. Het was zeker geen marxistische strijdkreet, maar wel iets heel anders dan de rol van de overheid van voor Roosevelts New Deal. De Raad van Economische Adviseurs werd opgericht, waarvan ik 28 jaar later voorzitter zou worden. Het nieuwe idee dat de overheid een permanente rol diende te spelen in de economie, was een duidelijke degradatie van de rol van de markten.

Toch bleef de Amerikaanse economie de meest concurrerende grote economie ter wereld, en vertoont de Amerikaanse cultuur nog steeds de bereidheid risico te nemen en de zucht naar avontuur van vorige eeuwen. Meer dan een eeuw nadat Frederick Jackson Turner in 1893 de frontier gesloten verklaarde, smulden Amerikanen van verhalen over vrijgevochten cowboys die na de Burgeroorlog de veekuddes over de Chisholm Trail van Texas naar de spoorwegterminals in Kansas dreven.

De culturele veranderingen in Amerika zijn natuurlijk merkbaar, maar nogal iel in verhouding tot de meer dan twee millennia menselijke geschiedenis die worden gekenmerkt door tektonische veranderingen in de instituties. Bovendien denk ik dat de Verenigde Staten in cultureel opzicht dermate stabiel zijn dat ik weinig verandering verwacht tijdens de volgende twee generaties. Ik zeg dit ondanks het feit dat de culturele wortels van onze maatschappij voortdurend veranderen door de immigratie vanuit Latijns-Amerika. Maar deze mensen hebben ervoor gekozen hun vaderland te verlaten, en lijken daarmee de populistische cultuur af te wijzen die de economische groei in Latijns-Amerika zo belemmert. Dit was ook het geval bij de open immigratie aan het begin van de 20ste eeuw. Die immigranten werden met succes opgenomen in de Amerikaanse *melting pot*.

In de minder veeleisende periode na de Tweede Wereldoorlog, maar vóór de globalisering echt begon, konden overheden sociale vangnetten instellen en ander beleid ontwikkelen dat de burgers tegen de stormen van de creatieve destructie beschermde. In de Verenigde Staten werden werkloosheidsverzekeringen, regelgeving voor de arbeidsomstandigheden, ziekenfondswetten en nog veel meer maatregelen en wetten ingevoerd. Hetzelfde gebeurde in de meeste geïndustrialiseerde landen. Uitgaven aan sociale zekerheid door de overheid stegen van 3,4 procent van het Amerikaanse BBP in 1947 tot 8,1 procent in 1975 (en is sindsdien blijven stijgen). En hoewel men wist dat dergelijke vangnetten vaak de kosten van de arbeids- en productmarkten aanzienlijk verhogen, en daarmee de flexibiliteit een stuk minder wordt, beschouwden beleidsmakers ze niet als serieuze belemmeringen voor de economische groei. Door de opgespaarde vraag van de crisisjaren en de Tweede Wereldoorlog steeg het wereldwijde BBP met sprongen.

In economieën die niet grootscheeps waren onderworpen aan de internationale handel, was de concurrentie minder meedogenloos, en konden bedrijven makkelijker wegkomen met inefficiëntie dan tegenwoordig. Er is duidelijk een deel van de maatschappij dat nostalgisch terugkijkt op die periode. In de wereldwijd concurrerende markten van tegenwoordig is het steeds moeilijker de vangnetten in stand te houden die in vroeger dagen werden ontwikkeld, vooral in continentaal Europa, waar een hoge werkloosheid nu chronisch lijkt. Overheden van alle gezindten kiezen er nog steeds voor om mensen te helpen de vaardigheden te leren die ze nodig hebben om de nieuwe technologieën te benutten. En ze proberen over het algemeen in een inkomen te voorzien voor degenen die zich minder goed hebben kunnen aanpassen. Maar landen betalen wat betreft hun technologie en internationale concurrentie een hoge prijs voor de ingrijpender vormen van interventie, die de stimulerende werking van de markt belemmeren op werkgelegenheid, sparen, investeringen en innovatie. In India worden de directe buitenlandse investeringen duidelijk belemmerd door de verstikkende regelgeving.

De Europese overheden ontwikkelden na de Tweede Wereldoorlog vanuit hun collectivistische voorkeur veel omvangrijker vangnetten dan de Verenigde Staten en zijn daarom tot op de dag van vandaag in economisch opzicht meer rigide. Zoals ik in een vorig hoofdstuk schreef, was na de Tweede Wereldoorlog, toen ik als econoom begon, het vertrouwen in het kapitalisme op het laagste punt sinds het begin in de achttiende eeuw. Op de universiteiten werd het kapitalisme als een gepasseerd station beschouwd. Europa was grotendeels in de ban van het socialisme, in welke vorm dan ook. In de Europese parlementen vormden socialisten en communisten een belangrijke kracht. In 1948 was eenderde van de Franse afgevaardigden communist. Groot-Brittannië begon onder een nieuwe Labour-regering steeds nadrukkelijker op een planeconomie te lijken, en het was zeker niet het enige land waar dit gebeurde. Ook West-Duitsland was onder de geallieerde bezetting (vóór Erhard) zwaar gereguleerd. Grotendeels vanwege een foute interpretatie van de economische kracht van de Sovjet-Unie had het concept economische planning in afgezwakte vorm veel invloed op het economische denken in Europa.

Na de Tweede Wereldoorlog lagen Duitsland en Japan natuurlijk in puin, en zelfs in Amerika durfden maar weinig mensen te voorspellen dat de economie zou groeien. De herinnering aan de jaren dertig was nog zo levend dat mensen bang waren dat de economische crisis zich weer gewoon zou voortzetten. In Groot-Brittannië, de geboorteplaats van het kapitalisme, was de vrees voor de economie van na de oorlog zo groot dat hun aanbeden oorlogsleider Winston Churchill niet bekwaam genoeg werd geacht voor de binnenlandse economie en botweg werd weggestemd op het moment dat hij in Potsdam was voor een topontmoeting met Roosevelt en Stalin. De nieuwe Labour-regering begon met de nationalisatie van een belangrijk deel van de Britse industrie. In Duitsland werd het sociale systeem uitgebreid dat in de jaren tachtig van de negentiende eeuw onder Bismarck van de grond was gekomen.

Wijd en zijd wordt beweerd dat het herstel in Europa te danken is geweest aan het Marshallplan. Ik denk dat het Marshallplan zeker heeft geholpen, maar de omvang van de hulp was te gering om de opmerkelijke dynamiek van het naoorlogse herstel te verklaren. Ik beschouw de bevrijding van de handel en de financiële markten in 1948 door Ludwig Erhard, de West-Duitse minister van Economische Zaken, als veruit de belangrijkste aansporing voor het herstel van West-Europa na de oorlog. West-Duitsland werd de economische grootmacht van Europa.

Na een aantal jaren werden mensen steeds minder tevreden over de rigiditeit en de resultaten van de economische planning door de overheid, en schakelden alle Europese economieën tot op verschillende hoogte en in hun eigen tempo over op het kapitalisme van de vrije markt. Politici die voorstander waren van de vrije markt, zagen weliswaar de negatieve kanten van de creatieve destructie, maar ze overtuigden hun kiezers van de voordelen van het kapitalisme en wonnen daardoor stemmen. Vanwege de cultuurverschillen voerde elk land zijn eigen genuanceerde versie in.

Groot-Brittannië raakte deels uit het socialistische spoor vanwege wisselkoerscrises die het land dwongen om naar concurrerender markten uit te wijken. Margaret Thatcher zette het land bruusk terug in het kapitalistische spoor. Ik ontmoette Thatcher voor het eerst in september 1975, tijdens een diner van de Britse ambassade in Washington, kort nadat ze de leidster van de Britse Conservatieve Partij was geworden. Het was een memorabele ontmoeting. Ik zat naast haar aan tafel en had me voorbereid op een saaie avond met een politicus. 'Vertel me eens, voorzitter Greenspan,' zei ze. 'Waarom kunnen we in het Verenigd Koninkrijk de M3 niet berekenen?' Ik werd wakker. M3 is een weinig bekende maatstaf voor het geldaanbod die wordt gebruikt door volgelingen van Milton Friedman. We spraken de hele avond over markteconomie en de problemen waarmee de Britse economie werd geconfronteerd. Ik sprak mijn zorg uit over een kwestie waar ik het in april ook al over had gehad met president Ford: 'De Britse economie lijkt zich op een punt te bevinden waarop ze almaar krachtiger begrotingsbeleid moet inzetten om zelfs maar stil te blijven staan. Dit is duidelijk een heel gevaarlijke situatie.'

Ik kreeg een nog gunstiger indruk van Thatcher nadat ze premier was geworden. Ze werd in 1979 als zodanig gekozen en nam meteen radicale maatregelen om de verkalkte Britse economie weer op de rails te krijgen. Ze leverde slag met de mijnwerkers die in maart 1984 in staking gingen nadat ze de sluiting van een aantal verliesgevende staatsmijnen had aangekondigd. De regering van Edward Heath was in 1973 ten val gebracht vanwege een staking die door de mijnwerkersbonden was uitgeroepen. Maar Thatcher had grote voorraden steenkool laten aanleggen voordat ze de sluiting bekendmaakte, zodat het land de elektriciteitstekorten werd bespaard die de vakbonden in het verleden veel macht hadden gegeven aan de onderhandelingstafel. Nu werd de militante arbeiders met deze strategie de pas afgesneden. Na een jaar gaven ze zich gewonnen en gingen ze weer aan het werk.

Het Britse electoraat aanvaardde schoorvoetend het marktkapitalisme van Thatcher. Ze werd in 1983 en 1987 herkozen, en werd de langstzittende premier sinds 1827. Ten slotte maakten niet de Britse kiezers een einde aan haar spectaculaire ambtstermijn, maar een opstand binnen de Conservatieve Partij. Eind 1990 werd ze tot aftreden gedwongen. Thatcher bleef bitter jegens degenen die haar hadden afgezet. Ze was nog steeds verbolgen over de belediging toen ik haar en haar man Denis sprak tijdens een diner in september 1992, kort nadat het Verenigd Koninkrijk zich op vernederende wijze had moeten terugtrekken uit het Europees wisselkoersmechanisme ERM. Denis, nog vol hoop dat zijn vrouw weer terug zou komen, vertelde dat een Londense taxichauffeur na het financiële debacle tegen hem had gezegd: '*Governor*, volgens mij zit u binnen een maand weer in Downing Street 10.' Maar het mocht niet zo zijn.

De conservatieve premier John Major was twee jaar later nog aan de macht toen Labour-leider John Smith onverwacht overleed en zijn plaatsvervangers Tony Blair en Gordon Brown de leiding kregen. Kort daarna, in de herfst van 1994, kwamen Blair en Brown me bezoeken in mijn kantoor bij de Fed. Al tijdens de begroeting leek Brown me de meest gezaghebbende van de twee. Blair hield zich op de achtergrond, terwijl Brown vertelde over 'New Labour'. Verdwenen waren de socialistische axioma's van Labour-leiders als Michael Foot en Arthur Scargill, onstuimige figuren die waren voortgekomen uit de mijnwerkersbonden. Brown stond achter globalisering en de vrije markt, en leek niet van plan Thatchers veranderingen terug te draaien. Het feit dat hij en Blair een bezoek kwamen brengen aan mij, een bekende verdediger van het kapitalisme, sterkte me in die indruk.

Tony Blair en Gordon Brown, die aan het hoofd stonden van een verjongde en veel minder linkse Labour-partij, accepteerden Thatchers belangrijke structurele veranderingen in de Britse industrie en arbeidsmarkt. Brown, die een recordaantal jaren minister van Financiën was, leek zich na de verkiezingen van 1997 te verheugen over de opmerkelijke toename van de economische flexibiliteit. (Brown moedigde in het bijzonder mijn gepreek aan tegen onze collega's van de G7, die ik wees op het belang van flexibiliteit voor de economische stabiliteit.) Als Groot-Brittannië in de eenentwintigste eeuw nog socialistisch is, dan is dat nauwelijks meer te zien. Het socialisme van de Fabian Society bestond nog in de vorm van het socialezekerheidsstelsel, maar in zijn meest verwaterde vorm. Het Britse succes met Thatchers vrije markt en het nieuwe Labour doet vermoeden dat men deze koers, die een continue stijging van het BBP tot gevolg had, nog wel een tijd zal aanhouden.

Het Verenigd Koninkrijk wist de verkalkte economie van meteen na de Tweede Wereldoorlog te veranderen in een van de meest open economieën ter wereld. Gordon Brown onderging een soortgelijke intellectuele ontwikkeling, zoals hij in 2007 tegen me zei: 'Ik werd vooral econoom om iets te doen tegen het sociale onrecht waarover mijn vader vertelde. Net als de socialisten van de Fabian Society had ik het gevoel dat de economie faalde. Er moesten dus keynesiaanse maatregelen worden genomen: er moest meer vraag worden gecreëerd, zodat de werkgelegenheid ten minste behouden bleef. Mijn opvatting van sociale globalisering is dat stabiliteit, vrijhandel, open markten en flexibiliteit moeten worden gecombineerd met investeringen om mensen vooral door middel van onderwijs voor te bereiden op de banen van de toekomst. Ik hoop dat we ons in het Verenigd Koninkrijk op de beste manier hebben voorbereid op de uitdaging van de globalisering. Ons op stabiliteit gerichte beleid is gebaseerd op vrije handel, niet op protectionisme; op flexibele markten; en op veel meer investeren in mensen in de vorm van onderwijs en andere maatregelen.'

In Duitsland werd het BBP flink opgestuwd door de economische activiteit bij de wederopbouw van de Duitse infrastructuur die door de oorlog was verwoest en door het streven om de technische ontwikkeling in te halen die het land vanwege de oorlog had gemist. Het Duitse Wirtschaftswunder was volkomen onverwacht en bezorgde de Bondsrepubliek binnen veertig jaar de status van wereldmacht. Tussen 1950 en 1973 groeide de West-Duitse economie gemiddeld met niet minder dan 6 procent per jaar. De gemiddelde werkloosheid bleef in de jaren zestig minimaal, op een niveau dat ondenkbaar was tijdens de crisisjaren van voor de oorlog. Toen ik eind jaren vijftig voorspellingen begon te doen voor de Amerikaanse economie als geheel, zag ik Europa niet als concurrent, maar als een reeks markten waarnaar we exporteerden en die met Amerikaanse hulp werden gefinancierd. Enige tientallen jaren later was Europa een machtige concurrent geworden.

De Amerikaanse industrie en handel waren tot aan de Tweede Wereldoorlog wars van grootschaligheid. Het was vanouds een maatschappij van kleine boerderijen (deels het gevolg van de toewijzingen van land aan pioniers) en privébedrijven kregen zelden bankiersrecht om als bank op te treden. Sporadisch concurreerde een staatsbedrijf met private ondernemingen. De populistische afkeer van grote ondernemingen bereikte een hoogtepunt met de processen tegen de trusts van grote ondernemingen en de bijzonder invloedrijke beslissing van het Amerikaanse Hooggerechtshof in 1911 om de Standard Oil Trust te laten ontbinden.

Met deze traditionele afkeer van grote bedrijven verschilden de Verenigde Staten van Duitsland en van Europa. In Europa waren er na de Tweede Wereldoorlog veel grote staatsbedrijven en vakbonden, en werden er op nationaal niveau loononderhandelingen gevoerd. In Duitsland moesten vakbonden zijn vertegenwoordigd in de raad van toezicht. De economie was in de greep van grote ondernemingen en grote vakbonden. Grote, zogenaamde 'universele banken' werden aangemoedigd om te investeren in, en te lenen aan grote ondernemingen. Deze ethiek van de schaalomvang kwam voort uit de kartelvorming die aan het eind van de negentiende eeuw plaatsvond, deels vanwege de behoeften van het leger.

In het Europa van meteen na de Tweede Wereldoorlog was creatieve destructie nog vooral creatief, want de 'destructie' van verouderde fabrieken had al tijdens de oorlog door bombardementen plaatsgevonden. De stress van het kapitalistische systeem en de noodzaak van een economisch vangnet waren tot aan de jaren zeventig minimaal. Het Duitse bedrijfsleven groeide enorm, ook al bestonden er allerlei beperkingen door regelgeving en cultuuropvattingen.

Maar tegen het eind van de jaren zeventig begon het Duitse Wirtschaftswunder scheuren te vertonen. Nu West-Duitsland was herbouwd en zijn achterstand had weggewerkt, viel de vraag weg die de economie zo had opgestuwd. De economische groei werd minder en minder. Creatieve destructie – waarbij pijnlijke economische veranderingen worden doorgevoerd en economische middelen een nieuwe bestemming krijgen – werd voor het eerst sinds de oorlog weer noodzaak. De economische infrastructuur die in de jaren vijftig was opgebouwd, was grotendeels verouderd. Bedrijven en werknemers voelden de druk.

Met de arbeidswetten die kort na de oorlog waren ingevoerd, leek weinig mis te kunnen gaan in een periode dat de vraag naar werk continu groot was. In de jaren van snelle economische groei hadden werkgevers moeite om genoeg mensen te vinden om aan de vraag te voldoen. Ze dachten er zelden aan dat de nieuwe wetten het veel duurder maakten om werknemers te ontslaan. Dit veranderde toen de wederopbouw bijna was voltooid. Werkgevers werden al snel huiverig om mensen in dienst te nemen vanwege de kosten die aan ontslag waren verbonden. In West-Duitsland steeg de werkloosheid van 0,4 procent in 1970 (toen er alleen frictiewerkloosheid was) naar bijna 7 procent in 1985, en meer dan 9 procent in 2005. Door een wereldwijde cyclische opleving waarvan de op export gebaseerde Duitse economie profiteerde, daalde de werkloosheid in de lente van 2007 naar 6,4 procent. De structurele problemen op lange termijn, zoals de hoge werkloosheid en de tekortschietende productiviteit, moeten nog goed worden aangepakt. De kosten van het ontslaan van werknemers zijn een belangrijk obstakel voor het in dienst nemen van nieuw personeel.

Volgens de OESO dragen meer in het algemeen ook de hoge loonbelastingen die werkgevers moeten betalen en de genereuze werkloosheidsuitkeringen in West-Europa bij aan een werkloosheidsniveau dat aanzienlijk hoger is dan in de Verenigde Staten. Volgens het IMF is de arbeidsproductiviteit in de Europese Unie (vóór de uitbreiding in 2004 met tien nieuwe lidstaten) slechts 83 procent van die in de Verenigde Staten, terwijl die in 1995 nog 90 procent was. Op dit moment is de arbeidsproductiviteit in geen enkele lidstaat van de Europese Unie hoger dan die in de Verenigde Staten. Het IMF schrijft dit toe aan 'de tragere invoering van nieuwe technologieën, vooral in de informatie- en communicatietechnologie' vanwege achterblijvende ICT-investeringen in financiën, de detailhandel en de groothandel. Volgens het IMF moet Europa waarschijnlijk de concurrentiebelemmeringen wegnemen.

De laatste slag voor de West-Duitse economische groei was de noodlottige beslissing om als onderdeel van de eenwording van Oost- en West-Duitsland de in DDR-marken gewaardeerde Oost-Duitse activa en passiva één op één naar West-Duitse marken te converteren. Het was bekend dat de productiviteit in de DDR voor de *Wende* drie keer zo laag was als in de Bondsrepubliek. Er werd daarom gevreesd dat de Oost-Duitse industrie totaal niet in staat zou zijn om te concurreren, en failliet zou gaan. Maar als ze niet één op één converteerden, zouden de productieve arbeidskrachten massaal van Oost- naar West-Duitsland verhuizen, redeneerde de toenmalige kanselier Helmut Kohl waarschijnlijk terecht. Linksom of rechtsom had de Oost-Duitse industrie door West-Duitsland gesubsidieerd moeten worden om te kunnen overleven. Bovendien kreeg Oost-Duitsland toegang tot het genereuze West-Duitse sociale vangnet. Sindsdien wordt ongeveer 4 procent van het Duitse BBP overgedragen ten behoeve van gepensioneerden en werklozen in het oosten van Duitsland.

Toen de levensstandaard in de nieuwe deelstaten geleidelijk op dezelfde hoogte kwam als de westerse, concludeerde kanselier Kohl dat de economische problemen zouden verdwijnen (hij meende dat dit vijf tot tien jaar zou duren) en dat de extra offers van West-Duitse belastingbetalers op een gegeven moment niet meer nodig zouden zijn. Karl-Otto Pöhl, de zeer effectieve president van de Deutsche Bundesbank, de centrale bank van West-Duitsland, zei in de dagen voor de eenwording tegen mij en anderen dat hij bang was dat dit ernstige gevolgen zou hebben voor Duitsland. Hij had gelijk.

De Fransen zijn vrij bijzonder omdat hun gevoel voor geschiedenis en sociale rechtvaardigheid een belangrijke rol speelt in hun economie. De meeste Fransen verwerpen een vrije markt, terwijl die juist de basis vormt voor een kapitalistische economie. De vrij concurrerende markt wordt als asociaal beschouwd, als de 'wet van de jungle', zoals Balladur zei. Toch beschermen ze net zo goed als andere ontwikkelde landen de instituties van het kapitalisme – de rechtsstaat en vooral de eigendomsrechten.

Het intellectuele conflict is voelbaar in het dagelijks functioneren van de economie. De Fransen laten zich niet openlijk in met het economische liberalisme van open markten en globalisering. In 2005 zei president Jacques Chirac onomwonden dat 'het ultraliberalisme een even grote bedreiging vormt als het communisme destijds'. Toch zijn er in Frankrijk voldoende bedrijven van wereldklasse die internationaal zeer effectief concurreren (en viervijfde van hun winst dankzij het buitenland maken). Frankrijk bereidde samen met Duitsland de weg voor de vrijhandelszone van de Europese Unie, die in maart 2007 haar vijftigjarig jubileum vierde (hoewel de motieven niet zozeer economisch waren, maar gericht op politieke integratie van Europa, dat was verwoest door de twee wereldoorlogen die er binnen een tijdspanne van dertig jaar hadden gewoed). Het integratieproces liep later vertraging op doordat de Fransen in een referendum tegen een nieuwe grondwet voor de Europese Unie stemden.

De vakbonden zijn weliswaar verhoudingsgewijs niet erg sterk vertegenwoordigd in de Franse private sector, maar alle werknemers zijn wel gebonden aan collectieve arbeidsovereenkomsten, of ze nu vakbondslid zijn of niet. Daarom bezitten de vakbonden veel macht in de markt en vooral bij de overheid. In Frankrijk zijn bedrijven huiverig om mensen in dienst te nemen omdat de vakbonden gezorgd hebben dat het duur is om werknemers te ontslaan. Hierdoor is de werkloosheid een stuk hoger dan in economieën waar de kosten van het ontslaan van werknemers lager zijn, zoals in de Verenigde Staten.

De stijgende werknemerskosten voor het bedrijfsleven (vooral de pensioenkosten) verleiden de Franse overheid af en toe tot bescheiden hervormingen, die vervolgens weer worden tegengehouden door grote demonstraties op de Champs-Elysées, een tactiek die heel wat Franse overheden in het zand heeft doen bijten.

Het is moeilijk om niet somber te zijn over de economische vooruitzichten van Frankrijk. Wat betreft het inkomen per hoofd van de bevolking is Frankrijk volgens gegevens van het IMF gedaald van de elfde plaats op de wereldranglijst in 1980, tot de achttiende plaats in 2005. In de jaren zeventig bedroeg het percentage werklozen gemiddeld 2,5, terwijl het vanaf eind jaren tachtig tussen de acht en twaalf schommelt. (In april 2007 was het 8,2 procent.) Toch zijn het idee van vrijheid en de nationalistische gevoelens in Frankrijk zo algemeen dat als ze in het nauw worden gedreven, ze zich hergroeperen en op constructieve wijze de wereldgemeenschap inschakelen. Ik vermoed dat het vooral meer van hetzelfde wordt nu Nicolas Sarkozy tot president is gekozen. Ik ben hoopvol gestemd wat hem betreft. In het openbaar is hij zeer protectionistisch. Maar toen ik in 2004, toen hij minister van Financiën was, een gesprek met hem had, zei hij de flexibele economie in de Verenigde Staten te bewonderen. De concurrerende wereldmarkt zal hem hoe dan ook in die richting duwen. De cultuur is voorbestemd om in botsing te komen met economische welvaart.

Italië vertoont soortgelijke problemen als Frankrijk en heeft in veel opzichten dezelfde houding. Rome is al meer dan tweeduizend jaar een centrum van beschaving. Net als Frankrijk heeft Italië goede en slechte tijden gekend, maar heeft het land er zich steeds doorheen geslagen. Toen de Italianen in 1999 overschakelden op de euro, profiteerden ze meteen van de economische kracht van een sterke munt (de lire moest voorheen telkens in waarde dalen om Italië concurrerend te kunnen houden), lagere rentetarieven en een lage inflatie. Maar de cultuur van buitensporige overheidsbestedingen verdween niet met de nieuwe munt. Zonder de veiligheidsklep van periodieke devaluaties begint de Italiaanse economie te haperen. Er wordt gesproken over een terugkeer naar de lire (en de devaluaties), maar dat zijn praatjes voor de vaak. Het probleem van hoe en wanneer Italië terug zou kunnen naar de lire, is ontzagwekkend en enorm kostbaar. Als Italiaanse overheden maar vaak genoeg in die afgrond kijken, zullen ze zich op een gegeven moment gedwongen voelen de hervormingen door te voeren die volgens de Italianen en hun wereldwijde partners noodzakelijk zijn.

Maar alleen gevoel voor geschiedenis en een sociale cultuur zullen de economie van het eurogebied, of van de Europese Unie in het algemeen, niet in stand kunnen houden. Tijdens de ontmoeting van de Europese leiders in Lissabon in maart 2000 werd erkend dat het Europese economische model behoefte had aan verbetering om het concurrerender te maken. Ze lanceerden een programma dat later bekend zou worden als de Lissabon-agenda, en als doelstelling had om Europa in tien jaar tijd innovatief en competitief te maken. Op dit moment zijn die doelen nog bij lange na niet bereikt. Er moet heel wat worden ingehaald. Het afgelopen jaar vertoonde Europa tekenen van een cyclische groei die werd gestimuleerd door een bloeiende wereldeconomie. Maar om redenen die ik in hoofdstuk 25 uiteenzet, vertraagt de wereldgroei op een gegeven moment. De door de cultuur bepaalde structurele economische problemen in de eurozone zijn daarom blijvend.[7]

Japan heeft in cultureel opzicht waarschijnlijk de meest uniforme maatschappij van alle grote industrielanden. De immigratiewetten bieden weinig ruimte voor iemand die niet van Japanse origine is. Het is een sociale maatschappij, die creatieve destructie uit de weg gaat. Japanners hebben moeite met het grote personeelsverloop en de massaontslagen die samenhangen met de vernietiging of evolutie van verouderde bedrijven. Japan slaagde er na de Tweede Wereldoorlog in om een van de succesvolste kapitalistische economieën ter wereld op te bouwen.

Tijdens de wederopbouw was er meer dan genoeg werk en werden weinig werknemers ontslagen. Japan werd beroemd om het feit dat mensen er hun leven lang voor één bedrijf werkten. Omdat de vraag bleef stijgen, werden slecht bestuurde bedrijven niet op de vingers getikt. In 1989 was de waarde die buitenlandse investeerders toekenden aan de grond waarop in Japan het Keizerlijk Paleis staat, gelijk aan de waarde van al het onroerend goed in Californië bij elkaar. Ik herinner me dat ik deze waardering destijds absurd vond.

Maar de laatste jaren heeft Japan het moeilijk gehad nadat in 1990 de aandelenbeurzen en de onroerendgoedmarkt crashten. In de tijd dat de huizenmarkt floreerde, hadden Japanse banken veel leningen verstrekt met huizen als onderpand. Toen de markt instortte en de prijzen in snel tempo daalden, was het onderpand voor deze leningen niet meer voldoende. Maar in plaats van de leningen op te eisen, zoals de meeste westerse banken zouden doen, zagen de Japanse bankiers daar onder invloed van hun cultuur van af. Het duurde jaren en kostte veel financiële hulp van de overheid voordat de onroerendgoedprijzen zich stabiliseerden, leningen en kapitaal weer op een realistische manier werden gewaardeerd, en het banksysteem weer normaal functioneerde.

Uit deze en andere historische episodes concludeerde ik dat Japan zich anders gedroeg dan de andere kapitalistische landen die ik kende. Wat ik niet wist, was hoe vernederend 'gezichtsverlies' voor Japanners kan zijn, totdat me dit op een gegeven moment echt duidelijk werd. In januari 2000 bezocht ik Kiichi Myazawa, de Japanse minister van Financiën en voormalige premier, op zijn kantoor in Tokio. Na de gebruikelijke plichtmatige uitwisseling van geestigheden (hij spreekt vloeiend Engels) begon ik aan een gedetailleerde analyse van het Japanse banksysteem, dat de Japanse overheid alleen met grote geldinjecties overeind had kunnen houden. Ik vertelde dat we in de Verenigde Staten in 1989 de Resolution Trust Corporation (RTC) hadden opgezet om ongeveer 750 failliet gegane spaar- en leenbanken te liquideren, en dat zodra het schijnbaar onverkoopbare vastgoed toch over de toonbank was gegaan, de onroerendgoedmarkt zich had hersteld en de nieuwe kleinere spaar- en leenindustrie weer floreerde. Ik zei dat de Amerikaanse strategie om (1) een groot deel van onze falende spaarbanken failliet te laten gaan, (2) de activa onder te brengen bij een liquidatiemaatschappij en (3) een strategie te bedenken om de failliete boedel tegen grote kortingen aan de man te brengen, zodat de onroerendgoedmarkt weer over liquide middelen zou beschikken, goed paste bij de Japanse situatie.

Miyazawa had geduldig naar mijn verhaal geluisterd, en reageerde met een glimlach: 'Alan, je hebt ons bankprobleem heel scherpzinnig geanalyseerd. Maar wat betreft je remedie: dat is niet de Japanse aanpak.' Japanners kennen een beleefdheidscode die het bijna onmogelijk maakt om iemand gezichtsverlies te doen lijden. Delinquente schuldenaren konden daarom niet failliet worden verklaard, hun onderpand kon niet worden verkocht, mensen mochten niet worden ontslagen.

Ik twijfel er niet aan dat een strategie zoals die van de RTC in de periode van stagnatie van de Japanse economie (van 1990 tot 2005) de periode van aanpassing na de crash aanzienlijk had kunnen bekorten, zodat Japan de crisis jaren eerder te boven was gekomen. In de loop van vijftien jaar stagnatie voorspelden analisten, zoals ik, voortdurend een herstel van de Japanse economie. Maar het herstel leek nooit door te zetten. Door welke onzichtbare economische kracht werd dit tegengehouden? Uit mijn gesprek met Miyazawa bleek het antwoord. De geheime kracht was niet economisch van aard, maar cultureel. De Japanners hadden de enorm dure economische stagnatie voor lief genomen om massaal gezichtsverlies van individuen en bedrijven te voorkomen. Ik kan me niet voorstellen dat de Amerikaanse overheid ooit een dergelijk beleid zou volgen.

Vreemd genoeg bevrijdt ditzelfde gevoel voor collectieve solidariteit dat een integraal onderdeel is van de Japanse cultuur, de Japanse economie van het pensioenprobleem waarmee bijna alle ontwikkelde landen in de komende jaren te maken krijgen. Toen ik onlangs een hoge Japanse functionaris vroeg wat Japan dacht te doen met de verplichtingen jegens toekomstige Japanse gepensioneerden, antwoordde hij dat de pensioenen omlaag zouden gaan. Dat zou volgens hem geen probleem zijn, want de Japanners zouden inzien dat dit in het nationaal belang was. Dat zou volstaan. Ik kan me niet voorstellen dat het Amerikaanse Congres of de Amerikaanse kiezers zo redelijk zouden reageren.

Continentaal Europa herbouwde zijn door de oorlog verwoeste economie in een kapitalistisch tempo, ondanks de beperkende regels opgelegd door de sociaal-democratische cultuur die aan het eind van de oorlog algemeen in zwang was. Zoals er tijdens de periode van de wederopbouw vanwege de uitzonderlijke vraag geen beroep werd gedaan op de vangnetten van de verzorgingsstaat, zo zorgde de snelle groei van Japan er in de eerste dertig jaar na de oorlog voor dat er nooit veel werknemers tegelijk werden ontslagen of banken het faillissement aanvroegen van schuldenaren. Gezichtsverlies werd voorkomen.

Toen de groei in Europa in de jaren tachtig vertraagde, stegen de kosten van de verzorgingsstaat, waardoor de vertraging werd versterkt. Op soortgelijke wijze werden de economische problemen in Japan alleen maar erger door de weigering van de banken om hypotheeknemers failliet te laten gaan toen de zeepbel van de onroerendgoedmarktprijzen barstte. Nadat de onroerendgoedmarkt praktisch tot stilstand was gekomen, konden de banken geen realistische inschatting meer maken van de waarde van de onderpanden voor uitstaande leningen, en konden ze zelf evenmin bepalen of ze solvent waren. Daarom waren ze voorzichtig met leningen aan nieuwe klanten, en omdat de banken het Japanse financiële systeem domineren, bestond er bijna geen financiële bemiddeling meer, die zo belangrijk is voor grote ontwikkelde economieën. Er ontstond hardnekkige deflatie. Pas toen de onroerendgoedprijzen in 2006 hun dieptepunt bereikten, kon er een redelijke inschatting worden gemaakt van de solvabiliteit van de banken. Daarna werden er weer veel nieuwe leningen afgesloten en nam de economische activiteit duidelijk toe.

Ik heb een groot deel van dit hoofdstuk besteed aan de manier waarop economische krachten de grotere economieën beïnvloeden. Maar dezelfde krachten spelen bijvoorbeeld ook in Canada, Scandinavië en de Beneluxlanden. Over Canada, onze grootste handelspartner, met wie we de langste onverdedigde grens ter wereld delen, heb ik minder gezegd dan het land verdient omdat de economische, politieke en culturele trends die er spelen ook die van het Verenigd Koninkrijk en de Verenigde Staten zijn, landen die al een belangrijke rol spelen in dit boek.

Australië en Nieuw-Zeeland zijn vooral interessant wat betreft hun ontwikkeling na een aantal hervormingen waarbij de markt verder werd geopend en de banden met Azië, vooral China, werden geïntensifieerd. Australië en Nieuw-Zeeland zijn twee van een eindeloze reeks landen die in de afgelopen kwarteeuw hun verkalkte economie openstelden voor concurrentie, en daarvoor beloond werden met een sterk stijgende levensstandaard. De Australische Labour-minister Bob Hawke werd in de jaren tachtig geconfronteerd met een economie waar de concurrentie verlamd werd door regels, en begon aan een reeks ingrijpende, pijnlijke hervormingen, vooral in de arbeidsmarkt. De invoerheffingen werden sterk verlaagd en de wisselkoers werd vrijgelaten. Deze hervormingen leidden tot een verbazingwekkende economische opleving, die in 1991 begon en zonder recessie tot 2006 duurde. In deze periode steeg het inkomen per hoofd van de bevolking met meer dan 40 procent. Nieuw-Zeeland begon halverwege de jaren tachtig, aangespoord door minister van Financiën Roger Douglas, aan soortgelijke hervormingen, met al even indrukwekkende resultaten.

Ik ben altijd al gefascineerd geweest door Australië, als een soort Verenigde Staten in het klein. Het is een land met enorme open ruimtes, zoals in het Amerikaanse Westen. De trek van de Australische pioniers over hun enorme, bijna onbewoonde continent lijkt op de expeditie van Lewis en Clark door Noordwest-Amerika. De Australische maatschappij veranderde van vergaarbak voor Britse misdadigers in een maatschappij met een hoge cultuur, gesymboliseerd door het bekende beeld van de Opera van Sydney. Ik weet dat ik niet mag generaliseren op basis van een paar jaar ervaring, maar tijdens mijn periode bij de Fed beschouwde ik Australië vaak als leidraad voor het Amerikaanse economisch functioneren. Er deed zich daar bijvoorbeeld twee jaar voordat wij ermee te maken kregen, een hausse in de huizenmarkt voor. Ik houd het Australische begrotingstekort continu in de gaten. Het bestaat al langer (sinds 1974) dan dat van de Verenigde Staten, zonder dat het een duidelijke macro-economische impact lijkt te hebben, anders dan dat een steeds groter deel van het Australische bedrijfsleven in handen is van buitenlanders.

De sterke banden die er tijdens de Tweede Wereldoorlog ontstonden tussen Australië en de Verenigde Staten, zijn tot op de dag van vandaag blijven bestaan. Australië heeft een bruisende markteconomie en voor een land met zo weinig inwoners (21 miljoen) dat zo ver weg ligt (Sydney ligt 12.000 kilometer van Los Angeles) heeft het opmerkelijk veel invloed in de Verenigde Staten. Ik ben altijd onder de indruk geweest van het grote economisch talent dat in het kleine land aanwezig is. Ian McFarlane, de president van de Reserve Bank of Australia (de Australische centrale bank), had veel inzicht in globaliseringskwesties, evenals Peter Costello, de Australische minister van Financiën. Eerste minister John Howard maakte veel indruk op me met zijn grote belangstelling voor de rol van de technologie in de Amerikaanse productiviteitsgroei. De meeste staatshoofden houden zich afzijdig van dergelijke details, terwijl hij me er tijdens de talloze bezoeken die hij tussen 1997 en 2005 aan de Verenigde Staten bracht, telkens weer over uithoorde. Wat betreft het monetaire beleid hoefde ik hem niet aan te sporen. Zijn regering had in 1996 de Reserve Bank of Australia volledig onafhankelijk gemaakt.

Dit hoofdstuk ging over de opkomst van verschillende soorten kapitalistische praktijk in ontwikkelde markteconomieën. Maar er zijn drie belangrijke landen die niet echt een compromis hebben gevonden tussen ongebreidelde concurrentie en de beperkingen van een sociaal vangnet: China, Rusland en India. Ze volgen alle drie tot op zekere hoogte de marktregels, maar met belangrijke afwijkingen die makkelijk zijn te categoriseren of voorspellen. China wordt steeds kapitalistischer, maar heeft beperkte officiële regels voor het eigendomsrecht. Rusland heeft wel regels, maar of deze worden afgedwongen, hangt vaak af van politieke overwegingen. En India heeft eigendomsrechten die zo bezwaard zijn door specifieke regelingen dat ze niet erg bindend zijn. Deze drie landen herbergen samen tweevijfde van de wereldbevolking, terwijl ze minder dan een kwart van het BBP van de wereld produceren. De politieke, culturele en economische ontwikkeling van deze landen zal in de volgende kwarteeuw de economische toekomst van de wereld in belangrijke mate beïnvloeden.

14

DE KEUZES DIE CHINA WACHT

Tijdens mijn laatste bezoek aan China als voorzitter van de Fed, in oktober 2005, gaf Zhu Rongji, de gepensioneerde premier van China, samen met zijn vrouw, Lao An, een afscheidsdinertje in het elegante Diaoyutai State Guest House, waar het Chinese leiderschap bezoekende hoogwaardigheidsbekleders ontvangt. Voor het eten was er een officiële theebijeenkomst, waar Zhu en ik de kans hadden om te praten. De manier waarop hij sprak, wekte bij mij ernstige twijfel over de vraag of hij werkelijk gepensioneerd was, zoals de officiële pers consequent volhield. Hij was volledig op de hoogte van en gepreoccupeerd met de belangrijke kwesties die tussen onze landen speelden, en was even inzichtelijk en scherpzinnig als hij tijdens onze elfjarige vriendschap continu geweest was.

Terwijl we de Chinese wisselkoers en de tekorten op de Amerikaanse handelsbalans bespraken, verbaasde ik me over zijn gedetailleerde kennis van de Chinese economische manco's en de benodigde remedies. Ik werd getroffen door het niveau waarmee hij over dergelijke kwesties sprak, dat zelfs onder wereldleiders ongebruikelijk is. In de loop der jaren hadden we allerlei kwesties besproken: de beste manier om toezicht te houden op de banken, het Chinese sociale vangnet en hoe dit losgemaakt moest worden van de desintegrerende staatsbedrijven, de noodzaak voor de toen net ontluikende Chinese aandelenmarkt om zich zonder bemoeienis te kunnen ontwikkelen enzovoort.

Ik was op Zhu gesteld en besefte dat we elkaar tot mijn spijt waarschijnlijk niet meer zouden ontmoeten. We waren bevriend geraakt toen hij vicepremier en hoofd van de Chinese centrale bank was. Hij was de intellectuele erfgenaam van Deng Xiaoping, de grote economische hervormer die China van een fietsnatie had veranderd in een gemotoriseerd land en alles wat dit impliceerde. In tegenstelling tot Deng, die brede politieke steun genoot, was Zhu een technicus wiens invloed, voor zover ik kon beoordelen, vooral op de steun van Jiang Zemin berustte, die van 1993 tot 2003 president van China was en partijleider van 1989 tot 2002. Zhu had veel van de vergaande institutionele hervormingen gerealiseerd die door Deng waren begonnen.

Deng, die marxistisch maar pragmatisch was, had een begin gemaakt met de transformatie van China, dat van een afgesloten, centraal geplande agrarische economie was veranderd in een indrukwekkende aanwezigheid op het economische wereldtoneel. De gang naar de markt begon in 1978, toen de autoriteiten vanwege een ernstige droogte waren gedwongen de regels voor boeren die een eigen stukje grond bewerkten, wat minder streng toe te passen. Onder de nieuwe regels mochten de boeren een belangrijk deel van hun opbrengst zelf consumeren of verkopen. Dit had verbazingwekkende gevolgen. De agrarische opbrengst steeg enorm, wat verdere deregulering en de ontwikkeling van boerenmarkten in de hand werkte. Na decennia van stagnatie steeg de agrarische productiviteit met sprongen.

Het succes in de landbouw was een stimulans om dergelijke hervormingen ook in de industrie door te voeren. Weer leidde een bescheiden versoepeling van de regels tot een bovenverwachte groei, wat extra gewicht verleende aan de argumenten van hervormers die snel wilden overschakelen op een concurrerende markt. Voorstanders durfden het model uiteraard geen 'kapitalisme' te noemen. Ze gebruikten eufemismen als 'socialistische markteconomie' of de bekende frase van Deng: 'socialisme met Chinese kenmerken'.

De Chinese leiders waren veel te opmerkzaam om de tegenstellingen niet zelf te zien, om niet te begrijpen dat de socialistische economie leed onder tegenstellingen en beperkingen, en dat het kapitalisme succesvol was. Waarom zouden ze anders aan zo'n ambitieuze onderneming zijn begonnen die zo in tegenspraak is met de tradities van hun communistische partij? Terwijl China onontkoombaar verder denderde in de richting van het kapitalisme, bleek de economische vooruitgang zo overheersend dat het ideologische debat van de jaren ervoor geschiedenis was geworden.

Ik bezocht China voor het eerst in 1994, lang na het begin van de hervormingen. Net als alle bezoekers was ik bij elk volgend bezoek weer verbaasd over alle veranderingen. Gemeten naar koopkracht is de Chinese economie tegenwoordig de grootste na die van de Verenigde Staten. China is ook de grootste consument van handelsartikelen ter wereld geworden, de op één na grootste consument van aardolie en de grootste staalproducent. De natie heeft zich van de fietseconomie uit de jaren tachtig ontwikkeld tot een land dat in 2006 meer dan zeven miljoen auto's, bussen en vrachtwagens per jaar produceerde, en dat plannen had voor fabrieken met een nog veel grotere capaciteit. Er verrijzen wolkenkrabbers op plekken waar duizenden jaren lang dezelfde soort akkers werden bewerkt. De uniforme, kleurloze kleding van generaties Chinezen heeft plaats gemaakt voor een wild spectrum aan kleuren. De inkomens werden steeds hoger naarmate de welvaart toenam, en er is een cultuur van winkelen ontstaan. Reclame, ooit onbekend, is een van de snelst groeiende bedrijfstakken van China, en internationale supermarkten als Wal-Mart, Carrefour en B&Q wedijveren met innovatieve Chinese winkeliers.

In een land waar de collectieve boerderij tot voor kort gemeengoed was, werden nu in de steden losjes geformuleerde eigendomsrechten gehandhaafd. Was dat niet het geval geweest, dan zouden de buitenlandse investeerders in onroerend goed, fabrieken en aandelen al lang zijn weggebleven. Beleggers gedroegen zich alsof ze een flink rendement op hun beleggingen verwachtten, en het geïnvesteerde geld terug dachten te krijgen. En dat gebeurde ook.[1] Chinese burgers kregen vervolgens het recht om huizen te bezitten en te verkopen, waardoor een belangrijke mogelijkheid ontstond om kapitaal te vergaren. Hernando de Soto was, denk ik, tevreden. Privé-eigendom genoot daarmee dezelfde juridische bescherming als staatseigendom. Toch zijn de eigendomsrechten nog niet dezelfde als in ontwikkelde landen. Eigendomsrechten dienen niet alleen wettelijk te zijn vastgelegd, maar er moeten ook een overheid en een rechtssysteem zijn die deze wetten handhaven. Hierin schiet China tekort. Een onpartijdig rechtssysteem is nog steeds een doel aan de Chinese horizon. Er worden inbreuken gemaakt op het eigendomsrecht, vooral op intellectuele rechten. Joint ventures klagen dat de technologie die ze in een nieuwe fabriek toepassen, binnen de kortste keren ook wordt gebruikt door een rechtstreeks concurrerende Chinese fabriek.

Een belangrijk slachtoffer van de toenemende rijkom in China is het communisme. Ik kan me niet herinneren dat ik tijdens de talloze ontmoetingen die ik heb gehad met Chinese economische en financiële functionarissen, hen ooit de woorden 'communisme' of 'Marx' in de mond hebben horen nemen. Natuurlijk ontmoette ik vooral Chinese 'liberalen'. Wel had ik in 1994 een ideologische discussie over het kapitalisme van de vrije markt met Li Peng, Zhu's voorganger als premier en een fervent marxist. Hij wist veel van de Amerikaanse economische praktijk en was een goed debater. Maar hij kwam niet met de marxistische dialectiek van het type waarmee ik op de universiteit was geconfronteerd. Li luisterde goed naar mijn zorgvuldig beredeneerde mening dat China zijn markten eerder moest openstellen. Hij vroeg waarom Nixon in 1971 maatregelen had genomen om prijzen en lonen te beheersen, terwijl de Verenigde Staten juist pleitten voor een gedereguleerde markt. Ik vond het fantastisch dat hij die vraag stelde. Niet alleen snapte hij hoe het er in de wereld aan toeging, maar hij klonk ook bijna redelijk voor iemand die bekendstond als hardliner. Ik gaf toe dat de prijsbeheersingsmaatregelen geen goed beleid waren geweest en dat het enige goede eraan was dat ze weer eens duidelijk hadden gemaakt dat dergelijke maatregelen niet werken. Ik voegde eraan toe dat we ons er nadien niet meer toe hadden laten verleiden. Maar ik verwachtte niet dat ik hem kon overtuigen. We waren beiden in de treurige positie van overheidsdienaar die wel een discussie kan voeren, maar niet mag toegeven dat hij ongelijk heeft als de opponent dat aantoont. Hoezeer ik ook mijn best deed om hem te overtuigen, en hij mij, we mochten niet afwijken van het beleid dat de overheid voor ons had uitgestippeld.

Ik heb in geen jaren met Li Peng gesproken en ik kan er alleen naar gissen wat hij dacht toen China in 2001 lid werd van de Wereldhandelsorganisatie, het bastion van de vrijhandel. Ik was een groot voorstander geweest van wetgeving die de handelsrelaties met China zou normaliseren, omdat ik meende dat de Chinese burgers zouden profiteren van volledige acceptatie door het wereldhandelssysteem. Ze zouden hun levensstandaard zien stijgen. Ook Amerikaanse bedrijven en boeren zouden profiteren, want zij kregen er een gretige en nog onontgonnen markt bij. In mei 2000 sprak ik op verzoek van president Clinton op het Witte Huis over toelating van China tot de wereldmarkt. Ik zei dat ik hoopte dat dit zou gebeuren, omdat het de individuele rechten en het rechtssysteem in China zou verstevigen. Tegen journalisten verklaarde ik: 'De geschiedenis heeft aangetoond dat het weghalen van macht bij de centrale planners en verbreding van het marktmechanisme, zoals onder de Wereldhandelsorganisatie gebeurt, impliciet leiden tot een algemenere verspreiding van rechten voor het individu.' (Clinton benadrukte de reden voor mijn aanwezigheid door daar schalks aan toe te voegen: 'We weten allemaal dat de hele wereld luistert als voorzitter Greenspan iets zegt. Ik hoop dat het Congres vandaag luistert.')

Het feit dat China werd betrokken bij het wereldwijde financiële systeem, had nog andere voordelen. Chinese centrale bankiers spelen nu een belangrijke rol in de Bank voor Internationale Betalingen (BIB) in Zwitserland, een instelling die sinds lang wordt geassocieerd met de internationale kapitalistische financiële wereld. Zhou Xiaochuan, die in 2002 tot gouverneur van de Chinese centrale bank werd benoemd, was bijzonder welkom tijdens de regelmatig gehouden BIB-vergaderingen van centrale bankiers van belangrijke ontwikkelingslanden. Zhou sprak goed Engels, was uitstekend op de hoogte van de internationale financiële wereld en gaf een openhartige evaluatie van wat er in China gebeurde. Hij leverde informatie die weinigen van ons uit andere bronnen konden vernemen. Vaak legde hij in detail uit hoe de Chinese financiële markten zich ontwikkelden, en verschafte me zo nieuwe inzichten. Nadat ik in 2006 afscheid had genomen van de Fed, zat ik met Zhou in een commissie die onderzoek deed naar de financiering van het Internationaal Monetair Fonds. Hij en zijn collega's, die zich een paar jaar daarvoor nog met centrale planning hadden beziggehouden, waren belangrijke spelers geworden in het wereldwijde financiële systeem.

Het is veelzeggend dat China ook veel westerse cultuur overneemt. HSBC, een van de grootste banken ter wereld, sponsort sinds twee jaar een golftoernooi in Shanghai waar vele miljoenen mee gemoeid zijn. Overal in China worden golfbanen aangelegd en verrassend is niet dat ze dit gedaan hebben, maar dat niemand zich erover verbaast.[2] Maar weinig sporten zijn zo symbolisch voor het kapitalisme als golf. De Sovjet-Unie kende wel proftennissers, maar geen golfers.

Mij werd verteld dat er meer westerse klassieke orkesten in China zijn dan in de Verenigde Staten. En ik was van mijn stuk gebracht toen president Jiang Zemin me vertelde dat Franz Schubert zijn favoriete componist was. Dit was iets heel anders dan de cultuur waarmee Nixon werd geconfronteerd toen hij in 1972 een bezoek aan China bracht.

Ik heb altijd gedacht dat de glasnost en perestrojka van Michael Gorbatsjov min of meer de oorzaken zijn van de ondergang van de Sovjet-Unie. Ze stelden het Russische volk bloot aan de 'liberale' waarden die Stalin en zijn opvolgers altijd hadden onderdrukt. Toen deze doos van Pandora eenmaal was geopend, was de ondergang van het collectivisme in de Sovjet-Unie en de satellietstaten een kwestie van tijd. Te oordelen aan de pogingen van het Chinese communistische politbureau om de verspreiding van informatie via internet te controleren, hebben de Chinese leiders dezelfde conclusie getrokken en willen ze niet dat de geschiedenis zich herhaalt.

Toen ik in 1994 op het Plein van de Hemelse Vrede op de plek stond waar Mao Zedong in 1949 de Chinese Volksrepubliek had uitgeroepen, kon ik me alleen maar verbazen over hoe moeilijk de overgang naar de moderniteit was geweest voor de Chinezen – en hoe succesvol deze de afgelopen jaren was verlopen. Waar vijf jaar daarvoor een slachtpartij had plaatsgevonden onder studenten die voor meer vrijheid demonstreerden, vroeg ik me af of dit land van 1,3 miljard inwoners na generaties van marxistische indoctrinatie in staat zou zijn een wending van 180 graden te maken en de waarden kon opgeven die de meesten zich tijdens hun ontvankelijke kinderjaren eigen hadden gemaakt. Misschien zijn dergelijke waarden ondanks de enorme vooruitgang die China heeft geboekt, dieper geworteld dan het lijkt. Hoewel alles verandert, prijkt voorzitter Mao nog steeds op de Chinese munten en bankbiljetten, een hint dat de traditie nog steeds van grote invloed is.

De Chinese communistische partij kwam door een revolutie aan de macht, en streefde vanaf het begin naar politieke legitimiteit als de verbreider van een rechtvaardige filosofie die de hele bevolking materieel welzijn zou bieden. Het materiële is echter slechts een deel van waar mensen naar streven, en houdt op zich geen autoritair systeem in stand. De glans is al snel van de nieuwe overvloed af, en leidt bovendien tot de verwachting van nog meer overvloed. In de afgelopen 25 jaar werd de steun van de bevolking gewonnen door de snelle verhoging van de levensstandaard. Zal ook de glans daarvan verdwijnen?

Het was een kwestie van tijd voordat de inherente tegenstellingen van de communistische ideologie aan de oppervlakte kwamen. De spoken van Mao en Marx, die tijdens de jaren van snel toenemende overvloed in de coulissen hadden staan wachten, ontwaakten in 2006 in de persoon van Liu Guoguang, een tachtigjarige gepensioneerde econoom die een voorstel in het Nationale Volkscongres om de eigendomsrechten uit te breiden liet stranden. Hij zwaaide met de ideologische banier van de communistische staat en kreeg onverwacht veel steun. Het voorgestelde amendement werd weggestemd in het Volkscongres. De zaak was voorbereid door felle opmerkingen van professor Gong Xiantian van de juridische faculteit van de universiteit van Beijing, die op internet hadden gecirculeerd. In antwoord op de kritiek van marxistisch links zei president Hu Jintao dat China 'onwrikbaar moet doorgaan met de economische hervormingen'. Het valt te bezien of deze ideologische uitbarsting de laatste ademtocht is van een bejaarde generatie of een fundamentele versperring op de Chinese weg naar het kapitalisme. Bemoedigend was dat het amendement in maart 2007 met slechts kleine veranderingen toch door het Volkscongres werd aangenomen.

In de afgelopen generatie was het Chinese leiderschap erg vindingrijk bij het negeren van de conclusie die bijna iedereen al heeft getrokken, namelijk dat Marx, hoewel briljant, ongelijk had met zijn analyse van hoe mensen waarde kunnen creëren. Marx meende dat de productiemiddelen in staatshanden moesten zijn om op een rechtvaardige manier welvaart te kunnen produceren. In Marx' maatschappij moest bijna al het eigendom in handen zijn van de staat, die het voor het volk in bewaring hield. Individuen eigendomsrechten gunnen, deed afbreuk aan het collectief, dat wil zeggen aan de maatschappij als geheel, en bevorderde de uitbuiting. Marx vond dat arbeid gecollectiviseerd moest worden. Het was veel productiever om collectief naar doelen toe te werken dan markten te laten inspelen op de keuzes van individuen. De ultieme arbiter van dergelijke paradigma's is altijd de werkelijkheid. Werkte het zoals hij schetste? Nee. De economie van Marx heeft in de praktijk noch in de Sovjet-Unie, noch elders tot welvaart of rechtvaardigheid geleid, zoals nu algemeen wordt ingezien. De grondgedachte achter collectief eigendom deugt niet.

Socialisten in het Westen hebben zich aangepast bij het falen van de marxistische opvatting van de economie en vinden tegenwoordig niet langer dat de productiemiddelen eigendom moeten zijn van de staat. Sommigen zijn voorstander van overheidsregulering in plaats van staatseigendom, om de welvaart te bevorderen.

Deng Xiaoping reageerde op het uit de gunst raken van Marx door de communistische ideologie te negeren. Hij baseerde de legitimiteit van de partij vervolgens op de vraag of deze in staat was aan de materiële behoeften van meer dan een miljard mensen te voldoen. Hij bracht een proces op gang dat tot een ongekende achtvoudige toename leidde van het reële BBP per hoofd van de bevolking, een daling van de kindersterfte en een hogere levensverwachting. Maar, zoals velen in de partijleiding al hadden gevreesd, werd de politieke greep van de partij verzwakt door de vervanging van overheidscontrole door marktwerking.

Tijdens een bezoek dat ik in 1994 aan Shanghai bracht, zag ik hoe dit in zijn werk ging. Een hoge functionaris vertelde dat hij vijf jaar eerder was aangesteld om toezicht te houden op een depot voor agrarische producten. Hij moest iedere morgen om vijf uur aanwezig zijn om toe te zien op de verdeling van groenten en fruit die Shanghai binnenkwamen, vertelde hij me. Het was zijn taak te bepalen wie wat kreeg. Hij wijdde niet uit over zijn verdeelmethode, maar het was duidelijk dat hij veel macht gehad had. Ik kon me voorstellen dat hem heel wat werd aangeboden door plaatselijke distributeurs die hem voor zich wilden winnen. Toch was de functionaris blij toen het depot werd veranderd in een markt waar distributeurs zelf op de producten konden bieden. In plaats van dat één man besloot wie de bamboescheuten kreeg en tegen welke prijs, onderhandelden kopers en verkopers voortaan tot ze het eens waren. De prijs wordt nu door de markt bepaald en de landbouwproducten worden volgens vraag en aanbod verhandeld – een duidelijke illustratie van het fundamentele verschil tussen een door de overheid geleide economie en een markteconomie. Vanwege deze verandering was zijn leven een stuk makkelijker geworden, vertrouwde de functionaris me vrolijk toe. 'Nu hoef ik niet meer om vijf uur op te staan. Ik kan uitslapen en de markt het werk voor me laten doen.'

Ik zei tegen mezelf: 'Begrijpt hij wel wat hij zegt?' Als markten het werk overnemen, slinkt de controle van de communistische partij. Het communistische systeem is een piramide waar alle macht zich aan de top bevindt. De algemeen secretaris heeft, zeg, tien mensen meteen onder zich die rechtstreeks aan hem rapporteren en discretionaire bevoegdheden hebben. En deze tien personen verlenen op hun beurt weer discretionaire bevoegdheden aan een groter aantal mensen direct onder hen en zo verder, tot aan de onderkant van de piramide. Het systeem wordt bij elkaar gehouden doordat iedereen gehoorzaamt aan degene die zich rechtstreeks boven hem bevindt. Dat is de bron van de politieke macht. Dit is hoe de partij regeert. Maar als een laag van de piramide wordt vervangen door marktwerking, dan raakt men de politieke controle kwijt. Marktwerking en politieke controle gaan niet samen. De een sluit de ander uit. Daarom leidt marktwerking tot ernstige spanningen in de machtsstructuur van de partij.

Tot op heden lijkt dit fundamentele dilemma handig te zijn omzeild door de partijouderen. Ondertussen kunnen de Chinese boeren door de toenemende welvaart geleidelijk loskomen van hun grond. Ze zijn nu in de gelegenheid andere dingen te doen dan alleen voor onderdak en voldoende voedsel zorgen. Ze kunnen tegenwoordig zelfs protesteren tegen zaken die ze als onrechtvaardig beschouwen. Ik kan me niet voorstellen dat de partij niet begrijpt dat de Chinezen door de welvaart en recente uitbreidingen van het onderwijs op den duur een minder autoritair regime zullen verlangen. De huidige president Hu heeft minder politieke macht dan Jiang Zemin, en hij weer minder dan Deng Xiaoping. En Deng heel veel minder dan Mao. Aan het eind van deze weg van telkens afnemende macht gloort de West-Europese democratische verzorgingsstaat. Maar op die weg bevinden zich nog veel hordes die China moet nemen om de status van 'ontwikkelde economie' te krijgen, wat Dengs zelfverklaarde doel was. De enorme uitdagingen waarmee de Chinese hervormers worden geconfronteerd, zijn bekend: de reactionaire oude garde; de enorme plattelandsbevolking die tot op heden nauwelijks van de economische opleving profiteert en op bescheiden uitzonderingen na niet naar de steden mag; de resterende enorme stukken geleide economie in Sovjetstijl, waaronder nog steeds veel opgeblazen inefficiënte staatsbedrijven; het grote, problematische banksysteem dat die bedrijven financiert; het gebrek aan expertise op het gebied van boekhouding en accountancy; corruptie, het vaste nevenproduct van een piramidevormige machtsstructuur gebaseerd op discretionaire bevoegdheden; en ten slotte, gebrek aan politieke vrijheid, die misschien niet nodig is om op korte termijn markten te laten functioneren, maar die een belangrijke veiligheidsklep vormt voor publieke onvrede over onrechtvaardigheid en ongelijkheid. Bovendien moeten de Chinese leiders ook rekening houden met jaloezie van pas rijk geworden burgers, en met woede over de milieuvervuiling. Elk van deze factoren kan tot een uitbarsting leiden. Ofschoon China een groot deel van de economie heeft opengesteld voor marktkrachten, wordt het land nog steeds gedomineerd door overheidscontrole, als overblijfsel van de centrale planning. Daarom blijft de economie rigide en ben ik bang dat het land niet in staat is schokken op te vangen zoals de Verenigde Staten na de aanslagen van 11 september.

De omvang van de Chinese problemen is goed te zien aan de moeite die het de leiders kost om het systeem van centrale planning te ontmantelen. Na de eerste welvaartsgolf die volgde op Dengs hervormingen van de jaren tachtig, werd verdere vooruitgang nog jaren belemmerd door het wisselkoerssysteem voor buitenlandse valuta en de wetten die burgers verbieden naar de stad te migreren. Vergaande ontmanteling van deze belangrijke aspecten van de centrale planning was nodig om China op het pad van verhoogde groei te houden dat het in het voorgaande decennium was ingeslagen.

Het eerste dat werd aangepakt, was de wisselkoers van de renminbi (RMB). Nee, de wisselkoers was niet te laag, zoals veel mensen tegenwoordig vinden. Hij was te hoog. Centrale planners hadden de RMB een onrealistisch hoge koers toegekend. De waarde op de zwarte markt was veel lager. Begin jaren tachtig, toen de officiële waarde gold, was er weinig internationale handel. Chinese exporteurs die kosten maakten in RMB, moesten niet-concurrerende hoge prijzen in dollars rekenen om deze terug te verdienen. Toen het verschil met de pas gedereguleerde, bloeiende binnenlandse handel steeds duidelijker werd, devalueerden de financiële autoriteiten de RMB. In 1994 werd de munt volledig losgelaten voor handelstransacties en verdween de zwarte handel in RMB. De waarde van de munt daalde van twee naar meer dan acht RMB per dollar.

Na een vertraging nam de Chinese export toe van achttien miljard dollar in 1980 tot 970 miljard dollar in 2006, een jaarlijkse groei van bijna 17 procent. Meer dan de helft van de Chinese export bestaat uit goederen die zijn gefabriceerd met geïmporteerde onderdelen. Er worden steeds waardevollere goederen geëxporteerd, zoals blijkt uit de stijging van de gemiddelde exportprijzen, die hoger zijn dan de prijsindexen die zijn gebaseerd op een vast mandje goederen.[3] Niet duidelijk is echter in hoeverre de gemiddelde waardestijging te danken is aan de betere kwaliteit van de geïmporteerde onderdelen die worden verwerkt in de exportproducten.

Dit is belangrijk, omdat de invloed van de concurrentie op het Westen groter wordt naarmate China meer hightechproducten exporteert. China wordt duidelijk steeds technologischer, en exporteert veel meer geavanceerde producten dan tien jaar geleden. Maar zijn het de Chinezen zelf die daarvoor zorgen? Of assembleren de Chinezen alleen maar geavanceerder producten van anderen? De *Economist* schreef in het voorjaar van 2007 (en baseerde zich daarbij deels op de ideeën van Nicholas Lardy van het Peterson Institute of International Economics) dat 'het Chinese exportmodel grotendeels bestaat uit het lenen van land en goedkope arbeidskrachten aan buitenlanders. Zelfs het meest succesvolle Chinese computerbedrijf besteedt de productie uit aan Taiwanese bedrijven.' Ik neem echter aan dat het slechts een kwestie van tijd is voordat de Chinezen een groter deel van de toegevoegde waarde van hun export voor hun rekening nemen. Ik verwacht dat de Chinezen hun geïmporteerde onderdelen geleidelijk vervangen door binnenlands geproduceerde onderdelen met hoge toegevoegde waarde.

De toename van de export viel samen met de spraakmakende trek naar de grote stad. In 1995 woonden er 860 miljoen mensen op het Chinese platteland; elf jaar later waren dat er nog maar 737 miljoen. Die afname lag niet alleen aan de trek naar de stad en veranderingen van gemeentegrenzen, maar ook aan het feit dat er landelijke gebieden werden geürbaniseerd vanwege de bouw van nieuwe fabrieken, vooral langs de Parelrivierdelta, dicht bij het bedrijvige Hongkong. In de jaren zeventig stonden er in dit vruchtbare gebied slechts slaperige dorpen en boerderijen, maar in de afgelopen vijftien jaar hebben buitenlandse investeerders uit Hongkong en elders de groei in de regio enorm bevorderd. In de delta wordt nu van alles geproduceerd, van speelgoed tot textiel, en het meeste is voor de export bestemd. Het is opvallend hoezeer de ontwikkeling van de Parelrivierdelta te danken is aan de hulp en het voorbeeld van Hongkong.

Toen China in 1997 de soevereiniteit over Hongkong terugkreeg, gaf ik het kapitalisme in die stad weinig kans. Het idee dat China zich zou houden aan zijn belofte dat Hongkong nog vijftig jaar een bastion van het kapitalisme zou blijven, leek me nogal naïef. Het kapitalisme en het communisme onder één en dezelfde macht was niet erg geloofwaardig. Maar het decennium van Dengs 'één land, twee systemen' pakte anders uit dan ik had gevreesd. In plaats van de cultuur en economie van Hongkong te vervangen door de communistische, werd China zelf steeds meer beïnvloed door de cultuur en economie van Hongkong.

Door de trek van platteland naar de stad, met een gemiddeld tempo van 1,4 procent per jaar in het afgelopen decennium, is de Chinese productiviteit een stuk hoger geworden. De ondernemingen zijn in stedelijke gebieden veel geavanceerder dan in landelijk China. Die spreiding heeft gezorgd voor een stedelijke productie per uur die drie keer hoger ligt dan die van landelijk China. De in 1980 ingestelde Speciale Economische Zones (SEZ's), die waren gericht op de productie van exportartikelen in met buitenlands kapitaal gefinancierde fabrieken, waren bijzonder succesvol. Er is aanzienlijke vooruitgang geboekt met de privatisering van staatsbedrijven. Vele ondergaan ingrijpende reorganisaties. Hierdoor is de werkgelegenheid in deze fabrieken enorm gedaald, een aanwijzing dat creatieve destructie in een lekker tempo haar werk doet.

Bij de reorganisatie of privatisering van staatsbedrijven moesten de sociale verzekeringen en verplichtingen die deze voorheen boden, worden overgenomen door de overheid of privéverzekeraars. De staatsbedrijven konden natuurlijk niet concurreren als ze dat ook nog volledig moesten bekostigen. Mensen in dienst houden als een indirecte vorm van werkloosheidsverzekering, is een fenomeen dat begint te verdwijnen bij staatsbedrijven. Tijdens een van die traditionele theebijeenkomsten in de Grote Hal van het Volk vertelde president Jiang Zemin mij in 1997 dat hij eerder een groot staatsbedrijf, een staalcomplex, had geleid. Hij zei trots dat hij erin geslaagd was evenveel staal te produceren als een concurrerend staalbedrijf in het noordoosten van China waar veel meer mensen werkten.

Het is onduidelijk of de migratie naar de steden sneller zou zijn verlopen zonder de beperkingen op interne migratie, die in hun huidige vorm sinds 1958 bestaan. Iedereen is verplicht om vanaf zijn geboorte in het gebied te blijven wonen waar zijn of haar moeder vandaan komt. Door deze gedwongen immobiliteit hielden de centrale planners de onderdelen van de economie op hun plaats, zodat ze de resultaten van hun meerjarenplannen goed konden voorspellen, hoewel de behoefte aan politieke controle eveneens een rol speelde. Ook de beroepskeuze van de Chinezen werd door het migratieverbod beperkt.

Ik kan me niet voorstellen dat mensen kunnen gedijen in een dergelijke omgeving, maar het was waarschijnlijk een hele verbetering vergeleken bij de Culturele Revolutie. Hoewel het Chinese leiderschap de laatste tijd zijn best doet de beperkingen op te heffen (wat belangrijk en alleszins welkom is), worden veranderingen tegengehouden door de angst voor een massale uittocht naar de steden en de onrust die daaruit kan voortkomen.

Maar alle frustraties waarmee heel veel Chinezen kampen op het platteland, waar de meerderheid van de bevolking nog steeds verblijft, vormen zeker een recept voor opstand. Naarmate de snel groeiende economie grote aantallen Chinezen in staat stelt meer te doen dan alleen in hun bestaan voorzien, ontstaat er meer ruimte om echt of vermeend onrecht op te merken. Als mensen die vinden dat ze onrechtvaardig zijn behandeld geen mogelijkheid hebben hun leiders weg te stemmen, hebben ze de neiging in opstand te komen. China heeft niet de veiligheidsklep van de democratie om dergelijke onrust te beheersen.

De hyperinflatie van eind jaren veertig wordt vaak genoemd als oorzaak van de opstand die de communisten in 1949 aan de macht bracht. Het is dus begrijpelijk dat de communisten bang zijn voor inflatie en de onrust die ze veroorzaakt. John Maynard Keynes schreef in 1919: 'Lenin had zeker gelijk. Er is geen subtieler en zekerder methode om het fundament van de maatschappij omver te werpen dan door de munt te laten ontsporen. Bij dit proces worden alle verborgen destructieve krachten van de economie ingeschakeld en nog niet één op de miljoen mensen begrijpt wat er aan de hand is.'

De Chinese leiders zijn bang dat als ze de inflatie niet in de hand houden, de economie begint te haperen, de werkloosheid in de steden stijgt en er onrust ontstaat. Ze zien een stabiele wisselkoers als voorwaarde om de gevreesde instabiliteit van de arbeidsmarkt te vermijden. Ze vergissen zich. Bij het huidige beleid, waarbij het fluctueren van de wisselkoers wordt onderdrukt, riskeren ze veel meer onrust. Omdat het Chinese BBP per hoofd van de bevolking sneller is gegroeid dan dat van de handelspartners, grotendeels ten gevolge van technologie die werd 'geleend' van ontwikkelde economieën, is de vraag naar de Chinese munt toegenomen.[4] Om deze vraag te compenseren en de RMB te stabiliseren, hebben de Chinese monetaire autoriteiten tussen 2002 en 2007 in totaal voor meer dan een biljoen dollar aan RMB verkocht.[5] Om de overtollige hoeveelheid cash die de Chinese centrale bank heeft gecreëerd door buitenlandse activa te kopen op te dweilen – of te steriliseren –, heeft de Chinese centrale bank enorme hoeveelheden schulden in RMB uitgegeven. Maar dat is niet genoeg. De geldvoorraad is daardoor toegenomen in een tempo dat verontrustend veel hoger ligt dan de groei in nominaal BBP. Dat is brandstof voor inflatie.

Een ander probleem, net zo verontrustend voor Chinese leiders, is het snel toenemende verschil tussen arm en rijk. In de jaren tachtig was iedereen nog even arm. Het ontstaan van een maatschappij waar de inkomensverschillen volgens de Wereldbank groter zijn dan in de Verenigde Staten of Rusland, is werkelijk verbazingwekkend. Een ander probleem is het Chinese banksysteem dat tot op de dag van vandaag grote behoefte heeft aan hervorming. Toch stegen de aandelen van Chinese banken in 2006 en begin 2007 tot grote hoogte. De door de staat gecontroleerde Industrial and Commercial Bank of China haalde in 2006 bij zijn beursintroductie 22 miljard dollar op, de grootste som die ooit bij een beursgang werd binnengehaald. Ook andere aandelen van door de staat gecontroleerde banken waren gewild, zowel in China als in het buitenland. Maar de run op aandelen van door de staatsbanken gecontroleerde instellingen komt ook voort uit de verwachting van beleggers dat de Chinese overheid de risico's van deze banken zal afdekken. De overheid heeft de banken al van zestig miljard dollar kapitaal voorzien uit de enorme reserves aan buitenlandse valuta die ze bezit, en heeft al doende veel van de oninbare vorderingen overgenomen. Chinese banken hebben in het verleden veel politieke investeringen gedaan, die natuurlijk zelden een nuttig economisch doel dienden.

Bovendien bezit het nog steeds weinig ontwikkelde banksysteem niet de flexibiliteit die nodig is voor economische aanpassing. Markteconomieën raken voortdurend uit evenwicht, maar herwinnen dit snel door marktconforme veranderingen in de rente en de wisselkoers, en door prijsaanpassingen van producten en activa. De Chinese overheid staat niet toe dat de rente naargelang vraag en aanbod stijgt en daalt, maar verandert haar van bovenaf, terwijl ze tevens de eisen van de reserves van de bank bijstelt. Maar dat doet de overheid slechts als de bewijzen voor het gebrek aan economisch evenwicht overduidelijk zijn. Dat is steevast te laat, en de maatregelen zijn dan ook meestal onvoldoende of contraproductief. Financiële ambtenaren geven banken richtlijnen over de hoogte van het totaal aan leningen als ze menen dat er te veel wordt geleend, maar ook daar zijn ze steeds te laat mee. Deze initiatieven helpen zelden tegen het gebrek aan financieel evenwicht. Het is ironisch dat het ontbreken van financiële connecties tussen China en de rest van de wereld het land beschermde tegen de financiële crisis die in 1997–1998 de hele wereld raakte.

China heeft veel behoefte aan financiële expertise. Financiers waren er wel, maar de kennis niet. Geen wonder, want die expertise speelde nauwelijks een rol onder de centrale planning, net zomin als marketingspecialisten, accountants, risicomanagers en andere deskundigen die zo essentieel zijn in een tegenwoordige markteconomie. Er bestaan sinds kort wel opleidingen voor, maar het zal tijd vergen voordat de economie – vooral de banksector – voldoende specialisten in dienst heeft. In december 2003 bezocht Liu Mingkang, de nieuwe voorzitter van de toezichthoudende commissie voor Chinese banken (de China Banking Regulatory Commission) de Federal Reserve Board. Hij gaf toe dat het Chinese banken aan de professionele expertise ontbrak om te beoordelen of leningen konden worden terugbetaald. Volgens Liu was er behoefte aan hulp van buitenlandse banken. Ik zei dat China vooral behoefte had aan mensen die in een markteconomie hadden gewerkt en de scherpe ogen en het beoordelingsvermogen hadden van een *loan officer*. Er is sindsdien veel vooruitgang geboekt, hoewel er nog veel moet gebeuren.

Omdat financiële specialisten nauwelijks een rol speelden bij centrale planning, lijken Chinese banken niet op banken zoals we die in het Westen kennen. Ze handelden vroeger alleen op bevel van de politiek, en droegen fondsen over om te betalen voor initiatieven van de staat. Er waren geen loan officers die geld uitleenden dat terugbetaald moest worden, alleen medewerkers die geld overboekten. In de nationale rekeningen zorgen oninbare leningen voor een verschil tussen het BBP (de veronderstelde marktwaarde van de productie) en de som van lonen en winsten (de aanspraak op die productie). Aangezien er heel wat waardeloze investeringen zijn, is een deel van het gemeten BBP dus zonder waarde. Natuurlijk blijven ook investeringen die geen waarde hebben, gewoon grondstoffen verbruiken. Daarom zijn de gepubliceerde cijfers over het Chinese BBP waarschijnlijk redelijk bruikbaar bij de evaluatie van de grondstoffen voor de productie, dat wil zeggen, als maatstaf voor de waarde van de benodigde input.

Maar de resultaten van de hervormingen die eind jaren zeventig begonnen, blijven ook na bijstelling vanwege de twijfelachtige kwaliteit van sommige Chinese gegevens opmerkelijk. Men hoeft de enorme veranderingen in Peking, Shanghai, Shenzen en in mindere mate in de rest van het land maar te zien om te begrijpen dat China allesbehalve een Potemkindorp is.

In mijn ervaring zijn het de technocraten bij de Chinese overheid, vooral bij de centrale bank, bij het ministerie van Financiën en verrassend genoeg bij de toezichthoudende instanties, die voor meer marktwerking pleiten. De meesten werken echter alleen als adviseur. De belangrijkste beleidsbeslissingen worden door de staatsraad en het politbureau genomen, en het siert hen dat ze in meerderheid achter het marktvriendelijke advies staan. Een ander probleem dat de communistische partij in de kern bedreigt, is de ideologie. Voor het realiseren van Deng Xiaopings doel om China qua economische ontwikkeling halverwege de twintigste eeuw tot de middenmoot te laten behoren, is meer aandacht nodig voor de eigendomsrechten, al is dat niet naar de zin van marxisten van de oude garde. Er is vooruitgang wat betreft het eigendomsrecht in de stad. De eigendomsrechten op het platteland, waar 745 miljoen Chinezen wonen, zijn een geheel andere kwestie. Het bezit van landbouwgrond is zo'n duidelijke breuk met de communistische traditie dat men er niet snel toe zal overgaan. Boeren kunnen land leasen en producten op de open markt kopen, maar ze hebben geen juridisch recht op het land dat ze bewerken, en dus kunnen ze het niet verkopen of als onderpand voor leningen gebruiken. In de afgelopen decennia is veel platteland verstedelijkt, waarbij lokale Chinese autoriteiten zich enorme stukken land hebben toegeëigend, en ter compensatie slechts een fractie boden van wat ze als deel van de stad waard waren. Dergelijke inbeslagnames zijn een van de belangrijkste redenen van de toenemende protesten en onrust. Een hoge Chinese politiefunctionaris rapporteerde dat het aantal demonstraties in het land is gestegen van 10.000 in 1994 tot 74.000 in 2004. De schattingen voor 2006 waren iets lager. Door op het platteland grondbezit een juridische status te geven, zou met één pennenstreek de financiële kloof tussen stedelingen en plattelandsbewoners kunnen worden opgeheven.

Hoewel de economie de kern vormt van de initiatieven van de communistische partij, heeft het leiderschap ook andere prioriteiten, waarvan de status van Taiwan niet de minste is. Waarschijnlijk weten de meeste leiders dat een militaire confrontatie de buitenlandse investeerders zal afschrikken, en het doel van het land om een economie van wereldklasse op te bouwen, ernstig zal beschadigen.

Kortom, het leiderschap van de communistische partij wordt met heel moeilijke keuzes geconfronteerd. Op het spoor waar het nu zit, zal de partij uiteindelijk losraken van de filosofische oorsprong en zich op officielere wijze achter het marktkapitalisme scharen. Zal er dan een democratische socialistische partij ontstaan, zoals in veel staten van het voormalige Sovjetblok is gebeurd? Berust het leiderschap in het politieke pluralisme dat waarschijnlijk zal ontstaan en de hegemonie van de partij zal aantasten? Of geeft de partij op een gegeven moment de hervormingen op en schakelt zij weer over op een orthodox regime van centrale planning en autoritair bestuur? Dat zou bijna zeker de welvaart ondermijnen waarvan het leiderschap voor zijn legitimering afhankelijk is.

Ik twijfel er niet aan dat de communistische partij nog lange tijd een autoritair, quasi-kapitalistisch, maar ook verhoudingsgewijs welvarend regime in stand zal kunnen houden. Dat lukt veel landen – zoals het huidige Rusland. Maar zonder de politieke uitlaatklep van een democratisch proces betwijfel ik of een dergelijk regime op lange termijn succes kan hebben. Hoe deze keuzes zich ontwikkelen, heeft niet alleen diepgaande implicaties voor China, maar ook voor de wereld in het algemeen. Ik kom op deze kwestie terug.

15

DE TIJGERS EN DE OLIFANT

Voordat China zich omvormde tot de 800 pond zware economische gorilla van Oost-Azië, werd het economische model dat China had gekozen om na te streven, getest en geperfectioneerd door de landen die samen de 'Aziatische tijgers' werden genoemd. De enorme economische groei in China, op gang gebracht door de export, volgde duidelijk in het spoor van deze eerdere tijgers (met name Hongkong, Taiwan, Korea en Singapore). Het ontwikkelingsmodel van deze landen is eenvoudig en effectief. Ze stellen eerst hun economie open voor buitenlandse investeerders die er laagbetaalde, maar vaak goed opgeleide arbeidskrachten vinden. Soms is het politiek handig speciale gebieden aan te wijzen, zoals de Speciale Economische Zones in China, om buitenlandse investeringen en technologie te verwelkomen. Van groot belang in dit model is dat investeerders de zekerheid hebben dat ze bij succes de vruchten daarvan kunnen plukken. Daarom moeten in deze landen de eigendomsrechten worden gerespecteerd.

Vanwege de verwoestingen in Azië tijdens de Tweede Wereldoorlog en de oorlogen in Korea en Vietnam begon de economische opkomst op een smalle basis. Het BBP per hoofd van de bevolking lag nauwelijks boven bestaansniveau. Vooruitgang was alleen mogelijk door beschermd investeringskapitaal te combineren met goedkope arbeid. Deze landen hadden aanvankelijk geen vrijemarkteconomie. Er werd veel door de overheid gepland en er waren veel staatsbedrijven. In Korea werden in navolging van Japan grote conglomeraten (*chaebol*) begunstigd. Taiwan had belangrijke staatsbedrijven en net als bij andere tijgers werd de eigen industrie flink beschermd.

De meeste tijgers hadden charismatische maar autocratische leiders. De leider van Singapore, Lee Kuan Yew, stond aan de wieg van een stad die klein maar van wereldklasse was. Andere autocraten, zoals generaal Soeharto (die over het Indonesische systeem van *crony capitalism* regeerde), waren minder succesvol. De Maleisische eerste minister Mahathir Mohamad, die nog steeds boos was over het koloniale verleden van zijn land, was een krachtige nationalistische leider.

Ik heb veel van deze leiders ontmoet, maar ik kan niet zeggen dat ik hen heb leren kennen. In de loop der jaren had ik het meest contact met Lee Kuan Yew, het recentst in 2006. Ik heb hem altijd een indrukwekkende man gevonden, hoewel we het zeker niet altijd met elkaar eens waren. Ik heb hem voor het eerst ontmoet toen hij de gast was van George Shultz in de bekende – volgens sommigen beruchte – Bohemian Grove, de club van machtige mannen (vrouwen niet toegestaan) in de bossen van Californië. (Het blad *Time* stuurde in 2000 een als man vermomde journaliste om over de clandestiene handelingen van de club te berichten.)

Toen ik in mei 2002 dr. Mahathir bezocht in Blair House (het officiële gastenverblijf voor staatshoofden en functionarissen die Washington bezoeken), vond ik hem minder fel dan ik had verwacht. Hij was zelfs bedachtzaam en interessant, zolang ik maar geen vragen stelde over Anwar Ibrahim, de Maleisische minister van Financiën en Mahathirs veronderstelde opvolger, die gevangen was gezet. Anwar was zeer gerespecteerd onder mensen in de wereld van de haute finance. Ik denk dat de Amerikaanse vicepresident Al Gore namens de meesten van ons sprak toen hij de zaak tegen Anwar in 2000 veroordeelde als 'een showproces dat de internationale rechtsstandaard tot een lachertje maakt'. Ik kan me niet voorstellen dat er zelfs in het heetst van de Amerikaanse partijstrijd ooit zo hard wordt opgetreden.

Toen de ministers van de G7 en de presidenten van de centrale banken in 1991 Thailand bezochten, en we een rondleiding kregen door het rijk versierde paleis, zocht ik naar sporen van Anna Leonowens, de legendarische negentiende-eeuwse Britse onderwijzeres die gouvernante werd van de toenmalige koning van Siam, zoals Thailand toen heette. Zijn afstammeling, koning Bhumibol Adulyadej, regeert nu al meer dan zestig jaar. Ik ben vooral gefascineerd door de rol die de monarchie in Thailand speelt. De juridische macht van koning Bhumibol is duister, maar hij wordt aanbeden door de bevolking en bezit een grote morele autoriteit. Toen er in september 2006 naar aanleiding van een politieke patstelling een militaire coup werd gepleegd, streek de koning de machtswisseling glad door naast de couppleger, legerbevelhebber Sonthi Boonyaratglin, op televisie te verschijnen.

De leiders van deze autoritaire overheden hadden in het begin steeds succes doordat ze een zieltogende economie weer tot leven wekten. In deze landen steeg de export van zwaar gesubsidieerde en beschermde Oost-Aziatische bedrijven in de jaren zeventig, waardoor de levensstandaard flink werd verhoogd. Ondanks de enorme verspilling en inefficiëntie van de geplande of quasi-geplande economie, werd vaak toch economische vooruitgang tot stand gebracht. Maar rigide economieën die afhankelijk zijn van overheidsinterventie komen met hun economische vooruitgang nooit verder dan tot een bepaald punt. Om stilstand te vermijden, verlaagden de Oost-Aziatische tijgers hun handelsbarrières. In de jaren tachtig werden de subsidies die de concurrentie verstikten en waaraan de Aziatische economie verslaafd was geraakt, grotendeels afgeschaft.

Producenten van exportartikelen bleven doelmatig concurreren in internationale markten, terwijl productiviteitsverhogende technologieën (geleend van ontwikkelde landen) in combinatie met lage lonen voor hoge opbrengsten zorgden. Op export gerichte bedrijven moesten op een gegeven moment hun lonen laten stijgen om het personeel te krijgen dat ze nodig hadden voor de stijgende stroom orders. Vervolgens moesten bedrijven die voor de binnenlandse markt produceerden, ook hun lonen verhogen om hun werknemers vast te houden.

De tijgerlanden exporteerden in de jaren tachtig al snel niet meer alleen naar het Westen, maar ook naar elkaar. Door concentratie op steeds gespecialiseerder taken stijgt bijna altijd de competentie en wordt de opbrengst per werknemer groter. Dit is vooral het geval als concurrenten zich vlak naast elkaar bevinden en de transportkosten dus laag zijn. De laatste tijd zijn de tijgerlanden door een kleiner arbeidsaanbod en stijgende lonen wat betreft arbeidsintensieve producten een groot deel van hun eerdere concurrentievoordeel kwijtgeraakt aan concurrenten met lagere kosten in Azië, Latijns-Amerika en sinds kort ook Oost-Europa. Gelukkig was onderwijs al vroeg een prioriteit bij het streven naar concurrentiekracht van de tijgers. Oost-Azië heeft daardoor kunnen overschakelen op complexere producten: halfgeleiders, microprocessoren, computers en een waaier aan hightechproducten met veel toegevoegde waarde voor de internationale markt. Door het aanwezige kapitaal en het opleidingsniveau van de arbeidskrachten heeft een aantal tijgerlanden tegenwoordig de status en de inkomens van een ontwikkelde economie.

Maar gaat die winst ten koste van de rest van de wereld, zoals in Europa en de Verenigde Staten wel wordt beweerd? Het antwoord luidt: nee. Er zijn geen verliezers als de handel wordt uitgebreid. De wereldwijde export en import stijgen al meer dan een halve eeuw een stuk sneller dan het wereldwijde BBP. Dit gebeurde in de tijgerlanden omdat hoge importheffingen en andere handelsbarrières voor fabrikanten tot grote en hardnekkige kostenverschillen leidden, vooral die voor arbeid. Toen de importheffingen na wereldwijde handelsovereenkomsten werden afgeschaft en de transport- en communicatietechnologie alsmaar beter werden, verschoof de productie van fabrieksgoederen naar goedkopere landen in Oost-Azië en Latijns-Amerika, waardoor het reële inkomen er hoger werd. Ondertussen specialiseerden de Verenigde Staten en andere westerse landen zich steeds meer in conceptuele producten en intellectuele diensten met veel marktwaarde. In de Verenigde Staten steeg de toegevoegde waarde in de financiële sector en verzekeringsbranche bijvoorbeeld van 3 procent van het BBP in 1953 tot 7,8 procent in 2006, terwijl deze in de industrie in dezelfde periode daalde.

Door de verhuizing van de productie naar lagelonenlanden, zoals met de Amerikaanse textiel- en kledingindustrie gebeurde, kwamen er middelen vrij voor de capaciteit van producten en diensten waaraan consumenten overal ter wereld meer waarde toekennen. Dit heeft tot een nettoverhoging van de reëele inkomens geleid, zowel voor Amerikaanse werknemers als voor bijvoorbeeld die in Oost-Azië. Het 'netto' versluiert natuurlijk wel het traumatische banenverlies door Amerikaanse werknemers uit de textiel- en kledingindustrie.

De economieën van Oost-Azië zijn ver gekomen vergeleken bij hun nederige begin van een halve eeuw geleden. Maar houden zij het vol, in het tempo van de afgelopen jaren? Of wordt de vooruitgang nogmaals gestopt door een verwoestende financiële crisis zoals die van 1997? Dat is onwaarschijnlijk, tenminste in een soortgelijke vorm. Sinds 1997 hebben de Aziatische tijgers het tekort aan buitenlandse valutareserves flink aangevuld. Belangrijker nog is dat ze hun munt van de dollar hebben losgekoppeld, waardoor veel 'carry-trade' (grote speculaties met geld dat wordt geleend in landen met een lage rente) voor de korte termijn werd geëlimineerd. De afhandeling daarvan, bij onvoldoende reserves, vormde het begin van de crisis in 1997.[1] Onverwachte economische schokken horen dus makkelijker opgevangen te kunnen worden dan tien jaar geleden.

Maar kunnen de handel en de levensstandaard oneindig blijven stijgen? Ja. Dat is de gave van de concurrerende vrije markt en de onomkeerbare ontwikkeling van de technologie. Het volume van internationale handel heeft weinig nationale beperkingen.[2] De export van Luxemburg bedroeg in 2006 bijvoorbeeld 177 procent van het BBP en de import 149 procent. Toch zijn de wereldmarkten vooral na de val van de Sovjet-Unie open geworden, en zijn de meeste barrières en inefficiënties al uit de weg geruimd. In zekere zin is al het laaghangende fruit al geplukt. Het vastlopen van de Doha-ronde van onderhandelingen over vrijhandel in 2006 zou ons allemaal tot nadenken moeten stemmen over het toekomstige tempo van de verbetering van de wereldwijde levensstandaard. Het tempo waarmee handelsbarrières worden geslecht, zal bijna zeker vertragen als dit politieke verzet tegen de verdere afbraak van handelsbarrières doorzet. De groei van op export gerichte economieën, zoals die in Oost-Azië, zal dan waarschijnlijk minder snel verlopen als in de afgelopen zestig jaar.

Op de export gerichte groeistrategieën hebben ook minder kans doordat de kostenspreiding onder concurrerende exporteurs van handelsartikelen – fabrieks- en bulkgoederen – uiteindelijk zal samenvloeien of ten minste verminderen. En hoewel er duidelijk een beleid wordt gevoerd om meer diensten te exporteren – India exporteert bijvoorbeeld callcenter- en computerdiensten naar de Verenigde Staten (in Amerika wordt ook wel over outsourcing gesproken) – zijn dit nog steeds kleine markten.

Een belangrijke belemmering voor een steeds verder stijgende export van China en de tijgerlanden vormen hun toenemende productiekosten, dus wordt Vietnam nu door de alsmaar groeiende op de markt gebaseerde (lees: kapitalistische) handel uitgekozen als het volgende land om de productie naartoe te verplaatsen – wat een van de meest ironische ontwikkelingen is van na de oorlog. Onder de bilaterale handelsovereenkomsten die de Verenigde Staten in 2001 met Vietnam tekenden, zou de Vietnamese export naar Amerika tussen 2001 en 2006 stijgen van 1,1 miljard naar 9,3 miljard dollar, een verdrievoudiging dus. De Amerikaanse export naar Vietnam verdubbelde ruimschoots.

Na de oorlog leden de Verenigde Staten twee militaire nederlagen in de strijd om het communisme tegen te houden. De eerste vond plaats in Korea, waar het Amerikaanse leger zich in de winter van 1950 moest terugtrekken toen enorme aantallen Chinese troepen de Yalu-rivier in Noord-Korea overstaken. De tweede vond plaats in Zuid-Vietnam in 1975. Maar hoewel we deze veldslagen verloren, hebben we de oorlog zelf niet verloren. Communistisch China en communistisch Vietnam proberen zich nu om het hardst van het keurslijf van de centrale planning te ontdoen en zich bij de vrijheid van het kapitalisme aan te sluiten – wat ze vooral niet hardop zeggen. In 2006 kreeg Merrill Lynch, na Citigroup een jaar eerder, het recht op de pas opgerichte aandelenbeurs van Ho Tsji Minhstad Vietnamese aandelen te kopen, te verkopen en aan te bieden. Toen Bill Gates, de rijkste kapitalist ter wereld, Hanoi bezocht, werd hij door de hoogste communistische leiders verwelkomd en continu omspoeld door bewonderaars. Komt er dan nooit een einde aan de wonderen? Ideeën doen er wel degelijk toe. De Amerikaanse kapitalistische ideeën bleken machtiger dan het zwaard.

Misschien toont India meer dan de andere grote landen die in dit boek worden besproken, aan hoe stagnerend het socialisme in zijn vele gedaantes werkt en hoe productief het marktkapitalisme is. India is rap bezig in twee delen uiteen te vallen: een opkomende kern van internationale moderniteit en een historische cultuur die al generaties lang zo goed als onveranderd is.

De kern van moderniteit lijkt het arbeidsintensieve model van fabricage voor de export, dat werd gevolgd door China en de rest van Oost-Azië, te hebben overgeslagen. India richt zich op de wereldwijde hightechdienstverlening, het snelst groeiende segment van economische activiteit ter wereld. De vonk van de moderniteit heeft voor veel vooruitgang gezorgd in de Indiase dienstensector, waaronder de toeristenindustrie. De toename in het reële BBP van 3,5 procent tussen 1950 en 1980 naar 9 procent in 2006, is werkelijk opmerkelijk. Door deze vooruitgang zijn meer dan 250 miljoen mensen ontsnapt aan een bestaan met een inkomen van minder dan één dollar per dag.

Toch is het Indiase BBP per hoofd van de bevolking, dat begin jaren negentig even hoog was als dat van China, nu nog maar tweevijfde van dat van China. Met 730 dollar is het gemiddelde BBP zelfs lager dan dat van Ivoorkust en Lesotho. De reden dat India de afgelopen vijftien jaar China niet heeft weten te volgen qua opmars vanuit de laagste rangen van de ontwikkelingslanden, is een idee.

Toen Groot-Brittannië in 1947 India onafhankelijk verklaarde, erfde de Indiase elite van het Britse bestuur een concept dat hen fascineerde: het socialisme in de stijl van de Fabian Society. Jawaharlal Nehru, een discipel van de aanbeden Mahatma Gandhi en vanaf de onafhankelijkheid zestien jaar de Indiase premier, voelde zich sterk aangetrokken tot de helderheid van de Fabians en beschouwde marktconcurrentie als een destructieve kracht. Het socialisme hield lang na het vertrek van Groot-Brittannië een stevige greep op de Indiase economie.

Nehru was in de ban van centrale planning als rationele methode om voor het materiële welzijn van de massa te zorgen. Als premier nationaliseerde hij bedrijven in strategische bedrijfstakken (vooral zware industrie en krachtcentrales), terwijl hij overal elders een uitgebreid stelsel van controlemechanismen oprichtte die werden bestuurd door kaders van wijze, schijnbaar goedwillende ambtenaren.

Al snel was bijna ieder onderdeel van de Indiase economie geïnfiltreerd door deze controleurs, die de 'vergunningen-raj' werden genoemd. Voor bijna elke denkbare vorm van economisch handelen had je een vergunning, bewijs of stempel nodig. Door deze beperking bleef de groei in India beperkt tot het kalme tempo dat gekscherend 'de hindoeïstische 3 procent' werd genoemd. De bureaucraten wisten niet wat ze moesten doen. Hun 'wetenschappelijke systeem' zou de groei moeten bevorderen. Maar dat deed het niet. Toch konden ze de regels niet afschaffen, want daarmee zouden ze de egalitaire principes van het fabianisme verloochenen, waar het merendeel van de Indiërs achter stond.

Aangezien de wirwar aan vergunningen, bewijzen en stempels de economie alleen maar tegenhield, verloor de bureaucratie bij het toekennen van vergunningen al snel de doelen uit het oog en werd arbitrair. Maar discretionaire bevoegdheid betekent macht, zoals ik schreef bij mijn bespreking van de Chinese communistische machtspiramide. Zelfs de meest principiële Indiase ambtenaren waren niet geneigd deze macht op te geven, en de minder principiële hadden iets te verkopen. Geen wonder dat India slecht scoorde (en scoort) in de corruptiestatistieken.

De bureaucratie strekte zich uit tot bijna ieder segment van de Indiase economie en de bureaucraten wilden hun macht ongaarne opgeven. Die onwilligheid werd nog eens versterkt door de machtige, vast in het zadel zittende Indiase vakbonden, en vooral door de communistische partijen die altijd prominent zijn geweest in de Indiase politiek. Het socialisme is niet alleen een vorm van economische organisatie, maar heeft, vanwege de fundamentele premisse van collectief eigenaarschap, ook diepgaande culturele implicaties, waarvan een meerderheid van de Indiërs is doordrongen.

India is op indrukwekkende wijze de grootste democratie ter wereld. In een democratie worden mensen gekozen die de bevolking vertegenwoordigen, en in India werden vooral degenen gekozen die in de collectieve principes van het socialisme geloofden. In India komt men moeilijk los van het idee dat de economie gestuurd moet worden door intellectuele ambtenaren die het welzijn van de maatschappij als geheel voor ogen hebben, in plaats van dat de economie aan de grillige krachten van de vrije markt wordt overgelaten.

In juni 1991 werd een functionaris van de oude stempel, P.V. Narasimha Rao van de linkse Congrespartij, premier van India. Op dat moment stond de Indiase economie op het punt van instorten na meer dan veertig jaar bijna centraal te zijn gepland. Nu duidelijk werd dat het falende paradigma dat Oost-Europa had geteisterd ook India dreigde te verlammen, waren er ingrijpende veranderingen op komst. Tot ieders verrassing brak Rao met een lange traditie. Toen er een betalingsbalanscrisis dreigde, schafte hij een aantal van de verlammende controles op de economie af. En hij benoemde Manmohan Singh als minister van Financiën.

Singh, een marktgerichte econoom, slaagde erin wat ruimte te creëren in de aan banden gelegde economie, en toonde daarmee voor de zoveelste keer aan dat een beetje economische vrijheid de economische groei vaak enorm bevordert. De antikapitalistische stemmen werd tijdelijk het zwijgen opgelegd door de ernst van de crisis, die eindelijk enige kansen bood voor deregulering. Het marktkapitalisme kon vaste voet aan de grond krijgen en aantonen hoe doelmatig het was.

De recente wereldwijde economische geschiedenis is voor een groot deel het verhaal van hoe de centraal geplande staten van Oost-Europa en China overschakelen op vrije concurrentie en marktwerking, en meteen worden beloond met een fikse economische groei. India komt nauwelijks voor in dat verhaal. Singh zorgde weliswaar voor een aantal hervormingen, maar op belangrijke gebieden werd hij beperkt door de socialistische ideeën van zijn overheidscoalitie. Zelfs tegenwoordig kunnen bedrijven van meer dan honderd werknemers alleen werknemers ontslaan als ze daar toestemming voor hebben van de overheid.

De hervormingen die in 1991 door Singh werden begonnen, zijn nog niet voorbij. Door de lagere importtarieven kregen Indiase ondernemers meer kansen om deel te nemen aan internationale concurrerende markten.[3] De export van software steeg van 5,8 miljard dollar in 2001 tot 22,3 miljard dollar in 2006. Hoewel Indiase ondernemers nog steeds tegen de bureaucratie moeten opboksen, worden prijzen, kosten en bescherming van eigendomsrechten niet langer bepaald door het Indiase bureaucratische systeem.[4]

Door de liberaliseringen van Singh, de daling van de wereldwijde communicatiekosten en het feit dat velen in India Engels spreken en de lonen er laag zijn, kon India een leidende rol gaan spelen bij de internationale uitbesteding van werkzaamheden als telefoneren voor callcenters, het programmeren van software, de verwerking van verzekeringsclaims, het beheer van hypotheken, boekhouden, evaluatie van röntgenfoto's en een steeds grotere waaier aan andere op internet gebaseerde diensten. Bij de oplossing van het millenniumprobleem werd duidelijk dat India een belangrijke speler op softwaregebied was geworden.

Vooral onder Amerikanen leeft het idee dat India een belangrijke leverancier van diensten is geworden. Zij meenden zelfs nogal overdreven dat India enorme hoeveelheden betere banen wegkaapte. Maar de concurrentie van India is bescheiden tot klein, zeker in vergelijking met de beroepsbevolking van bijna 450 miljoen.

In totaal werken er nu 1,5 miljoen mensen in de Indiase informatietechnologie, vijf keer zo veel als in 1999. Die toename is bijna uitsluitend aan de export te danken. Ten gevolge van de groei van de IT-sector zijn er nog eens drie miljoen banen geschapen in de telecommunicatie, energiesector en bouw. Toch is dat samen, direct en indirect, slechts 1 procent van de totale werkgelegenheid in India. En dat is precies het probleem.

De IT-industrie en andere diensten bevinden zich in een geïsoleerde positie in grote steden als Bangalore, Delhi en Mombai, en lijken over de twintigste eeuw heen de eenentwintigste eeuw in te zijn gesprongen. Maar zoals een overheidsfunctionaris begin 2007 tegen een verslaggever van de BBC verklaarde: 'Als je de glitter van de grote stad verlaat, ben je terug in de negentiende eeuw.' Voordat India een belangrijke speler kan worden in de internationale arena – en die ambitie heeft het –, zal het land fabrieken moeten bouwen waarmee de boeren naar stedelijke enclaves worden gelokt om arbeidsintensieve exportproducten te maken – het traditionele pad van succesvolle Aziatische tijgers en China.

Fabrieken in India, zelfs van hightechproducten, hebben al tientallen jaren last van arbeidswetten die banen kosten, van een onbetrouwbare stroomvoorziening, en van slechte wegen en spoorverbindingen om onderdelen en gereed product te vervoeren. (Veel ondernemingen hebben een eigen kleine generator, zodat ze altijd stroom hebben.) Meer dan 40 procent van alle gefabriceerde goederen wordt gemaakt in bedrijfjes van vijf tot negen werknemers. In Korea is dat maar 4 procent. Deze Indiase bedrijfjes ondervinden de nadelige gevolgen van een gebrek aan schaalgrootte. De productiviteit is er 20 procent lager dan die in de grotere bedrijven. Als de kloof tussen India en China door fabricage wordt gedicht, zoals vaak wordt gezegd, dan moeten landarbeiders naar de steden migreren om daar in de industrie te gaan werken. Maar voordat landarbeiders die met het land zijn verbonden worden aangemoedigd om te vertrekken, moet de productiesector eerst kunnen concurreren op wereldschaal. Daarvoor zal de 'vergunningen-raj' grotendeels moeten verdwijnen. Drievijfde van de Indiase arbeidskrachten verricht op boerenbedrijven inefficiënte arbeid. Zij zijn toe aan een enorme verbetering van hun lot.

Het platteland van India behoort tot de armste gebieden ter wereld. Alleen Afrika is armer. Tweevijfde van de volwassen bevolking is analfabeet en hier wonen ook de meesten van de 250 miljoen Indiërs die van minder dan 1 dollar per dag leven. De helft van de Indiase huishoudens heeft geen elektriciteit en de productiviteit op de boerenbedrijven is slechts eenvierde van die in andere bedrijfstakken. De rijstopbrengst is de helft van die in Vietnam en eenvierde van die in China. De opbrengsten voor katoen zijn nog lager. De graanopbrengsten, die zo profiteerden van het verbeterde zaad dat werd ontwikkeld tijdens de 'groene revolutie' van de jaren zeventig, zijn driekwart van die van China. Alleen in thee is India productiever dan Aziatische concurrenten. Bovendien schiet het Indiase transport over de weg zo tekort dat bederfelijke landbouwproducten eigenlijk alleen voor eigen gebruik geproduceerd kunnen worden. Volgens een rapport zou eenderde van de producten bederven op weg naar de markt.

De groei van de productiviteit in de landbouw is sinds de jaren tachtig afgenomen. Hoewel dit deels aan het weer ligt, is de sterk gesubsidieerde, door de overheid geleide landbouw, waar marktkrachten niet kunnen zorgen dat de productiviteit per hectare verbetert, de ware schuldige. De Indiase overheid besteedde de afgelopen jaren meer dan 4 procent van het BBP aan subsidies, voornamelijk voor voedsel en kunstmest. Ook worden de energievoorziening en de irrigatie door de staat gesubsidieerd. Als landbouwarbeiders worden aangemoedigd naar de productievere steden te verhuizen, zoals in China gebeurde, moeten er voldoende landbouwproducten worden geproduceerd om 1,1 miljard mensen te voeden. India heeft geen geld om veel voedsel te importeren. Verhoging van de productiviteit van de landbouw is daarom de enige manier om te zorgen dat er voldoende voedsel is als mensen beginnen weg te trekken van het platteland van India. Er is dus grote behoefte aan marktconcurrentie in de landbouw.

Martin Feldstein, de eminente Harvard-econoom, beschrijft in een artikel in de *Wall Street Journal* van 16 februari 2006 een ironische kant van het landbouwdilemma waarmee India worstelt: 'Overal in India zijn providers van mobiele-telefoondiensten. Deze zijn goedkoop omdat ze als een luxe werden beschouwd en dus aan de markt werden overgelaten. Elektriciteit is moeilijk te krijgen omdat ze als noodzaak werd gezien en daarom door de overheid wordt gemanaged.'

Helaas lijkt stopzetting van grote landbouwsubsidies in Delhi even weinig kans te maken als in Parijs of Washington. Landbouwsubsidies slaan uiteindelijk neer in de waarde van het land. Degenen die per saldo van de subsidies profiteren, zijn altijd degenen die het land bezitten op het moment dat de subsidie wordt ingesteld. Toekomstige eigenaars betalen meer voor het land vanwege de verwachte subsidiestroom en profiteren er in principe niet van. Een verhoging van de belasting op landbouwgrond – wat in feite gebeurt als de subsidie wordt stopgezet zonder compensatie – wordt niet licht opgevat door boeren. Her en der is enig succes geboekt met het stopzetten van de subsidies, maar een frontale aanval is moeilijk gezien de neigingen van de Congrespartij en de 23 coalitiepartners van deze partij, onder wie de communisten. Premier Singh is een gerenommeerde hervormingsgezinde econoom, maar hij mist de macht die Deng Xiaoping in 1978 in China had om landbouwhervormingen te beginnen. De Indiase democratie zou deze taak aan moeten kunnen. Men hoeft zich slechts te richten op de urgente behoeften van de Indiase bevolking. Door ingrijpend te dereguleren en de concurrentie vrij te laten, kan de Indiase IT-revolutie zich ook naar de rest van het land verspreiden.[5]

De snelgroeiende IT-sector van India is grotendeels het resultaat van in eigen land opgeleide softwareprogrammeurs en -technici. De Indiase ondernemers doen het uitzonderlijk goed in de hightechdienstverlening, maar zijn minder goed in hightech-hardware, die lijdt onder dezelfde tekortkomingen als waar de Indiase industrie in het algemeen onder lijdt.

Het model van productie voor de export dat India snel moet gaan navolgen, was in Azië een indrukwekkend succes. Het model houdt in dat enigszins geschoolde landarbeiders gaan werken in grote fabrieken in de stad. Een belangrijk element zijn daarbij de directe buitenlandse investeringen (*foreign direct investments* of FDI), aantrekkelijk gemaakt doordat eigendomsrechten (vaak sinds kort) worden beschermd en vaak in de vorm van geavanceerde technologie. Met het verdwijnen van de centrale planning verspreidt dit model zich over de zich ontwikkelende wereld. Vooral in China wordt het veel gebruikt.

Maar de vergunningen-raj werkt duidelijk ontmoedigend op buitenlandse investeerders. In 2005 werd er voor zeven miljard dollar rechtstreeks in India geïnvesteerd, een bedrag dat in het niet valt vergeleken bij de 72 miljard die in China werden gestoken. In 2005 bedroeg de totale hoeveelheid buitenlandse investeringen in India 6 procent van het BBP, terwijl dit in Pakistan 9 procent was, in China 14 procent en in Vietnam 61 procent. De reden dat de buitenlandse investeringen in India achterlopen, wordt waarschijnlijk het best geïllustreerd door het feit dat India niet bereid is de marktkrachten vrij te laten. Dit blijkt ook al uit de vaak dirigistische reactie op economische problemen in India. Toen de voedselprijzen in 2007 steeds meer stegen, liet men niet toe dat het aanbod groter werd in reactie op de vraag, maar verbood men voor de rest van dat jaar de export van graan – om 'speculatie tegen te gaan' – terwijl de Indiase economie deze marktkrachten juist nodig heeft om aan de bureaucratische wurggreep te kunnen ontsnappen.

16

RUSLANDS ELLEBOGENWERK

De belangrijkste economische adviseur van Vladimir Poetin, Andrej Illarionov, kwam in oktober 2004 na een bilaterale Amerikaans-Russische ontmoeting bij het IMF naar me toe en vroeg: 'Zou u de volgende keer dat u in Moskou bent een keer met mij en een paar vrienden over Ayn Rand willen komen praten?' Ik was verbijsterd dat Rand, een onverzettelijk verdediger van het kapitalistische laissez faire en een groot vijand van het communisme, tot het gesloten bastion van het Russische intellectuele leiderschap had weten door te dringen. Poetin moet op het moment dat hij Illarionov benoemde, op de hoogte zijn geweest van diens felle verdediging van de vrije markt. Zei dat iets over de richting waar Poetin met zijn beleid naartoe wilde? Zou de cultuur waaronder alle Russen waren opgevoed, zo snel overboord worden gezet? Het leek ongelooflijk dat voormalig KGB'er Poetin in zo korte tijd zo anti-Sovjet kon zijn geworden in zijn opvattingen.

De werkelijkheid is natuurlijk een stuk ingewikkelder. Toen Poetin eind 1999 tot waarnemend president werd benoemd door Boris Jeltsin, zette hij daarmee de kroon op een verbazingwekkende klimactie die slechts vier jaar daarvoor was begonnen toen hij in Moskou was aangesteld als presidentieel adviseur. Hij werd in 1997 benoemd tot plaatsvervangend hoofd van de presidentiële staf en kreeg internationale aandacht toen hij als chef van de Federale Veiligheidsdienst (FSB) Russische troepen naar Tsjetsjenië stuurde. Zijn presidentschap werd gesteund door hervormers, die vol vertrouwen waren dat hij de overgang naar een markteconomie zou doorzetten. Poetin sprak zich vanaf het begin uit voor hervormingen, hoewel hij betoogde dat deze moesten overeenkomen met de 'Russische werkelijkheid', waaronder de traditie van een paternalistische staat.

Binnen twee jaar drukte Poetin samen met Illarionov een ingrijpend programma door van belastinghervormingen, deregulering en privatisering, met het duidelijke doel Rusland onderdeel te maken van de wereldwijde economie.

Na deze veelbelovende stappen in de richting van het kapitalisme viel Poetin toch weer terug op een autoritaire aanpak. Hij vreesde blijkbaar dat Rusland de speelbal zou worden van marktkrachten waarover hij geen controle had. Vooral de oligarchen – opportunistische ondernemers die in de jaren negentig een groot deel van de Russische productieve rijkdom hadden bemachtigd door speciale deals met het Kremlin waarbij leningen werden verstrekt in ruil voor aandelen – werden ervan verdacht hun rijkdommen te gebruiken om het regime te dwarsbomen. Als gevolg daarvan begon vanaf 2003 een andere economische strategie zichtbaar te worden. Door selectieve toepassing van nieuwe en bestaande wetten kreeg Poetin greep op een groot aantal energiebronnen binnen de invloedssfeer van het Kremlin. De voornaamste aanjagers van de Russische economische groei – olie en gas – worden in toenemende mate genationaliseerd en ondergebracht bij monopolistische staatsbedrijven als Gazprom (de grootste aardgasproducent) en Rosneft (de grootste olieproducent). Michail Chodorkovski, de oprichter van oliemaatschappij Yukos, werd gevangengezet en van zijn bezittingen beroofd, die vervolgens door Rosneft werden opgeslokt.

Ik weet niet of Chodorkovski zich inderdaad schuldig heeft gemaakt aan de misdaden waarvan hij werd beschuldigd. Maar Illarionov was duidelijk teleurgesteld over de opvallende koerswijziging na het eerdere marktliberalisme en hij had al snel in het openbaar kritiek op zijn baas. Hij noemde de belastingaanslag met terugwerkende kracht die Yukos te verwerken kreeg en de nauwelijks verborgen financiële manipulaties ten gunste van Rosneft, 'de zwendel van het jaar'.

Gezien Poetins KGB-achtergrond en opvoeding in een gecollectiveerde maatschappij is het niet waarschijnlijk dat hij veel inzicht heeft in hoe vrije markten werken. Maar het feit dat hij Illarionov koos als voornaamste economische adviseur, moet betekenen dat de successen van het kapitalisme bij het creëren van een hoge levensstandaard hem aantrekkelijk leken. Uiteindelijk voelde Poetin zich misschien meer bedreigd door de schijnbare anarchie van Jeltsins kapitalisme dan geïnspireerd door de stabiliserende kracht van Adam Smith' 'onzichtbare hand'. Toen hij beslag legde op de Russische olie- en gasvoorraden, en in januari 2006 twee dagen lang de aanvoer van aardgas naar de Oekraïne en Europa botweg stopzette, was dat waarschijnlijk meer bedoeld om te laten zien dat Rusland weer internationaal meetelde.

Opmerkelijk bij dit alles is dat het zo lang duurde voordat Illarionov werd gedegradeerd. Uiteindelijk werd hij ontslagen als presidentieel vertegenwoordiger voor de G8. In 2005 trad hij af met de woorden dat Rusland niet langer een vrij land was. Dat Illarionov nog steeds in het Kremlin zit, betekent misschien dat Poetin zich toch schoorvoetend aangetrokken voelt tot het kapitalistische paradigma. Poetins aarzeling om Jeltsins democratie helemaal af te schaffen, bleek duidelijk uit een opmerking tegen de voormalige Russische leider Gorbatsjov. Tijdens een radio-interview in 2006 vertelde Gorbatsjov dat Poetin tegen hem gezegd dat 'de invloed van de maffia en soortgelijke elementen zo groot is dat verkiezingen een kwestie zijn van kopen en verkopen'. Dit was slecht, zo had Poetin volgens Gorbatsjov verder gezegd, 'omdat je geen democratie kunt handhaven en misdaad en corruptie kunt bestrijden als misdadige elementen in staat zijn tot de rangen van de overheid door te dringen'.[1]

Zou Poetin zich tot de democratie aangetrokken voelen als misdaad en corruptie grotendeels waren uitgeroeid, of is hij alleen een slimme prater die eigenlijk voorstander is van een autoritair bestuur? Gorbatsjov lijkt het eerste te denken. Zeker, een belangrijk deel van de Russische economie heeft onder Poetin de ketenen van de centrale Sovjet-planning afgeworpen, wat een aanwijzing is voor de aanvaarding van meer vrijheid.[2]

Poetin gedraagt zich alsof hij gelooft dat vrije markten prima zijn voor het grootste deel van de Russische economie. Maar hij gelooft waarschijnlijk ook dat hij de controle moet houden over de belangrijkste energiebronnen, om te voorkomen dat de oligarchen de Russische economische kroonjuwelen exploiteren. Ze zijn natuurlijk ondertussen enorm veel waard geworden, want de olie- en gasprijzen zijn een veelvoud van die uit 1998.

Rusland genoot aan het begin van de eenentwintigste eeuw niet langer het militaire prestige van tijdens de Koude Oorlog. Het land was de controle kwijt over de Oekraïne, Georgië en andere Sovjetrepublieken, en was duidelijk een minder belangrijke speler op het wereldtoneel. Om dit machtsverlies tegen te gaan, kan Poetin een strategisch voordeel inzetten dat in sommige opzichten machtiger is dan het Rode Leger, namelijk de enorme Russische vertegenwoordiging in de wereldenergiemarkt. Het Russische leger werd in toom gehouden door de dreiging van Amerikaanse tegenacties. Maar Rusland hoeft geen massale wraakacties te vrezen als het land gas als economisch of politiek wapen gebruikt. Rusland is de belangrijkste aardgasleverancier van West-Europa (en het 'bijna-buitenland', zoals de Oekraïne), en in deze markt is de Russische macht onbetwist. Bovendien is Rusland ook een belangrijke speler geworden op de wereldmarkt voor ruwe olie, hoewel de macht daarin kleiner is, omdat olie minder makkelijk gemonopoliseerd kan worden.

Ik vermoed dat Poetin verbaasd was over de westerse reactie op zijn bemoeienis met de onderhandelingen tussen de Oekraïne en Gazprom, dat een hogere prijs voor zijn aardgas wilde. Poetin werd beschuldigd van autoritair optreden in Sovjetstijl toen zijn tussenkomst resulteerde in een kortstondig stopzetten van de doorgifte van gas. Hij moet hebben gedacht: Het zijn toch juist de kapitalisten die de prijzen vragen die de markt bereid is te betalen, en niet aarzelen om economisch voordeel uit te buiten om de eigen winst te verhogen? Bovendien maakte hij slechts een einde aan de subsidie die de Oekraïne al jaren van Rusland kreeg. Het was niet de bedoeling geweest ook de toevoer van gas naar West-Europa af te sluiten. Zouden negentiende-eeuwse Amerikanen als Vanderbilt en Carnegie zich niet net zo hebben gedragen? Ik denk van niet. Echte kapitalisten die hun winstgevendheid op lange termijn beschermen, zouden een geleidelijke aanpassing hebben gezocht om de goede betrekkingen met de klant niet te beschadigen. Hoewel het lijkt of de Oekraïne meegaander is geworden ten aanzien van het Russische beleid voor het 'bijna-buitenland', hebben klanten in West-Europa in het incident een aanleiding gezien om alternatieven te zoeken voor het Russische gas, vooral vloeibaar aardgas en andere vormen die via pijpleidingen worden vervoerd.

Maar Poetins gas- en oliebeleid is op korte termijn zeer succesvol gebleken. Minder dan twintig jaar na de val van Rusland als leider van de kolossale Sovjetstaat, staat het land internationaal weer volledig in de aandacht. En terwijl Poetin geleidelijk belangrijke onderdelen van de democratie heeft ontmanteld die zich onder Jeltsin hadden ontwikkeld, wil ik graag geloven, zoals Michail Gorbatsjov in augustus 2006 zei, dat 'Rusland zo sterk is veranderd dat teruggaan niet langer mogelijk is'.

Het valt niet te ontkennen dat Poetin op een selectieve manier de opening van markten heeft aangemoedigd en dat hij belangrijke verbeteringen in het rechtssysteem heeft geïnitieerd. Hij heeft gezorgd voor drastische herzieningen in het gecollectiviseerde juridische systeem van de Sovjetstaat. De rol van rechters en gerechtshoven, die berucht corrupt waren, is veranderd om ze minder kans te geven steekpenningen aan te nemen of politiek gemanipuleerd te worden. In 2001 werd een wet ingevoerd waardoor veel vergunningen, inspecties en productcertificaties werden afgeschaft die slechts uitnodigden tot corruptie (bepaalde laagbetaalde baantjes waren zeer gewild) en geen economische betekenis hadden. De eigendomsrechten zijn de afgelopen jaren uitgebreid, hoewel zich wat betreft het recht om land te kopen en verkopen, dezelfde communistische naweeën voordoen als in China. Mensen mogen geen kritiek leveren op het Kremlin, maar verder mogen ze reizen, vergaderen en genieten van alles wat een democratische maatschappij maar te bieden heeft.

De Russische economie van dit moment kan het best worden omschreven als een markteconomie met een nog verre van perfect rechtssysteem. De waardevolle bezittingen van het land zijn voor een belangrijk deel in handen van de staat of bondgenoten van het Kremlin. De grote mediabedrijven worden allemaal gecontroleerd door de staat, en kleinere media worden 'aangemoedigd' tot zelfcensuur. Het Russische grote publiek maakt weinig bezwaar, en Poetin en zijn beleid blijven enorm populair.

Blijkbaar heeft de chaos van de eerdere democratische periode onder Jeltsin – toen door fouten het spaargeld van gewone mensen als sneeuw voor de zon verdween – tot grote onvrede geleid. Uit een enquête uit 2006 bleek dat bijna de helft van het Russische volk de voorkeur gaf aan materieel welzijn boven vrijheid en mensenrechten. Democratie en persvrijheid hebben weinig prioriteit. Als men de keuze krijgt tussen de democratische vrijheid en de economische instabiliteit van de Jeltsin-jaren, of de stabiliteit en het autoritaire bestuur onder Poetin, dan geven de meeste Russen de voorkeur aan Poetin.

Dit vind ik bedroevend, maar het verrast me niet. Misschien waren we in het Westen te optimistisch toen we een radicale verandering verwachtten bij mensen die meer dan zeventig jaar waren geïndoctrineerd door het collectivisme. Zoals Gorbatsjov in de *Financial Times* van 12 juni 2006 schreef: 'Het duurde vele tientallen, zo geen honderden jaren voordat de economieën van de grote westerse landen volledig waren ontwikkeld. Nog geen twintig jaar geleden was Rusland een totalitaire staat die op centrale planning was gebaseerd. Ons pad richting hervorming vergt nog wat meer tijd, zelfs voor ons.' Maar waarschijnlijk zullen de Russen op een gegeven moment genoeg hebben van het gebrek aan politieke vrijheid, zoals ze eerder genoeg hadden van de chaos van de jaren negentig.

Sinds het bijna-faillissement in 1998 heeft de Russische economie zich ver boven verwachting hersteld. Het reële BBP per hoofd van de bevolking is een stuk hoger dan voor de crisis. De werkloosheid, die in 1998 rond de 13 procent zweefde, was begin 2007 afgenomen tot minder dan 7 procent. De inflatie bedraagt minder dan 10 procent per jaar, terwijl deze in 1999 nog 127 procent had bedragen, en de voorraad buitenlandse deviezen steeg van acht miljard dollar in 1999 tot 300 miljard dollar in 2007. Een groot deel van de buitenlandse overheidsschuld is afbetaald.

Deze fantastische economische prestatie is natuurlijk voor een groot deel te danken aan de dramatische stijging van de olie- en gasprijzen. De toename van de waarde van de olie- en gasexport was goed voor eenvijfde van de groei in het nominale BBP tussen 1998 en 2006. De Russische beleidsmakers zitten met een groot dilemma: als de waarde van de roebel te snel stijgt, krijgen ze last van de Hollandse ziekte, maar aankoop van buitenlands kapitaal om de roebel minder te doen stijgen, kan leiden tot inflatie. In beide gevallen zou veel van de economische vooruitgang die Rusland sinds het uiteenvallen van de Sovjet-Unie heeft geboekt, teniet worden gedaan.

Het land vertoont nu al symptomen van de Hollandse ziekte. Toen de olie- en gasexport flink toenamen, steeg de waarde van de roebel. De waarde van de roebel ten opzichte van de Russische handelspartners verdubbelde tussen 1998 en 2006, na correctie voor de relatieve inflatie in deze landen. De gevolgen waren voorspelbaar: de export van andere producten steeg in reële termen de helft minder dan de olie- en gasexport.

De Russen hebben in de OPEC-landen gezien hoe de Hollandse ziekte de economie kan bederven en zijn zich volledig bewust van de gevaren, die ze uit alle macht proberen te bestrijden. De standaardmaatregel voor de Hollandse ziekte is buitenlandse valuta aankopen met binnenlandse valuta, om te proberen de door de markt bepaalde stijging van de waarde van de munt tegen te gaan. Ment hoopt zo het negatieve effect van de hogere wisselkoers op de export te vermijden of ten minste af te zwakken. De Russische centrale bank koopt voor enorme bedragen euro's of dollars in met de eigen roebels.

Maar hierdoor stijgt de basisgeldhoeveelheid – de grondstof voor geldgroei – en het gevaar van inflatie. De geldhoeveelheid – chartale en girale tegoeden – steeg met 45 procent per jaar. De geldvoorraad per eenheid product steeg met 35 procent per jaar.[3] Dat zelfs de verhoudingsgewijs hoge Russische inflatie van bijna 10 procent per jaar zwaar achterblijft bij het tempo waarmee de geldvoorraad per eenheid product toeneemt, is ongetwijfeld raadselachtig en zorgwekkend voor de Russische financiële autoriteiten, die bang zijn dat de inflatie weer begint te stijgen.

Natuurlijk kan de centrale bank van Rusland zoals alle centrale banken zowel geld vernietigen als scheppen. Dit doet de bank door schulden in roebels aan het publiek te verkopen en vervolgens de opbrengst niet meer in omloop te brengen. Maar de centrale bank van Rusland kon niet beschikken over een ruime markt voor roebelschulden, noch over een geavanceerd banksysteem om de verkoop van schulden te faciliteren. Het ontbreken daarvan is een erfenis van de lage status die deze instituties in de Sovjet-Unie hadden. Zonder kant-en-klare methoden om de overtollige roebels op te dweilen en te vernietigen door dollars en andere buitenlandse valuta te kopen, zou Rusland al snel zijn aankopen van dollars en andere buitenlandse valuta moeten staken en de roebel sneller laten stijgen – waardoor de Hollandse ziekte weer de kop op steekt.

Minister van Financiën Aleksej Koedrin en zijn collega's namen in 2004 maatregelen tegen dit probleem. Ze stelden een nominale olieprijs voor de lange termijn vast. Als deze wordt overschreden, worden de extra inkomsten uit de olieopbrengsten van de Russische begroting overgeheveld naar een speciaal fonds dat door het ministerie van Financiën wordt beheerd. Het geld uit dit zogenoemde stabilisatiefonds mag alleen in bepaalde buitenlandse activa worden gestoken (vooral buitenlandse overheidsschulden). Door buitenlandse activa rechtstreeks te kopen met de 'overtollige' olie-inkomsten, in de vorm van buitenlandse valuta, wordt vermeden dat de basisgeldhoeveelheid groeit, en wordt de kans op inflatie verkleind. Begin 2007 zat er meer dan honderd miljard dollar in het fonds, waarvan 97 procent in buitenlandse valuta (bijna uitsluitend dollars en euro's, in ruwweg gelijke hoeveelheid). Voor Russische politici is de keerzijde van het stabilisatiefonds dat veel geld buiten hun bereik blijft. Hoewel de overheid meer is gaan uitgeven na de grote stijging van de olie- en gasopbrengsten, is Koedrin zeker niet gaan potverteren met de olieschatten. Ik heb Koedrin heel wat keren ontmoet tijdens bijeenkomsten van ministers van Financiën en centrale bankiers van de G7. Hij is een heel kundige man, maar ik ben bang dat hij tegen de stroom in zwemt. Het is onduidelijk hoeveel invloed hij buiten de puur technische financiële kwesties bij Poetin kan doen gelden.

Rusland is nog steeds een ontwikkelingsland. Het BBP wordt overheerst door de olie- en gasinkomsten. Volgens de Wereldbank was het Russische BBP per hoofd van de bevolking in 2005 lager dan dat van Mexico en ongeveer even hoog als dat van Maleisië. Het vermogen om de Hollandse ziekte tegen te gaan, wordt duidelijk aangetast door de ernst van het virus in verhouding tot de omvang van de economie.

Maar waarom zou Rusland het erg vinden dat het een economie heeft gecreëerd die in de ban is van olie en gas? Het gebruikt een deel van de exportinkomsten om consumentengoederen van hoge kwaliteit te importeren vanuit de rest van de wereld. Doet het ertoe of goederen thuis worden geproduceerd of in het buitenland? Dat zou er inderdaad totaal niet toe doen als de toegevoegde waarde van olie en gas bleef groeien ten gevolge van steeds toenemende opbrengsten en/of stijgende prijzen. Maar olie- en gasopbrengsten worden uiteindelijk door geologische factoren bepaald, en prijzen gaan zowel omhoog als naar beneden. Het verbruik uit olie- en vooral uit aardgastanks gaat zo snel dat er een oneindige stroom nieuwe bronnen nodig is om de productie constant te houden, om nog maar niet te spreken van een toename. Als de prijs niet voortdurend wordt verhoogd, heeft de productie van olie en gas een stagnerende toegevoegde waarde per werknemer. De investeringen in olie en gas zijn de laatste jaren dezelfde gebleven. Zelfs als de Russische bevolking blijft slinken, zoals sinds 1992 het geval is, kan de levensstandaard stagneren. Om dat risico tegen te gaan, gebruikt de Russische overheid een deel van de olie- en gasinkomsten voor directe of indirecte acquisitie van productiecentra buiten de energiesector. De lijst is lang: staal, aluminium, mangaan, titanium, tankers en vliegtuigen. Maar dit zijn vooral technologieën die een eeuw eerder zijn ontwikkeld. Bovendien zijn de industrieën opgezet als 'nationale reuzen' in plaats van als organisaties die uit zijn op winstmaximalisatie. De Russen hebben zich nog niet laten gelden in de voorhoede van de eenentwintigste-eeuwse technologie, hoewel president Poetin en zijn adviseurs in 2005 wel ambitieuze plannen hadden voor speciale door de staat gecontroleerde technologiezones.

De totaal niet concurrerende Russische economie, opgebouwd tijdens verschillende generaties centrale planning, werd tot een zekere mate van concurrentie gedwongen nadat Rusland in 1998 bijna failliet ging en de waarde van de roebel sterk daalde. Ofschoon de opbrengst per uur zo laag was in het hele enorme Russische gebied, maakte het continue afstoten van fabrieken met veel te veel personeel in dienst veel industrieën net concurrerend. De opgehoopte vraag naar consumentengoederen, samen met de mogelijkheden van grote buitenlandse investeringen, zou ongetwijfeld de productie van consumentengoederen een impuls hebben gegeven als de investeerders maar op eigendomsrechten hadden kunnen rekenen. (Dergelijke investeringen zouden ongetwijfeld worden geremd door een sterk overgewaardeerde roebel.)

Hoewel er wel wetten zijn, blijven de eigendomsrechten in Rusland precair. De afgelopen jaren heeft de Doema belangrijke stukken wetgeving goedgekeurd om de rechtsorde te versterken. En het officiële juridische systeem in het tegenwoordige Rusland is een duidelijke verbetering na de zwartemarkteconomie van de jaren negentig. Maar wetten moeten niet alleen worden veranderd, ze moeten ook worden nageleefd. Poetin gebruikte de bestaande en nieuwe wetten op selectieve wijze om greep te krijgen op de olie- en gasmaatschappijen. Dit selectieve gebruik, niet een tekort aan nieuwe regels, is het probleem. Er is weinig verschil in rechtszekerheid tussen een land waar individuele eigendomsrechten niet in de wet zijn vastgelegd, en een land waar dat wel het geval is maar waar ze selectief, naar politieke prioriteit, worden toegepast. Een wet die selectief wordt afgedwongen, is geen wet.

Beschaafde maatschappijen hebben een complex aan regels en conventies opgebouwd dat de interactie tussen mensen onderling en met de staat beheerst. Maar weinig regels zijn opgeschreven, en mensen beseffen vaak niet in welke mate ze van dag tot dag worden beïnvloed door maatschappelijke krachten, godsdienst en onderwijs. Ons juridische systeem is natuurlijk ook op deze waarden gebaseerd, maar noodzakelijkerwijs alleen in algemene termen.

Daarom kan het nog jaren, zo geen generaties duren voordat de culturele code van Rusland is herordend, ook al is het wetboek herschreven. Dit verklaart misschien (maar rechtvaardigt geenszins) de recente autoritaire houding in de Russische politiek, zoals ook bleek uit de gesprekken die Gorbatsjov met Poetin voerde. Als 'het systeem' niet werkt in Rusland, dan trek je de politieke teugels strakker aan door het politieke pluralisme en het slordige democratische proces dat eraan ten grondslag ligt, af te schaffen. Stabiliteit en politieke rust worden veel meer gewaardeerd dan de schijnbare chaos van concurrerende markten voor goederen en diensten of de democratische strijd om de politieke macht.

Het kapitalisme, de motor voor het materiële welzijn, gedijt het best bij competitieve politiek. Een autoritair bestuur biedt niet de noodzakelijke veiligheidsklep die het in een kapitalistisch land mogelijk maakt geschillen vreedzaam op te lossen. De wereldwijde economie – die zich verder moet ontwikkelen als men wil dat de wereldwijde levensstandaard blijft stijgen en de armoede afneemt – kan niet zonder democratie, de veiligheidsklep van het kapitalisme.

Rusland is voorbestemd een rol te blijven spelen in de verdere ontwikkeling van het wereldwijde kapitalisme. In de komende decennia wordt bepaald of die rol klein blijft vanwege een langzaam groeiende binnenlandse economie, ondermijnd door de Hollandse ziekte en een suboptimaal gebruik van kapitaalmiddelen, zoals typerend is voor autoritaire regimes. Rusland heeft de Hollandse ziekte tot nu toe meer als een ontwikkeld land aangepakt dan als een ontwikkelingsland. Tussen 1999 en 2005 steeg het BBP per hoofd van de bevolking met 26 procent per jaar. Men dient zeker rekening te houden met Rusland. Als student was ik al onder de indruk van de hoeveelheid wiskundige theorieën waar een voetnoot met Russische namen bij staat. Een dergelijke cultuur, dacht ik destijds, verdiende een veel geavanceerder economie dan de Sovjets in staat waren te produceren. Het moderne Rusland probeert weer economisch uit te blinken. Veel hangt af van degene die door Poetin wordt aangewezen als opvolger. Rusland zal vanwege de energiebronnen en militaire macht nog decennia lang een belangrijke speler op het wereldtoneel blijven. Maar het is veel te vroeg om te concluderen wat voor speler het zal zijn.

17

LATIJNS-AMERIKA EN POPULISME

Pedro Malan, de Braziliaanse minister van Financiën, zat in december 1999 tijdens de eerste vergadering van de Groep van Twintig aan tafel tegenover me. Hij was typerend voor de vele uiterst competente Latijns-Amerikaanse beleidsmakers die in Berlijn deze vergadering bijwoonden van deze groep van ministers van Financiën en presidenten van centrale banken. Hoewel we elkaar al kenden, was deze groep na een paar tumultueuze jaren in de internationale financiële wereld opgericht om ervoor te zorgen dat opkomende marktlanden beter werden betrokken bij discussies over wereldwijde economische ontwikkelingen.[1]

In 1994 was Malan als centrale bankier onder de Braziliaanse president Fernando Henrique Cardoso een van de architecten geweest van het *Plano Real* waarmee de gierende inflatie in het land tot staan werd gebracht (tussen halverwege 1993 en halverwege 1994 had deze 5000 procent bedragen). Ik had veel bewondering voor Malan. Maar ik bleef me afvragen hoe het mogelijk was dat de economie eerder zo slecht was geleid dat dergelijke drastische ingrepen nodig waren. Ook Cardoso zelf zegt nu: 'Wie bij zijn gezonde verstand had president van Brazilië willen zijn op het moment dat ik de baan kreeg?'

Meer in het algemeen gesteld: hoe kwam het dat Latijns-Amerika in de jaren zeventig, tachtig en negentig de ene na de andere economische crisis doormaakte, en burgerregeringen en militaire besturen elkaar voortdurend afwisselden? Het eenvoudige antwoord luidt dat Latijns-Amerika er met te weinig uitzonderingen niet in geslaagd was om zich te ontdoen van het economisch populisme dat het hele continent machteloos had gemaakt, zodat het niet meer in staat was te concurreren met de rest van de wereld. Ik vond het vooral verontrustend dat ondanks de slechte economische resultaten van het populistische beleid dat sinds de Tweede Wereldoorlog in bijna alle Latijns-Amerikaanse landen werd gevoerd, deze resultaten er blijkbaar niet toe hadden geleid de neiging tot economisch populisme te onderdrukken.

De twintigste eeuw was duidelijk niet vriendelijk voor onze Amerikaanse zuiderburen. Volgens de eminente economische historicus Angus Maddison begon Argentinië de eeuw met een BBP per hoofd van de bevolking dat groter was dan dat van Duitsland en bijna driekwart van dat van de Verenigde Staten. Aan het eind van de eeuw was het Argentijnse BBP per hoofd van de bevolking minder dan de helft van dat van Duitsland of de Verenigde Staten. Het BBP per hoofd van de bevolking van Mexico daalde in een eeuw van eenderde tot een kwart van dat van de Verenigde Staten. (Deze BBP's per hoofd van de bevolking zijn alle in reële termen.) De economische kracht van de Verenigde Staten was niet genoeg om het weggljden te voorkomen. In de twintigste eeuw steeg de levensstandaard in de Verenigde Staten, West-Europa en Azië bijna eenderde sneller dan die in Latijns-Amerika. Alleen Afrika en Oost-Europa deden het even slecht.

In het woordenboek wordt populisme gedefinieerd als 'een politieke filosofie die opkomt voor de rechten en de macht van het volk, gewoonlijk in weerwil van een bevoorrechte elite'. Ik zie economisch populisme als een reactie van een verarmde bevolking op een falende maatschappij met een economische elite die als onderdrukker wordt ervaren. Onder het economisch populisme voldoet de regering aan de eisen van het volk, zonder zich veel gelegen te laten liggen aan de rechten van het individu of de economische werkelijkheid van hoe de rijkdom in een land toeneemt of zelfs maar wordt gehandhaafd. Met andere woorden, de negatieve economische consequenties worden bewust of onbewust genegeerd. Populisme komt, zoals te verwachten viel, het meest voor in economieën waar de inkomensongelijkheid hoog is, zoals in Latijns-Amerika. De ongelijkheid behoort in de Latijns-Amerikaanse landen tot de hoogste ter wereld, en is veel hoger dan in enig westers land, en, nog het opvallendst, ook veel hoger dan in Oost-Aziatische landen.

De Latijns-Amerikaanse ongelijkheid is geworteld in de Europese koloniale geschiedenis en de exploitatie van de inheemse bevolking van de zestiende tot de negentiende eeuw. De grote inkomensongelijkheid tussen bevolkingsgroepen is volgens de Wereldbank een overblijfsel van die periode. Hierdoor was Latijns-Amerika bijzonder vruchtbare grond voor de opkomst van het economisch populisme in de twintigste eeuw. Schrijnende armoede bestaat naast economische overvloed. De economische elite wordt er onveranderlijk van beschuldigd de overheidsmacht te gebruiken om zichzelf te verrijken.

En dan zijn er natuurlijk de Verenigde Staten, die er tot op de dag van vandaag ten onrechte van worden beschuldigd de primaire oorzaak te zijn van de economische ellende in Latijns-Amerika. Decennialang gaan politici in Midden- en Zuid-Amerika al tekeer tegen het 'Yankee-imperialisme' en het kapitalisme van Amerikaanse multinationals. De Latijns-Amerikanen storen zich vooral aan de dominante Amerikaanse economische en militaire aanwezigheid. De 'kanonneerbootdiplomatie' om eigendomsrechten af te dwingen, stuitte op veel weerzin. Dat gold ook voor de hulp die de Amerikaanse president Theodore Roosevelt in 1903 bood bij een opstand waarbij Panama werd losgemaakt van Colombia, omdat dit land de Verenigde Staten geen toestemming wilde geven voor de aanleg van een kanaal door Panama. Het is geen wonder dat Pancho Villa, die het Amerikaanse leger te slim af was, een populaire held werd voor de Mexicanen. Villa terroriseerde de Amerikaanse nederzettingen langs de grens. In 1916 deden de Amerikanen onder leiding van generaal John Pershing een grootscheepse militaire inval in Mexico, maar Pancho Villa kregen ze niet te pakken.

Een goed voorbeeld van de reactie die Latijns-Amerika vaak vertoont, is het tartende antiamerikanisme van Lázaro Cárdenas, een houding waardoor hij mogelijk de populairste Mexicaanse president van de twintigste eeuw werd. In 1938 nationaliseerde hij alle bezittingen van buitenlandse oliemaatschappijen, vooral die van Standard Oil of New Jersey en van de Koninklijke Shell. Dit optreden had op lange termijn geduchte consequenties voor Mexico.[2] Toch herinnert men zich Cárdenas als een held. Zijn zoon Cuauhtémoc werd in 1988 op basis van de familienaam bijna tot president gekozen.

Sinds het einde van de Tweede Wereldoorlog doet Amerika zijn best om door middel van buitenlands beleid het negatieve beeld weg te nemen. Er wordt daarbij zelfs teruggegaan op het '*good neighbour*-beleid' van Franklin Roosevelt. Bovendien zou uit een objectieve analyse, denk ik, ook zeker blijken dat de Amerikaanse investeringen in Latijns-Amerika een belangrijke bijdrage hebben geleverd aan de toegenomen welvaart in de regio. Maar de geschiedenis weegt zwaar. De cultuur van een maatschappij en de overtuigingen die van de ene generatie op de andere worden doorgegeven, veranderen heel langzaam. Veel Midden- en Zuid-Amerikanen blijven tekeergaan tegen de Verenigde Staten. Vooral de Venezolaanse president Hugo Chávez doet zijn uiterste best anti-Amerikaanse gevoelens aan te wakkeren.

Het populisme is niet revolutionair, maar wil hervormingen. De beoefenaars zijn duidelijk over hun grieven, maar hun remedies blijven vaag. In tegenstelling tot het kapitalisme of socialisme kent het economisch populisme geen formele analyse van de manier waarop rijkdom geschapen kan worden en de levensstandaard kan stijgen. Het is verre van intellectueel. Eerder is het een kreet van pijn. Populistische leiders beloven zekere remedies tegen vermeende economische misstanden. De herverdeling van land en de vervolging van een corrupte elite die wordt beschuldigd van het bestelen van de armen, is de gebruikelijke panacee. De leiders beloven land, onderdak en voedsel voor iedereen. Er wordt ook 'recht gedaan', dat meestal uit wraak bestaat. Democratisch bestuur staat onder aan de prioriteitenlijst. In al zijn verschillende gedaanten staat het economisch populisme natuurlijk tegenover het vrijemarktkapitalisme. Maar dit populisme is gebaseerd op een foute opvatting van het kapitalisme en is fundamenteel verkeerd. Ik en veel anderen, zowel in als buiten de regio, denken dat economische populisten meer kans hebben hun doel te bereiken als ze zorgen voor meer in plaats van minder kapitalisme. Als er wel successen werden geboekt – als de levensstandaard voor de meerderheid werd verbeterd – dan waren die vooral te danken aan open markten en toegenomen privé-eigendom.

Het beste bewijs dat het populisme een emotionele respons is die niet in de eerste plaats is gebaseerd op ideeën, is dat het ook na herhaaldelijke mislukkingen niet van wijken weet. Brazilië, Argentinië, Chili en Peru hebben sinds de Tweede Wereldoorlog allemaal verschillende perioden gekend van mislukt populistisch beleid. Maar telkens stonden er weer nieuwe generaties leiders op die niets hadden geleerd van de geschiedenis en met simplistische oplossingen kwamen aandragen. En zij hebben de omstandigheden aantoonbaar doen verslechteren.

Ik betreur het dat deze populistische bewegingen geen oog hebben voor eerdere economische mislukkingen als ze proberen een antwoord te vinden op noden van het moment, maar het verrast me niet. En ik ben evenmin verbaasd over hun afwijzing van het kapitalisme van de vrije markt. Ik moet bekennen dat het me ironisch genoeg altijd heeft verbaasd dat grote en vaak nauwelijks opgeleide volken en hun overheidsvertegenwoordigers zich zo goed aan de regels van het marktkapitalisme houden. Marktkapitalisme is een algemeen abstract concept dat niet altijd beantwoordt aan de opvatting van het grote publiek over hoe markten werken. Ik denk dat de vrije markt wordt geaccepteerd omdat deze een lange geschiedenis heeft als motor van economische voorspoed. Toch klagen mensen vaak tegen me: 'Ik snap niet hoe de vrije markt werkt, maar ze lijkt zich altijd op de rand van de chaos te bevinden.' Dat is een begrijpelijk gevoel, maar als een markteconomie periodiek van een schijnbaar stabiel pad afwijkt, dan zorgen de concurrentiekrachten voor evenwichtsherstel, zoals iedere basiscursus economie al duidelijk maakt. Omdat er miljoenen transacties een rol spelen bij dit evenwichtsherstel, is het proces moeilijk te vatten. De abstracties van het klaslokaal geven noodgedwongen slechts een heel beperkt beeld van de dynamiek die bijvoorbeeld de Amerikaanse economie in staat stelde zich zo kort na de aanslagen van 11 september 2001 te herstellen.

Bij economisch populisme gaat het om een eenvoudiger wereld, een wereld waarin een conceptueel raamwerk een afleiding lijkt van duidelijke en urgente behoeften. De principes zijn simpel. Als er werkloosheid is, dan moet de overheid werklozen in dienst nemen. Als er weinig geld is en de rente daarom flink stijgt, moet de overheid de maximale rente vaststellen of meer geld laten drukken. Als verlies van banen dreigt door de import van bepaalde goederen, dan moet de import worden gestaakt. Waarom zijn dergelijke reacties minder redelijk dan zeggen dat je het contactsleuteltje moet omdraaien als je je auto wilt starten?

Omdat de individuele markten in economieën waar miljoenen mensen dagelijks werken en handel drijven, dermate sterk verweven zijn, dat als je ingrijpt in een onevenwichtige situatie, je al snel een hele reeks andere onevenwichtigheden op gang helpt. Door een maximumbenzineprijs in te stellen, ontstaan er tekorten en vormen zich al snel lange rijen bij de benzinepomp, zoals in 1974 in de Verenigde Staten gebeurde. Het mooie van het marktsysteem is dat het voor zijn eigen evenwicht zorgt als het goed functioneert, zoals bijna altijd het geval is. Het populistische systeem lijkt op enkelvoudig boekhouden. Het houdt alleen de kredietkant bij, zoals de onmiddellijke voordelen van lagere benzineprijzen. Economen gebruiken hopelijk een dubbele boekhouding.

Omdat het bij het populisme ontbreekt aan zinnige economische beleidsmaatregelen, moet het zich op morele gronden beroepen om volgelingen te krijgen. Daarom moeten populistische leiders charismatisch zijn, laten zien dat ze de touwtjes stevig in handen gaan nemen, en zelfs autoritaire trekken vertonen. Dergelijke leiders zijn meestal afkomstig uit het leger. Ze betogen niet dat het populisme conceptueel superieur is aan de vrije markt. Ze zijn geen aanhangers van de marxistische theorie. Hun economische boodschap is eenvoudig en ze bezigen een retoriek doorspekt met woorden als ‘uitbuiting’, ‘rechtvaardigheid’, ‘landhervormingen’, terwijl termen als ‘BBP’ en ‘productiviteit’ ongenoemd blijven. Populistische leiders houden zich nooit met de keerzijde ervan bezig, en dat kan rampzalig zijn.

Voor boeren die andermans land bewerken, is de herverdeling van land een geliefd doel. Robert Mugabe, die sinds 1987 president is van Zimbabwe, beloofde zijn volgelingen het land van de blanke kolonisten en confisqueerde dit ook inderdaad. Maar de nieuwe eigenaren werden niet geselecteerd of voorbereid om dit land te beheren. De voedselproductie stortte in, zodat er op grote schaal voedsel moest worden geïmporteerd. Het belastbare inkomen daalde snel, waardoor Mugabe zijn toevlucht moest nemen tot het drukken van geld om zijn overheid te financieren. Op dit moment is de inflatie zo hoog dat er van sociale cohesie in Zimbabwe geen sprake meer is. Vroeger was de Zimbabwaanse economie een van de meest succesvolle van Afrika, maar ze is nu bezig te bezwijken.

Hugo Chávez, die in 1999 president van Venezuela werd, volgt Mugabes voorbeeld. Hij is bezig de ooit zo trotse Venezolaanse olie-industrie – een halve eeuw geleden nog de op één na grootste ter wereld – te politiseren en kapot te maken. Nadat hij de meeste van de niet-politieke technici van de staatsoliemaatschappij had vervangen door vriendjes die zijn regime steunden, ontstond er al snel een flinke achterstand bij het onderhoud van de olievelden. Dit kostte dagelijks honderdduizenden vaten aan verminderde capaciteit. De opbrengst ruwe olie daalde van 3,2 miljoen vaten per dag in 2000 naar 2,4 miljoen vaten voorjaar 2007.

Toch lacht het geluk Chávez toe. Bijna ieder ander land zou met een dergelijk beleid al lang failliet zijn geweest, maar sinds Chávez' aantreden als president is de olieprijs vanwege de stijgende vraag bijna verviervoudigd, en dat heeft hem voorlopig gered. Waarschijnlijk heeft Venezuela een van de grootste oliereserves ter wereld. Maar de olie in de grond is niet meer waard dan hij al die miljoenen jaren in de aardkorst was als er geen economie is die voor de winning kan zorgen. (Dat gebeurde met Venezuela in 1914, het jaar dat de Koninklijke Shell de technologie kocht die het bedrijf nodig had om de rijkdommen te ontwikkelen.)

Chávez heeft bij zijn politieke stellingname te kampen met een belangrijk dilemma. Tweederde van de olie-inkomsten is afkomstig van de olie die naar de Verenigde Staten wordt geëxporteerd. Het zou nogal kostbaar zijn om deze grote klant kwijt te raken, ook omdat alleen de Verenigde Staten over raffinaderijen beschikken die de zware zure ruwe olie kunnen verwerken die in Venezuela in de grond zit. Het zou wel mogelijk zijn om de olie naar Azië te exporteren, maar dat zou zeer kostbaar zijn. Bij hogere prijzen zou Chávez natuurlijk ruimte krijgen om de extra kosten op te vangen. Maar om zijn invloed in het buitenland en politieke steun thuis te kunnen vergroten, verbindt hij zijn politieke lot steeds sterker aan de olieprijs. De prijs moet alsmaar blijven stijgen om in het zadel te blijven. Het geluk lacht hem wellicht niet altijd toe.

De wereld zou opgelucht moeten zijn dat niet alle charismatische leiders zich zo gedragen als Chávez en Mugabe. Luiz Inácio Lula da Silva, een Braziliaanse populist met een grote achterban, werd in 2002 tot president gekozen. Toen duidelijk werd dat hij de verkiezingen zou gaan winnen, daalden de aandelen op Braziliaanse aandelenbeurzen, werd een veel hogere inflatie verwacht en werden veel voorgenomen investeringen van buitenlandse ondernemingen teruggetrokken. Maar tot verbazing van velen, onder wie mijzelf, bleek hij gewoon het verstandige beleid te volgens van het Plano Real, dat zijn voorganger Cardoso begin jaren negentig had ontwikkeld om de hyperinflatie te beteugelen.

Economisch populisten doen grote beloften zonder erbij na te denken hoe deze gefinancierd moeten worden. Het voldoen aan de beloften leidt tot een tekort aan belastingopbrengsten, waardoor er niet meer van de privésector of buitenlandse investeerders geleend kan worden. Dit leidt bijna altijd tot een beroep op de centrale bank om als financier te fungeren. Maar als de centrale bank geld drukt om de koopkracht van een land te vergroten, dan leidt dat onveranderlijk tot een vuurstorm van hyperinflatie. Dit heeft in de loop van de geschiedenis altijd tot de omverwerping van de regering en sociale instabiliteit geleid. Dit patroon van inflatie en instorting deed zich in 1994 voor in Brazilië, in 1989 in Argentinië, halverwege de jaren tachtig in Mexico en halverwege de jaren zeventig in Chili. Het had telkens een verwoestend effect op de maatschappij van deze landen. Zoals de gerenommeerde internationale economen Rudiger Dornbusch en Sebastian Edwards schreven: 'Na een populistisch experiment zijn de reële lonen steevast lager dan aan het begin.' In ontwikkelingslanden doen zich af en toe perioden van hyperinflatie voor – dat is zelfs een van de kenmerken van een ontwikkelingsland.

Kan Latijns-Amerika het populisme afzweren? In de afgelopen twintig jaar hebben de Latijns-Amerikaanse landen ondanks herhaaldelijke mislukkingen van hun economisch beleid, of misschien wel dankzij deze mislukkingen, een coterie van economen opgeleverd die zeker over de papieren beschikken om een nieuw beleid uit te stippelen in de regio. Onder de nieuwe beleidsmakers bevinden zich veel uitzonderlijk talentvolle mensen. Ik heb het voorrecht gehad de afgelopen decennia met een aantal van hen te mogen samenwerken, vaak in moeilijke tijden, zoals met Pedro Aspe, Guillermo Ortiz, José Ángel Gurría en Francisco Gil Díaz in Mexio, Pedro Malan en Arminio Fraga Neto in Brazilië, en Domingo Cavallo in Argentinië. De meesten zijn afgestudeerd of gepromoveerd aan een prestigieuze Amerikaanse universiteit. Sommigen brachten het zelfs tot staatshoofd, zoals Ernesto Zedillo in Mexico en Fernando Henrique Cardoso in Brazilië. De meesten van hen voerden hervormingen door en zorgden voor een productievere, vrijere markt, vaak in weerwil van populistisch verzet. Hun beleid leidde tot een sterkere economie. Ik denk dat Latijns-Amerika een stuk slechter af zou zijn zonder deze kundige economen. Maar er blijft zich een diepe en hardnekkige kloof voordoen tussen het wereldbeeld van deze Latijns-Amerikaanse beleidsmakers en de maatschappijen die ze dienen, die nog steeds geneigd zijn het oor te luisteren te leggen bij het economisch populisme.

Vanwege de zwakke economische stabiliteit van Latijns-Amerika werd er in 2006 bij de presidentsverkiezingen in Mexico (dat de op één na grootste economie van de regio heeft, en na een pesocrisis eind 1994 bijna bankroet was, maar er weer goed boven op was geholpen) op een haar na een explosieve populist, Andrés Manuel López Obrador, tot president gekozen. Of hij als president meer een Lula dan een Chávez zou zijn geweest, kan ik niet nagaan.

Kan een maatschappij waarin het economisch populisme diep geworteld is snel veranderen? Individuen kunnen dat wel en doen dat ook. Maar kan de marktstructuur van een ontwikkelde economie – de wetten, de praktijken, de cultuur – worden opgelegd aan een maatschappij die van oudsher is opgevoed met antagonismen? Dat dit inderdaad mogelijk is, blijkt uit het Braziliaanse Plano Real.

Sinds de stabilisatie in 1994 is de Braziliaanse inflatie beteugeld, op een voorbijgaande prijsexplosie na, die zich voordeed toen eind 2002 de munt 40 procent minder waard werd. De Braziliaanse economie heeft zich goed gedragen en de levensstandaard is gestegen. Natuurlijk kan het feit dat er slechts een korte inflatie-uitbarsting volgde op de devaluatie meer aan internationale anti-inflatoire krachten worden toegeschreven dan aan de binnenlandse politiek, maar de Braziliaanse economie lijkt voor het Braziliaanse volk te werken.

De ervaring van Argentinië is minder rooskleurig. De economie van dit land stortte in 2002 in, toen de al tien jaar durende en in de grondwet vastgelegde koppeling tussen de Argentijnse peso en Amerikaanse dollar werd losgelaten, met rampzalige gevolgen voor de werkgelegenheid en de levensstandaard. Het verhaal van het debacle geeft aan dat hervormingsgezinde beleidsmakers noodzakelijk beleid alleen kunnen uitvoeren als ze de impliciete steun van de bevolking hebben. Ze kunnen de maatschappelijke eis om aan bepaalde urgente behoeften te voldoen, bijvoorbeeld niet blokkeren door een financieel keurslijf op te dringen. De maatschappij moet vooruitgang ervaren en haar leiders vertrouwen voordat ze bereid is voor de lange termijn te investeren. Deze verandering in de cultuur vergt normaal gesproken heel wat tijd.

Vóór de Eerste Wereldoorlog had Argentinië in de meeste opzichten een Europese cultuur. Een reeks mislukte economische programma's en periodes met een hoge inflatie maakten het land economisch instabiel. Argentinië bleef in economisch opzicht terrein verliezen in vergelijking met andere landen, vooral tijdens het regime van Juan Perón. De cultuur veranderde geleidelijk maar ingrijpend. Zelfs in de periode na Perón slaagde de goed bedoelende Raúl Alfonsín er niet in de explosieve inflatie tot staan te brengen en de stagnatie te doorbreken van de zwaar gereguleerde Argentijnse economie.

In 1991 werd de situatie ten slotte zo wanhopig dat de pas gekozen president, Carlos Menem, die zich ironisch genoeg onder de vlag van Perón kandidaat had gesteld, de kundige minister van Financiën, Domingo Cavallo, om hulp vroeg. Cavallo koppelde daarop de Argentijnse peso één op één aan de Amerikaanse dollar. Deze extreem riskante strategie had al binnen een paar uur na de implementatie volkomen mis kunnen gaan. Maar de internationale financiële markten waren als verlamd door de durf en schijnbare geloofwaardigheid van deze zet. De rentetarieven daalden scherp, de inflatie zakte van 20.000 procent in maart 1990 tot een percentage van beneden de 10 eind jaren negentig. Ik was verbaasd en hoopvol gestemd.

De Argentijnse regering leek door de koppeling in een positie om op de internationale markt grote hoeveelheden dollars te lenen tegen rentetarieven die nauwelijks hoger waren dan die werden gevraagd van de Amerikaanse schatkist. De hervormingsplannen van Cavallo klonken me veel verstandiger in de oren dan de slecht geïnformeerde retoriek die in die tijd vaak door Argentijnse parlementariërs en provinciegouverneurs werd gebezigd. Hun denkbeelden leken te veel op het onverantwoordelijke begrotingsbeleid van eerdere decennia. Ik herinner me dat ik bij een van die vergaderingen van de G20 naar Cavallo keek en me afvroeg of hij begreep dat de inwisselbaarheid van de peso voor dollars alleen zou werken als er niet te veel gebruik van zou worden gemaakt; dat er niet te veel dollars geleend mochten worden als hij wilde dat de koppeling behouden bleef. Door de grote dollarreserve had de vaste wisselkoers waarschijnlijk voor onbepaalde tijd gehandhaafd kunnen blijven. Maar het politieke systeem van Argentinië kon het niet laten om de grote voorraad schijnbaar kosteloze dollars te gebruiken om te voldoen aan de onstilbare behoeften van de kiezers.

Geleidelijk maar onverbiddelijk werd de buffer van de leencapaciteit in dollars afgebroken. Vaak werden er dollars geleend om voor peso's te verkopen in een vergeefse poging de koppeling met de dollar vast te houden. De bodem werd eind 2001 bereikt. Om zijn overgebleven dollarreserve te beschermen, trok de centrale bank haar aanbod in van één dollar voor één peso op de internationale markt. Hierdoor stortte de peso op 7 januari 2002 in. Halverwege 2002 kostte een dollar drie peso's.

Doordat Argentinië zijn schulden niet kon betalen, ontstond er meteen een gierende inflatie en liep de rente hoog op, maar tot mijn verbazing werd de financiële rust vrij snel weer hersteld. De scherpe daling van de peso stimuleerde de export en de economische activiteit. En de inflatie was dankzij de anti-inflatoire krachten van de globalisatie veel minder een probleem dan in het verleden.

Wat ik ongebruikelijk vond aan deze episode, was niet dat Argentijnse leiders in 2001 niet in staat waren de begrotingsdiscipline op te brengen die nodig was om de koppeling tussen de peso en de dollar vast te houden, maar dat ze een tijdlang in staat waren geweest de beperkingen vol te houden die nodig waren voor een gestabiliseerde peso. Het beleid was duidelijk bedoeld om aan te sporen tot verandering van de culturele waarden en een herstel van de internationale reputatie die Argentinië meteen na de Eerste Wereldoorlog had genoten. Maar de culturele inertie bleek, zoals al zo vaak, een te grote barrière.

Niet dat ontwikkelde landen zoals de Verenigde Staten nooit met het economisch populisme hebben geflirt. Maar het is naar mijn mening niet waarschijnlijk dat populistische leiders de cultuur of de Amerikaanse grondwet zullen veranderen en verwoestingen zullen aanrichten als Perón of Mugabe. William Jennings Bryan was met zijn opzwepende 'Cross of Gold-speech' tijdens de Democratische Conventie van 1896, denk ik, de meest effectieve stem van het economisch populisme in de Amerikaanse geschiedenis. 'U zult deze doornenkroon niet neerduwen op het hoofd van de arbeider,' verklaarde hij. 'U zult de mensheid niet nagelen aan een gouden kruis.' Maar ik betwijfel of Amerika erg zou zijn veranderd als hij president was geworden.

Ik zou hetzelfde kunnen zeggen over Huey Long uit Louisiana, die met zijn retoriek over het delen van de rijkdommen een gouverneurschap en een zetel in de Amerikaanse Senaat in de wacht wist te slepen. Hij was van plan zich kandidaat te stellen voor het presidentschap, maar werd in 1935 vermoord. Het populisme zat echter niet in zijn genen. Zijn zoon Russell, die ik goed kende als de voorzitter van de financiële commissie van de Senaat (een functie die hij lange tijd vervulde), stond vierkant achter het kapitalisme en belastingverlagingen voor het bedrijfsleven.

Er zijn weliswaar geen populistische Amerikaanse regeringen geweest, maar wel talloze periodes waarin populistisch beleid werd gevoerd, van de Free Silver Movement van het eind van de negentiende eeuw tot veel wetgeving van de New Deal. De meest recente populistische maatregel was het bevriezen van lonen en prijzen door Richard Nixon in augustus 1971, dat een mislukking bleek. Maar het populistisch beleid van de regering-Nixon en van eerdere regeringen was een uitzondering. In Latijns-Amerika is het endemisch en daarom verwoestender.

Mensen denken vaak dat de economie wordt gedemocratiseerd door het economisch populisme. Maar dat is niet het geval. In een democratische maatschappij beslist de meerderheid in zaken van openbaar belang, maar mogen die beslissingen niet indruisen tegen de grondrechten van het individu. De rechten van minderheden worden beschermd tegen de meerderheid. We hebben ervoor gekozen de meerderheid het recht te geven om zaken te beslissen die het openbaar belang betreffen zonder de rechten van het individu aan te tasten.[3]

Democratie is een slordig proces en het is zeker niet altijd de meest efficiënte regeringsvorm. Maar ik ben het eens met de woorden van Winston Churchill: 'Democratie is de slechtste regeringsvorm, op al die andere vormen na die af en toe worden geprobeerd.' We hebben geen andere keuze dan ervan uit te gaan dat mensen die in vrijheid handelen, uiteindelijk de juiste beslissingen nemen over hoe ze zichzelf regeren. Als de meerderheid de verkeerde besluiten neemt, dan heeft dat negatieve consequenties en kan dat uiteindelijk ook tot maatschappelijke chaos leiden.

Als een populistische regering in een land de individuele rechten respecteert, dan wordt dat land vaak een 'liberale democratie' genoemd. Bij 'economisch populisme', zoals de meeste economen de term gebruiken, wordt er vaak impliciet uitgegaan van een democratie waar de 'individuele rechten' niet worden gerespecteerd. Een democratie zonder respect voor de rechten van het individu, waar 51 procent van de mensen de rechten van de overgebleven 49 procent kan negeren door zich op de wet te beroepen, leidt tot tirannie.[4] De term 'populisme' wordt pejoratief als hij wordt toegepast op mensen als Perón, die volgens de meeste geschiedkundigen grotendeels verantwoordelijk is voor de langdurige economische neergang van Argentinië. Lang na de Tweede Wereldoorlog worstelt Argentinië nog steeds met de erfenis van Perón.

De slag om het kapitalisme is nooit gewonnen. Dit blijkt waarschijnlijk helderder in Latijns-Amerika dan in welke andere regio ook. Er heerst daar nog steeds een grote voortwoekerende onvrede over de grote verschillen tussen arm en rijk en het bestaan van een elitaire bovenlaag, die teruggaat op de Spaanse en Portugese veroveringen uit de zestiende eeuw.

18

LOPENDE REKENINGEN EN SCHULDEN

In maart 1956 stond er in het blad *Fortune*: 'De kortlopende consumptieve kredieten hebben een historisch punt bereikt. De schuldenlast zal zich snel moeten aanpassen aan de draagkracht van ons land – want die is niet onbeperkt.' Een maand later schreef het blad: 'Hetzelfde geldt voor hypotheekschulden – maar dan met dubbele kracht.' Hoofdeconoom Sandy Parker en medeauteur Gil Burck kwamen tot dezelfde strenge conclusie na een onderzoek van gedetailleerde gegevens over de schulden van Amerikaanse huishoudens. (Ik had die voor hen verzameld, want ik was in die tijd adviseur van *Fortune*.) Hun zorgen waren niet uniek. Veel economen en beleidsmakers maakten zich zorgen dat de verhouding tussen gezinsinkomens en -schulden was gestegen tot een punt waarop veel huishoudens failliet dreigden te gaan. Maar de vrees bleek misplaatst, omdat de waarde van huizen en bezittingen sneller steeg dan we toen doorhadden.

Tegenwoordig, bijna vijftig jaar later, stijgt de verhouding tussen schulden en inkomens nog steeds, en zijn de zorgen daarover nog immer groot. Ik herinner me niet ooit een decennium te hebben meegemaakt zonder uitbarstingen van bezorgdheid over de stijgende schulden van huishoudens en bedrijven. Bij al deze ongerustheid wordt één fundamenteel feit vergeten: in een moderne markteconomie gaat een toenemende schuldenlast hand in hand met vooruitgang. Nog preciezer gesteld: de schulden nemen vrijwel altijd toe in verhouding tot de inkomens omdat arbeidsverdeling en specialisatie blijven toenemen, de productiviteit groeit en als gevolg daarvan de baten en lasten als percentage van het inkomen stijgen. Een stijgende ratio tussen gezinsschulden en -inkomens, of tussen niet-financiële schulden en het BBP, is op zich geen indicatie van spanning. (Tot de niet-financiële schulden behoren de schulden van huishoudens, bedrijven en de overheid, maar niet van banken en andere financiële tussenpersonen.)

Het is de moeite waard om deze les in gedachten te houden als we ons met een soortgelijke zorg bezighouden: de stijging van het tekort op de Amerikaanse handelsbalans en algemener het tekort op de lopende rekening. Het Amerikaanse tekort op de lopende rekening is van nul in 1991 gestegen tot 6,5 procent van het BBP in 2006. Tegelijkertijd is het internationaal voorpaginanieuws geworden, terwijl het voorheen slechts een duistere voetnoot in academische vakbladen was. Het stond op de agenda van bijna iedere internationale economische bijeenkomst die ik de afgelopen jaren hebben bijgewoond. Er heerst wereldwijd de angst dat het tekort op de Amerikaanse handelsbalans – de dramatische kloof tussen wat het land importeert en wat het exporteert – tot een instorting van de dollar en een wereldwijde financiële crisis zal leiden. Een instortende dollar zou een centraal punt kunnen worden voor beleidsmakers die bang zijn dat de globalisering, de aanjager van de toegenomen welvaart in de wereld van de afgelopen decennia, niet duurzaam zal blijken.

De zorgen over het Amerikaanse tekort op de lopende rekening zijn niet zonder grond. Het is zeker dat buitenlandse investeerders op een gegeven moment het aandeel Amerikaanse beleggingen in hun portfolio niet verder zullen willen verhogen. Dat is de financieringskant van het tekort op de lopende rekening. Op dat punt moet het Amerikaanse gebrek aan evenwicht kleiner worden, en moet de dollar waarschijnlijk goedkoper worden om de Amerikaanse export te stimuleren en de import te remmen. Bovendien kunnen stemmingswisselingen onder buitenlandse investeerders nooit geheel worden uitgesloten, met het bijkomstige risico van een snelle afname van de waarde van de dollar. Het gevaar van een instortende dollar wordt echter al snel overdreven. Door de ontwikkelingen in de wereldeconomie hebben de financiële overschotten en tekorten – ook die over grenzen heen – de laatste jaren zonder problemen enorm kunnen toenemen. Zoals ik in hoofdstuk 25 schrijf, zijn er veel onevenwichtigheden, vooral het potentiële federale tekort, waarover we ons de komende jaren zorgen kunnen maken. Het tekort op de Amerikaanse lopende rekening zou ik helemaal onder aan de lijst willen plaatsen.

De kern van de zorg over het tekort op de Amerikaanse lopende rekening wordt gevormd door het feit dat in 2006 de financiering van het tekort – dat wil zeggen de instroom van geld vanuit het buitenland – meer dan drievijfde van het spaargeld wegzoog van de 67 landen die dat jaar een overschot hadden op de lopende rekening. (De besparingen in het buitenland zijn de som van de overschotten van de landen die een overschot hebben.) In de ontwikkelingslanden, die verantwoordelijk waren voor de helft van die overschotten, was men blijkbaar niet in staat in eigen land voldoende winstgevende en risicoarme investeringen te vinden. De Amerikanen hadden tien jaar geleden waarschijnlijk geen jaarlijks tekort van bijna achthonderd miljard dollar op de lopende rekening kunnen hebben om de eenvoudige reden dat er onvoldoende buitenlandse spaargelden waren om deze te financieren. In 1995 werd er bijvoorbeeld in totaal voor 350 miljard dollar aan spaargelden internationaal geïnvesteerd.

Analisten zijn het erover eens dat het vaak nuttig is de lopende rekening van een land in boekhoudkundige termen te bekijken, namelijk als de besparingen van een land (dat wil zeggen de besparingen van huishoudens, bedrijven en overheden) minus de binnenlandse investeringen (voornamelijk onroerend goed en kapitaalgoederen).[1] Maar daar houdt de overeenstemming op.

De lopende rekening van een land en het verschil tussen de binnenlandse besparingen en de binnenlandse uitgaven aan investeringen zijn uiteindelijk altijd per definitie gelijk. (Er zijn weliswaar wat technische moeilijkheden, maar die zijn niet belangrijk.) Degenen die de beslissing nemen om te sparen, zijn echter niet dezelfden als degenen die de beslissing nemen om te investeren. Als we zelf het totale bedrag aan voorgenomen besparingen en voorgenomen investeringen voor een bepaalde periode zouden optellen, zouden deze zelden op hetzelfde bedrag uitkomen. Ze zijn slechts gelijk nadat de voornemens aangepast worden, en handel, inkomen en kapitaalstromen door veranderingen van wisselkoersen, prijzen en rentetarieven in het gareel worden gedwongen. Zoals bij alle marktaanpassingen het geval is, gebeurt dit alles tegelijkertijd. Het is het equivalent van een oplossing voor een stel simultane vergelijkingen. De boekhouding van de wereld moet altijd kloppen.

De oorzaken van het grote Amerikaanse tekort op de lopende rekening van de afgelopen jaren zijn dermate interactief dat het moeilijk is ze te ontwarren. Door een toename van de besparingen van huishoudens wordt – als al het overige gelijk blijft – het tekort op de lopende rekening van een land lager. Maar al het overige blijft nooit gelijk. Een toename van de consumentenbesparingen impliceert een afname van de consumentenuitgaven – en waarschijnlijk daardoor een afname van de besparingen van bedrijven, omdat de winsten dalen. En door de afname van de belastingopbrengst waar dit toe leidt, spaart ook de overheid minder enzovoort. Omdat alle onderdelen van het sparen en investeren onderling zijn verbonden, zijn causale verbanden onduidelijk.

De meeste buitenlanders en veel Amerikanen denken dat het oplopende Amerikaanse begrotingstekort de voornaamste oorzaak is van het tekort op de lopende rekening. Maar in de afgelopen tien jaar is onze fiscale balans af en toe uitgeslagen in een richting die tegengesteld is aan die van ons huidige begrotingstekort. En toen we bijvoorbeeld in 1998 en 2001 begrotingsoverschotten hadden, raakte onze lopende rekening toch verder uit evenwicht.

Volgens sommigen hebben de grote aankopen van Amerikaans schatkistpapier en overheidsobligaties door de monetaire autoriteiten van andere landen (eerst Japan en vervolgens China) die hun wisselkoers wilden drukken, de waarde van de dollar doen stijgen en daarbij een rol gespeeld in de enorme toename van de Amerikaanse import (van 13 procent van het BBP begin 2002 tot bijna 18 procent eind 2006). Dat is tot op zekere hoogte waar, maar de impact van de officiële pogingen om de wisselkoers te manipuleren, wordt in mijn ervaring vaak overdreven.[2] Veel belangrijker is de status van de dollar als de belangrijkste reservemunt, die tot dusver de financiering van onze buitenlandse schulden heeft vergemakkelijkt.

Volgens velen is dit ook een kwetsbare plek, want monetaire autoriteiten zouden hun dollarreserves plotseling en masse kunnen omruilen voor bijvoorbeeld euro's of yens. Daar kom ik in hoofdstuk 25 op terug.

De meest overtuigende verklaring voor de historische stijging van het Amerikaanse tekort op de lopende rekening is dat door allerlei verschillende krachten wordt veroorzaakt. Deze is een stuk minder aantrekkelijk dan een verklaring met één duidelijk zichtbare oorzaak, zoals het begrotingstekort van de Amerikaanse overheid, maar meer in overeenstemming met de dagelijkse realiteit van de internationale financiële wereld. De stijging van de Amerikaanse buitenlandse schuld van de afgelopen tien jaar lijkt samen te vallen met een duidelijk nieuwe fase in de globalisering. De belangrijkste bijdragen zijn naar mijn mening een belangrijke afname in wat economen *home bias* ('thuisvoorkeur') noemen, en een belangrijke versnelling van de Amerikaanse productiviteitstoename.

Home bias is de provinciaalse neiging van beleggers om hun spaargeld in hun eigen land te beleggen, ook al zijn buitenlandse beleggingsmogelijkheden winstgevender. Als mensen vertrouwd zijn met een beleggingsomgeving, zien ze minder risico dan als ze in een objectief vergelijkbare, maar onbekendere omgeving beleggen. Als de home bias afneemt, beleggen spaarders steeds meer in het buitenland. Dit leidt in sommige landen tot een duidelijk overschot en in andere landen tot een duidelijk tekort op de lopende rekening. Voor de wereld als geheel moet de export natuurlijk gelijk zijn aan de import, en de geconsolideerde lopende rekening is altijd nul.

Home bias speelde internationaal een belangrijke rol in de eerste vijftig jaar na de Tweede Wereldoorlog. Binnenlandse besparingen werden bijna volledig in eigen land geïnvesteerd, dat wil zeggen in fabrieken, apparatuur, voorraden en huizen binnen de landsgrenzen van de investeerders. In een wereld met een extreem hoge home bias was een onevenwichtige lopende rekening een uitzondering.

Maar vanaf de jaren negentig begon de home bias duidelijk af te nemen, als gevolg van het afbreken van de belemmeringen op de internationale kapitaalstromen. Dat viel min of meer samen met het verdwijnen van de centrale planning, wat een stimulans betekende voor het competitieve kapitalisme. Privé-eigendom en buitenlandse investeringen namen flink toe. Door de vooruitgang in de informatie- en communicatietechnologie kwamen internationale markten dichter bij elkaar te liggen in tijd en in afstand. Kortom, technologische verbeteringen en beter bestuur hebben de geografische horizon van investeerders verbreed en buitenlandse investeringen minder riskant gemaakt dan ze eerder leken. Het risico werd nog verder verminderd door de verbeterde bescherming van de eigendomsrechten van buitenlanders en het verdwijnen van de centrale planning.

De gewogen correlatie tussen de nationale besparingen en binnenlandse investeringen voor landen of regio's die het bruto binnenlands product van bijna de hele wereld vertegenwoordigen – een maatstaf voor de mate van home bias – nam daarom af van een coëfficiënt van 0,95 in 1992, waar het sinds 1970 ongeveer op had gestaan, naar een geschatte 0,74 in 2005. (Als in alle landen de besparingen gelijk waren aan de investeringen, dat wil zeggen, als de home bias 100 procent was, zou de correlatiecoëfficiënt 1,0 zijn. Als de besparingen geen enkel verband hielden met de locatie en hoogte van de investeringen, en er geen home bias was, dan was de coëfficiënt 0.)[3]

Pas de afgelopen tien jaar vertaalt de toegenomen handel zich in steeds grotere tekorten op de Amerikaanse lopende rekening en handelsbalans, die overeenkomen met het totaal aan externe overschotten van veel van onze handelspartners, waaronder het meest recent ook China. In 2006 waren er grote overschotten op de lopende rekening ontstaan van China (239 miljard dollar), Japan (170 miljard dollar), Duitsland (146 miljard dollar) en Saoedi-Arabië (96 miljard dollar) – stuk voor stuk recordhoogtes. Tekorten op de lopende rekening hadden behalve de Verenigde Staten (857 miljard dollar) ook Spanje (108 miljard dollar), het Verenigd Koninkrijk (68 miljard dollar) en Frankrijk (46 miljard dollar). Om een idee te krijgen van de breedte van de huidige spreiding (besparingen minus investeringen van afzonderlijke landen), heb ik de som van de absolute waarden van de overschotten en tekorten op de lopende rekeningen (dus ongeacht het teken) uitgedrukt als percentage van het wereld-BBP. Die verhouding schommelde tussen de 2 en 3 procent tussen 1980 en 1996. In 2006 was deze bijna 6 procent.

De afnemende home bias is de belangrijkste oorzaak van de grotere overschotten en tekorten, maar misschien dragen ook de verschillen tus-

Toen president Bill Clinton op 17 februari 1993 tijdens een gezamenlijke zitting van het Congres zijn pakket maatregelen om het begrotingstekort terug te dringen aanbood, stond ik ingeklemd tussen Hillary Clinton en Tipper Gore. De politieke overwegingen achter die opstelling bezorgden me een ongemakkelijk gevoel, maar ik genoot van het gezelschap, en ik was in de eerste plaats erg blij met het feit dat de president de tekorten serieus nam.
Luke Frazza/AFP/Getty Images

President Clinton bleek verfrissend genoeg belangstelling te hebben voor economische kwesties.
BOVEN: *Ron Sachs/CNP/Corbis*;
ONDER: *officiële foto Witte Huis*

Andrea en ik trouwden op 6 april 1997 in de Inn at Little Washington in Virginia.
Met dank aan Denis Reggie

Aan weerszijden van het net met minister van Financiën Lloyd Bentsen op de tennisbaan van de Senaat, 1994. Mijn goede vriend Lloyd speelde een onderbelichte rol in de lancering van het geslaagde economische beleid van Clinton.
Met dank aan het Amerikaanse ministerie van Financiën

Tijdens mijn periode als voorzitter van de Fed raakte de Amerikaanse economie steeds meer verweven met die van de rest van de wereld, en dus raakte ik allengs meer betrokken bij reddingsoperaties voor andere landen die in een economische crisis raakten. De overdrijving die bij zo'n tijdschriftomslag hoort even daargelaten: minister van Financiën Robert Rubin, onderminister van Financiën Lawrence Summers en ik hadden een ongewoon vruchtbare en harmonieuze samenwerking; voor beiden heb ik groot respect.
Time/*Time Life Pictures/Getty Images*

Toen de dotcom-hausse op zijn toppunt was bedacht CNBC een gimmick die ze de 'aktentasmeter' noemden. Dat hield in dat ik op ochtenden dat er een FOMC-vergadering was bij mijn aankomst bij de Fed werd gefilmd. Als mijn tas dun was, luidde de theorie, dan had ik geen zorgen en ging het goed met de economie. Maar als hij vol zat, dreigde er een verhoging van de rentetarieven.
Met dank aan CNBC

Op oudejaarsavond 1999 gingen Andrea en ik op weg naar het millenniumdiner bij de Clintons in het Witte Huis nog even langs bij het millenniumcrisisteam van de Fed.
Met dank aan Howard Amer

Tijdens mijn getuigenis voor de Joint Economic Committee van het Congres op 21 april 2004. De vermaning 'ten eerste geen kwaad doen' geldt net zo goed voor voorzitters van de Fed die in het openbaar spreken als voor artsen. *David Burnett/Contact Press Images*

Na onze eerste ontmoeting op 18 december 2000 in het Madison Hotel in Washington worden aanstaand president George W. Bush en ik door de media begroet.
Cynthia Johnson/Time Life Pictures/ Getty Images

Op 19 juni 2004 werd ik voor de vijfde en laatste maal beëdigd als voorzitter van de Fed, door vicepresident Cheney thuis bij Gerald Ford in Colorado.
Officiële foto van het Witte Huis/David Bohrer

De ministers van Financiën (*achterste rij*) en de centrale bankiers (*voorste rij*) van de rijkste industrielanden ter wereld in Washington bijeen tijdens een vergadering van economische beleidsmakers van de G7. Onder de ministers van Financiën onder anderen Nicolas Sarkozy, inmiddels president van Frankrijk (*tweede van links*) en Gordon Brown (*achterste rij helemaal rechts*), inmiddels minister-president van Groot-Brittannië.
Met dank aan de Banca d'Italia

Een groep demonstranten was erop uit de jaarlijkse vergadering van de Wereldbank/IMF op 17 april 2000 in Washington te verstoren. Ironisch genoeg neemt de felheid van dit soort openbare protesten vrijwel in dezelfde mate toe als de macht van natiestaten om afzonderlijk en in samenwerking de wereldwijde krachten in de markt naar hun hand te zetten afneemt.
AP Images/Khue Bui

Tijdens een plezierige reis naar Groot-Brittannië in september 2002 viel me de eer te beurt om door koning Elizabeth II te worden geridderd en het nieuwe gebouw van het ministerie van Financiën te mogen openen. In 2005 ontving ik een eredoctoraat van de universiteit van Edinburgh, in aanwezigheid van mijn vriend Gordon Brown, indertijd minister van Financiën. BOVEN: *AP Images/David Cheskin*; ONDER: *Christopher Furlong/Getty Images*

Ik vond het verbijsterend hoe snel de Chinese leiders een behoorlijk diepgaand inzicht ontwikkelden in de werking van een markteconomie, als je in aanmerking neemt wat een enorme afstanden ze daarvoor moesten overbruggen. Hier ontmoet ik de Chinese president Jiang Zemin in de Grote Hal van het Volk. De Chinese minister van Financiën Jin Renqing zit rechts. *Collectie Alan Greenspan*

De Chinese premier Zhu Rhongji behoort met Michail Gorbatsjov tot degenen die een zeer grote invloed hebben gehad op de economische gebeurtenissen in de wereld. Hij en ik zijn in de loop van vele ontmoetingen goed bevriend geraakt. Bob Rubin en ik ontmoetten hem tijdens zijn bezoek aan Washington in 1999, toen hij er bij president Clinton en het Congres op aandrong om de toelating van China tot de Wereldhandelsorganisatie te steunen. *Epix/Getty Images*

Uitkijkend over het Tiananmen-plein vanaf een balkon in de buurt van de plek waar Mao de geboorte van de Volksrepubliek China aankondigde.

Hier spreek ik leerlingen van een middenschool in Washington toe over het belang van het afmaken van je schoolopleiding, als onderdeel van een programma voor financiële educatie in juni 2003. Een deel van de ernstigste problemen waarmee we worstelen kan worden opgelost door de manier waarop we onze kinderen onderwijzen te hervormen.
AP Images/Susan Walsh

Tijdens de rouwdienst voor president Ford in de Rotunda van het Capitool, 30 september 2006. Links van mij staan Henry Kissinger, Brent Scowcroft en Bob Dole. Ik was erg onder de indruk van de vele blijken van rouw bij Fords overlijden en vatte dit voor een deel op als een uiting van verlangen naar een minder door tweespalt getekende tijd in de Amerikaanse politiek.
Mark Wilson/Getty Images

Bij de beëdiging van Ben Bernanke tot veertiende voorzitter van de Federal Reserve op 6 februari 2006. Ik liet de post met een gerust hart over aan zo'n ervaren opvolger. *Jim Young/Reuters/Corbis*

Met Roger Ferguson, een naaste medewerker, en gedurende achtenhalf cruciale jaren, van 1997 tot 2006, vicevoorzitter van de Fed. *Diana Walker*

'HI, THIS IS AL ... DOWN AT GREENSPAN'S GARAGE.... LOOK, THIS TUNE-UP IS TAKING LONGER THAN I THOUGHT...'

"And please let Alan Greenspan accept the things he cannot change, give him the courage to change the things he can and the wisdom to know the difference."

Karikaturen horen er nu eenmaal bij.

BOVEN: © *Tribune Media Services, Inc. Alle rechten voorbehouden;* ONDER: *Met toestemming van Mike Luckovich and Creators Syndicate, Inc.;* BOVEN RECHTS: © *The New Yorker Collection 1997, Warren Miller van cartoonbank.com. Alle rechten voorbehouden;* BENEDEN RECHTS: © *The New Yorker Collection 2000, Lee Lorenz van cartoonbank.com. Alle rechten voorbehouden.*

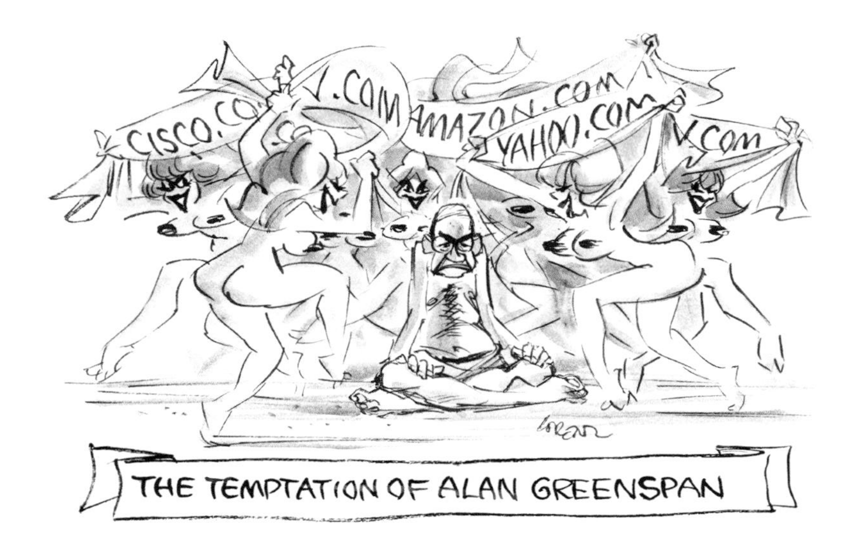
CISCO.COM
V.COM
AMAZON.COM
YAHOO.COM
V.COM
THE TEMPTATION OF ALAN GREENSPAN

IN ANSWER TO YOUR QUERY, BASED ON UNDERLYING ASSUMPTIONS, WHICH ARE PRIMARILY TRENDING UPWARD, COUPLED WITH....
CHICKEN NOODLE IT IS....
Chicken Soup
BEEF Soup
THE VIEW
MIKE LUCKOVICH AJC.com 10-24-05 ATLANTA JOURNAL-CONSTITUTION©
ALAN GREENSPAN IN RETIREMENT

Die heerlijke harmonie. *Foto: Harry Bensen*

sen risicogecorrigeerde investeringsrendementen eraan bij.[4] En relatieve risicogecorrigeerde investeringsrendementen vormen zeker een belangrijke factor bij de beslissing in welke landen overtollige besparingen worden geïnvesteerd.

Sinds 1995 leidde de hogere productiviteitsgroei in de Verenigde Staten (vergeleken met de nog bescheiden groeitempo's in het buitenland) tot overeenkomstig hogere verwachte rendementen op investeringen, die weer een toename tot gevolg hadden van de internationale vraag naar Amerikaanse activa. Dit is een belangrijke verklaring voor het feit dat een zo groot percentage van buitenlandse besparingen in de Verenigde Staten zijn geïnvesteerd.[5]

Ik vermoed dat de discussie over de oorzaken van de scherpe stijging van het tekort op de Amerikaanse lopende rekening nog wel een tijdje zal duren. De veel belangrijker vraag is echter of de schijnbaar onvermijdelijke aanpassing goedaardig zal zijn of dat ze, zoals velen vrezen, tot een internationale financiële crisis zal leiden als de dollar instort. Zoals eerder opgemerkt, geloof ik veel meer in de goedaardige variant.

Van groter belang is wat er gebeurt als buitenlanders verdere verhoging van het aandeel in hun beleggingsportfolio van nettoclaims op Amerikaanse inwoners (want dat is wat het huidige tekort op de lopende rekening feitelijk impliceert) onwenselijk achten. Tekorten op de lopende rekening leiden in hun totaliteit tot een steeds toenemende nettoschuldenlast van de inwoners van de Verenigde Staten (bijna 2,5 biljoen dollar eind 2006), met een bijbehorende toename in de rente- en afbetalingslasten. Deze trend kan niet oneindig voortduren. Op een gegeven moment zullen buitenlandse investeerders, zelfs als het rendement op de investeringen verhoudingsgewijs hoog blijft, terugschrikken voor de toenemende concentratie in hun beleggingsportfolio. Het bekende principe dat je niet alles op één kaart moet zetten, geldt net zo goed voor de internationale financiële markt als voor het huishoudbudget. Als en wanneer de voorkeur van buitenlanders voor Amerikaanse activa afneemt, dan uit zich dit in een afnemende vraag naar dollars en daalt de waarde van de Amerikaanse munt.[6] Een lagere dollar zal de import natuurlijk remmen en de export stimuleren. Conclusie: als het buitenland de Amerikaanse tekorten niet langer wil financieren, zullen die vanzelf afnemen. Diversificatie van de reserves van de internationale monetaire autoriteiten, of nog relevanter, de internationale reserves van privébeleggers, heeft dus consequenties.

Analisten maken zich zorgen dat om de rente over de stijgende Amerikaanse nettoschuld aan buitenlanders te kunnen betalen, ons tekort op de handelsbalans sterk moet afnemen (of in een overschot moet veranderen) en/of buitenlanders in toenemende mate bereid moeten zijn in Amerikaanse activa te beleggen om ons zo de fondsen te verschaffen om de rente te betalen.[7] Dat is nog geen probleem omdat het rendement op de investeringen op de meer dan twee biljoen dollar aan Amerikaanse investeringen in het buitenland 11 procent bedroeg in 2005, veel hoger dan de huidige rentetarieven die nu aan buitenlanders worden betaald op Amerikaanse schulden. Het resultaat is dat wij slechts een beetje meer rente en dividend betalen aan buitenlanders dan wat wij aan dergelijke inkomsten van buitenlanders krijgen. Maar doordat de nettoschuldenlast (die gelijk is aan het tekort op de lopende rekening aangepast voor vermogensaanwas en -verlies) onstuitbaar toeneemt, liggen er nog veel grotere nettobetalingen aan buitenlanders in het verschiet.

De hardnekkig hoge Amerikaanse tekorten in 2006 hadden geen ernstige negatieve consequenties voor de Amerikaanse economie omdat deze, denk ik, vooral een manifestatie zijn van de steeds toenemende specialisatie en arbeidsverdeling die zich in een volledig nieuwe internationale hightechomgeving voordoen. Als ik al het bewijsmateriaal bekijk (anekdotisch, indirect en statistisch), dan denk ik dat het huidige recordtekort op de lopende rekening van de Verenigde Staten onderdeel is van stijgende tekorten en daar tegenoverstaande overschotten in het algemeen die – voornamelijk binnen de grenzen van de Verenigde Staten – de transacties weerspiegelen van Amerikaanse huishoudens, bedrijven en overheden. Het oplopen van tekorten en overschotten in bredere zin is al tientallen jaren, zo geen honderden jaren aan de gang. Er deed zich een duurzame maar geleidelijke stijging voor. Het deel van die algemene tekorten dat de netto buitenlandse financiering betreft van de schulden van de individuele economische agenten – ons huidige tekort op de lopende rekening –, nam echter toe van een verwaarloosbaar klein percentage begin jaren negentig tot 6,5 procent van ons BBP in 2006.

Naar mijn mening richten beleidsmakers zich in te enge zin op de buitenlandse schulden van Amerikanen, in plaats van op alle claims, zowel binnenlandse als buitenlandse, die het economisch gedrag kunnen beïnvloeden en zorg over de financiële stabiliteit veroorzaken. In de balansen van de huidige lopende rekening staan alleen internationale transacties. Onze berekeningen zijn geworteld in de obsessie van de vroeg-achttiende-eeuwse mercantilisten die streefden naar een overschot op hun betalingsbalans, zodat goud, de toenmalige maatstaf voor de rijkdom van een land, zou binnenstromen.

Als we de nettobalans van kleinere geografische eenheden zouden meten, zoals van afzonderlijke Amerikaanse staten of Canadese provincies (wat we niet doen) of van veel grotere groepen landen, zoals Zuid-Amerika of Azië, dan zouden de trends in deze maatstaven en hun schijnbare implicaties totaal anders zijn dan trends die uitsluitend zijn af te lezen uit de balans van onze gebruikelijke soevereiniteit-afbakenende nationale maatstaf, de lopende rekening.

Welke geografische meeteenheid we kiezen, hoort af te hangen van wat we proberen te ontdekken. Ik neem aan dat we in de meeste gevallen, tenminste waar het beleid betreft, proberen de mate van economische spanning te beoordelen die een voorbode is van duidelijk negatieve economische resultaten. Om een goed oordeel te vormen, zouden er in dat geval gegevens op financiële balansen moeten staan die zo gedetailleerd zijn als op het niveau waar economische beslissingen worden genomen, dat wel zeggen op het niveau van individuele huishoudens, bedrijven en overheden. Daar ondervindt men spanning, en dat zijn dus de plekken waar handelingen en trends die economieën kunnen destabiliseren vandaan komen.

Als een huishouden meer dan zijn inkomen uitgeeft aan consumptie en aan investeringen, zoals een huis, wordt het door economen gezien als een huishouden met schulden. (Investeringen kunnen natuurlijk ook negatief zijn, bijvoorbeeld bij de verkoop van een bestaand huis of de liquidatie van voorraden.) Netto leent het huishouden activa en het heeft een negatieve cashflow. Een huishouden dat spaart door geld opzij te zetten of schulden af te betalen, is een huishouden met een overschot, met een positieve cashflow. Soortgelijke etiketten worden gebruikt voor bedrijven en overheden (op het niveau van de gemeente, de staat en de centrale overheid). Als we die tekorten en overschotten voor alle inwoners van de Verenigde Staten consolideren, eindigen we met een residu dat gelijk is aan de netto nieuwe claims van Amerikanen of de netto nieuwe schuld aan buitenlanders – dat wil zeggen, ons respectievelijke tekort of overschot op de lopende rekening.[8]

Maar voor consolidatie doet zich al tientallen jaren, mogelijk zelfs sinds de negentiende eeuw, een stijging voor in zowel de financiële tekorten als overschotten van Amerikaanse economische agenten (huishoudens, bedrijven en overheden) uitgedrukt in hun inkomen.[9] Voor het grootste deel van die periode werden de tekorten van de ene economische agent bijna volledig gecompenseerd door overschotten bij de andere economische agenten. Onze lopende rekening was daarom klein.[10] Wat speciaal is aan de afgelopen tien jaar, is dat de afname van home bias en waardestijging van huizen en andere bezittingen hebben geleid tot een flinke toename van de aanschaf van buitenlandse producten en diensten, die met graagte werden gefinancierd door buitenlandse investeerders.

De nettotoename van de buitenlandse schuld (het tekort op de lopende rekening) geeft een incompleet statistisch beeld van de mate van economische spanning en over- of onderschat soms het probleem voor de economie als geheel. Als we in een wereld leefden waarin bij transacties van goederen, diensten en kapitaal soevereine of andere grenzen werden genegeerd, dan zouden de maatstaven voor de druk waaronder de meest gedetailleerde economische entiteiten zich bevinden, zonder meer de meest informatieve zijn. De balansen van lopende rekeningen voor landen, zijn van belang voor de wisselkoers, maar ik vermoed dat de maatstaf te vaak wordt gebruikt om een meer algemene malaise aan te tonen. Dat is een vergissing.

De onevenwichtigheden op de Amerikaanse handels- en kapitaalsbalans nemen nu al geruime tijd toe. Ze weerspiegelen de toenemende specialisatie van de economische functie, die minstens teruggaat op het begin van de industriële revolutie. Er ontstond een toenemende arbeidsverdeling, een proces waarbij taken voortdurend verder werden onderverdeeld, er een steeds groter specialisatie- en vaardigheidsniveau ontstond, en individuen en landen in economisch opzicht steeds minder zelfvoorzienend werden. Hierdoor gingen de productiviteit en de levensstandaard omhoog. Een dergelijke specialisatie bevordert de handel onder de economische entiteiten binnen een land, maar ook met internationale handelspartners, zoals al in de begindagen van de handel het geval was.

In de loop van de tijd heeft een toenemend deel van de Amerikaanse huishoudens, niet-financiële ondernemingen en overheden, zowel landelijk als lokaal, zijn kapitaalinvesteringen uit andere bronnen gefinancierd dan uit zijn eigen huishoudinkomen, de interne fondsen van de onderneming of belastingen. In het vroege Amerika kwam die financiering bijna in haar geheel voort uit Amerikaanse financiële instellingen en andere Amerikaanse entiteiten. De schuld van Amerikanen aan het buitenland was klein. De toenemende, risicovolle neiging van veel Amerikanen om te lenen in de verwachting dat het inkomen zal stijgen, wordt weerspiegeld in een hardnekkige stijging van de bezittingen en schulden (van huishouden en bedrijven) in verhouding tot het inkomen.

Een gedetailleerde berekening door medewerkers van de Federal Reserve Board aan de hand van gegevens van meer dan vijfduizend niet-financiele Amerikaanse ondernemingen tussen 1983 en 2004 toonde aan dat de groei van het totaal aan schulden van ondernemingen waar kapitaaluitgaven groter waren dan de cashflow, consequent hoger was dan de groei van de toegevoegde waarde van de onderneming. De som van overschotten en tekorten (in absolute waarden) uitgedrukt in de toevoegde waarde van bedrijven, vertoont een gemiddelde toename van 3,5 procent per jaar.[11] Er zijn maar weinig gegevens over de spreiding van financiële schulden van Amerikaanse economische agenten op die van niet-financiële ondernemingen na. Een afzonderlijke, minder bevredigende berekening van slechts gedeeltelijk geconsolideerde financiële balansen van individuele economische agenten ten opzichte van het nominale BBP laat zien dat de absolute som van tekorten en overschotten in de afgelopen vijftig jaar 1,25 procent per jaar sneller is toegenomen dan het nominale BBP.[12]

De toename van de spreiding van de ongelijkheden van de economische agenten binnen de Amerikaanse nationale grenzen, berekend op basis van data van de deels geconsolideerde financiële balansen, lijkt de afgelopen tien jaar wat te zijn afgevlakt. Daar de groei van het tekort op de lopende rekening in die jaren is versneld, is het plausibel om ervan uit te gaan dat het algemene proces van spreiding van onevenwichtigheden bij Amerikaanse economische agenten doorging, maar met een toenemend aandeel van buitenlandse bronnen bij het financieren van de tekorten van Amerikaanse huishoudens, bedrijven en overheid. Dit is zeker duidelijk bij de financiering van het federale begrotingstekort en de bedrijfsinvesteringen.[13] Kortom, de toename van het tekort op onze lopende rekening in de afgelopen tien jaar weerspiegelt aantoonbaar de verschuiving van handel en financiering binnen de grenzen van de Verenigde Staten naar die met en vanuit het buitenland.

Het verhaal van de uitholling van de balans van onze lopende rekening is daarom het verhaal van binnenlandse onevenwichigheden die begin jaren negentig overvloeiden naar het buitenland en toen zichtbaar werden als snel stijgende tekorten op de lopende rekening. Iedere balans die met een overschot begint (zoals in 1991 het geval was) en snel omslaat in een tekort, is reden voor zorg, en wordt bijna altijd een politiek issue. Maar tenzij het er enorm toe doet, bijvoorbeeld of een in Amerika gevestigd bedrijf zijn investeringen financiert met behulp van buitenlandse in plaats binnenlandse bronnen, zou de meest relevante maatstaf voor het gebrek aan evenwicht moeten bestaan uit zowel binnenlandse als buitenlandse financieringsbronnen. De druk op de Amerikaanse economische agenten is aantoonbaar weinig verhoogd met de verschuiving van de financieringsbron. De stijging van de verhouding van de schulden (zowel buitenlands als binnenlands) tot het BBP vertoont een veel bescheidener en minder angstaanjagende trend dan alleen die van de buitenlandse component (de lopende rekening).

Veel Amerikaanse bedrijven kochten bijvoorbeeld vroeger hun onderdelen bij binnenlandse leveranciers, maar de afgelopen jaren zijn ze overgeschakeld op buitenlandse leveranciers. Voor deze bedrijven is concurrentie tussen binnenlandse en buitenlandse leveranciers van dezelfde orde als concurrentie uitsluitend tussen binnenlandse leveranciers. Als er van een binnenlandse naar een buitenlandse leverancier wordt overgeschakeld, wordt de boekhouding van de internationale betalingsbalans beïnvloed, maar niet de macro-economische druk. Natuurlijk ondervinden de bedrijven die minder verkopen, daar de negatieve invloed van, evenals de mensen die er werken, tenminste totdat ze ergens anders concurrerender werk vinden. Een significant verschil bij overschakeling op buitenlandse leveranciers is het effect van de wisselkoers tijdens het aanpassingsproces en later. Vanuit het perspectief van de individuele stress zijn die effecten echter ongeveer dezelfde als een prijsverandering van een belangrijk consumptiegoed.

Extra bewijzen dat de tekorten en overschotten van binnenlandse economische agenten van de Verenigde Staten in de afgelopen jaren inderdaad zijn gestegen in verhouding tot de inkomens, zijn te vinden bij de toename van de activa van financiële intermediairs in verhouding tot niet-financiële activa en het nominale BBP. Het zijn deze financiële instellingen die tegoeden hebben geaccepteerd en leningen hebben afgesloten om de financiële overschotten en tekorten van Amerikanen mogelijk te maken. Huishoudens hebben bijvoorbeeld het inkomen dat ze niet uitgeven, gestort bij commerciële banken en spaarbanken. Anderen konden door lening van deze tegoeden een huis, kapitaalgoederen of een fabriek financieren. De omvang van deze instellingen kan daarom dienen als een alternatieve schatting voor deze tekorten en overschotten. We kunnen zelfs stellen dat de noodzaak om deze uitdijende tekorten en overschotten te intermediëren, in de loop der generaties tot de ontwikkeling van onze grote financiële instellingen heeft geleid.

Sinds 1946 zijn de activa van Amerikaanse financiële intermediairs met 1,8 procent per jaar gestegen in verhouding tot het nominale BBP, waarbij nog niet eens rekening is gehouden met de veel grotere groei van de hypotheekverstrekkers. Vanaf 1896 (de vroegste datum waarop er uitvoerige data over banktegoeden beschikbaar zijn) tot 1941 stegen de activa van banken, die in die jaren veruit de belangrijkste financiële intermediairs waren, met 0,6 procent per jaar in verhouding tot het BBP.

Impliciet bij de toename van tekorten en overschotten van individuele economische entiteiten is de verwachting van toenemende cumulatieve schulden voor sommigen, en vandaar een mogelijk snelle toename van schulden als deel van het inkomen, of het equivalent, het BBP.[14] Van 1900 tot 1939 stegen de niet-financiële privéschulden gemiddeld bijna 1 procent per jaar sneller dan het BBP. Door de inflatie tijdens de Tweede Wereldoorlog en de naoorlogse jaren verdween de reële schuldenlast tijdelijk. Spoedig daarna ging de stijging van de ratio weer verder. Van 1956 tot 1996 steeg de niet-financiële zakelijke schuld per jaar 1,8 procent sneller dan de toegevoegde waarde van het bedrijfsleven, en 1,2 procent sneller tussen 1996 en 2006.[15]

Een stijgende schuldenlast in verhouding tot het inkomen bij huishoudens, of van niet-financiële schulden tot het BBP, is op zich nog geen teken van spanning. Het is grotendeels een afspiegeling van het groeiende financiële gebrek aan evenwicht bij economische agenten, dat op zijn beurt weer een afspiegeling is van de onomkeerbare ontwikkeling met betrekking tot de arbeidsverdeling en specialisatie. Schulden en bezittingen van de niet-financiële sector zijn de laatste halve eeuw sneller gestegen dan het inkomen. Maar de schulden stijgen sneller dan de activa, dat wil zeggen, de verhouding vreemd vermogen tot eigen vermogen, de zogenoemde hefboom, is toegenomen. In 2006 bedroegen de schulden van huishoudens 19,3 procent van de bezittingen, terwijl dat in 1952 nog 7,6 procent was. De schulden van het bedrijfsleven (zonder financiële instellingen) als percentage van de bezittingen stegen van 28 procent in 1952 tot 54 procent in 1993, maar waren eind 2006 weer gedaald tot 43 procent omdat ondernemingen uitgebreide maatregelen namen om hun balans op orde te krijgen.

Het is moeilijk te beoordelen hoe problematisch deze toename van de hefboom op lange termijn is. Omdat mensen een aangeboren en onveranderlijke risicoaversie hebben, weerspiegelt de alsmaar toenemende bereidheid om meer vreemd vermogen te gebruiken waarschijnlijk de verbeterde financiële flexibiliteit, die het mogelijk maakt de hefboom te vergroten zonder groter risico – althans, tot op zekere hoogte. Meteen na de Amerikaanse Burgeroorlog vonden bankiers het nodig de helft van hun activa met eigen vermogen af te dekken. Minder was te riskant. Tegenwoordig zijn bankiers al tevreden met een tiende, terwijl er tegenwoordig minder faillissementen zijn dan 140 jaar geleden. Dezelfde trend doet zich voor bij huishoudens en bedrijven. De toename in het gebruik van vreemd vermogen lijkt het resultaat van enorme verbeteringen in de technologie en infrastructuur, en niet van een grotere neiging tot het nemen van risico bij de mens. Natuurlijk leidt een toename van de schulden boven wat de nieuwe technologieën aankunnen tot een crisis. Ik weet niet wat het omslagpunt is. Bovendien heeft het onderzoek dat ik in 1959 deed naar de schuldenlast van consumenten uit 1959 me het idee gegeven dat ik het vermogen van huishoudens en bedrijven om hun eigen zaakjes te runnen niet moet onderschatten.

Het is verleidelijk te veronderstellen dat het tekort op de Amerikaanse lopende rekening eigenlijk een nevenproduct is van deze langetermijnkrachten, en dus grotendeels goedaardig is. We hebben het de afgelopen jaren tenslotte betrekkelijk gemakkelijk kunnen financieren. Maar zijn de schijnbaar alsmaar stijgende tekorten van Amerikaanse individuele huishoudens en niet-financiële bedrijven een teken van groeiende economische spanning? En doet het ertoe of die tekorten met binnenlandse of buitenlandse bronnen worden gefinancierd? Als economische beslissingen werden genomen zonder dat er risico's bestonden met betrekking tot de wisselkoers of de omstandigheden in het buitenland, dan zou men kunnen betogen dat ongelijkheden op de lopende rekening geen economische betekenis hebben, en zou de accumulatie van schulden aan buitenlanders weinig implicaties hebben buiten de solvabiliteit van de schuldenaren zelf. De vraag of Amerikaanse entiteiten schulden hebben bij binnenlandse of buitenlandse leners, zou niet zo belangrijk zijn.

Maar nationale grenzen zijn wel degelijk belangrijk, tenminste tot op zekere hoogte. De rente en afbetaling op buitenlandse leningen moeten uiteindelijk worden gefinancierd uit de export van verhandelbare goederen en diensten, of van kapitaalinstroom, terwijl binnenlandse schulden een bredere basis hebben van waaruit ze kunnen worden gefinancierd. Voor individuele bedrijven zijn transacties met het buitenland soms gecompliceerd vanwege een onberekenbare wisselkoers, maar over het algemeen is dit een probleem dat bij het gewone bedrijfsrisico hoort. Het is waar dat het aanpassingsproces van de markt minder effectief of transparant lijkt bij zaken met het buitenland dan die met het binnenland. Prijzen van dezelfde goederen in plaatsen die dicht bij elkaar, maar in verschillende landen liggen, lopen vaak aanzienlijk uiteen ook al worden ze aangeboden in dezelfde munt.[16] Tekorten op de lopende rekening tussen landen kunnen dus leiden tot een mate van economische spanning die groter is dan die van binnenlandse onevenwichtigheden. De risico's die men loopt met een andere munt en een ander juridisch systeem, moeten worden opgeteld bij de normale binnenlandse risico's. Maar hoe significant zijn de verschillen?

Veel van onze economische wegwijzers veranderen door de globalisering. Het is waarschijnlijk redelijk om ervan uit te gaan dat de wereldwijde toename van de tekorten en overschotten van ongeconsolideerde economische agenten als ratio tot het nominale BBP, zoals eerder opgemerkt, zal blijven stijgen, zolang specialisatie en arbeidsverdeling wereldwijd verder toenemen. Of de tekorten en overschotten op de internationale lopende rekeningen ook blijven stijgen, is een open vraag. Een dergelijke toename zou een verdere afname van de home bias impliceren. Maar in een wereld van natiestaten verdwijnt home bias nooit helemaal. Uiteindelijk moet deze zich stabiliseren en dat is misschien zelfs al wel gebeurd.[17] In dat geval zou het Amerikaanse tekort op de lopende rekening waarschijnlijk weer richting evenwicht gaan.

Wat ondertussen de betekenissen en mogelijk negatieve implicaties van het tekort op de lopende rekening ook mogen zijn, de beste manier om dergelijke risico's op te vangen, is waarschijnlijk het behoud van de economische flexibiliteit, zoals ik in eerdere hoofdstukken heb benadrukt. De toename van dollarschulden van Amerikanen aan het buitenland leidt al tot zorgen over het concentratierisico – de zorg dat buitenlandse beleggers te veel op één paard wedden en dat ze uiteindelijk hun dollars zullen omruilen voor andere valuta, ook als dollarbeleggingen hogere opbrengsten hebben. Hoewel buitenlandse beleggers voorlopig nog niet minder in de Verenigde Staten zijn gaan investeren, is de waarde van de dollar sinds 2002 afgenomen, evenals (volgens sommige berekeningen) het aandeel activa in dollars in internationale beleggingsportefeuilles.[18]

Als de huidige verontrustende verschuiving richting protectionisme tot staan wordt gebracht en markten voldoende flexibel blijven, zouden veranderingen van de ruilvoet, rentetarieven, prijzen en wisselkoeren ervoor moeten zorgen dat Amerikaanse besparingen stijgen ten opzichte van de binnenlandse investeringen. Hierdoor zou de noodzaak voor buitenlandse financiering afnemen en de trend van de afgelopen tien jaar om op buitenlandse fondsen te rekenen, tot staan worden gebracht. Maar als het funeste gebrek aan begrotingsdiscipline in de Verenigde Staten en elders niet tot staan wordt gebracht en wordt versterkt door een protectionistische omkering van de globalisering, zou het proces van aanpassing van het huidige tekort wel eens zeer pijnlijk kunnen worden voor de Verenigde Staten en onze handelspartners.

19

GLOBALISERING EN REGULERING

Vóór 1914 leek de wereld volgens alle contemporaine verslagen steeds fatsoenlijker en beschaafder te worden. De maatschappij leek perfectioneerbaar. In de negentiende eeuw was een einde gekomen aan de afschuwelijke slavenhandel, en het onmenselijke geweld leek af te nemen. Met uitzondering van de Amerikaanse Burgeroorlog (1861–1865) en de Frans-Duitse Oorlog (1870–1871) waren er sinds de napoleontische tijd geen oorlogen meer geweest waaraan grote delen van de 'beschaafde wereld' hadden deelgenomen. In de negentiende eeuw werden er talloze ontdekkingen gedaan en hadden spoorwegen, telefoon, elektrisch licht, bioscopen, auto's en talloze huishoudelijke apparaten hun intrede gedaan. In wat wij de 'ontwikkelde wereld' noemen, was de levensverwachting dankzij de vooruitgang in de medische wetenschap, betere voeding en de beschikbaarheid van schoon drinkwater gestegen van 36 jaar in 1820 tot meer dan vijftig jaar in 1914. Overal heerste het gevoel dat de vooruitgang onomkeerbaar was.

De Eerste Wereldoorlog was een veel grotere klap voor het fatsoen en de beschaving dan de veel verwoestender Tweede Wereldoorlog. In de oorlog van 1914–1919 werd een idee vernietigd. Ik kan de gedachten aan de jaren voor de Eerste Wereldoorlog niet van me afzetten, toen de toekomst van de mensheid zorgeloos en onbegrensd leek.[1] Ons perspectief is totaal anders dan dat van een eeuw geleden, maar misschien wat meer in overeenstemming met de werkelijkheid. Zullen terreur, het opwarmen van de aarde of de wedergeboorte van het populisme hetzelfde betekenen voor het huidige tijdperk van vooruitgang en globalisering als de Eerste Wereldoorlog voor het voorgaande tijdperk? Niemand kan het met zekerheid zeggen. Maar het is bij de bespreking van de kwestie de moeite waard om te kijken naar de wortels en de instituties van de wereldwijde economie, die de levensstandaard van bijna alle wereldbewoners hebben verhoogd en hebben geholpen de hoop van de mensheid te herstellen.

De economie van een land groeit en gedijt als de bewoners leren te specialiseren en hun arbeid te verdelen. Dit geldt ook op wereldwijde schaal. Globalisering – de toenemende specialisatie en uitbreiding van de arbeidsverdeling over grenzen heen – is duidelijk een sleutel tot het begrip van de meer recente economische geschiedenis. Doordat men overal ter wereld steeds beter in staat is om transacties uit te voeren en risico te nemen, ontstaat er een echte wereldeconomie. Producten die in een bepaald land worden geassembleerd, bestaan in toenemende mate uit onderdelen die van vele continenten komen. Doordat men wereldwijd de meest concurrerende arbeidskrachten en materialen kan vinden, in plaats van alleen maar in eigen land, worden niet alleen de kosten en de prijsinflatie gereduceerd, maar wordt ook de verhouding verbeterd tussen de waarde van de input en de output – de breedste maatstaf voor de productiviteit en een bruikbare vervangende maatstaf voor de levensstandaard. De gemiddelde levensstandaard is flink gestegen. Honderden miljoenen mensen, vooral in ontwikkelingslanden, zijn aan een bestaan onder de armoedegrens ontkomen. Nog eens honderden miljoenen genieten nu een welvaartsniveau waarop mensen in ontwikkelde landen zich al hun hele leven bevinden.

Aan de andere kant hebben de toegenomen inkomensconcentraties die tijdens de globalisering zijn ontstaan, de strijd weer doen oplaaien tussen de cultuur van de verzorgingsstaat en die van het kapitalisme – een slag die ik voor eens en altijd gestreden dacht te zien met de afgang van de centrale planning. Ondertussen bedreigt het terrorisme de rechtsstaat en daarom de welvaart. Er zal wereldwijd een debat worden gevoerd over de toekomst van de globalisering en het kapitalisme, en de uitkomst daarvan zal de wereldmarkt en onze manier van leven voor de komende decennia bepalen.

De geschiedenis waarschuwt ons dat globalisering omkeerbaar is. Veel van wat we de afgelopen kwarteeuw hebben gewonnen, kunnen we weer kwijtraken. De handelsbarrières die na de Tweede Wereldoorlog verdwenen, kunnen weer worden opgericht, maar zeker niet zonder consequenties die lijken op de gevolgen van de beurskrach van 1929.

Ik heb twee grote zorgen over de vraag of we in staat zijn om de wereldwijde vooruitgang in materiële zin vol te houden. In de eerste plaats over de toenemende inkomensconcentratie, die een bedreiging vormt voor het respect en de stabiliteit van democratische maatschappijen. Deze ongelijkheid kan, vrees ik, tot een reactie leiden die in politiek opzicht opportuun, maar in economisch opzicht rampzalig is. In de tweede plaats over wat er gebeurt als het globaliseringsproces vertraagt, wat onvermijdelijk is. Hierdoor zou de wereldwijde groei kunnen afnemen, evenals de brede steun voor het kapitalisme, die na de ondergang van de Sovjet-Unie is ontstaan. Mensen passen zich snel aan bij een hogere levensstandaard en als de vooruitgang vertraagt, hebben ze het gevoel dat ze tekort worden gedaan. Ze zoeken dan naar nieuwe verklaringen of nieuwe leiders. Ironisch genoeg staat het kapitalisme meer in de gunst in veel ontwikkelingslanden waar de groei snel is – zoals in China, delen van India en Oost-Europa – dan op de plek waar het ontstond, in het langzamer groeiende West-Europa.

Een 'volledig geglobaliseerde' wereld is een wereld waarin productie, handel en financiën zonder belemmeringen en zonder last te hebben van afstand of nationale grenzen worden gestimuleerd door het streven naar winst en het nemen van risico. Een dergelijke wereld zal nooit worden gerealiseerd. De inherente aversie die mensen hebben tegen risico, en de home bias die een manifestatie is van die afkeer, duiden dat er grenzen zijn aan de globalisering. Door de liberalisering van de handel zijn de belemmeringen voor de vrije beweging van goederen en diensten de afgelopen decennia sterk afgenomen. Maar een verdere vooruitgang zal steeds moeilijker worden, zoals in de zomer van 2006 werd aangetoond toen de Doha-ronde over handelsliberalisatie op een patstelling uitliep.

Omdat er geen precedenten zijn voor veel van wat er tegenwoordig gebeurt, is het moeilijk te bepalen hoe lang de huidige globaliseringsdynamiek zal blijven voortbestaan. En zelfs dan moeten we nog voorzichtig zijn en niet het afvlakken van de globalisering gelijkstellen aan het opraken van kansen voor nieuwe investeringen. Het sluiten van de Amerikaanse frontier aan het eind van de negentiende eeuw was niet het begin van economische stagnatie, zoals door velen werd gevreesd.

Het herstel na de Tweede Wereldoorlog werd aanvankelijk bevorderd doordat veel economen en politieke leiders meenden dat de crisis in de jaren dertig mede was veroorzaakt door de golf van protectionisme na de Eerste Wereldoorlog. Na de Tweede Wereldoorlog werden handelsbarrières dus systematisch afgebroken, en later werden ook de financiële barrières aangepakt. In de door inflatie geplaagde jaren zeventig en vóór de val van de Sovjet-Unie vond een heroverweging plaats van de economische filosofie van staatsingrijpen, die een uitvloeisel was van de crisisjaren, waardoor de globalisering verder werd gestimuleerd.

Omdat deregulering en innovatie de laatste decennia zo zijn toegenomen[2] en de handels- en investeringsbarrières werden verlaagd, is de internationale handel sneller toegenomen dan het BBP, wat gemiddeld een vergelijkbare stijging impliceert in de wereldwijde verhouding tussen import en BBP. Hierdoor worden economieën steeds meer blootgesteld aan de druk van de internationale concurrentie, die weinig verschilt van de druk van de binnenlandse concurrentie, maar minder controleerbaar lijkt. De toegenomen import bedreigt de werkgelegenheid in ontwikkelde landen, en remt daardoor de lonen, want werknemers die bang zijn hun baan kwijt te raken, eisen minder. Zodoende zet de import, die noodzakelijkerwijs concurrerend geprijsd is, een rem op de inflatie.

Het volume van de internationale handel nam in de eerste decennia na de Tweede Wereldoorlog enorm toe, en de export en import van individuele landen stegen overeenkomstig. Tot halverwege de jaren negentig waren significant en duurzaam onevenwichtige handelsbalansen een zeldzaamheid. Pas toen begon de globalisering van kapitaalmarkten, waardoor de financieringskosten daalden en de wereldvoorraad reëel kapitaal werd vergroot, een belangrijke oorzaak van productiviteitsgroei. Veel spaarders die eerder geneigd of gedwongen waren in hun eigen land te investeren, keken naar het buitenland voor een bredere keus aan investeringsmogelijkheden. Gezien het bredere aanbod van financieringsmogelijkheden om uit te kiezen, daalden de gemiddelde kapitaalkosten voor investeerders. De internationale referentie voor de rente, de jaarrente op Amerikaans schatkistpapier met een tienjarige looptijd, is sinds 1981 gedaald. Tot 1989, toen de Berlijnse Muur viel, daalde deze met de helft, en met nog eens de helft tot het dieptepunt halverwege 2003.

Door de opkomst van de wereldwijde financiële markten die er het gevolg van was, werden besparingen van overal ter wereld veel efficiënter geïnvesteerd, wat een belangrijke indirecte bijdrage leverde aan de globale mondiale productiviteitsgroei.[3] In mijn optiek leken de goeddeels ongereguleerde markten (op een paar opvallende uitzonderingen na) vanaf 1995 gladjes van het ene naar het andere evenwicht toe te bewegen. Adam Smith' 'onzichtbare hand' werkte op wereldwijde schaal. Waarom ervaren we langdurige perioden van stabiele of stijgende werkgelegenheid of productiviteit, en alleen geleidelijk veranderende wisselkoersen, prijzen, lonen en rentetarieven? Zijn we dwazen dat we op deze stabiliteit vertrouwen wanneer we deze in de markt waarnemen? Of zoals een pas benoemde minister van Financiën – een vriend van me – ooit zei: 'Hoe kunnen we de inherente chaos van de ongereguleerde handel en financiën controleren zonder dat de overheid in belangrijke mate tussenbeide komt?' Hoe kan iemand er met alle biljoenen dollars die dagelijks bij transacties de grenzen oversteken, zeker van zijn dat een ongereguleerd wereldwijd systeem werkt? Toch is dat wat er gebeurt, dag in, dag uit. Soms stort een systeem in, maar dat gebeurt verrassend zelden. Om te vertrouwen op de werking van de wereldwijde economie, moet men inzicht hebben in de rol van de krachten die voor evenwicht zorgen. (En die krachten zijn helaas duidelijker voor economen dan voor de juristen en politici die de regulering bedenken.)

Er is geen precedent voor de huidige wereldwijde 'chaos' om de misvatting van de minister van Financiën nog maar eens aan te halen. Zelfs in de 'gouden dagen' van bijna totale internationale laissez faire van voor de Eerste Wereldoorlog speelde het wereldwijde geldverkeer niet zo'n grote rol. Zoals ik eerder opmerkte, is de omvang van de internationale handel sinds het einde van de Tweede Wereldoorlog veel sneller gestegen dan het reële BBP. Deze toename is een weerspiegeling van het openen van internationale markten en van de enorme vooruitgang in de communicatietechnologie (de *Economist* sprak een paar jaar geleden in dat verband zelf van the *death of distance* – de dood van de afstanden). Om de financiering, verzekering en tijdigheid van al die handel te faciliteren, moest het aantal internationale transacties in financiële instrumenten nog sneller toenemen dan de handel zelf. Er moesten volkomen nieuwe financieringsvormen worden uitgevonden of ontwikkeld: kredietderivaten, *asset backed securities* (ABS), olietermijncontracten enzovoort, die ervoor zorgden dat het wereldhandelssysteem een stuk efficiënter kon werken.

In veel opzichten is de schijnbare stabiliteit van ons wereldwijde systeem van handel en financiering een bevestiging van het eenvoudige, beproefde principe dat in 1776 door Adam Smith werd verkondigd: als individuen vrij met elkaar kunnen handeldrijven en hun eigenbelang nastreven, leidt dit tot een groeiende, stabiele economie. Het schoolvoorbeeld van een perfecte markt werkt als men zich aan de fundamentele uitgangspunten houdt: mensen moeten in vrijheid hun eigenbelang kunnen nastreven, zonder te worden gehinderd door externe schokken of economisch beleid. De onvermijdelijke fouten van deelnemers aan de wereldwijde markt en het inefficiënte handelen die door deze fouten ontstaan, leiden tot grote en kleine economische verstoringen. Toch lijken economieën zich zelfs in crisis altijd weer te herstellen (hoewel dat soms veel tijd kost).

Tijdens een crisis zijn ten minste voor enige tijd de relaties die een normale, functionerende markt kenmerken, gedestabiliseerd. De crisis biedt mogelijkheden om abnormaal hoge winsten te behalen bij de inkoop of verkoop van bepaalde goederen, diensten of activa. Door exploitatie van die mogelijkheden door marktdeelnemers worden de prijzen, de wisselkoersen en de rentetarieven naar een marktconform niveau gedwongen. Zodoende verdwijnen zowel de abnormale winstmarges als de inefficiënte eigenschappen waardoor ze konden ontstaan. Kortom, markten die volledig vrij zijn om in te spelen op de waardevoorkeuren van de consumenten overal ter wereld, hebben de neiging voor risico aangepaste winstmarges over de hele wereld gelijk te trekken. Winsten boven dergelijke niveaus zijn een bewijs dat er niet wordt voldaan aan de voorkeuren van consumenten. Een te laag rendement op investeringen, aangepast voor het risico, is vaak een bewijs voor verspilling van productiemiddelen als fabrieken en apparatuur. Slechts wanneer het aanpassingsproces teniet wordt gedaan door abrupte veranderingen in de stemming – door angst of enthousiasme – worden onevenwichtigheden voor iedereen zichtbaar. Maar tegen die tijd kan niemand ze meer over het hoofd zien.

Het snelle tempo van de globalisering wordt meer dan geëvenaard door de toenemende globalisering in de financiële sector. Een doelmatig wereldwijd financieel systeem is een systeem dat zorgt dat de besparingen van over de hele wereld worden aangewend voor kapitaalinvesteringen die op de efficiëntste manier de goederen en diensten opleveren waar de consumenten de meeste waarde aan hechten. De Verenigde Staten sparen te weinig, zoals buitenlanders al snel opmerken. Met een nationale spaarquote van 13,7 procent van het BBP in 2006 zijn de Verenigde Staten het minst sparende westerse land. Zelfs als we de buitenlandse besparingen meetellen die in onze binnenlandse economie worden geïnvesteerd, bedroegen de algemene totale investeringen in de Verenigde Staten 20 procent van het BBP, de op twee na laagste van de grote industriële landen van de G7. Maar omdat we onze magere spaarcenten efficiënt gebruiken en weinig verspillen, hebben we een kapitaalvoorraad ontwikkeld die de afgelopen jaren de hoogste en snelste productiviteitsgroei heeft laten zien van alle G7-landen.

In de prijs van goederen en diensten zijn ook de kosten verdisconteerd voor financiële diensten die worden geassocieerd met de productie, distributie en marketing van het goed of de dienst. Die kosten zijn aanzienlijk gestegen als aandeel van de prijs, en vormen de bron voor de snel toenemende inkomens van mensen met financiële vaardigheden. Hoeveel deze diensten waard zijn, is vooral duidelijk in de Verenigde Staten, waar, zoals eerder beschreven, het aandeel van het BBP dat naar financiële instellingen stroomt, waaronder verzekeraars, enorm is gestegen.[4]

Met behulp van informatiesystemen die ongeëvenaarde hoeveelheden details over de toestand van financiële markten weergeven, kunnen financiële instellingen snel abnormale of nichewinstmogelijkheden identificeren – dat wel zeggen mogelijkheden waarbij de voor risico aangepaste rendementen op investeringen bovennormaal zijn. Abnormale opbrengsten in een in feite ongereguleerde markt wijzen over het algemeen op ondoelmatigheden in de stroom van de besparingen richting kapitaalinvesteringen, die overal ter wereld plaatsvindt. Door grote aankopen van die nicheactiva worden de prijzen weer normaal. Hoewel de resulterende prijsbijstellingen zeker niet het doel zijn van naar winst strevende marktdeelnemers, komen ze wereldwijd ten goede aan de consument, om Adam Smith te parafraseren.

Een grote verscheidenheid aan vaardige mensen en instellingen wordt aangetrokken door het vooruitzicht van hoge financiële winsten. Het opvallendst is de wederopbloei van de hedgefondsindustrie. Wat een halve eeuw geleden nog een slaperige uithoek van de financiële wereld leek, is tegenwoordig een biljoenenindustrie die wordt gedomineerd door Amerikaanse bedrijven. Hedge- en private equity-fondsen lijken de financiering van de toekomst te vertegenwoordigen. Maar nog niet helemaal. De uitzonderlijk hoge waarde die de markt (dat wil zeggen indirect de consumenten) na halverwege de jaren negentig hechtte aan financiële diensten, bracht veel junior partners van investeringsbanken ertoe een eigen hedgefondsonderneming te beginnen. Hierdoor raakte de hedgefondsmarkt in 2006 tijdelijk verzadigd. Fondsen werden gedwongen tot liquidatie omdat te veel nieuwe toetreders de nichewinsten probeerden te oogsten die ze voorgangers met zo veel succes hadden zien vergaren. Maar die oogsten bestaan niet langer. Het snelle geld is verdwenen, en velen die zo graag een tycoon in de hedgefondswereld hadden willen worden, zagen hun nettowaarden sterk dalen. In de buitenwereld vergoten maar weinig mensen tranen om hun lot.

Maar investeringsstrategieën van hedgefondsen blijven hoe dan ook van doorslaggevend belang bij het elimineren van abnormale marktspreidingen en waarschijnlijk van veel ondoelmatigheid van de markt. Hedgefondsen zijn inderdaad uiterst belangrijke spelers geworden op de wereldkapitaalmarkten. Men zegt dat ze goed zijn voor een belangrijk deel van de omzet op de New Yorkse beurs, en dat ze meer in hun algemeenheid voor de liquiditeit van verder stagnerende markten zorgen. Ze zijn bijna volledig ongereguleerd, en ik hoop dat dit zo zal blijven. Als de fondsen kostbare reguleringsmaatregelen worden opgelegd, wordt alleen het enthousiasme geremd om op zoek te gaan naar nichewinsten. Hedgefondsen zouden verdwijnen, of eindigen als onbeduidende investeringsmethoden, en de wereldeconomieën zouden daarmee slechter af zijn.

De markt reguleert tegenwoordig zelf de hedgefondsen door wat bekendstaat als counterparty surveillance. Dit betekent dat de hedgefondsen beperkingen worden opgelegd door rijke investeerders en banken en andere instellingen die geld aan de fondsen lenen. Deze leners willen hun aandeelhouders beschermen en daarom houden ze de investeringsstrategieën van hedgefondsen nauwkeurig in de gaten. Ik was me er als bankdirecteur bij JP Morgan en vervolgens achttien jaar lang als president van de Fed goed bewust van hoeveel beter de positie van banken was, ook wat personeel betreft, om te begrijpen wat andere banken en hedgefondsen deden dan de overheidsinstanties die de fondsen 'volgens het boekje' probeerden te reguleren. Hoe goed sommige bankonderzoekers ook zijn, ze hebben weinig kans zonder hulp van een klokkenluider fraude of verduistering aan het licht te brengen.

Een belangrijke mislukking van de private counterparty surveillance deed zich voor bij de crisis bij Long Term Capital Management, het financiële wrak dat in hoofdstuk 9 werd beschreven. De oprichters van LTCM, onder wie twee Nobelprijswinnaars, stonden zo hoog in aanzien dat ze hun geldschieters een zakelijk onderpand konden weigeren, en dat ook deden. Dit was een fatale concessie van de kant van de geldschieters. Al snel was LTCM niet meer in staat nichewinsten te boeken, omdat navolgers van het bedrijf de markt betraden en voor verzadiging zorgden. In plaats van al het kapitaal (en niet slechts een deel) aan de aandeelhouders terug te geven en hun missie voltooid te verklaren, begonnen de leiders van LTCM te gokken op een manier die weinig met hun oorspronkelijke bedrijfsplan te maken had. In 1998 ging LTCM failliet.

De markt was geschokt door deze geschiedenis. Maar het is tekenend voor de ontwikkeling van deze sector en het financiële systeem in het algemeen dat toen in 2006 Amaranth, een ander befaamd Amerikaans hedgefonds, failliet ging met meer dan zes miljard dollar verlies, de financiële wereld geen krimp gaf.

Een heel belangrijke financiële innovatie van de laatste tijd is de *credit default swap* of CDS. Dit is een derivaat dat het kredietrisico, gewoonlijk van een schuldbekentenis, tegen een bepaalde prijs aan een buitenstaander overdraagt. Het is voor banken en andere financiële intermediairs een groot voordeel om van een leentransactie te kunnen profiteren zonder kredietrisico te lopen. Om een behoorlijk rendement op het vermogen te behalen, moeten banken immers hun balans bezwaren met depositoverplichtingen en/of schulden. Meestal verdienen banken en andere financiele instellingen alleen aan hun leningen. Maar in perioden van tegenslag krijgen ze te maken met oninbare schulden, waardoor ze in het verleden soms werden gedwongen het uitlenen te beperken. Hierdoor wordt ook de economische activiteit in het algemeen ondermijnd.

Een methode om dit risico weg te halen bij de zwaar met vreemd vermogen belaste geldverschaffers, kan een kritische stimulans vormen voor de economische stabiliteit, vooral op wereldschaal. De CDS werd ontwikkeld in reactie op deze behoefte, en veroverde de markt stormenderhand. De Bank voor Internationale Betalingen (BIB) berekende een wereldwijde nominale waarde van meer dan twintig biljoen dollar voor CDS'en in 2006, terwijl de waarde eind 2004 nog zes biljoen dollar had bedragen. Dat deze instrumenten een krachtige buffer vormen, werd tussen 1998 en 2001 aangetoond, toen er CDS'en werden gebruikt om het risico te spreiden van één biljoen dollar aan leningen voor het snel expanderende telecommunicatienetwerk. Hoewel een groot deel van de ondernemingen failliet ging tijdens de *tech bust*, kwam geen enkele grote bank of groot leeninstituut erdoor in de problemen. De verliezen werden uiteindelijk gedragen door instellingen met een grote financiële draagkracht, zoals verzekeringsmaatschappijen en pensioenfondsen, die de voornaamste kopers waren van de CDS'en. Ze waren allemaal in staat de klappen op te vangen. Er deed zich geen lawine aan faillissementen voor, zoals bij eerdere crises.

Helaas stijgt telkens de politieke druk om de industrie te reguleren als er een problematisch hedgefonds in het nieuws is. Hedgefondsen zijn groot en nemen veel risico, dus moeten ze wel gevaarlijk zijn, zo redeneert men. Moet de overheid daar niet tegen optreden? Nee. Nog afgezien van het ondermijnen van de marktliquiditeit waartoe een dergelijk ingrijpen kan leiden, ontgaat het voordeel van meer overheidsregulering me. Hedgefondsen veranderen zo snel van investering dat hun balans van de vorige avond om elf uur 's morgens waarschijnlijk van weinig nut meer is. Een regulerende instantie zou de fondsen dus ongeveer per minuut moeten bestuderen. Door een overheidsbeperking op het investeringsgedrag (dat is wat regulering doet) zou er een rem worden gezet op het nemen van risico, dat een essentieel onderdeel is van de wereldwijde economie en vooral van de economie van de Verenigde Staten. Waarom zouden we de stuifmeel verspreidende bijtjes van Wall Street een strobreed in de weg willen leggen?

Ik zeg dit terwijl ik zelf achttien jaar voor een regulerende instantie heb gewerkt. Toen ik president Reagans benoeming aanvaardde om voorzitter van de Fed te worden, voelde ik me tot de functie aangetrokken omdat ik graag wilde toepassen wat ik in de loop van bijna vier decennia had geleerd over monetair beleid en de economie. Maar ik wist dat de Federal Reserve regels moest stellen aan banken en moest toezien op het Amerikaanse betalingssysteem. Hoewel ik een groot voorstander was van onbelemmerde marktwerking, wist ik dat ik als voorzitter ook verantwoordelijk zou zijn voor het enorm regulerende systeem van de Fed. Zou ik die plicht kunnen combineren met mijn overtuiging?

Ik was de Rubicon al lang daarvoor overgestoken, in de tijd dat ik voorzitter was van de Raad van Economische Adviseurs van president Ford. Hoewel het afschieten van ondoordachte fiscale beleidsmaatregelen de voornaamste taak was van die raad, ging ik soms ook akkoord met het opvoeren van regulerende maatregelen – wanneer het de minst slechte mogelijkheid leek van de opties die de regering in politiek opzicht tot haar beschikking had. Als voorzitter van de Fed zouden mijn persoonlijke opvattingen over regulering moeten wijken, vond ik. Ik zou tenslotte een ambtseed afleggen die me verplichtte de Amerikaanse grondwet te respecteren en de wetten te handhaven die onder verantwoordelijkheid vallen van de Fed. Aangezien ik wat betreft mijn opvatting over regulering een buitenstaander was, wilde ik me passief opstellen in dergelijke zaken, en het initiatief overlaten aan de gouverneurs van de Fed.

Maar na mijn ambtsaanvaarding werd ik aangenaam verrast. Ik had al veel contact gehad met stafleden van de Fed, vooral tijdens de regering-Ford, en wist hoe goed deze mensen waren in hun vak. Wat ik niet wist, was dat ze grote voorstanders waren van de vrije markt – dit was zelfs het geval bij de Divisie Bancair Toezicht en Regulering. (Het hoofd van die afdeling, Bill Taylor, was een vriendelijke, door en door professionele toezichthouder. President George H.W. Bush – de vader – benoemde hem later tot hoofd van de Federal Deposit Insurance Corporation, en zijn vroege dood in 1992 was een grote slag voor zijn collega's en het hele land.) Dus hoewel er mandaten van het Congres moesten worden geïmplementeerd, werden die telkens geformuleerd vanuit het idee dat de concurrentie bevorderd moest worden en de markten hun werk moesten doen. Er lag minder nadruk op 'gij zult niet' en meer op de eigen verantwoordelijkheid van het management en onthullingen die de markten effectiever zouden doen functioneren. De medewerkers van de Fed zagen ook hoe belangrijk counterparty surveillance was als eerstelijns bescherming tegen onjuiste of te hoge kredieten.

Deze opvatting van regulering was ongetwijfeld ontstaan onder invloed van de economen bij de Fed. Zij waren over het algemeen gevoelig voor de noodzaak om de concurrerende vrije markt te versterken, terwijl deze vaak werd belemmerd door het financiële vangnet. Door dit vangnet – dat bestaat uit beveiligingsmechanismen als de depositoverzekering, toegang voor banken tot de kortingen van de Fed, en toegang tot het enorme elektronische betalingssysteem van de Fed – wordt het belang van de reputatie als rem op overmatig lenen minder. Bescherming van de eigen reputatie is belangrijk voor alle bedrijven, maar vooral voor banken, waar de reputatie de sleutel is voor de algemene gezondheid van de bankwereld. Als de schuldportefeuille of de werknemers van een bank verdacht zijn, verdwijnen depositogevers vaak al snel. Maar als de deposito's op een of andere manier verzekerd zijn, lopen ze minder snel weg. Als ik kijk naar de schade die werd veroorzaakt door het weglopen bij banken tijdens de Depressie, moet ik concluderen dat de depositoverzekering alles bij elkaar positief heeft gewerkt.[5] Toch leidt de aanwezigheid van een vangnet ongetwijfeld tot '*moral hazard*', de term die in de verzekeringsbranche wordt gebruikt om aan te geven waarom klanten dingen doen waaraan ze niet zouden denken als ze niet verzekerd waren tegen de negatieve consequenties van dit gedrag. Regels voor lenen en deposito's moeten daarom zorgvuldig worden ontworpen om de moral hazard te minimaliseren die ze ongetwijfeld oproepen. Een democratie kan niet zonder compromissen.

Ik vond het heerlijk dat ik bij de regulerende Fed niet alleen maar zou hoeven reguleren. Van de honderden keren dat er tijdens mijn ambtsperiode door het bestuur over regelgeving werd gestemd, was ik slechts één keer in de minderheid. (Ik betoogde toen dat een consumentenwet die informatie over het rentepercentage verplicht stelde, uitging van een foute methode – wat nauwelijks een belangrijke filosofische kwestie genoemd kan worden.) Ik heb nooit, zoals anderen, veel enthousiasme kunnen opbrengen voor het bespreken van de juiste bewoordingen waarin regels gesteld moesten worden, en dus beperkte ik me tot een comfortabele rol waarbij ik mezelf alleen deed gelden bij kwesties die ik als belangrijk beschouwde voor het functioneren van het financiële systeem of de Federal Reserve als geheel.

In de loop der jaren heb ik veel geleerd over hoe regulering zo min mogelijk ongewenste effecten met zich meebrengt. Drie vuistregels zijn:

1. Regulering die tijdens een crisis is goedgekeurd, moet vervolgens goed worden afgesteld. De Sarbanes-Oxley Act, die ondernemingen verplicht tot meer openheid in financieel opzicht, werd in de nasleep van de faillissementen van Enron en WorldCom snel door het Congres geloodst, en is nu een belangrijke kandidaat voor herziening

2. Soms zijn verschillende regelgevers beter dan één. De eenzame regelgever wordt bang voor risico en probeert zich in te dekken tegen alle mogelijke negatieve resultaten, waardoor een verpletterende regellast ontstaat. In gebieden waar de Fed regulerende bevoegdheden deelde met de Comptroller of the Currency, de Beurscommissie en andere autoriteiten, hielden we elkaar doorgaans in evenwicht.

3. Regels verliezen op een gegeven moment hun nut en moeten dan worden vernieuwd. Ik leerde deze les door te kijken naar Virgil Mattingly, die lange tijd het hoofd was van de juridische staf van de Federal Reserve Board. De statutair vastgelegde regel om eens in de vijf jaar de regels van de Fed nog eens tegen het licht te houden, werd door hem heel serieus opgevat. Wat als verouderd werd beoordeeld, werd zonder omhaal geschrapt.

Een gebied waar naar mijn mening meer in plaats van minder overheidsbetrokkenheid nodig is, is de fraudebestrijding. Oplichterspraktijken zijn de vloek voor ieder marktsysteem.[6] Washington zou er goed aan doen fondsen die zijn bestemd voor het creëren van nieuwe regels, aan te wenden voor de uitvoering van wetten tegen fraude en oplichting.

Als de markt een keer faalt, maken politici en ambtenaren daarna vaak meteen nieuwe regels en wetten. Het duurt vaak heel lang voordat de fouten die op die manier worden gemaakt, weer zijn hersteld. Ik heb lang betoogd dat de Glass-Steagall Act uit 1933, de wet die banken verbood zich nog langer met effectenhandel bezig te houden, was gebaseerd op een foute veronderstelling. De getuigenissen voor het Congres in 1933 gaven de indruk dat de branche werd ondermijnd doordat banken hun effectenfilialen op de verkeerde manier gebruikten. Pas na de Tweede Wereldoorlog, toen computers het mogelijk maakten het banksysteem in zijn geheel door te lichten, bleek dat banken met effectenfilialen de crisis van de jaren dertig beter waren doorgekomen dan die zonder dergelijke filialen. Een paar maanden voordat ik mijn werk bij de Fed begon, deed het bestuur een voorstel banken weer toestemming te geven om aandelen te verkopen via filialen, onder zeer beperkende omstandigheden. Het bestuur bleef het loslaten van de beperkingen aanmoedigen, en ik pleitte heel wat keren voor verandering van de wet. Het duurde tot 1999 voordat de Glass-Steagall Act werd ingetrokken door de middel van de Gramm-Leach-Bliley Act. Gelukkig is deze wet, die de zeer noodzakelijke flexibiliteit terugbracht in de financiële branche, geen wangedrocht. Het inzicht in het schadelijke effect van excessieve regulering en de noodzaak van economische flexibiliteit zijn de laatste jaren flink toegenomen. Laten we het niet wagen daarop terug te komen.

Globalisering, de uitbreiding van het kapitalisme tot de wereldmarkt, is net als het kapitalisme zelf, voorwerp van intense kritiek van degenen die alleen de destructieve kant zien van de creatieve destructie. Toch zijn er veel geloofwaardige bewijzen dat globalisering veel meer voor- dan nadelen heeft, ook buiten het puur economische. Econoom Barry Eichengreen en politiek wetenschapper David Leblang schreven in 2006 in een verhandeling dat ze 'bewijzen [in de periode van 1870 tot 2000] van een positieve relatie tussen globalisering en democratie' hadden gevonden. Volgens hen 'bevordert open handel de democratie... De invloed van financiële openheid op de democratie is minder sterk, maar wijst nog steeds in dezelfde richting [en] democratieën zijn meer geneigd om belemmeringen op kapitaalstromen weg te nemen.'

Met andere woorden, we zouden meer moeite moeten doen om de angst voor de donkere kant van de creatieve destructie te verzachten, in plaats van het hele economische systeem waarop de wereldwijde welvaart berust, in te perken. Innovatie is even belangrijk voor onze wereldwijde financiële markt als voor technologie, consumentenproducten of de gezondheidszorg. Naarmate de globalisering zich verder uitbreidt en uiteindelijk zal vertragen, zal ons financiële systeem zijn flexibiliteit moeten zien te behouden. Protectionisme, in welke vorm dan ook – intern of extern, politiek of economisch, in de handel of de financiële wereld – is een recept voor economische stagnatie en autoritaire politieke praktijken. We kunnen het beter doen dat. We moeten het zelfs beter doen.

20

HET RAADSEL

'Wat is er aan de hand?' vroeg ik in juni 2004 aan Vincent Reinhart, de directeur van de divisie Monetaire Zaken bij de Fed. Ik was van mijn stuk gebracht, omdat we de federal funds rate net hadden verhoogd, en de rente op staatsobligaties met een looptijd van tien jaar niet was gaan stijgen, maar zelfs was gedaald. Gewoonlijk gebeurt dit laat in de verkrappingscyclus, wanneer de rentetarieven voor de lange termijn door de strengere Fed-regels blijk geven van lagere inflatieverwachtingen.[1] Het was zeer ongebruikelijk om de rente in het begin van de cyclus te zien dalen; de cyclus was nog maar net begonnen.

Nog geen twee maanden daarvoor had ik voor de Gemeenschappelijke Economische Commissie van het Congres een signaal gegeven over ons voornemen de rente te verhogen: 'De federal funds rate moet op een gegeven moment stijgen om te voorkomen dat er druk op de prijzen ontstaat. De Fed meent dat de prijzen stabiel dienen te blijven om het behoud van de welvaart te kunnen garanderen en zal indien nodig handelend optreden om dit te garanderen.' We hoopten de hypotheekrente weer op een niveau te krijgen dat de hausse in de huizenmarkt tot staan zou kunnen brengen. Die vormde immers in die tijd een onwelkome zeepbel.

De markt reageerde direct. Marktdeelnemers bouwden in afwachting van een toename in obligatieopbrengsten die historisch gezien met een stijging van het rentetarief [federal fund tarief] wordt geassocieerd, grote *short* posities op in obligaties. De rente op tienjaars staatsobligaties steeg de daaropvolgende weken ongeveer 1 procentpunt. Ons verkrappingsprogramma leek op het juiste spoor te zitten. Maar in juni dreven marktkrachten schijnbaar vanuit het niets de lange rente weer naar beneden. Ik dacht dat deze episode een vreemde uitzondering was geweest, en was verbaasd en geïntrigeerd. De beleidsmakers bij de Fed hebben voortdurend rekening te houden met onverklaarbare marktkrachten. Vaak lukt het me de oorzaken van een afwijking bij bepaalde marktprijzen te vinden, maar pas nadat de afwijking twee maanden lang heeft gespeeld. Soms blijft de afwijking een raadsel. De prijsveranderingen zijn uiteraard het resultaat van verandering van het evenwicht tussen vraag en aanbod. Maar analisten kunnen alleen de prijsconsequenties waarnemen van die verschuiving. Omdat we nu eenmaal niet alle marktdeelnemers aan een psychoanalyse kunnen onderwerpen, zijn al deze buitenissige episoden onmogelijk te verklaren. De beurscrash van oktober 1987 is zo'n voorbeeld. Tot op de dag van vandaag wordt er druk gespeculeerd over de vraag waaraan deze eendaagse duikvlucht te wijten was. Sommigen geven de gespannen verhoudingen met Duitsland de schuld, anderen de hoge rente enzovoort. We kunnen zeker stellen dat er meer verkopers waren dan kopers. Maar niemand weet waarom.

Ik had geen verklaring voor wat er in 2004 was gebeurd en besloot dat het gewoon een eenmalige onverklaarbare episode was. Maar ik vergiste me. In februari en maart 2005 deed het afwijkende fenomeen zich nogmaals voor. In reactie op de verkrapping door de Fed begon de lange rente weer te stijgen, maar net als in 2004 zorgden marktkrachten er al snel voor dat deze stijgingen ongedaan werden gemaakt.

Wat waren deze marktkrachten? Ze waren zeker internationaal, aangezien de daling van de rentetarieven voor de lange termijn in die periode nadrukkelijker speelde in de grote buitenlandse financiële markten dan in de Amerikaanse. De globalisering was natuurlijk al sinds halverwege de jaren tachtig een belangrijke anti-inflatoire kracht. Ik was geïntrigeerd door het enorme veranderingspatroon dat ik in december 1995 voor mijn collega's bij de FOMC schetste, toen ik hun had verteld: 'Het is heel moeilijk waar dan ook ter wereld inflatoire krachten te vinden. Er is iets anders aan de hand.' Ik kon het nog niet bewijzen, maar ik dacht dat ik het antwoord wist:

U weet misschien nog dat ik eerder dit jaar de kwestie aanroerde van de alsmaar snellere technologische ontwikkeling, de grotendeels op silicium berustende technieken voor de vervanging van kapitaalgoederen, de nogal dramatische afname van de gemiddelde ouderdom van kapitaalgoederen, en de hoge mate van onzekerheid die daardoor is ontstaan voor mensen op de arbeidsmarkt die met de continu veranderende technologie worden geconfronteerd. Het is alsof men voor de secretaressen om de twee jaar de toetsen van de typemachines verandert (een weinig realistisch, maar verhelderend voorbeeld). Dat doet de technologie voor werknemers in het algemeen. Het verklaart volgens mij steeds waarom de lonen zo weinig stijgen als de laatste jaren het geval is geweest. Een bijzonder bewijsstukje is het ongeëvenaarde aantal arbeidscontracten met een looptijd van vijf of zes jaar van de laatste tijd. We hebben de laatste dertig tot veertig jaar nooit meer een contract gehad met een looptijd van meer dan drie jaar... De achterliggende veranderingen in de technologie die deze hypothese steunen, doen zich eens per eeuw of vijftig jaar voor... Bovendien... heeft de miniaturisatie van producten ten gevolge van computerchiptechnologieën voor een significante daling van de transportkosten gezorgd... Er verschenen steeds meer geminiaturiseerde producten, de communicatiekosten daalden en de wereld werd steeds kleiner... We zien nu dat werk overal op de wereld in toenemende mate wordt uitbesteed. Wat we zouden verwachten – en wat ook inderdaad plaatsvindt – is de combinatie van een stijgende kapitaalefficiency en dalende nominale arbeidskosten per eenheid. Dit is een nieuw fenomeen en het leidt tot de interessante vraag of er op lange termijn niet iets belangrijks aan de hand is.

Ik zei dat het moeilijk was om de veranderingen te interpreteren die zich de komende vijf tot tien jaar voordoen en dat het verstrijken van de tijd dit alleen maar duidelijker had gemaakt. Met het nieuwe millennium werden de tekenen van een wereldwijde desinflatie steeds duidelijker, zelfs bij ontwikkelingslanden die vaak periodes met een hoge inflatie hadden gekend. Mexico kon in 2003 met trots de eerste in peso's gedenomineerde staatsobligatie met een looptijd van twintig jaar uitbrengen, slechts acht jaar nadat de Mexicaanse overheid met een ernstige liquiditeitscrisis kampte, en zij zelfs niet langer in dollars gedenomineerde schulden voor de korte termijn kon verkopen en door de Verenigde Staten geholpen moest worden. Mexico had in 1995, na bijna failliet te zijn gegaan, een aantal belangrijke maatregelen genomen om het fiscale en monetaire systeem op orde te krijgen. Maar deze maatregelen waren zeker geen teken dat het land kort daarop een verhoudingsgewijs weinig opbrengende, in peso gedenomineerde obligatie zou kunnen uitbrengen. Vanwege de wisselende macroeconomische geschiedenis van Mexico moesten langetermijnschulden in buitenlandse valuta worden gedenomineerd om kopers te vinden.

Mexico was geen geïsoleerd geval. Overheden van andere ontwikkelingslanden gaven steeds vaker obligaties uit in hun eigen muntsoort, tegen een rente die ontwikkelde landen tien jaar daarvoor graag zelf hadden gehanteerd. Zoals ik eerder opmerkte, was Brazilië in 2002 in staat om een devaluatie van 40 procent van de munt, de real, op te vangen met slechts bescheiden, kortdurende inflatoire consequenties.

De inflatie was bijna over de hele wereld laag. De inflatieverwachting, afgelezen aan de verwachtingen van opbrengsten over langetermijnschulden, daalde. De rente op schulden van ontwikkelingslanden waren tot ongeëvenaarde diepten geslonken. Inflatiecijfers van tientallen of honderden procenten per jaar, waar ontwikkelingslanden vroeger vaak onder leden, kwamen bijna nergens ter wereld meer voor. (Zimbabwe, waarvan de economie geruïneerd is, vormt de belangrijkste uitzondering.) Perioden van hyperinflatie werden uiterst zeldzaam. In ontwikkelingslanden stegen consumentenprijzen tussen 1989 en 1998 met gemiddeld 50 procent per jaar. In 2006 was prijsinflatie van consumentenprijzen geslonken tot minder dan 5 procent.

Maar ook al was de lange rente gedaald door de globalisering, in de zomer van 2004 hadden we geen reden om te verwachten dat een monetaire verkrapping door de Fed de lange rente niet omhoog zou krijgen. We voorzagen dat we alleen vanuit een lagere lange rente zouden beginnen dan gebruikelijk was in het verleden. De nooit eerder vertoonde reactie op de monetaire verkrapping van de Fed in 2004 deed vermoeden dat er behalve de globalisering ook een aantal bijzonder belangrijke krachten speelde, waarvan de diepte en volle betekenis tot de zomer van 2004 verborgen waren gebleven. Ik was met stomheid geslagen. Ik noemde de unieke gebeurtenis zonder historisch precedent een *conundrum* ('raadsel'). Mijn verbazing werd niet minder toen er een grote hoeveelheid flessen wijn van het merk 'Conundrum' op mijn kantoor werd bezorgd. Het wijnjaar herinner ik me niet meer.

Een nauwelijks opgemerkte gebeurtenis in Europa bleek de eerste aanwijzing tot de oplossing van het raadsel. Siemens, een van de grootste Duitse exporteurs, had zijn vakbond in 2004 laten weten dat als deze niet bereid was een loonsverlaging van meer dan 12 procent te accepteren voor hun fabrieken, Siemens deze naar Oost-Europa zou verplaatsen. De vakbond, IG Metall, gaf toe en de uittocht van Siemens naar de net bevrijde economieën van Oost-Europa werd uitgesteld.[2] Deze gebeurtenis raakte een gevoelige snaar, omdat ik al eerder berichten van dergelijke confrontaties was tegengekomen. Naar aanleiding daarvan begon ik het patroon van recente loonsverhogingen in Duitsland te onderzoeken. Duitse werkgevers klaagden al lang dat ze vanwege de hoge lonen niet goed meer konden concurreren, hoewel het gemiddelde uurloon in West-Duitsland niet snel steeg: met 2,3 procent per jaar tussen 1995 en 2002. De boodschap werd nu eindelijk gehoord. Vanaf eind 2002 steeg het uurloon met nauwelijks meer dan een procent per jaar, en dat bleef zo tot eind 2006.

Siemens en de rest van de Duitse industrie konden, mede door hervormingen die meer inzet van tijdelijke werknemers mogelijk maakten, de stijging in de Duitse lonen, kosten en vooral prijzen vertragen en vervolgens tot staan brengen. De inflatieverwachtingen namen af naarmate de waargenomen inflatie lager werd. Het verlies van onderhandelingspositie van IG Metall lag natuurlijk aan het feit dat zich op de concurrerende arbeidsmarkt honderd miljoen goed opgeleide werknemers hadden gemeld die net uit de greep van de centrale planning van het Sovjetrijk waren ontsnapt.

Het einde van de Koude Oorlog, de vrede tussen de twee nucleaire supermachten die lang op de rand van een oorlog hadden verkeerd, was ongetwijfeld een van de belangrijkste geopolitieke gebeurtenissen van de twintigste eeuw. De economische betekenis van de ondergang van de Sovjet-Unie was op zich al uiterst belangrijk, zoals ik in hoofdstuk 6 betoogde. Door de val van de Berlijnse Muur kwam de economische puinhoop aan het licht die zo groot was dat de centrale planning, die eerder was geprezen als het 'wetenschappelijke substituut' voor de 'chaos' van de markt, voorgoed in diskrediet raakte. Er werd geen grafrede voor gehouden en er vond geen economisch post mortem onderzoek plaats. De centrale planning verdween gewoon, zonder een spoor na te laten, uit het politieke en economische discours. Communistisch China, dat de praktische deugden van de markt een tiental jaren eerder had ontdekt, schakelde daardoor des te sneller over op het kapitalisme van de vrije markt, zonder ooit toe te geven dat het dit pad was ingeslagen. India ontworstelde zich aan het rigide bureaucratische socialisme van premier Jawaharlal Nehru. Plannen van de opkomende economieën om grootschalige vormen van centrale planning te implementeren, werden stilletjes afgeblazen.

Meer dan een miljard vaak goed opgeleide maar altijd laagbetaalde werknemers stroomden de wereldmarkt op vanuit economieën die bijna volledig centraal gepland waren geweest en waren afgesloten voor wereldwijde concurrentie. Het IMF schat dat in 2005 meer dan achthonderd miljoen mensen werkzaam waren in exportgerichte en daarom concurrerende markten, een toename van vijfhonderd miljoen sinds de val van de Berlijnse Muur in 1989, en zeshonderd miljoen sinds 1980. Oost-Azië is verantwoordelijk voor de helft van deze toename. In Oost-Europa zijn de getallen lager; daar schakelde men over van centraal geplande regimes op een concurrerende binnenlandse markt. Vele miljoenen mensen, vooral in China en India, moeten de overgang nog maken.

Deze instroom van arbeidskrachten op de markt werkte remmend op de wereldwijde lonen, de inflatie, de inflatieverwachting en de rente, en droeg op die manier flink bij aan de economische groei op wereldschaal. Zelfs al was het totale loon van de nieuwe werkkrachten slechts een fractie van dat van de ontwikkelde landen, de invloed was veel groter. Niet alleen werden fabrieken, en daardoor de werknemers, weggeconcurreerd door laaggeprijsde importartikelen, maar het concurrerende effect van de ontslagen werknemers die ander werk zochten, drukte ook de lonen van degenen die niet rechtstreeks in de vuurlinie lagen van de laaggeprijsde import. De lonen werden nog extra onder druk gezet doordat veel arbeidskrachten uit Oost-Europa naar West-Europa emigreerden. Ten slotte remde de export uit de voorheen centraal geplande economieën op concurrerende wijze de exportprijzen van alle economieën.

Als het miljard laagbetaalde arbeidskrachten als één man de wereldarbeidsmarkt zou hebben betreden, had dit ongetwijfeld tot chaos geleid. Het duurde tien jaar voordat de door de Sovjets gedomineerde economieën van Oost-Europa de overgang hadden gemaakt, en deze verliep verre van gladjes. Maar zij vertegenwoordigen slechts eentiende van de tektonische verschuiving die ons te wachten staat. China is veruit het dominantst. De Chinese gegevens over de arbeidsmarkt wijzen (voor zover ze betrouwbaar zijn) op een langzame, maar geleidelijk versnellende, door de overheid gecontroleerde verplaatsing van arbeidskrachten van de landelijke provincies naar de dynamische, door de markt gedomineerde regio's van de Parelrivierdelta en andere op de export gerichte provincies. Enorme aantallen Chinese landarbeiders vonden werk in fabrieken en vooral in de dienstverlenende sector in de steden. Een belangrijk deel van de achthonderd miljoen Chinese werknemers is in dienst bij private bedrijven. In 2006 bedroeg het totaal aantal werknemers dat in de landbouw werkte, nog maar tweevijfde van het totaal. Het aantal fabrieksarbeiders is de laatste jaren constant gebleven, ondanks de massaontslagen bij staatsondernemingen. In de dienstensector ontstond de laatste tien jaar het grootste aantal nieuwe banen.

Belangrijk is dat het tempo van de verandering, van de verschuiving van centraal geplande arbeidsvoorziening naar concurrerende markten, de desinflatoire druk bepaalt op de loonkosten en vandaar op de prijzen. Vanwege de indirecte effecten van de concurrerende import en immigratie wordt de gehele structuur van de arbeidskosten in ontwikkelde landen beinvloed door de nieuwe laagbetaalde arbeidskrachten. Aanvankelijk reikte die invloed niet verder dan een paar procentpunten onder de jaarlijkse groei. Dat er zulke belangrijke systemische effecten konden ontstaan naar aanleiding van zo'n schijnbaar bescheiden aanvankelijke impact, is als iemand die een ton staal optilt. Natuurlijk kan deze man dat alleen als hij over een hefboom beschikt. Het pad van de groei is gewijzigd, en leidt nu tot een cyclus van verminderde loonkosten en een rem op prijsverhogingen.

China is veruit de meest dominante speler. In de laatste kwarteeuw heeft de migratie naar de exporterende Chinese kustprovincies voor een toenemende loon- en prijsdesinflatie gezorgd in ontwikkelde economieën. Maar dit suggereert ook dat als alle werknemers – tenminste vanuit China – die onder de centrale planning vielen de wereldmarkt hebben betreden en daar concurreren, de neerwaartse druk op de lonen en prijzen in ontwikkelde landen zal stoppen. In 2000 was de helft van de Chinese arbeidskrachten werkzaam in de primaire sector (vooral de landbouw). Zuid-Korea had dit niveau al in 1970 bereikt. Op dit moment werkt 45 procent van de Chinese arbeidsbevolking in de primaire sector, en in Zuid-Korea minder dan 8 procent. Als China in de volgende kwarteeuw Zuid-Korea achterna gaat, is de interne migratie pas over een paar jaar op haar hoogtepunt. Maar omdat de kwaliteit van de data, zowel over de begintijd van de Zuid-Koreaanse bloei als die van China op dit moment, niet geweldig is, blijft onduidelijk hoe het precies zit met de migratie. Gezien de verschillen in omvang, politieke oriëntatie en economisch beleid tussen het huidige China en Zuid-Korea van 25 jaar geleden, zijn vergelijkingen vaak niet meer dan suggestief.

De kritische tijd voor het economische wereldbeeld en voor beleidsmakers is niet de tijd waarop de migratie van werknemers stopt, maar het moment dat de toename van de migratie begint af te vlakken, wat op een gegeven moment, hoe ver in de toekomst ook, zal gebeuren, omdat de overgang naar concurrerende markt ooit voltooid zal zijn. Als de migratie haar hoogtepunt heeft bereikt, zal het desinflatoire effect afnemen en zal er weer een hogere inflatiedruk ontstaan. Dat keerpunt laat misschien nog enige jaren op zich wachten, zoals ook blijkt uit de vergelijking met Zuid-Korea. Vroege bewijzen dat een dergelijk proces eraan komt, zouden de steeds beter anticiperende aspecten van de wereldwijde financiële branche ertoe kunnen bewegen dat keerpunt te vervroegen, misschien tot drie jaar of minder.

Terwijl de duidelijke afname van de inflatie en de inflatieverwachting na de val van de Berlijnse Muur de inflatiepremie drukte die overal ter wereld voor langetermijnschuldpapieren geldt, bleef het effect op de reële rentetarieven beperkt tot de lagere risicopremies die het gevolg zijn van de door de lagere inflatie verminderde volatiliteit. De rest van de afname in de reële rentetarieven lijkt het resultaat te zijn van een significante toename in de neiging tot sparen in verhouding tot de neiging deze besparingen te investeren in productieve activa. De wereldwijde financiële markten werden overspoeld door de overvloedige spaargelden, waardoor de rentetarieven lager werden. Maar ook dat lijkt de consequentie te zijn van de overschakeling op concurrerende markt in ontwikkelingslanden en hun groei als gevolg daarvan.

De wereldwijde investeringen in fabrieken, apparatuur, voorraden en huizen moeten altijd gelijk zijn aan de wereldwijde besparingen, de nettomiddelen om deze investeringen te financieren. Al deze zaken moeten een eigenaar hebben. De marktwaarde van 'papieren' claims op nieuwe kapitaalgoederen moet in feite gelijk zijn aan de marktwaarde van die goederen. Het wereldkasboek is in zekere zin altijd sluitend, want de besparingen moeten wereldwijd uiteindelijk gelijk zijn aan de investeringen. Maar bedrijven en huishoudens plannen hun investeringen voordat ze kunnen weten welke spaarders op de wereld deze zullen financieren. En de spaarders op de wereld plannen hun besparingen zonder te weten welke investeringen ze zullen financieren. Daarom zijn de voorgenomen investeringen voor welke periode dan ook zelden gelijk aan de voorgenomen besparingen.

Als zowel de investeerders als spaarders hun voornemens op de markt proberen te verwezenlijken, worden de reële rentetarieven tot verandering gedwongen totdat de gerealiseerde investeringen en gerealiseerde besparingen weer gelijk zijn. Als de voorgenomen investeringen hoger zijn dan de voorgenomen besparingen, zullen de reële rentetarieven genoeg stijgen om investeerders te doen afzien van verdere investeringen en/of spaarders ervan te overtuigen om meer te sparen. Als de voorgenomen besparingen hoger zijn dan de voorgenomen investeringen, zullen de reële rentetarieven dalen. Dit proces verloopt alleen in theorie in opeenvolgende stappen; in werkelijkheid gebeurt alles bliksemsnel en gelijktijdig.

Ondanks de lagere inkomens in ontwikkelingslanden sparen huishoudens en bedrijven daar een groter deel van hun inkomen dan huishoudens en consumenten in ontwikkelde landen. Ontwikkelde landen hebben enorme financiële netwerken opgebouwd die aan consumenten en bedrijven lenen, vaak geholpen door een onderpand, zoals een huis, waardoor velen meer kunnen uitgeven dan hun huidige inkomen. Bovendien zitten veel mensen in ontwikkelingslanden zo dicht bij het bestaansminimum dat ze een buffer moeten vormen voor slechtere tijden. Deze landen kennen immers zelden een vangnet dat zorg biedt bij tegenslagen, ziekte en ouderdom. Mensen worden gedwongen een appeltje voor de dorst en hun oude dag aan te houden.[3]

Volgens het IMF zweefden de besparingen als percentage van het nominale BBP voor geavanceerde economieën (dat wil zeggen, ontwikkelde landen) in de jaren tachtig en negentig rond de 21 tot 22 procent. Bij ontwikkelingslanden lag dit percentage in die tijd rond de 23 tot 24 procent. Maar vanaf 2000 konden veel ontwikkelingslanden profiteren van hun overstap naar de kapitalistische concurrerende markt. Met behulp van buitenlandse investeringen, aangemoedigd door steeds geloofwaardiger eigendomsrechten, werden laagbetaalde binnenlandse arbeidskrachten aan werk geholpen. Door de groei van de export nam ook de binnenlandse koopkracht toe.[4]

De afgelopen vijf jaar was de groei in ontwikkelingslanden twee keer zo hoog als die in ontwikkelde landen. De besparingen, waarbij China voorop ging, stegen er van 24 procent in 2001 tot 32 procent in 2006, terwijl de consumptie in deze cultureel behoudende landen achterbleef en olie-exporterende landen er vaak voor kozen stijgende inkomsten niet in nieuwe productiecapaciteit te steken. In het Westen is de spaarverhouding sinds 2002 beneden de 20 procent gedaald. De wereldwijde investeringen zijn licht gestegen als percentage van het BBP, maar dat is bijna volledig aan ontwikkelingslanden te danken.[5] Olie-exporterende landen kozen ervoor slechts een bescheiden percentage van hun gestegen inkomsten in nieuwe olieproducerende capaciteit te investeren.

Economen kunnen de besparingen natuurlijk meten, maar omdat voorgenomen besparingen zelden ergens worden vastgelegd, zijn schattingen weinig beter dan beredeneerd gokken. Het is echter niet onredelijk te veronderstellen dat de voorgenomen besparingen de afgelopen jaren hoger zijn geworden dan de voorgenomen investeringen. Zoals ik eerder schreef, is het groeitempo van het reële BBP in ontwikkelingslanden twee keer zo hoog als dat in ontwikkelde landen. Op deze manier zouden, zelfs als er geen verandering optreedt in het voorgenomen spaargedrag, de voorgenomen besparingen op de wereld jaar na jaar hoger worden vanwege het toenemende deel van het wereldinkomen dat ontstaat in ontwikkelingslanden met een duurzaam hogere spaarverhouding. En die trend zou doorgaan zolang de groei van de economie in ontwikkelingslanden hoger is van die in ontwikkelde landen, zoals sinds 2000 het geval was. Normaal gesproken hebben economen bij dalende rentecijfers moeite te bepalen of deze worden veroorzaakt door een stijging van de voorgenomen besparingen of een daling van de voorgenomen investeringen. Maar de toename van de besparingen in ontwikkelingslanden, waarvan slechts de helft in ontwikkelingslanden werd geïnvesteerd, doet sterk vermoeden dat de reële rentetarieven lager werden door de *spillover* van de besparingen van ontwikkelingslanden. Omdat de werkelijke investeringen in ontwikkelde landen slechts bescheiden stegen (gestimuleerd door de lagere rente), moeten de voorgenomen investeringen als aandeel van het BBP in de ontwikkelde landen stabiel zijn geweest. Zoals ik in hoofdstuk 25 opmerk, zijn de voorgenomen investeringen de laatste 25 jaar achtergebleven, te oordelen naar het grotere aandeel van de interne cashflow van bedrijven dat is teruggevloeid naar aandeelhouders, vermoedelijk vanwege een gebrek aan nieuwe investeringsmogelijkheden. Deze data komen overeen met het idee dat de daling van de nominale en reële rentetarieven voor de lange termijn vooral het gevolg zijn van geopolitieke krachten in plaats van normale marktkrachten.

Als ontwikkelingslanden snel blijven groeien, en financiële netwerken zich uitbreiden en des te meer bereid zijn te lenen aan het toenemend aantal landen met stijgende discretionaire inkomens, zullen de besparingen in de ontwikkelingslanden zeker dalen, tenminste tot het niveau van de jaren tachtig en negentig. 'Niet willen onderdoen voor de buren' is een aangeboren menselijke karaktertrek, die zich ook al duidelijk manifesteert in de opkomende consumentenmarkten van de derde wereld. Hierdoor zal de neerwaartse druk van het overtollige sparen op de reële rentetarieven waarschijnlijk teniet worden gedaan.[6] Maar dat zou waarschijnlijk zelfs gebeuren als het groeitempo van de inkomens in ontwikkelingslanden zou dalen. In alle economieën houden de uitgaven zelden gelijke tred met onverwachte inkomensstijgingen, en daarom stijgen de besparingen. Als de inkomensgroei afvlakt, dalen de besparingen meestal.

Als de arbeidskrachten die onder centrale planning werken allemaal zijn toegetreden tot de concurrerende markt, en de steeds geavanceerdere financiële systemen in ontwikkelingslanden eenmaal de aangeboren neiging tot meer consumptie en minder sparen faciliteren, zullen inflatie, inflatiepremies en rentetarieven geleidelijk hun desinflatiebuffer van het afgelopen decennium verliezen.

Ontwikkelingslanden zullen op een gegeven moment niet meer sneller kunnen groeien dan ontwikkelde landen tenzij de nieuw opgeleide hightechingenieurs en wetenschappers van eigen bodem op een gegeven moment ook eigen inzichten krijgen en innovaties ontwikkelen, in plaats van alleen met geleende technologie te werken. In China, India en elders worden jonge mensen nu opgeleid in technologieën die in de afgelopen eeuwen in het Westen werden ontwikkeld. Van sommigen kan in redelijkheid worden verwacht dat ze verder komen dan het technisch niveau van veel ontwikkelde landen. Maar politieke zekerheid is voor China, India en Rusland van groot belang om zich economisch te kunnen ontwikkelen – en zelfs een noodzakelijke voorwaarde als ze bijvoorbeeld de Verenigde Staten in technologisch opzicht willen inhalen.

In hoeverre heeft het Amerikaanse politieke systeem (waar de individuele rechten – vooral het eigendomsrecht – goed worden beschermd, en verhoudingsgewijs weinig regels en corruptie voorkomen) bijgedragen aan de huidige kloof tussen de Amerikaanse levensstandaard en die in ontwikkelingslanden? Ik denk veel. Maar hoewel we universiteiten van wereldklasse hebben, schieten ons basis- en middelbaar onderwijs tekort bij het leveren van talent van eigen bodem om onze telkens complexere infrastructuur te bedienen, die hoeveelheden goederen en diensten levert waaraan geen enkel ander land kan tippen.

Inwoners van ontwikkelingslanden die daar geen adequate, voor risico aangepaste rendementen op hun investeringen krijgen, investeren in de Verenigde Staten, waar de wet al twee eeuwen lang de eigendomsrechten van iedereen – Amerikaan of buitenlander – goed en op gelijke wijze beschermt. Maar weinig ontwikkelingslanden beschermen de eigendomsrechten van hun eigen burgers zo goed als wij die van buitenlanders. Als ik het heb over 'voor risico aangepaste rendementen op investeringen', dan bedoel ik de mate van risico die men in ontwikkelingslanden loopt, en ook in veel andere landen, dat investeringen in beslag worden genomen of door dodelijke regelgeving, capricieuze belastingen, willekeurige naleving van wetten of corruptie teniet worden gedaan.

Wat ik hier wil benadrukken, is dat er bij iedere maatstaf voor de bescherming van eigendomsrechten door landen, rekening gehouden moet worden met de manier waarop de wetten en regels gehandhaafd worden. Corruptie betekent bovendien een rechtstreekse verhoging van de kosten van het eigenaarschap. De meeste ontwikkelingslanden scoren slecht op al deze punten. Een belangrijke reden dat ze 'ontwikkelingslanden' blijven en moeite hebben een 'ontwikkeld land' te worden, is de slechte naleving van eigendomsrechten. De Verenigde Staten scoren hoog wat dat betreft en de 'premies voor politiek risico' behoren er tot de laagste ter wereld.[7]

Ik verwacht dat de technologiekloof tussen het Westen en de derde wereld een stuk kleiner zal worden, maar betwijfel of het autoritaire Chinese bestuur, de verstikkende Indiase bureaucratie of de grillige Russische naleving van eigendomsrechten op korte termijn zullen veranderen of dat het politieke risico er significant zal dalen. De verwachtingen van investeerders ten aanzien van de politieke risico's veranderen zo langzaam, dat het ook na fundamentele, geloofwaardige veranderingen waarschijnlijk nog jaren zal duren voordat de risico's geen rol meer spelen bij de economische besluitvorming.

Ik heb altijd gedacht dat een bescheiden inflatie in de orde van 1 procent per jaar in een verhoudingsgewijs democratisch land, waar misschien nog een rest van populisme bestaat (welk land is er immuun voor?),[8] niet lang kan worden volgehouden in een economie met een fiatmunt. Een dergelijke munt kent per definitie als enige beperking het ingrijpen van een overheidsinstantie, die niet geheel kan worden gescheiden van politieke invloed. Ik herinner me nog goed de inflatie in 1946, 1950 en eind jaren zeventig in ons land. Die opvattingen werden in 2003 weerlegd door de Japanse deflatie, hoewel de deflatie uiteindelijk geen stand hield. Als een 'normale' inflatie van een democratisch beheerde ongedekte munt de 1 tot 2 procent overstijgt, welke nieuwe kracht moet dan voorkomen dat zij nog veel hoger wordt als twee belangrijke desinflatoire krachten afnemen? Het meest voor de hand liggende antwoord is: monetair beleid. Er komt een punt waarop weer van centrale bankiers wordt gevraagd tegen inflatoire druk op te treden.

Centrale bankiers hebben de afgelopen decennia een belangrijk principe geleerd: prijsstabiliteit is de weg naar maximale, duurzame economische groei. Veel economen denken dat het aan het monetaire beleid van de centrale banken te danken is dat de wereldwijde inflatie de laatste tien jaar zo is afgenomen. Ik zou dat graag geloven. Ik wil niet ontkennen dat we het beleid bijstelden om het te laten overeenstemmen met de wereldwijde desinflatoire trend, maar ik betwijfel of deze beleidsmaatregelen of de anti-inflatoire geloofwaardigheid van de Fed een sleutelrol speelden bij de daling van de lange rente in de afgelopen twee decennia. Die daling (en het raadsel) kan bijna geheel door andere krachten dan monetair beleid worden verklaard. Vanuit mijn ervaring sinds halverwege de jaren negentig met de interactie tussen de financiële markten en het beleid van de centrale banken is het me opgevallen hoe gemakkelijk het verhoudingsgewijs was om de inflatie te doen dalen. De inflatiedruk waarvan ik me eind jaren tachtig zo bewust was, was afwezig, of, juister gezegd, leidde een slapend bestaan. Het 'raadsel' maakte dit punt extra duidelijk.

Om te zien of hun pogingen om de inflatie te beteugelen succes hebben gehad, kijken centrale banken naar verandering in de inflatieverwachting die wordt weerspiegeld door de nominale lange rente. De pogingen zijn duidelijk succesvol als de lange rente afneemt bij agressieve monetaire verkrapping. In mijn herinnering was bij de meeste initiatieven om een stijgende inflatie tot staan te brengen een 'tikje op het rempedaal' al voldoende om de lange rente te doen dalen. Het leek te gemakkelijk – heel anders dan bij het monetaire beleid in de jaren zeventig. Op het moment dat ik werd ingezworen als voorzitter van de Fed, brachten tienjarige staatsobligaties 8,7 procent op, en op 19 oktober 1987 ('Zwarte Maandag') was de rente verder gestegen tot 10,2 procent. In de daaropvolgende zestien jaar liep de rente op tienjarige schatkistbiljetten steeds verder terug, schijnbaar ongeacht het beleid van de Fed. Ik vroeg me vaak af hoeveel we de basisrente zouden moeten verhogen om de rente op tienjarige obligaties te doen stijgen. Het voor langere tijd tegengaan van enorme wereldwijde financiële stromen zou een geduchte taak zijn zolang internationale krachten de reële rente voor de langere termijn omlaag dwongen en de aandelen- en onroerendgoedprijzen omhoog stuwden. De krachten die de obligatierente bepaalden, werden steeds internationaler. Het beste beleid onder dergelijke omstandigheden is ervoor zorgen dat het monetaire beleid in overeenstemming is met wereldwijde krachten. Daar zorgden we voor. Ons beleid was effectief in de zin dat we begrepen dat het in overeenstemming was met de stabiliteit van de Amerikaanse financiële markten tijdens de wereldwijde financiële transformatie waarmee de Fed tijdens mijn ambtsperiode werd geconfronteerd. Ik betwijfel of we over de middelen beschikten om de neerwaartse druk tegen te gaan op onze reële lange rente, die steeds meer door internationale ontwikkelingen werd bepaald. Japan beschikte daar duidelijk niet over.

De recente ervaring toont aan hoezeer stabiele prijzen bijdragen aan de economische groei en verhoging van de levensstandaard, wat op zich voor centrale banken overal ter wereld een belangrijke motivatie zal zijn om de inflatiedruk te beteugelen. Zoals ik een paar jaar geleden tijdens een hoorzitting voor het Congres zei, zou het monetaire beleid ervoor moeten zorgen dat zelfs een economie met ongedekt papiergeld zich gedraagt 'alsof zij met goud is verankerd'. Heeft de wereld nu voor altijd geleerd hoezeer stabiele prijzen bijdragen aan de economische groei en verhoging van de levensstandaard, en hebben alle landen nu een beleid om daarvoor te zorgen? Ik zal die vraag in hoofdstuk 25 proberen te beantwoorden.

21

ONDERWIJS EN INKOMENSONGELIJKHEID

Ondanks vijf indrukwekkende jaren van bovengemiddelde economische groei, waardoor de werkloosheid daalde tot beneden de 5 procent, gaf een meerderheid van de Amerikanen in 2006 aan ontevreden te zijn over de economie. Onder Amerikanen met een middeninkomen heerst het idee dat de economische welvaart van de laatste jaren oneerlijk is verdeeld. En hoewel 'eerlijk' een subjectief begrip is, klopt het dat de inkomensconcentratie sinds 1980 is toegenomen.[1] De stemming onder een significant deel van de geënquêteerden was verontrustend negatief. Het gevaar is dat populistische politici die daarop inspelen, onverwacht een meerderheid in het Congres krijgen ten gunste van kortzichtige, contraproductieve maatregelen die de ontevreden stemming in een echt ernstige economische crisis kunnen doen veranderen.

Bij deze angst speelt op de achtergrond een ouder probleem: de met veel bewijzen onderbouwde vaststelling dat de concurrerende markt in de loop der decennia de levensstandaard heeft verhoogd voor de overgrote meerderheid der Amerikanen en de rest van de wereld, lijkt voor veel mensen in het dagelijks leven te worden weersproken door hun ervaring op de banenmarkt. Te veel mensen denken dat de steeds heftiger concurrerende markten, die broedkamers zijn geworden van onze huidige wereldwijde hightecheconomie, banen vernietigen. Dat zien ze immers duidelijk om zich heen. In de media worden voortdurend massaontslagen aangekondigd. Er lijken telkens weer arbeidsplaatsen te verdwijnen in de Amerikaanse fabrieken en kantoren.

Het is dus niet verrassend dat concurrentie als bedreiging voor de werkgelegenheid wordt gezien. Ook denken veel mensen dat concurrentie niet tot hogere lonen leidt, hoewel dat op den duur steeds het geval is, ook nu. Sinds het einde van de Tweede Wereldoorlog zijn de reële lonen continu gestegen doordat kapitaal en werknemers van verouderde, weinig productieve bedrijven overgingen naar nieuwere, technologie-intensieve ondernemingen, waardoor er productievere manieren ontstonden om bij te dragen aan het BBP van het land. Doordat de economische koek groter werd, namen ook de beloningen voor kapitaal en arbeid toe, en de concurrentie zorgde ervoor dat het aandeel van het nationaal inkomen dat werd gebruikt voor lonen en winsten in de loop der decennia relatief trendloos bleef. Aan het begin van een economische cyclus stijgt het winstaandeel en daalt het werknemersdeel meestal, om daarna omgekeerd te verlopen. En als we naar de afgelopen twintig jaar kijken, zien we dat de verdeling van het nationaal inkomen tussen kapitaal en arbeid niet veel verschilt van die van de afgelopen halve eeuw. Dit betekent dat sinds de Tweede Wereldoorlog het reële uurloon netjes de productie per uur (dat wil zeggen, de productiviteit) volgt.[2] Dit betekent vervolgens weer dat de verdeling tussen beloning voor arbeid en winst door productiviteitsverbetering in de loop der jaren stabiel is gebleven.

Maar dit zegt weinig over de verdeling van de lonen zelf, waar zowel het inkomen van fabrieksarbeiders en niet-leidinggevend personeel onder valt, als dat van de top van ondernemingen. Het is niet bepaald prettig voor iemand op de werkvloer als zijn loon minimaal stijgt terwijl de CEO een bonus krijgt van vele miljoenen dollars. De verdeling van de loonsom wordt door andere concurrentiekrachten bepaald dan de krachten die vraag en aanbod van vaardigheden bepalen. De afgelopen tien jaar vergeleek ik het uurloon en de salarissen van werknemers in de productie of niet-leidinggevende banen met die van werknemers die een leidinggevende functie hebben, onder wie managers en hoogopgeleide professionals. Begin 2007 verdienden de leidinggevenden (eenvijfde van het totaal aantal werknemers) gemiddeld 59 dollar per uur, terwijl niet-leidinggevenden (viervijfde van het totaal) 17 dollar verdienden. Dit betekent dat eenvijfde van het totale aantal Amerikanen in dienstbetrekking 46 procent van het totaal van lonen en salarissen verdiende. In 1997 was dat 41 procent.[3] Deze stijging voltrok zich gedurende het hele decennium. Het gemiddelde uurloon van productiewerkers steeg met 3,4 procent per jaar, terwijl dat van leidinggevenden met 5,6 procent per jaar toenam.

Amerikanen hebben over het algemeen weinig moeite met hoge inkomens die voortvloeien uit werkzaamheden die aantoonbaar bijdragen aan het economisch welzijn van het land en daarom duidelijk 'verdiend' zijn. Hoewel de begrippen 'verdiend' en 'niet-verdiend' subjectief zijn, aarzelen mensen niet conclusies te trekken. De afgelopen jaren is men bijvoorbeeld duidelijk minder tolerant ten aanzien van de dramatische stijging in de beloning van directieleden, waarover veel wordt geklaagd door het Amerikaanse electoraat en hun afgevaardigden in Washington. Ik zal hier in hoofdstuk 23 verder op ingaan.

Het complexe stel marktkrachten dat zorgt dat de opbrengsten van het land in de vorm van inkomen worden verdeeld over de verschillende verdieners van het BBP, is nauwelijks zichtbaar voor de gemiddelde Amerikaan. Betogen dat de maatschappij gemiddeld beter wordt van onbelemmerde concurrentie, helpt weinig als werknemers zien dat hun bazen vette bonussen krijgen terwijl ze het zelf met minimale loonsverhogingen moeten doen. Ze moeten de voordelen van concurrentie uit de eerste hand ervaren. Als ze dat niet doen, wenden sommigen zich tot populistische leiders die bijvoorbeeld beloven importheffingen in te stellen op concurrerende producten uit het buitenland. Veel mensen denken ten onrechte dat door dergelijke heffingen goedbetaalde banen behouden hadden kunnen blijven in de staal-, auto-, textiel- en chemische industrie, de iconen van de voorbije Amerikaanse macht. Maar eenentwintigste-eeuwse klanten voelen zich minder aangetrokken tot de producten die deze industrieën opleveren dan hun ouders, en dus kunnen er minder hoge lonen worden geëist en zijn de banen er dunner gezaaid dan vroeger. En daarom loopt ook het aantal werknemers terug in de staal- en de textielindustrie, na het hoogtepunt in de jaren vijftig en zestig. Deze daling zet zich waarschijnlijk door.

Het verlies van arbeidsplaatsen in de Amerikaanse industrie wordt door velen gezien als een uitholling van de Amerikaanse economie. Dat is echter niet het geval. Het feit dat er bijvoorbeeld in de staal-, auto- en textielindustrie banen zijn verdwenen en dat daar banen in de IT, en de computer- en telecommunicatie-industrie voor in de plaats zijn gekomen, is een plus, en geen min, voor de Amerikaanse levensstandaard. De traditionele fabricage is niet langer een symbool voor de nieuwste technologie. De wortels daarvan liggen diep in de negentiende eeuw, of eerder. Consumenten vinden overal ter wereld producten aantrekkelijk die nieuwe ideeën belichamen. Mobiele telefoons zijn bijvoorbeeld populairder dan fietsen. De wereldwijde handel geeft ons toegang tot een compleet arsenaal aan producten, zonder dat we deze allemaal in eigen land hoeven te produceren.

Als we zouden buigen voor degenen die weinig van economie afweten en barrières opwerpen tegen producten uit het buitenland, dan zou de concurrentie zeker afnemen en zou de spanning aanvankelijk minder lijken te worden. De rem op lonen en prijzen die Richard Nixon in augustus 1971 afkondigde, was dan ook aanvankelijk heel populair. Maar de euforie verdween al snel toen zich tekorten begonnen voor te doen. Het is waarschijnlijk dat zich ook een dergelijk scenario van groeiende onvrede zal voltrekken als er weer handelsbarrières zouden worden ingevoerd. De Amerikaanse levensstandaard zou al snel stagneren, en zelfs dalen, als gevolg van stijgende prijzen, verslechterde productkeuze en (wellicht het meest zichtbaar) van het feit dat ook onze handelspartners hun grenzen zouden sluiten voor onze export – wat ons banen zou kosten.

Werk in fabrieken wordt niet langer goed betaald, omdat het uiteindelijk de consumenten zijn die de lonen van de fabrieksarbeiders betalen. En zij willen niet meer. Zij willen Wal-Mart-prijzen. Die prijzen zijn gebaseerd op de lage Chinese lonen en komen niet overeen met de hoge lonen die vanouds door Amerikaanse fabrieken worden betaald. Amerikaanse klanten dwingen meer dan de marktprijs neer te tellen om de salarissen van fabrieken te betalen, zou uiteindelijk op veel verzet stuiten. Maar als dat gebeurde, zou ook de Amerikaanse levensstandaard dalen. Het Peterson Institute of International Economics schat in dat het cumulatieve effect van de globalisering sinds het eind van de Tweede Wereldoorlog 10 procent heeft toegevoegd aan het BBP van de Verenigde Staten. Door onze deuren te sluiten voor de handel, zou de Amerikaanse levensstandaard met eenzelfde percentage dalen. De geweldig pijnlijke daling van het BBP tussen het derde kwartaal van 1981 en het derde kwartaal van 1982 bedroeg slechts 1,4 procent. Wie zegt dat het beter is als minder mensen de stress van de globalisering ondergaan, en dat bepaalde mensen dan maar minder rijk moeten worden, stelt de zaken verkeerd voor. Als een land zich eenmaal afsluit, verliest het zijn concurrerende instelling en doet de stagnatie haar intrede. En stagnatie leidt tot nog meer ellende voor nog meer mensen.

Als een dergelijk resultaat onacceptabel is – wat het, denk ik, is –, wat kan er dan gedaan worden tegen dit foute beeld van hoe werkgelegenheid ontstaat en hoe inkomens worden gegenereerd? En hoe kunnen we de toenemende inkomensongelijkheid tegengaan? Beide ondermijnen de steun voor de concurrerende markt. Zoals ik ook in eerdere hoofdstukken betoog, kan de vrij concurrerende markt, en dus ook de globalisering en het kapitalisme, niet zonder de steun van een groot deel van de maatschappij. De rechtsstaat waarin de kapitalistische economische instellingen functioneren, moet 'rechtvaardig' worden gevonden, want anders verliezen die instellingen hun brede steun. De enige manier om de vooringenomenheid te verzachten tegen een economie die tijdige herpositionering van personeel met zich meebrengt, is de markt prikkels te laten ontwikkelen die banen scheppen en productieve manieren te vinden om de pijn voor degenen die hun baan kwijtraken te verzachten. Dat probleem is niet nieuw. De toenemende inkomensongelijkheid is dat wel. Zij dient terdege geanalyseerd te worden en waar mogelijk moeten er beleidsmaatregelen worden genomen.

The Beatles deden het goed in het Verenigd Koninkrijk, maar ze deden het nog veel beter toen ze de wereldmarkt betraden en konden profiteren van een wereldwijd luister- en koperspubliek. Niemand klaagde over globalisering. Niemand heeft kritiek op het fortuin van Roger Federer. Als hij alleen in Zwitserland geld hadden kunnen verdienen met tennissen, dan was hij niet rijk geworden. Tot nog voor kort was de globalisering algemeen geaccepteerd, als we afgaan op de talloze succesvolle onderhandelingen over handelsverdragen. Bedrijven genieten natuurlijk ook grote voordelen als het ze lukt buiten de landsgrenzen hun waren of diensten te verkopen, en deze voordelen geven ze door aan hun aandeelhouders. Economen zouden zeggen dat de marginale kosten van de internationalisering maar een fractie bedragen van de extra inkomsten die ze in het buitenland kunnen verdienen. Door handel met het buitenland kunnen vaste kosten, zoals die voor onderzoek en ontwikkeling, worden terugverdiend. Boeing en Airbus zouden bijvoorbeeld nooit zo veel verschillende soorten vliegtuigen hebben kunnen ontwikkelen als ze alleen in hun eigen landen vliegtuigen verkochten.

Aan de talloze succesvolle handelsverdragen te oordelen, was globalisering tot voor kort algemeen geaccepteerd. Maar het lijdt geen twijfel dat globalisering, geholpen door snel expanderende innovatie en concurrentie, bijna overal een grote bijdrage heeft geleverd aan de toenemende inkomensconcentratie. In de afgelopen decennia wordt er zo snel geïnnoveerd, vooral op internetgebied, dat de scholing die nodig is voor de nieuwe technologieën, de ontwikkelingen niet kan bijbenen. Het tekort aan geavanceerde vaardigheden drijft de lonen op. Er is na alle innovatieve ideeën, die vaak snel en in clusters ontstaan, niet altijd per se meteen een groot aantal hoogopgeleide werknemers beschikbaar om ze te implementeren. De inzichten die zorgen voor de ontwikkeling van de nieuwste technologieën, komen voort uit slechts een klein aantal van die werknemers.

Naarmate de lonen voor werknemers met gespecialiseerde vaardigheden verder werden opgedreven door de globalisering, eiste de innovatie ook haar tol onder minder hoog opgeleide werknemers. De vraag naar minder hoog opgeleide werknemers nam af naarmate repetitieve werkzaamheden werden overgenomen door computerprogramma's. Ik herinner me architectenbureaus en vliegtuigfabrieken met zalen vol werknemers die details van gebouwen en straaljagers zaten te tekenen. Die banen zijn allemaal verdwenen – weggeprogrammeerd. Het verging werknemers met lagere inkomens wat beter, vooral in dienstverlenende beroepen die geen last hadden van wereldwijde concurrentie. De vrees van veel Amerikanen dat de immigratie hun loonniveau aantast, moet nog door harde bewijzen worden gestaafd. Over het algemeen deden de Amerikaanse lagere inkomens het slecht in de jaren tachtig, maar de afgelopen jaren stegen ze iets.

Terwijl de lagere en middeninkomens de afgelopen 25 jaar achterbleven, stegen de hoogste inkomens snel. Dit hebben Amerikanen al eerder meegemaakt. De laatste keer dat de inkomens in handen van zo weinig mensen waren geconcentreerd, was eind jaren twintig, en (waarschijnlijk duurzamer) in de jaren voor de Eerste Wereldoorlog. Door de snelle ontwikkeling van de Verenigde Staten als nationale markt in de laatste helft van de negentiende eeuw, raakte het inkomen sterk geconcentreerd in de beginjaren van de twintigste eeuw, toen de Rockefellers, Fords, Morgans en Carnegies door buiten de lokale markt te opereren hun inkomen wisten te verveelvoudigen. De nieuwe rijken vormden een veel grotere groep dan de nieuwe vooraanstaande families die aan het begin van de twintigste eeuw de societykolommen van de kranten vulden. Een groot deel van de inkomensconcentratie van die dagen was gebaseerd op rente, dividend en kapitaalwinst, in plaats van op verschillen in lonen en salarissen.[4]

De inkomensconcentratie van tegenwoordig heeft meer te maken met een gebrek aan evenwicht tussen vraag en aanbod van gespecialiseerd personeel. Niettemin is de trend zorgwekkend. Om het nog maar eens te zeggen: het is mogelijk dat de vraag naar gespecialiseerd personeel de afgelopen jaren zo snel is gestegen dat de bevolking zich niet tijdig heeft kunnen scholen om aan de vraag naar de nieuwere technologieën te voldoen. Bedrijfsmanagers noemen het gebrek aan opgeleid personeel consequent een van hun grootste problemen en zijn daarom bereid om de salarissen en arbeidsvoorwaarden telkens op te schroeven.

Technologische vooruitgang verloopt zelden gladjes. Het kan jaren duren voordat de arbeidsmarkt zich aanpast bij een stijging van de vraag. Dit gebeurt door de loonschaal van opgeleide werknemers te verhogen, wat werknemers uit het buitenland aantrekt en binnenlandse werknemers aanmoedigt zich uitgebreider te laten scholen of op andere manieren meer vaardigheden te verwerven. Maar deze reactie kost tijd en ondertussen worden de inkomens door het stijgen van de lonen voor hoogopgeleid personeel, dat niet gelijk opgaat met loonstijgingen voor minder hoog opgeleide mensen, steeds meer geconcentreerd bij de topinkomens. Alles bij elkaar is de bijdrage van de globalisering aan de toenemende ongelijkheid (op vele protectionistische initiatieven na) niet op zware tegenstand gestuit – nog niet tenminste. De problemen waarin de Doha-ronde over handelsliberalisatie terechtkwam, hebben geleid tot politieke onrust over verdere globalisering.

De meeste ontwikkelde landen ervaren de invloed van de technologie en globalisering op min of meer dezelfde wijze als de Verenigde Staten. Maar hoewel ook deze landen met een toenemende inkomensconcentratie te maken hebben, lijkt deze veel minder uitgesproken dan wat we in de Verenigde Staten ervaren. De trends in de Verenigde Staten zijn duidelijk anders dan die bij onze wereldwijde handelspartners, en dat vraagt om een bredere verklaring van de oorzaken van de Amerikaanse inkomensongelijkheid. Een deel van de verklaring zijn de uitgebreidere sociale voorzieningen, vooral in Europa, en de systemen voor de herverdeling van inkomens, die daar veel aanvaardbaarder worden gevonden dan in Amerika. Maar dat is niet nieuw. Dergelijke ongelijkheden bestonden ook ver voor 1980, toen de inkomensongelijkheid een wereldwijd probleem begon te worden.

Een verklaring voor de recente ontwikkelingen ligt zeer waarschijnlijk bij de slecht functionerende basis- en middelbare scholen in de Verenigde Staten. Uit een onderzoek dat voor het eerst in 1995 op Boston College werd uitgevoerd door de Lynch School of Education, bleek dat hoewel de leerlingen in de vierde klas (als ze tien zijn) op een internationale vergelijkingsschaal bovengemiddeld scoorden in exacte vakken, ze in het laatste jaar van de middelbare school (als ze achttien zijn) een stuk beneden het internationale gemiddelde scoorden. De hoogste scores werden gehaald in Singapore, Hongkong, Zweden en Nederland.[5] Minder uitgebreide gegevens voor de jaren 1999 en 2003 gaven slechts een lichte verbetering van de Amerikaanse score te zien. Deze onderwijsramp kan niet worden geweten aan de kwaliteit van onze kinderen. Op negen- of tienjarige leeftijd scoorden ze immers gemiddeld of bovengemiddeld. Wat doen we aan hun leerproces in de acht jaar tussen hun goede en slechte score in vergelijking met andere landen? Wat doen we aan didactiek? Grote aantallen op deze wijze 'geschoolde' sollicitanten worden afgewezen omdat ze niet in staat zijn coherente zinnen te schrijven en een kolom cijfers foutloos op te tellen.

Geen wonder dat mensen met niet meer dan een middelbareschooldiploma worden gerekend tot de minder hoog opgeleide arbeidskrachten, naar wie steeds minder vraag is. Men kan zich afvragen hoe onze arbeidsmarkt zich zou gedragen als onze leerlingen konden tippen aan Singaporese leerlingen.[6] Dit gebrek aan noodzakelijke vaardigheden, in combinatie met de krachten van de globalisering en innovatie, lijkt het achterblijven van de lonen in het midden en de onderkant van de markt in de afgelopen 25 jaar te verklaren. Het feit dat de vakbonden minder goed in staat waren de lonen boven de markt te houden, had waarschijnlijk ook enig effect op de middenklasseninkomens, maar het kan geen significante factor zijn geweest bij de toegenomen inkomensconcentratie in de Verenigde Staten in vergelijking met onze handelspartners, aangezien de globalisering wereldwijd de onderhandelingskracht van vakbonden heeft aangetast.

De belangrijkste beleidsmaatregelen die tegen de ongelijkheid genomen kunnen worden, liggen naar mijn mening vooral op het gebied van onderwijs en immigratie. De markten werken al in die richting, maar we moeten dat proces versnellen. We moeten meer in het algemeen de concurrentiekrachten beter aanwenden die de ontwikkeling van het onderwijs in de Verenigde Staten vorm hebben gegeven, en immigratie makkelijker maken voor hoogopgeleide mensen. Op deze punten kom ik later terug.

We zijn er tot dertig jaar na de Tweede Wereldoorlog in geslaagd, ondanks de technologische ontwikkeling en toenemende globalisering, de inkomensverdeling stabiel te houden. Hoe deden we dat, en wat kunnen we daarvan leren voor het uitstippelen van een beleid dat de groeiende inkomensongelijkheid een halt kan toeroepen en mogelijk kan omdraaien?

De samenstelling van onze arbeidskrachten aan het eind van de Tweede Wereldoorlog kwam redelijk overeen met de behoefte van die tijd, die ook toen al vrij complex was. Daarom was de verhouding tussen loon en vaardigheden stabiel en waren de loonstijgingen voor alle soorten banen percentueel ongeveer gelijk. Doordat er steeds meer afgestudeerden van *colleges* de arbeidsmarkt betraden als gevolg van de grote hoeveelheid beurzen voor ex-militairen (in het kader van de GI Bill), gingen de lonen voor hoger opgeleiden op een gegeven moment omhoog. De reële lonen voor de minder opgeleiden stegen ook, deels als gevolg van effectief middelbaar onderwijs en de vele vaardigheden die men tijdens de oorlog leerde. Kortom, de technische vaardigheden leken op alle niveaus toe te nemen, in overeenstemming met de behoeften van onze complexe infrastructuur, waardoor de inkomensverdeling in de Verenigde Staten dertig jaar lang stabiel bleef. Hoewel de GI Bill en de praktische opleidingen die militairen tijdens de Tweede Wereldoorlog kregen aanvankelijk natuurlijk niet door de markt werden bepaald, voldeden ze op termijn wel aan de behoeften van de veranderende arbeidsmarkt.

Na deze lange periode van stabiele inkomensverdeling begonnen rond 1980 de inkomens meer uiteen te lopen.[7] Goedbetaalde fabrieksbanen voor de middenklasse staan sinds het hoogtepunt halverwege 1979 onder druk vanwege technologische ontwikkelingen en toegenomen import. De afgelopen jaren is de onzekerheid nog vergroot door de vrees voor het uitbesteden van diensten die nooit eerder onderhevig waren geweest aan internationale concurrentie. Die onzekerheid, ontstaan door de wereldwijde concurrentie, was nieuw voor veel Amerikanen met een middeninkomen. Zij waren steeds vaker bereid van loonsverhoging af te zien in ruil voor een gegarandeerd behoud van hun baan.

Onze onderwijsinstellingen reageerden op de verkeerde afstelling van de benodigde vaardigheden die 25 jaar geleden aan het licht kwam, maar slechts ten dele. Toen ik jong was (in de jaren veertig), bereidde het onderwijs je voor op een leven lang werken. Iedereen beschouwde onderwijs als iets wat je in je jeugdjaren deed. Na je middelbare school ging je werken, of je studeerde verder op een college, en wellicht een universiteit. Maar wat je einddiploma ook was, daarna was je klaar voor het leven. Een tiener met een middelbareschooldiploma volgde het voorbeeld van zijn vader in de plaatselijke staalfabriek of, als hij een college had voltooid, werd hij assistent-manager in een groot concern. In de staalfabriek verdiende je goed je boterham, en de meeste mensen die er werden aangenomen, verwachtten daar hun hele leven te blijven werken. De jonge assistent-managers hoopten op een dag hun baas te vervangen. Jonge vrouwen werkten meestal als secretaresse of lerares, tot ze trouwden en een gezin stichtten. Slechts 30 procent van de vrouwen tussen de 25 en 54 werkte (of zocht werk) in 1940. Tegenwoordig is dat 75 procent.

Maar toen door de verhoogde concurrentie de creatieve destructie haar werk begon te doen, veranderden mensen sneller van baan en verbleekte het idee van de baan voor het leven. Toen de twintigste eeuw ten einde liep, was duidelijk dat leerlingen na hun eindexamen of afstuderen in de loop der jaren veel verschillende banen zouden hebben, en dat ze zelfs vaak meer dan één beroep zouden uitoefenen. Ook de opleiding werd toen een kwestie van levenslang leren, en de markten reageerden daarop.

Het eerste bewijs hiervoor was de dramatische toename van het aantal aanmeldingen bij de *community colleges* (vakopleidingsinstituten). Na jarenlang een ondergeschikte positie te hebben ingenomen in het onderwijs, zijn deze instellingen nu het meest dynamische aspect van ons onderwijsproces. Tussen 1969 en 2004 steeg het aantal inschrijvingen van 2,1 naar 6,5 miljoen. Bijna eenderde van de cursisten is dertig jaar of ouder. Deze instellingen zijn gespecialiseerd in praktische vaardigheden die meteen toepasbaar zijn in de werkomgeving, en zijn vooral heel nuttig bij de herscholing van werklozen. Er worden opleidingen gegeven als elektronicaonderhoud, autoschadeherstel, verpleegkunde, massagetherapie, en computerveiligheid. Werknemers met een middeninkomen moeten over veel meer vaardigheden beschikken dan toen ik eind jaren veertig op de arbeidsmarkt verscheen.

Een toenemend deel van de bevolking volgt opleidingen of cursussen die rechtstreeks met hun werk te maken hebben. De 'bedrijfsuniversiteit' is een nieuw maar niet meer weg te denken verschijnsel, waar op het werk toegesneden opleidingen voor volwassenen worden aangeboden. Veel bedrijven die ontevreden zijn over de kwaliteit van nieuwe werknemers, laten hen cursussen en opleidingen volgen, zodat ze voldoen aan de behoefte: effectief op de wereldmarkt kunnen concurreren. General Motors heeft een grote 'universiteit' met zestien 'colleges'. Op de 'Hamburger University' van McDonald's worden jaarlijks meer dan vijfduizend werknemers opgeleid.

Een dergelijke reactie op marktkrachten is niet nieuw voor het Amerikaanse onderwijs, maar heeft er altijd de kern van uitgemaakt. Aan het begin van de twintigste eeuw waren vanwege de technologische vooruitgang werknemers nodig met meer cognitieve vaardigheden dan voorheen, toen de economie vooral op de landbouw berustte. Werknemers moesten bijvoorbeeld handleidingen kunnen lezen, blauwdrukken kunnen interpreteren en wiskundige formules kunnen begrijpen. Jonge mensen uit landelijke gebieden, waar de mogelijkheden beperkt waren, werden aangetrokken door productievere banen in de handel en de snel uitbreidende industriële sector. In de jaren twintig en dertig nam het aantal inschrijvingen voor high schools enorm toe. Het werd de taak van deze instellingen om leerlingen voor te bereiden op hun arbeidzame leven. In de context van de toenmalige economie was high school de training die nodig was om succesvol te zijn op de meeste afdelingen van Amerikaanse ondernemingen. De economische opbrengst van het bezit van een dergelijk diploma nam toe, waardoor ook het schoolgeld van deze instellingen steeg. Op het moment dat de Verenigde Staten betrokken raakten bij de Tweede Wereldoorlog, was het gemiddelde onderwijsniveau voor een zeventienjarige het high-schooldiploma – waarmee we hoger geschoold waren dan andere landen.

De ontwikkeling van ons systeem voor hoger onderwijs werd ook in belangrijke mate beïnvloed door de nieuwe eisen van de economische vooruitgang.[8] Veel staten richtten in de negentiende eeuw *land grant schools* op (instellingen voor hoger onderwijs die door de federale overheid door middel van landtoewijzingen werden gefinancierd), die aan het einde van die eeuw verder werden uitgebreid toen staten die gespecialiseerd waren in land- en mijnbouw wilden profiteren van de nieuwste wetenschappelijke ontdekkingen op die gebieden.

Aan het begin van de twintigste eeuw bood het onderwijs op het Amerikaanse college, dat eerder op de klassieken was gebaseerd, een programma van exacte wetenschappen, empirische studies en alfavakken. Ook universiteiten reageerden op de behoefte aan exacte vakken – vooral schei- en natuurkunde – ten behoeve van de productie van staal, rubber, chemicaliën, geneesmiddelen, petroleum en andere goederen waarvoor nieuwe productiemethoden werden toegepast.

De Amerikaanse reputatie als wereldleider op het gebied van hoger onderwijs is gebaseerd op het feit dat deze veelzijdige instellingen bij elkaar aan de praktische behoeften van de economie voldoen en – nog belangrijker – het creatieve denken ontketenen waardoor een economie vooruitgang kan boeken. Veel studenten van overal ter wereld voelen zich juist vanwege die waarden aangetrokken tot onze instellingen voor hoger onderwijs. Onze universiteiten en vooral onze community colleges hebben op indrukwekkende manier gereageerd op marktkrachten. Zo niet onze basisscholen en middelbare scholen.

In het voorgaande sprak ik mijn zorg uit over ons basis- en middelbaar onderwijs, terwijl ik de loftrompet stak over het universiteitssysteem van wereldklasse dat we in de loop van een paar generaties hebben opgebouwd. Maar als het voorbereidende onderwijs niet ook van wereldklasse is, zal het wetenschappelijk onderwijs steeds meer afhankelijk worden van buitenlandse studenten als het niet in middelmatigheid wil verzinken. Vooral van grote zorg is de toename van de gemiddelde leeftijd van onze wetenschappers en ingenieurs, en de aanstaande pensionering van velen onder hen, waardoor het aantal gespecialiseerden in verhouding tot het vereiste aantal voor een steeds complexere kapitaalvoorraad afneemt. Als we geen vervangers hebben voor deze hoogopgeleiden, zal de druk om de salarissen verder te verhogen toenemen, en blijven de lagere salarissen nog verder achter omdat er geen vergelijkbaar tekort aan minder hoog opgeleide werknemers aan de horizon te zien is.

Leerlingen met alleen een eindexamendiploma weten onder andere te weinig van wiskunde. Dit vak is meer dan andere nodig om een hogere opleiding te kunnen volgen. Ik wil niet beweren op de hoogte te zijn van de details van het Amerikaanse onderwijs in de eenentwintigste eeuw. Maar mensen die ik in wetenschappelijk opzicht respecteer en die het kunnen weten, klagen dat de wiskundeleraren van tegenwoordig zijn vervangen door leraren met een graad in onderwijskunde ('hoe-moet-ik-lesgeven'), zonder te zijn afgestudeerd in het vak waarin ze lesgeven. In 2000 had bijvoorbeeld bijna tweevijfde van de wiskundeleraren op middelbare scholen geen wiskundestudie of verwante studie afgerond, niet als hoofdvak en niet als bijvak. Lou Gerstner, ex-voorzitter van IBM en oprichter van de Teaching Commission, merkte op: 'De kern van het probleem is de gesloten wijze waarop we leraren rekruteren en voorbereiden, plus de rigide enkelvoudige salarisstructuur voor leraren, ongeacht hun specialisatie, hoe hard de maatschappij bepaalde vaardigheden ook nodig heeft en hoe goed een bepaalde leraar het ook doet in het klaslokaal. Dat is waanzin, maar het is nog steeds de norm in het onderwijs.'

Het idee van verschillende salarisschalen voor middelbareschoolleraren en voor afzonderlijke vakken druist wellicht in tegen het lerarenethos. Misschien hoort geld geen motiverende factor zijn. Maar dat is het wel. Er zijn ongetwijfeld wiskundeleraren op onze high schools die voldoende toegewijd zijn om de veel hogere salarissen die ze buiten het onderwijs kunnen verdienen, aan zich voorbij te laten gaan. Maar dat zijn er niet veel, want ook Gerstner wijst erop dat 'volgens een onderzoek uit 2000 bijna 95 procent van de scholen in de grootste stedelijke schooldistricten met een acuut tekort aan wiskundeleraren kampt – een kwantiteitsprobleem boven op het kwaliteitsprobleem dat we al hebben'.

Het wordt steeds meer duidelijk dat platte salarisschalen waar de vraag verre van plat is, eigenlijk een soort prijsafspraak vormen die het veel lastiger maakt om gekwalificeerde wiskundeleraren te vinden. Aangezien experts in wiskunde of andere exacte wetenschappen buiten het onderwijs veel meer kunnen verdienen dan bijvoorbeeld leraren Engelse literatuur, is de kans groot dat wiskundeleraren minder goed zijn dan de andere leraren in dezelfde salarisschaal. Er is een grote kans dat het wiskundeonderwijs wordt overgelaten aan degenen die niet in staat zijn de lucratievere baantjes te bemachtigen. Dat geldt veel minder voor leraren geschiedenis of Engelse literatuur.

En als gepensioneerden of hoogopgeleide ouders van leerlingen aanbieden bepaalde vakken, zoals wiskunde, parttime te geven omdat ze er veel van afweten, worden ze afgewezen omdat ze geen onderwijsbevoegdheid bezitten. Dergelijke bureaucratische regels belemmeren de marktwerking. Gelukkig krijgen voorstellen om een einde te maken aan deze slecht functionerende situatie steeds meer aandacht.

Er is wel enige vooruitgang geboekt in de afgelopen jaren. James Simons, een gerenommeerd wiskundige die een van de succesvolste hedgefondsen van Wall Street opzette, richtte zijn aandacht in 2004 op verbetering van het wiskundeonderwijs op middelbare scholen. Zijn *Math for America* ontwikkelde een programma om wiskundeleraren voor high schools te rekruteren met behulp van hoge stipendia. Dit initiatief wordt sinds 2006 gesteund door senator Chuck Schumer van New York, die ook wetgeving introduceerde om het te ontwikkelen.

Het evenwicht tussen vraag naar en aanbod van gespecialiseerde werknemers zou hersteld kunnen worden als basisscholen en middelbare scholen beter op marktkrachten leerden inspelen. Ik weet niet of een vouchersysteem, waardoor er weer een competitie-element zou ontstaan op openbare scholen, het uiteindelijke antwoord is. Maar ik vermoed dat Rose en Milton Friedman, die het eind van hun schitterende carrière aan deze zaak hebben gewijd, op het juiste spoor zitten (ik kan me niet herinneren dat een van hen ooit niet op het juiste spoor zat).

Een stap in de richting van het vergroten van de concurrentie is de interessante verhandeling die werd geschreven voor het Hamilton Project (een schepping van Robert Rubin) van het Brookings Institution. De auteurs merken op dat certificering van leraren (waarvoor over het algemeen ook de onderwijsbevoegdheid behaald moet worden) weinig zegt over de kwaliteit van deze leraren. Ze raden aan het onderwijs open te stellen voor iedereen die vier jaar universitaire studie heeft afgerond – ook als men niet aan de officiële eisen voor certificering voldoet. Ze denken dat als de barrière van de certificering wordt weggenomen, wellicht ook oudere academici en jongeren die net zijn afgestudeerd aan een carrière als leraar willen beginnen. Bovendien raden ze aan de prestaties van leraren en studenten bij te houden en het moeilijker te maken een vaste aanstelling te krijgen. Ze maakten een computersimulatie gebaseerd op de prestaties van 150.000 studenten uit Los Angeles tussen 2000 en 2003, en concludeerden daaruit dat als het schoolsysteem de minst gekwalificeerde 25 procent van de leraren eruit zou screenen, de scores van leerlingen bij het eindexamen wel 14 percentpunten beter konden uitvallen. Dat is een groot verschil; zelfs al zou er maar een klein deel van die verbetering gerealiseerd worden, dan zou dat al veel helpen om de internationale onderwijsachterstand van Amerikaanse middelbareschoolleerlingen weg te werken.

Ook in het rapport dat de National Council of Teachers of Mathematics (Nationale Raad van Wiskundeleraren) in september 2006 publiceerde, werd erkend dat het wiskundeonderwijs slecht was geworden. Toch was er misschien ook reden tot hoop. In het rapport werd teruggekomen op een minder goed advies uit 1989, toen de raad had aangeraden bij het wiskundeonderwijs minder de nadruk te leggen op de basisbegrippen (vermenigvuldigen, delen, worteltrekken) en meer op het vrij bedenken van oplossingen en de studie van een grote verscheidenheid aan speciale wiskundige onderwerpen. Ik heb me altijd afgevraagd hoe je wiskunde kunt leren zonder goed te zijn doorkneed in de basisbegrippen en je op weinig onderwerpen tegelijk te concentreren. En kinderen vragen om hun fantasie te gebruiken zonder dat ze weten wat ze zich moeten voorstellen, leek me wezenloos. En dat was ook zo.

Er zit nog een belangrijke kant aan het onderwijs, die niet door marktkrachten wordt verzorgd: het onderwijs voor de kinderen die 'zijn achtergebleven' (om de huidige Amerikaanse onderwijswet te parafraseren). De kosten voor gelijkheid in het onderwijs zijn ongetwijfeld hoog en zijn moeilijk te vatten in termen van economische efficiency en productiviteit op korte termijn. Een slimme leerling bereikt makkelijker, en daarom goedkoper, een bepaald onderwijsniveau dan een minder slimme leerling. Maar het is gevaarlijk om bepaalde kinderen te negeren. Een dergelijke verwaarlozing draagt bij aan overdreven inkomensconcentratie, en kan op lange termijn het kapitalisme en de globalisering bedreigen, waardoor de kosten nog veel hoger worden. Het waardeoordeel dat bij dergelijke keuzes een rol speelt, reikt verder dan de eisen van de markt.

Als de vaardigheden die we nodig hebben tegen de tijd dat onze hoogopgeleide babyboomers met pensioen gaan niet uit onze huidige bevolking komen, met hulp van de scholen, dan zullen we veel meer hoogopgeleid personeel uit het buitenland moeten aantrekken. Bill Gates, de voorzitter van Microsoft, zei in maart 2007 voor het Congres: 'Amerika zal oneindig meer moeite hebben zijn technologische leiderschap te behouden als het juist die mensen uitsluit die ons het best kunnen helpen concurreren... [We] jagen de beste en slimste mensen ter wereld weg precies op het moment dat we hen het meeste nodig hebben.'

Het tekort aan vaardigheden kan grotendeels worden opgeheven door onderwijshervormingen. Maar die duren op hun best enige jaren. De wereldwijde ontwikkelingen gaan te snel voor politiek en bureaucratisch getreuzel. We moeten snel de dubbele handicap (de toenemende inkomensconcentratie en de stijgende personeelskosten van ons bijzonder complexe bedrijfsleven) te lijf. Beide kwalen kunnen worden genezen door de Verenigde Staten open te stellen voor hoogopgeleide werknemers uit andere landen, van wie er heel veel zijn, en die snel in aantal toenemen. In de Verenigde Staten verdienen dergelijke werknemers meer dan waar ook ter wereld. Als we dus hoogopgeleide buitenlanders zouden toestaan zich in ons land te vestigen, dan zou het tekort al snel worden aangevuld en zouden de lonen dalen.[9] Ons tekort ontstaat omdat we de competitieve wereldarbeidsmarkt belemmeren. Andere landen worden buitengesloten met immigratieregels in plaats van met importheffingen. Al doende hebben we in dit land een bevoorrechte, hier geboren elite van hoogopgeleide werknemers geschapen, met inkomens van een niet-concurrerend hoog niveau, die worden gesteund door immigratiebeperkingen. Door deze belemmeringen met één pennenstreek weg te nemen, zou zowel de inkomensongelijkheid als het probleem van een niet-concurrerend bedrijfsleven kunnen worden aangepakt.

Bij immigratiepolitiek draait het natuurlijk om meer dan alleen de economie. Immigratiebeleid is ook gericht op de wens van de bevolking om de culturele wortels te beschermen die een maatschappij bij elkaar houden en te zorgen voor een vrijwillige uitwisseling die beide zijden voordeel biedt. De Verenigde Staten zijn altijd in staat geweest immigratiegolven na verloop van tijd in zich op te nemen en de individuele rechten en vrijheden te behouden die we van onze Founding Fathers hebben geërfd. Maar de overgangen waren altijd moeilijker dan ze nu, achteraf gezien, lijken. Als we onze levensstandaard verder willen verbeteren, zullen we ons basis- en middelbaar onderwijs moeten verbeteren of de immigratiebeperkingen voor hoogopgeleide buitenlanders moeten opheffen. Als beide verwezenlijkt kunnen worden, zou dat belangrijke economische voordelen hebben.

Overheidsbeleid is een kwestie van keuzes maken. We kunnen een muur rond de Verenigde Staten bouwen om goederen, diensten en mensen buiten te sluiten die met onze binnenlandse producten en werknemers concurreren. Maar dit zou leiden tot een verlies aan concurrentiekracht, en vervolgens tot een stagnerende en verzwakte economie. Onze levensstandaard zou dalen, de maatschappelijke ontevredenheid zou toenemen, en op een gegeven moment zou onze ooit zo geprezen supermacht zijn positie als wereldleider kwijtraken.

In plaats daarvan kunnen we beter de steeds concurrerender hightechwereld inschakelen, ons schoolsysteem aanpakken om te zorgen dat er wel voldoende geschikte werknemers worden opgeleid, de zorgelijk toenemende inkomensongelijkheid tegengaan, en onze grenzen verder openstellen voor hoogopgeleide buitenlanders.

Er is geen alternatief voor het behoud van de Amerikaanse levensstandaard, zonder de stress van open grenzen voor goederen en burgers. Bij overheidsbeleid draait het om keuzes. En daaraan kleven altijd voor- en nadelen. Om te kunnen profiteren van de voordelen, moeten we de nadelen accepteren.

22

DE HELE WERELD MET PENSIOEN – KUNNEN WE ONS DAT VEROORLOVEN?

Bijna de hele ontwikkelde wereld staat op de rand van een nooit eerder vertoonde demografische afgrond. Een groot cohort werknemers, de babyboomgeneratie, staat op het punt met pensioen te gaan. Er zijn te weinig jonge werknemers om hen te vervangen, en het tekort onder hoogopgeleide mensen is nog groter. De situatie is vooral ernstig in Duitsland, waar ondanks het grote aantal werklozen het tekort aan specialisten stijgt. Een directeur van een Duits rekruteringsbureau zei in de *Financial Times* van 28 november 2006: 'De slag om de werknemer is al begonnen, en deze zal nog een stuk heftiger worden gezien de demografische trends in Duitsland en delen van Zuid- en Oost-Europa.'

Deze enorme verandering is typisch een eenentwintigste-eeuws probleem. Pensionering is een verhoudingsgewijs nieuw fenomeen in de menselijke geschiedenis. Een eeuw geleden was de levensverwachting in een groot deel van de industrielanden nog 46 jaar. Relatief weinig mensen leefden lang genoeg om met pensioen te kunnen gaan.

Het aantal afhankelijke ouderen in verhouding tot de beroepsbevolking stijgt in de geïndustrialiseerde wereld al minstens 150 jaar. De stijging vlakte af met de babyboom van vlak na de Tweede Wereldoorlog, maar het aantal gepensioneerden zal enorm toenemen als die generatie massaal de pensioengerechtigde leeftijd bereikt. Dit zal vooral in Europa en Japan dramatische vormen aannemen. In Japan steeg het percentage 65-plussers het afgelopen decennium van 13 naar 21, en demografen verwachten dat dit verder toeneemt tot 31 procent in 2030. De Japanse beroepsbevolking krimpt nu al, en zal naar verwachting 69 miljoen mensen bedragen in 2030, terwijl dit er in 2007 nog 84 miljoen waren. Ook in Europa wordt krimping van de beroepsbevolking verwacht, hoewel minder dan in Japan.

De veranderingen die in de Verenigde Staten worden voorzien, zijn minder ernstig maar stellen het land niettemin voor flinke uitdagingen. De volgende 25 jaar zal de jaarlijkse groei van de beroepsbevolking afnemen van 1 procent op dit moment tot 0,5 procent in 2030. Tegelijkertijd zal het percentage van de bevolking dat ouder is dan 65, flink stijgen. Hoewel de bevolking in haar geheel verder zal verouderen, heeft veel van de vergrijzing van de beroepsbevolking al plaatsgevonden door het ouder worden van de babyboomgeneratie. Als onze babyboomers met pensioen gaan, stabiliseert de gemiddelde leeftijd van de Amerikaanse beroepsbevolking naar verwachting.

Deze voorziene veranderingen in de leeftijdsopbouw van onze bevolking en ons arbeidspotentieel zijn grotendeels het resultaat van de afname van de vruchtbaarheid na de naoorlogse geboortegolf. Na een piek in 1957 van gemiddeld 3,7 geboorten per vrouw, daalde de vruchtbaarheidsgraad naar 1,8 kind per vrouw halverwege de jaren zeventig, maar heeft zich sindsdien gestabiliseerd op iets minder dan 2,1 kind, de zogenoemde *replacement rate* – het tempo van bevolkingsaanwas dat nodig is om de bevolking constant te houden zonder rekening te houden met immigratie of veranderingen in de levensverwachting.[1] De afname van het aantal kinderen per gezin sinds de babyboom heeft onvermijdelijk geleid tot een toename van het aantal ouderen in verhouding tot de beroepsbevolking.

Door immigratie zal het effect van de dalende geboortecijfers worden verzacht en zal de bevolking blijven groeien en de levensverwachting blijven toenemen. In 1950 kon een 65-jarige Amerikaan verwachten dat hij gemiddeld 78 jaar zou worden, terwijl hij nu 82 wordt. En als deze trend doorzet, dan leeft hij in 2030 tot zijn 83ste. De levensverwachting voor vrouwen stijgt in ongeveer gelijke mate, van 80 in 1950 tot ruwweg 84 op dit moment, tot 85 rond 2030, volgens de toezichthouders op het systeem van sociale zekerheid in 2007.[2]

Amerikanen leven niet alleen langer, ze leven ook gezonder. De percentages zieken en gehandicapten nemen af, deels een gevolg van verbeteringen in de geneeskunde en veranderingen in het werk dat mensen doen. Werk is fysiek minder inspannend, maar in intellectueel opzicht juist veeleisender geworden, wat past in een trend die meer dan een eeuw geleden begon en leidt in de richting van meer conceptuele en minder fysieke economische opbrengsten. In 1900 had slechts één op de tien werknemers een beroep als arts, jurist, ingenieur of manager. In 1970 was dat twee op de tien, en tegenwoordig meer dan drie op de tien. Een onvermijdelijke consequentie van de vergrijzing van Amerika is dat meer mensen tot op hogere leeftijd kunnen blijven werken en daar aanleiding toe hebben.

Werknemers van in de zestig hebben veel ervaring, dus zou verlenging van hun deelname aan het arbeidsproces met nog een paar jaar flinke consequenties kunnen hebben voor de economie. Maar we kunnen er niet omheen: tegen 2030 zal bijna de hele babyboomgeneratie zijn opgehouden met werken. Aan die 'gouden jaren' zullen wat lengte betreft latere generaties niet kunnen tippen. Zullen die gouden jaren werkelijk van goud blijken? Zal de langzamer groeiende Amerikaanse beroepsbevolking van na de babyboomers zowel voor zichzelf en hun gezinnen als voor het ongeëvenaard hoge aantal gepensioneerden goederen en diensten kunnen produceren?

De harde demografische feiten zullen het economisch evenwicht in de wereld flink uit balans brengen, want vergrijzing is niet direct een probleem voor minder ontwikkelde landen, met uitzondering van China, dat met behulp van centrale planning – het éénkindbeleid van de overheid – zijn geboortecijfer heeft weten te drukken. De Verenigde Naties voorspellen dat het inwonertal in de ontwikkelde landen in 2030 van 18,3 procent nu gedaald zal zijn tot 15,2 procent. Hoe de ontwikkelde landen op deze bevolkingsafname reageren, bepaalt mede de mate waarin het wereldwijde economisch evenwicht verstoord zal worden. Kritisch voor het resultaat is de vraag of de westerse landen die worden geconfronteerd met het verlies van macht en prestige, zich naar binnen zullen keren en handelsbarrières zullen opwerpen tegen niet-westerse landen die economisch tot bloei zijn gekomen. Hoe overheden de overdracht van middelen zullen regelen van de krimpende beroepsbevolking naar een toenemend aantal gepensioneerden, wordt waarschijnlijk een van de belangrijkste vragen voor de volgende kwarteeuw. Voor democratische landen is het een geducht politiek probleem, want een toenemend deel van de bevolking ontvangt een pensioen.

De economie van de pensioenen is eenvoudig: tijdens het arbeidzame leven moeten voldoende middelen opzij worden gezet om de consumptie tijdens de pensionering te kunnen betalen. De basis van het succes van alle pensioensystemen is de beschikbaarheid van reële middelen op het moment van pensionering. De financiële regelingen ten behoeve van de pensioenen faciliteren het opzij zetten van middelen die de consumptie van goederen en diensten na de pensionering mogelijk maken, maar ze produceren zelf geen goederen en diensten. Er kan in de Verenigde Staten bijvoorbeeld een wet worden aangenomen die gepensioneerden recht geeft op een bepaald niveau van gezondheidszorg. Maar wie zegt dat de ziekenhuizen, farmaceutische industrie, artsen, verplegenden en medische infrastructuur, als het moment van pensionering is aangebroken, in staat zullen zijn de papieren beloften gestand te doen?

Een eenvoudige test voor ieder pensioensysteem is de vraag of het kan garanderen dat de beloofde reële middelen er op het benodigde moment zijn, zonder dat het werkende deel van de bevolking wordt overbelast. Op dat punt ligt Amerika waarschijnlijk op een ramkoers. In 2008 komt de grootste golf pensioengerechtigden in onze geschiedenis aan de beurt voor hun eerste oudedagsuitkering. Volgens voorspellingen van de Verenigde Naties zal in 2030 ongeveer 23 procent van onze bevolking 65 jaar of ouder zijn, in vergelijking met 16 procent tegenwoordig. Deze enorme verandering in de samenstelling van de bevolking zal de pensioenfondsen onder grote druk zetten en aanpassingen noodzakelijk maken waarvoor geen historisch precedent bestaat. Het feit dat het grootste deel van de afhankelijke bevolking uit ouderen bestaat, in plaats van uit kinderen, betekent een extra last voor de maatschappij, omdat ouderen per capita meer consumeren dan kinderen.

Na jarenlang te zijn gedaald, is de arbeidsparticipatie onder oudere

Amerikanen de laatste tijd iets toegenomen vanwege de toenemende druk op de pensioeninkomens en de toenemende schaarste aan ervaren arbeidskrachten.[3] Zoals ik eerder opmerkte, blijft de arbeidsparticipatie ongetwijfeld stijgen. De meest doelmatige manier om de toekomstige levensstandaard op te krikken, en zo aan de wensen van zowel werknemers als gepensioneerden te voldoen, is door meer te sparen en de besparingen doelmatiger te investeren.[4] We zullen de komende decennia meer moeten sparen om bijvoorbeeld te kunnen investeren in de nieuwe hightechfabrieken en apparatuur die de extra middelen kunnen genereren waarmee de beloofde pensioenen voor babyboomers opgebracht kunnen worden. En dit zal moeten gebeuren zonder dat de lasten voor toekomstige werknemers al te zwaar worden.

Maar er moet zoveel extra bespaard worden om de pensioenen op te brengen van de grote aantallen die binnenkort 65 worden, dat het maar zeer de vraag is of de overheid kan voldoen aan de beloften die zij de gepensioneerden al heeft gedaan.

De toezichthouders op het systeem van sociale zekerheid berekenden in hun verslag over 2006 wat het zou kosten om het financieringstekort in de komende 75 jaar te dichten: ofwel een onmiddellijke stijging van de loonbelasting van de huidige 12,4 procent naar 14,4 procent, of een onmiddellijke daling van de uitkeringen met 13 procent, of een combinatie van de twee. Als de aanpassingen geleidelijk worden doorgevoerd, dan moet er later meer belasting worden betaald of moeten de uitkeringen lager worden. En omdat er ook na de ramingsperiode van 75 jaar ('solvabiliteit over 75 jaar', de wat arbitraire standaard voor sociale verzekeringen) grote tekorten worden verwacht, zullen er in later jaren nog meer aanpassingen nodig zijn. Hoewel de verwachte tekorten problematisch zijn, stellen ze ons op zich niet voor onoverkoombare fiscale of economische problemen. Het belangrijkst is dat voorspellingen van pensioenuitkeringen verhoudingsgewijs betrouwbaar zijn. Dat komt omdat de demografie van de gepensioneerden tot de betrouwbaarste voorspellingen van economen behoren, en omdat de pensioenregeling van onze Social Security een goed gedefinieerd uitkeringsprogramma is. Daarom is de betaling per pensioengerechtigde vrij goed te voorspellen.

Het gezondheidszorgsysteem Medicare is een groter probleem. De bestuurders voorspelden in 2006 over een periode van 75 jaar een financieringstekort voor Part A van Medicare, het fonds voor ziekenhuisverzekeringen, dat afgeschaft kan worden als de looninhouding meteen met 3,5 procentpunt zou worden verhoogd ten opzichte van de huidige 2,9 procent van het salaris (tot een totaal van 6,4 procent), of als de ziekteuitkeringen meteen zouden worden gehalveerd (of een combinatie van de twee). Maar dan zijn we er nog niet. Er worden ook snelle stijgingen voorspeld van de kosten van Part B van Medicare, waaruit doktersrekeningen en de kosten van ambulante patiënten worden betaald, en het recente Part D, dat medicijnen op recept vergoedt. Maar deze moeten volgens afspraak uit de algemene belastinginkomsten worden betaald, in plaats van alleen uit de loonbelasting. Hoewel minder transparant dan de belasting ten behoeve van de ziekenhuisverzekering, is het beslag dat wordt gelegd op de algemene belastinginkomsten van de toekomstige Parts B en D van dezelfde orde van grootte als Part A.

De openbare toezichthouders, die vanuit verschillende perspectieven de toekomstige kosten van de gezondheidszorg berekenden, schreven in 2006: 'Als de voorspellingen van de toezichthouders een betrouwbare leidraad vormen voor de komende decennia, en als er niet meer inkomstenbronnen komen voor het programma, zou er, om over slechts vijftien jaar de huidige geplande Medicare-uitkeringen te kunnen betalen, een hoeveelheid geld uit het Algemeen Fonds overgedragen moeten worden die gelijk staat aan 25 procent van de jaarlijkse inkomstenbelastingopbrengst van de centrale overheid – meer dan drie keer hun fiscale last van 2005 – en minder dan tien jaar later zou de overdracht uit het Algemeen Fonds gelijk zijn aan bijna 40 procent van de jaarlijkse inkomstenbelastingopbrengst van de centrale overheid.' Maar zelfs zulke cijfers geven nog niet de volledige dimensie van het probleem weer, omdat ramingen van de kosten van Medicare hoogst onzeker zijn.

De uitgaven voor de gezondheidszorg groeien al jaren sneller dan de economie, en deze groei is grotendeels te wijten aan technologische vooruitgang. We weten heel weinig van de snelheid waarmee de medische technologie zich zal ontwikkelen of hoeveel extra die innovaties zullen gaan kosten. Door technologische innovatie kan de kwaliteit van de medische zorg enorm worden verbeterd en kunnen in sommige gevallen de behandelkosten worden verlaagd, zeker de kosten van de ziekenhuisadministratie. Maar omdat de behandelmogelijkheden groter worden door de nieuwe technologie, draagt ze ook flink – soms heel veel – bij aan de algemene kosten.

Nu versleutelde patiëntgegevens voldoende wijdverbreid beginnen te raken, kunnen onderzoekers voor het eerst de behandelresultaten nagaan van een grote verscheidenheid aan ziekten. Ik neem aan dat er hierdoor een kwaliteitsstandaard zal ontstaan. Uiteindelijk zal er ook een openbaar waarderingssysteem voor ziekenhuizen en artsen komen, waarna ook concurrentie te verwachten valt. Maar snel zal dit waarschijnlijk niet gebeuren. De medische praktijk draait om wat oorspronkelijk een zeer gesloten relatie was tussen dokter en patiënt, en beiden willen graag dat de privacy gerespecteerd blijft.

De medische praktijk heeft zich in de Verenigde Staten in elke regio anders ontwikkeld. Ik denk dat de gemiddelde resultaten enorm verbeterd kunnen worden door op landelijke schaal de beste praktijken aan te wijzen en de slechtste behandelmethoden en behandelaars te schrappen. Maar het is verre van zeker of een landelijk inzicht in en vraag naar de beste kwaliteit de medische kosten zullen remmen of juist doen toenemen. De onzekerheden – vooral het feit dat we niet kunnen voorzien hoeveel de medische zorg in de toekomst gaat kosten – maken een voorzichtig beleid noodzakelijk. Een belangrijke reden voor voorzichtigheid is ook dat ieder nieuw behandelprogramma al snel een groep mensen doet ontstaan die zich fel verzet tegen het schrappen ervan. Daarom hebben we maar beperkte mogelijkheden om plannen die de tekorten verder doen toenemen, te beteugelen als ze later excessief of misplaatst blijken.

Beleidsmakers zouden voorzichtigheid moeten betrachten bij de goedkeuring van nieuwe plannen. Programma's kunnen in de toekomst altijd worden uitgebreid als er meer geld beschikbaar komt, maar ze kunnen moeilijk worden beperkt als er onvoldoende middelen voor blijken te zijn. Daarom denk ik ook dat de voortzetting van het plan voor medicijnvergoeding in 2003, voordat de problemen met het zwaar ondergefinancierde en onevenwichtige Medicare als geheel waren aangepakt, een vergissing was, en misschien wel een heel grote.[5]

Ik nam deel aan een aantal onderzoeken waarin de toekomstige kosten en baten van Medicare werden berekend en gesimuleerd, waarbij ik vooral werd getroffen door de grote verscheidenheid aan mogelijke uitkomsten voor bijvoorbeeld het jaar 2030. Zoals ik eerder zei, kennen de voorspellingen wat de pensioenen betreft een veel minder grote marge. Demografen hebben natuurlijk evenzeer greep op het aantal toekomstige gebruikers van Medicare, maar de gemiddelde kosten per gebruiker zijn *onder de huidige wet* niet alleen afhankelijk van toekomstige technologieën, maar ook van de keuzes die patiënten maken en veel andere variabelen.

Het voorspellen is dermate gecompliceerd dat de bestuurders moeten terugvallen op een eenvoudige maatstaf: de voorspelde groei van de uitgaven per Medicare-gebruiker in verhouding tot de verwachte groei van het BBP per hoofd van de bevolking. De toename van de Medicare-uitgaven per ontvanger ligt de afgelopen tien jaar op ongeveer 4 procent per jaar, ongeveer twee procentpunten hoger dan de groei van het reële BBP per hoofd van de bevolking. De bestuurders merken verder op: 'Het lijkt redelijk om ervan uit te gaan dat de groei van de gezondheidszorg per hoofd van de bevolking en de stijging van Medicare-kosten uiteindelijk zullen vertragen tot het groeitempo van het BBP – want er is waarschijnlijk een bovengrens aan het aandeel van het (stijgende) inkomen dat Amerikanen aan gezondheidszorg willen besteden.' Dat kon wel eens waar blijken te zijn.

Maar bij die veronderstelling wordt er van nogal wat uitgegaan, zoals iedereen die de mores in Washington begrijpt zal beseffen. Zij impliceert een mate van terughoudendheid die niet in de huidige wet is vastgelegd, en gaat uit van een fiscale overwinning in een politieke strijd die nog moet worden uitgevochten. Zoals de bestuurders schrijven: 'Een dergelijke afvlakking van de kosten heeft zich in de afgelopen halve eeuw nog niet voorgedaan.' De verwachte belastingdruk door de stijgende Medicare-kosten zou waarschijnlijk nog groter zijn als deze uitsluitend op de huidige wet was gebaseerd.

Er valt nog heel wat werk te verrichten om Medicare op orde te krijgen. Het moge duidelijk zijn dat het economisch ondoenlijk is om de toekomstige financieringstekorten bij Social Security en Medicare alleen door belastingverhogingen te bestrijden. De belastingen zouden tot ongeëvenaarde hoogte (voor vredestijd) moeten worden opgevoerd. Op een gegeven moment werkt een verdere verhoging van het belastingtarief averechts, want de koopkracht neemt erdoor af, waardoor de stimulans om te werken en te investeren minder wordt, en de economische groei vertraagt. Hierdoor wordt er minder belastinggeld opgebracht en dalen de opbrengsten.

We blijven zitten met een hoogst onplezierig feit: om het financieringstekort voor de federale sociale verzekering te kunnen tegengaan, moet er in de pensioenen worden gesneden. De overheid heeft de morele plicht die bezuinigingen eerder vroeger dan later door te voeren, om toekomstige gepensioneerden zo veel mogelijk tijd te gunnen hun plannen op het gebied van werk, sparen en uitgaven aan te passen. Als Amerikanen niet op tijd worden gewaarschuwd dat de oudedagsuitkering waarop ze hadden gerekend, minder wordt, dan kan dat voor grote problemen zorgen in hun leven – en politieke ophef veroorzaken van een schaal die lijkt op die ten tijde van de Vietnamoorlog.

Als eenmaal de hoogte is vastgesteld van de uitkeringen die Social Security en Medicare redelijkerwijs kunnen beloven, moet de overheid ervoor zorgen dat het geld daadwerkelijk beschikbaar komt om die beloften in te lossen. Hoe doet ze dat? Om de benodigde middelen te realiseren, moet er niet alleen worden gezorgd dat Social Security en Medicare solvabel zijn, maar moet er ook naar het bredere macro-economische beeld worden gekeken. Zonder extra nettobesparingen kunnen de reële middelen die nodig zijn om de toekomstige uitkeringen te betalen, niet worden opgebracht. Als we de situatie bij Social Security en Medicare op orde willen krijgen, moeten de maatregelen die we nu nemen om aan beloften voor de toekomst te voldoen, een reële bijdrage leveren aan de nationale besparingen en de productieve activa die ermee worden gefinancierd.

We zullen daadwerkelijk de spookachtige *lockboxes* ('kluisjes') van een paar jaar terug moeten verwezenlijken die het geld zouden moeten bevatten om in de toekomst de pensioenen van Social Security te kunnen betalen. Deze lockboxes waren voor veel Amerikanen zo echt dat de moeder van de voormalige voorzitter van het Huis van Afgevaardigden Tom Foley hem een standje geeft als hij haar probeert duidelijk te maken dat ze dat niet zijn. 'Meneer Foley,' zei ze, 'ik hoop dat u niet beledigd bent als ik u zeg dat ik verrast en geschokt ben dat de meerderheidsleider van het Huis van Afgevaardigden niets van sociale zekerheid afweet.' In het voorstel van destijds moesten de trustfondsen van de sociale verzekering (die nu een surplus vormen) niet alleen buiten de begroting worden gehouden, maar moest het Congres er bovendien op toezien dat het overgebleven deel van de begroting in evenwicht was. In de overvloedige jaren van begrotingsoverschotten rond de millenniumwisseling waren alle partijen nog bereid zich daarvoor in te zetten. Maar die inzet kalfde af toen duidelijk werd dat er bij een minder gunstige economische situatie veel minder uitgegeven zou moeten worden, of dat de belasting verhoogd moest worden, om nog zonder Social Security en Medicare de begroting sluitend te krijgen.

Als we niets doen aan de scheve verhouding tussen beloften aan toekomstige gepensioneerden en de economische mogelijkheden om die beloften gestand te doen, kan dat ernstige consequenties hebben voor individuele gepensioneerden en de economie als geheel. Ik verwacht dat het financieringstekort voor Medicare uiteindelijk zal verdwijnen doordat het systeem niet meer toegankelijk zal zijn voor rijkere deelnemers.[6] Door de politieke paniek en de hardnekkige toename van de inkomensongelijkheid blijft er naar mijn mening geen ander geloofwaardig politiek alternatief over. Het evenwicht zou hersteld kunnen worden door privéverzekeringen te ontwikkelen (waar ik voorstander van ben) of door wetgeving die een financieel maximum invoert voor Medicare (net als voor Medicaid). Rantsoenering is de enige andere realistische mogelijkheid, maar die heeft weinig steun in de Verenigde Staten. De lagere en middeninkomens zullen in de toekomst het meest van Medicare profiteren. De hoogste inkomens zullen hun gezondheidszorg moeten betalen middels een ongesubsidieerde privéverzekering of door deze gewoon voor 100 procent zelf af te rekenen. Velen zullen terugschrikken voor het idee van Medicare als sociale verzekering, zoals alle regelingen die tot een bepaald maximuminkomen gelden worden gewantrouwd, maar er is geen andere mogelijkheid, gezien de demografische ontwikkeling en de sterk concurrerende wereldeconomie van de eenentwintigste eeuw.

Hoewel ik voorstander ben van een liberaal immigratiebeleid, vind ik niet dat het gebruikt moet worden als methode om het aantal werkenden te verhogen, zodat er meer belasting opgebracht kan worden om de tekorten bij Social Security en Medicare te financieren. Om redenen die ik later zal bespreken kunnen we al evenmin rekenen op een onverwachte productiviteitsverhoging, want de maximumtoename van de productiviteit per uur schijnt in de Verenigde Staten 3 procent per jaar te zijn, terwijl 2 procent een waarschijnlijke groei is. Kortom, er zullen onvoldoende mensen aan het werk zijn en de gemiddelde arbeidsproductiviteit zal onvoldoende toenemen om de enorme tekorten te kunnen opvangen die er ontstaan als de beloften die in huidige wetten zijn gedaan, moeten worden ingelost. We komen waarschijnlijk niet eens in de buurt.

Ik ben bang dat we ons, ondanks de vele onbekende factoren, ondanks de gegeven demografische ontwikkeling en ondanks de beperkte mogelijkheden voor productiviteitsgroei, al hebben vastgelegd om een hoger niveau van medische zorg te bieden aan gepensioneerde babyboomers dan onze overheid realistisch gezien kan verwezenlijken. Zoals ik al eerder schreef, kan het Congres wel wetten maken en uitkeringsrechten vastleggen, maar daarmee beschikken we nog niet over de ziekenhuizen, artsen, verplegers en farmaceutische bedrijven die in 2030 nodig zijn en die de wet in feite belooft. De omvang van de overdracht van werknemers/producenten naar gepensioneerden is wellicht groter dan eerstgenoemden wensen te aanvaarden. Het beslag dat door de ongedekte toename van uitkeringsrechten wordt gelegd op de totale opbrengsten van ons land, is misschien veel groter dan wat er wordt geproduceerd door een beroepsbevolking die wellicht slechts marginaal groter is dan die van nu. Kortom, de beloften moeten wellicht worden gebroken, of misschien kunnen we beter zeggen 'worden bijgesteld'.

De belangrijke onzekerheden over de vraag of er in de toekomst voldoende middelen beschikbaar zijn, spelen ook bij de hoogte van het pensioen ten opzichte van het laatst verdiende loon. Gezien de grote kloof die wordt verwacht tussen de behoeften van gepensioneerden en de zelfs tegenwoordig al grote beloften ten aanzien van de pensioenen, zullen privéverzekeringen een steeds grotere rol moeten spelen. Eind 2006 bezaten privépensioenfondsen in de Verenigde Staten 5,6 biljoen dollar: 2,3 biljoen dollar voor gewone pensioenuitkeringen en 3,3 biljoen voor andere plannen, vooral het zelfspaarsysteem 401(k)s.[7] In 2005 betaalden privépensioenfondsen en winstdelingsfondsen 344 miljard dollar aan uitkeringen,[8] terwijl Social Security en Medicare dat jaar 845 miljard dollar uitkeerden. De privéfondsen zullen de openbare ongetwijfeld inhalen, nu Amerikaanse werknemers en werkgevers al de noodzakelijke stappen nemen om later aan de doelstellingen voor de pensionering te kunnen voldoen.

Maar dat duurt nog jaren. Voorlopig zijn de pensioenen met gegarandeerde uitkering in moeilijkheden. Die plannen doen het goed in perioden dat de levensverwachting na de pensionering relatief kort is en de bevolking snel groeit. Door de ongeëvenaard grote omvang van de babyboomgeneratie en de verwachte hoge leeftijd die deze zal bereiken, werden de voordelen van de vastgelegde plannen voor pensioenuitkering minder. Er is al een miljardentekort aan pensioenverplichtingen bij de Pension Benefit Guaranty Corporation.

De juridische verplichting om pensioenen uit te keren volgens een vastgelegd pensioenplan, berust natuurlijk bij de werkgever. Het pensioenfonds is er als achterwacht, maar omdat een bepaald financieringsniveau wettelijk verplicht is, zien ondernemingen hun pensioenfonds als mogelijkheid om winst te maken. Hoe groter de investeringsopbrengsten van het pensioenfonds, des te minder extra geld de werkgever in het fonds hoeft te stoppen. Met andere woorden, hoe minder geld erin gaat, des te lager de arbeidskosten en des te groter de winst. Daardoor wordt de onderneming gemotiveerd om te proberen de betalingen zo laag mogelijk te houden.

Maar een onderneming weet met redelijke zekerheid wie er wanneer met pensioen gaat, en hoeveel pensioengeld deze persoon in de loop der tijd krijgt. Valt dan niet eenvoudig uit te rekenen hoeveel dat gaat kosten? Niet echt. De verwachte pensioenkosten voor een bedrijf of een pensioenfonds hangen deels af van de status van pensioenuitkeringen in het geval van een faillissement. Als het pensioenfonds bijvoorbeeld bij een faillissement contractueel als eerste aanspraak kan maken op de middelen van de failliete onderneming, is de berekening van de pensioenkosten duidelijk. Ik veronderstel dat er in dergelijke omstandigheden van de onderneming wordt verlangd een pensioenfonds op te zetten van risicoloos schatkistpapier met een looptijd die overeenkomt met het tijdstip waarop de pensioenuitkeringen moeten worden uitbetaald. De uitkeringen worden bekostigd door de hoofdsom plus de geaccumuleerde rente van het schatkistpapier in het jaar dat de uitkeringen betaald moeten worden. In de praktijk proberen ondernemingen op alle mogelijke manieren onder zo'n eenvoudig programma uit te komen, omdat dit het duurst is. Aandelen, onroerend goed, junkbonds en zelfs AAA bedrijfsobligaties leveren meer op dan schatkistpapier. Maar hierbij kunnen ook grote verliezen worden geleden, en als dat gebeurt, moet het bedrijf zijn andere activa gebruiken om aan zijn pensioenverplichtingen te kunnen voldoen.

Het debat over welk rendement op de investeringen het pensioenfonds van een onderneming moet nastreven, en dus hoeveel risico het kan accepteren, hangt uiteindelijk af van de vraag hoe zeker het fonds wil zijn dat het de beloofde uitkeringen op tijd kan betalen. Hoe groter het risico dat de pensioengelden lopen, des te groter de winstmarge op de investeringen.

In de financiële theorie lijkt de risicokwestie een illusie, want als de markt de correcte prijs verbindt aan het risico, zou het rendement dat het pensioenfonds behaalt, niet beïnvloed moeten worden door de mate van risico van het portfolio, omdat de hogere opbrengsten de verliezen compenseren die vanwege de hogere risico's worden gemaakt op aandelen. Maar wat in theorie waar is, blijkt in de praktijk niet altijd zo te werken. (Of eigenlijk blijkt dat de theorie veranderd moet worden.) Pensioenmanagers zeggen dan dat het actuele, gerealiseerde rendement op aandelenvermogen op lange termijn hoger is dan het gemiddelde voor risico aangepaste rendement voor de Amerikaanse economie als geheel. Sinds de negentiende eeuw levert een gediversifieerde aandelenportefeuille over een decennialange periode steevast een bovengemiddeld rendement op. Dit is waarschijnlijk het gevolg van de aangeboren neiging van mensen om risico te vermijden. Wie bereid is de stress van een langetermijninvestering in aandelen te verdragen, kan een hogere opbrengst verwachten. Pensioenfondsen die in staat zijn investeringen decennialang vast te houden, beleggen het grootste deel van hun kapitaal meestal in aandelen. Om de kosten voor het bedrijf te verlagen, waaronder het risico van kortetermijnfluctuaties in de prijzen van hun activa, waaronder aandelen, nemen de pensioenfondsen van dat bedrijf risico's. En die risico's, vooral vanwege de aankoop van grote hoeveelheden aandelen, hebben zowel positieve als negatieve consequenties.

Als de aandelenprijzen stijgen, dan wordt met de kapitaalwinst een groot deel van de bijdrage van het bedrijf aan de oudedagsvoorziening betaald. Aangezien er minder in het fonds gestort hoeft te worden, valt de gerapporteerde winst hoger uit. Omgekeerd: als de aandelenkoersen dalen, zoals tussen 2000 en 2002 het geval was, raken veel fondsen ondergefinancierd.

We kunnen niet om het feit heen dat portfoliorisico's de pensioenen in gevaar brengen. Veel bedrijven met heel grote ongedekte pensioenverplichtingen, zoals staalconcerns en luchtvaartmaatschappijen, hebben voor faillissement gekozen en hebben hun pensioenverplichtingen overgedragen aan de Pension Benefit Guaranty Corporation – dat wil zeggen, de Amerikaanse belastingbetaler. Gelukkig is door de Pension Protection Act van 2006 het risico van tekorten op privépensioenen flink afgenomen, hoewel dit geenszins verdwenen is.

De opbrengsten van pensioenfondsen die met vaste pensioenuitkeringen werken (de *defined benefit* pensioenen), zijn variabel en (vooral op korte termijn) onvoorspelbaar. Maar de onderneming is juridisch verplicht van tevoren vastgelegde uitkeringen uit te betalen. Daarom is er een derde partij nodig (bijna altijd de onderneming zelf) om de variabele opbrengsten van het investeringsportfolio om te zetten in de vaste betalingen die contractueel verplicht zijn. De kosten van die ruil zijn de afgelopen jaren toegenomen. Mede daarom zijn veel ondernemingen overgestapt op een systeem met vaste premies (*defined contributions*) in plaats van vaste uitkeringen. Het aandeel van pensioengelden bij fondsen met vaste pensioenuitkeringen is afgenomen van 65 procent in 1985 tot 41 procent eind 2006.

Deze trend lijkt zich voort te zetten. Bedrijven die pensioenfondsen met een vaste premie steunen, richten zich waarschijnlijk meer op de vorm van de investeringen die hun werknemers kunnen doen en zelfs op de regels over hoe snel na het pensioen dergelijke fondsen kunnen worden uitgekeerd. Ik verwacht dat pensioenplannen op basis van een vaste premie geleidelijk een deel van de Social Security zullen vervangen, omdat de financieringsmogelijkheden afnemen naarmate er minder werknemers zijn in verhouding tot het aantal pensioengerechtigden. Als gepensioneerden in spe geleidelijk de omvang en implicaties van de pensioenlast beginnen te beseffen, zullen veel ouderen, die als groep steeds gezonder worden, hun pensioen uitstellen. Relevanter is het feit dat de overdracht van reële middelen van werknemers naar gepensioneerden noodzakelijkerwijs in toenemende mate gefinancierd zal worden door middel van 401(k) plannen, privéverzekeringen en veel andere tot nu toe onbekende nieuwe financieringssystemen.

In de Verenigde Staten hebben de meeste veelverdienende babyboomers voldoende vermogen om hun pensioen te financieren. Voor lagere en middeninkomens is dat moeilijker. De huidige pay-as-you-go-regelingen van de overheid, waarvoor veel werknemers nodig zijn in verhouding tot het aantal pensioengerechtigden, zullen steeds belastender en onaanvaardbaarder worden. De enige levensvatbare optie is misschien uiteindelijk een vorm van private financiering. De titel bevatte een vraag: 'De hele wereld met pensioen – kunnen we ons dat veroorloven?' Het antwoord luidt: we zullen manieren weten te vinden. We hebben geen keus. De demografische ontwikkeling is ons lot.

23

CORPORATE GOVERNANCE: BESTUUR ONDERNEMINGSBESTUUR

'Moet ik de Enron-prijs aannemen?' vroeg ik in november 2001 aan mijn oude vriend en mentor Jim Baker, voormalig minister van Financiën en van Buitenlandse Zaken. 'De prijs is onderdeel van het programma van het Baker Institute, waar jij een speech houdt,' antwoordde hij. Ik was me er niet bewust van dat er tijdens het diner een prijs zou worden uitgereikt. Het aandeel Enron was bezig in te storten en het bedrijf kon drie weken later zijn betalingsverplichtingen niet meer nakomen. 'Prijs' leek op dat moment niet helemaal de juiste term. Maar ik was Jim Baker veel verschuldigd, dus stemde ik toe om de prijs in ontvangst te nemen, mits er geen officiële presentatie of een geldelijke beloning bij hoorde.

Ik verbaasde me over Enron sinds ik in december 2000 op een bestuursvergadering van de Fed van Dallas een presentatie had bijgewoond van Jeffrey Skilling, die kort daarop CEO van Enron zou worden. Hij hield een hoogstaand verhaal over hoe dit nieuwe, eenentwintigste-eeuwse bedrijf functioneerde. Het was erg indrukwekkend. Maar er bleef een knagend gevoel achter. Wat produceerde Enron eigenlijk? Hoe verdiende het bedrijf geld? Ik snapte de slimme strategieën van het bedrijf met derivaten en hedgefondsen, maar welke winststroom werd er door de hedgefondsen beschermd?

De ondergang van Enron werd versneld, zo vertelde Skilling naderhand, doordat het vertrouwen in het bedrijf wegviel en het niet meer kon lenen. Dat leek me niet helemaal juist. Een groot staalbedrijf dat met een vertrouwenscrisis kampt, heeft ten minste nog hoogovens die waarde hebben. Het ongrijpbare Enron ging daarentegen volledig in rook op, en liet weinig sporen na, op kwade werknemers en aandeelhouders na. Ik heb nog nooit een groot Amerikaans bedrijf zo snel van een lieveling in een paria zien veranderen.

Het schandaal rond Enron, en dat rond WorldCom de zomer daarop, baarde me grote zorgen. In de 25 jaar voordat ik voorzitter van de Fed werd, zat ik bij vijftien bedrijven in het bestuur (natuurlijk niet bij alle tegelijk), en leerde ik waar bij grote bedrijven de werkelijke macht berust. Ik werd me steeds meer bewust van de kloof tussen de manier waarop grote Amerikaanse bedrijven werden bestuurd en hoe dat bestuur werd gezien door het publiek en onze politieke leiders. Het publiek stond al wantrouwig tegenover de ethiek van het bedrijfsleven (als het die niet al als een innerlijke tegenstelling beschouwde), en was niet, zoals ik vreesde, bereid de onthullingen te aanvaarden over de manier waarop grote bedrijven worden bestuurd. De mythische praktijk van het bestuur van grote ondernemingen is al lang vervangen door het dictaat van een moderne economie.

In de negentiende en het begin van de twintigste eeuw namen aandeelhouders, vooral aandeelhouders met een controlerend belang, actief deel aan het bestuur van hun bedrijven. Ze benoemden de raad van bestuur, die op zijn beurt de CEO en andere topmensen benoemde en meestal greep had op de strategie van de onderneming. Het bestuur van grote bedrijven leek op dat van democratische landen. Maar de bestuurlijke en entrepreneuriële vaardigheden van de oprichters werden niet altijd geërfd door hun nakomelingen, en in de loop der tijd verbrokkelde het eigenaarschap. Terwijl financiële instellingen zich in de twintigste eeuw verder ontwikkelden, werd het bezit van aandelen meer een vorm van beleggen dan van actief eigenaarschap. Als een aandeelhouder ontevreden was over de manier waarop een bedrijf werd bestuurd, verkocht hij zijn aandelen. Er was zelden kritiek op het management van een redelijk winstgevende onderneming. De macht verschoof onmerkbaar van de aandeelhouders naar de CEO. Deze verandering voltrok zich geleidelijk en stuitte, op de kritiek van een paar academici na, nergens op tegenstand.

Terwijl aandeelhouders steeds minder betrokken raakten, kozen CEO's steeds vaker hun eigen topmensen. Ze bevalen directeuren aan bij aandeelhouders, die de benoemingen routinematig goedkeurden. Deze werkwijze pakte soms negatief uit wanneer een bedrijf of het bestuur ervan in de problemen kwam. Maar dergelijke incidenten waren verhoudingsgewijs zeldzaam. Het democratische bestuur was autoritair geworden. De CEO kwam de bestuurskamer binnen, legde de nieuwe investeringsplannen uit en wendde zich tot de financiële directeur voor steun. Directie en commissarissen keurden vervolgens het project zonder veel overleg goed. De CEO van een winstgevende onderneming krijgt tegenwoordig enorm veel macht van de raad van bestuur, terwijl hij die in feite zelf benoemt.

In de afgelopen decennia zetten overheidsinstanties en belangengroepen vaak grote institutionele beleggers, vooral pensioenfondsen, onder druk om te proberen met hun controlerend aandeel de 'ondernemingsdemocratie' van vroeger tijden weer terug te krijgen. Maar de beleggers antwoorden meestal dat ze in de eerste plaats verantwoordelijk zijn voor hun pensioentrekkers, dat ze voor hen moeten proberen winstgevend te investeren, en dat ze verstand hebben van het beoordelen van de financiele marktwaarde en niet van het bestuur van ondernemingen. Sommige publieke pensioenfondsen leggen meer engagement aan de dag, maar veel doen ze daar niet mee. Beleggingsfondsen zijn vanwege marktkrachten steeds gemotiveerder om hun bezittingen in de gaten te houden, maar hoewel de trend doorzet, blijven deze fondsen een heel klein aspect van het totale bestuursklimaat. Ook fusies en overnames worden gestimuleerd door marktkrachten, en het management komt er zelden zonder kleerscheuren van af. Zogenoemde vijandige overnames kunnen misschien worden beschouwd als pure ondernemingsdemocratie wanneer we inzien dat de 'vijandschap' uitsluitend iets is tussen een paar nieuwe aandeelhouders en het verschanste bestuur van de onderneming. De eerdere aandeelhouders verkopen vrijwillig hun aandelen, doen dat meestal graag, en zijn waarschijnlijk heel blij met de prijs die ze ervoor krijgen.

Het zou geen verrassing moeten zijn dat het gebrek aan adequate aansprakelijkheid bij het bestuur van bedrijven tot misbruik heeft geleid, zoals steeds het geval is bij autoritair bestuur. Kleinschalige misstanden kwamen vaak voor in de 25 jaar dat ik zitting had in raden van bestuur, en soms ook wat minder kleinschalige.

Het verbaast me daarom niet dat de buitenmaatse beloningen van topmannen in het bedrijfsleven tot publieke verontwaardiging hebben geleid. Het meest irritant was de enorme toename van het salaris van de hoogste bestuurders in verhouding tot die van gemiddelde werknemers. De directeuren die de salarissen van hoger personeel vaststellen, betogen dat de beslissingen die hun topmensen nemen, bepalend zijn voor een groot deel van de marktwaarde van bedrijven. In een wereldwijde markt kan het verschil tussen een goede zet en een bijna goede zet honderden miljoenen dollars schelen, terwijl dit een generatie terug, toen het speelveld nog veel kleiner was, slechts tientallen miljoenen had gescheeld. Bestuursraden voelen zich daarom gedwongen de 'allerbeste' CEO te kiezen, en zijn bereid de prijs te betalen die nodig is om 'sterren' binnen te halen.

De beloning van de CEO is meestal nauw verbonden met de marktwaarde van de onderneming. De gemiddelde marktwaarde van een bedrijf uit de S&P 500 steeg van twee miljard dollar in 1980 tot 26 miljard dollar in 2006. De gemiddelde marktwaarde van de tien grootste S&P 500-bedrijven in 2006 bedroeg 260 miljard dollar. De beloning voor topmannen steeg bij de grootste Amerikaanse ondernemingen tussen 1993 en 2006 met 10 procent per jaar[1], drie keer zo veel als de stijging van 3,1 procent van werknemers in niet-leidinggevende functies bij particuliere bedrijven. Kortom, bijna de hele kloof tussen de CEO en gewone werknemers is een weerspiegeling van de waarde van het bedrijf, die door marktkrachten wordt bepaald. Maar dat is de gemiddelde beloning. In dat gemiddelde zit ook een aantal extremen. Ik vermoed dat veel topmannen hun kolossale 'onverdiende' salaris krijgen, omdat hun beloning wordt vastgesteld voordat ze iets hebben gepresteerd. Zelfs de scherpzinnigste raden van bestuur maken soms betreurenswaardige keuzes, en die vergissingen vertalen zich in enorme beloningen voor aantoonbaar inferieure resultaten.

Een andere belangrijke factor bij de excessieve salarispakketten van topmannen is, denk ik, de algemene stijging van de aandelenwaarde, waarover de gemiddelde CEO geen controle heeft. De aandelenprijs van een onderneming, en dus de waarde van de verwante opties, wordt zwaar beinvloed door algemenere economische krachten – door veranderingen in de rentetarieven, de inflatie en een scala aan andere factoren die niets te maken hebben met het succes of falen van een bepaalde bedrijfsstrategie. Er zijn heel wat verschrikkelijke voorbeelden van topmannen die hun bedrijf bijna naar de bliksem hielpen en een aanzienlijke daling van de koers van hun aandelen veroorzaakten in verhouding tot dat van concurrenten en de aandelenmarkt in haar geheel, en desondanks enorme salarispakketten kregen, omdat de aandelenmarkt zo goed presteerde dat ook de noteringen van de slechtst presterende bedrijven mee omhoog werden getrokken.[2]

Topmannen zouden alleen bij bewezen successen met aandelen en opties in plaats van geld beloond moeten worden. Er zou doelmatiger beloond moeten worden met aandelen en opties door de beloning te verbinden aan een maatstaf voor de prestaties van een bedrijf in verhouding tot een zorgvuldig gekozen groep concurrenten. Sommige ondernemingen verbinden beloningen in aandelen en opties met de prestaties in verhouding tot die van anderen, maar de meeste doen dat niet.[3]

Als de kloof in de beloning van de topman in verhouding tot die van gewone werknemers, die in 2000 een hoogtepunt bereikte, blijft stijgen, dan hoop ik dat aandeelhouders verder kijken dan uitsluitend het rendement op hun investeringen en aandacht schenken aan de beloning van de hoogste functionarissen. Zij zijn tenslotte degenen die worden beroofd als de hoge beloningen niet terecht zijn. Het instellen van een salarisplafond door de overheid is geen optie, want het gaat niet om geld van de belastingbetaler.

Een generatie terug was ik me al bewust van de neiging tot excessieve salarissen. Ik herinner me een vergadering van de remuneratiecommissie van oliemaatschappij Mobil, begin jaren tachtig, waar werd gesproken over de salarissen van hoge functionarissen. Het management had Graef ('Bud') Crystal ingehuurd, een bekende consultant op het gebied van directiesalarissen, om de commissie te assisteren bij het bepalen van de salarisniveaus.[4] Hij hing een reeks diagrammen aan de muur waaruit bleek dat de salarissen van de topfunctionarissen van Mobil gemiddeld waren in vergelijking met die van andere hoge functionarissen van grote bedrijven. Volgens Bud Crystal zou Mobil vast willen dat de directeurssalarissen er bovengemiddeld waren. Mijn collega, CEO Howard Clark van American Express, vroeg daarop met een twinkeling in zijn ogen: 'Bud, je vindt dus dat alle directeurssalarissen boven het gemiddelde directeurssalaris dienen te liggen?' Ik deed ook een duit in het zakje en zei dat Buds regressieanalyse van het concurrerende directeurssalaris niet klopte. Uiteindelijk kregen de topdirecteuren bij Mobil een flink salaris, maar waarschijnlijk minder dan ze gehoopt hadden toen ze Bud vroegen de commissie te adviseren.

Maar zelfs bij de toenemende conformiteit en hoffelijkheid in de door de CEO benoemde directie en het bestuur ontstond er soms onenigheid over de te volgen koers van een onderneming bij het gebruik van haar middelen. Kort voordat ik bij de Fed in dienst kwam, hoorde ik bij een meerderheid van directeuren van Alcoa die in opstand kwam tegen de CEO Charles Parry. Parry oefende druk uit op het bestuur om algemeen directeur C. Fred Fetterolf tot CEO te benoemen als hij zelf met pensioen zou gaan. Het leed geen twijfel dat Fetterolf goed op de hoogte was van alle interne technische aspecten van het bedrijf, maar een aantal directeuren van buiten meende dat hij het brede, wereldwijde perspectief ontbeerde dat Alcoa het komende decennium nodig had. De dissidenten – Paul Miller van First Boston, Paul O'Neill, president van International Paper, en ik – kwamen onder leiding van W.H. Krome George, voormalig voorzitter van Alcoa, bijeen in de Links Club in New York, waar we besloten dat we Parry's keuze voor Fetterolf met een alternatief voorstel moesten pareren. We keken de tafel rond en kwamen uit bij mijn oude vriend Paul O'Neill, met wie ik tijdens de regering-Ford had samengewerkt. Met wat zachte dwang en de steun van een groot deel van de rest van de raad van bestuur begon Paul aan een bijzonder succesvolle carrière als voorzitter van Alcoa, totdat George W. Bush hem in 2001 overhaalde om minister van Financiën te worden. (Paul stond op het punt met pensioen te gaan en de teugels over te dragen aan Alain Belda.)

Ik heb in de 25 jaar dat ik actief lid was van raden van bestuur, ondervonden dat CEO's van grote concerns altijd goed gekwalificeerde topmensen kiezen – vaak CEO's van andere grote bedrijven. Maar ik kon niet altijd uitmaken of deze topmensen werden gekozen vanwege hun kennis en de adviezen die ze konden geven, of dat de CEO alleen de schijn van pluraliteit wilde verlenen aan wat in werkelijkheid een autoritair regime was. Waarschijnlijk zowel om hun kennis als om hun meegaandheid.

Ondanks alle overduidelijke tekortkomingen moeten de besturen van grote Amerikaanse ondernemingen de afgelopen eeuw toch ook iets goed hebben gedaan. Anders waren de Verenigde Staten nooit de economisch wereldleider geworden die ze zijn. Het Amerikaanse bedrijfsleven is bijzonder productief en winstgevend. Hieruit, en uit 25 jaar ervaring in raden van bestuur, concludeer ik – met hoeveel tegenzin ook – dat als eigenaren niet langer de managers zijn, een oppermachtige CEO en het autoritaire systeem dat daardoor ontstaat, de enige manier zijn om met succes een onderneming te runnen. Er zijn geen geloofwaardige alternatieven voor de CEO als almachtige figuur, en men moet maar hopen dat de andere, door hemzelf uitgekozen topmensen hem bij de les houden of, als ze dat niet kunnen of willen, dat het bedrijf wordt overgenomen door een overnamepiraat die het bestuur reorganiseert.

Toen het schandaal eerst bij Enron en vervolgens bij WorldCom losbarstte, was ik min of meer opgelucht dat het niet ging om het autoritaire karakter van het bestuur van moderne ondernemingen, hoewel er wel veel gerechtvaardigde zorgen werden geuit over de misstanden die door die autoritaire cultuur waren ontstaan. Het boekhoudschandaal kreeg de meeste aandacht. Het publiek kreeg te horen dat het moderne financiële beheer van bedrijven voor een groot deel is gebaseerd op voorspellingen die niet noodzakelijkerwijs hoeven voort te borduren op de geschiedenis van de onderneming. Dit betekent dat een groot deel van de bedrijfsresultaten vrij willekeurig kunnen worden bepaald en al te vaak vatbaar zijn voor misbruik. Bij de berekening van de pensioenenverplichtingen, bijvoorbeeld, en het beslag op het inkomen dat daaruit voortvloeit, speelt een aantal onzekere voorspellingen. Deze leveren een grote verscheidenheid aan mogelijke pensioenkosten op, die alle redelijk verdedigbaar zijn. En een bank die een maandelijkse hypotheekbetaling ontvangt, weet pas als de lening volledig is terugbetaald, zeker of deze betaling alleen uit rente bestaat of ook terugbetaling van de hoofdsom. Er is natuurlijk veel verschil in de wijze waarop bedrijven hun vaste activa afschrijven; de gebruikte methode is mede afhankelijk van de vraag hoe snel men denkt dat deze door de technologische vooruitgang wordt achterhaald. Geen wonder dat besturen van bedrijven die in moeilijkheden verkeerden, hun resultaten vaak zo gunstig mogelijk voorstelden, tot op het randje van fraude en soms eroverheen. Sommige gingen hun boekje duidelijk te buiten. Maar met boekhoudkundige vrijheden kan men maar een klein deel verbergen. Op een gegeven moment stort alles in. En dat gebeurde ook.

Na het Enron- en het WorldCom-schandaal kreeg de CEO minder, en kregen de commissarissen en aandeelhouders meer macht. Toen de schandalen bekend werden, veranderde de toon tijdens bestuursvergaderingen. Als een CEO in 2002 een bestuursvergadering binnenkwam, zo ging het grapje, kon hij een verzoek om zijn ontslag als eerste punt op de agenda verwachten. De zwarte humor werd nog zwarter. Een ander grapje dat jaar was dat de gemiddelde topman de helft van de tijd met zijn advocaat aan het overleggen was hoe ze beiden uit de gevangenis konden blijven. Overdreven? Natuurlijk. Maar zwarte humor is vaak niet meer dan een subtiele vervorming van de werkelijkheid. Iedereen was het erover eens dat de CEO minder tijd productief besteedde aan de expansie van het bedrijf.

Het bestelen van aandeelhouders door functionarissen van Enron en WorldCom zorgde voor veel politieke ophef. Minstens sinds de tijd van de 'roverbaronnen' van het einde van de negentiende eeuw bestond er binnen de Amerikaanse politiek een onderhuidse populistische stroming die zich tegen het bedrijfsleven kantte. De haastig bediscussieerde en met grote meerderheid aangenomen Sarbanes-Oxley Act werd in 2002 van kracht. Tot mijn verbazing bevatte hij een paar bruikbare hervormingen. Een daarvan was dat de CEO officieel dient te verklaren dat de boeken van het bedrijf naar zijn of haar mening de echte waarde van de onderneming vertegenwoordigen. Vergeet de officiële regels maar, de Generally Accepted Accounting Principles (GAAP) van de Financial Accounting Standards Board (FASB). Vergeet de juridische haarkloverijen van de IRS en SEC. De vraag voor de CEO is: geven de boeken van het bedrijf naar uw beste weten de financiële toestand van de onderneming correct weer?

Deze hervorming loste voor mij ook een netelig probleem op ten aanzien van de presentatie van de cijfers van bedrijven: kan dit het beste volgens de op principes gebaseerde International Accounting Standards of volgens de op regels gebaseerde Amerikaanse Financial Accounting Standards en Generally Accepted Accounting Principles? De complexiteit van deze vraag werd omzeild met de Sarbanes-Oxley Act, die van de CEO en financiële directeuren alleen eiste dat ze tekenden voor de juistheid van hun voorstelling van zaken. De verantwoordelijkheid voor de interpretatie van de financiële resultaten bevond zich nu waar deze thuishoorde. Het idee was dat als de CEO de juridische bevoegdheid zou krijgen om het boekhoudsysteem te kiezen en aansprakelijk zou worden gesteld voor de resultaten, de aandeelhouders het best werden gediend.

Maar vooral achteraf is duidelijk dat de Sarbanes-Oxley Act door de regellast te verhogen de Amerikaanse concurrentie minder flexibel heeft gemaakt. Vooral paragraaf 404 van de wet is ingewikkeld gebleken, omdat deze bepaalde *best practices* op boekhoudkundig gebied voorschrijft, wat moet worden gecontroleerd door de accountants van het bedrijf, die op hun beurt weer worden gecontroleerd door een overheidsinstantie, de Public Accounting Oversight Board (PCAOB). Dit acroniem werd al snel uitgesproken als *peek-a-boo* ('kiekeboe'), met het idee dat er stiekem gecontroleerd werd. De nieuwe overheidsinstantie kon er niet om lachen.

Na een paar jaar implementeren zullen maar weinigen in het bedrijfsleven vinden dat alle kosten en moeite bij de implementatie van paragraaf 404, om nog maar te zwijgen over de tijd die het management niet aan expansie van het bedrijf heeft kunnen besteden, een positief nettoresultaat hebben opgeleverd voor hun bedrijf of de Amerikaanse economie als geheel. Alles bij elkaar is de Sarbanes-Oxley Act onnodig belastend. Bovendien is de wet gebaseerd op bepaalde mythes over de mate van toezicht die mogelijk is.

De Sarbanes-Oxley Act benadrukt de rol van de accountantscommissie en eist dat de voorzitter professionele kwalificaties bezit. De implicatie is dat deze van extra macht voorziene commissie in staat zal zijn misstanden – vooral fraude – in het bedrijf op te sporen, en voor een accuratere financiële verslaglegging voor de aandeelhouders te zorgen dan in het verleden gebeurde. Maar ik herinner me in de meer dan achttien jaar dat ik als toezichthouder van banken werkte, maar weinig voorbeelden van toezichthouders die fraude of verduistering opspoorden door middel van al dan niet van extra macht voorzien routineonderzoek. Hoewel het bancair toezicht natuurlijk niet bedoeld is voor het opsporen van criminele activiteiten, gaven de onderzoekers van de Fed niettemin twee keer hoge cijfers aan een filiaal van een Japanse bank in New York waar jarenlang op grote schaal was verduisterd. Ten slotte kwam er door het verhaal van een 'klokkenluider' een eind aan de verduistering. Ik ken maar weinig toezichthouders die me voorbeelden kunnen geven van fraude of verduistering die door anderen dan klokkenluiders werd ontdekt. De accountantscommissies van de Sarbanes-Oxley Act stuitten zelden op frauduleus gedrag van directeuren. Een accountantscommissie zou deze wanpraktijken dan ook alleen kunnen ontdekken door er een enorm leger onderzoekers op af te sturen, maar die zouden het bedrijf verstikken met hun kostbare toezicht. De bereidheid risico's te nemen zou erdoor worden onderdrukt en uiteindelijk zou de levensvatbaarheid van het bedrijf in het geding komen.

De Sarbanes-Oxley Act prijst ook de 'onafhankelijke' commissaris en betoogt dat het management eerlijk blijft als daarbinnen concurrerende stemmen aan bod komen. Maar in de praktijk hebben commissarissen die onafhankelijk van het bestuur opereren, zelden ervaring in de zaken waarop ze toezicht moeten houden. Ze weten meestal niet welke chicanes er mogelijk zijn. Ik heb altijd gevonden dat president Roosevelt gelijk had toen hij de vraag beantwoordde waarom hij de Wall Street-speculant Joseph P. Kennedy (de vader van John F. Kennedy) tot eerste voorzitter van de beurswaakhond, de Securities and Exchange Commission (SEC), had benoemd. Was dat geen klassiek geval van de vos die de kippenren bewaakte? 'Met dieven kun je dieven vangen,' zei Roosevelt.

Een onderneming kan slechts één strategie hebben. Concurrerende 'onafhankelijke' stemmen met totaal andere agenda's ondermijnen de effectiviteit van de CEO en de rest van het bestuur. Ik heb in besturen gezeten met dissidente commissarissen. Alleen zaken die wettelijk verplicht waren op bestuursvergaderingen, werden uitgevoerd. Wat ontbrak, was een nuttige uitwisseling van ideeën aan de hand waarvan de CEO de bedrijfsstrategie kon bepalen. Met dissidente commissarissen, die bijvoorbeeld investeerders vertegenwoordigen die een bedrijf willen overnemen, communiceren de commissarissen die de CEO steunen en het zittende management meestal alleen buiten de bestuurskamer.

Ik wil geen kwaadspreken over bedrijfsovernames. Ze zijn juist een belangrijke veroorzaker van creatieve destructie en ongetwijfeld het beste nog overgebleven middel waarmee aandeelhouders een onderneming kunnen kneden. Maar terwijl een wisseling van het management vaak noodzakelijk is, kun je een onderneming niet effectief runnen als er twee of meer stemmen met gezag zijn die elkaar tegenspreken. Bedrijven kunnen geen tegenstrijdige doelen nastreven; het moet of het een of het ander zijn. Kakofonie leidt alleen maar tot rode cijfers. Als er tegengestelde belangen zijn in het bestuur, zal het leidinggeven eronder lijden. Als directeuren het niet eens zijn met de strategie van de CEO, dan moeten ze hem vervangen. In een overgangsperiode zijn dissonante geluiden natuurlijk onvermijdelijk. Maar het is geen waarde die op zich moet worden nagestreefd.

Het idee dat je vertegenwoordigers van verschillende belanghebbenden (zoals vakbonden, de lokale gemeenschap, klanten en leveranciers) bij het bestuur van een onderneming moet betrekken, lijkt leuk democratisch, maar werkt, denk ik, niet. In de huidige sterk concurrerende wereld moeten ondernemingen hun plannen als het ware met behulp van één enkele coach kunnen uitvoeren. Als er bij iedere grote beslissing door een heel team gestemd moet worden, komt er nooit iets van de grond. Ik denk dat de scherpste randjes van de Sarbanes-Oxley Act, vooral paragraaf 404, er wel van afgeslepen zullen worden.

Hoe goed het bestuur van de Amerikaanse onderneming met al zijn tekortkomingen in de loop der decennia ook was, de aanpassingen aan de voortdurend veranderende wereld waarin het opereerde, vertoonden lacunes die aandacht behoeven. Een goede boekhouding is bijvoorbeeld van essentieel belang voor het functioneren van het kapitalisme van de vrije markt. Als de signalen die de toewijzing van de middelen van een land bepalen verkeerd worden voorgesteld, zijn vrije markten minder doelmatig en heeft de levensstandaard minder kans te stijgen. Het kapitalisme vergroot de rijkdom in de eerste plaats door middel van creatieve destructie – het proces waarbij de cashflow van verouderd kapitaal met een lage opbrengst in combinatie met nieuwe besparingen wordt geïnvesteerd in de nieuwe technologieën met een hoge opbrengst. Maar om dat proces te laten werken, hebben markten betrouwbare gegevens nodig om het rendement op de activa te kunnen meten.

Een voorbeeld is de manier waarop aandelenopties ten laste worden gebracht van de winst. In 2002 mengde ik mij in de strijd om dit mysterieuze maar kritische aspect van de internethype in de jaren negentig. Mijn goede vriend Warren Buffett, geen groentje in de beoordeling van bedrijven, had zich al eerder in het gekrakeel gestort. Vooral hightechbedrijven waren massaal overgeschakeld van het betalen van salarissen, waarvan de kosten op het bedrijfsresultaat drukten, naar het belonen met personeelsopties, die dat toen nog niet deden. Intel rapporteerde in 2005 bijvoorbeeld een nettowinst van 8,7 miljard dollar. Volgens de eigen berekening van Intel zou deze winst 1,3 miljard dollar minder hebben bedragen als de optiekosten in dat bedrag waren verwerkt. Ik betoogde dat opties waarmee een onderneming hoogopgeleid personeel lokt, in principe niet te onderscheiden zijn van salarissen in geld of andere vormen van betalingen.

Om de winst goed te kunnen evalueren, moeten de kosten juist zijn berekend. De arbeidskosten moeten correct worden vastgelegd, want anders weet het management niet zeker of een bedrijfsstrategie werkt. Het zou niet moeten uitmaken of de arbeidskosten in cash, opties of toegang tot het directierestaurant worden betaald. Het bedrijf moet de marktwaarde van de nieuw ingehuurde werknemers kennen. De werknemer bepaalt het marktloon in feite door een beloningspakket (inclusief opties) te aanvaarden. En dat marktloon geeft de prijs weer van de arbeid die nodig is om een bepaalde winst te maken.

In een economie die zo groot, divers en complex is als die van ons, is een accurate meting van de prestaties essentieel om de middelen van het land zo efficiënt mogelijk te kunnen inzetten. Een accurate berekening van de kosten van de instroom is essentieel om te bepalen of de onderneming met haar huidige activiteiten winst behaalt. Veranderingen in de waarderingen op de balans die op onzekere voorspellingen zijn gebaseerd, worden steeds vaker gebruikt om te bepalen of een bepaalde bedrijfsstrategie succes had. Het basisprincipe van het meten van de winst als de waarde van de uitstroom (omzet) minus de waarde van de instroom (kosten) verandert niet door de complexiteit van de meting.

Wie doet alsof optieregelingen geen geld kosten, gaat ervan uit dat de reële middelen die bijdragen aan de waarde van de productie gratis waren. Maar de aandeelhouders die werknemers een beloning in opties toekenden, vinden vast niet dat de mogelijke verwatering van hun aandeel kosteloos is.

Opties zijn belangrijk voor de durfkapitalisten, en velen in de hightechindustrie waren fel tegen veranderingen in de toenmalige praktijk. Ze hielden vol dat het gebruik van opties een waardevol beloningsmechanisme is (klopt), dat het officieel opvoeren van de kosten die daaraan zijn verbonden het gebruik ervan zal verminderen,[5] en hightechbedrijven zou schaden (mogelijk), en dat er al rekening wordt gehouden met het effect van opties op de 'voor potentiële verwatering gecorrigeerde winst per aandeel (*fully diluted earnings per share*)' (irrelevant)[6]; en dat we de kosten van opties niet voldoende accuraat kunnen meten om ze in de financiële verslaglegging te kunnen gebruiken (onzin).[7]

Deze schijnbaar beperkte boekhoudkundige kwestie is in feite bijzonder belangrijk voor een accurate voorstelling van de prestaties van ondernemingen. Sommige bedrijven dachten dat het feit dat personeelsopties niet ten laste komen van het bedrijfsresultaat, een grote hulp was bij het vergaren van kapitaal voor een snelle exploitatie van geavanceerde technieken. Hoewel iedereen begrijpt dat nieuwe technologieën van doorslaggevend belang zijn voor de groei van onze economie, scheppen niet alle nieuwe ideeën waarde en moeten ze dan ook niet allemaal worden gefinancierd. Tijdens de internethype werd er veel kapitaal verspild aan bedrijven waarvan de vooruitzichten rooskleurig leken, maar dat niet bleken te zijn. Deze verspilling is een onvermijdelijk nevenproduct van het nemen van risico dat de groei in onze economie genereert. Maar de verspilling wordt onnodig hoog als de rapportages van de inkomsten, die investeerders helpen bij hun portfoliokeuze, niet kloppen.

Betaling met aandelenopties kan, mits op de juiste manier ingekleed, bijzonder effectief zijn bij de afstelling van de belangen van de topmensen van het bedrijf op die van de aandeelhouders. Helaas werden veel optieregelingen vooral verzonnen om er zelf rijk van te worden. Waarschijnlijk had ik niet verrast moeten zijn dat de lobby van de hightechindustrie ook bij de Fed aanklopte. Ik werd een paar keer bezocht door groepen CEO's, vaak onder leiding van de lepe Craig Barrett van Intel. De bezoekende CEO's hadden niet gerekend op mijn kwarteeuw ervaring als topman van bedrijven. Ik genoot ervan hun argumenten te weerleggen. Ik stond vaak op het punt Craig Barrett, die ik respecteerde en graag mocht, of een van de andere lobbyisten die bij me op de stoep stonden, te vragen: 'Als ik je kan overtuigen dat je argumenten niet kloppen, mag je dan van je werkgever van mening veranderen?' Maar ik vroeg het nooit, want het was niet nodig. Toen ik in 1994 met de Chinese premier Li Peng een gesprek aanknoopte over het kapitalisme versus het communisme, was ik in dezelfde positie (zie hoofdstuk 14).

De argumenten om personeelsopties wel ten laste te brengen van het bedrijfsresultaat, wonnen uiteindelijk. In december 2004 veranderde de FASB zijn regels en vanaf 2005 moeten beloningen in opties ten laste worden gebracht van de winst. De nieuwe regels werden bijna door het Congres tegengehouden, vanwege de argumenten van hightechondernemers.

Al voor de schandalen van 2002 was er veel politieke onrust over de stijgende beloning voor topmensen in vergelijking met die van lager personeel. Zoals ik in hoofdstuk 25 uitleg, is door de onstuitbare groei van het conceptuele, vooral technologische deel van het BBP, de waarde van denkkracht in de loop van een groot aantal generaties vele malen hoger geworden dan die van spierkracht. Ik ben oud genoeg om me mensen te herinneren die op het werk werden bewonderd om hun spierkracht. Nog steeds staat er in het noordelijke merengebied van Minnesota een groot standbeeld van de legendarische houthakker Paul Bunyan. Een eeuw geleden werden stuwadoors geprezen om hun brute kracht, maar het werk dat ze deden, wordt tegenwoordig vaak door jonge vrouwen achter een computerscherm gedaan.

De beloning wordt in onze maatschappij door de markt bepaald; zij is een weerspiegeling van de waardevoorkeur van alle deelnemers aan onze economie. Is er een betere arbiter te vinden? Een even consequente, maar nooit met succes toegepaste standaard is dat alle werknemers gelijk moeten delen in de resultaten van hun arbeid. Volgens dat ethos zijn ongelijke beloningen altijd onrechtvaardig. Maar wie zegt dat bepaalde inkomensverschillen te groot of te klein zijn, hanteert een bepaalde standaard om dat oordeel te kunnen vormen. 'Te groot' gaat ervan uit dat een zeker verschil gerechtvaardigd is. Waarom is het dan niet groter? Of kleiner?

In hoofdstuk 21 betoogde ik dat inkomensverschillen destabiliserend werken op de maatschappij. Maar een tegenmaatregel waarbij de overheid bijvoorbeeld minimum- of maximumlonen oplegt in plaats van bijvoorbeeld laagbetaalde werknemers te helpen waardevoller vaardigheden te ontwikkelen, is vaak erger dan de kwaal. Zelfs bij het niet perfecte bestuur van ondernemingen worden de salarissen van topmensen uiteindelijk, naar we moeten aannemen, vrijwillig goedgekeurd door de aandeelhouders van het bedrijf. Zoals ik eerder opmerkte, is hierbij geen rol voor de overheid weggelegd. Loonbeheersing leidt net als prijscontrole steevast tot ernstige onverwachte verstoringen.

Het lijkt erop dat bedrijven gezien de kloof tussen aandeelhouders en management alleen effectief kunnen functioneren binnen het paradigma van de autocratische CEO. We kunnen niet om het autoritaire karakter van de huidige bedrijfsstructuur heen. Maar we kunnen er wel voor zorgen dat slecht presterende CEO's worden ontslagen, zo niet door de huidige aandeelhouders, dan wel door een overname te vergemakkelijken. Een stap in die richting zou de versoepeling zijn van de regels voor toegang tot aandeelhouderslijsten, die op dit moment vooral worden gecontroleerd door het zittende management. De aandeelhouders die de anonimiteit zoeken, kunnen worden beschermd door vermelding van uitsluitend hun makelaar of bewindvoerder. Fusies, overnames en spin-offs vormen een belangrijk onderdeel van concurrentie en creatieve destructie. De opkomst van private equity-fondsen lijkt een marktrespons op het gebrek aan bereidheid van pensioenfondsen en andere grote institutionele beleggers om toezicht te houden op het management dat het kenmerk was van eerdere generaties. Door een betere aandeelhouderscontrole zouden ongetwijfeld de eigenbelang dienende gouden handdrukken, buitenmaatse bonussen, opties met terugwerkende kracht en andere na vertrek van kracht zijnde extraatjes kunnen worden beperkt, die nu op kosten van de aandeelhouders worden verstrekt.

Het is essentieel voor ons marktkapitalistische systeem dat Amerikaanse ondernemingen worden gecontroleerd door de aandeelhouders. In ondernemingen en andere organisaties leidt het delegeren van autoriteit tot een zekere mate van autoritair bestuur. Het vinden van het juiste evenwicht bij het bestuur van ondernemingen zal wel altijd gepaard blijven gaan met controverses.

24

DE ENERGIECRISIS OP LANGE TERMIJN

Toen de orkanen Katrina en Rita in de zomer van 2005 de zachte onderbuik van het enorme Amerikaanse aardoliecomplex van Texas en Louisiana bereikten, sloegen ze een enorm gat in de wereldvoorraad. De prijzen van benzine, diesel en huisbrandolie schoten omhoog.

Het was een ongeluk waarop we hadden kunnen wachten. De olieprijzen waren sinds 2002 beetje bij beetje gestegen, terwijl het overgebleven deel van de buffercapaciteit op de wereld, die in 1986 de tien miljoen vaten per dag bedroeg, grotendeels was opgesoupeerd door de toename in het wereldwijde oliegebruik. In het verleden was de buffer groot genoeg om schokken op te vangen, zelfs die van de omvang van Katrina en Rita, zonder dat de prijzen er onrustmakend door werden beïnvloed. In 2005 was het olie-evenwicht op de wereld echter zo wankel geworden dat een onverwachte onderhoudsstop bij een paar raffinaderijen aan de Oostkust eerder dat jaar voldoende was om de prijs op te drijven.

Hoewel af en toe werd voorspeld dat de wereldolievoorraad dreigde op te raken, groeide de ontdekte en winbare ondergrondse olievoorraad tussen 1986 en 2006 nog sneller dan de olieconsumptie. Dit kwam vooral door de ontwikkeling van technologieën waarmee meer olie uit bestaande bronnen kon worden gehaald. De wereldolieproducenten waren veel minder succesvol bij het daadwerkelijk bouwen van de capaciteit om die olie uit de diepe ondergrond te halen en te verwerken. Het boren en de bronafwerking raakten achterop toen landen met grotere reserves, vooral leden van de Organisatie van Olie-exporterende Landen (OPEC), niet voldoende investeerden in bronnen en de infrastructuur voor de verwerking van ruwe olie om aan de stijgende vraag te voldoen.[1] Terwijl de wereldolieconsumptie tussen 1986 en 2006 gemiddeld met 3,4 procent per jaar steeg, en de wereldoliereserve met 3,6 procent toenam (wat bijna uitsluitend te danken was aan de OPEC-landen en de landen van de voormalige Sovjet-Unie), groeide de productiecapaciteit voor ruwe olie met slechts 1,8 procent per jaar.

Waarom investeren oliemaatschappijen niet een groter deel van hun sterk gestegen opbrengsten in infrastructuur? De oliereserves in OPEC-landen zijn in bezit van staatsmonopolies of worden erdoor gecontroleerd. De olie-inkomsten zijn voor deze landen de voornaamste bron om aan de behoeften van hun snel groeiende bevolking te kunnen voldoen. Energie-investeringen concurreren met allerlei andere prioriteiten, in sommige landen bijvoorbeeld met pogingen om te diversifiëren in andere sectoren dan olie en gas. Olie- en gasbedrijven in de private sector hebben de laatste jaren een veel groter aandeel van de cashflow geïnvesteerd in energiewinning dan nationale oliemaatschappijen. Maar nu de oliereserves van ontwikkelde landen na meer dan een eeuw van exploitatie zijn uitgeput, levert dit in deze veel minder vruchtbare omgeving slechts een fractie op van de opbrengst van de nationale oliemaatschappijen van de OPEC. Belangrijker nog is dat internationale private oliemaatschappijen steeds minder toegang hebben tot de reserves van de OPEC.[2] Het tijdperk dat de westerse maatschappijen bijna een monopolie hadden op technologische expertise, is lang en breed achter de rug. Ze hebben niet veel meer te bieden in ruil voor toegang tot de olierijkdom van het Midden-Oosten.

Vijftig jaar geleden hadden de 'Seven Sisters' (de zeven grootste oliemaatschappijen, waaronder Standard Oil of New Jersey, Koninklijke Shell en Texaco) de wereldolie in hun greep. Tegenwoordig zijn de grote oliemaatschappijen niet meer dan een schaduw van hun vroegere glorie. Natuurlijk zijn de winsten enorm toegenomen toen de prijzen van hun grote olievoorraden en activa stegen. (Door ze te berekenen volgens het last-in first-outprincipe worden dergelijke pieken in de winst afgevlakt, maar niet weggenomen.) Maar er valt weinig winst te behalen met investeringen in exploratie en ontwikkeling. En nu toegang tot de reserves van de OPEC-landen beperkt is, kunnen de internationale oliemaatschappijen weinig anders dan hun cashflow naar de aandeelhouders laten terugvloeien door middel van dividenden en het terugkopen van aandelen.

Met uitzondering van Saudi Aramco heeft geen van de nationale oliemaatschappijen van de OPEC-landen laten blijken de stijging van de olieprijzen te willen beteugelen door de capaciteit voor ruwe olie te vergroten. Integendeel, ze lijken zich vooral zorgen te maken dat de prijzen zullen dalen door de extra capaciteit, en dat ze de gigantische opbrengsten zullen mislopen waarvan ze voor binnenlandse politieke doeleinden afhankelijk zijn geworden. Zelfs de kosmopolitische Saoedische minister van Olie, Ali al-Naimi, was, toen ik hem in mei 2005 ontmoette, duidelijk niet op zijn gemak over de Amerikaanse voorstellen om de olieconsumptie, en daarmee ook de inkomsten van de OPEC-landen, te beperken. De macht van Al-Naimi's land is gebaseerd op de 260 miljard vaten bewezen reserves en wat er waarschijnlijk verder nog te vinden is. Hij is zich er scherp van bewust dat als de olieprijzen te sterk stijgen, het aardolieverbruik wel eens permanent lager zou kunnen worden, omdat consumenten overal ter wereld dit zullen proberen terug te dringen. De meeste olie wordt gebruikt door gemotoriseerd verkeer, fabrieken en woningen, en hoewel die infrastructuur niet in één nacht vervangen kan worden, kan ze wel worden veranderd, en dat gebeurt ook. De Saoedi's leerden die les in de jaren zeventig. De groei van de consumptie vertraagde in de jaren na de olieprijsschokken, en herstelde zich nooit meer volledig, ook al daalden de prijzen. Wat er toen gebeurde, kan nu weer gebeuren. De Verenigde Staten verbruiken op dit moment een kwart van de aardolie op de wereld. Als we ons olieverbruik zouden verlagen en andere landen ons voorbeeld zouden volgen, dan zou de positie van Saoedi-Arabië zeker minder prominent worden.

De banden tussen de Verenigde Staten en Saoedi-Arabië zijn hecht sinds president Franklin D. Roosevelt in februari 1945 aan boord van de USS

Quincey een ontmoeting had met koning Ibn Saoed. Het was een Amerikaanse oliemaatschappij, Standard Oil of Californië (later Chevron), die in maart 1938 in de Saoedische woestijn olie ontdekte, in een concessie die in 1933 was toegewezen. En het was een consortium van Amerikaanse oliemaatschappijen dat de Arabian American Oil Company (Aramco) vormde om deze olie te exploiteren. Er werden hechte banden gesmeed tussen het land, dat vanaf 1992 de grootste olieproducent ter wereld zou worden, en de Verenigde Staten, die altijd al de grootste olieconsument ter wereld waren. De betrekkingen bleven zelfs goed nadat Saoedi-Arabië in 1976 Aramco nationaliseerde. (Saoedi-Arabië verwierf een aandeel van 60 procent in Aramco voordat het bedrijf volledig werd genationaliseerd.) Tussen 1977 en 1987 was ik directeur bij Mobil, en als zodanig was ik me scherp bewust van de duurzame band met Saoedi-Arabië. Mobil had een aandeel van 10 procent in Aramco, en het dividend daarop vormde voor 1976 een belangrijk deel van de opbrengsten van mijn toenmalige bedrijf. Ook het feit dat Mobil toegang had tot de Saoedische ruwe olie, speelde een belangrijke rol in de operaties van mijn bedrijf. Saudi Aramco stak een belangrijk deel van de toegenomen olie-inkomsten van de afgelopen vijf jaar in capaciteitsuitbreiding, maar nog steeds een veel kleiner deel dan Amerikaanse, Britse, Canadese, Noorse en zelfs Russische oliemaatschappijen.

Het feit dat de OPEC-landen hun capaciteit niet hebben willen uitbreiden, heeft een dramatische invloed gehad op de oliemarkt. De buffer tussen vraag en aanbod is zo klein geworden dat de markt niet meer in staat is de sluiting op te vangen van zelfs een klein deel van de wereldproductie, zonder dat dit consequenties heeft voor de prijs. Vooral in het Midden-Oosten wordt het wankele evenwicht steeds meer bedreigd door aanslagen op olievelden, pijpleidingen, opslagfaciliteiten en raffinaderijen. In februari 2006 werd er een terroristische aanslag voorkomen op Abqaiq, het enorme Saoedische complex van olieverwerkende installaties, met een capaciteit van zeven miljoen vaten per dag. De aanslag mislukte, maar het scheelde een haar. Volgens sommige verslagen hadden de aanvallers de eerste verdedigingslinie weten te doorbreken. Als ze waren geslaagd, dan zouden de financiële markten ernstig zijn ontregeld door de scherpe stijging van de olieprijs en was, afhankelijk van de omvang van de sluiting van oliefaciliteiten, een flink deel van de economische expansie in de wereld tot staan gebracht, of erger. En de angst dat Iran de Straat van Hormoez bij de Perzische Golf, de scheepsverkeersader voor eenvijfde van de ruwe olie ter wereld, zou blokkeren als het zich te veel bedreigd of geprovoceerd voelt, is de laatste tijd flink toegenomen.

Gelukkig heeft de markt zelf een nieuw soort buffer tot stand gebracht. De bovengrondse olievoorraden werden tot recordhoogten opgevoerd door olieproducenten, consumenten en tegenwoordig ook investeerders uit ontwikkelde landen. Tot voor kort konden alleen degenen die in staat waren grote hoeveelheden olie fysiek op te slaan, in olie handelen. Voorraden werden vooral uit voorzorg aangehouden, in het bijzonder met het oog op een onverwachte terugval van de productie waar ook ter wereld. Maar dankzij belangrijke financiële verbeteringen kan nu een veel groter aantal spelers deelnemen aan de oliemarkt en vandaar aan het bepalen van de olieprijs. Toen in 2004 duidelijk werd dat de olie-industrie onvoldoende in de productiecapaciteit voor ruwe olie investeerde om aan de stijgende vraag te kunnen voldoen, waardoor de prijzen nog hoger dreigden te worden, begonnen hedgefondsen en andere institutionele beleggers die streefden naar langetermijninvesteringen in olie, de prijs verder omhoog te bieden. Dit ging door totdat ze eigenaren van voorraden zo ver hadden gekregen dat ze delen ervan verkochten. Beleggers speculeerden in termijncontracten op de termijnmarkt op een ruwe olieprijsstijging, vooral door middel van onderlinge transacties (*over the counter*). De aanbieders van deze contracten, die in feite toekomstige levering aan de beleggers beloofden, waren noodzakelijkerwijs eigenaar van de miljarden vaten privé-olievoorraden die over de hele wereld werden aangehouden.

Door de olieverkoop aan beleggers via termijncontracten waren veel oliemaatschappijen kwetsbaar voor pieken in de vraag naar olie. Ze probeerden snel de bezwaarde 'beloofde' voorraden aan te vullen. De toegenomen vraag naar olie voor voorraadvorming kwam boven op de stijgende consumptie, waardoor de olieproductie en -prijzen nog meer onder druk kwamen te staan. Dit had weer een vergroting van de voorraadvorming tot gevolg, zowel om de traditionele reden – uit voorzorg – als om aan de contractuele verplichtingen tegenover beleggers te kunnen voldoen. Met andere woorden, een deel van de olievoorraad in opslagtanks en pijpleidingen overal ter wereld bevindt zich daar ten behoeve van beleggers. Dat financiële instellingen in belangrijke mate aanspraak maken op de olievoorraad, is onder andere te merken aan de verzesvoudiging van december 2004 tot juni 2006 van de nominale waarde van derivaten in grondstoffen, vooral olie, zoals gerapporteerd aan de Bank voor Internationale Betalingen.

De beleggers en speculanten – nieuwe spelers op de oliemarkt waar voor meer dan twee biljoen dollar per jaar wordt verhandeld – versnellen het aanpassingsproces dat urgent is geworden nu de wereldbuffervoorraad bijna is verdwenen. Door de vraag van de beleggersgemeenschap steeg de olieprijs sneller dan anders was gebeurd, waardoor beleggers werden aangespoord om te helpen bij het aanleggen van recordolievoorraden en bij te dragen aan de magere buffer tussen het aanbod van en de vraag naar olie. Dat wil zeggen, de wereldolievoorraad nam niet toe doordat beleggers zich op de oliemarkt begaven, maar hun activiteiten versnelden de noodzakelijke prijsaanpassingen, waardoor er ruwe olie van OPEC-reserves naar de bovengrondse voorraden in de westerse wereld vloeiden. Hierdoor ontstond een grotere 'olieveiligheid', waardoor, denk ik, de prijsdruk op den duur zal afnemen.

Dit versnelde aanpassingsproces en de torenhoge benzineprijzen waarmee dat gepaard ging, leidden natuurlijk tot veel controverses. Toen de prijs voor ruwe olie het recordbedrag van 75 dollar per vat bereikte, beweerden sommigen dat speculanten en de olie-industrie hadden samengezworen om de prijs op te drijven. In de recente Amerikaanse geschiedenis hebben zich talloze pieken in de olieprijs voorgedaan die tot beschuldigingen hebben geleid over samenzweringen door oliemaatschappijen. Als de zaak wordt onderzocht en er wordt geen samenzwering ontdekt, gaat het rapport stilletjes de kast in. Samenzweringen zijn opwindend en de prijsschommelingen zijn zeker significant, om niet te zeggen pijnlijk voor sommige klanten. Maar de werkelijkheid is een stuk wereldser: weer zagen we gewoon marktkrachten aan het werk.

Als de prijzen niet waren gestegen vanwege de verwachtingsvolle aankopen door beleggers, zou het aardolieverbruik sneller zijn toegenomen en de vraag eerder op het aanbodmaximum zijn gestoten. Op dat moment zouden consumenten snel door hun voorraden heen zijn, en zouden de prijzen nog harder zijn gestegen, met ernstige consequenties voor de economische stabiliteit. In plaats daarvan hebben producenten de productie enorm opgevoerd en werd de consumptie ontmoedigd. Ook al blijft de capaciteit voor ruwe olie onvoldoende, zij steeg wel in reactie op de hogere prijzen. Conclusie: zonder de opbouw van voorraden die werd veroorzaakt door speculatie, was de wereld zeker met een veel heftiger olieschok geconfronteerd dan zich heeft voorgedaan.

Als we nog een capaciteit hadden van tien miljoen vaten per dag, zoals tien jaar geleden, zouden pieken in de vraag of tijdelijke capaciteitsproblemen vanwege geweld, orkanen of achterstallig onderhoud weinig of geen invloed hebben op de prijs. Het wankele evenwicht tussen vraag en aanbod is dus niet te wijten aan een tekort aan olie in de grond. Het is te wijten aan het feit dat de bedrijven die willen investeren (internationale oliemaatschappijen in de private sector) geen winstgevende investeringen kunnen vinden, op Saudi Aramco na, en dat zij die dat wel kunnen (nationale oliemaatschappijen), ervoor kiezen dat niet te doen.

Veel OPEC-leden hebben vanwege de hogere olieprijzen plannen om op korte termijn de productie uit te breiden. Maar het valt moeilijk na te gaan hoe vastomlijnd deze plannen zijn. De mogelijkheden voor uitbreiding elders zijn beperkt tot een paar regio's, vooral in de voormalige Sovjet-Unie. Maar zelfs daar wordt er minder geïnvesteerd na de hernieuwde consolidatie van de Russische olie-industrie onder controle van het Kremlin.

Naast de angst voor terugval van de productiecapaciteit voor ruwe olie heerst er ook bezorgdheid over de internationale raffinagecapaciteit. Tussen 1986 en 2006 nam de raffinagecapaciteit met slechts 1,9 procent per jaar toe. In de afgelopen tien jaar is de productie van ruwe olie en de instroom bij raffinaderijen zelfs sneller gestegen dan de raffinagecapaciteit. De totale uitstroom van raffinaderijen is nu bijna even hoog als de raffinagecapaciteit. Als de raffinagecapaciteit zou dalen tot onder de capaciteit voor de productie van ruwe olie, wordt het gebrek aan raffinagecapaciteit het knelpunt voor de olieconsumptie, want op een paar kleine uitzonderingen na moet ruwe olie worden geraffineerd voordat hij kan worden gebruikt. Voor bepaalde soorten olie is dit waarschijnlijk al het geval, gezien het feit dat er steeds meer zware, zwavelrijke (of 'zure') olie wordt geproduceerd, terwijl er juist steeds meer vraag is naar de lichtere, 'zoete' variant. Tweederde van de wereldwijde olieproductie bestaat nu uit de zwaardere olie. We kunnen de kwaliteit van de olie die uit de grond komt niet veranderen. Daarom is er behoefte aan adequate raffinaderijen om de olie te ontzwavelen en van bitumen te ontdoen, en de zware, zwavelige olie zoals deze op de meeste plekken wordt gevonden te veranderen in de lichtere zoetere soort die nodig is voor productmarkten, vooral voor brandstoffen voor motorvoertuigen, die aan steeds strengere milieueisen moeten voldoen.

Maar de expansie en modernisering van raffinaderijen verlopen traag. Er is in de Verenigde Staten bijvoorbeeld sinds 1976 geen nieuwe raffinaderij meer gebouwd. Er liggen verschillende ontwerpen op de tekentafels, maar de onzekerheid ten aanzien van de toekomstige milieueisen is een groot probleem. Omdat men zich met een nieuwe raffinaderij voor minstens dertig jaar financieel vastlegt, zijn investeringen in raffinaderijen riskant. Om te zorgen dat de raffinagecapaciteit in de Verenigde Staten op peil blijft, zal men ofwel de bestaande milieueisen ook op nieuwe raffinagecapaciteit van toepassing moeten verklaren, óf zich nu moeten vastleggen op een schema van toekomstige eisen. Op die manier kan onzekerheid worden verminderd en kan de bouw voortgang vinden.

Dat de modernisering van raffinaderijen achterloopt, is ook te merken aan het grote prijsverschil tussen dure zoete soorten ruwe olie als Brent, die makkelijker te raffineren zijn, en de zwaardere ruwe-oliesoorten, zoals Maya. Door de druk op de raffinagecapaciteit zijn bovendien de winstmarges op de raffinagemarkt groter geworden, waardoor de prijs van benzine en verwante producten is gestegen.

Hoe heeft het zo ver kunnen komen dat het evenwicht tussen vraag en aanbod dermate fragiel is geworden dat het weer, om nog maar te zwijgen van sabotage of opstanden, zo veel invloed heeft op de wereldenergievoorraad en dus op de economische expansie?

Tijdens de eerste groeigolf van de olie-industrie, aan het einde van de negentiende eeuw, meenden producenten dat prijsstabiliteit essentieel was voor verdere uitbreiding van de markt. De noodzakelijke macht om prijzen te bepalen was in handen van de Amerikanen, vooral John D. Rockefeller. Hij had rond de eeuwwisseling enig succes bij het stabiliseren van de prijzen doordat hij 90 procent van de Amerikaanse raffinagecapaciteit controleerde. Zelfs nadat het Amerikaanse Hooggerechtshof in 1911 zijn Standard Oil-trust opbrak, behielden de Verenigde Staten (eerst de Amerikaanse oliemaatschappijen en later de Texas Railroad Commission) de macht om de prijzen te bepalen. Tientallen jaren lang verruimden de leden van de Texas Railroad Commission de productiebeperkingen om prijspieken te voorkomen, en verkleinden ze de toegestane productie om scherpe prijsdalingen tegen te gaan.[3]

In 1952 kwam nog maar de helft van de ruwe olie die op de wereld werd geproduceerd uit de Verenigde Staten (waarvan 44 procent uit Texas). In 1951 werden er nog reservevoorraden ruwe olie uit Texas op de markt gebracht om het effect op de olieprijs tegen te gaan van de mislukte nationalisatie van de Iraanse olie door Mohammed Mossadeq. Ook tijdens de Suez-crisis in 1956 en de Zesdaagse Oorlog van 1967 werden er reservevoorraden Amerikaanse olie op de markt gebracht om de druk op de prijzen tegen te gaan.

De historische rol van de Amerikaanse aardolie was in 1971 uitgespeeld, want toen werd de buffercapaciteit van de Verenigde Staten opgeslokt door stijgende wereldvraag. Op dat moment kwam er ook een einde aan de Amerikaanse onafhankelijkheid op energiegebied. De macht om de prijzen te bepalen verschoof abrupt, eerst naar een paar grote Arabische producenten en uiteindelijk naar de wereldmarkt, die groter is dan de Amerikanen, of wie dan ook, kunnen beheersen.

Veel olieproducerende landen, vooral in het Midden-Oosten, nationaliseerden hun oliemaatschappijen om van hun nieuw verworven prijsmacht te profiteren. De omvang van die macht werd pas duidelijk met het olie-embargo van 1973. In die periode stegen de prijzen voor ruwe olie in Ras Tanoera, in Saoedi-Arabië, naar meer dan elf dollar per vat, terwijl er tussen 1961 en 1970 nog 1,80 dollar per vat was betaald. In 1979 stegen de olieprijzen nog meer vanwege de Iraanse Revolutie, totdat in februari 1981 een vat 39 dollar kostte (77 dollar per vat, omgerekend naar 2006). De prijspiek van 2006 evenaarde, gecorrigeerd voor inflatie, het vorige record van 1981.

Met de hogere prijzen van de jaren zeventig eindigde een buitengewone periode van toenemende Amerikaanse en wereldwijde consumptie van aardolie, die tot die tijd de groei van het BBP veruit oversteeg. Die toegenomen 'intensiteit' van de aardolieconsumptie was kenmerkend voor de eerste decennia na de Tweede Wereldoorlog. Achteraf kan men zien dat de groei van de wereldconsumptie bijna tot staan werd gebracht door de stijging van de prijzen van aardolieproducten tussen 1972 en 1981. Door een internationale stijging van het aanbod daalde de olieprijs in 1986 weer naar elf dollar per vat. De olieconsumptie is in de loop der tijd veel prijsgevoeliger gebleken dan men eerder dacht. Na de prijsescalatie van de jaren zeventig daalde de wereldolieconsumptie gemeten naar het in reële dollars berekende equivalent van het wereldwijde BBP met meer dan een derde. De consumptie van aardolieproducten steeg in de Verenigde Staten tussen 1945 en 1973 met maar liefst 4,5 procent per jaar, een stuk meer dan de stijging van het BBP. Tussen 1973 en 2006 nam het verbruik met slechts 0,5 procent per jaar toe, een stuk minder dan de stijging van het BBP. Daardoor daalde de verhouding tussen het Amerikaanse aardolieverbruik en het BBP met de helft.

Een groot deel van het dalende olieverbruik ten opzichte van het Amerikaanse BBP was het resultaat van de stijging van het aandeel in het BBP dat bestond uit dienstverlening, hightech en andere minder aardolie-intensieve industrieën. De rest van de afname is te danken aan zuiniger energiegebruik: doelmatiger isolatie van woningen, betere automotoren en beter gestroomlijnde productieprocessen. Een groot deel daarvan was in 1985 al gerealiseerd. Lichte motorvoertuigen waren in de jaren tachtig een stuk zuiniger geworden naar aanleiding van eerdere stijging van de olieprijzen, en latere verbeteringen waren slechts marginaal.

Het zou geen verrassing moeten zijn dat de olie-intensiteit van de Amerikaanse economie na 1985 enigszins afnam, gezien het over het algemeen lage niveau van reële olieprijzen in een groot deel van die periode. De elasticiteit van de Amerikaanse vraag (dat wil zeggen de prijsgevoeligheid van die vraag) is in de afgelopen dertig jaar veel groter gebleken dan in de jaren zestig.

De intensiteit van het gebruik daalde sinds 1973 ook met de helft in West-Europa, en zelfs nog meer in Groot-Brittannië en Japan, waar de intensiteit momenteel lager is dan in de Verenigde Staten. Het olieverbruik in ontwikkelingslanden is maar al te vaak verspillend in vergelijking met dat in het Westen. Daar ligt het olieverbruik per eenheid BBP gemiddeld een stuk hoger dan in ontwikkelde landen. De intensiteit is de afgelopen jaren niet meetbaar afgenomen, met uitzondering van enige daling in Mexico, Brazilië en mogelijk China.

Hoewel de productiequota's van de OPEC de afgelopen decennia een belangrijke factor zijn geweest bij het bepalen van de prijs, gaat het verhaal sinds 1973 evenzeer over de kracht van de markt als over de macht over de markt. Tijdens het Arabische olie-embargo na de Jom Kipoeroorlog van 1973 waren velen, onder wie ikzelf, bang dat er zulke grote tekorten zouden ontstaan dat we de benzine zouden moeten rantsoeneren.[4] Maar dat was uiteindelijk niet de manier waarop het evenwicht tussen vraag en aanbod zich herstelde. In plaats daarvan dwong de druk van de hoge prijzen consumenten hun gedrag te veranderen, zodat de intensiteit van het olieverbruik daalde. (In de Verenigde Staten daalde de groei van de vraag naar benzine natuurlijk ook vanwege de nieuwe energieverbruiksregels van auto's en lichte vrachtauto's. Een aantal van mijn collega's bij de Raad van Economische Adviseurs en ikzelf meenden echter dat marktkrachten ook zonder deze overheidsregels tot een zuiniger omgang met energie zouden hebben geleid. In de jaren zeventig werden bijvoorbeeld meer kleine energiezuinige Japanse auto's geïmporteerd naarmate de olieprijs hoger werd.)

Dit effect was dramatisch. Het Amerikaanse ministerie van Energie voorspelde in 1979 bijvoorbeeld dat de olieprijs in 1995 zou zijn gestegen tot zestig dollar per vat – het equivalent van 150 dollar in prijzen van 2006. Dat de olieprijzen niet tot die hoogte zijn gestegen, is een teken van de kracht van de markt en de nieuwe technologieën waartoe ze aanleiding hebben gegeven.

Omdat de bijdrage van het olieverbruik aan het mondiale BBP minder dan tweederde is van wat het dertig jaar geleden was, was het effect van de pieken in de olieprijzen in de eerste helft van 2006 weliswaar merkbaar, maar toch een stuk minder bedreigend voor de economische groei en de inflatie dan in de jaren zeventig. In 2006 waren er internationaal geen duidelijke bewijzen van erosie van de economische activiteit waar te nemen ten gevolge van de sterk gestegen olieprijzen. We hebben zelfs net een van de grootste wereldwijde economische expansies meegemaakt die zich sinds het einde van de Tweede Wereldoorlog hebben voorgedaan. Vooral de Verenigde Staten bleken in 2006 goed in staat de impliciete belasting van de stijgende olieprijzen op te vangen.

Niettemin voorzien zowel oliemaatschappijen als beleggers die voorraden olie aanhouden, op lange termijn geen fundamentele verandering in vraag en aanbod van aardolie. Dit wil niet noodzakelijkerwijs zeggen dat de olieprijzen zullen stijgen. Als de markt efficiënt is, dan zou alle kennis die van invloed is op het toekomstige evenwicht tussen vraag en aanbod al in de locoprijs (of *spot price*) voor ruwe olie verdisconteerd moeten zijn.[5] Veel analisten meenden dat de locoprijzen van begin 2007 een grote toeslag bevatten voor het risico van terrorisme. (Vrede in het Midden-Oosten zou ongetwijfeld een scherpe daling van de olieprijzen te zien geven.) Om de prijzen voor ruwe olie fundamenteel te wijzigen, zou het toekomstige evenwicht tussen vraag en aanbod moeten veranderen of dreigen te veranderen. De geschiedenis zegt ons dat dit zal gebeuren, want het evenwicht verandert vaak, en in beide richtingen. Dat kan niet met technologie worden voorkomen. Maar de invloed van kosten en prijzen waartoe de krappe markt aanleiding geeft, kan erdoor worden verminderd.

In de beginjaren van de olie-industrie verliepen de exploratie en ontwikkeling van oliebronnen en gasbellen proefondervindelijk, maar dat proces gaat tegenwoordig veel systematischer. Door de enorme technologische veranderingen van de afgelopen jaren kunnen we een stuk langer toe met bestaande oliereserves, terwijl de kosten van de olieproductie lager uitvallen. Seismische weergave en geavanceerde boortechnieken maken exploitatie mogelijk van oliebronnen in diep water, vooral in de Golf van Mexico, en vergemakkelijken de verdere ontwikkeling van al langer geëxploiteerde olievelden op land. Men zou dus verwachten dat de ontwikkelingskosten voor nieuwe velden, en daarmee ook de langetermijnprijs voor olie en gas die pas zijn ontdekt, zouden zijn gedaald. Dat is ook het geval. Maar de kostendalingen werden tenietgedaan door een tekort aan boorinstallaties en de hogere prijzen ervan, en door de veel hogere lonen voor geschoolde arbeiders en technici.[6] De technologie heeft deze factoren niet volledig kunnen tegengaan.

Veel innovatie in olieontwikkeling buiten de OPEC was gericht op overwinning van de problemen bij het zoeken en boren in steeds lastiger, onherbergzamer en verder afgelegen gebieden, het gevolg van het feit dat makkelijker toegankelijke bronnen al meer dan een eeuw worden benut. Toch zijn, in overeenstemming met de afnemende marginale kosten voor oliewinning, de prijzen van langlopende termijncontracten ruwe olie in de jaren negentig netto gedaald. De prijzen van de langstlopende termijncontracten ruwe olie (zeven jaar) daalden van iets meer dan twintig dollar per vat voor de Eerste Golfoorlog, tot gemiddeld minder dan achttien dollar per vat in 1999. Tussen 1991 en 2000 vertoonden langlopende termijncontracten weinig variatie, ondanks het feit dat locoprijzen schommelden tussen 11 en 35 dollar per vat. Een tijdlang leek het alsof we het nirvana van prijsstabiliteit op lange termijn hadden bereikt waarnaar oliemaatschappijen al streven sinds de dagen van John D. Rockefeller. Maar het mocht niet zo zijn. De prijsstabiliteit op lange termijn is natuurlijk sinds 2000 flink uitgehold. De prijzen voor langlopende termijncontracten zijn enorm gestegen. In juni 2007 bereikte de prijs voor levering in 2013 van lichte zoete ruwe olie de grens van zeventig dollar per vat. Uit deze stijging blijkt dat men de capaciteit van ruwe olie buiten de OPEC niet langer voldoende acht om te voldoen aan de stijgende wereldvraag, vooral niet die vanuit het in opkomst zijnde Azië. Bovendien werd de langetermijnprijs sinds 2000 waarschijnlijk opgedreven door een hernieuwde vrees voor verstoringen van het aanbod in het Midden-Oosten en elders.

Omdat de oliereserves zich op een verhoudingsgewijs klein deel van de aarde bevinden (tweederde in het Midden-Oosten, viervijfde in OPEC-landen) zullen de investeringen in de productiecapaciteit van ruwe olie die nodig zijn om aan de toekomstige vraag te kunnen voldoen, grotendeels moeten worden gedaan door nationale oliemaatschappijen in OPEC-landen. Ondertussen breidt de productiecapaciteit zich wel degelijk uit, zij het geleidelijk, en wordt er – ook in geïndustrialiseerde landen – verder gewerkt aan exploratie en ontwikkeling. Bij Athabasca in Canada wordt nu tegen concurrerende marktprijzen olie gewonnen uit teerzand, wat een uitbreiding betekent van de conventionele capaciteit. Maar ondanks de verbeterde technologie en de hoge prijzen raken de reserves in ontwikkelde landen uitgeput, omdat de exploitatie van nieuwe reserves geen gelijke tred houdt met de hoeveelheden die worden gewonnen.

Voordat ik een kristallen bol leen om in de toekomst van het aardoliegebruik te kijken, moeten we een blik werpen op de rest van het energieveld, waarmee aardolie onlosmakelijk is verbonden.

De aardgasindustrie is verhoudingsgewijs nieuw vergeleken bij de olie-industrie. In de begintijd van de olie-industrie wist men nooit of er aardolie of aardgas naar boven zou komen als men op een bron was gestuit. Aardgas werd bij gebrek aan transportmogelijkheden 'afgefakkeld' (verbrand). Toen de transportproblemen tussen 1940 en 1970 grotendeels werden opgelost, verzesvoudigde de gasproductie voor de markt. Gas is in de afgelopen decennia een van de belangrijkste energiebronnen geworden. Het wordt op allerlei nieuwe manieren gebruikt in de industrie, bijvoorbeeld als schone brandstof voor het opwekken van elektriciteit. In 2005 bedroeg de hoeveelheid van aardgas afkomstige energie bijna drievijfde van de hoeveelheid energie van aardolie. In tegenstelling tot olie komt het aardgas dat in de Verenigde Staten wordt verbruikt, bijna uitsluitend uit eigen land, en uit Canada, waaruit de Verenigde Staten in 2006 eenvijfde deel importeerden van de 620 miljard kubieke meter die het land consumeert. De reden voor de nadruk op de binnenlandse productie is dat aardgas nog moeilijker te verwerken is dan olie. Het is moeilijk in gasvorm in pijpleidingen te transporteren. En het transport is helemaal lastig in cryogene vorm, als LNG (*Liquified Natural Gas*, ofwel vloeibaar aardgas). Ook de opslag is een probleem: in gasvorm zijn daar diepliggende zoutkoepels voor nodig.

Het aanbod heeft de laatste jaren niet altijd gelijke tred gehouden met de groei van de vraag. De voorraden aardgas in opslagkoepels werden in de winter van 2003 tot een recordlaagte opgebruikt. Hierdoor piekte de locoprijs van gas. De technologieën die zorgen dat het boren naar olie en gas veel succesvoller verloopt, stellen ons ook in staat nieuw ontdekte gasbellen sneller leeg te pompen. Uit gegevens voor Texas blijkt bijvoorbeeld dat de opbrengst uit nieuwe bellen na een jaar in bedrijf te zijn geweest al met 60 procent afneemt, terwijl dit in de jaren tachtig nog 25 procent was. Hierdoor moeten er continu nieuwe ontdekkingen worden gedaan en booractiviteiten worden verricht om de nettogasproductie ten behoeve van de markt stabiel te houden.

De combinatie van de gasvraag voor onze energiecentrales, waar gas als brandstof minder milieuschade veroorzaakt dan kolen of olie, en de voortdurende vraag ten behoeve van woningen en bedrijven, oefent een flinke druk uit op de aardgasreserves. Tot voor kort draaiden bijna alle ontwerpen voor nieuwe krachtcentrales op aardgas of op gas en olie tegelijk. Om aan die grotere behoefte te kunnen voldoen, zal de altijd aanwezige spanning tussen energiebehoeften en zorgen om het milieu nog verder toenemen.

De Amerikaanse aardgasprijs is vanouds veel volatieler dan de olieprijs, ook na aanpassing voor seizoensinvloeden. Dit komt ongetwijfeld deels door de verhoudingsgewijs primitieve staat waarin de wereldwijde handel in aardgas zich bevindt. Het feit dat de oliemarkt groter en diverser is, heeft een dempende invloed op prijsschommelingen. De afgelopen jaren heeft de Amerikaanse aardgasindustrie ondanks verhoogde booractiviteit de productie niet merkbaar weten uit te breiden, en ook de import vanuit Canada is niet toegenomen.[7] Dit heeft geleid tot een flinke druk op de prijzen.

De nog steeds beperkte Noord-Amerikaanse capaciteit voor de import van LNG verkleint de mogelijkheid om de grote aardgascapaciteit op de wereld te benutten.[8] Vanwege die beperking (in 2006 werd in slechts 2 procent van de Amerikaanse consumptie voorzien door LNG) zijn we niet in staat gebleken effectief te blijven concurreren in industrieën als die voor ammonia en kunstmest, omdat de prijzen voor aardgas in de Verenigde Staten soms pieken vertoonden die zich niet in andere landen voordeden. De problemen met de inadequate binnenlandse voorraden zullen uiteindelijk worden opgelost wanneer consumenten en producenten reageren op het signaal dat de marktprijzen afgeven. Het proces is zelfs al gaande. Bovendien is er ten gevolge van aanzienlijke kostenbesparingen bij het vloeibaar maken en transporteren van LNG een aanzienlijke handel in aardgas op komst – een veelbelovende ontwikkeling.

Er wordt over de hele wereld geïnvesteerd in installaties om gas vloeibaar te maken, vooral in Qatar, Australië en Nigeria. Er worden enorme tankers gebouwd om LNG te transporteren, ook zonder dat er beloften zijn gedaan over leveringen voor de lange termijn. De toenemende beschikbaarheid van LNG op de wereld zou tot meer flexibiliteit en efficiency moeten leiden in de verdeling van aardgas. Volgens berekeningen van BP bedroeg de wereldwijde import van aardgas in 2006 slechts 26 procent van de wereldconsumptie, terwijl dat percentage voor aardolie 63 procent was. Van de wereldwijde consumptie van aardgas bestond 7 procent uit LNG. De gasindustrie heeft duidelijk nog veel te doen voordat de wereldhandel in staat zal zijn aan onverwachte behoeften te voldoen en een land snel van gas te voorzien zonder dat dit tot grote prijsschommelingen leidt. Voor een dergelijke internationale tempering van de aardgasprijzen moet er een brede locomarkt worden ontwikkeld voor LNG. Op dit moment wordt al het over water aangevoerde aardgas op langetermijncontracten geleverd. Er bestaat wel locohandel, maar deze is nu nog klein maar groeiende. Voor een goede locomarkt moet er termijnhandel worden opgezet voor de levering van LNG, met gecertificeerde opslagplaatsen over de hele wereld, voor contractlevering aangepast voor transportkosten. Partijen kunnen onder contract worden verhandeld en geleverd, en markten voor termijncontracten LNG zullen uiteindelijk arbitreren tegen markten voor in pijpleidingen aangevoerd gas in de Verenigde Staten en het Verenigd Koninkrijk. Een dergelijke markt is nog ver weg, maar zal nodig zijn voordat het aanbod van aardgas even flexibel kan worden als dat van aardolieproducten. Het vacuüm in de Amerikaanse benzinemarkt dat na Katrina ontstond, werd al snel gevuld met locohandel uit Europa.

Belangrijker blijft echter de vraag hoe de toegenomen wereldhandel in LNG en de grotere capaciteit voor de Amerikaanse import van LNG de aardgasprijzen in de Verenigde Staten zullen beïnvloeden. De prijzen van LNG, dat wordt geïmporteerd met behulp van langermijncontracten, volgen de Henry Hub-locoprijs, zonder de wisselende prijspieken en -dalen. (Henry Hub is een handelsplaats voor aardgas in Louisiana die wordt gebruikt als referentiepunt voor de prijs van aardgas.) Met een wereldwijde locomarkt in LNG zouden de prijzen natuurlijk volatieler zijn dan de prijzen die via langetermijncontracten zijn afgesproken, maar ik vermoed veel minder volatiel dan de prijzen bij Henry Hub.

Niet alleen de voorraden in het buitenland zijn toegenomen. Noord-Amerika beschikt zelf ook over talloze nog niet geëxploiteerde gasbellen. In Alaska en het noorden van Canada ligt nog veel toegankelijk gas, en in de zogenaamde Mountains States rond de Rocky Mountains (Arizona, Colorado, Idaho, Montana, Nevada, New Mexico, Utah, en Wyoming) bevinden zich nog grote hoeveelheden koolbedmethaan en zogenoemd *tight sands*-gas. Technologie die het mogelijk maakt gas vloeibaar te maken, biedt grote toekomstmogelijkheden omdat het zo beter vervoerd kan worden. De snelle ontwikkeling van deze technologie wordt momenteel echter gehinderd door de scherpe stijging van de kosten van energieverwerkingsinstallaties en door moeilijkheden bij het ombouwen van proefstations tot industrieel volwaardige installaties.

In de verre toekomst – over een generatie of meer – zullen ook aardgashydraten kunnen worden benut voor energiewinning. Deze ijsachtige structuren, waarin enorme hoeveelheden methaangas zitten, zijn te vinden in afzettingen in zee en het poolgebied. Hoewel de omvang van deze mogelijke bronnen niet goed is gemeten, geven gemiddelde schattingen van de Amerikaanse Geological Survey aan dat de Verenigde Staten alleen al 6000 biljoen kubieke meter aardgas bezitten in de vorm van hydraten. Ter vergelijking: de bewezen wereldvoorraad aardgas bedraagt op dit moment 180 biljoen kubieke meter.

De langetermijntekorten aan gas en olie hebben onvermijdelijk de belangstelling doen toenemen voor steenkool, kernenergie en verschillende soorten duurzame energie, waaronder hydro-elektrische energie door afdammen en energie door hergebruik van afval- en restproducten van de industrie en landbouw het prominentst zijn. Zonne- en windenergie zijn bij kleinschalig en gespecialiseerd gebruik economisch gebleken, maar samen leveren ze slechts een fractie van het totale energieverbruik.

De Verenigde Staten hebben grote steenkoolreserves, die vooral worden gebruikt voor de opwekking van elektriciteit. Maar steenkool als brandstof voor het genereren van elektriciteit heeft als groot nadeel dat het bijdraagt aan de opwarming van de aarde en andere milieuschade aanricht. Een deel van deze zorg kon worden weggenomen door technologische oplossingen, en gezien de beperkte alternatieven voor steenkool, blijft het voor de Verenigde Staten waarschijnlijk een belangrijke energiebron om op terug te vallen.

Wat betreft de opwekking van elektriciteit is kernenergie een voor de hand liggend alternatief voor steenkool. De kernindustrie had jarenlang last van de lage prijzen van concurrerende brandstoffen en van zorgen over de veiligheid, maar kerncentrales hebben het voordeel dat ze geen broeikasgas produceren. Het aandeel van kernenergie in de totale Amerikaanse elektriciteitsopwekking is gestegen van minder dan 5 procent in 1973 tot 20 procent in 1997, een niveau waarop het sindsdien is blijven staan. Gezien de stappen die in de loop der jaren werden genomen om kernenergie veiliger te maken, en de voor de hand liggende voordelen die deze energiebron biedt bij het terugdringen van CO_2-emissies, is er veel reden om stroom met kernenergie op te wekken in plaats van met steenkool.

De voornaamste uitdaging blijft het vinden van een aanvaardbare manier om brandstof en radioactief afval op te slaan. Mensen zijn vaak banger voor kernenergie dan rationeel gerechtvaardigd is. Natuurlijk zijn er angstaanjagende verhalen over Sovjetkerncentrales die werden gebouwd zonder dat men zich om de veiligheid bekommerde. Inwoners van geheime steden die niet op de kaart van de Sovjet-Unie voorkwamen, werden tientallen jaren lang blootgesteld aan water en lucht die waren vervuild met radioactief materiaal. Kernenergie is alleen veilig met flink wat beschermende infrastructuur. Maar hetzelfde geldt voor drinkwater. De veiligheidsmaatregelen bij kerncentrales in de Verenigde Staten zijn zodanig dat er nog nooit doden of ernstig gewonden onder het publiek zijn gevallen door radioactieve straling. Het dichtstbij waren we er met het ongeluk in de kerncentrale Three Mile Island, dat in 1979 tot veel angst leidde. Maar na uitgebreid onderzoek werden er geen bewijzen gevonden voor toegenomen schildklierkanker, en zeventien jaar na het ongeluk werden daarop gebaseerde schadeclaims verworpen door het Amerikaanse gerechtshof, een beslissing die in hoger beroep werd bekrachtigd. Maar het politieke oordeel bleef onveranderd: schuldig.

Kernenergie is een belangrijk middel om opwarming van de aarde tegen te gaan. Als kernenergie een bedreiging zou vormen voor de levensverwachting en als de nadelen groter waren dan de voordelen, dan zouden we er geen gebruik van moeten maken. Maar ik denk dat we volgens die maatstaven juist veel te weinig kernenergie gebruiken.

Er is nauwelijks twijfel over mogelijk dat de aarde door toedoen van de mens warmer wordt. We zullen Glacier National Park een andere naam moeten geven wanneer de gletsjers er eenmaal gesmolten zijn, wat volgens wetenschappers van het park in 2030 een feit zal zijn. Als econoom betwijfel ik of internationale overeenkomsten haalbaar zijn waarbij emissieplafonds worden ingesteld en er handel in emissierechten wordt georganiseerd. Bijna alle economen zijn voorstander van handel in emissierechten. Bedrijven die weinig economische waarde toevoegen, zullen zich niet veel CO_2-uitstoot kunnen permitteren. Maar het kritische punt van de regeling is het emissieplafond – de maximaal toegestane uitstoot – per land. In principe kan een land een maximum stellen aan de CO_2-uitstoot. Het kan emissierechten veilen of weggeven die bijdragen aan de vooraf bepaalde bovengrens. Bedrijven die minder CO_2 uitstoten dan hun quota, kunnen ongebruikte emissierechten op de open markt verkopen, terwijl bedrijven die juist veel CO_2 moeten uitstoten, zodat ze hun quota overschrijden, extra rechten op de markt kunnen kopen.

Hoe doelmatig het systeem is, hangt af van de hoogte van het emissieplafond. Dat is de achilleshiel. De Europese Unie leek bijvoorbeeld in 2005 met succes een emissieplafond te hebben geïmplementeerd, om uiteindelijk te ontdekken dat het maximum wel erg hoog was en er dus niet veel minder werd uitgestoten. De Europese Unie rapporteerde in mei 2006 dat de oorspronkelijke vijftien lidstaten de uitstoot met slechts 0,6 procent wilden verminderen ten opzichte van het niveau van 1990. In het Kyoto-verdrag is het doel 8 procent emissievermindering in 2012. Toen dit feit bekend werd, daalde de prijs van emissierechten met tweederde. Het systeem zat niemand echt in de weg.

Er is geen manier om de uitstoot van CO_2 werkelijk tegen te gaan zonder een groot deel van de economie negatief te beïnvloeden. In feite gaat het om een belastingmaatregel. Als het plafond laag genoeg is om de uitstoot van CO_2 echt te beperken, zullen emissierechten duur worden. Hierdoor zullen grote aantallen bedrijven met kostenstijgingen te maken krijgen, en daardoor minder concurrerend worden. Er gaan banen verloren en de reële lonen dalen. Zullen parlementen stemmen voor maatregelen die kosten opleggen aan kiezers, terwijl de hele wereld van de voordelen profiteert, waar de CO_2-uitstoot ook wordt verminderd?

Meer in het algemeen, kan een democratische overheid op tegen de beschuldiging dat welke besparing van de CO_2-uitstoot ook wordt bereikt door de maatregelen die ze de kiezers oplegt, deze waarschijnlijk volledig teniet wordt gedaan door de emissies uit ontwikkelingslanden, die niet waren opgenomen in de Kyoto-overeenkomst van 1997? En kan van ontwikkelingslanden verlangd worden dat ze hun CO_2-uitstoot verminderen, terwijl ontwikkeling juist met meer emissie gepaard gaat? Zouden de 'gratis' emissierechten pas afgeschaft moeten worden als een groot aantal landen rijk genoeg is geworden? Ik betwijfel of er met een akkoord in de trant van Kyoto overeenstemming bereikt kan worden over sancties voor de emissie van broeikasgas. Wie CO_2 in de atmosfeer brengt, schendt evenzeer het eigendomsrecht als iemand die afval in de tuin van zijn buurman dumpt. Maar het is erg lastig dergelijke rechten te beschermen en de kosten van deze overtredingen in te schatten, omdat het niet mogelijk is de werkelijke kosten bij te houden. Ik ben pessimistisch, gezien de moeizame recente ervaringen met internationale overeenkomsten waar brede steun voor nodig is, of het nu gaat om de Wereldhandelsorganisatie, de Verenigde Naties of een andere internationale instantie. Emissieplafonds en emissierechten zijn waarschijnlijk alleen populair zolang er nog geen mensen hun baan door verliezen.

Idealiter zou de CO_2-uitstoot door technologische ingrepen worden verminderd, in plaats van door emissieplafonds en emissierechten. Gedwongen ontkoppeling van emissie- en productiegroei – dat is wat emissieplafonds in feite doen – leidt zelden tot een optimale allocatie van middelen, zoals onze ervaring met centrale planning ruimschoots heeft aangetoond. Gedwongen productiebeperkingen zullen ongetwijfeld leiden tot een politieke respons om de import te remmen. Dat proces leidt tot een geleidelijke omkering van alles wat er door de liberalisatie van na de oorlog werd bereikt. Een CO_2-belasting zou geen banen kosten als deze over de hele wereld gelijkelijk werd ingevoerd, maar ik ben sceptisch over de mogelijkheden om dit voor elkaar te krijgen. Als we geen technologieën vinden om emissies en productie te ontkoppelen, kunnen lagere emissies alleen worden bereikt door productieverlaging en banenverlies. Als we die technologieën vinden, neemt de emissie af zonder dat we emissieplafonds hoeven in te stellen. Een effectief systeem van emissieplafonds en -handel zal waarschijnlijk voor de prijsprikkels zorgen die nodig zijn om nieuwe technologie te ontwikkelen, maar dit proces duurt waarschijnlijk te lang om op korte termijn politiek haalbaar te zijn. Er zijn geen eenvoudige of gratis oplossingen voor dit netelige probleem.

Ik ben bang dat er eerder op de opwarming van de aarde wordt gereageerd door te bekvechten totdat de gevolgen een evidente bedreiging beginnen te vormen voor de eigen economie – totdat landen bijvoorbeeld worden gedwongen dijken rond hun steden te bouwen om het stijgende zeewater het hoofd te bieden. (De Nederlanders slagen daar al eeuwen in; de Venetianen zijn minder succesvol.) Politieke en populaire steun is veel waarschijnlijker voor maatregelen om de schade te herstellen dan om deze te voorkomen. Herstelmaatregelen hebben het voordeel dat de kosten worden gedragen door dezelfde burgers die ervan profiteren. Maar als er meer vastzit aan de opwarming van de aarde (bijvoorbeeld stormen), dan bereikt die oplossing niet het gewenste doel.

Dit brengt ons op een andere harde waarheid: het is onwaarschijnlijk dat we helemaal zullen ophouden met het gebruik van aardolie zolang er nog olie is. Met zijn roep om 'energieonafhankelijkheid' speelde president Nixon in 1973 voor de tribune, net als latere presidenten met soortgelijke verklaringen. De enige zinnige definitie van energieonafhankelijkheid is: internationaal prijsleiderschap gebaseerd op het bezit van uitgebreide, niet-geëxploiteerde reserves in de grond of op afgesloten reserves ruwe olie, zoals die door de Texas Railroad Commission werden beheerd. Onafhankelijkheid van andere landen wat betreft aardolie vanuit het idee van nationale veiligheid, zoals tot 1971 door de Verenigde Staten werd genoten, is allang verleden tijd.

Over hoeveel jaar is de aardolie op? Ruim voor het einde van deze eeuw, zeggen de meest goeroes. Natuurlijk voorspellen goeroes al sinds de dag dat kolonel Drake in 1859 in Titusville in Pennsylvania olie vond, dat de aardolie binnenkort zal opraken. Maar weinig mensen twijfelen eraan dat de olieproductie binnenkort op haar hoogtepunt is en daarna zal afnemen. De reserves zijn eindig in omvang en in aantal. De productie van ruwe olie was in de Verenigde Staten in 1970 op het hoogtepunt, in Alaska in 1988, en in de Noordzee in 1999, terwijl de piek in de productie van het enorme Mexicaanse Cantarell-olieveld in 2005 geweest schijnt te zijn. Uiteindelijk komt voor alle oliebronnen het moment waarop de productie gaat afnemen. Het is bovendien onwaarschijnlijk dat er nog bronnen worden gevonden in het al grondig doorboorde Westen. Exploratie en ontwikkeling van diepwaterbronnen zijn redelijk veelbelovend, maar kostbaar. Ondanks enorme investeringen in exploratie en ontwikkeling zijn de bewezen reserves in de lidstaten van de OESO gedaald van 113 miljard vaten in 1997 tot 80 miljard vatten in 2005, zegt BP, dat een nuttige bron is voor dergelijke gegevens. De meest recente grote olievondsten vonden plaats in Alaska in december 1967, de Noordzee in november 1969 en Cantarell in 1971.

Ondanks dit alles is het niet eenvoudig vast te stellen wanneer de top van de wereldolieproductie bereikt zal zijn. Dit komt onder andere doordat de benutting van reserves voortdurend door technologische ontwikkelingen wordt vergroot en de voorspelling van het moment waarop bronnen opdrogen, dus voortdurend moet worden bijgesteld. Volgens de scenario's van het Amerikaanse ministerie van Energie zal de piek in de aardolieproductie zich halverwege deze eeuw voordoen.

Maar waarschijnlijk zullen marktkrachten en prijsstijgingen er lang voordat de olie op is, voor zorgen dat er in de Verenigde Staten op andere brandstoffen wordt overgeschakeld. Als we op de geschiedenis mogen afgaan, zal aardolie lang voordat de conventionele bronnen zijn opgedroogd, worden ingehaald door minder kostbare alternatieven. Steenkool werd vervangen door olie toen er nog enorme voorraden steenkool in de bodem zaten, en hout door steenkool toen er nog heel wat bossen stonden. Het is lastig voorspellingen te doen over het evenwicht van vraag en aanbod in de oliemarkt halverwege de eenentwintigste eeuw, maar het is zeker nuttig een eerste idee te krijgen van onze energietoekomst.

Als we afgaan op de ervaring van de afgelopen vijftig jaar – en zelfs nog veel langer – kunnen we ervan uitgaan dat marktkrachten een belangrijke rol zullen spelen bij het behoud van schaarse energiebronnen, omdat die bronnen daar zullen worden gebruikt waar er het meest voor wordt betaald. Door de markt gestimuleerde verbeteringen in de technologie en veranderingen in de structuur van de economische activiteit zullen de intensiteit van het olieverbruik in de wereld doen afnemen, en waarschijnlijk zullen de recente verhogingen van de olieprijzen de vervanging stimuleren van energie-intensieve productiefaciliteiten. Afgezien van het optreden van de Texas Railroad Commission heeft de activistische politiek sinds het einde van de Tweede Wereldoorlog over het algemeen maar weinig invloed gehad, en waren marktkrachten gewoonlijk een stuk belangrijker. De rantsoenering van benzine in de Verenigde Staten in 1973 leidde alleen maar tot gênant lange rijen bij de benzinestations. Hoewel voorspellingen voor de lange termijn altijd uitkomen op een evenwicht van vraag en aanbod op een niveau dat een stuk hoger ligt dan de huidige 85 miljoen vaten per dag, kan er te veel misgaan bij dergelijke voorspellingen, en de markten voelen dit.[9] (Oliegoeroes hechten minder geloof aan de Wet van Murphy dan deze verdient.)

In de Verenigde Staten winnen hybride auto's snel marktaandeel, en er wordt veel geïnvesteerd in de ontwikkeling van cellulose-ethanol als brandstof. Oplaadbare elektrische auto's zijn in het ontwikkelingsstadium. Ik had onlangs gelegenheid een stukje in zo'n auto te rijden. Mijn enige klacht was dat bij het intrappen van het gaspedaal de auto weliswaar sneller ging rijden, maar dat de motor daarbij geen enkel geluid produceerde. Ik voorspel dat de best verkopende modellen later een audiosysteem hebben dat het geluid van een accelererende benzinemotor nabootst. Mensen willen het comfort van het verwachte.

Op dit moment vormen hybride en elektrische auto's een nichemarkt. Als de chaos op de wereld toeneemt, en dus de olieprijzen stijgen, zullen elektrische auto's steeds aantrekkelijker lijken. Als we ze opladen vanuit een elektriciteitsnet dat zijn stroom verkrijgt uit een kerncentrale, zouden we de atmosfeer bovendien meer CO_2 besparen dan op welke andere manier ook mogelijk is. Het ministerie van Energie schat in dat zonder extra opwekcapaciteit 84 procent van de 220 miljoen Amerikaanse auto's op onze snelwegen 's nachts zou kunnen worden opgeladen, op het moment dat er weinig elektriciteit wordt verbruikt, als het hybride auto's waren. Door bescheiden aanpassingen aan de capaciteit zou ook de rest opgeladen kunnen worden.

Zoals ik eerder schreef, vertoonde het wereldwijde aardolieverbruik in verhouding tot het reële BBP, de meest algemene maatstaf voor de intensiteit van het oliegebruik, een piek in 1973 en is het sindsdien geleidelijk afgenomen tot het huidige niveau van tweederde van dat in 1973. In ontwikkelingslanden is het oliegebruik per dollar van het BBP echter veel hoger dan in ontwikkelde landen. Het verhoudingsgewijze verbruik van China en India is ongeveer twee keer zo hoog als in de Verenigde

Staten, en dat van Brazilië en Mexico ongeveer de helft hoger. Hoewel ik verwacht dat de olie-intensiteit in de meeste zo niet alle landen zal dalen, betekent het feit dat grote delen van het BBP van ontwikkelde landen verhuizen naar ontwikkelingslanden (die een hogere olie-intensiteit hebben), dat de gemiddelde wereldwijde intensiteit duidelijk minder afneemt dan die van de individuele landen afzonderlijk.

Er zijn twee belangrijke economische krachten die stimulerend werken op de verhuizing van delen van het wereldwijde BBP. De eerste is demografisch: veruit de meeste jonge werknemers op de wereld wonen in ontwikkelingslanden. De tweede is de groei van de productiviteit. Zoals ik in het laatste hoofdstuk van dit boek opmerk, hebben ontwikkelde landen, waar per definitie de nieuwste technologie vandaan komt, behoefte aan innovatieve inzichten om de productiviteit te doen groeien. Ontwikkelingslanden kunnen hun technologisch niveau over het algemeen slechts verhogen door al langer bestaande technologieën over te nemen. Het Internationaal Energie Agentschap (IEA) schat, rekening houdend met deze feiten, dat het aardolieverbruik tussen 2005 en 2030 met 1,3 procent per jaar zal toenemen. De Amerikaanse Energy Information Administration (EIA) houdt het op 1,4 procent.

Er zit zeker genoeg olie in de grond om te kunnen voldoen aan een stijging van de aardolievraag op de wereld van 84 miljoen vaten per dag in 2005 naar 116 miljoen vaten per dag in 2030, zoals het IEA voorspelt. Maar zullen de OPEC-landen, die volgens het IEA bijna de helft van die toename voor hun rekening nemen, daartoe bereid zijn? Mogelijk. De bevolking van deze landen groeit snel, waardoor er steeds meer behoefte is aan middelen om de overheidsbegroting te kunnen financieren. Het is ook best plausibel dat de opstand in Irak op een gegeven moment voorbij is, en dat Irak meer dan vijf miljoen vaten per dag gaat leveren uit de enorme nog niet aangesproken reserves die het land rijk is (in plaats van de twee miljoen vaten die het land in 2006 produceerde). Maar er moeten wel erg veel dingen goed gaan om het positieve beeld dat het IEA schetst voor 2030 – een wereldwijd evenwicht tussen vraag en aanbod van olie, en slechts iets hogere olieprijzen – te kunnen verwezenlijken. Ik weet nog hoezeer het Amerikaanse ministerie van Energie er in 1979 naast zat toen het voor 1995 een olieprijs voorspelde van 150 dollar per vat (in prijzen van 2006).[10]

Om de opwarming van de aarde een halt toe te roepen en ten behoeve van de Amerikaanse nationale veiligheid, zal de groei van het Amerikaanse aardolieverbruik moeten afnemen, en zal de consumptie op een gegeven moment zelfs moeten dalen. De meeste mogelijkheden om te minderen doen zich voor op de Amerikaanse snelwegen, waar op dit moment één op de zeven vaten wordt verstookt die er wereldwijd worden verbruikt: 9,5 miljoen vaten benzine en 2,5 miljoen vaten diesel per dag in 2005. De diesel wordt verstookt door de acht miljoen zware trucks die de Verenigde Staten rijk zijn. Deze rijden gemiddeld één op drie en gebruiken samen alleen al evenveel aardolie als heel Duitsland. Alleen China en Japan, en natuurlijk de Verenigde Staten in hun totaliteit, gebruiken per dag aanzienlijk meer.

Als we naar de toekomst kijken, zullen we het antwoord op de vraag 'wat moet de OPEC doen?' minder nuttig vinden dan dat op 'wat zal de OPEC waarschijnlijk doen?'. Pogingen de eerste vraag te beantwoorden zijn in het verleden zelden geslaagd. Ik ben daarom meer geneigd te geloven in de 'alternatieve voorspelling' van het IEA, die ervan uitgaat dat de OPEC haar capaciteit voor ruwe olie onvoldoende zal uitbreiden. De consequentie hiervan is volgens het IEA een gemiddelde wereldprijs van 130 dollar per vat in 2030 (74 dollar in prijzen van 2005) terwijl deze vijftig dollar per vat bedroeg in 2005. De vraag naar olie blijft in dit scenario opmerkelijk groot: nog steeds 109 miljoen vaten per dag, tegen 84 miljoen vaten in 2005. (De 'referentiecasus', het scenario waarin de OPEC niet achterloopt, voorziet 116 miljoen vaten per dag.) Dit is geen schokkend scenario; er zijn heel wat scenario's die veel erger voorspellen.

Ik vertrouw erop dat we uiteindelijk de markt haar werk laten doen bij het verminderen van de olieconsumptie. Zoals ik al eerder opmerkte, hebben we geen goede ervaringen met de rantsoenering van benzine. (De rantsoenering leek in de Verenigde Staten wel te werken tijdens de Tweede Wereldoorlog, maar zelfs toen was er sprake van een uitgebreide zwarte markt.) Een andere manier om de consumptie te beperken, zou een belasting op het benzinegebruik kunnen zijn van, zeg tachtig dollarcent per liter, die over een periode van vijf tot tien jaar geleidelijk tot dat niveau wordt ingevoerd, en waarvan de opbrengst wordt gebruikt om de inkomstenbelasting of andere belastingen te verlagen. Ik ben heel aarzelend over belastingen om dingen tot stand te brengen die ook door de markt geregeld kunnen worden. Maar hoewel oliemarkten in het Westen zeer concurrerend zijn, is de marktaanpak ook erg kwetsbaar in een wereld waar één enkele terroristische aanslag enorm veel olieproductiecapaciteit kan lamleggen en de wereldwijde economie zwaar kan treffen. Er is geen verzekering of hedgefondsstrategie die ons daartegen kan verdedigen. We vergeten vaak dat een concurrerende markt vrijwillig en vrij van de dreiging van geweld moet zijn om goed te kunnen functioneren, en dat de handel niet mag worden belemmerd. Markten zijn natuurlijk geen doel op zich. Het zijn constructen, die mensen helpen middelen zo goed mogelijk te verdelen.

We hebben veel hogere benzineprijzen nodig om ons los te kunnen maken van de benzinemotor. De geopolitieke prijs is schijnbaar niet hoog genoeg om dat voor ons te doen. De verwachting dat benzineprijzen vanwege belasting of een verstoorde olieaanvoer zullen stijgen, kan tot grote technologische doorbraken leiden bij de productie van ethanol. Van maïs gemaakte ethanol kan slechts een beperkte rol spelen omdat deze brandstof nauwelijks benzine kan vervangen. Omdat een schepel maïs slechts 33 liter ethanol oplevert, zouden de elf miljard schepel maïs die de Verenigde Staten in 2006 produceerden, slechts 5,2 miljoen vaten ethanol per dag opleveren, die evenveel energie opleveren als 3,9 miljard vaten benzine per dag, wat slechts eenderde is van wat er op Amerikaanse snelwegen wordt verbruikt. En als alle maïs voor ethanol werd gebruikt, zouden onze varkens doodgaan van de honger. Cellulose-ethanol gemaakt van landbouwafval lijkt kansrijker. Een gezamenlijke studie van de Amerikaanse ministeries van Landbouw en Energie komt op geloofwaardige wijze tot de conclusie dat ‘meer dan eenderde van ons huidige aardolieverbruik duurzaam kan worden vervangen door biomassa’. Als ook andere landen overschakelen op biodiesel, kan deze flink bijdragen aan de vervanging van OPEC-olie.

Maar als ethanol geen succes wordt en de benzineprijs hoog genoeg is, neemt het aantal hybride auto’s flink toe. De accutechnologie wordt langzaam maar zeker beter. Er wordt al voldoende elektrische stroom opgewekt om oplaadbare elektrische auto’s van energie te voorzien, vooral als elektriciteitsbedrijven nachttarieven en dergelijke hanteren. Als we onze angst voor kernenergie overwinnen, hoeven elektrische auto's niet langer van stroom te worden voorzien door krachtcentrales die op vervuilende steenkool werken.

De meeste auto's die op de Amerikaanse snelwegen rijden, zouden kunnen worden vervangen door elektrische auto's, conventionele hybrides en auto's die op cellulose-ethanol rijden. Ook grootschalige invoering van efficiëntere dieselmotoren kan leiden tot een significante afname van het aardolieverbruik. Dit vervangingsproces kan worden versneld door enorm veel meer cellulose-ethanol te produceren of de benzine veel duurder te maken. Voor dat laatste kan worden gezorgd door de belasting enorm te verhogen. Het argument dat flinke belastingverhogingen politiek onhaalbaar zijn, acht ik irrelevant. Het is soms de plicht van politieke leiders hun kiezers ervan te overtuigen dat ze het bij het verkeerde eind hebben. Leiders die dat niet doen, zijn volgers.

Een belasting op benzine zou geen enorme verzwaring van de lasten hoeven te betekenen, vooral niet als deze in de loop van een aantal jaren wordt ingevoerd. Eind 2006 besteedden Amerikaanse huishoudens 3 procent van hun beschikbare inkomen aan benzine, evenveel als tussen 1953 en 1973, en een stuk minder dan de 4,5 procent die ze er tijdens de crisis van 1980 aan uitgaven. Zelfs op het hoogtepunt van meer dan tachtig dollarcent per liter in juli 2006, besteedden mensen er gemiddeld slechts 3,8 procent van hun beschikbare inkomen aan. Amerikanen zijn heel gevoelig voor benzineprijzen, en klagen steen en been als deze stijgen. Toch rijden ze er nauwelijks minder om. Als de benzineprijs piekt, wordt er maar heel even wat minder gereden. Het gemiddelde aantal kilometers per automobilist blijft stijgen, van 16.900 kilometer in 1980 tot 23.800 kilometer in 2006, een toename van 1,3 procent per jaar. Maar toen de prijzen vanaf 2002 hoger werden, vlakte de toename af tot 0,2 procent per jaar, hoewel er alleen minder benzine wordt verbruikt omdat de auto's zuiniger zijn.

Het zou duidelijk moeten zijn dat zolang we in de Verenigde Staten verslaafd zijn aan olie en gas die we kopen van potentieel onvriendelijke landen, we kwetsbaar zijn voor economische crises waarover we weinig controle hebben. Aardolie is zo ingebed in de economie van de tegenwoordige wereld dat een abrupt stopzetten van de aanvoer onze economie en die van andere landen ernstig kan verstoren. Voor de Amerikaanse nationale veiligheid is het bijzonder belangrijk dat aardolie een van de mogelijke energiebronnen wordt, en niet een die we niet kunnen missen.

De bloeiende wereldeconomie verslindt enorme hoeveelheden energie. Hoewel de hoeveelheid aardolie, en energie meer in het algemeen, die per dollar van het wereldwijde BBP wordt geconsumeerd, enorm is gedaald, concluderen alle geloofwaardige voorspellingen voor de lange termijn dat we om de komende 25 jaar even hard te blijven groeien als in de vorige 25 jaar, tussen eenvierde en tweevijfde meer olie nodig hebben dan we op dit moment gebruiken. De meeste van deze aardolie zal uit politiek gevoelige gebieden moeten komen, omdat daar nu eenmaal de meeste makkelijk exploiteerbare olie in de grond zit.

Wat doen overheden van landen die zwaar afhankelijk zijn van de import van olie als die import onbetrouwbaar wordt? Het idee van het veiligstellen van de aardolie was steeds een belangrijk aspect van de westerse aandacht voor de politiek van het Midden-Oosten. De reactie op de nationalisatie van de Anglo-Iraanse olie in 1951, die ongedaan werd gemaakt, en de mislukte poging van Groot-Brittannië en Frankrijk om Nassers bezetting van het Suezkanaal – een belangrijke doorvoerader voor de oliestroom naar Europa – ongedaan te maken, zijn slechts twee prominente historische voorbeelden. En hoezeer de Amerikaanse en Britse autoriteiten ook hamerden op het gevaar van Saddam Hoesseins 'massavernietigingswapens', ze waren ook bezorgd over het geweld in een gebied waar zich een energiebron bevindt die onontbeerlijk is voor het functioneren van de wereldeconomie.

Ik vind het bedroevend dat het de politiek niet uitkomt om toe te geven wat iedereen al weet, namelijk dat de oorlog in Irak vooral om de olie in de regio draait. Voorspellingen over vraag en aanbod van olie die zwijgen over de penibele situatie in het Midden-Oosten, vermijden het probleem dat de groei van de wereldeconomie tot staan kan brengen. Ik weet niet hoe de problemen in het Midden-Oosten moeten worden opgelost, en zelfs niet of ze kunnen worden opgelost, maar ik weet wel dat de ontwikkeling van die situatie een bijzonder belangrijke rol zal spelen bij de energievoorspelling voor de lange termijn. Zelfs als de olie-intensiteit een stuk minder wordt, speelt olie nog steeds zo'n belangrijke rol dat de wereldeconomie zwaar kan worden beschadigd door een oliecrisis. Pas als de industriële landen zich kunnen bevrijden van hun 'verslaving aan olie', zoals president George W. Bush zei, komt er een einde aan de bedreiging van de industriële economieën en dus van de wereldeconomie.

25

DE DELPHISCHE TOEKOMST

Mensen zijn altijd gefascineerd geweest door het idee om in de toekomst te kunnen kijken. In het oude Griekenland raadpleegden generaals het orakel van Delphi voordat ze aan een militair avontuur begonnen. Het gaat toekomstvoorspellers tot de dag van vandaag voor de wind. Op Wall Street werken stoeten bijzonder slimme mensen die de ingewanden van de markt lezen om uitspraken te doen over de ontwikkeling van aandelenprijzen.

In hoeverre kunnen we anticiperen op wat nog moet komen? Iedereen bezit het aangeboren vermogen kansen af te wegen, een gave die ons voortdurend van dienst is, zowel bij alledaagse zaken als bij zaken van leven en dood. We hebben het niet altijd bij het rechte eind, maar vaak genoeg om te zorgen dat we als mensheid kunnen voortbestaan. Dergelijke waarschijnlijkheden worden door economische en monetaire beleidsvormers in mathematische termen vastgelegd, maar ze werden ook lang voordat de wiskunde werd uitgevonden al door mensen geëvalueerd.

Gelukkig voor beleidsmakers zit er een zekere historische continuïteit in het functioneren van democratische maatschappijen en markteconomieën. Zodoende kunnen we teruggrijpen op het verleden en daar wetmatigheden uit afleiden die weliswaar minder zeker zijn dan natuurkundewetten, maar toch meer inzicht geven over de toekomst dan het gooien van kruis of munt. We kunnen er zelfs heel wat uit afleiden over hoe het de Amerikaanse economie en de wereld in haar geheel de komende decennia zal vergaan, vooral als we uitgaan van Winston Churchills stelling: 'Hoe verder je terugkijkt, des te verder je vooruit kunt kijken.'

De meeste juridische en economische instituten veranderen langzaam genoeg om de toekomst met een redelijke mate van waarschijnlijkheid te kunnen voorzien. Desondanks bestaat er veel academische literatuur die het idee dat mensen financiële resultaten kunnen voorspellen min of meer in twijfel trekt. Aanhangers van de 'efficiënte-markttheorie' betogen dat vrij beschikbare informatie die tot een verandering in de aandelenprijs kan leiden, per definitie door de markt in de prijs van het aandeel wordt verdisconteerd. Beleggers kunnen dus nooit op een prijsverandering anticiperen, tenzij ze insider-information hebben waarover de markt als geheel niet kan beschikken. Om dit te bewijzen, voeren ze aan dat *managed equity mutual funds* (actief beheerde aandelenfondsen) het nooit consequent beter doen dan de S&P 500. Maar het is niet verrassend dat sommige beleggers wel degelijk jaar na jaar de markt verslaan. Het is precies wat men zou verwachten. Zelfs als beleggingsresultaten puur een kwestie van geluk zijn, zal een klein aantal beleggers het bijzonder goed doen – zoals er ook mensen zijn die tien keer achter elkaar munt weten te gooien. De kans dat dit gebeurt is 0,1 procent, dus als miljoenen mensen een muntje de lucht in gooien of aandelen kopen, moeten er enige duizenden succesvolle muntgooiers of aandelenkopers tussen zitten.

Beurscrashes zijn onverklaarbaar vanuit de efficiënte-markttheorie. Wat was de reden voor de ongekende val van de aandelenwaarde die zich op 19 oktober 1987 voordeed (waarbij meer dan eenvijfde van de totale waarde van de Dow-Jonesindex verloren ging)? Als pas aangestelde voorzitter van de Fed hield ik de markten goed in de gaten. Welke nieuwe informatie kwam aan de oppervlakte tussen de sluiting van de markt aan het eind van de handelsdag 18 oktober en de sluiting op 19 oktober? Geen, voor zover ik weet. Toen de prijzen die hele dag bleven kelderen, werd de onredelijke angst, die nu eenmaal in de menselijke aard ligt, steeds belangrijker en deden beleggers hun aandelen van de hand, ook al was dat in financieel opzicht onverstandig. De prijsdalingen hadden niets met financiële informatie te maken. De vrees om nog meer geld te verliezen, was voor velen gewoon ondraaglijk geworden.[1] En terwijl de economie en de winsten van bedrijven er weer snel bovenop kwamen, duurde het nog twee jaar voordat de Dow zich volledig had hersteld.

Als markten zich rationeel gedragen, zoals bijna altijd het geval is, dan lijken ze zich als een *random walk* ('willekeurige wandeling') te gedragen. Het verleden geeft niet meer houvast voor de toekomst van aandelenprijzen dan een opgeworpen muntje. Maar soms verandert het wandelen in een wilde vlucht. Als mensen in de greep komen van de angst, dan laten ze eerdere strategieën haastig varen, en dalen de aandelen flink. En als ze in de greep zijn van de hebzucht, worden de prijzen tot onzinnige hoogten opgedreven.

De belangrijkste kwestie blijft, zoals ik in 1996 in een bespiegeling schreef: 'Hoe weten we of de aandelenwaarde vanwege irrationeel enthousiasme onterecht hoog is, en vervolgens door een onverwachte en langdurige periode van krimp wordt getroffen?' Vaak wordt gezegd dat niet de beleggers die goed zijn in het voorspellen van de opbrengsten per aandeel ExxonMobil het rijkst worden, maar beleggers die de menselijke psychologie goed begrijpen. Uit deze stelling is een hele school van aandelenmarktpsychologen voortgekomen. Ze noemen zich de 'Contrarians'. Ze handelen vanuit het idee dat irrationeel enthousiasme uiteindelijk tot dalende aandelenprijzen leidt, aangezien de aandelen zonder goede reden omhoog worden geboden, en vervolgens, als dat duidelijk wordt, als een razende dalen omdat de markt in de greep raakt van de angst. Contrarians zijn er trots op dat ze handelen vanuit de psychologie van de massa. Aangezien aandelenprijzen een cyclisch karakter hebben, hebben ze soms succes door tegen de massa in te handelen. Maar je hoort zelden over degenen die dit proberen en alles kwijtraken. Ik hoor evenmin ooit van muntjesgooiers die verliezen.

Misschien zullen beleggers op een dag precies het moment kunnen inschatten waarop markten zich irrationeel beginnen te gedragen. Maar ik betwijfel het. Mensen hebben de aangeboren neiging nu eens euforisch en dan weer doodsbang te zijn. Generaties van ervaringen hebben daar geen verandering in kunnen brengen. Ik zou willen dat we van onze ervaringen leren, en in één opzicht doen we dat ook. Als mij bijvoorbeeld wordt gevraagd welke problemen en onevenwichtigheden ik voorzie voor de toekomst, antwoord ik steevast dat financiële crises die worden voorzien door marktdeelnemers, zelden plaatsvinden. Als een piek in de aandelenmarkt als voorbode voor een crash wordt gezien, willen speculanten en beleggers eerder verkopen. Hierdoor wordt de piek minder hoog en wordt een crash vermeden. Niemand verwacht de plotselinge uitbarstingen van angst en euforie. De afschuwelijke val van de aandelen op Zwarte Maandag kwam uit het niets.

Succesvol beleggen is moeilijk. Een paar van de beste beleggers, zoals mijn vriend Warren Buffett, begrepen al snel het bewezen maar vreemde feit dat aandelen meer opbrengen dan veel minder riskante obligaties en andere schuldpapieren – als de belegger zijn aandelen maar heel lang vasthoudt. 'Het liefst houd ik ze voor eeuwig vast,' zei Buffett in een interview. De markt betaalt een premie aan degenen die de nettowaarde van een belegging verder durven te zien dalen dan wat men op Wall Street het 'slaappunt' noemt.

Deze les van de aandelenmarkt is ook van toepassing op voorspellingen voor de hele economie. Omdat markten de neiging hebben zichzelf weer in evenwicht te brengen, is een markteconomie op lange termijn meestal stabieler dan op korte termijn – ervan uitgaande dat de maatschappij en de instituties waarop ze berust stabiel blijven. Economische voorspellingen voor de lange termijn zijn gebaseerd op twee groepen gegevens, die over langere perioden stabiel zijn: (1) de bevolkingsontwikkeling, wat de meest voorspelbare grootheid is waarmee economen werken, en (2) de productiviteitsgroei, die het gevolg is van de geleidelijke opbouw van kennis en de bron voor duurzame groei. Omdat kennis nooit verloren gaat, zal de productiviteit altijd stijgen. (Output per uur, de conventionele benadering voor productiviteit, kan dalen en doet dat soms ook.)

Wat kunnen we dan redelijkerwijs voor de Amerikaanse economie verwachten voor, zeg, het jaar 2030? Weinig, tenzij we eerst duidelijk maken van welke omstandigheden we precies uitgaan. Om te kunnen beginnen heb ik bevestigende antwoorden nodig op de volgende vragen: Leven we in 2030 nog steeds in een rechtsstaat? Houden we ons nog steeds aan de principes van de wereldwijde vrije markt, en wordt het protectionisme in toom gehouden? (Met protectionisme bedoel ik niet alleen belemmeringen voor de internationale handel en financiële transacties, maar ook overheidsmaatregelen die de binnenlandse markt blokkeren.) Zijn onze slecht functionerende basis- en middelbare scholen verbeterd? Zijn de gevolgen van de opwarming van de aarde zo snel merkbaar dat de Amerikaanse economie er in 2030 ernstige hinder van ondervindt? En ten slotte, zullen we de Verenigde Staten tegen terroristische aanvallen weten te beschermen? Ongenoemd blijven mogelijkheden zoals een grootschaliger oorlog of een pandemie, die geen enkele voorspelling doet uitkomen. Dit is een nogal lange lijst voorwaarden vooraf, maar als ik daar niet van kan uitgaan, is het zinloos te proberen in de toekomst te kijken.

De belangrijkste is in mijn ervaring ons rechtssysteem. Ik denk dat de meeste Amerikanen er zich niet van bewust zijn hoe belangrijk hun grondwet is (en blijft) voor de welvaart van ons land. Het feit dat we al meer dan twee eeuwen profiteren van een ongeëvenaarde bescherming van de rechten van het individu, waaronder vooral het eigendomsrecht, heeft voor alle deelnemers aan onze economie, zowel autochtonen als allochtonen, een zeer belangrijke bijdrage geleverd aan onze neiging tot avontuur en het vergaren van welvaart. Geen vrees te hoeven hebben voor een geheime politie die willekeurig mensen gevangenzet en ondervraagt vanwege 'misdaden' waarvan ze niets afweten, is niet iets vanzelfsprekends. Evenmin als het feit dat men hier eigendomsrechten kan laten gelden op een bedrijf waar men zijn leven lang voor heeft gewerkt, en dat dit niet zomaar kan worden geconfisqueerd. Het principe van de individuele vrijheid raakt een diepe culturele snaar bij Amerikanen. Het gaat om het geloof, vastgelegd in de grondwet, dat alle burgers gelijk zijn voor de wet. Dit ideaal werd zeker niet altijd verwezenlijkt. In het bijzonder de discriminatie van Amerikanen van Afrikaanse afkomst dwingt ons van tijd tot tijd het constitutionele debat over slavernij op te slaan en ons te verdiepen in de met geweld gepaard gaande afschaffing ervan tijdens de Amerikaanse Burgeroorlog. We hebben veel bereikt, maar er valt ook nog heel wat te doen.

De ongeëvenaarde bescherming van eigendomsrechten lokt sinds lang buitenlandse investeerders naar onze kusten. Sommigen komen om deel te nemen aan de bloeiende open economie, anderen beschouwen de Verenigde Staten eenvoudigweg als veilige plaats voor hun spaargeld, dat in hun eigen land niet veilig is. Zoals ik hieronder uitleg, zal het nog een hele opgave worden om die gekoesterde eigendomsrechten ook van toepassing te laten zijn in een economie die vooral om intellectueel eigendom draait. Natuurlijk zou onze levensstandaard nog de meeste schade ondervinden van herinvoering van het protectionisme en ander beleid dat de stabiliteit probeert te bevorderen door verandering die nodig is voor groei tegen te gaan. Economische regulering zou een duidelijke stap achterwaarts zijn in ons streven naar een welvarender toekomst.

De invloed die verbetering van ons schoolsysteem zal hebben op onze toekomstige economische activiteit, is misschien lastig te meten, maar als we dit niet doen en niet optreden tegen een kwarteeuw van toenemende inkomensongelijkheid, zouden de culturele banden die onze maatschappij bij elkaar houden, wel eens kunnen worden verbroken. Hieruit zouden politieke onvrede, gezagscrises en zelfs grootschalig geweld kunnen voortkomen, waardoor het burgerschap waar groeiende economieën van afhankelijk zijn, in de waagschaal wordt gesteld.

Het is nog moeilijker om te voorspellen wanneer de opwarming van de aarde werkelijk een grote rol gaat spelen. De wetenschappelijke consensus van dit moment betreft vooral gevolgen die zich in de tweede helft van deze eeuw zullen voordoen – een milliseconde in klimatologische tijd, maar te ver om door ons te kunnen worden voorspeld. Voorlopig kunnen we weinig met zekerheid zeggen over de komende jaren. Ik verwacht dat de markten al zullen reageren voordat de antwoorden duidelijk zijn. Verzekeraars denken bijvoorbeeld nu al na over hoe ze hun dekking voor stormen en overstromingen moeten aanpassen. Ook de energiemarkten worden beïnvloed door het vooruitzicht van klimaatverandering.

En dan is er het risico van hernieuwde terroristische aanvallen. Mensen die in de greep zijn van de angst, houden zich niet meer bezig met de normale dagelijkse interactie met de markt, die een integraal onderdeel is van een economie die is gebaseerd op arbeidsverdeling en specialisatie. De terroristische aanval op 11 september 2001 was een beslissend moment, waarbij de waarde van onze bijzonder flexibele, grotendeels ongereguleerde economie, die de schok met minimale gevolgen wist op te vangen, eens te meer bleek. Terroristische aanslagen zoals die onlangs in het

Midden-Oosten en Europa plaatsvonden, zouden we waarschijnlijk nog wel kunnen opvangen. Maar grootschaliger aanvallen (een kernexplosie op Amerikaanse bodem zou, vrees ik, onze economie tijdelijk kunnen ontwrichten), of oorlogen op grotere schaal zouden zeker destabiliserend werken.

Ik put enige moed uit het idee dat markteconomieën ook bij geweld en dreiging van geweld blijven functioneren. Volgens informatie van de Wereldbank heeft Israël nog steeds een nationaal inkomen per hoofd van de bevolking dat bijna de helft is van dat van de Verenigde Staten en bijna even groot als dat van Griekenland en Portugal. (Slechts een klein deel van de Israëlische economie is afhankelijk van Amerikaanse hulp.) Het BBP van Libanon is ondanks de confrontatie tussen Hezbollah en het Israelische leger met slechts 4 procent gedaald. Zelfs Irak is erin geslaagd iets wat lijkt op een functionerende economie in stand te houden tijdens de beroering van de afgelopen jaren.

Onze voorspelling wordt niet erg belemmerd door deze lange lijst van mitsen en maren. Een dergelijke lijst heeft natuurlijk altijd al in een of andere vorm bestaan, en toch zijn heel veel langetermijnvoorspellingen over de Amerikaanse economie uitgekomen.

Als we ervan uitgaan dat we te maken hebben met internationale flexibele markten die door de wet worden beschermd, wat kunnen we dan zeggen over onze meest waarschijnlijke toekomst? Wat is het meest waarschijnlijke algemene activiteitsniveau dat we kunnen verwachten in het willekeurig gekozen jaar 2030? We kunnen voorspellen wat het reële BBP is als we beschikken over voorspellingen over het aantal gewerkte uren en de productiviteit, in de vorm van het reële BBP per uur. We weten min of meer zeker hoe groot de omvang van de beroepsbevolking (mensen van ouder dan zestien jaar) in 2030 zal zijn. De meesten van die werkenden zijn op dit moment al geboren. De omvang van de immigratie maakt binnen de politiek en cultureel haalbare mogelijkheden niet veel uit voor de voorspelling van de omvang van de beroepsbevolking. Het deel van de bevolking, vooral dat van jonger dan 65 jaar, dat werkt, is hoog en redelijk stabiel. Het deel dat ouder is dan 65, zal naar verwachting in 2030 zijn verdubbeld, en de participatiegraad van 15 procent van die groep zal ook stijgen, zodat er in 2030 nog veel mensen van boven de 65 zullen werken.

Hoeveel mensen er binnen de grenzen van het politiek en cultureel haalbare als immigrant bij zullen komen, maakt weinig uit voor de algemene voorspelling van de omvang van de beroepsbevolking. Onze volgende stap is vaststellen welk aandeel van de beroepsbevolking in 2030 een baan zal hebben (of in een jaar in de buurt als 2030 toevallig een jaar van recessie is). Gezien onze uitgangspunten en de eerdere ontwikkelingen in de economie is het moeilijk voorstelbaar dat het werkgelegenheidspercentage buiten de nogal nauwe grenzen van 90 tot 96 procent zal liggen (dat wil zeggen dat tussen de 4 en 10 procent van de beroepsbevolking werkloos is). Het Amerikaanse gemiddelde over vijftig jaar bedraagt meer dan 94 procent, bij jaren zonder recessie (het uitgangspunt voor 2030) dicht bij de 95 procent.. Door arbeidsparticipatiecijfers te combineren met werkloosheidscijfers en een stabiele beroepsbevolking, levert een groei van het aantal gewerkte uren in de Verenigde Staten van 2030 op van 0,5 procent.[2]

Het meest bemoedigende aspect van de productiviteitsgroei is dat deze al meer dan een eeuw opmerkelijk stabiel is. Tijdens een groot deel van die periode werd de productiviteit flink verhoogd doordat werknemers van boerderijen naar fabrieken en dienstverlenende bedrijven in de stad trokken.[3] Maar de toename van de Amerikaanse productiviteit vanwege de verschuiving van werk in de landbouw naar productiever werk in de industrie en op kantoor, is in feite voorbij. Minder dan 2 procent van de Amerikaanse beroepsbevolking werkt nog in de landbouw en dat percentage zal waarschijnlijk niet veel meer veranderen. De toename van productiviteit zal in de toekomst dus vooral buiten de landbouw plaatsvinden. De productie per uur is de beste maatstaf voor die groei.

Alle toenames van de efficiency zijn het resultaat van nieuwe ideeën voor de organisatie van de fysieke werkelijkheid van de mens. Dankzij betere voeding en gezondheid zijn mensen in de eenentwintigste eeuw natuurlijk langer en sterker dan in eerdere eeuwen. Maar dat heeft heel weinig bijgedragen aan onze productiviteit. In de loop der generaties hebben nieuwe ideeën vorm gekregen in fabrieken en machines die de menselijke arbeid tot op grote hoogte vervangen. Van de stoomweverijen van twee eeuwen geleden tot internet van vandaag is de productiviteit bijna vijftig keer zo hoog geworden.

Statistici schrijven de groei van de productie per uur gewoonlijk toe aan drie belangrijke economische oorzaken: de hoeveelheid fabrieken en apparatuur (de kapitaalgoederen), de kwaliteit van de arbeid, die een afspiegeling is van het onderwijs, en een 'onverklaard deel' dat volgens hen het resultaat is van organisatorische herstructurering en nieuwe inzichten in hoe de productie van het land georganiseerd moet worden. In alle categorieën komt de productiviteitsgroei voort uit ideeën die in waardevolle goederen en diensten worden vertaald. De hoeveelheid grondstoffen die er tijdens het productieproces aan worden toegevoegd, levert slechts een bescheiden bijdrage.

Als we de ruwe gegevens over de productie per uur gladstrijken, ontstaat er een opmerkelijk stabiel groeipatroon, dat terug te volgen is tot 1870. De jaarlijkse groei van de productie per uur in het bedrijfsleven bedraagt sinds dat jaar gemiddeld bijna 2,2 procent per jaar. Zelfs zonder aanpassing voor economische cyclussen, oorlogen en andere crises liggen de overlappende achtereenvolgende gemiddelden voor tien jaar altijd tussen de 1 en de 3 procent.[4] Ik vermoed dat een flink deel van die bescheiden volatiliteit 'ruis' is: willekeurige verstoringen, die ontstaan vanwege de onzekere kwaliteit van de gegevens, vooral die van voor de Tweede Wereldoorlog.

Maar het lijdt geen twijfel dat de grote Amerikaanse productiviteitsgroei in het bedrijfsleven tussen 1995 en 2002 daarna is afgevlakt. Nadat de groei van de productie per uur in 2002 en 2003 op meer dan 4 procent (kwartaalgroei op jaarbasis) uitkwam, viel die terug naar 1 procent in het eerste kwartaal van 2007 . Er lijken tijdelijk nauwelijks meer mogelijkheden om winst te maken en vooruit te komen, zoals in het verleden ook vaak het geval was. Innovatieve expansie lijkt zich in golven voor te doen. Nieuwe producten en nieuwe bedrijven waren belangrijke factoren bij de golf van nieuwe aandelenemissies tussen 1997 en 2000, en het schijnbaar afgenomen innovatietempo sinds die tijd wordt weerspiegeld in de afname van aandelenemissies. De afgenomen innovatie is vooral zichtbaar in de dramatische verandering in het gebruik van de interne cashflow (die voortkomt uit eerdere winsten in de toepassing van nieuwe technologieen) door ondernemingen, die daarmee eerder vaste investeringen deden, terwijl ze er nu gewone aandelen van het bedrijf mee terugkopen of cash verdelen onder aandeelhouders tijdens de implementatie van fusies en overnames. Een dergelijke teruggave van cash aan aandeelhouders steeg van 180 miljard dollar in 2003 tot meer dan 700 miljard dollar in 2006. De investeringen in kapitaalgoederen stegen daarentegen van 748 miljard dollar in 2003 tot 967 miljard dollar in 2006. Een bedrijf geeft aandelenkapitaal terug aan aandeelhouders als het geen gelegenheden kan vinden opbrengsten te behalen die hoger zijn dan de opbrengsten die het bedrijf uit bestaande middelen binnenkrijgt. Grote cashuitkeringen aan aandeelhouders zijn gewoonlijk een teken van lagere opbrengsten op mogelijke investeringen, waarschijnlijk het resultaat van vertraagde innovatie.[5]

Soortgelijke signalen zijn af te lezen aan de prijstrends van hightechapparatuur, die de drijvende kracht waren in de stijging van de productiviteitsgroei tussen 1998 en 2002. Bij de Federal Reserve hielden we die prijstrends in de gaten als graadmeter voor de productiviteitsgroei in de sector voor hightechapparatuur, een belangrijk onderdeel van de algemene productiviteitstoename van de laatste tijd. Dalende prijzen over langere perioden zijn over het algemeen alleen mogelijk als de arbeidskosten dienovereenkomstig dalen, een trend die alleen waarschijnlijk is als de productiviteit snel stijgt. En daarom zou het tempo van de productiviteitsstijging duidelijk weerspiegeld moeten worden in het tempo waarmee de prijzen dalen. De prijzen van informatieverwerkende apparatuur en software daalden bijvoorbeeld met meer dan 4 procent in 2002, maar met slechts 1 procent op jaarbasis in het eerste kwartaal van 2007. Prijzen van informatieverwerkende apparatuur (en software) zijn sinds 1991 ieder kwartaal gedaald. Maar de daling verliep vooral snel tijdens perioden waarin veel werd geïnnoveerd, zoals in 1998, toen pc-kopers vaak aarzelden omdat de prijzen zo snel daalden: wie wachtte, kreeg een goedkopere en betere pc. De recente vertraging van de prijsdalingen van hightech is daarom een bevestiging van de daling in de beschikbaarheid van nieuwe technologische toepassingen die gebruikt kunnen worden om het groeitempo van de algemene productiviteit te verhogen.

Op het moment dat dit boek ter perse gaat (juni 2007) zijn er geen bewijzen voor een wederopleving van de productiviteitsgroei of flinke prijsdalingen van hightechapparatuur. Maar de geschiedenis vertelt ons dat dit weer zal gebeuren. Dat is altijd gebeurd.

Op basis van de geschiedenis kunnen we stellen dat zolang de Verenigde Staten zich maar in de technologische voorhoede blijven bevinden, de jaarlijkse productiviteitsgroei op lange termijn tussen de 0 en 3 procent ligt. Zoals ik opmerkte, ligt de jaarlijkse groei van de productie per uur sinds 1870 gemiddeld iets boven de 2 procent per jaar, wat impliceert dat het reële BBP per uur iets minder is gestegen.[6] In de bijna anderhalve eeuw dat er data zijn verzameld, deden zich oorlogen voor en perioden van crisis, protectionisme, inflatie en werkloosheid. Ik denk niet dat het heel ongeloofwaardig is om ervan uit te gaan dat dezelfde fundamentele krachten die de Verenigde Staten in de afgelopen anderhalve eeuw vormden, het land ook tussen nu en 2030 zullen vormen. Die 2 procent is waarschijnlijk geen slechte benadering van de gemiddelde snelheid waarmee mensen de grenzen van de innovatie kunnen verzetten, en het lijkt de beste voorspelling voor de volgende kwarteeuw.

Maar waarom niet hoger – zeg 4 procent per jaar of meer? In veel ontwikkelingslanden neemt de jaarlijkse productie per uur gemiddeld met veel meer dan met 2 procent toe. Maar die landen lenen 'bewezen' technologieën van ontwikkelde landen, en hebben deze niet langzaam, stap voor stap hoeven te ontwikkelen.

In 2005 was de Amerikaanse productiviteit 2,8 keer zo hoog als in 1955. Dat komt vooral omdat we in 2005 zo veel meer over de werking van onze fysieke wereld wisten dan een halve eeuw eerder. Door miljoenen innovaties werd onze productiviteit jaar na jaar stapsgewijs beter. Dit proces is vooral duidelijk sinds de ontdekking, na de Tweede Wereldoorlog, van de buitengewone elektrische eigenschappen van halfgeleiders van silicium. Gordon Moore, een van de oprichters van Intel, voorspelde in 1965 dat er ieder jaar twee keer zo veel transistors op een chip geplaatst kunnen worden bij gelijkblijvende kosten.[7] Zijn woorden bleken profetisch. Door de consequente miniaturisering van elektronische toepassingen zijn uit de volumineuze walkietalkies uit de Tweede Wereldoorlog uiteindelijk de kleine platte telefoontjes van tegenwoordig ontstaan, en zijn de bakbeesten van tv's en computermonitors platte schermpjes geworden. Alle machines, of het nu gaat om auto's en weverijen die op oude technologie draaien, of om routers en servers ten behoeve van internet, gebruiken steeds kleinere microprocessoren. We versterken lichtgolven in laserstralen, die in combinatie met digitale technologie voor een heel nieuwe informatiewereld hebben gezorgd. Hierdoor kon het bedrijfsleven just-in-time-voorraden aanhouden, hoefden bedrijven minder producten af te keuren, en konden ze minder extra mensen inhuren om in te springen als er dingen misgingen bij productie en aanvoer.

Waarom is de productiviteit niet nog sneller toegenomen? Hadden we wat we in 2005 wisten niet al, zeg, in 1980 kunnen ontdekken, zodat de productiviteit tussen 1955 en 1980 twee keer zo snel was gestegen? Het eenvoudige antwoord is dat mensen niet slim genoeg zijn. Uit onze geschiedenis blijkt dat de maximale productiviteitsgroei van een economie in de technologische voorhoede 3 procent per jaar is. Het kost tijd om nieuwe ideeën toe te passen en het kost vaak tientallen jaren voordat die ideeën te zien zijn in het productiviteitsniveau. Paul David, die lange tijd hoogleraar in de economische geschiedenis was in Stanford, schreef in 1989 een invloedrijk artikel waarin hij het raadsel aansneed van waarom 'er overal computers te zien zijn, behalve in de productiviteitsstatistieken' – een bekende opmerking van econoom, Nobelprijswinnaar en toenmalige MIT-professor Robert Solow.

Het was Davids artikel waardoor mijn belangstelling voor productiviteitstrends werd gewekt. Hij wees erop dat het vaak tientallen jaren duurt voordat een nieuwe uitvinding zodanig is ingevoerd dat het productiviteitsniveau omhooggaat. Als voorbeeld nam hij de geleidelijke vervanging van de stoommachine door de elektrische machine in Amerika.

Veertig jaar nadat Edison in 1882 de eerste spectaculaire openbare elektrische straatverlichting in Lower Manhattan had verzorgd, was nog maar de helft van de Amerikaanse fabrieken op elektriciteit overgeschakeld. Er werd pas werkelijk aangetoond dat elektriciteit als krachtbron superieur was aan stoom toen er na de Eerste Wereldoorlog een hele generatie meerdere verdiepingen tellende fabrieken werd vervangen. David geeft een levendig verslag van de oorzaken van de traagheid. De beste fabrieken van die tijd waren niet op de nieuwe technologie gebouwd. Ze draaiden op ingewikkelde systemen van katrollen en assen die de energie van de stoommachine of waterturbine overbrachten naar de machines op verschillende plekken in de fabriek. De aandrijfassen mochten niet te lang zijn, want anders ging er vermogen verloren en traden er sneller storingen op. Daarom konden groepen machines het best op verschillende verdiepingen boven elkaar worden geplaatst, met één of twee assen om ze aan te drijven.[8]

De productiviteit was niet veel hoger geworden als men de bestaande aandrijfassen eenvoudigweg op grote elektrische motoren had aangesloten, als dat al had gekund. Fabrieksdirecteuren beseften dat er ingrijpender veranderingen nodig waren om de revolutionaire mogelijkheden van de nieuwe elektrische motoren te kunnen benutten. Doordat de energie uit een kabel kwam, waren de centrale stoommachines, de groepsgewijze opstelling van machines en de gebouwen waarin ze draaiden, allemaal verouderd. Het feit dat het met elektromotoren mogelijk was iedere machine van een eigen efficiënt motortje te voorzien, leidde tot het ontstaan van gigantische gelijkvloerse fabrieken. Hierin konden machines makkelijk worden opgesteld, en de opstelling worden veranderd, zodat ze zo efficiënt mogelijk draaiden en materialen makkelijk verplaatst konden worden. De uit meerdere verdiepingen bestaande, op stoom draaiende fabrieken stonden in de stad, en de verhuizing naar het platteland, waar de nieuwe fabrieken werden gebouwd, verliep traag en vergde veel kapitaalinvesteringen. Dat was de reden, legt David uit, waarom de elektrificatie van de Amerikaanse fabrieken tientallen jaren kostte. Maar uiteindelijk telde de Amerikaanse industriestreek, het Midden-Westen, miljoenen hectare eenlaagse fabrieksvloer met elektromotoren, en begon de productie per uur eindelijk toe te nemen.

De periode met lage inflatie en een lage rente begin jaren zestig was, voor zover ik kan beoordelen, te danken aan de toepassing van militaire technologie uit de Tweede Wereldoorlog en de inhaalslag met uitvindingen die uit de jaren dertig stamden.[9] Tientallen jaren later deed diezelfde vertraging in de productiviteitstoename zich nogmaals voor. Sinds kort zijn computers pas overal, ook in productiviteitsstatistieken.[10]

Wat ons op onze eindconclusie brengt. Samen met een jaarlijkse toename van 0,5 procent per jaar in gewerkte uren tussen 2005 en 2030 die volgt uit de eerder vermelde demografische aannames, impliceert een jaarlijkse groei van het BBP met 2 procent per jaar en een gemiddelde groei van het reële BBP met 2,5 procent per jaar tussen nu en 2030. Over de afgelopen 25 jaar, toen de beroepsbevolking een stuk sneller groeide, bedroeg dit percentage gemiddeld 3,1 procent.

Dat we een geloofwaardige voorspelling hebben kunnen doen over het niveau van het reële BBP in 2030, is een goed begin, maar het vertelt ons weinig over de dynamiek van de Amerikaanse economische activiteit van de komende 25 jaar, of over de kwaliteit van ons leven. Want boven op deze krachtige trends komen ook nog eens de consequenties van de onvermijdelijke voltooiing van de globalisering.

De wereldwijde economische migratie – het memorabele feit dat de helft van de wereldwijde beroepsbevolking die achter de muren van centraal geplande economieën zat de concurrerende wereldmarkt betreedt – zal op een gegeven moment voltooid zijn – of zo compleet zijn als mogelijk is.

De voortdurende toename van de stroom werknemers naar concurrerende markten heeft het afgelopen decennium als sterke anti-inflatoire kracht gefungeerd. Loonstijgingen werden erdoor geremd en de inflatie werd er bijna overal ter wereld door beteugeld. In alle ontwikkelde landen en alle grote ontwikkelingslanden, op Venezuela na, was de inflatie tussen de 0 en 7 procent (op basis van de consumentenprijzen). De rentetarieven op lange termijn schommelden binnen hetzelfde krappe gebied. Een dergelijke wereldwijde druk op prijzen en rentes is bijzonder zeldzaam in mijn ervaring als voorspeller.

Voor de voormalige planeconomieën van Oost-Europa is de overgang zo goed als voltooid. Maar dat is niet het geval in China, dat veruit de grootste speler is bij de overgang. Daar zijn de arbeidskrachten geleidelijk en op gecontroleerde wijze van de plattelandsprovincies naar de zeer concurrerende fabrieken van de Parelrivierdelta getrokken. Van de bijna 800 miljoen Chinese arbeiders woont nu ongeveer de helft in stedelijke gebieden waar de concurrentie het sterkst is.[11]

Uiteindelijk zal het aantal werknemers dat de concurrerende arbeidsmarkt betreedt dalen, waarna de desinflatoire druk ook afneemt. De lonen zullen stijgen, evenals de inflatie. De eerste tekenen zijn waarschijnlijk stijgende exportprijzen, die het best kunnen worden gemeten aan de hand van de prijzen van Chinese goederen die in de Verenigde Staten worden geïmporteerd.[12] De dalende importprijzen van Chinese producten hadden een krachtig dempend effect. Ze drukten de prijzen van concurrerende Amerikaanse producten, van de lonen van werknemers die deze producten hielpen produceren, en van de werknemers die producten maken die met de Chinese import concurreren.[13] Verlaging van de desinflatoire druk zou tot hogere lonen en prijsinflatie in de Verenigde Staten kunnen leiden. Voorjaar 2007 stegen de importprijzen voor goederen uit China voor het eerst in jaren.

Dit zal vooral door de Fed in de gaten moeten worden gehouden. De belangrijkste arbiter van de inflatie is het monetaire beleid. Hoe belangrijk – en hoe ondermijnend – deze prijsdruk voor de Amerikaanse economie wordt, zal vooral afhangen van de reactie van de Fed. Als de achterliggende desinflatoire druk verdwijnt en de extra neiging tot sparen op de wereld begint af te nemen, of, wat op hetzelfde neer komt, de inflatiedruk en de reële rentetarieven stijgen, zal de mate van monetaire terughoudendheid die nodig is om de inflatie binnen de perken te houden, toenemen.

Hoe de Fed reageert op de terugkeer van inflatie en de verwachte daling van de spaarquote in de wereld, zal niet alleen van grote invloed zijn op hoe de Amerikaanse economie er in 2030 uitziet, maar zal ook heel belangrijk zijn voor onze wereldwijde handelspartners. De Fed kent vóór 1979 niet bepaald een rijke geschiedenis wat betreft het verhinderen van inflatiedruk, zoals Milton Friedman vaak zei. Die geschiedenis bestaat deels uit slechte voorspellingen en analyses, maar ook uit populistische politici die bevooroordeeld zijn en per definitie lage rentetarieven wensen (Friedman was minder kritisch over de prestaties van de Fed na 1979). Ik kan me niet herinneren dat ik tijdens mijn achttienenhalf jaar durende ambtsperiode veel telefoontjes heb gehad van presidenten of van Capitol Hill dat de rente hoger moest. In augustus 1991 probeerde senator Paul Sarbanes, die de rentetarieven ondraaglijk hoog vond, de presidenten van de Federal Reserve-banken, die volgens hem 'van nature haviken' waren, hun stemrecht op de FOMC te ontnemen.[14] De rentetarieven daalden tijdens de recessie van 1991 en het voorstel werd op de lange baan geschoven.

Het spijt me te moeten zeggen dat de onafhankelijkheid van de Federal Reserve niet voor iedereen heilig is. De FOMC krijgt bevoegdheden van de regering en die kan ze ook weer intrekken. Ik ben bang dat als mijn opvolgers bij de FOMC de komende decennia proberen de prijzen stabiel te houden, ze zullen stuiten op populistisch verzet van het Congres, zo niet van het Witte Huis. Als Fed-voorzitter werd me dergelijke druk bespaard omdat de lange rentes, vooral die voor hypotheken, tijdens mijn ambtsperiode consequent daalden.

Mogelijk beschouwde het Congres de opmerkelijke welvaart die zich in de Verenigde Staten en elders voordeed als een consequentie van de lage inflatie, en ik hoop dat het parlement van deze gelukkige omstandigheid wat geleerd heeft. Maar ik ben bang dat het beteugelen van de inflatie door de rente te verhogen in de toekomst even impopulair is als toen Paul Volcker deze methode 25 jaar geleden toepaste. 'Je staat hoog op het lijstje van te lynchen figuren,' zei senator Mark Andrews in oktober 1981 onomwonden tegen Volcker. Senator Dennis DeConcini beweerde in 1983 dat Volcker 'bijna in zijn eentje een van de ergste economische crises in de Amerikaanse geschiedenis had veroorzaakt'. In december 1982 berichtte *Business Week*: 'Er is een aantal wetten in de maak die de veelgeprezen onafhankelijkheid van de Fed ernstig zullen beknotten omdat ze Capitol Hill en de regering meer directe invloed geven op monetair beleid.' Toen duidelijk werd dat de Fed op de juiste koers zat, verstomde dergelijke kritiek meteen – maar helaas ook de collectieve herinnering aan het feit dat deze kortzichtige en contraproductieve kritiek was geuit. Met wat voor inflatieomgeving zal een toekomstige Fed te maken krijgen? En wat zal de Fed moeten doen om de lage inflatie van de afgelopen kwarteeuw vast te houden?

Dit brengt ons weer op de globalisering. Als mijn veronderstellingen over de huidige anti-inflatoire druk correct zijn, dan worden lonen en prijzen laaggehouden door het massale aanbod van goedkope arbeid, en dat moet een keer eindigen. Een verminderde desinflatie zoals wordt gesuggereerd door de stijging van de prijs van de Amerikaanse import uit China in de lente van 2007 en de rentetarieven op lange termijn op het moment dat dit boek ter perse gaat, doen vermoeden dat het keerpunt zich eerder vroeger dan later zal voordoen. Als de inflatie niet wordt geremd, zal ze op een gegeven moment, over een paar jaar, terugkeren naar een hoger niveau. Maar welk niveau?

Voor zover economische historici kunnen inschatten veranderde in de Verenigde Staten en Europa het prijsniveau niet wezenlijk tussen de achttiende eeuw en de Tweede Wereldoorlog. De prijzen werden gedefinieerd in termen van goud of andere edelmetalen, en hoewel ze cyclische variaties vertoonden, was er geen trend op lange termijn te bespeuren. Als het oorlog was, drukten overheden vaak geld dat niet in goud of zilver kon worden omgezet, waarop de prijzen tijdelijk flink stegen. Vandaar de uitdrukking *not worth a continental* – geen continental (een munt die tijdens die oorlog bestond) waard – die tijdens de Amerikaanse Onafhankelijkheidsoorlog ontstond. Tijdens de Amerikaanse Burgeroorlog verging het de *greenback* (een bankbiljet) al net zo. Fiatgeld – papiergeld dat per decreet door de overheid wordt gedrukt – had een bijzonder slechte reputatie.

In die jaren dacht men dat overheden niet in staat waren economische cyclussen te doorbreken, dus dat werd zelden geprobeerd. De inflatieverwachtingen, zoals die tegenwoordig bestaan, waren nihil. Geld was gebaseerd op een standaard van goud of zilver, en het prijsniveau op lange termijn daalde vooral vanwege veranderingen in het aanbod van deze edelmetalen. De inflatie op lange termijn was in feite nul. Bovendien zijn er volop bewijzen dat rentepercentages (gewoonlijk voor geleend goud) in vroeger eeuwen niet erg verschilden van die van de vroege twintigste eeuw.[15] Dit alles doet vermoeden dat er niets extra's werd gerekend voor inflatie en dat deze daarom eeuwenlang niet bestond.

Het monetaire landschap in de Verenigde Staten veranderde vanaf eind negentiende eeuw, toen stagnerende prijzen voor landbouwproducten leidden tot de 'Free Silver Movement', die volop zilveren munten wilde laten slaan, waardoor er zeker prijsinflatie zou zijn opgetreden. Mensen waren verontwaardigd over de gouden standaard die de prijzen in een keurslijf dwong; deze verontwaardiging kwam onder andere tot uitdrukking in de 'Cross of Gold-speech' die William Jenning Bryan in 1896 hield.

De monetaire orthodoxie van de gouden standaard begon op een gegeven moment scheuren te vertonen. De Fabian Society in Groot-Brittannië en de progressieve beweging van Robert La Folette in de Verenigde Staten legden andere prioriteiten aan voor democratische regeringen. Prijzen waren vastgenageld tijdens de Eerste Wereldoorlog en daalden sterk na afloop ervan. Maar de niveaus van vóór 1914 werden nooit meer bereikt. Centrale banken hadden manieren gevonden om de regels van de gouden standaard te omzeilen. En na de Depressie van de jaren dertig liet men in bijna de hele wereld de goudstandaard los.

Ik heb altijd een nostalgisch gevoel gekoesterd ten aanzien van de inherent met de gouden standaard samenhangende prijsstabiliteit. Maar ik berust sinds lang in het feit dat de gouden standaard niet aan het algemeen geaccepteerde beeld voldoet van wat de overheid dient te doen – vooral niet aan het idee dat de overheid een veiligheidsnet dient te bieden. De neiging van het Congres om kiezers van alles te beloven zonder daarbij aan te geven waar de middelen vandaan moeten komen, heeft sinds 1970 in elk begrotingsjaar geleid tot tekorten. Uitzonderingen waren, dankzij de hausse op de effectenbeurs, de jaren 1998 en 2001. De verschuiving van reële middelen die nodig zijn om dergelijke functies te vervullen, heeft de neiging tot inflatie. Het is bijna onmogelijk in de politieke arena de druk te weerstaan die vraagt om de beschikbaarheid van kredieten tegen een lage rente, om belastingmaatregelen ter bevordering van de werkgelegenheid en om het vermijden van de onplezierige neerwaartse bijstelling van nominale lonen en prijzen. De meeste Amerikanen vinden inflatie een aanvaardbare prijs voor de moderne verzorgingsstaat. Er is op dit moment geen steun voor de gouden standaard, en ik zie deze niet terugkeren.

Het prijsniveau steeg sterk tijdens de Tweede Wereldoorlog en hoewel de inflatie aan het eind van de oorlog daalde, werd het percentage nooit meer voldoende negatief om het prijsniveau van 1939 te kunnen herstellen. Het inflatiepercentage varieert sindsdien, maar is de afgelopen zeven decennia bijna altijd positief geweest, wat betekent dat het prijsniveau is blijven stijgen. In 2006 waren de consumentenprijzen in de Verenigde Staten bijna vijftien keer zo hoog als in 1939. Het prijspatroon vertoont trouwens overeenkomsten met de bewijzen voor de opwarming van de aarde van de afgelopen decennia. Bij beide speelt de tussenkomst van de mens een duidelijke rol.

We weten dat gemiddelde inflatie voor goud en eerdere standaarden in feite nul was. Op het hoogtepunt van de gouden standaard, tussen 1870 en 1913, net voor de Eerste Wereldoorlog, stegen de kosten van het levensonderhoud in de Verenigde Staten volgens berekeningen van de Federal Reserve Bank van New York met slechts 0,2 procent per jaar. Tussen 1939 en 1989, het jaar dat de Berlijnse Muur viel en de desinflatie van lonen en prijzen begon, steeg de prijsindex met een factor negen, oftewel met 4,5 procent per jaar.[16] Deze stijging is een weerspiegeling van het feit dat er sprake was van een fiatgeldregime, zonder vaste standaard. De cultuur en geschiedenis van een land bepalen wat als een 'normale' inflatie wordt ervaren. In de Verenigde Staten is een bescheiden inflatie aanvaardbaar voor de politiek, maar leiden inflatiecijfers van boven de 10 procent tot politieke verontwaardiging. Richard Nixon voelde zelfs de politieke behoefte om in 1971 prijs- en looncontroles in te voeren, hoewel de inflatie nog beneden de 5 procent was. Hoewel de gouden standaard politiek niet langer aanvaardbaar is als methode om inflatiedruk tegen te gaan, grijpt de politiek soms op een dergelijke manier in als ze wordt gemotiveerd door een woedende bevolking. Maar zoiets gebeurt meestal pas als de inflatie boven de 5 procent per jaar uitkomt. De 4,5 procent inflatie die zich gemiddeld per jaar voordeed in de halve eeuw sinds de gouden standaard werd losgelaten, is niet noodzakelijkerwijs de norm voor de toekomst. Wel is het wellicht een goede leidraad voor wat ons te wachten staat.

Een inflatie van 4 tot 5 procent is geen peulenschil. Niemand ziet graag zijn of haar spaargeld in vijftien jaar tijd de helft van zijn waarde verliezen. En hoewel een dergelijk percentage in het verleden niet per se meteen tot economische ontwrichting leidde, houdt mijn voorspelling van een inflatie in die orde van grootte geen rekening met de fiscale invloed van de pensionering van de babyboomgeneratie. Zoals we gezien hebben, gaat er achter de huidige relatieve rust op begrotingsgebied een tsunami schuil. Deze zal toeslaan als een groot deel van de bijzonder productieve Amerikaanse beroepsbevolking met pensioen gaat en gebruik zal gaan maken van de federale pensioenen en systemen voor de gezondheidszorg, in plaats van er alleen maar financieel aan bij te dragen. In de loop van de tijd zou de vraag naar productiefactoren er enorm door kunnen stijgen.

In de Verenigde Staten valt dus een hogere inflatie te verwachten als geen beleidswijziging plaatsvindt. Ik weet dat de centrale bank, als deze daartoe de vrijheid krijgt, in staat is om de monetaire druk die ik voorzie in toom te houden. Maar om de inflatie beneden de 1 procent te houden, zoals bij een gouden standaard, of zelfs op een minder draconische 1 tot 2 procent, zou de Fed, uitgaande van mijn scenario, de monetaire expansie zo drastisch moeten beperken dat de rentetarieven wel eens tijdelijk boven de 10 procent zouden kunnen uitkomen, wat sinds Paul Volcker niet meer is gebeurd. Of de Fed de lessen over het monetaire beleid zal mogen toepassen die de bank de afgelopen veertig jaar met vallen en opstaan heeft geleerd, is een uiterst belangrijke, maar nog onbekende factor. Gezien de slecht functionerende Amerikaanse politiek heb ik er op korte termijn weinig vertrouwen in. Wellicht keren we terug naar de populistische retoriek, die sinds 1991 een slapend bestaan leidt, waarbij de Fed de schuld krijgt.

Ik ben bang dat terwijl Washington probeert in 2030 de impliciete beloften waar te maken die werden gedaan volgens het sociale contract dat de contemporaine Amerikaanse cultuur kenmerkt, de inflatiecijfers 4,5 procent of hoger bedragen. In het 'hogere' deel wordt de toeslag verdisconteerd die bij de inflatie komt ten gevolge van de inadequate financiering van de ongeëvenaarde stijging van uitgaven voor de gezondheidszorg en pensioenen van babyboomers. Om redenen die ik later in dit hoofdstuk uiteen zal zetten, zie ik een positiever alternatief. Maar ik vermoed dat we eerst een aantal economische en politieke mijnenvelden moeten nemen voordat we, net als in het verleden, besluitvaardig kunnen handelen en een gezond beleid kunnen ontwikkelen. Ik moet denken aan Winston Churchills idee over de Amerikanen, 'die altijd, daar kan men van op aan, het juiste doen – nadat ze alle alternatieven hebben geprobeerd'. Het tochtje door het mijnenveld kan mijn voorspelling lelijk de mist doen in gaan, bijvoorbeeld op het pad van hogere rente en inflatie.

Als men de inflatie gewoon laat stijgen, zal er een andere financiële omgeving ontstaan dan die van dit moment. Dit komt deels omdat de inflatiestijging gepaard zal gaan met een afname van de neiging tot sparen in de geïndustrialiseerde wereld, die nu boven normaal is. Zoals eerder opgemerkt, zijn de spaarcijfers voor ontwikkelingslanden slechts een paar procentpunten hoger dan die in ontwikkelde landen. Maar door de combinatie van een bruisend China, dat vanouds een hoog spaarcijfer heeft,[17] en het enorme oppotten van liquide middelen door OPEC-landen,[18] is het spaarpercentage in ontwikkelingslanden in 2006 gestegen tot 32 procent, terwijl de percentages in ontwikkelde landen minder dan 20 procent bedroegen.

Naarmate China verder gaat op de weg van het westerse consumentisme, zal de spaarquote dalen. En hoewel olieprijzen waarschijnlijk alleen maar stijgen, zullen de spaarquotes in OPEC-landen waarschijnlijk minder stijgen dan sinds 2001 het geval is. Impliciet in een dergelijk scenario is de vervanging van de neiging tot sparen door de neiging tot investeren, waardoor een belangrijke factor wegvalt die sinds het begin van dit decennium de rentetarieven laag houdt. De globalisering zal minder snel toenemen nu de wereld de meeste vruchten ervan heeft geplukt. De recente koortsachtige groei van de wereldeconomie zal afnemen. De Wereldbank schat dat de jaarlijkse groei van het mondiale BBP de komende 25 jaar tot 3 procent zal afnemen. Tussen 2003 en 2006 groeide het mondiale BBP jaarlijks met 3,7 procent.

De toename van handelstekorten en -overschotten – een functie van het tempo van de wereldwijde specialisatie verdeling van arbeid – zou ook moeten vertragen. Het tekort op de Amerikaanse lopende rekening zal waarschijnlijk krimpen, terwijl dat misschien niet geldt voor de wereldwijde onevenwichtigheden. Andere landen dan de Verenigde Staten zullen de grootste ontvanger van internationale spaargelden worden.

Als de reële rente en de inflatie de volgende kwarteeuw stijgen, doen de nominale lange rentes dat ook. Vanwege alle onzekerheden die zich in 25 jaar kunnen voordoen, is het moeilijk precies te bepalen met welke orde van grootte de rentes zullen stijgen. Maar als – ter illustratie – het reële rentetarief op Amerikaanse staatsobligaties met een tienjarige looptijd, dat nu 2,5 procent bedraagt, met 1 procent zou stijgen (vanwege de daling van de wereldwijde spaarquote) en als de historische inflatieverwachting daar 4,5 procent aan zou toevoegen, dan zou dat leiden tot een nominale rente van 8 procent op tienjaarse staatsobligaties. Weer is daarbij geen rekening gehouden met de toeslag die nodig is om te kunnen voldoen aan de pensioenverplichtingen jegens de babyboomgeneratie. Maar we kunnen dit niveau als illustratief beschouwen; op enig moment tussen nu en 2030 zal de wereld waarschijnlijk in Amerikaanse tienjarige staatsobligaties handelen tegen een rente van minstens 8 procent. Dit niveau vormt de ondergrens, want door een oliecrisis, een grote terroristische aanval of een impasse in het Amerikaanse Congres over begrotingsproblemen zou de lange rente gedurende een korte tijd een stuk hoger kunnen uitvallen.

Naast hoge risicoloze rentetarieven zijn er nog andere bedreigingen voor de financiële stabiliteit op lange termijn van de Verenigde Staten en de rest van de wereld. Een kenmerk van de afgelopen twee decennia is de consequente daling van de risicopremies. Het valt onmogelijk te bepalen of beleggers denken dat de risico's kleiner zijn geworden en daarom niet de extra premie eisen boven op risicoloos schatkistpapier die in het verleden gebruikelijk was, of dat er sprake is van een behoefte aan extra rente-inkomsten die hen motiveert op schuldpapieren over te schakelen die meer opleveren. Het verschil in rente (de *spread*) tussen Amerikaanse staatsobligaties en CCC-beoordeelde bedrijfsobligaties (ook wel junkbonds genaamd) was begin 2007 onvoorstelbaar laag. De spread nam bijvoorbeeld af van 23 procentpunten tijdens de recessie van oktober 2002 – toen talloze junkbonds in gebreke bleven – tot minder dan 4 procentpunten in juni 2007, ondanks een grote stijging in de uitgifte van CCC-obligaties. De spread tussen obligaties van bedrijven in opkomende markten en Amerikaanse staatsobligaties is gedaald van 10 procentpunten in 2002 tot minder dan 1,5 procentpunt in juni 2007. Deze daling van risicopremies is wereldwijd. Ik weet niet of mensen in perioden van euforie enorm veel meer risico nemen, in welke institutionele omgeving ze ook verkeren. De heersende financiële infrastructuur vergroot misschien alleen maar deze risicotolerantie. Vóór de Amerikaanse Burgeroorlog moesten banken meer dan 40 procent kapitaal bezitten om hun stortingen en papiergeld te dekken. In 1900 was de dekking van de nationale banken nog 20 procent, in 1925 was dat 12 procent, en de laatste jaren minder dan 10 procent. Maar door de financiële flexibiliteit en de veel grotere liquiditeit is het fundamentele risico dat door individuele banken en waarschijnlijk door beleggers in het algemeen wordt gedragen, misschien in die tijd niet eens zo veel veranderd.

Misschien doet het er niet toe. Zoals ik op 26 augustus 2005 tijdens mijn afscheidsrede voor het Jackson Hole Symposium van de Bank of Kansas zei: 'De geschiedenis toont aan dat de nasleep van perioden met lage risicopremies zelden aangenaam is.'

Terwijl de rente op risicoloos overheidspapier stijgt en de risicotoeslagen worden ontdaan van het optimisme waar ze nu blijk van geven, zullen de prijzen van aandelen, bedrijfsobligaties en andere inkomsten genererende vermogenstitels zeker veel langzamer groeien dan in de afgelopen zes jaar. Ten gevolge van de daling van de nominale rentetarieven sinds 1981 zijn de vermogensprijzen bijna ieder jaar, behalve in 1987 en 2001 en 2002 (de jaren van de instorting van de internethype) wereldwijd sneller gestegen dan het nominale wereldwijde BBP. Deze top in waarde van aandelen, van eigendomspapieren van onroerend goed en andere vormen van vermogen – dat wil zeggen directe en indirecte claims op activa, fysiek of intellectueel – is wat ik een toename in liquiditeit noemde. Deze papieren aanspraken vertegenwoordigen koopkracht die makkelijk gebruikt kan worden om een auto of een bedrijf te kopen.

De marktwaarde van aandelen en schuldpapier van bedrijven en overheden is de bron van investeringen en daarmee van schuldcreatie door banken. Dit proces van financiële bemiddeling is een belangrijke oorzaak van de overvloedige liquiditeit die de financiële markten de afgelopen kwarteeuw heeft overspoeld. Als de rentetarieven stijgen en de vermogensprijzen dalen, zal de liquiditeit waarschijnlijk ook vrij snel opdrogen. Denk eraan dat de marktwaarde van een vermogenstitel gelijk is aan de *verwachte* toekomstige inkomsten, minus een discountfactor die stijgt en daalt met zowel het enthousiasme en de angst, als met meer rationele toekomstverwachtingen. Het zijn die oordelen die de waarde van aandelen en andere vermogenstitels bepalen. Grote fabrieken, kantoortorens en zelfs woonhuizen hebben alleen waarde voor zover marktdeelnemers er in de toekomst waarde in zien. Als de wereld over een uur zou vergaan, werden alle symbolen van rijkdom waardeloos. Iets minder drastisch – zeg een extra dosis onzekerheid in het mengsel van toekomstige resultaten – en de marktdeelnemers zullen een lager bod doen en activa minder waarderen. Er hoeft niets buiten ons hoofd te gebeuren. Waarde is wat mensen denken dat waarde is. Vandaar dat liquiditeit kan komen en verdwijnen met de opkomst van een nieuw idee of een nieuwe angst.

Een verwante zorg in financiële markten is het feit dat buitenlandse centrale banken, vooral in Azië, grote hoeveelheden Amerikaans schuldpapier verzamelen. Marktdeelnemers vrezen de invloed op de dollar en wisselkoersen als die centrale banken ophouden Amerikaanse obligaties te kopen of, nog erger, grote hoeveelheden ervan proberen te verkopen. De grote inkopen zijn vooral het resultaat van pogingen door China en Japan om hun wisselkoers te drukken en zo de export en economische groei te bevorderen. Tussen eind 2001 en maart 2007 kochten China en Japan voor 1,5 biljoen dollar aan buitenlandse valuta, waarvan viervijfde in dollars gedenomineerde vermogenstitels – dat wil zeggen Amerikaanse obligaties, en kortetermijnschuldpapier, waaronder eurodollars.[19]

Als de oppotsnelheid afneemt, of verandert in ontpotting van het vermogen komt er zeker neerwaartse druk op de Amerikaanse dollar en opwaartse druk op de Amerikaanse lange rente. Maar de valutamarkten zijn zo liquide geworden dat de valutatransacties die nodig zijn om grote transfers van dollartegoeden te implementeren, slechts geringe marktstoringen veroorzaken. Voor de rente is de invloed waarschijnlijk minder dan veel analisten vrezen, zeker minder dan een procentpunt en misschien zelfs nog veel minder. Liquidatie van Amerikaans schuldpapier door de centrale banken (of door welke andere marktdeelnemer dan ook) verandert niets aan de totale hoeveelheid uitstaande staatsschuld. Net zo min als de totale hoeveelheid van de vermogenstitels die de centrale banken met de opbrengst van de verkopen aanschaffen, verandert. Dergelijke transacties zijn in feite een ruil, die de spread tussen vermogenstitels wel verandert, maar niet het algemene niveau van de rentetarieven hoeft te beïnvloeden. Het is net als bij het wisselen van valuta.[20]

De invloed op de rente hangt af van de omvang van de portfolio's van andere beleggers op de wereld en, nog belangrijker, van de verhouding van die investeringen die goede substituten zijn voor de Amerikaanse schuldpapieren voor wat betreft looptijd, denominatie, liquiditeit en kredietrisico. Bezitters van substituten als AAA-bedrijfsobligaties en obligaties met hypotheken als onderpand kunnen worden overgehaald tot een ruil met Amerikaans schuldpapier zonder verstoring van de markten.

De internationale financiële markten zijn zo groot en liquide geworden[21] dat verkopen van tientallen of wellicht honderden miljarden aan Amerikaanse staatsobligaties kunnen plaatsvinden zonder dat markten dermate geschokt worden dat er een crisis ontstaat. We hebben de laatste jaren al vaak gezien dat de markt in staat is grote verkopen van Amerikaans schuldpapier te absorberen. De Japanse monetaire autoriteiten die tussen de zomer van 2003 en begin 2004 bijna veertig miljard dollar aan buitenlandse valuta hadden ingekocht, vooral in Amerikaanse obligaties, hielden daar in maart 2004 plotseling mee op. Maar het is moeilijk om sporen te vinden van de abrupte verandering in de prijzen van de tienjaars obligaties of de wisselkoers tussen dollar en yen. Eerder kochten de Japanse autoriteiten in één dag voor twintig miljard dollar aan Amerikaanse staatsobligaties, zonder dat dit veel invloed had.

Hoewel het denkbaar is dat grote verkopen van Amerikaans schuldpapier door buitenlandse centrale banken, vanwege een financiële crisis die om andere redenen is ontstaan, grote schade kunnen aanrichten, beschouw ik dat als vergezocht.

Maar dat zijn niet de enige financiële angsten. Tegelijk met de dramatische toename van de liquiditeit sinds begin jaren tachtig werden er allerlei technologieën ontwikkeld waarmee financiële markten risico's beter konden spreiden dan ooit tevoren. Veertig jaar geleden verwerkten markten bijna uitsluitend aandelen en obligaties in de smaak vanille. De schaarse financiële derivaten die er bestonden, waren van de eenvoudigste soort. Maar vanaf de tijd dat er vierentwintig uur per etmaal zaken gedaan konden worden in onderling verbonden wereldmarkten, ontstonden er complexe financiële derivaten die risico's op een aantal manieren spreiden over producten, regio's en de tijd. Hoewel de New York Stock Exchange minder belangrijk is geworden in de internationale financiële wereld, is de omzet van de handel gestegen van enkele miljoenen aandelen per dag in de jaren vijftig naar bijna twee miljard aandelen per dag de afgelopen jaren. En toch, met uitzondering van financiële stuiptrekkingen als de crash van oktober 1987 en de verlammende crises van 1997–1998, lijken de markten zich van uur tot uur en van dag tot dag soepel aan te passen, alsof ze worden geleid 'door een onzichtbare internationale hand' – een variant op Adam Smith die ik graag bezig. Wat er gebeurt, is dat miljoenen handelaren wereldwijd proberen te laag gewaardeerde aandelen te kopen en overgewaardeerde aandelen te verkopen. Door dit onophoudelijk zoeken naar voordeel worden vraag en aanbod continu in evenwicht gebracht in een tempo dat voor de mens te snel gaat om te kunnen volgen. De handel wordt daarom noodzakelijkerwijs steeds meer afhankelijk van computers en de luid roepende handelaren op de beursvloer worden nu snel vervangen door computerprogramma's. Nu de informatiekosten dalen, zal de aard van de Amerikaanse economie veranderen. Investeringsmaatschappijen, hedgefondsen en private equityfondsen willen allemaal niche-opbrengsten, of opbrengsten boven het voor risico gecorrigeerde rendement. Zo verdwijnen de grenzen tussen niet-financiële ondernemingen en commerciële banken, het onderscheid tussen financiën en handel.

Deze markten zijn te groot, complex en snel geworden om er op de twintigste-eeuwse manier toezicht op te kunnen houden. Geen wonder dat dit kolossale wereldwijde financiële systeem zelfs voor de best ingevoerde marktdeelnemer onbegrijpelijk is geworden. Financiële toezichthouders moeten een systeem controleren dat veel complexer is dan dat wat er bestond toen de regels voor de financiële markten werden geschreven. Het toezicht op deze transacties verloopt tegenwoordig vooral door middel van counterparty surveillance ('toezicht van de tegenpartij') van individuele marktdeelnemers. Iedere lener houdt de beleggingspositie van individuele klanten in de gaten om de aandeelhouders te beschermen. Toezichthouders kunnen nog steeds doen alsof ze controleren, maar ze hebben daartoe veel minder mogelijkheden dan voorheen.

Samen met mijn collega's in de raad van bestuur leidde ik achttien jaar lang dit proces bij de Fed. Pas laat beseften we dat de macht om toezicht uit te oefenen, snel bezig was te verdwijnen. We merkten dat we steeds meer op counterparty surveillance moesten vertrouwen om het echte werk voor elkaar te krijgen. Omdat markten te complex zijn geworden om er als mens effectief op te kunnen ingrijpen, valt er het meest te bereiken met anticrisisbeleid met maximale marktflexibiliteit: vrijheid van handelen voor belangrijke marktdeelnemers, hedge- en private equityfondsen en investeringsbanken. Door inefficiënties op de financiële markten te bestrijden, kunnen liquide vrije markten onevenwichtigheden herstellen. Het doel van hedgefondsen en anderen is geld verdienen, maar door hun optreden verdwijnen ondoelmatigheden en onevenwichtigheden en wordt de verspilling van schaarse besparingen tegengegaan. Deze instellingen dragen bij aan een hoger productiviteitsniveau en een hogere levensstandaard.

Veel critici vinden het een beklemmende gedachte dat er zo op 'de onzichtbare hand' wordt vertrouwd. Ze vragen zich af of niet bijvoorbeeld de ministers van Financiën en de centrale bankiers van de G10 als voorzorgsmaatregel moeten proberen het enorme nieuwe wereldwijde systeem in de gaten te houden. Als we misschien weinig baat hebben bij internationale regulering, zo redeneren sommigen, dan schaadt het evenmin. Maar dat doet het wel. Regulering belemmert per definitie de vrijheid van de markt, en de vrijheid om snel te handelen is wat de markt weer in evenwicht brengt. Wie de vrijheid ondermijnt, brengt het hele evenwicht herstellende proces in gevaar. We weten uiteraard niet alles van de vele miljoenen transacties die dagelijks plaatsvinden. Een Amerikaanse straaljagerpiloot hoeft ook niet alles te weten van de miljoenen automatische, door de computer genomen beslissingen die zijn toestel in de lucht houden.

Ik denk niet dat meer overheidstoezicht in de wereld van vandaag nog kan helpen. Het verzamelen van gegevens over de balans van hedgefondsen zou bijvoorbeeld nutteloos zijn, omdat de data al verouderd zijn voordat de inkt is opgedroogd. Moeten we een wereldwijd rapportagesysteem beginnen voor de posities van hedge- en private equityfondsen om te zien of zich gevaarlijke concentraties voordoen die kunnen wijzen op mogelijke financiële implosies? Ik lees al bijna zestig jaar financiële marktrapporten, maar ik zou niet kunnen zien of uit concentraties van posities blijkt dat de markten doen wat ze horen te doen – het verwijderen van onevenwichtigheden uit het systeem – of dat er gevaarlijk soort handel in opkomst was. Het zou me echt verbazen als wie dan ook daartoe in staat was.

Bij de 'onzichtbare hand' wordt er natuurlijk van uitgegaan dat de marktdeelnemers uit eigenbelang handelen. Maar ik moet toegeven dat mensen soms aantoonbaar stomme risico's nemen. Ik was bijvoorbeeld geschokt door de recente onthulling dat handelaren in *credit default swaps* (CDS) hadden nagelaten om gedetailleerde gegevens vast te leggen van de juridische verplichtingen die bij hun transacties horen. Als zich een significante prijswijziging voordoet, zou een geschil over het contract tot een duidelijke maar onnodige crisis kunnen leiden. (Gelukkig wordt dit probleem nu opgelost met hulp van de Federal Reserve Board van New York.) Deze geschiedenis was niet alleen een probleem van marktprijsrisico, maar ook van operationeel risico – dat wil zeggen het risico van een instorting van de infrastructuur die markten in staat stelt te functioneren.

Het is belangrijk voor ogen te houden dat de conjunctuur nog boven op de besproken langetermijnkrachten komt. De conjunctuur is niet dood, hoewel we er de afgelopen twee decennia weinig van gehoord hebben.

Het lijdt geen twijfel dat de opkomst van just-in-time-voorraadbeheer en het toenemende aandeel van diensten in de productie de amplitude van de conjunctuur hebben verminderd. Maar de aard van de mens verandert niet. De geschiedenis zit vol golven van enthousiasme en wanhoop, aangeboren menselijke eigenschappen die geen onderdeel zijn van een leercurve. Deze golven worden weerspiegeld in de economische cyclus.

Alles bij elkaar leveren de financiële problemen waarmee men in de volgende kwarteeuw zal worden geconfronteerd, geen fraai beeld op. Toch hebben we heel wat ergere dingen meegemaakt. Geen van de problemen zal onze instituties permanent ondermijnen, en waarschijnlijk wordt de Amerikaanse economie niet eens van haar eerste plaats op de wereldranglijst verdrongen. Er doet zich op dit moment een aantal gevreesde financiele onevenwichtigheden voor die waarschijnlijk zullen worden verholpen zonder de impact op de Amerikaanse economie die door velen wordt verondersteld. In hoofdstuk 18 gaf ik aan dat het tegengaan van het tekort op de lopende rekening waarschijnlijk geen grote invloed zal hebben op de economische activiteit of de werkgelegenheid. De vrees dat een liquidatie van de enorme buitelandse-valutareserves van China en Japan de Amerikaanse rentetarieven flink zal opdrijven en de waarde van de dollar zal verlagen, is eveneens overdreven.

We kunnen maar weinig doen om de afname van wereldwijde desinflatoire krachten tegen te gaan. En het gaat volgens mij ook om een terugkeer naar de normale situatie met een fiatgeldsysteem. Bovendien hebben we het in onze macht om de scherpe kantjes af te vijlen van het scenario dat ik hierboven heb geschetst. In de eerste plaats moeten de president en het Congres het Federal Open Market Committee (FOMC) toestaan op te treden tegen de onvermijdelijke inflatiedruk die uiteindelijk zal ontstaan. Met monetair beleid kunnen de stabiele prijzen van de gouden standaard worden gesimuleerd. Hier zijn perioden met hogere rente voor nodig. Maar de Fed van Volcker heeft aangetoond dat dit kan.

In de tweede plaats moeten de president en het Congres ervoor zorgen dat de economische en financiële flexibiliteit die ertoe geleid heeft dat de Amerikaanse economie de schok van de aanslagen van 11 september heeft kunnen opvangen, niet wordt belemmerd. Markten moeten vrij kunnen functioneren zonder de overheidsbemoeienis met lonen, prijzen en rente die ze in het verleden heeft belemmerd. Dit is vooral belangrijk in een wereld van enorme geldstromen en handelsvolumes, en markten die vanwege de toenemende complexiteit onvermijdelijk steeds ondoorzichtiger worden. Economische en financiële schokken zullen zich blijven voordoen, en de menselijke natuur zal met haar angsten en eigenaardigheden wel altijd een onvoorziene factor blijven. Het zal als altijd moeilijk zijn op schokken te anticiperen, dus is het vermogen ze op te vangen een heel belangrijke voorwaarde voor stabiliteit van de productie en de werkgelegenheid.

Praktische supervisie en regulering – het twintigste-eeuwse financiële model – zijn niet meer goed mogelijk vanwege de omvang en complexiteit van de financiële wereld van de eenentwintigste eeuw. Slechts op het gebied van operationele risico's en fraude blijven de principes van de twintigste-eeuwse regulering intact. Pogingen om het marktgedrag dat met geluidssnelheid voorbijtrekt werkelijk in de gaten te houden en te beïnvloeden, zullen op niets uitlopen. De publieke sector is niet langer in staat toezicht te houden. We hebben geen andere keuze dan de markt haar werk te laten doen. Het gebeurt maar zelden dat de markt faalt, en de consequenties daarvan worden verzacht door een flexibel economisch en financieel systeem.

Hoe we ook in 2030 terechtkomen, de Amerikaanse economie hoort, als zich geen onverwachte langdurige crises voordoen, aanmerkelijk veel groter te zijn geworden – ongeveer driekwart keer zo groot in reële termen – dan die van vandaag. Bovendien zal de productie veel conceptueler van aard zijn. De sinds lang bestaande verschuiving van handarbeid en natuurlijke hulpbronnen naar de ontastbare waarde die wordt toegevoegd aan de huidige digitale economie, zal zich voortzetten. Het vergt tegenwoordig een stuk minder fysieke middelen om een eenheid te produceren dan tijdens vorige generaties. De fysieke hoeveelheid materialen en brandstof die werd gebruikt bij de productie, of die achterbleef na de productie, is de laatste halve eeuw slechts heel bescheiden toegenomen. De productie van onze economie is niet helemaal letterlijk lichter, maar wel bijna.

Vele tonnen koperkabel werden bijvoorbeeld vervangen door glasvezel. Met behulp van nieuwe bouwmethoden, nieuwe materialen en nieuwe technieken kunnen gebouwen worden neergezet met veel minder fysieke materialen dan vijftig of honderd jaar geleden. Mobiele telefoons zijn niet alleen kleiner en lichter geworden, maar hebben tegenwoordig ook veel meer functies dan alleen telefoneren. De verschuiving in de loop van decennia naar diensten die weinig fysieke input vergen, droeg ook in niet-geringe mate bij aan de opmerkelijke stijging van de verhouding tussen reëel BBP en tonnen input.

Als je de dollarwaarde van het BBP, dat wil zeggen de marktwaarde van alle goederen en diensten die werden geproduceerd, van 2006 (na aanpassing voor inflatie) vergelijkt met die van 1946, is het BBP van het land waar George W. Bush president is, zeven keer zo hoog als dat van het land van Harry S. Truman. Het gewicht van de materialen die nodig waren om de productie van 2006 te realiseren, is echter slechts een klein beetje hoger dan dat van de materialen die nodig waren voor de productie van 1946. Dit betekent dat bijna de hele toename van de reële toegevoegde waarde van onze productie met ideeën te maken heeft.

De dramatische verschuiving in de afgelopen eeuw in de richting van minder tastbare en meer conceptuele productie – de hoeveelheid gewicht die de economie als het ware is kwijtgeraakt – komt voort uit verschillende bronnen. Het bijeenbrengen van fysieke goederen in een steeds vollere geografische omgeving heeft duidelijk geleid tot kostendruk waardoor zaken kleiner werden en dichter bij elkaar kwamen. Op dezelfde manier zijn de marginale kosten toegenomen vanwege de toenemende kosten voor het ontdekken, ontwikkelen en verwerken van steeds grotere hoeveelheden fysieke middelen in steeds minder begaanbaar terrein, en zijn producenten daardoor overgeschakeld op kleinere alternatieven. Terwijl bovendien ook de technologische grens werd verlegd en de informatieverwerking daardoor steeds sneller ging, zorgden de wetten van de natuurkunde ervoor dat de relevante microchips steeds compacter werden.

De nieuwe afgeslankte economie werkt anders dan de vorige economieën. Bij fabrieksgoederen zullen de marginale kosten voor het verhogen van de productie met één eenheid uiteindelijk stijgen als de productie wordt uitgebreid. Bij conceptuele productie zijn de marginale kosten vaak constant en te verwaarlozen. Hoewel het bijvoorbeeld gigantisch duur is om een digitaal medisch woordenboek te maken, zijn de reproductie- en distributiekosten verwaarloosbaar als het via internet wordt verspreid. De opkomst van een elektronisch platform voor de overdracht van ideeën tegen verwaarloosbare marginale kosten is ongetwijfeld een belangrijke verklaring voor de toenemende conceptualisering van het BBP van de laatste tijd. De vraag naar conceptuele producten wordt duidelijk veel minder gehinderd door stijgende marginale kosten, en vandaar door de prijs, dan de vraag naar fysieke producten.

De hoge kosten van het ontwikkelen van software en de verwaarloosbare productie- en distributiekosten (als deze via internet wordt verspreid) lijken te wijzen op een natuurlijk monopolie: een goed of dienst dat/die het meest efficiënt door één bedrijf wordt geleverd. Een effectenbeurs is een voor de hand liggend voorbeeld. Het is het efficiëntst om alle handel in één markt te concentreren. De marges worden kleiner en de transactiekosten dalen. In de jaren dertig was Alcoa de enige Amerikaanse producent van bauxiet. Het bedrijf behield zijn monopolie door alle efficiencyverbeteringen door te geven in de vorm van steeds lagere prijzen. Potentiële investeerders zagen dat ze vanwege de lage prijzen van Alcoa nooit voldoende rendement zouden kunnen behalen.[22]

De huidige versie van dat natuurlijke monopolie is de opmerkelijke dominantie van Microsoft met Windows, het besturingssysteem voor pc's. Door vroeg in de markt te zijn en de standaard te stellen in een nieuwe bedrijfstak, kunnen concurrenten op afstand worden gehouden. Het creëren en cultiveren van dit *lock-in*-effect is een belangrijke zakelijke strategie voor onze nieuwe digitale wereld. Ondanks dit voordeel is het natuurlijke monopolie van Microsoft verre van absoluut gebleken. De dominantie van Windows is flink aangetast door concurrentie van Apple en van Linux, het besturingssysteem met een open broncode. Natuurlijke broncodes worden uiteindelijk vervangen door technologische doorbraken en nieuwe paradigma's.

Strategieën komen en gaan, maar het ultieme concurrentiedoel blijft het behalen van een maximaal voor risico gecorrigeerd rendement op investeringen. De concurrentie doet ongeacht de strategie haar werk zolang er vrije en open markten zijn. Antikartelbeleid, naar mijn mening nooit een doelmatig middel om de concurrentie te bevorderen, is nog gebaseerd op de twintigste-eeuwse standaard, die ernstig tekortschiet voor het digitale tijdperk, waarin een innovatie binnen een oogwenk een 800 pond zware gorilla kan veranderen in een babychimpansee.[23]

Doordat producten steeds vaker conceptueel zijn, komt de nadruk steeds meer te liggen op intellectueel eigendom en de bescherming daarvan – een tweede rechtsgebied dat onder vuur zal komen te liggen. De Raad van Economische Adviseurs van de president rapporteerde in 2006 dat de output van bedrijfstakken die 'sterk afhankelijk zijn van de bescherming van patenten… en copyright', zoals de farmaceutische industrie, de ICT-sector en de softwarebranche, in 2003 bijna eenvijfde uitmaakt van de Amerikaanse economie. De raad schatte ook in dat in september 2005 eenderde van de marktwaarde van Amerikaanse naamloze vennootschappen (vijftien biljoen dollar) toe te schrijven was aan intellectueel eigendom; en dat van dat derde deel 40 procent bestond uit software en andere door copyright beschermde materialen, 33 procent uit patenten en de rest uit handelsgeheimen. Intellectueel eigendom heeft bijna zeker een veel groter aandeel in de waarde van aandelen in de economische activiteit. Bedrijfstakken met een disproportioneel hoog aandeel intellectueel eigendom zijn ook de snelst groeiende van de Amerikaanse economie. Ik zie geen reden waarom het aandeel van intellectueel eigendom niet tot 2030 zou blijven stijgen.[24]

Vóór de Eerste Wereldoorlog werden markten in de Verenigde Staten bijna niet gehinderd door overheidsregels. Ze profiteerden wel van eigendomsrechten, die in die tijd vooral rechten op fysieke eigendommen betroffen. Patenten op intellectueel eigendom, copyright en handelsmerken vertegenwoordigden een veel minder belangrijk aspect van de economie, die vooral agrarisch was. Een van de belangrijkste uitvindingen van de negentiende eeuw was de katoenzuiveringsmachine. Misschien was het een teken des tijds dat het intellectueel eigendom van deze machine niet werd beschermd.

Pas nu de economische opbrengst van de Verenigde Staten de afgelopen decennia vooral conceptueel is geworden, bestaat er in het bedrijfsleven en in de juridische wereld veel onzekerheid over kwesties die te maken hebben met de bescherming van intellectueel eigendom. Deze onzekerheid ontstaat deels doordat intellectueel eigendom in belangrijke opzichten verschilt van fysiek eigendom. Concrete, materiële zaken zijn makkelijker door politie, beveiliging of milities te beschermen. Intellectueel eigendom kan daarentegen al worden gestolen door een idee bekend te maken zonder toestemming van de bedenker.

Nog belangrijker is dat nieuwe ideeën – de bouwblokken van intellectueel eigendom – steevast voortborduren op oude ideeën en wel op manieren die moeilijk of onmogelijk te traceren zijn. Vanuit economisch perspectief is dit een reden om bijvoorbeeld de calculus (het integraal- en differentiaalrekenen), die oorspronkelijk werd bedacht door Newton en Leibniz, vrij beschikbaar te laten zijn, ofschoon er met de inzichten van de calculus in de loop der generaties onmetelijk veel geld is verdiend. Hadden de rechten op het intellectuele eigendom van Newton en Leibnitz op dezelfde manier beschermd moeten worden als de eigendomsrechten op land? Of moet de wet deze rechten vrij beschikbaar maken voor degenen die erop willen voortborduren, met als doel maximalisering van de mogelijkheid om geld te verdienen voor de gemeenschap in haar geheel? Zijn alle eigendomsrechten onvervreemdbaar of moeten ze zich conformeren aan de werkelijkheid waardoor ze worden geconditioneerd?

Deze vragen zijn een taaie kluif voor economen en juristen, omdat ze raken aan een aantal fundamentele principes van de moderne economie, en daarom van de maatschappij als geheel. Of we het intellectueel eigendom nu beschermen als onvervreemdbaar recht of als een voorrecht dat ons door de soeverein wordt toegekend, bij de bescherming spelen onvermijdelijk keuzes met cruciale implicaties voor het evenwicht tussen de belangen van degenen die innoveren en van degenen die daarvan willen profiteren.

Als libertijn vond ik aanvankelijk dat als iemand een idee ontwikkelt, hij of zij daar het recht van eigendom op hoort te hebben. Maar de bedenker van een idee heeft daar automatisch ook het gebruik van. De vraag is of anderen ervan weerhouden moeten worden er gebruik van te maken. Het is denkbaar dat als het recht op het exclusieve gebruik van ideeën zich in de loop van generaties bij een bepaalde groep verzamelt, een generatie er in de verre toekomst achterkomt dat alle ideeën die nodig zijn om te overleven, juridisch zijn geclaimd en alleen met toestemming van de rechthebbenden gebruikt kunnen worden. De bescherming van de rechten van de een kan uiteraard niet ten koste gaan van het recht van iemand anders op het leven (zoals hier het geval zou zijn), want dan zou het prachtige gebouw van de individuele rechten instorten. Dit vergezochte scenario toont aan dat als de bescherming van sommige intellectuele scheppingen de rechten van anderen aantast, en daarom niet mag gelden, deze niet beschermd kunnen worden. Als er inbreuk wordt gemaakt op een algemeen principe, dan is het einde zoek. In de praktijk wordt slechts een klein deel van het intellectuele eigendom beschermd door middel van juridische constructen als patenten, copyrights en handelsmerken.

Bij fysieke eigendommen kunnen we ervan uitgaan dat het recht van eigendom zo lang moet kunnen bestaan als het fysieke object zelf.[25] Bij ideeën hebben we voor een ander evenwicht gekozen, omdat we weten dat er chaos zou ontstaan als we alle ideeën die zijn verwerkt in huidige projecten moesten terugvoeren op de oorspronkelijke bedenkers en hun royalty's moesten betalen. In plaats van die onwerkbare aanpak hebben Amerikanen er in navolging van de Britse *common law* voor gekozen intellectueel eigendom maar tot op zeker hoogte te beschermen.

Maar kiezen we voor het juiste evenwicht? De meeste deelnemers aan het debat over intellectueel eigendom gaan uit van een pragmatische standaard. Is de bescherming algemeen genoeg om innovatie aan te moedigen maar volgende innovaties niet te belemmeren? Is de bescherming zo vaag dat ze onzekerheden produceert, waardoor risicotoeslagen omhoog gaan en de kapitaalskosten stijgen?

Bijna veertig jaar geleden vatte de toen nog jonge Stephen Breyer het dilemma samen met een citaat uit *Hamlet*. De man die later rechter bij het Hooggerechtshof zou worden, schreef in de *Harvard Law Review*:

Het is moeilijk iets anders dan een ambivalente positie in te nemen bij de vraag of de huidige copyrightbescherming – in haar geheel beschouwd – gerechtvaardigd is. Men zou deze positie kunnen vergelijken met die van professor Machlup, die na bestudering van het patentsysteem concludeerde: 'Geen van de empirische bewijzen waarover we beschikken en geen van de gepresenteerde theoretische bewijzen bevestigt of ontkracht het idee dat de vooruitgang in de techniek en de productiviteit van de economie door het patentsysteem werden bevorderd.' Deze stellingname doet vermoeden dat het copyright voor boeken niet berust op een bewezen behoefte, maar op onzekerheid ten aanzien van wat er zou gebeuren als deze bescherming werd opgeheven. Men zou denken dat de kans op schade klein is, maar de wereld zonder copyright is niettemin 'onontdekt gebied', dat 'onze wil verlamt / En ons nog liever dit vertrouwde lot doet dragen / Dan dat we vluchten naar iets onbekends' (Hamlet).

Hoe passend is ons huidige systeem – dat werd ontwikkeld voor een wereld waarin fysieke producten het belangrijkst waren – voor een economie waarin waarde steeds meer door ideeën wordt bepaald in plaats van door tastbare zaken? De belangrijkste kwestie waarmee onze wettenmakers en gerechtshoven de komende 25 jaar geconfronteerd zullen worden, is het ophelderen van de regels voor intellectueel eigendom.

Wat kunnen we samenvattend afleiden van deze poging om in de toekomst te kijken? Afgezien van de 'wildcards' waar niemand echt iets over kan zeggen (een kernexplosie op Amerikaans grondgebied, een griepepidemie, een dramatische herleving van het protectionisme of het niet bereiken van een oplossing voor het gebrek aan financiering voor Medicare zijn slechts voorbeelden), zullen de Verenigde Staten in 2030 waarschijnlijk worden gekenmerkt door:

1. een reëel BBP dat 0,75 keer zo hoog is als dat van 2006;
2. een voortzetting van de conceptualisering van het Amerikaanse BBP en steeds meer wetgeving en rechtszaken over intellectuele eigendomsrechten;
3. een Fed die wordt geconfronteerd met inflatiedruk en een populistische politiek die de laatste jaren een slapend bestaan hebben geleid;
4. een inflatie die een flink stuk hoger is dan de 2,2 procent van 2006;
5. Amerikaanse tienjarige staatsleningen die boven de 10 procent rente opleveren, terwijl ze in 2006 minder dan 5 procent opbrachten;
6. risicopremies belangrijk veel hoger dan in 2006; en
7. daarom aandelenopbrengsten die een stuk hoger zijn dan in 2006 (het resultaat van naar verwachting mondjesmaat stijgende vermogensprijzen tot 2030), en, daarmee in overeenstemming, lagere onroerendgoedkapitalisatie.

We kunnen ook kijken naar de verwachtingen voor de rest van de wereld. In het Verenigd Koninkrijk heeft een wonderbaarlijke renaissance plaatsgevonden sinds Margaret Thatcher in de jaren tachtig op dramatische wijze de marktconcurrentie bevrijdde. New Labour behield onder leiderschap van Tony Blair en Gordon Brown de nieuwe vrijheden – wat hun tot eer strekt – en zwakte het historische socialistische ethos van de Fabians af. Buitenlandse investeringen en overnames van typisch Britse ondernemingen werden verwelkomd. De huidige regering zag in dat, nationale veiligheid en trots terzijde, de nationaliteit van de aandeelhouders in Britse bedrijven niet van negatieve invloed is op de Britse levensstandaard.

Londen financiert een groot deel van de enorme Amerikaanse economie en wedijvert met New York als financiële hoofdstad van de wereld. Het herstel van de dominantie van de internationale markt – zoals in de negentiende eeuw – begon in 1986 met de 'Big Bang' waarmee de Britse financiële markten werden gedereguleerd, waarna terugkeer niet meer mogelijk was. Dankzij inventieve technologieën werden wereldwijde besparingen veel effectiever gebruikt om wereldwijde investeringen in fabrieken en apparatuur te financieren. Die verbeterde productiviteit van kapitaal heeft geleid tot hogere inkomens voor expertise, en de Britse financiële wereld ging het voor de wind. De hoge belastingopbrengsten die werden binnengehaald, werden door de Labour-regering gebruikt om de inkomensongelijkheid tegen te gaan die een onvermijdelijk gevolg is van onbelemmerde financiële competitie.

Het BBP per hoofd van de bevolking in het Verenigd Koninkrijk is onlangs dat van Duitsland en Frankrijk gepasseerd. De Britse demografische ontwikkeling is minder riskant dan die van de rest van Europa, hoewel het onderwijs er veel van dezelfde tekortkomingen vertoont als in de Verenigde Staten. Maar als het Verenigd Koninkrijk de nieuwe openheid handhaaft (wat een redelijke verwachting is), dan zou het goed moeten presteren in de wereld van 2030.

De toekomst van de rest van Europa zal onduidelijk blijven totdat men besluit dat de *pay as you go* verzorgingsstaat, die alleen door een groeiende bevolking gefinancierd kan worden, niet langer te handhaven is. Met een geboortecijfer dat een stuk beneden de vervangingswaarde ligt en maar weinig voorspellers die herstel verwachten, zal de Europese beroepsbevolking zeker dalen, tenzij ze snel wordt aangevuld met immigranten, en zal de vergrijzing snel toenemen. Om dit tegen te gaan, had de Europese productiviteit moeten toenemen in een tempo dat tot nu toe nog volledig buiten bereik lijkt. De Europese Raad stelde in 2000 daarom een ambitieus programma voor, de Lissabon-agenda, om het technologisch niveau van Europa te verhogen tot wereldniveau. Maar het programma kwam niet van de grond en is nu grotendeels geschrapt. Het is moeilijk te zien hoe Europa zonder toename van de productiviteitsgroei de dominante rol kan handhaven die het sinds de Tweede Wereldoorlog speelt in de wereldeconomie. Maar de komst van nieuwe leiders in Frankrijk, Duitsland en Groot-Brittannië is wellicht een teken dat Europa weer de doelen van Lissabon nastreeft. De schijnbaar overeenkomstige economische denkbeelden van Nicolas Sarkozy, Angela Merkel en Gordon Brown maken een Europese opleving waarschijnlijker.

De demografische toekomst van Japan lijkt zelfs ernstiger dan die van Europa. Japan remt de immigratie en laat bijna uitsluitend mensen die van Japanners afstammen toe. De Japanse technologie is al van wereldklasse, dus de mogelijkheden voor productiviteitsgroei zijn waarschijnlijk net zo beperkt als die van de Verenigde Staten. De meeste voorspellers denken dat Japan nog voor 2030 zijn status als de op een na grootste economie (gewaardeerd tegen de marktwisselkoers) ter wereld zal verliezen. De Japanners zullen zich daar waarschijnlijk niet bij neerleggen en pogingen doen dit tegen te houden. Japan zal hoe dan ook een rijk land blijven, een formidabele kracht op financieel en technologisch gebied.

Rusland beschikt over een grote rijkdom aan natuurlijke hulpbronnen, maar wordt geplaagd door een afnemende bevolking. Daarom is de rest van de economie vatbaar voor de 'Hollandse ziekte' zoals in hoofdstuk 16 werd besproken. Het bemoedigende feit dat er in Rusland een rechtsstaat en respect voor eigendomsrechten waren ontstaan, wordt onder Vladimir Poetin tenietgedaan door een selectieve toepassing van het recht vanwege 'nationale noodzaak', wat een ontkenning is van de basis van de rechtsstaat. Rusland zal vanwege zijn natuurlijke hulpbronnen een belangrijke speler blijven op het toneel van de wereldeconomie. Als de Russische energiebronnen niet opraken en de prijzen hoog blijven, zal het BBP per hoofd van de bevolking blijven stijgen. Maar het Russische BBP per hoofd van de bevolking is minder dan eenderde van dat van de Verenigde Staten (gemeten naar koopkrachtpariteit), en dus heeft Rusland nog een lange weg te gaan voordat het zich bij de club van ontwikkelde landen kan scharen.

India heeft enorm veel potentieel mits het land het Fabian-socialisme afzweert dat het van Groot-Brittannië heeft geërfd. Dit heeft het land gedaan wat betreft de op de export gerichte hightechdienstverlening. Maar deze kern van moderniteit is slechts een klein deel van de uitgebreide Indiase economie. Zelfs nu het toerisme bloeit, werkt drievijfde van de Indiase beroepsbevolking nog in de improductieve verouderde landbouw. Het land heeft een bewonderenswaardige democratie – de grootste ter wereld – maar de economie blijft ondanks belangrijke hervormingen in de jaren negentig bijzonder bureaucratisch en verkalkt. Hoewel de economische groei de laatste jaren tot de hoogste ter wereld behoort, is er een grote, niet groeiende basis. Het Indiase BBP per hoofd van de bevolking was veertig jaar geleden nog gelijk aan dat van China, maar nu is het de helft daarvan, en verliest het nog steeds terrein. Het is denkbaar dat India even radicale veranderingen ondergaat als China en van wereldbelang wordt. Maar op het moment van schrijven lijkt het met de Indiase politiek een weinig bemoedigende kant op te gaan. Gelukkig is de dienstenexport-enclave van India van eenentwintigste-eeuwse klasse, en kan de glans ervan moeilijk worden genegeerd. Ideeën zijn wel degelijk belangrijk. En de natie wordt behalve door de eenentwintigste-eeuwse technologie vast ook aangetrokken door eenentwintigste-eeuwse ideeën. India vindt het wellicht nuttig de Britten te volgen, die de opvatting over de vrije markt van de Verlichting combineren met de gevoeligheid van de Fabians.

Daarmee blijft het volkrijke China over als de belangrijkste concurrent van Amerika voor het economisch wereldleiderschap in 2030. In de dertiende eeuw was China welvarender dan Europa. Eeuwen lang was het land de weg kwijt, maar het begon onlangs aan een wedergeboorte, waarbij zich binnen de kortste keren gigantische veranderingen voltrokken. Doordat China de vrije markt introduceerde in de landbouw, en daarna in de industrie, en zich vervolgens openstelde voor internationale handel en buitenlands geldverkeer, is deze oude maatschappij de weg ingeslagen van grotere politieke vrijheid. Wat de officiële retoriek ook zegt, het feit dat iedere volgende generatie Chinese leiders minder machtig is dan de vorige, biedt hoop om te denken dat de autoritaire machtsstructuur van de communistische partij wordt vervangen door een democratischer China. Hoewel sommige autoritaire staten een tijdlang met succes een concurrerend marktbeleid voeren, is de correlatie tussen democratie en open handel op lange termijn te duidelijk om te kunnen negeren.

Ik kan natuurlijk niet voorzien of China de huidige koers richting grotere politieke vrijheid en toenemende aanwezigheid als economische wereldmacht zal blijven volgen, of dat de communistische partij in economisch opzicht weer even star zal worden als voor de gedurfde hervormingen van Deng Xiaoping. Veel van hoe de wereld er in 2030 uit zal zien, is afhankelijk van deze keuze. Als China verder gaat met het marktkapitalisme, zal de wereld ongetwijfeld tot een nieuw niveau van welvaart worden gebracht.

Zelfs landen die zo machtig zijn als China en de Verenigde Staten, zullen in hun strijd om de economische wereldmacht moeten buigen voor een nog grotere macht: de totaal geglobaliseerde markt. De controle van overheden op het dagelijks leven van hun burgers neemt enorm af terwijl het marktkapitalisme, geworteld in de rechtsstaat die consequent eigendomsrechten afdwingt, groeit. Geleidelijk, zonder ophef, wordt de staatsmacht vervangen door de vrijwillige inbreng van individuen in de markt.[26] Veel regels die beperkingen oplegden aan commerciële transacties, worden stilletjes afgeschaft ten gunste van de zelfregulering van het kapitalisme. Het principe is eenvoudig: je kunt niet zowel marktwerking hebben als een overheid die per decreet bijvoorbeeld de prijs van koper bepaalt. De een verdringt de ander. De deregulering van de Amerikaanse economie vanaf de jaren zeventig, de Britse bevrijding van het vrije ondernemerschap onder Thatcher, de Europese poging in 2000 om een begin te maken met een concurrerende markt van wereldklasse, de overschakeling op de vrije markt door de voormalige Sovjet-Unie, de strijd in India om de verstikkende bureaucratie kwijt te raken, en natuurlijk de opmerkelijke wedergeboorte van China hebben stuk voor stuk de controle van regeringen over de economie en dus van de maatschappij van hun land verminderd.

Ik heb geleerd dat economische resultaten op lange termijn vooral, maar niet volledig, worden bepaald door de aangeboren eigenschappen van de mensen die werken voor de instituties die op de arbeidsverdeling toezien. Het oorspronkelijke idee dat mensen specialiseren om wederzijds voordeel te behalen, ligt te ver begraven in de geschiedenis om de bron ervan te achterhalen. Maar John Locke en anderen bouwden er tijdens de Verlichting op voort, wat leidde tot het concept van onvervreemdbare rechten als basis van de rechtsstaat. Uit die broeiplaats van bevrijde gedachten kwamen de inzichten voort van Adam Smith en zijn collega's, de ontdekkers van de basisprincipes van het menselijk gedrag die ten grondslag liggen aan de productieve krachten van de markt.

Het afgelopen decennium van ongeëvenaarde economische groei in de meeste ontwikkelde en ontwikkelingslanden is, zoals ik eerder zei, het ultieme bewijs van de mislukking van een economisch experiment dat meer dan zeventig jaar heeft geduurd. De ineenstorting bracht in de toenmalige Sovjet-Unie een mate van economisch falen van de centraal geplande staten aan het licht die eerder voor onmogelijk zou zijn gehouden, en leidde bijna overal ter wereld tot de afschaffing van de centrale planning, met China en India voorop. De bewijzen dat in steeds meer landen de eigendomsrechten worden gerespecteerd en, meer in het algemeen, een rechtssysteem functioneert, wat leidt tot een toenemend niveau van materieel welbevinden, zijn buitengewoon overtuigend. Het is moeilijk aan officiële statistische bewijzen te komen, omdat de veranderingen in het rechtssysteem kwantitatief subtiel zijn. Maar de kwalitatieve bewijzen zijn opvallend. De ontmanteling van de staatscontrole overal ter wereld en de vervanging door op de markt gebaseerde instellingen lijken steevast te hebben geleid tot verbetering van de economische prestaties. In de afgelopen zestig jaar zijn opvallende verbeteringen doorgevoerd in China, India, Rusland, West-Duitsland en Oost-Europa, om slechts de grootste voorbeelden te noemen. De voorbeelden waarbij uitbreiding van de vrije markt, eigendomsrechten en een rechtsstaat niet tot economisch welbevinden leidde, en waar het economische welbevinden groter werd door meer centrale planning, zijn zeldzaam en waarschijnlijk geheel afwezig. Toch is de rechtsstaat niet meer dan een noodzakelijke voorwaarde, en is deze op zich niet afdoende. Cultuur, onderwijs en geografie spelen wellicht een cruciale rol.

Waarom is dit verband tussen de rechtsstaat en materieel welbevinden zo overduidelijk? In mijn ervaring is het geworteld in een belangrijk aspect van de menselijke natuur. Als we in het leven geen actie ondernemen, komen we om. Maar acties hebben vaak onvoorziene consequenties. De mate waarin mensen risico nemen, is afhankelijk van de beloningen die ze naar aanleiding van het risico denken te verwachten. Goede eigendomsrechten verkleinen de onzekerheid en vergroten de kansen om risico te nemen en acties te ondernemen die tot materieel welbevinden kunnen leiden. Geen actie ondernemen leidt nergens toe.

Op een rationele manier risico's nemen is onontbeerlijk voor materiële vooruitgang. Als het nemen van risico's wordt belemmerd of niet bestaat, wordt slechts noodzakelijke actie ondernomen. De menselijke geschiedenis toont duidelijk aan dat positieve stimuli veel beter werken dan angst en dwang. Het alternatief voor individuele eigendomsrechten is collectief eigenaarschap, waarvan keer op keer werd aangetoond dat het niet tot een beschaafde, welvarende maatschappij leidt. Het werkte niet voor Robert Owens New Harmony in 1826, noch voor het communisme onder Lenin en Stalin, noch voor Mao's Culturele Revolutie. En tegenwoordig werkt het evenmin in Noord-Korea en Cuba.

De bewijzen, voor zover ik ze kan interpreteren, doen vermoeden dat in elk land, ongeacht de cultuur en het onderwijsniveau, het materiële welbevinden groter wordt naarmate het rechtssysteem er sterker is en er meer vrijheid heerst om te concurreren.[27] Maar helaas geldt ook dat er meer stress en angst wordt ondervonden door marktdeelnemers naarmate de concurrentie koortsachtiger wordt. En hoe groter de mate van stressvolle concurrentie, des te sneller verouderen bestaande fabrieken, machines en menselijke vaardigheden. Veel succesvolle bedrijven in Silicon Valley, hét voorbeeld van een omgeving waar men bewust de zaken laat verouderen, reorganiseren om de paar jaar grote delen van hun bedrijven.

Geconfronteerd met de angst voor de verderfelijke kant van de creatieve destructie hebben bijna de hele ontwikkelde wereld en een steeds groter deel van de zich ontwikkelende wereld besloten een minder niveau van welbevinden te accepteren in ruil voor minder concurrentiestress. In de Verenigde Staten is er nu consensus onder Democraten en Republikeinen over het principe, hoewel men het niet altijd eens is over details van de talloze regelingen die voortkwamen uit de New Deal van Roosevelt en de Great Society van Lyndon Johnson, zoals de Social Security, Medicare enzovoort. Ik twijfel er niet aan dat dit zal veranderen met de tijd en de economische omstandigheden, maar waarschijnlijk binnen verhoudingsgewijs nauwe grenzen.

Er bestaan bijna overal sociale veiligheidsnetten, soms uitgebreid, soms eenvoudig, die altijd, vanuit de aard van het fenomeen zelf, de werking van het laissez faire hinderen, voornamelijk door arbeidswetten en pogingen tot inkomensnivellering. Maar het is ook duidelijk geworden dat markten in een wereldwijd concurrerende wereld slechts tot op een bepaald niveau sociale veiligheidsnetten kunnen verdragen zonder sterk negatieve economische consequenties. In Europa is men bijvoorbeeld op dit moment naarstig op zoek naar mogelijkheden om de 'ontslagbescherming' te verzwakken en de kosten van de toekomstige pensioenen in de hand te houden.

Hoe ontzagwekkend productief het marktkapitalisme ook is gebleken, het heeft wel een achilleshiel, namelijk het groeiende besef dat de vruchten ervan niet eerlijk zijn verdeeld, en dat alleen hoogopgeleiden ervan profiteren. Marktkapitalisme op wereldwijde schaal blijft steeds grotere vaardigheden eisen naarmate de ene technologie voortbouwt op de andere. Ervan uitgaande dat de basisintelligentie van de mens waarschijnlijk niet groter is dan ten tijde van het oude Griekenland, is onze vooruitgang afhankelijk van de enorme erfenis van kennis die in de loop der generaties is verzameld.

Door het slecht functionerende basis- en middelbaar onderwijs is het vaardighedenniveau niet snel genoeg verhoogd om een tekort aan hoogopgeleide werknemers te voorkomen. Er is een overschot aan te laag geschoolde werknemers ontstaan, zodat de kloof tussen hoog- en laaggeschoold alsmaar groter wordt. Als het Amerikaanse onderwijssysteem er niet in slaagt het vaardigheidsniveau zodanig te verhogen dat het aan de eisen van de technologische ontwikkeling voldoet, zullen de lonen van hoogopgeleide werknemers meer blijven stijgen dan die van minder hoogopgeleide, en zullen de inkomenstegenstellingen blijven toenemen. Zoals ik eerder opmerkte, vergen onderwijshervormingen vele jaren, terwijl we nu iets moeten doen tegen de toenemende inkomensongelijkheid.

Het verhogen van de belastingen voor de rijken, een schijnbaar eenvoudige remedie, zal waarschijnlijk contraproductief zijn voor de economische groei. We kunnen de salarissen van hoogopgeleide werknemers remmen en de vaardigheden van andere werknemers vergroten als we bereid zijn onze economie open te stellen voor grote groepen immigranten die over de juiste vaardigheden beschikken voor onze economie. In hoeverre de kapitalistische praktijk de komende jaren in de Verenigde Staten aanvaard zal worden, is afhankelijk van het succes van deze zeer uitvoerbare taken op immigratie- en onderwijsgebied.

Het is geen toeval dat mensen bij tegenslagen vaak toch doorzetten en vooruitgang boeken. Aanpassing ligt in onze aard. Vanwege dat inzicht, gebaseerd op tientallen jaren ervaring, ben ik optimistisch over onze toekomst. Zieners, van die van het orakel van Delphi tot de huidige Wall Street-goeroes, maken gebruik van deze positieve trend op lange termijn, waardoor de mens wordt geleid. De rechten van het individu en de economische vrijheid die we van de Verlichting hebben geërfd, stelden miljarden mensen in staat hun leven voor henzelf en hun gezinnen te verbeteren. Toch is vooruitgang geen automatisme. Er zullen in de toekomst aanpassingen nodig zijn die we ons nu nog niet eens kunnen voorstellen. Maar het zit in onze aard om onder alle omstandigheden hoop aan de horizon te zien.

VERANTWOORDING

Toen in ik januari 2006 bij de Fed Reserve vertrok, wist ik dat ik het werk met het beste team economen ter wereld zou gaan missen. De overgang naar een ambteloos bestaan werd vergemakkelijkt – en opwindender gemaakt – door het nieuwe team dat bijeenkwam voor het maken van dit boek.

De belangrijker bijdragen voor *Een turbulente tijd* werden geleverd door voormalige collega's bij de Fed: Michelle Smith, Pat Parkinson, Bob Agnew, Karen Johnson, Louise Roseman, Virgil Mattingly, David Stockton, Charles Siegman, Joyce Zickler, Nellie Liang, Louise Sheiner, Jim Kennedy en Tom Connors. Ieder van hen vulde gaten in mijn herinneringen en zorgde voor inzichten die me hielpen verder te schrijven. Ted Truman was genereus met zijn tijd en verschafte aantekeningen en foto's van de vele reizen naar het buitenland die we samen hebben gemaakt. Don Kohn gaf waardevolle kritiek op delen van het manuscript.

Lynn Fox, eerder enige jaren hoofd communicatie bij de Fed, bleek een vindingrijk onderzoekster, een bron voor verhalen en ideeën, een handige redactrice van een aantal eerste opzetten. David Howard, voormalig adjunct-directeur van de Division of International Finance van de Fed, en net als ik net gepensioneerd, speelde met zijn technische expertise voor achtervanger bij een aantal belangrijke technische discussies. Hij is zowel een scherpzinnig criticus als een geducht debater.

Vrienden en kennissen uit de beroepssfeer namen de tijd voor het leveren van essentiële inzichten, anekdotes en informatie. Martin Anderson vertelde over de Nixon- en Reagan-jaren. Rechter Stephen Breyer scherpte mijn denken over intellectueel eigendom. Ambassadeur James Matlock hielp met zijn herinneringen aan de Sovjet-Unie van Gorbatsjov. Met de Britse premier Gordon Brown sprak ik plezierig en uitgebreid over globalisering en de Britse (en Schotse) Verlichting. Voormalig president Bill Clinton vertelde over zijn opvattingen van het economisch beleid. En voormalig adviseur van het Witte Huis Gene Sperling vulde de leemten in mijn kennis over de Clinton-jaren in.

Speciale dank gaat uit naar Bob Rubin, voormalig minister van Financiën, die zeer tegemoetkomend was met zijn herinneringen aan alles wat we samen hebben meegemaakt. Zijn plaatsvervanger en uiteindelijke opvolger Larry Summers hielp ons de toenemende complexiteit van de globalisering tijdens het Clinton-presidentschap en daarna beter te begrijpen.

Bob Woodward voorzag me van transcripts van de uitgebreide gesprekken die ik met hem voerde tijdens mijn periode bij de Fed – wat niet alleen blijk gaf van generositeit, maar ook van meegevoel met een pas beginnend auteur. Daniel Yergin, die samen met Joseph Stanislaw *The Commanding Heights* schreef, verfriste mijn geheugen wat betreft veel gebeurtenissen waaraan ik heb deelgenomen of waarvan ik getuige was. Michael Beschloss las het gehele manuscript in kladvorm; zijn verstandige opmerkingen en handige redactionele suggesties deden me des te meer inzien hoe goed zijn boeken zijn.

De controle van feiten en onderzoek was het domein van Joan Levinstein en Jane Cavolina, bijgestaan door Lisa Bergson en Vicky Sufian. Mia Diehl orchestreerde op professionele wijze onze fotoresearch.

Het project zou op niets zijn uitgelopen zonder Katie Byers, Lisa Panasiti en Maddy Estrada – mijn bijzonder goed georganiseerde en bijzonder geduldige assistentes. Ik verbaasde me telkens weer over de snelle, foutloze wijze waarop Katie mijn moeilijk ontcijferbare handschrift, vaak vol watervlekken, uittypte. Dit boek ontstond verschillende keren weer opnieuw onder haar vingertoppen.

Ik had geen betere redacteur voor dit boek kunnen kiezen dan Scott Moyers van The Penguin Press. Hij is een wonder van organisatietalent en weet veel van een breed scala aan onderwerpen. In al die maanden dat ik bezig was met het schrijven van dit boek, was Scott bemoedigend, verstandig, oordeelkundig en handig; bovendien is hij de zoon van voormalige medewerkers van de Federal Reserve. Scotts kundige assistente Laura Stickney slaagde erin de verschillende leden van het boekteam gericht te houden op het gemeenschappelijke doel, wat geen gemakkelijke opgave was. De directeur en uitgever van The Penguin Press, Ann Godoff, steunde het project enthousiast. Het productieteam – Bruce Giffords, Darren Haggar, Adam Goldberger en Amanda Dewey – zorgden er met veel vaardigheid en geduld voor dat dit boek ten slotte werd gedrukt.

Bob Barnett was mijn continue gids in het mysterieuze rijk van het schrijven en publiceren van boeken. Zoals veel boeken waarin Washington centraal staat, had *Een turbulente tijd* niet makkelijk zonder zijn hulp verwezenlijkt kunnen worden.

Tijdens het schrijven werkte ik samen met Peter Petre. Hij leerde me de eeuwenoude kunst van het vertellen in de eerste persoon. Ik heb mijzelf altijd als waarnemer van gebeurtenissen beschouwd, nooit als onderdeel ervan. Die overgang was een hele worsteling, maar Peter bleef geduldig. Hij zorgde voor zicht op de lezer, met wie hij enorm veel ervaring heeft dankzij de twintig jaar dat hij schrijver en redacteur is bij *Fortune*. Hij besteedde vooral veel zorg aan het tot leven wekken van de autobiografische gedeelten.

Maar heel debuterende auteurs kunnen zich erop beroemen een muze te hebben die een mooie, briljante journaliste en een volleerd schrijver is. Ik wel. Mijn vrouw Andrea Mitchell is mijn voornaamste bondgenoot en beste vriend. Bij dit project was ze ook mijn scherpzinnige raadgeefster en meest oordeelkundige lezer. Haar suggesties hebben dit boek vorm gegeven. Ze is mijn inspiratie, en dat zal ze ook altijd blijven.

De opzet en de uiteindelijke versie zijn echter van mij. Er zitten fouten in dit boek. Ik weet niet waar; als ik dat wist, zouden ze zijn verbeterd. Maar mijn probabilistische geest zegt dat er met bijna 200.000 woorden tekst wel fouten in moeten zitten. Bij voorbaat mijn excuses.

NOTEN

INLEIDING

1 *Time* schreef bijvoorbeeld op 15 oktober 2001: 'Greenspans omslag zorgde voor het groene licht waar de wetgevers op hadden zitten wachten... Het Witte Huis en de fractievoorzitters van beide partijen waren het eens met de inschatting van Greenspan dat bestedingen en belastingverlagingen ongeveer 1 procent van het jaarlijkse Amerikaanse inkomen moeten bedragen, dat het effect ervan snel voelbaar moet zijn en dat het begrotingstekort er niet zodanig van mag stijgen dat de lange rente er onmiddellijk door gaat stijgen.'

HOOFDSTUK 1

1 Dezelfde competitie was merkbaar op het speelveld: GW was een club bij de stadsscholen waar rekening mee moest worden gehouden bij partijtjes honkbal en football.
2 Als lid van de raad van bestuur van JP Morgan zat ik in 1977 in dezelfde vergaderzalen op Wall Street nummer 23 als waar de financiële chaos van 1907 grotendeels was bezworen. Wall 23 was een historische plek. En het speet me zeer toen JP Morgan het pand in 2003 verkocht.

HOOFDSTUK 3

1 President Johnson nam het vanaf het begin niet al te nauw met de cijfers. Eric Goldman, historicus en voormalig adviseur van LBJ, beschreef bijvoorbeeld in een notitie in 1969 al hoe Johnson verslaggevers om de tuin leidde bij zijn eerste begroting om zo 'de indruk van toewijding aan de economie te vergroten evenals zijn deskundigheid om dat te bereiken'.
2 Later werd de onbehaaglijkheidsindex omgedoopt in de armoede-index en speelde in ten minste twee verkiezingscampagnes om het presidentschap een rol. Jimmy Carter maakte er gebruik van om kritiek te spuien op president Gerald Ford, net als Ronald Reagan in 1980 in zijn kritiek op Jimmy Carter.

HOOFDSTUK 4

1 Volgens de Securities Industry and Financial Markets Association had de Amerikaanse obligatiemarkt in 1980 een totale waarde van 2,24 biljoen dollar, de aandelenmarkt was 1,45 biljoen dollar waard; eind 2006 waren die cijfers respectievelijk 27,4 biljoen en 21,6 biljoen dollar.

HOOFDSTUK 5

1 Wanneer de FOMC die rente wil aanpassen, geeft de commissie aan de zogenoemde open market desk in New York opdracht staatsobligaties aan te kopen dan wel te verkopen. En dan gaat het om miljarden dollars per dag. Wanneer de Fed verkoopt, heeft dit een remmend effect, want er wordt geld dat met de transacties

wordt ontvangen, aan de economie onttrokken, en het heeft een opdrijvend effect op de korte rente; bij aankoop door de Fed gebeurt het omgekeerde. Tegenwoordig wordt die rentestand van de FOMC publiekelijk bekend gemaakt, maar in die tijd was dat nog niet het geval. Ondernemingen aan Wall Street hadden dan ook 'Fed watchers' in dienst die veranderingen in monetair beleid moesten proberen te destilleren uit het optreden van onze commissionairs of uit schommelingen in onze weekstaat.

HOOFDSTUK 6

1 In 1991 vroeg ik Grigori Javlinski, een van de belangrijkste hervormers van Gorbatsjov, hoe het kwam dat deze mensen zo goed op de hoogte waren. Hij lachte toen hij het mij uitlegde: 'In de universiteitsbibliotheken hadden we allemaal toegang tot boeken over econometrie. De partij had nu eenmaal bepaald dat het wiskundige boekwerken waren en dus puur technisch, zonder enige ideologische inhoud.' Uiteraard was de kapitalistische ideologie op allerlei manieren vervat in veel van de vergelijkingen – econometrische modellen gaan over de drijvende krachten van consumentenkeuzes en marktwerking. Zo, aldus Javlinski, waren Sovjeteconomen redelijk goed op de hoogte van de werking van de markt.

2 Marx was zeker niet de eerste die privébezit veroordeelde; de idee dat privé-eigendom zondig is, net als het maken van winst en het vragen van rente voor leningen, heeft diepe wortels in het christendom, de islam en andere religies. Pas de Verlichting bracht tegenwicht met principes die een morele basis verschaften voor eigendom en winst. John Locke, de grote zeventiende-eeuwse Britse filosoof, schreef over het 'natuurlijk recht' van elk individu op 'leven, vrijheid en bezit'. Dat denken had een grote invloed op de Founding Fathers van de Verenigde Staten en vormde de voedingsbodem voor het vrijemarktkapitalisme in Amerika.

HOOFDSTUK 8

1 Deze lezing, die verscheen in *Proceedings of the Business and Economic Statistics Section* van de American Statistical Association, maakte later deel uit van mij proefschrift.

2 Sommigen beweerden dat de aankopen van diensten door goederenproducenten verkeerd berekend werden en dat de toename van de totale productie per uur correct was, maar dat goederenproductie en productie per uur te hoog werden ingeschat ten koste van de productiviteit van de dienstverlening en groei van de productiviteit. Deze uitleg is weliswaar technisch niet onmogelijk, maar is hoogst onwaarschijnlijk.

HOOFDSTUK 9

1 Het bedrag van 660 miljard dollar van het begrotingskantoor van het Congres was de som van de voorspellingen van 1998 tot 2008. Ondertussen voorzag het Witte Huis extra inkomsten in het volgende decennium van in totaal 1,1 biljoen dollar. Het verschil weerspiegelt deels het feit dat de berekeningen van het begrotingskantoor gebaseerd zijn op de huidige wetgeving, terwijl de berekeningen van de regering ervan uitgaat dat het beleid van de regering zal worden uitgevoerd.

2 Het was nog niet bij mij opgekomen dat de overschotten zo groot zouden worden dat de schuld helemaal afgelost kon worden en dat na verloop van tijd de federale

overheid private activa zou doen vergaren. Met dat vooruitzicht werd ik in 2001 geconfronteerd.

3 Toen wisten we het nog niet, maar de reusachtige investeringen die gericht waren op het boven water halen en rationaliseren van alle niet-gedocumenteerde programma's van vóór 2000, hebben in grote mate bijgedragen aan de flexibiliteit en veerkracht van de infrastructuur van de Amerikaanse zakenwereld en overheid. Er waren nu geen ongedocumenteerde 'zwarte dozen' meer die onderzocht moesten worden als er iets fout ging. Ik vermoed dat een fors deel van de toegenomen productiviteit in de jaren die hier direct op volgden, te danken zijn aan die voorzorgsmaatregelen.

HOOFDSTUK 11

1 De definitieve Homeland Security Act was minder draconisch, maar ze beknotte wel een aantal burgerlijke vrijheden omdat ze het de regering makkelijker maakte verzoeken op grond van de Freedom of Information Act af te wijzen door ambtenaren die 'kritische infrastructurele informatie', verkregen van particuliere bedrijven, onthulden, zware straffen op te leggen. En ook door een programma te ontwikkelen dat burgers in hun dagelijks leven kan volgen.

2 Wanneer een huis van eigenaar wisselde, nam de koper bijna altijd een hypotheek die hoger was dan de nog uitstaande hypotheekschuld van de verkoper. De netto toename van de schuld op het huis verdween cash in de zakken van de verkoper. Het vermogen dat op die manier aan een woning wordt onttrokken, lijkt een indicatie van, maar is niet helemaal gelijk aan, de gerealiseerde kapitaalwinst op de verkoop.

HOOFDSTUK 12

1 Het loont de moeite Lockes bewering in zijn *Second Treatise of Civil Government* volledig te citeren: 'Aangezien de mens, zoals bewezen, werd geboren met het recht op volkomen vrijheid en een ongecontroleerd genot van alle rechten en voorrechten van de wet van de natuur, gelijkelijk met andere mensen of groepen mensen in de wereld, heeft hij van nature niet alleen de macht om zijn leven, vrijheid en bezit tegen aanvallen en pogingen daartoe te beschermen, maar ook om overtredingen van die wet in anderen te bestraffen zoals hij denkt dat de overtreding verdient, zelfs met de dood, bij misdaden die zo gruwelijk zijn dat dit naar zijn mening is vereist' (hoofdstuk 7, sectie 87.)

2 Het Chinees Nationaal Volkscongres durfde het in maart 2007 niet aan ondubbelzinnige eigendomsrechten aan het plattelandbewoners toe te kennen.

3 In het Nederlandse geval leidde de grote vraag naar gas tot grote aankopen van guldens, die de waarde van de Nederlandse munt ten opzichte van de dollar, de Duitse mark en alle andere belangrijke valuta, opdreef. Dit betekende dat Nederlandse exportproducten anders dan aardgas duurder werden op de wereldmarkt. De producenten van exportproducten betaalden lonen en andere kosten in guldens, wat, gelet op de hoge stand van de gulden op de internationale valutamarkten, hogere kosten voor hen in dollars en andere munteenheden betekende. Om concurrerend in andere markten te kunnen verkopen, ontvingen exporteurs van andere producten dan aardgas minder guldens voor hun goederen en zouden moeten leven met kleinere winstmarges of – waarschijnlijker – hun prijzen in dollars

moeten verhogen of minder moeten verkopen. Die toestand werd bekend als de Hollandse ziekte, ofschoon de Nederlanders de kwestie zonder grote onrust wisten op te lossen.

4 De cijfers over de armoede in de wereld komen van de Wereldbank en een onderzoek uit 2002 van Xavier Sala-i-Martin van Columbia University. De drempel van één dollar per dag wordt gemeten in dollars uit 1985 op basis van koopkrachtpariteit. Economen gebruiken koopkrachtpariteit als alternatief voor wisselkoersen als ze de productie en inkomens van verschillende landen meten en vergelijken. Het is een nuttige, zij het inexacte methode om de levensstandaard te meten van de inwoners van een economie, deels omdat er rekening wordt gehouden met niet-verhandelbare goederen en diensten, zoals een knipbeurt bij de kapper. De Wereldbank baseert de koopkrachtpariteit op prijzen van basisgoederen en -diensten uit 1985 in lokale valuta, aangepast voor inflatie. De bank gebruikt koopkrachtpariteit in zijn berekening van wereldarmoededrempels van één en twee dollar per dag.

HOOFDSTUK 13

1 Sinds 1888 worden er door het Amerikaanse ministerie van Arbeid en eerdere overheidsinstanties regelmatig onderzoeken van de inkomsten en uitgaven van Amerikaanse consumenten gepubliceerd. Ik heb gegevens verzameld van zeven onderzoeken tussen 1888 en 2004. De ruwe onderzoeksdata leken geen consequent patroon te vertonen totdat ik de verhouding tussen inkomsten en uitgaven van de verschillende inkomensklassen afzette tegen het gemiddelde gezinsinkomen voor ieder afzonderlijk jaar. Toen bleek, net als bij Brady en Friedman, dat bij alle zeven onderzoeken de verhouding tussen uitgaven en inkomsten voor huishoudens die eenderde verdienen van het landelijk gemiddelde, altijd rond de 1,3 lag (dat wil zeggen dat de uitgaven dertig procent hoger liggen dan de inkomsten). Bij huishoudens die twee keer zo veel verdienen als het landelijk gemiddelde, daalt de verhouding tussen uitgaven en inkomsten tot 0,8.

2 Een andere manier om tot dezelfde conclusie te komen, is de observatie dat er geen waarneembare langetermijntrend is voor de spaarquote van huishoudens. Toch blijkt uit alle onderzoeken dat de spaarquota hoger zijn voor de hogere inkomens dan voor de lagere. Als beide stellingen waar zijn (en de verdeling van inkomens niet van haar historische pad afwijkt), moeten huishoudens op ieder gegeven inkomstenniveau van de dollar minder sparen naarmate het totaal van de inkomsten in de loop van de tijd stijgt. Deze neerwaartse trend in sparen moet rechtstreeks gerelateerd zijn aan het groeitempo van het gemiddelde gezinsinkomen.

3 Voedsel is natuurlijk een zeer bruikbare benadering voor het vaststellen van het bestaanminimum, dat los zou moeten staan van de positie in de inkomenspikorde die een huishouden inneemt.

4 In sommige gevallen worden overheden er door politieke belemmeringen van weerhouden instellingen in het leven te roepen of op te heffen om beter de culturele keuzes van hun burgers te weerspiegelen.

5 Bij het berekenen van de index wordt aan alle tien elementen even veel gewicht toegekend. De mate van correlatie zou toenemen als men de wegingen laat veranderen op basis van de tijdreekscorrelatie.

6 De tragedie van de ontbossing van de regenwouden in het Braziliaanse Amazonegebied is dat de bewoners ervan bomen moeten omhakken om te kunnen overleven.

7 In sommige eurolanden zijn al wel ingrijpende hervormingen doorgevoerd. Vooral Ierland en Nederland hebben programma's ontwikkeld om het werkloosheidscijfer omlaag te krijgen. En de onvolledige arbeidshervormingen die Duitsland eerder dit decennium doorvoerde, hebben wellicht meer effect dan eerder werd gedacht.

HOOFDSTUK 14

1 De buitenlandse investeringen werden zeker aangemoedigd door het loslaten van de prijzen in een groot deel van de detailhandel. In 1991 was bijna zeventig procent van de detailhandelsprijzen marktgericht – bijna het dubbele van het percentage in 1987, toen de eerste bewijzen verschenen dat de centrale planning achter het IJzeren Gordijn haperde. Eind jaren tachtig werd de importheffing op onderdelen en componenten voor exportgoederen flink verlaagd, waardoor de export winstgevender werd.
2 Tiger Woods werd bij beide toernooien tweede. Wel protesteerden er bij een aantal Chinese universiteiten studenten tegen plannen van het bestuur om 'trainingsbanen' aan te leggen waar men de sport zou kunnen leren. Toch werd er in maart 2007 weer een internationaal golftoernooi gehouden, op het Chinese eiland Hainan.
3 Het Amerikaanse ministerie van Handel berekent bijvoorbeeld prijsindices voor goederen die uit China werden geïmporteerd op basis van vaste wegingcoëfficiënten. In 2005 ging 21 procent van de totale Chinese export naar de Verenigde Staten.
4 Door de vraag naar producten uit lagelonenlanden stijgt de vraag naar valuta van het producerende land ten opzichte van die van andere landen. De waarde van de munt waarnaar een grotere vraag is, zal stijgen ten opzichte van andere muntsoorten. En die stijging zet meestal door tot de lonen, aangepast voor de wisselkoers (en productiviteitsverschillen), stijgen tot het niveau van dat van de concurrerende landen.
5 Het Chinese politieke bevel om zich te verzetten tegen een stijging van de waarde van de RMB heeft tot grote consternatie geleid onder politici uit de Verenigde Staten en uit andere landen. Ze geloven, onterecht, dat het laag houden van de waarde van de RMB een belangrijke oorzaak is van het feit dat de Verenigde Staten veel importeren en dat er daardoor veel banen in de industrie verloren gaan. Een stijging van de RMB zou waarschijnlijk het handelstekort met China verkleinen, maar niet het algemene tekort van de Verenigde Staten. Amerikaanse importeurs zouden gewoon op zoek gaan naar andere lagelonenlanden ter vervanging van de niet langer concurrerende Chinese exportproducten. (De $1 biljoen sinds 2001 ingekochte valuta bestaat uit dollars, en andere muntsoorten omgerekend in dollars.)

HOOFDSTUK 15

1 Met een vaste wisselkoers tegen de dollar werden er dollars geleend om investeringen te financieren in hoogrenderende leningen aan Oost-Aziatische leners. Met een vrije wisselkoers werd het risico van dergelijke transacties een stuk groter.
2 Export minus import kan voor welk land dan ook nooit groter zijn dan het BBP minus de verandering van de voorraden, en voor de wereld als geheel is de export gelijk aan import. Maar er is geen grens aan brutostromen.
3 Toch zijn de Indiase importheffingen nog twee keer zo hoog als het gemiddelde

voor Zuidoost-Aziatische landen, waardoor de kosten van onderdelen en materialen ten behoeve van de export hoger worden. India produceert nog steeds slechts 2,5 procent van de wereldhandel in goederen en diensten. China is goed voor 10,5 procent.

4 De eigendomsrechten in India worden in belangrijke mate ondergraven door de kosten voor het afdwingen van een contract. Volgens de Wereldbank duurt het 425 tot 1165 dagen (afhankelijk van de staat) om een contract voor een Indiase rechtbank afgedwongen te krijgen. Negen tiende van het land in India is onderhevig aan geschillen over eigenaarschap.

5 De groei van de Indiase industriële productie is sinds 2004 toegenomen, maar het land loopt nog steeds achter op de Chinese groei in diensten en vooral in industriële productie.

HOOFDSTUK 16

1 In hetzelfde interview van 1 maart zei Gorbatsjov: 'Als land in een overgangsfase is het onvermijdelijk dat bepaalde vrijheden worden beknot en dat er fouten worden gemaakt. Maar ik ben ervan overtuigd dat onze president niet probeert een autoritair bewind te vormen.' Hij maakte deze opmerkingen ironisch genoeg op Radio Free Europa, het Amerikaanse radiostation dat werd opgericht als tegenhanger voor de Sovjetpropaganda. Tijdens een interview op 18 augustus 2006, eveneens op Radio Free Europa, voegde hij eraan toe: 'Rusland wordt er regelmatig van beschuldigd dat de democratie en de persvrijheid er worden onderdrukt. Maar de meeste Russen zijn het daar niet mee eens. We bevinden ons op een lastig historisch keerpunt. De overgang naar democratie is niet gladjes verlopen... Toen Poetin aan de macht kwam, wilde hij in de eerste plaats voorkomen dat het land uiteenviel, en hiervoor waren bepaalde maatregelen nodig die niet bepaald democratisch waren volgens het boekje. Ja, er is zeker sprake van zorgwekkende anti-democratische tendensen... Maar ik zou de situatie niet willen dramatiseren.'

2 Een wel heel opvallende uitzondering is het Russische aardgasmonopolie Gazprom, opgericht in 1992. De prijsstelling en rantsoenering van de voorraden doen denken aan de ondoorzichtigheid en inefficiency van de centrale planning van de Sovjets. De enorme infrastructuur aan pijpleidingen veroudert en wordt niet goed onderhouden.

3 Op lange termijn heeft het algemene prijsniveau de neiging de geldvoorraad te volgen, aangezien prijzen in termen van geld worden gedefinieerd – bijvoorbeeld vier dollar voor een schepel graan. In eenvoudige termen geldt dat hoe meer geld er uitstaat om de stroom geproduceerde goederen en diensten te kopen, hoe hoger de gemiddelde prijs.

HOOFDSTUK 17

1 Bij de ministers van Financiën en presidenten van centrale banken van de G20 horen ook de monetaire autoriteiten van de G7 (Canada, Frankrijk, Duitsland, Italië, Japan, het Verenigd Koninkrijk, de Verenigde Staten) en twaalf andere landen (Argentinië, Australië, Brazilië, China, India, Indonesië, Mexico, Rusland, Saoedi-Arabië, Zuid-Afrika, Zuid-Korea en Turkije, en de Europese Unie).

2 Petróleos Mexicanos (PEMEX) het monopolistische staatsbedrijf dat die buitenlandse bedrijven opvolgde, zit in de problemen. Als het bedrijf er niet in slaagt de

eerder verboden buitenlandse hulp te krijgen bij het boren in diep water, zullen de verouderde reserves afnemen.

3 Voor de implementatie van bepaalde wetten zijn wellicht supermeerderheden nodig. In de Verenigde Staten kan een presidentieel veto bijvoorbeeld alleen door een supermeerderheid ongedaan worden gemaakt – maar het waren de meerderheden in de assemblees van de dertien oorspronkelijke staten die de Grondwet goedkeurden en ervoor kozen op die manier bestuurd te worden.
4 Veel Founding Fathers vreesden dat het Amerikaanse meerderheidsbeginsel zonder de eerste tien amendementen van de grondwet –de Bill of Rights – zou neerkomen op tirannie.

HOOFDSTUK 18

1 Over het algemeen wordt bij de berekening van het nationale inkomen vastgesteld dat het verschil tussen de binnenlandse besparingen en de binnenlandse investeringen gelijk is aan de netto buitenlandse besparingen; de netto buitenlandse besparingen komen min of meer overeen met de lopende rekening.
2 Ik twijfel er niet aan dat de aankoop van honderden miljarden dollars door de Chinese monetaire autoriteiten om de waarde van de munt te drukken, succesvol is geweest. Het Chinese financiële systeem is nog steeds zodanig primitief dat er maar weinig uit de markt voortkomende tegenzetten tegen die aankopen plaatsvinden. Maar dat is schijnbaar niet het geval met Japan. Er zijn weinig bewijzen dat de aankoop van honderden miljarden dollars door Japan om de koers van de yen te drukken, veel effect heeft gehad. Japan is onderdeel van een zeer geavanceerd internationaal financieel systeem dat enorme hoeveelheden obligaties kan verwerken zonder dat dit meer dan een marginaal effect heeft op de rentetarieven en wisselkoersen. Er kan bijvoorbeelden voor miljarden dollars aan Amerikaans schatkistpapier worden geruild voor gelijkwaardige sommen in high-grade bonds tegen bescheiden kosten in termen van basispunten. Er kunnen met andere woorden grote aankopen of verkopen van Amerikaans schatkistpapier worden gedaan met slechts een bescheiden uitwerking op de rentetarieven. Hetzelfde geldt voor de wisselkoersen. De Japanse monetaire autoriteiten kochten een aantal jaren geleden in één dag twintig miljard dollar, zonder dat dit veel invloed leek te hebben op de wisselkoers van de yen. Maanden later refereerde ik in het openbaar aan de ondoelmatige aankoop, omdat ik me onvoldoende bewust was van de politieke gevoeligheid van dergelijke operaties. Mijn Japanse vrienden konden er niet om lachen. En in maart 2004 stopten de Japanners na een periode van zeer agressieve interventie ten behoeve van de yen opeens abrupt. Het had nauwelijks invloed op de wisselkoers.
3 Als de binnenlandse besparingen voor elk land precies gelijk waren aan de binnenlandse investeringen, zouden alle lopende rekeningen in evenwicht zijn, en zouden er geen verschillen zijn in de spreiding van dergelijke balansen. Het bestaan van tekorten op de lopende rekening vereist daarom een correlatie tussen de binnenlandse besparingen en de binnenlandse investeringen – die een weerspiegeling is van de home bias – van minder dan 1,0.
4 'Risicogecorrigeerd' is een term die economen gebruiken om aan te geven dat risicovolle investeringen, als investeerders worden verleid om deze te doen, een hogere opbrengst vereisen om de mogelijke verliezen te compenseren. De risico-

correctie is een schatting van hoeveel van de opbrengst uit die extra compensatie bestaat.

5 Om vergelijkingen te vergemakkelijken worden alle valuta naar dollars omgerekend op basis van marktwisselkoersen. Koopkrachtpariteit, de belangrijkste andere manier van omrekening, is weinig geschikt voor internationale stromen van besparingen en investeringen. Voor de wereld als geheel moeten de besparingen gelijk zijn aan de investeringen, ongeacht de valuta. Voor de jaren 2003 tot 2005 was de absolute waarde van de statistische discrepanties tussen de besparingen en investeringen 330 miljard dollar jaarlijks in koopkrachtpariteit gerekend, maar slechts 66 miljard dollar in marktwisselkoersen.

6 Ik negeer het feit dat niet alle claims tegen Amerikanen in dollars zijn, en niet alle dollarclaims, zoals eurodollars, aan Amerikanen zijn. De overlap tussen claims in dollars en die aan Amerikanen is groot genoeg om dit verschil te negeren.

7 Mij wordt vaak gevraagd waarom dit een probleem is, gezien het feit dat alle Amerikaanse activa in dollars zijn. Accepteren ze geen betalingen in dollars? Ja, gewoonlijk doen ze dat wel. Maar als handelscrediteuren besluiten om de dollarbetalingen vast te houden, verhogen ze hun investeringen in Amerikaanse activa. Maar als ze hun dollar aan derden verkopen (voor hun eigen valuta), zouden die derden in Amerikaanse activa investeren. Als niemand meer Amerikaanse activa wil tegen de huidige prijs, moeten de dollars uiteindelijk met korting worden verkocht op de markt voor buitenlandse valuta, waardoor er een neerwaartse druk ontstaat op de waarde van de dollar.

8 Er zijn in feite een paar kleine vereffenende boekingen van kapitaaloverdrachten nodig om een evenwicht op de lopende rekening te verkrijgen.

9 Dit is waar, of we nu het inkomen van individuele entiteiten, het bruto binnenlands inkomen of het equivalente bruto binnenlands product gebruiken. Er is geen inkomensverlies in de consolidatie van individuele inkomens in een nationaal totaal.

10 Een uitzondering vormen de tekorten op de lopende rekening van het Amerika van na de Burgeroorlog, die vooral waren ontstaan door de buitenlandse financiering van het enorme spoorwegnet dat tot het eind van de eeuw een groot deel van de Amerikaanse economische activiteit vergde.

11 De overschotten en tekorten worden gemeten als inkomen voor buitengewone items, plus ontwaarding, minus kapitaaluitgaven. De toegevoegde waarde van bedrijven wordt uitgedrukt in brutomarge, of verkopen minus kosten van verkochten goederen.

12 De maatstaf berekent de besparingen minus investeringen bij de zeven geconsolideerde niet-financiële sectoren die worden vastgelegd in Amerikaanse macro-economische statistieken: huishoudens, ondernemingen, bedrijven die niet agrarisch of commercieel zijn, boerderijen, plaatselijke overheden en staatsoverheden, de federale overheid en de rest van de wereld. Ik reken er ook de sector 'de rest van de wereld' toe, omdat de overschotten en tekorten van Amerikanen ermee worden gemeten, zelfs al weerspiegelen ze de accumulatie van nettoclaims op, of verplichtingen aan, buitenlanders. De andere zes sectoren weerspiegelen nettoclaims op, of verplichtingen aan, inwoners van het eigen land.
We beschikken over veel gegevens over de consequenties van overschotten en tekorten: niveaus van ongeconsolideerde schulden en activa. De zaak zou natuurlijk alleen exact gelijk zijn als bepaalde economische entiteiten uitsluitend tekorten

kenden en de overige altijd een overschot. De cumulatie van tekorten zou de verandering in uitstaande ongeconsolideerde schulden opleveren en cumulatie van de overschotten zou de verandering in activa opleveren. Als dat zo was, dan konden we daar de mate van spreiding van schattingen van ongeconsolideerde activa en passiva uit afleiden. In de afgelopen halve eeuw stijgt de mate van verandering in activa en passiva inderdaad in verhouding tot het nominale BBP, met uitzondering van de ongebruikelijke periode 1986 tot 1991, toen de instorting van de spaar- en leenindustrie de schuldencijfers vertekende. Dat is op zich geen bewijs voor de stijgende spreiding, maar slechts een cijfer dat overeenkomt met mijn veronderstelling over een toename in de spreiding dat op lange termijn groter is dan de toename van het nominale BBP.

13 Tussen 1995 en 2006 steeg het aandeel van niet-financiële verplichtingen van bedrijven aan buitenlanders sterk als percentage van de totale financiële verplichtingen van bedrijven. De verhouding van verplichtingen van de Amerikaanse schatkist aan buitenlanders steeg in die periode van 23 naar 44 procent. Buitenlandse leningen aan Amerikaanse huishoudens zijn altijd verwaarloosbaar geweest.

14 Cumulatieve tekorten van individuele economische entiteiten zullen de nettoschulden vergroten – dat wil zeggen, de brutoschulden minus de financiële activa. In de overgrote meerderheid van de gevallen zullen de brutoschulden evenveel stijgen als de nettoschulden.

15 De trend richting verspreiding van financiële onevenwichtigheden tussen landen speelt waarschijnlijk niet alleen in de Verenigde Staten, maar ook in andere landen. Het bestaan van een dergelijke trend wordt gesuggereerd door de toename van ongeconsolideerde niet-financiële schulden van de grote industriële economieën, exclusief de Verenigde Staten, in de afgelopen dertig jaar, die groter was dan de toename van de het BBP met 1,6 procentpunt per jaar.

16 Het feit dat na de invoering van de euro veel prijzen van identieke goederen in eurolidstaten hardnekkig uiteen blijven lopen, wordt geanalyseerd in John H. Rogers (2002). Voor de Amerikaanse en Canadese prijzen, zie Charles Engels en John H. Rogers (1996).

17 De correlatie coëfficiënt maatstaven van home bias zijn afgevlakt sinds 2000. Dat geldt eveneens voor de mate van spreiding. Dit komt overeen met de Amerikaanse berekening voor een stijgend aandeel van de tekorten.

18 Van het equivalent van de meer dan 40 biljoen dollar voor internationaal bankieren en internationale obligatie claims die door de private sector voor het eind van het derde kwartaal 2006 werden gerapporteerd aan de Bank voor Internationale Betalingen, was 43 procent in dollars en 39 procent in euro's. Monetaire autoriteiten zijn wat meer geneigd om dollarverplichtingen vast te houden. Aan het eind van het derde kwartaal 2006 was van het equivalent van de 4,7 biljoen dollar die werd vastgehouden als buitenlandse-valutareserves, ongeveer tweederde dollars en ongeveer eenkwart euro's.

HOOFDSTUK 19

1 Ik heb nog een boek uit mijn studententijd, *Economics and the Public Welfare*, waarin de gepensioneerde econoom Benjamin Anderson het idealisme en optimisme van die verloren tijd oproept op een manier die ik nooit meer ben vergeten: 'Degenen die de wereld van voor de Eerste Wereldoorlog als volwassene hebben meege-

maakt, of haar als zodanig begrepen, kijken er met weemoed op terug. Er heerste een gevoel van veiligheid dat daarna nooit meer is teruggekomen. Vooruitgang was vanzelfsprekend... Decennium na decennium groeide de politieke vrijheid, werden er meer democratische instellingen ingevoerd, werd de levensstandaard voor de massa beter... Wat financiële zaken betreft vertrouwde men op de goede trouw van regeringen en centrale banken. Zij waren niet altijd in staat hun beloften gestand te doen, maar als ze dat niet konden, schaamden ze zich en namen ze maatregelen om hun beloften zo goed mogelijk na te komen.'

2 De overal dalende transportkosten en de dramatische afname van de communicatiekosten toen de wereld door glasvezelkabel werd omspannen, zijn extra stimulansen geweest voor de internationale handel.

3 Zelfs tegenwoordig wordt een significant deel van de besparingen op de wereld verspild in de zin dat er grotendeels improductieve investeringen mee worden gedaan, vooral in de publieke sector.

4 Veel, maar zeker niet alle toegenomen Amerikaanse toegevoegde waarde afkomstig van financiële dienstverlening, komt terecht in New York, de thuishaven van de New York Stock Exchange en veel van de grootste financiële instellingen van de wereld. Maar de toegevoegde waarde wordt ook over de gehele Verenigde Staten verspreid, waar eenvijfde van het BBP ter wereld vandaan komt en gefinancierd moet worden. Londen is natuurlijk een steeds grotere rivaal van New York en een internationaal financieel centrum (volgens de meeste maatstaven overtreft het New York wat betreft internationale financiën), maar bijna alle Britse financiële activiteit vindt in Londen plaats. De financiële behoeften van de rest van Groot-Brittannië zijn klein in vergelijking met die van de Verenigde Staten.

5 Ik heb altijd gedacht dat het betalingssysteem volledig in handen van particulieren zou moeten zijn, maar ik merkte dat Fedwire, het elektronische systeem om fondsen over te boeken van de Fed, iets te bieden heeft wat geen enkele private bank kan: risicoloze eindafrekeningen. De discount window van de centrale bank fungeert als 'lender of last resort', een functie die de private sector niet kan bieden zonder de aandeelhouderswaarde van de bank in de waagschaal te stellen.

6 Fraude vernietigt het hele marktproces omdat de marktdeelnemers moeten kunnen vertrouwen op de geloofwaardigheid van de andere marktdeelnemers.

HOOFDSTUK 20

1 Typerender was bijvoorbeeld het patroon van de lange rente in 1994. In februari en in de daarop volgende maanden verhoogden we de federal funds rate met een totaal van 175 basispunten, met als doel om verhoogde inflatieverwachtingen af te remmen. De rente op lange termijn schuldpapier steeg. Pas toen we eind 1994 de federal funds rate nog eens 75 basispunten hadden verhoogd, nam de rente af.

2 In september onderhandelde Volkswagen over een soortgelijke overeenkomst om het gemiddelde uurloon te verlagen in ruil voor het behoud van banen die zouden verdwijnen als de fabriek zou verhuizen.

3 Uit een van mijn eerste statistische analyses voor de National Industrial Conference Board, meer dan een halve eeuw geleden, bleek dat Amerikaanse boeren een groter deel van hun inkomen spaarden dan stedelingen, hoewel ze gemiddeld minder verdienden. In de stad hoefde men geen geld opzij te zetten voor tegenzittende weersomstandigheden, waarmee alle boerengezinnen in die tijd te maken kregen.

Destijds kenden boeren bijna uitsluitend andere boeren en was het stedelijke bestedingspatroon nog niet volledig doorgedrongen tot de boerengemeenschap.

4 De buitenlandse investeringen in China stegen, zoals eerder opgemerkt, geleidelijk tussen 1980 en 1990, maar stegen vervolgens tot 2006 met een factor zeven, toen eenmaal duidelijk werd dat marktkapitalisme de doelmatigste weg was naar welvaart. Of dat nu klopte of niet, de buitenlandse investeerders moeten gedacht hebben dat de Chinese overheid dit invoerden in hun soms niet helemaal heldere rechtsstaat.

5 Een klein probleem bij een dergelijke evaluatie is dat de geregistreerde besparingen en investeringen worden gescheiden door een statistische discrepantie.

6 Mits de voorgenomen investeringen als aandeel van het BBP natuurlijk niet tegelijkertijd ook dalen.

7 De Amerikaanse reputatie wordt echter wat verminderd door het dwarsbomen van opvallende buitenlandse acquisities – bijvoorbeeld van Unocal, dat in 2005 door een Chinees bedrijf zou worden overgenomen, en van een bedrijf dat Amerikaanse havens bestuurde dat in 2006 door Dubai Ports World werd verworven.

8 Omdat gemeten prijzen gewoonlijk wat hoger worden voorgesteld dan ze zijn, gaat het bij een gerapporteerde prijsstijging van 1 procent waarschijnlijk om een economie met prijsstabiliteit.

HOOFDSTUK 21

1 De standaardmaatstaf voor de inkomensverdeling van huishoudens, de 'Gini-coëfficiënt', steeg bijvoorbeeld tussen 1985 en 2005 geleidelijk van .403 naar .469. In enquêtes wordt aan iedere respondent even veel gewicht toegekend, en er zijn veel meer mensen met een lager en middeninkomen die het slecht doen dan mensen met een hoog inkomen die het goed doen.

2 Als het reële arbeidsinkomen een vast aandeel is van het reële nationale inkomen of BBP, dan $L = aY$, waarbij L het reële arbeidsinkomen voorstelt, Y het reële BBP en a het arbeidsaandeel in het BBP. $L = wh$, waarbij w staat voor het reële loon en h voor het aantal gewerkte uren. Aangezien $wh = aY$, $w = a(Y/h)$, waar (Y/h) de reële productie per uur voorstelt. Als het arbeidsaandeel op lange termijn vast is, moet het reële loon dus in vaste verhouding staan tot de productie per uur.

3 De percentages zijn schattingen die overeenkomen met gegevens van het Bureau of Labor Statistics over salarissen (leidinggevenden versus niet-leidinggevenden), gemiddelde uurlonen van niet-leidinggevenden, en totale lonen en salarissen inclusief bonussen en optieregelingen geschat door het ministerie van Handel naar aanleiding van kwartaalrapporten die door bijna alle werkgevers werden ingediend bij het ministerie van Arbeid.

4 Er zijn maar weinig gegevens over de verdeling tussen arm en rijk in de negentiende eeuw, maar het grote aandeel van inkomen op bezit bevestigt de anekdotische bewijzen uit die jaren. De afname in inkomensconcentratie in de jaren dertig tot aan de Tweede Wereldoorlog was het gevolg van de afgenomen waarde van activa en kapitaalverliezen, de zeer gespannen arbeidsmarkten van de Tweede Wereldoorlog en de loon- en prijsbeheersing die de vrije werking van vraag en aanbod belemmerden. Een van de consequenties van die beheersing was trouwens de opkomst van een door het bedrijf betaalde ziektekostenverzekering als middel om werknemers aan te trekken van wie de lonen waren bevroren. De consequenties van dat systeem zijn maar al te zichtbaar bij de Amerikaanse fabrikanten van dit moment.

5 Het onderzoek en de vervolgonderzoeken zijn te vinden op de website van het International Study Center, http://timss.bc.edu.
6 Veel onderwijskundigen en docenten in Singapore verbazen zich ironisch genoeg over de ondernemersvaardigheden van de Amerikaanse jeugd.
7 Ondanks de scherpe stijging van de inkomensconcentratie in de afgelopen kwarteeuw, zijn er interessant genoeg weinig bewijzen dat de inkomensverdeling in de Verenigde Staten ingrijpend is veranderd.
8 Vanaf 1862 gunde de federale overheid land (en later ook geld) aan de staten voor de oprichting van onderwijsinstellingen waar techniek, landbouw en militaire tactiek werden onderwezen. Cornell, Texas A&M, de University of California in Berkeley en Penn State behoren tot de meer dan honderd instellingen die onder het landtoewijzingsprogramma werden opgericht.
9 De toename van de inkomensspreiding tussen goed opgeleide en minder goed opgeleide werknemers wereldwijd doet vermoeden dat het tekort aan vaardigheden een wereldwijd probleem is. Omdat de internationale migratie zo wordt beperkt, komt de 'prijs' voor vaardigheden wereldwijd niet overeen. Het is duidelijk een groter probleem in de Verenigde Staten dan elders. Het toelaten van goed opgeleide immigranten in de Verenigde Staten zou de lonen van niet-Amerikaanse hoog opgeleide werknemers daarom onder opwaartse druk zetten en de inkomensconcentratie in bescheiden mate doen toenemen. Ook het salarisniveau van goed opgeleide Amerikanen zou lager worden.

HOOFDSTUK 22

1 Het vruchtbaarheidscijfer dat hier wordt gebruikt, is het totale vruchtbaarheidscijfer. Het wordt gemeten als het gemiddelde aantal kinderen dat een vrouw tijdens haar leven zou krijgen, op basis van het gemiddelde geboortecijfer tijdens haar leven.
2 Tot de trustees (toezichthouders) van het sociale-zekerheidsstelsel en Medicare horen de ministers van Financiën en Arbeid en twee openbare toezichthouders die door de president worden benoemd.
3 Hoewel het steeds vaker mogelijk is op oudere leeftijd te werken, gaan Amerikanen steeds jonger met pensioen. In 1940 was de gemiddelde leeftijd waarop mannen met pensioen gingen bijvoorbeeld 69 jaar, en in 2005 nog maar 62.
4 We zouden ook van het buitenland kunnen lenen, waarmee we de Amerikaanse voorraad fysiek kapitaal zouden vergroten. We zouden zodoende echter ook een schuld aan buitenlanders opbouwen die we in de toekomst moeten financieren – dat wil zeggen een kleiner deel van ons toekomstige BBP zou beschikbaar zijn voor consumptie door Amerikaanse burgers.
5 Gelukkig zijn de kosten van Medicare deel D, het programma voor medicijnen op recept, lager dan wat er aanvankelijk werd voorspeld (wat zelden voorkomt). Misschien heeft het programma de concurrentie gekweekt die het ook had moeten scheppen. Maar het blijft een grote, groeiend, ongefinancierde uitgave.
6 Het is niet zeker hoeveel er bezuinigd moet worden om de uitgaven voor medische diensten te verlagen. Een paar jaar geleden vroeg ik de medewerkers van de Fed een simulatie te maken van het niveau van de medische dienstverlening tot en met 2004, ervan uitgaande dat de rechten op Medicare en Medicaid werden uitgeoefend. De medewerkers concludeerden dat de uitgaven slechts een beetje hoger zouden zijn. De marktefficiency zou echter aanzienlijk zijn geweest.

7 Daarbij bezaten ze nog eens 3,7 biljoen dollar aan individuele pensioenen (*individual retirement accounts* of IRA's)
8 Collectieve ziektekostenverzekeringen betaalden nog eens 581 miljard dollar extra uit, maar vooral aan mensen onder de 65.

HOOFDSTUK 23

1 Er spelen aantoonbaar ook andere factoren. Maar wereldwijde concurrentie kan geen belangrijke factor zijn omdat de salarissen voor topfunctionarissen in Europa en Japan lang niet zo sterk zijn gestegen als die in de Verenigde Staten. Het argument dat raden van bestuur uit vriendjes bestaan, is misschien een verklaring voor de hoogte van de topsalarissen, maar niet de nog sterkere toename van de afgelopen jaren. Vriendjespolitiek speelde vroeger juist een grotere rol.
2 De aandelenwaarde van een individueel bedrijf concurreert met alle andere aandelen om de portfoliokeuze van beleggers. Als een of meer bedrijven daarom goed presteren en hun aandelenprijs omhooggaat, lijken de aandelenprijzen van minder goed presterende bedrijven verhoudingsgewijs minder aantrekkelijk. Daarom vertonen prijsbewegingen van aandelen die totaal niet verwant zijn, een significante correlatie.
3 Er lijkt voortdurend met aandelenopties te worden geknoeid, zoals ook bleek uit het schandaal in het najaar van 2006, waarbij opties geantedateerd bleken.
4 Crystal veranderde later van mening en werd een criticus van het proces waarmee beloningen in het bedrijfsleven worden bepaald.
5 Dit is alleen zo, als de ontvanger van de opties voor de gek is gehouden wat betreft de werkelijke winst van het bedrijf.
6 Deze aanpassing corrigeert alleen de noemer (het aantal aandelen) van de ratio van opbrengsten per aandeel. De discussie draait om de inschatting van de teller (wat er wordt verdiend). Door optieregelingen kan het aantal uitstaande aandelen worden vergroot en daardoor kunnen de opbrengsten per aandeel dalen.
7 De uitgaven aan opties kunnen alleen bij benadering worden gegeven. Maar ook alle andere inkomsten zijn alleen bij benadering te geven. Bovendien geeft ieder bedrijf, tenzij de opties worden uitgeoefend, een schatting van de uitgaven aan opties op de winst-en-verliesrekening. Dat getal bedraagt voor de meeste bedrijven natuurlijk precies nul. Waren optieregelingen werkelijk zonder waarde of kosten voor het bedrijf?

HOOFDSTUK 24

1 Volgens het Internationaal Energie Agentschap verdubbelden tussen 2000 en 2005 de wereldwijde uitgaven aan exploratie en ontwikkeling, maar omdat de kosten met meer dan 10 procent per jaar stegen, was de stijging in reële termen minder dan 4 procent per jaar. Maar dat was niet voldoende om de oliereserves te converteren in adequate groei van de productiecapaciteit voor ruwe olie.
2 Het is buitenlandse bedrijven verboden te investeren in de olie- en gasreserves van Saoedi-Arabië, Koeweit en Mexico. De meeste landen met nationale oliemaatschappijen verbieden nu de facto toegang van buitenlandse bedrijven.
3 Het is een van de eigenaardigheden van de geschiedenis dat een spoorwegcommissie de arbiter werd van het evenwicht van de vraag en het aanbod van olie op de wereld. Hoewel de commissie oorspronkelijk slechts de Texaanse spoorwegen

moest reguleren, werd ze later ingezet om ruwe olie te verdelen.

4 Na mijn opmerking dat de snelle toename van Amerikaanse olieconsumptie vóór 1973 ongevoelig leek voor prijsveranderingen, vreesde ik dat de stijging van de olieprijs die nodig zou zijn om de vraag te laten dalen tot het productieniveau dat het gevolg zou zijn van een langdurig embargo, politiek niet aanvaardbaar zou zijn. President Nixon voerde in 1971 tenslotte een aantal loon- en prijsbeheersingsmaatregelen door om de onrust over de inflatie weg te nemen.

5 In dagprijzen (ook wel: locoprijzen) is in principe niet alleen de kennis verdisconteerd die marktdeelnemers hebben van de krachten die de dagprijzen bepalen, maar ook wat ze weten over de toekomstige prijzen. Wanneer marktdeelnemers denken dat er een grote prijsstijging aankomt, zullen de prijzen van langlopende termijncontracten stijgen en de dagprijs zal die stijging volgen. Als de dagprijs beneden die van termijncontracten met een langere looptijd (rekening houdend met de kosten van het voorraadbeheer) ligt, kunnen speculanten olie kopen, de termijncontracten voor de verre toekomst verkopen, de olie opslaan, rente betalen over het geld dat ze leenden om de olie vast te houden en, bij beëindiging van het contract, de olie leveren en de winst incasseren. Deze arbitrage gaat door totdat de dagprijs gelijk is aan de kosten van de prijs van het termijncontract minus de kosten van het voorraadbeheer.

6 Tijdens de lange periode (1986–1999) van lage olieprijzen waren er minder banen in de olie-industrie en werden ze ook minder aantrekkelijk gevonden. Het aantal mensen dat zich bezighield van de winning van olie of gas, daalde van een hoogtepunt van 271.000 mensen in juli 1982 tot 118.000 mensen eind 2003. De werkgelegenheid herstelde zich sterk tot en met 2007. Het aanbod van arbeid houdt geen gelijke tred met de vraag. Sinds najaar 2004 is het gemiddelde uurloon in de olie-industrie sneller gestegen dan dat van het hele land.

7 Bij de steeds omvangrijker exploitatie van Athabasca-teerzand wordt energie uit aardgas gebruikt. Hiervoor wordt een groot deel van het Canadese gas ingezet.

8 In 2006 kwam tweederde van onze import van vloeibaar aardgas uit Trinidad, onze belangrijkste duurzame leverancier.

9 Er zijn maar weinig gegevens over de wereldwijde productie en dus over het verbruik van olie. De OESO stelt redelijk goede gegevens samen over de olieproductie, het olieverbruik en de olievoorraden in industrielanden. Maar de olieproductie in OESO-landen is slechts een kwart van die van de wereldproductie. De productiecijfers van de meeste OESO-leden zijn staatsgeheim. Er worden schattingen gemaakt door spotters die de aantallen en capaciteit bijhouden van tankers die exporthavens verlaten. Ze kijken naar de diepgang van de schepen om het aantal tonnen aan boord te kunnen schatten. Door te achterhalen (deels bij de ontvangers van de geëxporteerde olie) hoeveel de olie per vat weegt, kunnen deze spotters het geschatte tonnage omrekenen naar vaten. Schattingen van het binnenlands verbruik worden aan de export toegevoegd om de productie te berekenen.
Hoewel dit grove schattingen zijn, zijn de gegevens van het Internationaal Energie Agentschap over de algemene toestand van de wereldolie in evenwicht. De helft van de raffinagecapaciteit bevindt zich in OESO-landen en wordt daar accuraat gemeten door de OESO. Een groot deel van de rest wordt gerapporteerd of redelijk geschat. De boekhouding klopt volledig als de wereldproductie van ruwe olie, na bijstelling voor de voorraden, gelijk is aan de instroom van ruwe olie in raffinade-

rijen. De afwijkingen zijn kleiner dan ik zou hebben ingeschat.

10 Het ministerie van Energie onderschatte de prijselasticiteit van olie op lange termijn. De prijselasticiteit bepaalt de prijsverandering die nodig is om vraag en aanbod in overeenstemming te brengen. Hoe lager de prijselasticiteit hoe meer de prijzen moeten veranderen om het voorspelde aanbod in overeenstemming te brengen met de vraag.

HOOFDSTUK 25

1 Ik vind de vaak geciteerde verklaring dat het om programmahandel ging, niet overtuigend. Toen de prijzen kelderden, hadden verkopers de programmahandelknop kunnen omdraaien.

2 Een paar eeuwen geleden bedroeg de werkweek 64 uur; dit aantal uren daalde constant tot de gemiddelde werkweek in fabrieken meteen na de Tweede Wereldoorlog veertig uur bedroeg, wat sindsdien gelijk is gebleven. De verschuiving naar de dienstensector, waar de werkweek korter is, is te merken aan de algemene afname van het wekelijkse gemiddelde.

3 Tot op de dag van vandaag is de productie per uur op boerderijen minder dan in niet-agrarische regio, ondanks de opmerkelijk toename van de opbrengsten van landbouw en veeteelt sinds het einde van de Tweede Wereldoorlog.

4 De groei vertraagde na (en waarschijnlijk ook vanwege) de sterke toename van de energiekosten in de jaren zeventig. Door de bloeiperiode van de technologie nam de productie per uur in de afgelopen tien jaar sneller toe, waardoor de trend op langere termijn werd hersteld.

5 Het terughalen van aandeelhouderskapitaal uit ondernemingen met weinig rooskleurige investeringsmogelijkheden om dit te investeren in bedrijven met de nieuwste technologie, is een belangrijk voorbeeld van de financiering van creatieve destructie.

6 Een deel van het BBP wordt gemeten naar input, en niet naar output. Er wordt daarom impliciet van uitgegaan dat er geen productiviteitsgroei is.
Het is denkbaar dat economen in 2030 een nieuwe manier zullen hebben bedacht om de productiviteit van een economie rechtstreeks te meten, in plaats van indirect, via de output per uur.

7 Tien jaar later onderzocht Moore zijn analyse nogmaals en schreef hij: 'Ik had geen idee dat deze voorspelling accuraat was, maar verrassend genoeg kregen we geen vertienvoudiging in tien jaar, maar een vernegenvoudiging.' Hij voegde eraan toe dat het tempo van verdubbeling zou vertragen tot een nog steeds verbazingwekkende eens per twee jaar. Moores inzicht houdt al veertig jaar stand.

8 Ik herinner me een bezoek in de jaren zestig aan een kleine stempelfabriek die rond de eeuwwisseling was gebouwd, waar ik getroffen werd door de ongewone bouw van het geheel. Tientallen jaren later begreep ik pas dat ik een van de laatst overgebleven voorbeelden van een bepaald aspect van de Amerikaanse industriële geschiedenis had bezocht.

9 De lage inflatie was het gevolg van constante arbeidskosten per eenheid product, die weer het resultaat waren van toegenomen investeringen in, maar vooral de vertraagde toepassing van eerdere technologieën. Professor David toonde de buitengewone vertraging aan tussen de technologische vooruitgang en de consequentie van een stijgende totale factorproductiviteit, een maatstaf van toegepaste techno-

logie en andere inzichten. Die desinflatoire periode duurde slechts een paar jaar en kwam ten einde met de militaire opbouw voor de Vietnamoorlog. Een veel grotere desinflatie deed zich voor als consequentie van het einde van de Koude Oorlog.

10 De productiviteitstoename van de afgelopen decennia is voornamelijk te danken aan de voortdurende verbetering en uitbreiding van netwerken van onderling verwante technologieën. Door innovatie veroudert een deel van de bestaande netwerken, omdat er nieuwe technologieën ontstaan om ze te vervangen. Maar op ieder gegeven moment in het proces heeft slechts een deel van wat technologisch bekend is, de tijd gehad om te worden toegepast. Inkoopmanagers zeggen jaar na jaar consequent dat slechts de helft van hun faciliteiten die nieuwste technologie in huis heeft. Er wordt voortdurend aan netwerken gebouwd, wat impliceert dat bij voltooiing de productiviteit zal stijgen. Of die onvoltooide netwerken over bijvoorbeeld twee of vier jaar zijn voltooid, is van grote invloed op het groeitempo van de productiviteit.

11 Hoewel in India de callcenters en bloeiende hightechindustrie voor krantenkoppen zorgen, werken veruit de meeste mensen in de primitieve agrarische sector. Ik verwacht dat het migratietempo van het platteland naar steden die exportgoederen en -diensten produceren, zal stijgen, maar voorlopig zijn de cijfers nog niet hoog.

12 De stijgende exportprijzen die door China worden gerapporteerd, lijken het gevolg te zijn van een belangrijke verandering van de samenstelling van exportgoederen. Er worden steeds meer duurdere producten geëxporteerd. De prijsindexcijfers van de Amerikaanse import hebben een vaste weging.

13 Dit proces wordt sterk beïnvloed door import die concurreert met binnenlandse goederen, en vooral import met substantieel lagere arbeidskosten. Als een importeur 10 procent korting biedt op de geldende marktprijs, zullen degenen die hem niet volgen marktaandeel verliezen. Als ik een binnenlandse producent ben met een bescheiden marktaandeel, kan het verlies van marktaandeel rampzalig zijn als ik mijn prijzen handhaaf en de andere binnenlandse producenten gaan wel mee met de prijs van de importeur. Het risico daarvan is vaak te hoog. Daarom leiden kleine hoeveelheden import vaak tot prijsverlagingen voor de hele Amerikaanse binnenlandse markt.

14 Uit historische berekeningen blijkt dat bankpresidenten vaak meer geneigd waren om te verlagen dan de leden van de Board. Benoemingen van bankpresidenten worden niet door de Senaat bevestigd, de gouverneurs wel.

15 Britse 'consols', die het negentiende-eeuwse equivalent waren van het Amerikaanse langlopend schatkistpapier, leverden tussen 1840 en de Eerste Wereldoorlog een vaste waarde op van ongeveer 3 procent. Voor de interessante achtergrond, zie Sidney Homer en Richard Sylla, *A History of Interest Rates*.

16 Dit was ook de periode begin jaren zestig met de schijnbaar abnormaal lage inflatie. Deze periode vertoonde veel van de kenmerken van de huidige wereldwijde desinflatie. Zoals ik eerder opmerkte, leek de oorzaak op de nasleep van de Koude Oorlog wat betreft het niet-economische: de verlate commerciële toepassing van nieuwe militaire technologie tijdens de Tweede Wereldoorlog en de grote achterstand met uitvindingen uit de jaren dertig.

17 De Chinese spaarquota zijn zowel het resultaat van de lage voorgenomen overheidsuitgaven voor gezondheidszorg en pensioenen als van de enorme besparingen van het bedrijfsleven.

18 De olie-exporterende landen rapporteerden 349 miljard dollar aan buitenlandse valuta aan het eind van 2006, vergeleken met slechts 140 miljard dollar aan het eind van 2002.

19 China is begonnen aan een aangekondigd programma om een deel van de enorme reserves aan buitenlandse valuta (1,2 biljoen in dollars en het dollarequivalent van de enorme reserves aan andere activa dan dollars) te diversifiëren.

20 Zo'n ruil ('swap') is iets heel anders dan de liquidatie van aandelen waarvan de waarde daalt omdat de verwachtingen over de toekomstige opbrengsten dalen. In dat geval neemt de totale waarde van aandelen af. Er komt niets voor terug. Het is geen ruil.

21 Volgens de BIB en het IMF bezaten de centrale banken en de private sector (in portfolio's buitenlandse liquide activa) begin 2007 bijna vijftig biljoen dollar aan buitenlandse valuta. Binnenlandse niet-financiële schulden zijn ook beschikbaar als substituut voor Amerikaans schuldpapier, waarschijnlijk voor een geringe prijsconcessie. Dergelijke schulden netto van buitenlandse bezittingen van de Verenigde Staten en Japan waren eind 2006 alleen al goed voor 33 biljoen dollar.

22 Er wordt vaak gezegd dat veel bedrijven hun prijs verlagen om concurrenten uit de markt te drijven. Maar met deze strategie kan je alleen winnen als je kosten consequent lager zijn dan die van de concurrenten. Het is beslist kortzichtig om de prijzen weer te verhogen nadat potentiële concurrenten zich uit de markt hebben teruggetrokken. Ik heb dit zelden meegemaakt in de zestig jaar dat ik het bedrijfsleven observeer.

23 Het anti-trustbeleid is in de Verenigde Staten in de negentiende eeuw ontstaan en heeft zich in de twintigste-eeuwse wet ontwikkeld in reactie op beschuldigingen van prijsafspraken en andere overtredingen van toenmalige opvattingen van hoe markten horen te werken. Ik heb altijd gevonden dat het concurrentiemodel dat gerechtshoven gebruiken om inbreuken te beoordelen, niet uitblonk door economische efficiency. Ik vrees dat toepassing van dat twintigste-eeuwse model op markten van de eenentwintigste eeuw nog contraproductiever zal zijn. De markt bevrijden door het afschaffen van subsidies en concurrentieremmende regels, is in mijn oordeel altijd het beste anti-monopoliebeleid geweest.

24 De Amerikaanse industrie zal tegen 2030 waarschijnlijk de grootste verliezer blijken wat betreft het aandeel in het BBP. Vanwege doorgaande productiviteitsgroei zal het aantal banen in de industrie bovendien eveneens dalen.

25 In de praktijk staat de Britse *common law* schenken van eigendommen aan levende mensen toe, maar niet aan toekomstige generaties, waardoor de eigendommen in feite tot in de eeuwigheid vastgehouden kunnen worden.

26 Een belangrijk deel van de politieke controle door overheden na de oorlog vond plaats via economische maatregelen.

27 Ik kom ook tot de conclusie dat het succes van vijf- en tienjarige economische voorspellingen evenzeer afhangt van een voorspelling van de mate waarin de rechtsstaat fungeert als onze meest geavanceerde econometrische instrumenten.

EEN OPMERKING OVER DE BRONNEN

Bijna alle gegevens voor mijn bespreking van de economie en het economisch beleid in *Een turbulente tijd* zijn gebaseerd op openbaar toegankelijke bronnen: websites en publicaties van statistische onderzoeksbureaus van de overheid, ondernemingen en beroepsverenigingen. Bij de Amerikaanse overheid werden onder andere geraadpleegd: het Bureau of Economic Analysis and the Census Bureau, beide van het ministerie van Handel; het Bureau of Labor Statistics en andere afdelingen van het ministerie van Arbeid; het Congressional Budget Office; het Office of Management and Budget; het Office of the Comptroller of the Currency; de Social Security Administration; de Federal Deposit Insurance Corporation; het Office of Federal Housing Enterprise Oversight; en natuurlijk de Raad van Gouverneurs van de Federal Reserve. Geraadpleegde internationale bronnen zijn onder andere: het Internationaal Monetair Fonds, de Wereldbank, de Bank voor Internationale Betalingen, de Organisatie voor Economische Samenwerking en Ontwikkeling, en statistische instellingen van andere landen, zoals het Bureau van de Statistiek van China, het Federale Statistische Bureau van Duitsland (Destatis), en de centrale banken.

Specialisten bij tientallen organisaties, associaties en bedrijven reageerden behulpzaam op verzoeken om informatie en gegevens: de Aluminium Association, het American Iron and Steel Institute, het American Presidency Project, de American Water Works Association, de Association of American Railroads, de Can Manufacturers Institute, het Center for the Study of the American Electorate, de Conference Board, de Europese Bank voor Wederopbouw en Ontwikkeling, Exxon Mobil, het Food Marketing Institute, de George Washington High School, Global Insight, de Heritage Foundation, JP Morgan Chase, de Juilliard School, het National Bureau of Economic Research, de National Cotton Council of America, de NYU Leonard N. Stern School of Business, de Securities Industry and Financial Markets Association, Standard & Poor's, de U.S. Senate Historical Office, de U.S. Senate Library, Watson Wyatt, en Wilshire Associates. De websites van CNET, Gary S. Swindell, Intel, *Wired* en WTRG Economics waren eveneens nuttig.

De autobiografische gedeelten zijn gebaseerd op een grote verscheidenheid van bronnen (contemporaine en historische, gepubliceerde en ongepubliceerde) en op gesprekken met kennissen en vrienden wier namen in de Verantwoording zijn te vinden.

De orale historici Erwin C. Hargrove en Samuel A. Morley interviewden mij in 1978 uitgebreid over mijn eerst jaren als voorzitter van de Raad van Economische Adviseurs. Bij het schrijven van hoofdstuk 3 (Een ontmoeting van politiek en economie) gebruikte ik het ongepubliceerde transcript van dat interview, evenals de geredigeerde versie die in hun boek verscheen. Ik maakte ook gebruik van mijn aantekeningen voor speeches en vergaderingen tijdens de decennia die ik als consultant werkte, en van de artikelen en essays die ik in de jaren voor publicatie schreef. Mijn scripts voor het programma *Nightly Business Report* van het Public Broadcasting System, waarin ik in de jaren tachtig regelmatig verscheen, waren eveneens een nuttige bron.

Hoofdstuk 3 en hoofdstuk 4 (Ambteloos burger) zijn deels gebaseerd op de getuigenverklaringen die ik als voorzitter van de Raad van Economische Adviseurs en als voorzitter van de National Commission on Social Security Reform aflegde. De ontwikkeling in mijn denken over economisch en openbaar beleid kan worden nagegaan in de afschriften van honderden van mijn speeches en verklaringen voor het Congres en als voorzitter van de Federal Reserve Board. Speeches en verklaringen zijn ook online te raadplegen via FRASER, het Federal Reserve Archival System for Economic Research (http://fraser. stlouisfed. org/historicaldocs), op de website van de Federal Reserve (www.federalreserve. gov/newsevents.htm) en door middel van verzoeken aan de Fed met een beroep op de Freedom of Information Act. Soms citeer ik letterlijke besprekingen binnen de Fed. Deze zijn afkomstig van notulen van vergaderingen van de Federal Open Market Committee, die op de website van de Federal Reserve staan (tot en met 2001). Alle citaten uit hoorzittingen van het Congres zijn te vinden het in het openbare overheidsarchief, dat toegankelijk is via de website van het Government Printing Office (www.gpoaccess. gov/chearings/index.html), de Library of Congress en via andere wegen.

Tijdens mijn periode bij de Federal Reserve verscheen ik bewust niet op televisie en gaf deed ik zelden persinterviews voor rechtstreekse publicatie. Ik gaf echter wel achtergrondinterviews. Hoofdstuk 5 tot en met 11, die over mijn carrière bij de Fed gaan, zijn gebaseerd op gesprekken in de loop der jaren met Bob Woodward. Hij was zo genereus om de transcripts daarvan, die ook de basis vormden van *Maestro*, zijn boek over mij en de Fed, beschikbaar te stellen voor dit project. Het verhalende hoofdstuk 7 (Een Democraat en zijn agenda), over gesprekken met Paul O'Neill tijdens zijn periode als minister van Financiën, zijn gebaseerd op verslagen uit *The Price of Loyalty*, het boek dat hij schreef in samenwerking met journalist Ron Suskind. Mijn herinneringen aan de ontmoetingen en ervaringen met Bob Rubin en Larry Summers in hoofdstuk 8, 9 en 10 staan op soortgelijke wijze in het krijt bij de memoires van minister Rubin, *In an Uncertain World*, die hij samen met de journalist Jacob Weisberg schreef.

Mijn herinneringen aan de instorting van het systeem van centrale planning en de groei van de wereldwijde kapitalistische markt (hoofdstuk 6, De val van de Muur; hoofdstuk 19, Globalisering en regulering; en elders in het boek) zijn deels gebaseerd op *The Commanding Heights* van Daniel Yergin en Joseph Stanislaw. Op de bijbehorende website (www.pbs.org/commandingheights) staan interviews met wereldleiders en journalisten die in het boek worden geciteerd. Veel gaten in mijn kennis over recente technologische ontwikkelingen werden opgevuld door *The World is Flat* van Tom Friedman.

Voor dit boek werden Bill Clinton, Stephen Breyer, Bob Rubin, Martin Anderson, Gene Sperling, Paul David en anderen geïnterviewd. Dit verslag is ook veel verschuldigd aan het werk van mijn biografen. En het hele verhaal is beïnvloed door en geïnspireerd op *Talking Back... to Presidents, Dictators, and Assorted Scoundrels*, de memoires van mijn vrouw Andrea Mitchell.

Ik heb geprobeerd de onvermijdelijke geheugenfouten te vermijden door citaten, feiten en beschrijvende details uit primaire bronnen, kranten en tijdschriften en televisie (vooral de *New York Times*, de *Financial Times*, de *Wall Street Journal*, de *Washington Post*, de BBC, de *Economist*, *Newsweek* en *Time*), standaard naslagwerken, archiefdiensten en bureaus voor marktgegevens. *Een turbulente tijd* is gebaseerd op kennis die in de loop van zestig jaar werd verzameld. Er zouden even veel bladzijden voor nodig zijn als dit boek telt om al mijn bronnen te noemen, als ik ze me al zou kunnen herinneren. Er volgt een beknopte bibliografie van boeken en artikelen.

BIBLIOGRAFIE

Allen, Frederick Lewis, *The Lords of Creation*, New York: Harper & Brothers, 1935.

Anderson, Benjamin M., *Economics and the Public Welfare. Financial and Economic History of the United States, 1914–1946*, New York: D. Van Nostrand, 1949.

Anderson, Martin, *Revolution*, San Diego: Harcourt Brace Jovanovich, 1988.

Baker, James A., III, met Steve Fiffer, *'Work hard, study... and keep out of politics!' Adventures and Lessons from an Unexpected Public Life*, New York: G.P. Putnam's Sons, 2006.

Becker, Steven K., *Back from the Brink. The Greenspan Years*, New York: John Wiley & Sons, 1996.

Beman, Lewis, 'The Chastening of the Washington Economists'. *Fortune*, januari 1976.

Bergsten, C. Fred, Bates Gill, Nicholas Lardy en Derek Mitchell, *China. The Balance Sheet*, New York: Public Affairs (Perseus Books), 2006.

Breyer, Stephen, 'The Uneasy Case for Copyright. A Study of Copyright in Books, and Computer Programs'. *Harvard Law Review* 84, no. 2 (december 1970): pp. 281-355.

Burck, Gilbert, en Sanford Parker, 'The Coming Turn in Consumer Credit'. *Fortune*, maart 1956.

–, 'The Danger in Mortgage Debt'. *Fortune*, april 1956.

Burns, Arthur F., en Wesley C. Mitchell, *Measuring Business Cycles*, New York: National Bureau of Economic Research, 1946.

Cannon, Lou, *Reagan*, New York: G.P. Putnam's Sons, 1982.

Cardoso, Fernando Henrique, met Brian Winter, *The Accidental President of Brazil. A Memoir*, New York: Public Affairs, 2006.

Chernow, Ron, *Alexander Hamilton*, New York: Penguin Press, 2004.

–, *The House of Morgan. An American Banking Dynasty and the Rise of Modern Finance*, New York: Touchstone, 1990.

–, *Titan. The Life of John D. Rockefeller, Sr.*, New York: Random House, 1998.

David, Paul A., 'The Dynamo and the Computer. An Historical Perspective on the Modern Productivity Paradox'. *American Economic Review* 80, no. 2 (mei 1989): pp. 355-361. Zie ook Davids langere artikel: 'Computer and Dynamo. The Modern Productivity Paradox in a Not-Too-Distant Mirror'. *Center for Economic Policy Research* 172, Stanford University (juli 1989).

Dornbusch, Rudiger, en Sebastian Edwards (red.), *The Macroeconomics of Populism in Latin America*, Chicago: University of Chicago Press, 1991.

Eichengreen, Barry, en David Leblang, 'Democracy and Globalization'. *Bank for International Settlements Working Papers* 219 (december 2006).

Engel, Charles, en John H. Rogers, 'How Wide Is The Border?' *American Economic Review* 80 (1996): pp. 1112-1125.

Feldstein, Martin, 'There's More to Growth than China...' *Wall Street Journal*, 16 februari 2006.

Ford, Gerard R., *A Time to Heal. The Autobiography of Gerald R. Ford*, New York: Harper & Row/Reader's Digest Association, 1979.

Friedman, Thomas L., *De wereld is plat. Ontdekkingsreis door een geglobaliseerde wereld*, Amsterdam: Nieuw Amsterdam, 2006.

Garment, Leonard, *Crazy Rhythm. From Brooklyn and Jazz to Nixon's White House, Watergate, and Beyond*, New York: Times Books, 1997.

Gerstner, Louis V. jr., 'Math Teacher Pay Doesn't Add Up'. *Christian Science Monitor*, 13 december 2004.

Goldman, Eric, *The Tragedy of Lyndon Johnson*, New York: Alfred A. Knopf, 1969.

Gorbachev, Mikhail, 'Rosneft Will Reinforce Russian Reform'. *Financial Times*, 12 juli 2006.

Gordon, Robert, Thomas J. Kane en Douglas O. Staiger, 'Identifying Effective Teachers Using Performance on the Jobs'. *The Hamilton Project Policy Brief* 2006-01. Washington, D.C.: Brookings Institution (april 2006).

Greenspan, Herbert, *Recovery Ahead! An Exposition of the Way We're Going Through 1936*, New York: H.R. Regan, 1935.

Hammond, Bray, *Banks and Politics in America. From the Revolution to the Civil War*, Princeton, N.J.: Princeton University Press, 1957.

Hargove, Erwin, en Samuel Morley (red.), *The President and the Council of Economic Advisers. Interviews with CEA Chairmen*, Boulder, Colo.: Westview Press, 1984.

Heilbroner, Robert, *The Worldly Philosophers. The Lives, Times, and Ideas of the Great Economic Thinkers*, New York: Touchstone, 1999.

Heritage Foundation, 'Index of Economic Freedom 2007', www.heritage.org/index/ (geraadpleegd op 24 maart 2007).

Homer, Sidney, en Richard Sylla, *A History of Interest Rates*, New Brunswick, N.J.: Rutgers University Press, 1991.

Hubbard, Glenn, met Eric Engen, 'Federal Government Debt and Interest Rates'. *NBER Macroeconomics Annual 2004*. Cambridge, Mass.: MIT press, 2005.

Ingersoll, Richard M., *Out of Field Teaching and the Limits of Teacher Policy: A Research Report*. Center for the Study of Teaching and Policy, University of Washington (september 2003).

Keynes, John Maynard, *Economic Consequences of the Peace*, New York: Harcourt, Brace and Howe, 1920. www.historicaltextarchive.com/books. php?op=viewbook@bookid=12 (geraadpleegd op 24 maart 2007).

–, *The General Theory of Employment, Interest and Money*, New York: Harcourt, Brace, 1936.

Klein, Joe, *The Natural. The Misunderstood Presidency of Bill Clinton*, New York: Coronet, 2002.

Lazear, Edward P., 'Teacher Incentives'. *Swedish Economic Policy Review* 10 (2003): pp. 179-214.

Lefèvre, Edwin, *Reminiscences of a Stock Operator*, Hoboken, N.J.: John Wiley & Sons, 2005.

Locke, John, *The Second Treatise of Civil Government*. Londen: A. Millar, 1764. www.constitution.org/jl/2ndtreat.htm (geraadpleegd op 6 april 2007).

Luce, Edward, *In Spite of the Gods. The Strange Rise of Modern India*, Londen: Little Brown, 2006.

Maddison, Angus, 'Measuring and Interpreting World Economic Performance 1500-2001'. *Review of Income and Wealth* 51 (maart 2005): pp. 1-35.

–, 'The Millennium: Poor Until 1820'. *Wall Street Journal*, 11 januari 1999.
–, *The World Economy. A Millennial Perspective*. Parijs: Development Center of the Organization for Economic Cooperation and Development, 2001.
–, *The World Economy. Historical Statistics*, Parijs: Development Center of the Organization for Economic Cooperation and Development, 2003.
McLean, Iain, 'Adam Smith and the Modern Left'. Lezing gehouden op de MZES/Fakultät Kolloquium, Universiteit van Mannheim, 15 juni 2005. www.nuffield.ox.ac.uk/Politics/papers/2005/mclean%20smith.pdf (geraadpleegd 24 maart 2007).
Martin, Justin, *Greenspan. The Man Behind Money*, Cambridge, Mass.: Perseus, 2000.
Mitchell, Andrea, *Talking Back... to Presidents, Dictators, and Assorted Scoundrels*, New York: Penguin Books, 2007.
Ned Davis Research Inc., *Markets in Motion. A Financial Market History 1900–2004*, New York: John Wiley & Sons, 2005.
Ottaviano, Gianmarco I.P., en Giovanni Peri, 'Rethinking the Effects of Immigration on Wages'. *NBER Working Papers* 12497 (augustus 2006).
Perlack, Robert D., Lynn L. Wright, Anthony F. Turhollow et al., *Biomass as Feedstock for a Bioenergy and Bioproducts Industry. The Technical Feasibility of a Billion-Ton Annual Supply*. Oak Ridge, Tenn.: Oak Ridge National Laboratory, 2005. http://feedstockreview.ornl.gov/pdf/billion%5Fton%5Fvision.pdf (geraadpleegd 17 april 2007).
Piketty, Thomas, en Emmanuel Saez, 'Income Inequality in the United States, 1913–2002' (november 2004). http://elsa.berkeley.edu/~saez/ (geraadpleegd 28 maart 2007).
Rand, Ayn, met Nathaniel Branden, Alan Greenspan en Robert Hessen, *Capitalism. The Unknown Ideal*, New York: New American Library, 1966.
Reeves, Richard, *President Reagan. The Triumph of Imagination*, New York: Simon & Schuster, 2005.
Rogers, John H., 'Monetary Union, Price Level Convergence, and Inflation. How Close Is Europe to the United States?' *Board of Governors of the Federal Reserve System, International Finance Discussion Paper* 740 (2002).
Rubin, Robert E., en Jacob Weisberg, *In an Uncertain World. Tough Choices from Wall Street to Washington*, New York: Random House, 2003.
Sala-i-Martin, Xavier, 'The World Distribution of Income (Estimated from Individual Country Distributions)'. *NBER Working Papers* 8933 (2002).
Schumpeter, Joseph Alois, *Capitalism, Socialism and Democracy*, New York: Harper & Row, 1975.
Sen, Amartya, 'Democracy as a Universal Value'. *Journal of Democracy* 10, no. 3 (1999): pp. 3-17.
Siegel, Jeremy J., *Stocks for the Long Run. The Definitive Guide to Financial Market Returns and Long-Term Investment Strategies*, New York: McGraw-Hill, 2002.
Smith, Adam, *An Inquiry into the Nature and Causes of the Wealth of Nations*, Fifth edition, Londen: Methuen & Co., 1904. www.econlib.org/library/Smith/smWN.html (geraadpleegd op 24 maart 2007).
–, *Lectures on Jurisprudence*. Vol. 5 of *Glasgow Edition of the Works and Correspondence of Adam Smith*, Indianapolis: Liberty Fund, 1982. http://oll.libertyfund.org/ToC/0141-06.php (geraadpleegd 24 maart 2007).
–, *The Theory of Moral Sentiments*, New York: Oxford University Press, 1976.

Strouse, Jean, *Morgan. American Financier*, New York: Random House, 1999.
Suskind, Ron, *The Price of Loyalty. George W. Bush, the White House, and the Education of Paul O'Neill*, New York: Simon & Schuster, 2004.
United States, *Historical Statistics of the United States. Colonial Times to 1970*, Washington, D.C.: U.S. Dept. of Commerce, Bureau of the Census, 1975.
United States, *The Report of the President's Commission on an All-Volunteer Armed Force*, New York: MacMillan, 1970.
Useem, Jerry, 'The Devil's Excrement'. *Fortune*, 3 februari 2003.
Volcker, Paul, en Toyoo Gyohten, *Changing Fortunes. The World's Money and the Threat to American Leadership*, New York: Times Books, 1992.
Woodward, Bob, *De Clan. In het Witte Huis van Clinton*, Amsterdam: Uitgeverij Balans, 1994.
Woodward, Bob, *Maestro. Greenspan's Fed and the American Boom*, New York: Simon & Schuster, 2005.
Woodward, Bob, *Staat van ontkenning*, Amsterdam: Uitgeverij Balans, 2006.
Yergin, Daniel, *The Prize. The Epic Quest for Oil, Money, and Power*, New York: Simon & Schuster, 1991.
Yergin, Daniel, en Joseph Stanislaw, *The Commanding Heights. The Battle Between Government and the Marketplace That Is Remaking the Modern World*, New York: Simon & Schuster, 1998.

REGISTER